보광의 구사론기에 의한

아비달마구사론 中

보광의 구사론기에 의한

아비달마구사론 中

김윤수 역주

한산암

차례(중권의)

제4 분별업품分別業品

제5 분별수면품分別隨眠品

阿毘達磨俱舍論
아비달마구사론

第三 分別世品
제3 분별세품

尊者世親 造
존자세친 조

三藏法師玄奘 奉詔譯
삼장법사현장 봉조역

아비달마구사론
제8권

제3 분별세품分別世品[1](의 1)

제1장 유정세간과 기세간

제1절 3계

제1항 총설

3계에 의거해 마음 등을 분별했으니, 이제 다음으로 3계는 무엇이며, 각각 그 안의 처소의 차별에는 몇 가지가 있는지 설명해야 할 것이다.[2] 게송

1 '분별세품'에서 '세'는 세간世間을 말하니, 훼손되고 무너질 수 있기 때문[可毁壞故]이고, 대치할 것이 있기 때문[有對治故]인데, 이 품에서 자세히 밝히기 때문에 '분별'이라고 이름한 것이다. 다음에 세품을 밝히는 까닭은, 위의 2품에서 유루와 무루를 전체적으로 밝혔으므로 이하 6품에서 유루와 무루를 개별적으로 밝히는데, 전체적인 것이 그 근본인 까닭에 먼저 밝혔고, 전체적인 것에 의거해 개별적인 것을 해석하는 까닭에 개별적인 것을 뒤에 밝히는 것이다. 개별적으로 밝히는 6품에 나아가면 앞의 3품은 개별적으로 유루법을 밝히고, 뒤의 3품은 개별적으로 무루법을 밝히니, 유루는 거칠게 드러나는 까닭에 먼저 밝히고, 무루는 미세한 까닭에 뒤에 밝힌다. 유루를 개별적으로 밝히는 것에 나아가면 세품은 유루의 과보를 밝히고, 업품은 유루의 원인[因]을 밝히며, 수면품은 유루의 조건[緣]을 밝히는데, 3품에 나아가면 과보의 모습이 거칠게 드러나는 까닭에 먼저 밝히는 것이다.

2 세품에 나아가면 첫째 유정세간을 밝히고, 둘째 기세간을 밝힌다. 유정세간을 밝히는 것에 나아가면, 첫째 유정을 전체적으로 분별하고, 둘째 취聚의 차별을 판별한다. 유정을 전체적으로 분별하는 것에 나아가면 첫째 유정의 생生을 밝히고, 둘째 유정의 주住를 밝히며, 셋째 유정의 몰沒을 밝힌다. 유정의 생을 밝히는 것에 나아가면, 첫째 3계를 밝히고, 둘째 5취趣를 밝히며, 셋째 7식주를 밝히고, 넷째 9유정거를 밝히며, 다섯째 4식주를 밝히고, 여섯째 4생을 밝히며, 일곱째 중유를 밝히고, 여덟째 연기를 밝히며, 아홉째 4유를 밝힌다. 이하에서 첫째 3계를 밝히는데, 앞을 맺으면서 물음을 일으킨 것이다. 앞 품의 끝에서 3계에 의거해 여러 마음을 분별했으니, 이제 다음으로 3계는 무엇이며, 각각

으로 말하겠다.

1 지옥, 방생, 아귀와[地獄傍生鬼]
인간 및 6욕천을[人及六欲天]
욕계의 20처라고 이름하니[名欲界二十]
지옥과 주의 차이 때문이다[由地獄洲異]

2 이 위의 17처를[此上十七處]
색계라고 이름하는데, 그 중[名色界於中]
3정려는 각각 3처이고[三靜慮各三]
제4정려는 8처이다[第四靜慮八]

3 무색계는 처소가 없지만[無色界無處]
태어남에 의해 네 가지가 있는데[由生有四種]
중동분 및 명근에 의지해[依同分及命]
마음 등을 상속하게 한다[令心等相續][3]

자계 중 처소의 차별에 몇 가지가 있는지 말해야 한다는 것이다. # 이상 설명된 제3품의 내용을 이 책의 편성과 대비해서 요약해 보이면 아래 도표와 같다.

<table>
<tr><td rowspan="12">유정
세간</td><td rowspan="11">유정</td><td rowspan="10">생</td><td colspan="2">제1장 유정세간과 기세간</td><td rowspan="7">제8권</td></tr>
<tr><td>3계</td><td>제1절</td></tr>
<tr><td>5취</td><td>제2절</td></tr>
<tr><td>7식주</td><td>제3절</td></tr>
<tr><td>9유정거</td><td>제4절</td></tr>
<tr><td>4식주</td><td>제5절</td></tr>
<tr><td>4생</td><td>제6절</td></tr>
<tr><td>중유</td><td>제7절</td><td>제8~9권</td></tr>
<tr><td>연기</td><td rowspan="2">제2장 12연기</td><td rowspan="2">제9~10권</td></tr>
<tr><td>4유</td></tr>
<tr><td>주·몰</td><td colspan="2" rowspan="2">제3장 유정의 주·몰과 3취</td><td rowspan="2">제10권</td></tr>
<tr><td colspan="2">취聚의 차별</td></tr>
<tr><td rowspan="2">기
세간</td><td colspan="2" rowspan="2"></td><td colspan="2">제4장 기세간과 유정의 크기·수명</td><td>제11권</td></tr>
<tr><td colspan="2">제5장 시공간의 단위와 4겁</td><td>제12권</td></tr>
</table>

제2항 욕계

논하여 말하겠다. 지옥 등의 네 곳 및 6욕천六欲天과 아울러 기세간器世間을 욕계라고 이름한다. 6욕천이란 첫째 사대왕중천四大王衆天, 둘째 삼십삼천三十三天, 셋째 야마천夜摩天, 넷째 도사다천睹史多天, 다섯째 낙변화천樂變化天, 여섯째 타화자재천他化自在天이다.[4]

이와 같은 욕계의 처소의 차별에는 몇 가지가 있는가?[5] 지옥과 주洲의 차이 때문에 20처가 된다. 8대지옥을 지옥의 차이라고 이름했는데, 첫째 등활지옥等活地獄, 둘째 흑승지옥黑繩地獄, 셋째 중합지옥衆合地獄, 넷째 호규지옥號叫地獄, 다섯째 대규지옥大叫地獄, 여섯째 염열지옥炎熱地獄, 일곱째 대열지옥大熱地獄, 여덟째 무간지옥無間地獄이다. 주洲의 차이라고 말한 것은 4대주를 말하는 것인데, 첫째 남섬부주南贍部洲, 둘째 동승신주東勝身洲, 셋째 서우화주西牛貨洲, 넷째 북구로주北俱盧洲이다. 이와 같은 12처와 아울러 6욕천, 방생傍生과 아귀餓鬼의 처소가 20처를 이룬다. 만약 유정계有情界라면 타화자재천으로부터 무간지옥에 이르기까지, 만약 기세계器世界라면 나아

3 이는 곧 바로 분별하는 것이다. 첫 게송은 욕계를 밝히는 것이고, 제2게송은 색계를 밝히는 것이며, 제3게송은 무색계를 밝히는 것이다.

4 장항에 나아가면 첫째 게송의 글을 해석하고, 둘째 문답해서 분별하는데, 이는 게송의 글을 바로 해석하는 것이다. 여섯 하늘이 욕계에 있으므로 6욕천이라고 이름하는데, 『현종론』 제16권(=대29-853중)에서 말하였다. "오직 6욕천만 오묘한 욕락의 경계[妙欲境]를 향수한다. 6욕천이란 첫째 4대왕중천이니, 말하자면 거기에는 4대왕 및 그 다스림을 받는 천중[衆]들이 있다. 혹은 그 하늘의 대중들은 4대왕을 섬기니, 4대왕의 다스림을 받기 때문이다. 둘째 삼십삼천이니, 말하자면 그 하늘의 처소는 33부의 천신들이 사는 곳이다. 묘고산 정상의 4면에 각각 8부의 천중이 있고, 중앙에 하나, 곧 천제석이 있기 때문에 '33천'이다. 셋째 야마천이니, 여기 말로는 시분時分이다. 말하자면 그 하늘의 처소에서는 때때로 대부분[時時多分] '아주 즐겁구나!'라고 일컫는다. 넷째 도사다천이니, 여기 말로는 희족喜足이다. 말하자면 그 하늘의 처소에서는 대부분 자신이 향수하는 것에 대해 기꺼이 만족하는 마음[喜足心]이 생긴다. 다섯째 낙변화천이니, 말하자면 그 하늘의 처소에서는 자주 욕락의 경계를 변화시키고, 거기에서 즐거움 받는 것을 즐긴다. 여섯째 타화자재천이니, 말하자면 그 하늘의 처소에서는 남이 변화시킨 욕락의 경계에서 자재하게 즐거움을 누린다."

5 물음이다.

가 풍륜風輪에 이르기까지가 모두 욕계에 포함된다.[6]

제3항 색계

이 욕계 위에 17처가 있다. 말하자면 3정려는 처소가 각각 셋이 있고, 제4정려는 처소가 유독 여덟이 있는데, 그 기세간 및 유정을 전체적으로 색계라고 이름한다.

제1정려에 처소가 셋이 있다고 한 것은, 첫째 범중천梵衆天, 둘째 범보천梵輔天, 셋째 대범천大梵天이다. 제2정려에 처소가 셋이 있다고 한 것은, 첫

6 답이다. 『순정리론』 제31권(=대29-516중)에서 앞의 7지옥을 해석하였다. "온갖 괴로움이 몸을 핍박해서 자주 죽은 것처럼 기절했다가 이내 소생하여 본래와 같기 때문에 등활이라고 이름하였다. 말하자면 그 유정들은 갖가지 자름·찌름·갊·찧음[斫刺磨擣]을 만났어도 거기에서 불어오는 시원한 바람을 잠시 만나면 이내 소생하여 본래와 같으니, 이전과 같이 생존하기[等前活] 때문에 등활이라는 이름을 세운 것이다. 먼저 검은 줄로써 지체를 묶은 뒤에 비로소 베고 자르기 때문에 '흑승'이라고 이름하였다. 중다한 괴로움의 도구가 함께 와서 몸을 핍박할 때 합당하여 서로 해치기 때문에 '중합'이라고 이름하였다. 온갖 괴로움으로 핍박받을 때 다른 부류로 슬피 부르짖고[悲號] 원망으로 울부짖는 소리[叫聲]를 일으키기 때문에 '호규'라고 이름하였다. 극심한 괴로움으로 핍박받아 큰 소리를 지르고 슬피 울부짖으며[發大酷聲悲叫] 원망하는 소리를 지르기 때문에 '대규'라고 이름하였다. 불이 몸을 따라 돌면 치열한 화염이 둘러싸서 뜨거운 괴로움을 견디기 어렵기 때문에 '염열'이라고 이름하였다. 안에서든 밖에서든 자신의 몸이든 남의 몸이든 모두 맹렬한 불을 뿜어 상호 서로 태우고 해치면 열 중의 극한이기 때문에 '극열'이라고 이름하였다." 또 이 논서의 아래 글에서 제8지옥 해석하기를, 괴로움을 받는 것에 틈이 없기 때문에 무간이라고 이름하였고, 즐거울 틈 없이 괴롭기 때문에 무간이라고 이름하였다고 말한다.

4대주라고 말한 것에서, 남섬부주는 숲을 좇아 이름을 세웠거나, 과실로써 이름을 표방한 것이고, 동승신주는 몸의 형상이 뛰어나기 때문이거나 혹은 몸이 섬부주보다 뛰어나기 때문에 '승신'이라고 이름한 것이니, 범어로 (몸을) 비제하毘提河videha라고 말한다. 서우화주는 소를 화폐로서 교역하기 때문에 우화라고 이름했는데, 범어로 (소를) 구다니瞿陀尼godānīya라고 말한다. 북구로는 당나라 말로 승처勝處이니, 4대주 중 처소가 가장 뛰어나기 때문이다. 혹은 승생勝生이라고도 말하니, 4대주 중 태어나기에 가장 뛰어난 곳이기 때문이다. 나머지 글은 알 수 있을 것이다. # 6욕천, 8대지옥, 4대주는 뒤의 제11권에서 다시 자세히 설명된다.

째 소광천少光天, 둘째 무량광천無量光天, 셋째 극광정천極光淨天이다. 제3정려에 처소가 셋이 있다고 한 것은, 첫째 소정천少淨天, 둘째 무량정천無量淨天, 셋째 변정천遍淨天이다. 제4정려에 처소가 여덟이 있다고 한 것은, 첫째 무운천無雲天, 둘째 복생천福生天, 셋째 광과천廣果天, 넷째 무번천無繁天, 다섯째 무열천無熱天, 여섯째 선현천善現天, 일곱째 선견천善見天, 여덟째 색구경천色究竟天이다.7

7 색계의 17천을 해석하는 것이다. 『순정리론』 제21권(=대29-456중)에서 여러 하늘의 명칭을 해석해 말하였다. "넓은 선[廣善]으로 태어난 것이기 때문에 '범'이라고 이름하는데, 이 범이 곧 크기 때문에 '대범'이라고 이름하였다. 그는 중간정려의 획득에 의하기 때문이며, 최초로 태어나기 때문이며, 최후로 죽기 때문에 위덕 등이 뛰어나니, 그래서 '대'라고 이름한 것이다. 대범의 소유이며, 교화할 대상이며, 다스릴 대상이기 때문에 '범중'이라고 이름하고, 대범 앞에서 줄지어 모시며 호위하기 때문에 '범보'라고 이름하였다. 자지自地의 하늘 안의 광명이 가장 적기 때문에 '소광'이라고 이름하고, 광명이 점점 뛰어나게 되어 분량을 헤아리기 어렵기 때문에 '무량광'이라고 이름하며, 청정한 광명이 자지의 처소를 두루 비추기 때문에 '극광정'이라고 이름하였다. 의지意地에서 즐거움 받는 것을 '정淨'이라고 이름하는데, 자지 중의 이 정이 가장 열등하기 때문에 '소정'이라고 이름하고, 이 정이 점점 늘어나 분량을 헤아리기 어렵기 때문에 '무량정'이라고 이름하며, 이 정이 널리 두루하기 때문에 '변정'이라고 이름했으니, 뜻으로 다시 이것을 능가하는 즐거움이 없다는 것을 나타낸다. 이 아래의 공중에 천신이 머무는 지는 마치 구름이 조밀하게 모인 것과 같기 때문에 '운'이라고 이름하는데, 이 위의 모든 하늘은 더 이상 구름이 없는 지로서, 구름 없는 첫머리에 있기 때문에 '무운'이라고 말하였다. 다시 이생의 뛰어난 복이 있어야만 비로소 왕생할 수 있는 곳이기 때문에 '복생'이라고 이름하고, 거처가 있는 방소로서 이생의 과보 중 이것이 가장 수승하기 때문에 '광과'라고 이름하였다. 이욕의 성자들은 성도의 물로써 번뇌의 때를 씻었기 때문에 '정淨'이라고 이름하는데, 청정한 몸이 머무는 곳이기 때문에 '정거淨居'(=무번천부터 색구경천까지 다섯 하늘은 욕계로 돌아오지 않는 불환과의 성자들이 머무는 5정거천이다)라고 이름한다. 혹은 여기에 머물면서 생사를 끝까지 다하는 것이 마치 빚을 다 갚은 것과 같기 때문에 '정'이라고 이름하는데, 청정한 분[淨者]이 머무는 곳이기 때문에 '정거'라고 이름한다. 혹은 이 하늘 중에는 이생의 뒤섞임 없이 순전히 성자들만 머무는 곳이기 때문에 '정거'라고 이름한다. '번'은 번잡繁雜을 말함이고, 혹은 번광繁廣을 말함인데, 번잡이 없는 중 이것이 최초이기 때문이며, 번광한 하늘 중 이것이 가장 열등하기 때문에 '무번'이라고 이름하였다. 혹 '무구'라고 이름하기도 하는데, 무색계로 향해 들어가기를 구하지 않기 때문이다. 이미 잡수정려雜修靜慮(=무루정려 중간에 유루정려를 섞어 닦는 것인데, 이에 대해서는 뒤의 제28권 중 게송 ㊳cd와 그 논설 참조)의 상·중품의 장애를 잘 조복해 없앰으로써 의요意樂가 부드럽게 조절되어 모든 뜨거운 고뇌

가습미라국의 위대한 논사들은 모두, 색계의 처소는 열여섯만이 있다고 말하였다. 그것은 말하자면, 곧 범보천처에 높은 누각[高臺閣]이 있어 대범천이라고 이름하지만, 한 주인[一主]이 머무는 곳이지, 별도의 지地가 있는 것이 아니니, 마치 세존께서 계신 자리[尊處座]가 사부대중들에게 둘러싸인 것과 같다는 것이다.[8]

제4항 무색계

....

를 떠났기 때문에 '무열無熱'이라고 이름한다. 혹은 아래(의 천신들)로 하여금 번뇌를 낳게 하는 것을 '열'이라고 이름하는데, 여기에서 최초로 멀리 떠났으므로 '무열'이라는 이름을 얻었다. 혹은 다시 '열'이란 치성하다는 뜻으로, 상품의 잡수정려 및 과보를 말하는 것인데, 이것이 여전히 아직 증득되지 못했으므로 '무열'이라고 이름하였다. 이미 상품의 잡수정려를 얻어서 결과의 공덕이 드러나기 쉽기 때문에 '선현'이라고 이름하였다. 잡수정려의 장애의 나머지 품류가 미약함에 이르러, 보는 것이 지극히 맑게 트였기 때문에 '선견'이라고 이름하였다. 유색의 처소 중 여기를 능가하는 곳이 다시 없기 때문에 '색구경'이라고 이름하였다. 혹은 여기는 온갖 괴로움이 의지하는 몸의 최후의 끝에 이미 도달한 곳이므로 '색구경'이라고 이름하였다. 어떤 분은 색이란 적집된 물질인데, 그 최후의 끝에 이르렀으므로 '색구경'이라고 이름한 것이라고 말하였다."

8 논주는 게송 중에서 서방(=간다라국) 논사들의 뜻을 서술하여 17처가 있다고 말하였다. 그래서 『대비바사론』에서, "서방의 논사들은 색계로서 17처를 말한다"라고 말하였다. 그 논사들의 뜻이 말하는 것은, 대범왕은 수명·크기·처소 등에서 다른 2천과 다르기 때문에 초정려에 따로 3천을 세운다는 것이다. 그래서 『대비바사론』(=제98권. 대27-509상)에서 말하였다. "서방의 논사들은 이렇게 말한다. 초정려지의 처소에 별도로 셋이 있으니, 첫째 범중천처, 둘째 범보천처, 셋째 대범천처인데, 이 처는 곧 정려중간이다." 그 논사들이 무상천을 세우지 않는 까닭은 수명·크기·지地 등에서 광과천과 차별이 없기 때문이다. 또 『순정리론』(=제21권. 대29-456하)에서 말하였다. "어떤 다른 논사는 17처의 이름을 말한다. 초정려 중에 모두 2처를 세우고, 제4정려에서 따로 무상천을 말한다." 그 논사의 뜻이 말하는 것을 해석하자면, 별도의 부류를 닦았기 때문에 초래한 과보를 세워야 하지만, 대범천은 세우지 않고, 초정려로서 둘을 말하는 것이다. 또 『순정리론』(=제21권. 대29-457상)에서 "상좌들은 색계로서 18처를 세운다"라고 말했는데, 해석하자면 2처(=대범천·무상천)의 원인이 다르기 때문에 18처를 세운다는 것이다. 지금 이 나라의 논사들은 2처를 모두 세우지 않으니, 별도의 지地가 없기 때문에 16처만이다. 그래서 가습미라국의 논사들은 초정려지에 2처만 있다고 말한다는 것이다.

무색계 중에는 처소가 전혀 없으니, 색법이 없으므로 방소方所가 없는 것이다. 과거·미래의 법이나 무표·무색의 법이 방소에 머물지 않는 것은 이치상 결정코 그러하기 때문이다. 다만 이숙생의 차별로 네 가지가 있을 뿐이니, 첫째 공무변처空無邊處, 둘째 식무변처識無邊處, 셋째 무소유처無所有處, 넷째 비상비비상처非想非非想處이다. 이와 같은 네 가지를 무색계라고 이름한다. 이 네 가지는 처소에 위·아래가 있어서가 아니라, 단지 태어남에 의한 때문에 뛰어나고 열등함에 차이가 있을 뿐이다.[9]

다시 거기에 방처方處가 없다는 것을 어떻게 아는가?[10] 말하자면 이 처[是處]에서 그런 선정을 얻은 자가 명종命終하면 곧 이 처에서 태어나기 때문이며, 또한 거기에서 죽어 욕계·색계에 태어날 때 곧 이 처에서 중유가 일어나기 때문이다.[11]

예컨대 유색계의 일체 유정은 반드시 색신色身에 의지해야 마음 등이 상

9 이하 무색계를 밝히면서 위의 2구를 해석해서, 무색계에는 결정코 방소方所가 없음을 나타내었다. 단지 동분·명근·이숙생에 뛰어남과 열등함이 있기 때문에 차별되어 넷이 있을 뿐이다. 처음 무색정을 닦을 때에는 반드시 먼저 색을 싫어하여 무변한 허공을 생각하기 때문에 허공이 무변하다는 이해를 짓고, 다음에는 외부의 허공을 싫어하여 다시 안의 의식을 생각하기 때문에 의식이 무변하다는 이해를 지으며, 다음에는 의식 또한 싫어하여 다시 있는 것 없음을 생각하기 때문에 있는 것이 없다는 이해를 짓고, 다음에는 아래 7선정의 거친 지각[麤想]이 아니기 때문에 '비상'이라고 이름하고, 마음이 없는 것과는 같지 않기 때문에 '비비상'이라고 이름한 것이다. '처'는 유정이 생장하는 처이기 때문이다. 앞의 셋은 가행을 좇아 이름을 세웠고, 제4는 당체當體로 명칭을 받은 것이다.

10 물음이다.

11 답이다. '이 처[是處]'라고 말한 것은 욕계·색계에서 그 상응하는 바에 따라 그 선정을 얻은 곳이다. 비록 이 처에서 그 선정을 얻은 자도 다른 처에서 명종할 수 있겠지만, 여기에서는 우선 이 처에서 명종한 자에 의거해 말한 것이다. 혹은 '이 처'란 어떤 주州 등인가에 따른 처소라고 해도, 이것은 총체적인 처소[總處]를 나타내니, 이 처에서 그 선정을 얻은 자도 다른 처에서 명종할 수 있기 때문이다. 따라서 '처'란 말은 총체적인 것에 의거한 것이지, 개별적인 것에 의거한 것이 아니라고 알아야 한다. 이미 이 처에서 수생하고, 이 처에서 중유가 현전한다고 말했으니, 무색계는 별도의 방소가 없다는 것을 분명히 알 수 있다. 만약 별도의 처소가 있다면 응당 가서 수생하고, 그 곳에서 중유가 현전한다고 말했을 것이다.

속하는데, 무색계에서 생을 받은 유정은 무엇을 의지처로 해서 마음 등이 상속하는가?[12] 대법의 논사들은, "그들의 마음 등은 중동분 및 명근에 의지해 상속할 수 있다"라고 말하였다.[13]

만약 그렇다면 유색계 유정의 마음 등은 어째서 단지 이 두 가지에만 의지해 상속하지 않는 것인가?[14] 유색계에 태어나면 이 두 가지가 열등하기 때문이다.[15] 무색계에서는 이 두 가지가 무엇 때문에 강한가?[16] 무색계에서 두 가지는 뛰어난 선정으로부터 생겼기 때문이니, 그런 등지等至에 의해 색에 대한 지각[色想]을 누를 수 있었다.[17]

만약 그렇다면 거기에서 마음 등의 상속은 단지 뛰어난 선정에만 의지할 것인데, 어째서 별도의 의지처를 쓰는가?[18] 또 예컨대 유색계에서 생을 받은 유정의 중동분과 명근은 색신에 의지해 구르는데, 무색계의 이 두 가지는 무엇을 의지처로 하는지 지금 말해야 할 것이다.[19] 이 두 가지는 다시 상호 서로 의지해서 구른다.[20] 유색계의 이 두 가지는 어째서 서로 의지하지 않는가?[21] 유색계에 태어나면 이 두 가지가 열등하기 때문이다.[22] 무색

12 이하 (게송 ③의) 뒤의 2구를 해석하는데, 논주의 물음이다. 욕계와 색계는 모두 색을 갖는 것이기 때문에 '유색'이라고 이름한다. 유색계의 유정은 반드시 색신에 의지해야 마음 등이 상속하는데, 무색계의 유정은 무엇을 의지처로 해서 마음 등이 상속하는가? 이는 곧 아래 2계를 예로 해서 무색계에 대해 묻는 것이다.
13 설일체유부의 답이다. 무색계(유정)의 마음 등은 비록 색신이 없더라도 중동분 등에 의지해 상속할 수 있다.
14 논주의 힐난이다.
15 설일체유부의 해석이다.
16 논주의 재힐난이다.
17 설일체유부의 답이다. 뛰어난 선정으로부터 생겼기 때문에 그 두 가지가 강하니, 선정에 의해 색을 눌렀기 때문에 선정이 뛰어나다고 말한다. 혹은 선정에 의해 색을 눌렀기 때문에 색에 의지하지 않고, 두 가지에만 의지할 뿐이다.
18 논주가 힐난하여 죽이려는 것이다. 그 선정이 이미 뛰어나다면 마음 등이 (그것에) 의지해야 할 것인데, 어째서 별도의 중동분·명근을 쓰는가?
19 논주의 물음이다. 욕계·색계의 유정의 중동분과 명근은 반드시 색신에 의지해야 구르는데, 무색계의 이 두 가지는 무엇을 의지처로 하는가? 하계로써 상계에 비례시키는 것이다.
20 설일체유부의 답이다.
21 논주의 힐난이다.

계의 이 두 가지는 무엇 때문에 강한가?[23] 무색계의 이 두 가지는 뛰어난 선정으로부터 생겼기 때문이라고 앞에서 말했으니, 그 선정에 의해 색에 대한 지각을 누를 수 있었다.[24]

이러하다면 곧 다시 마음의 상속에 대해서와 같이 힐난할 것이다.[25] 혹은 심·심소도 오직 상호 서로 의지할 뿐이다.[26] 그래서 경량부의 논사들은 이렇게 말한다. "무색계에서 마음 등의 상속은 별도로 의지처를 갖는 것이 없다. 말하자면 만약 아직 색애色愛를 여의지 못한 원인이 있어 마음 등을 인기引起했다면, 인기된 마음 등은 색과 더불어 함께 생기므로 색에 의지해 구르지만, 만약 원인이 색에 대해 이미 애탐 여읨[離愛]을 얻었다면, 색을 싫어하여 등지기 때문에 인기된 마음 등은 색과 함께 생긴 것이 아니므로 색에 의지하지 않고 구른다."[27]

---

22 설일체유부의 답이다.
23 논주의 재힐난이다.
24 설일체유부의 답이다. 원인이 뛰어나기 때문에 그 결과도 역시 강하다.
25 논주가 힐난해 죽이려고, 앞의 논파와 같다고 가리키는 것이다. 만약 선정이 뛰어나기 때문에 두 가지가 강해서 서로 의지한다고 말한다면, 이는 곧 다시 앞의 마음의 상속에 대해서와 같이 힐난할 것이니, 응당 「만약 그렇다면 거기에서 중동분과 명근이 상속하여 구르는 것은 뛰어난 선정에만 의지할 것인데, 어째서 서로 의지함을 쓰는가?」라고 말해야 할 것이다.
26 논주가 이치로써 다시 힐난하는 것이다. 만약 무색계의 중동분과 명근이 상호 서로 의지한다고 말한다면, 혹 무색계의 심·심소법도 오직 상호 서로 의지할 뿐, 별도의 의지처를 필요로 할 것이 아니다. 또 해석하자면 그 원인이 이미 뛰어나니, 심·심소법도 응당 오직 상호 서로 의지해야 할 뿐이다. 이와 같이 힐난하는 것은 방편으로 중동분과 명근은 실제로 체가 있는 것이 아님을 밝히려는 것이다.
27 그래서 경량부에서 말한다. "무색계에서 심·심소법의 상속은 단지 상호 서로 의지할 뿐, 별도로 중동분·명근 등을 의지처로 함이 없다. 말하자면 만약 아직 색애를 여의지 못한 원인이 있어 마음 등의 결과를 인기했다면, 원인이 아직 색계를 여의지 못했기 때문에 인기된 마음 등의 결과도 색과 더불어 함께 생기므로 색에 의지해 구르지만, 만약 원인이 색에 대해 이미 애탐 여읨을 얻었다면, 색을 싫어하여 등지기 때문이며 원인이 색을 떠났기 때문에 인기된 마음 등의 결과도 색과 함께 생긴 것이 아니므로 색에 의지하지 않고 구른다." 무색계의 심·심소는 오직 상호 서로 의지할 뿐임을 나타내는 것이다.

제5항 3계의 명칭의 뜻

무엇 때문에 욕계 등의 3계라고 이름했는가?[28] 능히 자상을 지니기 때문에 계界라고 이름한다. 혹은 종족種族의 뜻임은 앞에서 이미 해석한 것과 같다.

욕망이 속한 계[欲所屬界]를 말하여 욕계라고 이름하고, 색이 속한 계[色所屬界]를 말하여 색계라고 이름한 것이다. 예컨대 후추음[胡椒飮]이나 금강환金剛環처럼 중간 말을 생략해 버렸기 때문에 이런 말을 한 것이다. 그 계 중에는 색이 있는 것이 아니기 때문[色非有故]에 무색이라고 이름한 것이다. 여기서 말한 색이란 변애變礙의 뜻, 혹은 시현示現의 뜻인데, 그 체가 색이 아니므로 무색이라는 명칭을 세운 것이다. 단지 색이 없다는 것만을 써서 체로 하는 것이 아니라, 무색이 속한 계[無色所屬界]를 말하여 무색계라고 이름한 것이니, 중간 말을 생략해 버린 것과 그 비유는 앞에서 말한 것과 같다.[29]

또 욕망의 계[欲之界]를 이름하여 욕계라고 하니, 이 계의 힘이 능히 욕망을 임지任持하기 때문이다. 색계와 무색계도 역시 그러하다고 알아야 할 것

28 이하 문답으로 분별하는 것인데, 3계의 명칭에 대해 묻는 것이다.

29 답이다. '계'라는 말은 혹은 (자상을) 지닌다는 뜻이고, 혹은 종족의 뜻이니, 두 가지 해석은 앞(='제1 분별계품'의 해석)에서와 같다. '계'라는 이름은 총체[總]이고, '욕' 등은 개별[別]이니, 개별이 총체에 의지한다면 욕 등의 계라고 이름할 것이고, 완전히 갖춘다면 욕이 속한 계라고 말해야 할 것이지만, '속한[所屬]'을 생략해 버리고 '욕계'라고만 말한 것이다. 욕은 능속能屬이고, 계는 소속所屬이니, 능·소를 합쳐 논하기 때문에 욕계라고 이름한다. '욕'이 강하기 때문에 우선 개별적으로 '욕'을 말한 것이니, 곧 개별로써 전체적인 계를 표방한 것이다. 색이 속한 계를 말하여 색계라고 이름한 것도 역시 그러하다고 알아야 한다. 음료 중에 후추가 있는 것을 후추음이라고 이름하고, 반지 위에 금강보배가 있는 것을 금강환으로 이름하는데, 완전히 갖춘다면 후추가 속한 음료, 금강이 속한 반지라고 말해야 하지만, 중간 말을 생략해 버렸기 때문에 이런 말을 한 것이다. 모두 개별이 총체에 속한 것이다. 그 계에는 색이 없기 때문에 무색이라고 이름했는데, 여기서 말한 색이란 변애의 뜻이니, 곧 열 가지 색이다. 혹은 시현의 뜻이니, 곧 색처이다. 무색은 색이 없는 것을 체로 한다고 의심할까 염려했기 때문에 지금 해석해 말하기를, 그 4무색의 체가 색이 아니므로 무색이라는 명칭을 세운 것이지, 그 무색은 단지 색이 없는 처라고 해서, 법 없음[無法]만을 써서 체로 하는 것이 아니라고 하였다. 무색계의 해석 및 두 가지 비유는 모두 앞에서 말한 것에 준한다.

이다.[30]

【욕欲의 뜻】 여기에서 욕欲이라는 말은 어떤 법을 말하는 것인가?[31] 간략히 말하자면 단식과 음탕에 의해 견인되는 탐욕[段食婬所引貪]이니, 경의 게송에서 말한 것과 같다. "세간의 묘한 경계들은 진정한 욕망이 아니고[世諸妙境非眞欲] 진정한 욕망은 사람들이 분별해 탐내는 것을 말함이니[眞欲謂人分別貪] 묘한 경계는 본래대로 세간에 머물므로[妙境如本住世間] 지혜로운 자는 그에 대해 욕망 이미 제거하였네[智者於中已除欲]" 그러자 사명邪命외도가 곧 존자 사리자를 힐난해 말하였다. "만약 세간의 묘한 경계가 진정한 욕망 아니고[若世妙境非眞欲] 욕망은 사람들이 분별해 탐내는 것이라고 말한다면[說欲是人分別貪] 비구는 욕망 향수하는 사람이라 이름해야 할지니[比丘應名受欲人] 나쁜 분별의 심구·사찰 일으키기 때문이네[起惡分別尋思故]" 그 때 사리자가 그에게 다시 반문하여 말하였다. "만약 세간의 묘한 경계가 진정한 욕망이고[若世妙境是眞欲] 욕망은 사람들이 분별해 탐내는 것 아니라고 말한다면[說欲非人分別貪] 그대 스승도 욕망 향수하는 사람이라 이름해야 할지니[汝師應名受欲人] 마음에 드는 묘한 색을 늘 관찰하기 때문이네[恒觀可意妙色故]"[32]

【계에 매인 법과 탐욕】 만약 법이 그 3계에서 현행한다면, 이 법은 곧 3계에 매인 것[삼계계三界繫]이라고 말하는가?[33] 그렇지 않다.[34] 어떠한가?[35]

---

30 제2해는 의주석에 의거한 것이다. 이 계는 욕망의 계이기 때문에 욕계라고 이름하니, 곧 욕망을 임지하는 것이다. 이 계가 능히 욕망을 임지하기 때문에 계는 능지能持이고, 욕망은 소지所持인데, 능·소를 합쳐 논하기 때문에 욕계라고 이름한 것이다. 나머지 2계도 역시 그러하다.

31 물음이다.

32 답이다. 간략히 말하면 단식과 음탕에 의해 견인되는 탐욕을 이름하여 욕망이라고 이름한다. 그 아래에서 다시 계경(=첫째 게송은 잡 [18]19:490 염부차경閻浮車經 및 잡 [28]28:752 가마경迦摩經에 있고, 뒤의 2게송은 『법온족론』 제6권=대26-482중과 『대비바사론』 제173권=대27-870상에 수록되어 있다)의 게송을 인용하여 (경계 아닌) 욕망이 탐욕임을 증명하는데, 큰 뜻은 알 수 있을 것이다.

33 물음이다. 3계에 현행하는 법은 곧 3계계인가?

34 답이다.

35 따지는 것이다.

그 중 3계의 탐욕을 따라 증장시키는 것[隨增三界貪]이 3계의 계繫이다.[36] 이들 중 어떤 법을 3계의 탐욕[三界貪]이라고 이름하는가?[37] 말하자면 3계 중에서 각각 따라 증장하는 것[各隨增者]이다.[38] 지금 여기에서 한 말은 말을 묶는 자[縛馬]에 대한 대답과 같다. 비유하자면 누군가가 말을 묶는 자[縛馬者]가 누구인지 묻자, 말 주인[馬主]이라고 대답해서, 곧 그가 다시 말 주인이 누구인지 물으니, 말을 묶는 자라고 대답한 것과 같다. 이런 두 가지 대답은 모두 이해하게 할 수 없는 것이다.[39]

지금 여기에서 한 말은 그런 대답과는 같지 않다. 말하자면 앞에서 말한 욕계의 모든 처소에서 아직 탐욕을 떠나지 못한 자의 탐욕을 욕탐欲貪이라고 이름하는데, 이것이 따라 증장되는 것[此所隨增]을 욕계계欲界繫라고 이름하고, 앞에서 말한 색계·무색계에 대해서도 그 상응하는 바에 따라 역시 그러하다고 알아야 할 것이다. 혹은 부정지不定地에서의 탐욕을 욕탐이라고 이름하는데, 이것이 따라 증장되는 것을 욕계계라고 이름하고, 모든 정려지靜慮地에서의 탐욕을 색탐色貪이라고 이름하는데, 이것이 따라 증장되는 것

---

36 답이다. 그 3계에 현행하는 법 중 3계의 탐욕을 수순하여 증장시키는 것이 3계의 계이다.

37 다시 3계의 탐욕에 대해 묻는 것이다.

38 답이다. 말하자면 3계 중에서 각각 따로 유루법에 수순하여 증장하는 것을 삼계의 탐욕이라고 이름한다.

39 외인의 힐난이다. 서방에서 뜻을 이해시키기에 분명하지 않다면 곧 말을 묶는 자에 대한 대답과 같다고 상대방을 조롱해 말하는데, 논주가 지금 여기에서 한 말도 말을 묶는 자에 대한 대답과 같다는 것이다. 외도가 말을 죽여 하늘에 제사지내려고 말을 기둥에 묶어 두는데, 어떤 사람이 말을 묶는 자가 누구인지 묻자 말주인이라고 대답하고, 말주인이 누구인지 묻자 말을 묶는 자라고 대답하니, 이와 같은 두 가지 대답은 모두 이해하게 할 수 없는 것이다. 어떤 사람이며, 성명은 어떠한지 알 수 없기 때문에 이해하게 할 수 없다는 것인데, 논주의 대답도 그러하다고 알아야 할 것이다. 내가 논주에게 삼계에 매인 법[三界繫法]에 대해 물으니, '그 중 3계의 탐욕을 따라 증장시키는 것'이라고 대답하고, 다시 어떤 법이 3계의 탐욕인지 물으니, 다시 나에게 '말하자면 3계 중에서 각각 따라 증장하는 것'이라고 대답했는데, 이와 같은 두 가지 대답은 모두 이해하게 할 수 없는 대답이라는 것이다. 어떤 법이 3계의 계인지 알 수 없고, 어떤 법이 3계의 탐욕인지 알 수 없으니, 대답의 분명하지 못함이 말을 묶는 자에 대한 대답과 같다는 것이다.

을 색계계色界繫라고 이름하며, 모든 무색지無色地에서의 탐욕을 무색탐無色貪이라고 이름하는데, 이것이 따라 증장되는 것을 무색계계無色界繫라고 이름한다.[40]

욕계의 변화심[欲化心] 위에서 어떻게 욕탐을 일으키는가?[41] 남으로부터 들은 바에 따라서, 혹은 스스로 퇴실하여 애미愛味를 낳기 때문이다. 혹은 변화한 자의 자재한 세력을 보고, 그런 변화심에 대해 탐애를 낳기 때문이다.[42] 만약 마음이 능히 향香·미味 2법을 변화시켰다면 이 능변화의 마음은 욕계계이니, 색계의 마음은 향·미를 변화시켜 만들 수 없기 때문이다.[43]

제6항 3계의 수와 머무는 모습

이와 같은 3계는 하나만 있는가?[44] 3계는 끝없는 것[無邊]이 마치 허공의 분량과 같다. 따라서 비록 처음 일어난 유정[始起有情]은 없다고 해도, 한량

40 논주의 답이다. 지금 여기에서 한 말은 그대가 인용한, 말을 묶는 자에 대한 대답과는 같지 않다. 말하자면 앞에서 말한 욕계의 20처에서 아직 탐욕을 여의지 못한 자의 탐욕을 욕계의 탐욕이라고 이름하는데, 이런 탐욕이 수순하여 증장되는 처處를 욕계에 매인 법[欲界繫法]이라고 이름하며, 앞에서 말한 색계의 17처에서 아직 탐욕을 여의지 못한 자의 탐욕을 색계의 탐욕이라고 이름하는데, 이런 탐욕이 수순하여 증장되는 처를 색계에 매인 법[色界繫法]이라고 이름하며, 앞에서 말한 무색계의 4처에서 아직 탐욕을 여의지 못한 자의 탐욕을 무색탐이라고 이름하는데, 이런 탐욕이 수순하여 증장되는 처를 무색계에 매인 법[無色界繫法]이라고 이름한다. 탐욕[貪]과 매인 법[繫法]은 넓고 좁음이 현격하게 달라서 체성이 분명하거늘, 어찌 말을 묶는 자와 같겠는가? 두 번째는 부정지(=선정이 아닌 산심의 지) 등에 의거해 해석한 것인데, 앞에 준해서 알아야 할 것이다.

41 물음이다. 욕계의 변화심을 얻었다면 욕탐이 이미 끊어진 것이니, 만약 탐욕이 아직 끊어지지 않았다면 변화심을 얻지 못했을 것이다. 욕계의 변화심(=욕계계임을 가리키는 취지)에서 어떻게 탐욕이 일어나는가?

42 답이다. 혹은 남으로부터 들은 것에 따라 미래의 변화심에 대해 애미愛味(=애착과 맛들임)을 낳거나, 혹은 스스로 퇴실하여 과거의 변화심에 대해 애미를 낳기 때문이다. 혹은 변화한 자의 자재한 세력을 보고 현재의 변화심에 대해 탐애를 낳기 때문이다.

43 뜻의 편의상 겸하여 밝히는 것이다.

44 (3계의) 수를 묻는 것이다.

없으며 끝없는 붓다들께서 세상에 출현하셔서 한 분 한 분이 무수한 유정들을 교화 제도해 무여반열반계를 증득케 하셨어도 다할 수 없는 것이 마치 허공과도 같다.45

세계는 어떻게 안주한다고 말해야 하는가?46 옆으로 머문다[傍住]고 말해야 할 것이다. 그래서 계경에서, "비유하자면 하늘에서 수레굴대[車軸] 만한 빗방울이 틈 없고 끊임없이 공중으로부터 아래로 쏟아지듯이, 이와 같이 동방에서 틈 없고 끊임없이 한량없는 세계가 무너지기도 하고 이루어지기도 하는데, 동방에서처럼 남·서·북방에서도 또한 이와 같다"라고 말하면서, 상·하는 말하지 않았다.47

어떤 분은, "상하 두 방향에도 역시 있다. 다른 부파의 경에서는 시방十方이라고 설했기 때문이니, 색구경천 위에도 다시 욕계가 있고, 욕계 아래에도 색구경천이 있다"라고 말하였다. 만약 누군가가 1욕계의 탐욕을 떠났다면, 그 때 모든 욕계의 탐욕도 모두 소멸시켜 떠남을 얻으며, 색계와 무색계의 탐욕 떠나는 것도 역시 그러하다고 알아야 할 것이다. 그러나 초정려에 의지해 신통의 지혜[通慧] 일으켰을 때 일으킨 신통으로는 단지 자신이 태어난 세계와 범천세계[梵世]에만 가 이를 수 있을 뿐, 나머지 세계에는 아니며, 그 나머지 신통의 지혜도 역시 그러하다고 알아야 할 것이다.48

45 답이다. 3계는 끝이 없다. 까닭에 중생을 제도하는 것도 다하기 어렵다. 만약 화지부에 의거한다면, 곧 처음 일어난 유정이 있는데, 업과 번뇌에서 태어나지 않았다고 한다. 두 번째 중생의 몸 이후부터 비로소 업과 번뇌에서 태어났는데, 자주 태어나기 때문에 붓다께서 제도하셔도 다하기 어렵다.

46 옆으로 분포되었는지[爲傍布], 중첩되었는지[爲重疊] 묻는 것이다.

47 설일체유부의 답인데, 8방으로 세계가 옆으로 머물고 있다고 말한다. 경(=잡[34]34:954 대우홍주경大雨洪澍經) 중에서 이미 4방을 말하면서 상하를 말하지 않았으니, 옆으로 분포되었다는 것을 분명히 알 수 있다. 경에서 4방을 말한 것은 4유를 포함하는 것이다. 다시 빗방울이 틈 없고 끊임없다고 말한 이것은, 세계의 끝없음이 틈 없고 끊임없다는 것과 무너지기도 하고 이루어지기도 하면서 잠시도 쉬는 시간이 없다는 것을 비유한 것이다.

48 어떤 분은, "상하 2방위에서 역시 있다. 다른 법밀부法密部(=법장부)의 경 중에서는 시방이라고 말했기 때문이다"라고 말하였다. (이 경우) 만약 어떤 중생이 1욕계의 탐욕을 떠났다면, 그 때 시방의 일체 욕계의 탐욕도 모두 소멸시켜 떠남을 얻으니, 서로 같기 때문이다. 색계와 무색계의 탐욕 떠나는 것도

제2절 5취五趣

3계에 대해 설명했는데, 5취五趣는 무엇을 말하는가? 게송으로 말하겠다.

④ 그 중 지옥 등은[於中地獄等]
　자신의 명칭대로 5취라고 말하니[自名說五趣]
　오직 무부무기이며[唯無覆無記]
　유정인데, 중유는 아니다[有情非中有]49

논하여 말하겠다. 3계 중에 5취가 있다고 말하는데, 곧 지옥 등 자신의 명칭대로 말한 것이다. 말하자면 앞에서 말한 지옥, 방생傍生, 아귀[鬼] 및 인간[人]과 천신[天], 이들을 5취라고 이름한다. 욕계에만 4취의 전부가 있고, 3계에 각각 천취의 일부가 있다.50

역시 그러하다고 알아야 할 것이다. 하나의 태양과 달이 비추는 것을 1세계라고 이름하는데, 1천 세계 중에 1범왕이 있으니, 범왕은 통틀어 1천 세계의 주인이 된다. 그런데 초정려에 의지해 신통의 지혜 일으킬 때 일으킨 신통으로는 단지 자신이 태어난 1천세계에만 가 이를 수 있고, 또 자신이 태어난 범천세계에만 갈 수 있을 뿐, 나머지 세계 및 나머지 범천세계에는 갈 수 있는 것이 아니니, 처소가 별개이기 때문이다. 만약 그 나머지 제2정려 등에 의지해 신통의 지혜 일으켰을 때에도 그 상응하는 바에 따라 역시 그러하다고 알아야 할 것이다. 또 해석하자면 그 나머지 네 가지 신통의 지혜도 역시 그러하다고 알아야 하는데, 이는 이생에 의거한 것이다. 만약 성자인 사람에 의거한다면 이는 곧 일정하지 않다. 이는 5신통에 의거한 것이고, 만약 누진통에 의거한다면 나머지 세계의 무위도 역시 공통으로 능히 증득한다.

49 이하에서 둘째 5취에 대해 밝히는데, 위의 2구는 바로 답하는 것이고, 아래 2구는 법을 구별하는 것이다.

50 지하에 옥이 있어 지옥이라고 이름하니, 이는 뜻으로 번역한 것[義翻]이다. 범어 명칭은 나락가那落迦naraka이다. 『순정리론』 제21권(=대29-461상)에 의하면 5취의 명칭을 해석하면서 말하였다. "나락nara은 사람이라고 이름하고, 가ka는 악이라고 이름한다. 사람이 악을 많이 지어 머리로 그 속에 떨어졌으니, 이 때문에 나락가취라고 이름하였다. 혹은 사람에게 가깝기 때문에 나락가라고 이름했으니, 무거운 죄를 지은 사람이 속히 거기에 떨어지기 때문이다. 혹은 다시 '가'는 즐거움의 다른 명칭이고, '나'는 없음을 말하여, '락'은 함께 한다는 뜻이니, 즐거운 모습이 함께 함이 없으므로 나락가라고 이름하였

3계에, 취趣에 포함되는 것 아닌 것이 있는가? 그래서 3계 중에 5취가 있다고 말했는가?[51] 있다. 말하자면 선善과 염오[染], 외부 기세간과 중유中有는 비록 계의 성품이지만, 취에 포함되는 것이 아니다. 5취의 체성은 오직 무부무기이다. 만약 이와 다르다고 한다면 취는 서로 뒤섞여야 할 것이니, 하나의 취 중에 5취의 업과 번뇌를 갖추고 있기 때문이다. 5취는 오직 유정의 수만을 포함하는 것이고, 체성상 중유는 아니다.[52]

『시설족론』에서 이렇게 말하였다. "4생은 5취를 포함하지만, 5취는 4생

다. 혹은 다시 '락가'는 구제한다는 뜻이고, '나'는 불가함을 이름한 것이니, 구제할 수 없으므로 나락가라고 이름하였다. 혹은 다시 '락가'는 애락한다는 뜻이니, 애락할 수 없으므로 나락가라고 이름하였다. '방생'이라고 말한 것은, 그 취는 대부분 몸이 횡으로 머물기 때문이다. 혹 그 취 중에는 일부 옆으로 가는 것[傍行者]이 있을 수 있기 때문이다. 또 부류가 많기 때문이며, 어리석음이 많기 때문에 방생이라고 이름하였다. '아귀'라고 말한 것은, 말하자면 다른 생 중에서 기꺼이 남의 물건을 훔치고, 간탐 등을 익혔으며, 또 대부분이 제사를 받는 조상이고, 또 대부분이 희망하고 구함으로써 스스로 존속하며 살아가고, 또 대부분이 겁약하고 열등하며 그 형상이 피폐하고 초췌하며, 몸과 마음이 가볍고 조급하기 때문에 아귀라고 이름하였다. 사람은 말하자면 천신으로 하여금 그를 반연하여 거만을 일으키게 해서, 나는 이런 부류의 선취 중에서 존귀하다고 하게 하는 것이다. 혹 그들은 자신의 마음에 증상만이 많고, 혹은 생각이 많기 때문에 사람이라고 이름하였다. 천신은 말하자면 광명의 위덕이 치성하고, 유희 담론에 용맹하여 상대방을 멸시하며, 혹은 다시 존귀하고 높으며 신비로운 작용이 자재해서, 대중들이 기도하며 고하는 대상[衆所祈告]이기 때문에 천신이라고 이름하였다." 『대비바사론』 제172권에서도 5취의 명칭을 해석하는데, 모두 서술할 수는 없다. 『대비바사론』 제172권(=대27-868하)에서, 아수라[阿素羅]를 혹자는 천취에 포함된다고 하는데, 여시설자는 아귀취라고 한다고 말하였다. 만약 정량부·대중부에 의한다면 아수라는 제6취이다.

51 이하에서 제3구를 해석하려고 물음을 일으킨 것이다.

52 답이다. 취는 오직 무기로서 선과 염오에 통하지 않는다는 것은 『대비바사론』(=제172권. 대27-865상)에서 논평한 분의 뜻에 해당한다. 만약 이와 달리 선·염오에도 통한다고 말한다면, 취는 서로 뒤섞여야 할 것이니, 하나의 취 중에서 5취의 업과 번뇌를 모두 성취하기 때문이다. 5취는 유정의 수만을 포함하는 것으로서, 외부 기세계에는 통하지 않는다. 이 외부 기세계는 5취가 공히 수용함을 또한 용납하기에 다시 잡란함을 이룰 것이기 때문에 취의 체가 아니다. 5취의 체성상 중유는 아니니, 취는 가는 곳[所往]인데, 중유는 가는 곳인 취[所往趣]이 아니기 때문이며, 취의 방편이기 때문에 취에 포함되는 것이 아니다.

을 포함하는 것이 아니다. 포함되지 않는 것은 무엇인가? 이른바 중유이다."[53] 『법온족론』에서도 이렇게 말하였다. "안계眼界는 어떤 것인가? 말하자면 4대종으로 만들어진 청정한 물질[淨色]이 눈[眼]인데, 지옥·방생·아귀·인간·천신의 취趣, 수소성[修成], 중유의 안근, 안처, 안계이다."[54] 계경에서도 중유는 취와 다르다고 구별하였다. 어떤 계경인가? 말하자면 칠유경七有經이니, 거기에서 7유는 말하자면 지옥유·방생유·아귀유·천유·인유·업유業有·중유라고 설했는데, 그 경 중에서는 5취 및 그 원인과 아울러 취의 방편을 말한 것이다. 따라서 취는 오직 무부무기라는 그 이치가 지극히 성취되었으니, 업유라는 원인은 모든 취와 다르다고 구별했기 때문이다.[55]

가습미라국에서는 이와 같은 계경을 암송한다. "존자 사리자가 이렇게 말하였다. '존자여! 만약 누군가에게 지옥의 (과보를 받을) 여러 번뇌들이 현전한다면, 그 때문에 지옥의 과보를 받을 업[順地獄受業]을 만들고 증장할 것이니, 그의 신·구·의는 굽고 더러우며 흐리기 때문[曲穢濁故]에 지옥 중에서 5온의 이숙을 받을 것이고, 이숙이 일어난 뒤에는 지옥이라고 이름한다. 5온의 법을 제외한다면 그 지옥은 전혀 얻을 수 없다.'" 따라서 취는 오직 무부무기이다.[56]

---

53 이 (논의 글) 때문에 중유는 취가 아니라는 것을 알 수 있다. # '4생'은 태생·난생·습생·화생인데, 중유는 화생에 포함된다.

54 다시 인용해 증명하는 것이다. '…이 눈[眼]인데'는 귀 등과 다르다고 구별한 것이니, 22근 중에서는 안근이고, 12처 중에서는 안처이며, 18계 중에서는 안계인데, 또 5취의 눈, 수소성의 천안 및 중유의 눈이라고 하였다. 이미 5취와 분리하여 따로 중유를 말했으니, 중유는 5취에 포함되는 것이 아님을 분명히 알 수 있다.

55 경을 인용해 증명하는 것이다. 7유경(=『장아함십보법경長阿含十報法經』 상권. 대1-236중)을 말하는 것이니, 그 경에서 취와 분리하여 따로 중유를 말하면서 '취의 방편'이라고 하였다. 따라서 중유는 5취에 포함되는 것이 아님을 알 수 있다. 이는 곧 중유는 취가 아님을 바로 증명하는 것이지만, 이에 편승하여 뜻의 편의상 취의 체는 오직 무기임을 겸하여 나타낸 것이다. 그 경에서 취와 분리하여 따로 업유를 말하면서 5취의 원인이라고 했으니, 곧 5취는 이숙과임을 알 수 있다. 그래서 취는 오직 무부무기라는 그 이치가 지극히 성취되었으니, 경에서 업이라는 원인은 (결과인) 모든 취와 다르다고 구별했기 때문이다.

56 다시 경(=『대비바사론』 제172권. 대27-865상에도 등장하는 것인데, 출전은 미상)을 인용해 취가 오직 무기임을 증명하는 것이다. '여러 번뇌'는 곧 업

만약 이와 같다면 『품류족론』의 글은 어떻게 회통할 것인가? 거기에서, "5취는 일체 수면隨眠에 의해 따라 증장된 것[所隨增]이다"라고 말했기 때문이다.[57] 거기에서는 5취로 속생續生하는 마음 중에 5부의 일체 번뇌가 있을 수 있음을 말한 것이니, 취 및 그것으로 들어가는 마음을 전체적으로 취라고 말한 것이므로 상반되는 허물이 없다. 비유하자면 촌락 및 촌락의 변두리를 전체적으로 촌락이라고 이름하는 것과 같다.[58]

어떤 분은, "취의 체는 선·염오에도 통한다"라고 말하였다. 그래서 칠유경에서 업유와 구별했다고 해서 '별도로 설했기 때문에 결정코 그것에 포함되는 것이 아니다'라고 할 것은 아니니, 마치 5탁五濁 중에서 번뇌탁과 견탁을 별도로 탁이라고 말하는데, '별도로 말하기 때문에 그 견은 결정코 번뇌에 포함되는 것이 아니다'라고 할 것이 아닌 것처럼, 이와 같이 업유도 역시 취이기는 하지만, 취의 원인임을 나타내기 위해 이 때문에 별도로 설했다는 것이다.[59] 만약 그렇다면 중유도 역시 취여야 할 것이다.[60] 그렇지 않

을 일으키는 번뇌를 나타내고, '지옥의 과보를 받을 업'은 바로 그 원인을 나타낸다. '굽다'는 것은 아첨을 말함이고, '더럽다'는 것은 성냄을 말함이며, '흐리다'는 것은 탐욕을 말함이다. 그의 신·구·의는 아첨·성냄·탐욕으로부터 생기기 때문에 신·구·의의 굽고 더러우며 흐린 업이라고 이름했으니, 이는 곧 지옥의 과보 받을 업을 바로 나타낸 것이다. 이런 악업을 만들기 때문에 지옥 중에서 5온의 이숙과를 받을 것이고, 이숙이 일어난 뒤에는 지옥이라고 이름한다. 5온의 법을 제외한다면 그 지옥은 전혀 얻을 수 없다. 이런 경의 말씀 때문에 취는 오직 무부무기임을 알 수 있으니, 이숙과는 오직 무기이기 때문이다.

57 힐난이다. 『품류족론』(=제9권. 대26-730상)에서, "5취는 일체 수면에 의해 따라 증장된 것이다"라고 말했기 때문에 염오에도 통한다는 것을 분명히 알 수 있다. 만약 오직 무부무기인 이숙과라면 그 논서에 응당 5취는 수소단 및 변행수면에 의해 따라 증장된 것이라고 말하지, '일체(수면)'라고 말하지 않았을 것이다. 이미 일체라고 말했으니, 염오에도 통한다는 것을 분명히 알 수 있다.

58 회통하는 것이다. 5취로 속생할 때 모든 번뇌를 일으킬 수 있는 것을 '취에 들어가는 마음'이라고 이름했다. 취 및 취에 들어가는 마음을 전체적으로 취라고 이름한 것이므로, 상반되는 허물이 없다. 비유는 알 수 있을 것이다.

59 대중부의, "취의 체는 선·염오에도 통한다"는 설이 있다. 그런데 칠유경에서 5취 외에 업유를 분리해서 구별했다고 해서 '별도로 말했으니, 업은 결정코 취에 포함되는 것이 아니다'라고 할 것은 아니다. 5탁은 겁탁劫濁·명탁命濁·유

다. 취의 뜻과 상응하지 않기 때문이다. 취는 '가는 곳[所往]'을 말하는 것인데, 중유가 '가는 곳'이라고 말할 수는 없으니, 곧 죽는 곳[死處]에서 생기기 때문이다.[61] 만약 그렇다면 무색계도 역시 취가 아니어야 할 것이니, 곧 죽는 곳에서 생을 받기 때문이다.[62] 이미 그러하다면 중유는 중유라고 이름하기 때문에 취라고 이름하지 않아야 할 것이니, 2취의 중간이기 때문에 중유라고 이름한 것이다. 이것이 만약 취에 포함되는 것이라면, 중간이 아니기 때문에 이를 곧 중유라고 이름하지 않았어야 할 것이다.[63] 그렇지만 그 존자 사리자가, "이숙이 일어난 뒤에는 지옥이라고 이름한다"라고 말한 것은, 이숙이 일어나야 비로소 지옥이라고 이름한다는 것을 말한 것이지, 지옥이 오직 이숙이라고 말한 것은 아니다. 그리고 다시 "5온의 법을 제외한다면 그 지옥은 얻을 수 없다"라고 말한 것은, 능히 여러 취로 가는 보특가라가 실재한다는 것을 부정하기 위하여 이렇게 말한 것이지, 다른 온을 부정하려고 이런 말을 한 것이 아니다.[64]

정탁有情濁·번뇌탁煩惱濁·견탁見濁을 말하는 것인데, 마치 5탁 중에서 번뇌탁과 견탁을 별도로 탁이라고 말하지만, '별도로 말하기 때문에 그 견은 결정코 번뇌에 포함되는 것이 아니다'라고 할 것이 아닌 것과 같다. 10수면은 모두 번뇌이기 때문이다. 업도 역시 취이기는 하지만, 원인임을 나타내려고 별도로 말한 것이다.

60 힐난이다. 업유를 별도로 말했어도 취에 포함되는 것이라고 말한다면, 중유 역시 별도로 말했어도 역시 취에 포함되는 것이어야 할 것이다.

61 다른 학설에서 힐난에 대해 회통하는 것이다. 취는 '가는 곳[所往]'인데, 중유는 가는 주체[能往]이니, 가는 주체가 가는 곳이라고 말할 수는 없다. 곧 죽는 곳에서 생기기 때문이다.

62 힐난이다. 중유가 죽는 곳에서 생긴다고 해서 중유가 취에 포함되는 것이 아니라면, 무색계도 죽는 곳에서 태어나는 것이므로 취에 포함되는 것이 아니라고 해야 할 것이다.

63 다시 좋게 해석하는 것이다. 중유라고 이름하기 때문에 취라고 이름하지 않아야 한다. 2취의 중간에 수생하기 때문에 중유라고 이름하는데, 이것이 만약 취에 포함되는 것이라면 '중'이라고 이름하지 않아야 할 것이다.

64 대중부 등에서 다시 앞의 경에 대해 회통하는 것이다. 그렇지만 그 존자 사리자가, "이숙이 일어난 뒤에는 비로소 지옥이라고 이름한다"라고 말한 것은, 오직 이숙만이라는 것은 아니기 때문에 선과 염오에도 통한다. 그 경에서 다시 "5온의 법을 제외한다면 그 지옥은 얻을 수 없다"라고 말한 것은, 다르게 집착하여 능히 여러 취로 가는 보특가라가 실재하고, 진실한 나의 체라고 하는 것

그러나 비바사 논사들은, 취는 오직 무부무기라고 말하였다. 어떤 분은 한결같이 이숙생이라고 말하는데, 어떤 다른 논사는 소장양에도 통한다고 말하였다.[65]

제3절 7식주七識住

곧 3계 및 5취 중에는 그 순서대로 식주識住 일곱 가지가 있다.[66] 그 일곱 가지란 무엇인가? 게송으로 말하겠다.

⑤ 몸이 다르고 아울러 생각도 다른 것[身異及想異]
몸은 다르고 생각은 동일한 것[身異同一想]
이와 반대되는 것, 몸과 생각이 동일한 것과[翻此身想一]
아울러 무색계의 아래 3처이다[幷無色下三]

⑥a 그래서 식주에 일곱이 있으니[故識住有七]
나머지가 아닌 것은 손괴함이 있어서이다[餘非有損壞][67]

을 부정하기 위하여 이렇게 말한 것이지, 선·염오의 다른 온을 부정하려고 이런 말을 한 것이 아니다.

65 본래의 종지로 맺어 돌아오는 것이다. 여기에서는 양 논사 중 앞의 설(=이숙생설)을 바른 것으로 한다. 그래서 『대비바사론』 제172권(=대27-865상)에서 말하였다. "(문) 이제 취의 체가 오직 무부무기라는 것을 알았는데, 그 중 이숙생일 뿐인가, 소장양에도 통하는가? (답) 취의 체는 오직 이숙생일 뿐이라고 말해야 한다.(='소장양'은 3성에 통함) (문) 『품류족론』의 말은 어떻게 회통할 것인가? 예컨대 5취는 5온·12처·18계를 포함한다고 말한 것(=소리는 이숙생이 없으며, 나머지 온·처·계에는 이숙생 아닌 것도 있음)과 같다. (답) 그 글은 응당 '5온·11처·17계의 일부를 포함한다'라고 말했어야 하는데, 이렇게 말하지 않은 것은 암송한 분이 착오로 잘못한 것이라고 알아야 한다. 어떤 분은, 그 논서는 5취의 권속과 5취를 감득한 업 및 능히 방호하는 것을 통틀어 말한 것이지, 오직 취만 말한 것이 아니기 때문에 허물이 없다고 말하였다."

66 이하에서 셋째로 7식주에 대해 밝힌다. 곧 3계 및 5취 중에, 아래로부터 위까지 그 순서대로 식주에 그 일곱 가지가 있다.

67 제1구는 제1식주를 밝히는 것이고, 제2구는 제2식주를 밝히는 것이며, '이와

1. 제1식주

논하여 말하겠다. 계경 중에서, "유색의 유정으로서, 인간과 일부 천신처럼, 몸도 다르고 생각도 다른 것이 제1식주이다"라고 말하였다. '일부 천신'이란 말하자면 욕계의 천신 및 겁초劫初에 일어난 것을 제외한 초정려의 천신이다. '몸이 다르다'라고 말한 것은, 말하자면 그들의 색신은 갖가지 현색·형상의 모습이 다르기 때문이다. 그들은 몸이 다르기 때문에, 혹은 다른 몸을 가졌기 때문에 그 유정들을 말하여 '몸이 다르다'라고 이름한 것이다. '생각이 다르다'라고 말한 것은, 말하자면 그들은 괴롭거나 즐겁거나 괴롭지도 않고 즐겁지도 않다는 생각이 차별되기 때문이다. 그들은 생각이 다르기 때문에, 혹은 다른 생각을 가졌기 때문에 그 유정들을 말하여 '생각이 다르다'라고 이름한 것이다.[68]

2. 제2식주

유색의 유정으로서, 말하자면 겁초에 일어난 범중천처럼, 몸은 다르고 생각은 동일한 것이 제2식주이다. 까닭이 무엇이겠는가? 겁초에 일어났으므

반대되는 것'은 제3식주이니, 말하자면 이 제2구를 뒤집으면 응당 몸은 동일하고 생각은 다를 것이다. '몸과 생각이 동일한 것'은 제4식주이다. 제4구는 뒤의 3식주로서, 무색계의 아래 3처이다. 제5구는 맺는 것이고, 제6구는 (식주 아닌) 법을 가려내는 것이다.

68 제1식주에 대해 밝히는 것이다. 말하자면 그 유정들은 색신을 성취했기 때문에 유색의 유정이라고 이름하는데, 몸과 생각이 모두 다르다. 인취의 전부 및 일부 천신과 같은 것이 제1식주이다. '일부 천신'이란 말하자면 욕계의 천신 전부 및 초정려 중 겁초에 일어난 것을 제외한, 그 후의 다른 때의 천신을 취한 것이다. '몸이 다르다'라고 말한 것은, 말하자면 그들의 색신은 일체가 모두 다르다는 것이다. 그들은 몸이 다르다는 것은 체에 의거해 밝힌 것이고, 다른 몸을 가졌다는 것은 성취한 것에 의거해 말한 것이니, 그래서 그 유정들을 말하여 '몸이 다르다'라고 이름한 것이다. '생각이 다르다'라고 말한 것은, 세 가지 생각이 같지 않다는 것이다. 괴롭다는 생각 등을 말한 것은, 상응하는 느낌에 의거해 나누어서 세 가지를 이룬 것이니, 만약 욕계에 있다면 세 가지 생각이 모두 있지만, 만약 초정려에 있다면 괴로움을 제외한 두 가지만 있다. 그들은 생각이 다르다는 것은 체에 의거해 밝힌 것이고, 다른 생각을 가졌다는 것은 성취한 것에 의거해 말한 것이니, 그래서 그 유정들을 말하여 '생각이 다르다'라고 이름한 것이다. # 본문 중 '계경'은 중 24:97 대인경大因經, 장 8:9 중집경衆集經 등을 가리킨다.

로 그 모든 범중梵衆들은 이와 같은 생각을 일으킨다. "우리들은 모두 대범大梵의 소생所生이다." 대범도 그 때 역시 이런 생각을 일으킨다. "이 모든 범중들은 모두 나의 소생이다." 단일한 원인[一因]을 같이 생각하기 때문에 '생각이 동일하다'라고 이름한 것이다. 대범왕의 몸은 그 분량이 높고 넓으며, 용모·위덕·언어·광명·의관衣冠 등의 일에서 하나하나가 모두 범중들과는 같지 않기 때문에 '몸이 다르다'라고 이름한 것이다.[69]

【범중이 대범을 본 처소】 경에서, "범중들은 이렇게 생각해 말하였다. '우리는 일찍이 이와 같은 유정이 장수하며 오래 머무는 것을 보았다. … (그는) 어떻게 해야 다른 유정들로 하여금 나의 동분으로 태어나게 할까 라는 원을 일으켰고, 거기에서 이런 마음의 원을 바로 일으켰을 때 우리는 곧 그의 동분 안에 태어나게 되었다'"라고 설했는데, 범중들은 어느 곳에서 일찍이 범왕을 보았는가?[70] 어떤 다른 논사는, "극광정천에 머물 때이니, 그 하늘에서 죽어서 여기에 와 태어났기 때문이다"라고 말하였다.[71] 어떻게 지금 시기에 제2정려를 얻지 않았는데도 그 지에서 과거에 머물 때의 일을 능히 기억할 수 있겠는가? 만약 그가 이미 제2정려를 얻었다고 한다면, 어떻게 대범을 반연하여 여전히 계금취견을 일으키겠는가?[72]

69 제2구를 해석하는 것이다. '범중천'이라는 말은 (초정려의 3천 중) 처음을 들어 뒤를 나타낸 것으로서, 모두 3천을 포함하는 것이지만, 겁초만을 취하고 뒤의 시기는 취하지 않는다. 겁초에 일어난 범중들은, "우리들은 모두 대범에 의해 태어난 자들이다"라는 생각을 일으키고, 대범도, "이 모든 범중들은 모두 내가 낳은 자들이다"라는 생각을 일으킨다. 범왕과 범중들이 같이 단일한 원인을 붙잡아 생각을 낳기 때문에 '생각이 동일하다'라고 이름한 것이다. '몸이 다르다'라고 말한 것은, 범왕과 범중들은 그 몸이 각각 다르기 때문에 몸이 다르다고 이름한 것이다. 여기에서의 글은 우선 대범을 범중과 상대시켜 몸의 다름을 밝혔지만, 범보천과 범중천도 해당 처[當處]에서 서로 바라보더라도 몸에 역시 차이가 있다. 그래서 『현종론』 제12권(=대29-831하)에서, "몸이 다르다고 말한 것은, 초정려 중에는 표와 무표, 심구와 사찰이 있으며, 여러 식이 원인이 되어 몸을 감득하므로 차별이 있기 때문이다"라고 말하였다.

70 경(=장 14:21 범동경梵動經 중 졸역 3.3의 (5))에 의해 물음을 일으킨 것이다. # 본문 중 '우리'는 범중을 가리키고, '이와 같은 유정'은 대범을 가리키는데, 본문의 원은 '이와 같은 유정', 즉 대범이 일으킨 원이다.

71 답이다. 3설이 있는데, 이는 곧 첫 논사이다. 과거에 제2선천(='극광정천'은 제2정려지의 가장 높은 하늘임)에 있을 때 일찍이 범왕을 보았다고 한다.

어떤 다른 논사는, “중유에 머물 때이다”라고 말하였다.[73] 그들이 중유에 머물 때에는 장시간 머무는 뜻이 없으니, 생을 받는 것에 장애가 없기 때문이다. 어떻게 범중들이 ‘우리는 일찍이 이와 같은 유정이 장수하며 오래 머무는 것을 보았다’라고 생각하고 말할 수 있겠는가?[74]

그러므로 범중들은 곧 자신의 하늘[自天]에 머물면서 여기에 태어나기 전에 겪었던 일[此生前所更事]을 기억한 것이니, 말하자면 먼저 그가 장수하며 오래 머무는 것을 보았고, 그 후 거듭 보았을 때 이와 같은 생각을 일으킨 것이다.[75]

3. 제3식주

유색의 유정으로서 극광정천처럼 몸은 동일하고, 생각은 다른 것이 제3

---

72 논주의 논파이다. 초정려에 태어났을 때 제2정려를 비득非得하는데, 어떻게 그 지에서의 일을 기억할 수 있는가? 제2정려를 얻었을 때에는 초정려의 번뇌는 이미 끊어졌을텐데, 어떻게 대범을 반연하여 여전히 계금취견(=대범이 자신을 낳은 자라고 생각하는 것은, 원인이 아닌 것을 원인이라고 여기는 소견에 속하기 때문)을 일으키는가?

73 제2논사의 해석이다. 과거에 중유에 머물 때 일찍이 범왕을 보았다고 한다.

74 논주의 논파이다. 욕계의 중유는 태생 등을 받으므로 태어날 연과 아직 화합하지 못했을 때에 (시간을) 거칠 수도 있고, 멈출 수도 있겠지만, 색계의 중유는 모두 화생을 받으므로 생을 받는 것에 장애가 없다. 이미 연이 결여되지 않았으므로 오래 머물 수 없는데, 어떻게 일찍이 범왕이 장수하며 오래 머무는 것을 보았다고 말할 수 있겠는가?

75 셋째로 논주의 바른 해석이다. 처음 태어날 때 보았고, 뒤에 거듭 보았을 때, “우리는 일찍이 이와 같은 유정이 장수하며 오래 머무는 것을 보았다”라는 이런 생각을 일으켰다. 또 『순정리론』 제22권(=대29-462하)에서도 말하였다.(=이하 모두 6설이 서술되어 있는데, 본문의 바른 해석과 같은 제3설 부분만 여기에 옮겼다) “범중들은 곧 자신의 하늘(=범중천)에 머물 때 일찍이 범왕을 보았다고 말해야 할 것이다. 극광정천에서 죽어 처음 생을 받았을 때 일찍이 그를 보았기 때문이다. 말하자면 범중들은 처음 하생할 때 대범왕의 위덕 광명이 혁혁 찬란함을 보자 공경하며 연모하는 마음을 품고, 가서 직접 받들고 싶었지만, 그 위신에 위협을 받아 미처 앞으로 나아감을 이루지 못하다가 이제 점점 나아가 마침내 많은 시간이 흐른 뒤 정성을 다하여 가까이 가서 우러러보고 모두 함께, ‘우리는 일찍이 ··· 보았다’라는 이런 생각과 말을 한 것이다. 말하자면 그들이 가까이 가서 대범왕을 보았을 때 곧 먼저 보았던 것을 기억해 알았고, 다시 범중들이 하생하기 전에 홀로 범왕이 있었던 것 및 마음으로 원했던 것을 능히 요달했던 것이다.”

식주이다. 여기에서는 뒤의 것을 들었지만, 처음 것까지 아울러 포함하니, 제2정려지를 모두 포함하는 것이라고 알아야 한다. 만약 그렇지 않다면 그 소광천과 무량광천은 어느 식주에 포함되겠는가?

그 천신들은 현색·형상의 모습이 다르지 않기 때문에 몸이 동일하다고 이름하고, 즐겁다거나 괴롭지도 않고 즐겁지도 않다는 두 가지 생각이 교차하기 때문에 생각이 다르다고 이름한 것이다. 전하는 학설로는, 그 천신들은 근본지根本地의 희근喜根을 싫어하면 근분지近分地의 사근捨根을 일으켜 현전시키고, 근분지의 사근을 싫어하면 근본지의 희근을 일으켜 현전시키니, 마치 부귀한 사람이 욕락欲樂을 싫어하면 곧 법락法樂을 향수하고, 법락을 싫어하면 다시 욕락을 향수하는 것과 같다고 하였다.[76]

어찌 변정천遍淨天의 생각도 역시 그러하다고 해야 하지 않겠는가?[77] 변정천은 일찍이 즐거움을 싫어한 적이 있는 것이 아니니, 즐거움이 고요해서[寂靜] 일찍이 싫어한 때가 없었다. 기쁨은 곧 그렇지 않으니, 마음을 요동시키기 때문이다.[78]

경량부 논사들은 이렇게 말하였다. "어떤 다른 계경에서는 그 하늘 중 생각의 차이가 있다는 뜻을 이렇게 해석하였다. 말하자면 극광정천에 새로 태어난 천신이 있었는데, 세간이 이루어짐과 무너짐에 대해 아직 잘 알지 못하였다. 그가 (괴겁시) 하지下地가 화염으로 환하게 타는 것을 보았는데, 보자마자 곧 놀람·두려움과 싫어해 떠나려 함이 생겨서, '저 화염이 범궁梵

76 (게송 제3구 중) '이와 반대되는 것'인 곧 제3식주를 해석하는 것이다. '극광정천'이란 말로써 뒤의 것을 들었지만, 처음 2하늘까지 포함한다. '몸이 동일하다'라고 말한 것은, 다를 원인 없이 감득해서 그 몸이 같기 때문에 몸이 동일하다고 말하였다. 만약 같은 지의 3하늘을 바라볼 때 위와 아래에서 서로 바라본다면 그 몸도 역시 다르므로, 몸이 동일하다는 말은 해당 처에서 서로 바라본 것이다. 생각이 다르다고 말한 것은, 낙수와 사수가 다르기 때문에 생각이 다르다고 말한 것이다. 세 가지 느낌으로 뜻을 밝힐 때에는 기쁨과 즐거움은 (함께) 즐거움이라고 이름한다. 비유는 알 수 있을 것이다.

77 힐난이다. 어찌 변정천도 낙수와 사수의 두 가지 생각이 교차하기 때문에 생각이 다르다고 이름해야 하지 않겠는가?

78 답이다. 제3정려 중의 즐거움은 일찍이 싫어한 때가 없었지만, 기쁨은 곧 그렇지 않으니, 마음을 요동시키기 때문에 두 가지는 차별된다.

宮을 다 태워 그것을 다 비우고 올라와 우리 처소를 침범치 못하게 했으면!' 이라고 하였다. 그 극광정천에 옛날에 태어난 천신이 있어 세간의 이루어짐과 무너짐을 잘 알았으므로, 곧 놀라 두려워하는 그 천신을 위로해 말하였다. '정선淨仙이여, 정선이여! 두려워하지 말라, 두려워하지 말라! 옛날에도 저 화염은 범궁을 다 태워 그것을 모두 비게 했지만, 곧 거기에서 꺼졌다.' 그들은 화염에 대해 온다거나 오지 않는다는 생각 및 두렵다거나 두렵지 않다는 생각을 했기 때문에 생각이 다르다고 이름한 것이지, 즐겁다거나 괴롭지도 않고 즐겁지도 않다는 생각이 있고 그 교차가 있기 때문에 생각이 다르다는 이름을 얻은 것이 아니다."[79]

4. 제4식주

유색의 유정으로서 변정천처럼 몸도 동일하고 생각도 동일한 것이 제4식주이다. 오로지 즐거움이라는 생각만 있기 때문에 생각이 동일하다고 이름한 것이다.[80]

초정려 중에서는 염오한 생각[染汚想] 때문에 생각이 동일하다고 말하였고, 제2정려에서는 두 가지 선한 생각[二善想] 때문에 생각이 다르다고 말했으며, 제3정려에서는 이숙의 생각[異熟想] 때문에 생각이 동일하다고 말한 것이다.[81]

5. 제5~7식주

아래 3무색정의 명칭의 차별은 경의 설명과 같은데, 곧 세 가지 식주이다. 이것들을 이름해서 7식주라고 한다.[82]

79 경량부에서 경(=중 2:8 칠일경七日經, 증일 34:40:1경, 장 21:30 세기경世記經의 제9 삼재품三災品 등)을 인용해 제3식주의 생각이 다르다고 이름한 것에 대해 해석하는 것인데, 글대로 알 수 있을 것이다.
80 몸과 생각이 동일한 제4식주를 해석하는 것이다. 유색의 유정 및 몸이 동일한 것은 모두 앞에서 해석한 것과 같다. 여기에서는 이숙의 즐거움을 일찍이 싫어한 때가 없었기 때문에 생각이 동일하다고 이름한 것이다. 비록 제3정려 중에 사수도 역시 일으키기는 하지만, 많은 부분에 따랐기 때문이며, 싫어하지 않음에 의거했기 때문에 생각이 동일하다고 말한 것이다.
81 세 가지 식주의 생각이 차별되어 같지 않음을 전체적으로 밝히는 것이다.
82 이는 제4·제5구를 해석하는 것인데, 4무색처 중 아래 세 가지를 취한 것이다. 말하자면 공무변처천이 제5식주이고, 식무변처천이 제6식주이며, 무소유처천

6. 식주의 체

여기에서 어떤 법을 식주라고 이름한 것인가?[83] 말하자면 그 상응하는 바대로 그것에 매인 5온이나 4온, 이것을 식주라고 이름한다.[84]

그 나머지는 무엇 때문에 식주가 아닌가?[85] 그 나머지 처에는 모두 의식을 손괴하는 법[損壞識法]이 있기 때문이다.[86] 그 나머지 처란 무엇인가?[87] 모든 악처와 제4정려지 및 유정천[有頂]을 말하는 것이다. 왜냐하면 그런 처에는 의식을 손괴하는 법이 있기 때문에 식주가 아니다.[88]

어떤 것을 의식을 손괴하는 법이라고 이름한 것인가?[89] 말하자면 모든 악처에는 의식을 손상시킬 수 있는 무거운 고수苦受가 있고, 제4정려에는 무상정 및 무상과[無想事]가 있으며, 유정천에는 멸진정이 있어 능히 의식을 파괴하여 상속을 끊어지게 하기 때문에 식주가 아니다.[90] 다시 이런 설도 있다. "만약 다른 처의 유정들이 마음으로 즐겁게 와서 머물려고 하고, 만약 여기에 이르렀을 때 다시 나가기를 구하지 않는 처라면, 식주라고 이름하는데, 모든 악처에는 두 가지 뜻이 모두 없으며, 제4정려지는 마음이 늘 나가기를 구하니, 말하자면 여러 이생들은 무상無想에 들어가기를 구하고, 여러 성자들이라면 정거천이나 무색처에 들어가기를 좋아하며, 정거천이라면 적멸 증득하기를 좋아한다. 유정천은 어둡고 열등하기 때문에 식주가 아니다."[91]

이 제7식주이다. 이것들을 이름해서 7식주라고 한다.

83 식주의 체를 묻는 것이다.

84 답이다. 만약 욕계·색계라면 그것에 매인 5온을 체로 하고, 무색계라면 그것에 매인 4온을 체로 한다. 그 상응하는 바대로 유정에 속하는 법[有情數法]이니, 의식이 그 안에 즐거이 머물면서 붙들기 때문에 이를 식주라고 이름한다.

85 제6구를 해석하려고 물음을 일으켰다.

86 게송을 들어 바로 답하는 것이다.

87 따지는 것이다.

88 해석하는 것인데, 알 수 있을 것이다.

89 묻는 것이다.

90 답 중에 둘이 있는데, 이는 곧 첫째 해석이다. 3악취 중에는 고수가 의식을 손상시키고, 제4정려와 유정천에는 의식을 소멸시키는 법이 있기 때문에 식주가 아니다.

91 두 번째 해석이다. 두 가지 뜻을 갖춘다면 식주라고 세우지만, 나머지는 모두

제4절 9유정거九有情居

이와 같이 7식주에 대해 분별했으니, 이 기회에 다시 9유정거에 대해 설명하겠다.[92] 그 아홉 가지란 무엇인가?[93] 게송으로 말하겠다.

6c (7식주와) 아울러 유정천[應知兼有頂]
　및 무상유정천이[及無想有情]
7a 9유정거라고 알아야 하니[是九有情居]
　나머지가 아닌 것은 머물기를 즐기지 않아서이다[餘非不樂住][94]

논하여 말하겠다. 앞의 7식주 및 제일유第一有와 무상유정천, 이들을 9유정거라고 이름한다. 모든 유정의 부류는 이 아홉 가지에서만 기꺼이 머물기를 즐기기 때문에 유정거로 세운 것이다. 나머지 처는 모두 유정거가 아니니, 머물기를 즐기지 않기 때문이다.

나머지 처라고 말한 것은, 말하자면 모든 악처는 유정의 부류가 거기에 스스로 머물기를 즐기는 것이 아니니, 악업의 나찰羅刹들이 그들을 핍박하면서 머물게 하기 때문에 거기는 감옥과 같아서 유정거로 세우지 않는다. 무상천을 제외한, 제4정려의 나머지가 유정거가 아닌 것은 식주 중에서 해석한 것과 같다.[95]

갖추지 못했기 때문에 식주가 아니다. 무상천에 들어가기를 구하고, 혹은 무상정에 들어가기를 구하며, 유정천은 어둡고 열등하기 때문에 식주가 아니다.

92 이하 넷째로 9유정거에 대해 밝힌다.

93 물음이다.

94 답인데, 위의 3구는 체를 나타내고, 아래 1구는 법을 가려내는 것이다.

95 '유정'은 가유[假]이고, '거'는 말하자면 거주하는 곳[所居]이다. 5온은 실법實法인데, 가유가 실법에 거주하는 것이다. 유정의 거처라면 유정거라고 이름한다. 여기에서의 뜻은 거주하는 곳의 법을 밝히는 것인데, 전체적으로 말한다면 자신의 유정의 법[自有情法]을 취하고, 남의 몸, 비유정, 중유는 취하지 않는다. 그래서 『순정리론』 제22권(=대29-464하)에서 말하였다. "태어난 뒤[生已]를 유정거라고 이름한다고 말했으므로, 유정거는 중유를 포함하지 않음을 알 수 있다. 또 모든 중유는 오래도록 머무는 것이 아니기 때문에 모든 유정이 즐거이 안주하지 않는다. 또 반드시 그러해야 하는 것은 근본논서(=『집이문

제5절 4식주

앞에서 인용한 경에서는 7식주를 설했지만, 다시 어떤 다른 경에서는 4식주를 설했는데, 그 네 가지란 무엇인가?[96] 게송으로 말하겠다.

⑦c 4식주는 알아야 할지니[四識住當知]
　4온으로서, 오직 자지만이고[四蘊唯自地]
⑧a 유독 식온만은 식주가 아니며[說獨識非住]
　유루이고, 4구에 포함된다고 말한다고[有漏四句攝][97]

1. 명칭과 체

논하여 말하겠다. 계경에서, "식識은 신체[色]에 따라 머물고, 식은 느낌[受]에 따라 머물며, 식은 지각[想]에 따라 머물고, 식은 형성[行]에 따라 머문다"라고 말한 것과 같으니, 이것들을 네 가지라고 이름한다.[98]

....

족론』 제19권. 대26-446하)에서 태어나는 곳[生處]을 나타내기 위해 유정거를 세웠다고 말했기 때문이다." 또 『순정리론』(=제22권. 대29-464하)에서 7식주와 유정거의 차별을 구별하면서 말하였다. "생사 중에 모든 식이 사랑에 의해 머물고 붙드는 것[諸識由愛住著]을 나타내기 위해 식주를 건립하고, 모든 유정이 스스로 의지하는 것에 대해 애락하여 안주하는 것[於自依止愛樂安住]을 나타내기 위해 유정거를 건립했으니, 그래서 이 2문으로 차별을 건립한 것이다." # 유정천과 무상유정천이 식주가 아니면서 유정거인 점에 대해 『현종론』(=제12권. 대29-832중)에서 말하였다. "뜻이 각각 다르기 때문이다. 이 2처에는 의식을 손괴하는 법이 있어서 식이 즐겁게 머물지 않기 때문에 식주가 아니지만, 그 2처는 유정의 몸을 성취하고, 유정이 거주하기를 즐기기 때문에 9유정거에 포함되는 것이다. 말하자면 만약 어떤 처가 나머지 처에서 즐거이 와서 거주하면서, 옮기고 움직이는 것을 좋아하지 않는다면 유정거에 포함되는 것이다. 나머지 처는 모두 아니니, 머물기를 즐기지 않기 때문이다." 본문 중 '제일유'(=존재의 제일)는 유정천=비상비비상처를 가리키는 말이다.

96 이하 다섯째로 4식주에 대해 밝히는데, 경(=잡 [4]2:39 종자경種子經 및 장 8:9 중집경衆集經 중 졸역 2.5의 ㉘ 등)에 의거해 물음을 일으켰다.

97 답이다. 위의 3구 및 (제4구 중) '유루'는 체를 밝히는 것이고, '4구에 포함된다'는 것은 넓고 좁음을 밝히는 것이다.

98 이는 4식주의 명칭을 열거한 것이다.

이와 같은 네 가지는 그 체가 어떤 것인가?[99] 말하자면 순서에 따른 유루의 4온이다. 또 이것은 오직 자지自地에만 있고, 나머지는 아니니, 식이 의지하고 붙잡는 대상[識所依著]을 식주라고 이름하기 때문이다. 다른 지의 색온 등 온에 대해서는 식이 갈애의 힘에 따라 그것에 의지하거나 붙잡는 것이 아니다.[100]

어째서 식온은 식주가 된다고 말하지 않는가?[101] 머무는 주체[能住]를 떠나 머물 대상[所住]을 세웠기 때문이니, 머무는 주체인 식은 머물 대상이라고 이름할 수 있는 것이 아님은, 마치 곧 왕은 왕좌王座라고 이름할 수 있는 것이 아닌 것과 같다. 혹은 마치 사람이 배를 타는 이치처럼, 만약 어떤 법을 식이 타고 부린다면[識所乘御] 식주라고 이름하는데, 식은 곧 자체를 타고 부릴 수 있는 것이 아니니, 이 때문에 식온은 식주라고 말하지 않는 것이다. 비바사 논사들이 말하는 것은 이와 같다.[102]

---

99 물음이다.

100 답이다. '유루'는 무루를 가려내는 것이고, '4온'은 식온을 가려내는 것이다. 유루의 4온 중에 나아가면 오직 자지만을 취하지, 나머지 다른 지의 것은 아니며, 자지 중에 나아가면 자신의 몸과 유정의 수만 취하지, 남의 몸과 비유정은 취할 것이 아니다. 이 자지의 자신의 몸의 유루의 4온이 식이 의지하는 대상[識所依]으로서 식이 붙잡는 대상[識所著]이다. '의지하는 대상'은 말하자면 식과 함께 생긴 의지처[依]로서, 동시에 도우면서 동반되어 식을 일어나게 하기 때문이며, 가장 지극히 친근하기 때문에 의지처라고 이름한 것이지, 반드시 식이 의지하는 근이기 때문에 비로소 의지처라고 이름한 것이 아니니, 이 '의지하는 대상'이라는 말은 직접 연유하고 의지한다는 뜻[親由藉義]을 나타내는 것이다. '붙잡는 대상'은 말하자면 식이 붙잡는 경계이니, 함께 하든 함께 하지 않든 공통으로 식을 견인해 일어나게 하기 때문이다. 모든 유루의 식은 그 갈애의 힘에 따라 그것들에 의지하고 붙잡으니, 이런 두 가지 뜻이 있기 때문에 식주라고 이름한다. 지옥 중에서도 역시 자신의 몸을 사랑해서 혹은 탐내거나 좋아하는 등 때문에 지옥에서도 역시 식주가 있는 것이다. 만약 비정이나 남의 몸의 4온에 대해서라면 비록 소연으로서 붙잡는 대상이라고 이름할 수는 있어도, 의지처가 아니며 직접 함께 하는 것이 아니기 때문에 식주가 아니다. 만약 다른 지 및 무루의 법이라면 두 가지 뜻이 모두 결여되므로, 식이 갈애의 힘에 따라 그것에 의지하거나 붙잡는 것이 아니니, 갈애는 무루나 다른 지의 법을 반연하지 않기 때문이다.

101 물음이다.

102 답이다. 무릇 식주라고 말은, 머무는 주체인 식을 떠나 별도로 머무는 대상인 4온을 세운 것이기 때문에 머무는 주체인 식은 식주라고 이름할 수 있는

만약 그렇다면 무엇 때문에 다른 계경에서는, "식식識食에 대해 기뻐함이 있고 물듦이 있다면, 기뻐함과 물듦이 있기 때문에 식이 거기에 머물고 식이 타고 부릴 것[識所乘御]이다"라고 말했는가? 또 어째서 앞의 7식주는 5온을 체로 한다고 말했는가?[103] 비록 이런 말이 있었지만, 태어난 곳에 포함된 온에 대해 개별적으로 분석하지 않고, 전체적으로 기뻐함과 물듦을 낳기 때문에 식이 일어날 때 역시 식주라고 이름한 것이지, 유독 식온에 대해서만 말한 것이 아니다. 그러나 색온 등의 온은 하나하나가 능히 갖가지 기뻐함과 물듦을 낳아, 식으로 하여금 의지하고 붙잡게 하지만, 유독 식온만은 그렇지 않다. 그래서 식주가 아니라고 말한다. 그러므로 이 4식주 중에서는 식은 식주가 아니지만, 나머지에서는 (식을 포함하여) 말할 수 있는 것이다.[104] 또 붓다께서는 뜻으로, "이 4식주는 마치 좋은 밭과 같고, 전체적으로 말해서 취착 있는 일체 모든 식은 마치 종자와 같다"라고 말씀하셨으니, 종자를 좋은 밭이라고 세울 수는 없는 것이다. 세존께서 가르치신 뜻을 우러러 헤아리면 이와 같다.[105] 또 법은 식과 더불어 동시에 생겨서

것이 아니니, 따라서 식은 식주라고 말할 수 없다. 마치 곧 왕은 왕좌라고 이름할 수 있는 것이 아닌 것과 같다. 혹은 만약 식이 타고 부리는[識所乘御] 4온의 법이 있다면 식주라고 이름하는 것은, 비유하자면 사람이 배를 타는 도리와도 같으니, 식은 식을 부리는 것은 아니기 때문에 식은 식주가 아니다.

103 힐난이다. 경(=잡 [15]15:378 유탐경有貪經)에서, 식에 대해 기뻐함과 물듦이 있으면 그 때문에 식이 거기에 머물고 식의 부림을 받는다고 말했고, 또 (앞에서) 식 자체도 7식주가 된다고 말했으니, 식 자체도 머물 대상이라는 것을 분명히 알 수 있다.

104 답이다. 계경 중에 비록 이런 설이 있지만, 태어난 곳에 포함되는 5온에 대해 개별적으로 분석하지 않고, 전체적으로 기뻐함과 물듦을 낳으니, 식을 반연한다는 뜻의 측면에서는 식식識食이라고 이름하고, 5온을 반연한다는 뜻의 측면에서는 7식주라고 이름한다. 따라서 식이 일어날 때에는 4온만을 식주라고 이름하지 않고, 식온도 역시 식주라고 이름하지만, 유독 식이 개별적으로 기뻐함과 물듦을 낳는다고 말하거나 머물 대상이라고 이름한 것이 아니다. 그러나 색온 등의 4온은 하나하나가 능히 갖가지 기뻐함과 물듦을 낳아, 식으로 하여금 붙잡게 하기 때문에 식주라고 이름하는 것이다. 유독 식은 그렇지 못하기 때문에 머물 대상이 아니다. 그러므로 이 4식주 중에서 식은 식주가 아니지만, 그 나머지 4식 및 7식주 중에서는 식이 식에 머문다고 말할 수 있다.

105 또 가르침(=앞에 나온 잡 [4]2:39 종자경種子經)을 인용해 식이 머물 대상이 아님을 증명하는 것이다.

식의 좋은 밭이 될 수 있으므로 식주로 세울 수 있지만, 식온은 그렇지 못하기 때문에 식주가 아니다.[106]

2. 7식주와 4식주의 포함관계

이렇게 설한 일곱 가지 식주와 네 가지 식주는 비록 다르기는 해도 모두 유루인데, 7식주가 4식주를 포함하는가, 4식주가 7식주를 포함하는가? 두루 서로 포함하는 것이 아니니, 4구로 분별해야 한다. 말하자면 자세히 관찰하면 2문門은 체가 서로 넓거나 좁아서, 혹은 7식주에 포함되지만, 4식주에 포함되지 않는 것이 있는 등, 4구를 이루게 된다고 알아야 할 것이다. 제1구는 말하자면 7식주 중의 식이고, 제2구는 말하자면 모든 악처와 제4정려 및 유정천 중 식온을 제외한 나머지 온이며, 제3구는 7식주 중의 4온이고, 제4구는 말하자면 앞에서 말한 것들을 제외한 것이다.[107]

제6절 4생四生

앞에서 말한 모든 계界·취趣 중 그 생生에는 간략히 네 가지가 있다고 알아야 할 것이다.[108] 어떤 것이 네 가지이며, 어떤 처소에 무엇이 있는가?[109]

106 4온은 식과 더불어 동시에 생겨서 식의 좋은 밭이 될 수 있으므로 식주로 세울 수 있지만, 식온은 식과 더불어 동시에 생기는 것이 없기 때문에 식은 식에서 바라볼 때 식주가 아니다.

107 7식주와 4식주는 서로 넓고 좁음이 있어 4구로 차별을 밝히는 것이다. 7식주는 체가 넓고 처소는 좁으며, 4식주는 처소가 넓고 체는 좁다. 4구는 글대로 알 수 있을 것이다. 제3구 중에서 7식주 중의 4온이라고 이미 말했고, 『순정리론』에서도 또 4식주는 오직 유정만이라고 말했으니, 7식주도 역시 오직 유정만인 것을 분명히 알 수 있다. 만약 9유정거로써 4식주를 상대한다면 서로 넓고 좁음이 있으므로 다시 4구를 이룬다. 제1구는 9유정거는 있지만, 4식주는 아닌 것이니, 말하자면 9유정거 중의 식이다. 제2구는 4식주는 있지만, 9유정거는 아닌 것이니, 말하자면 3악취 및 제4정려 중 무상천에 포함되지 않는 나머지 천신의 4온이다. 제3구는 9유정거도 있고, 4식주도 있는 것이니, 말하자면 9유정거 중의 4온이다. 제4구는 9유정거도 아니고, 4식주도 아닌 것이니, 말하자면 앞에서 말한 것들을 제외한 것이다.

108 이하 여섯째로 4생에 대해 밝힌다. 앞에서 설명한 3계·5취 중 그 생에는 간략히 네 가지가 있다고 알아야 한다.

109 첫째 수를 묻고, 둘째 따로 처소에 의거해 묻는 것이다.

게송으로 말하겠다.

⑧c 그 중에 4생의 유정이 있으니[於中有四生]
　난생 등을 말하는 것이다[有情謂卵等]

⑨ 인간과 방생은 4생을 갖추고[人傍生具四]
　지옥 및 모든 천신과[地獄及諸天]
　중유는 오직 화생이며[中有唯化生]
　아귀는 태생·화생 두 가지에 통한다[鬼通胎化二][110]

1. 명칭과 뜻

논하여 말하겠다. 말하자면 유정의 부류는 난생卵生·태생胎生·습생濕生·화생化生이니, 이를 4생이라고 이름한다. '생'은 말하자면 생류生類이니, 모든 유정 중에 다른 부류들이 뒤섞였더라도 생류로서는 같다는 것이다.[111]

어떤 것이 난생인가? 말하자면 유정의 부류가 알껍질[卵㲉-禾+卵]로부터 생기면 이를 난생이라고 이름하니, 예컨대 거위·공작·앵무새·기러기 등과 같다. 어떤 것이 태생인가? 말하자면 유정의 부류가 태장胎藏으로부터 생기면 이를 태생이라고 이름하니, 예컨대 코끼리·말·소·돼지·양·나귀 등과 같다. 어떤 것이 습생인가? 말하자면 유정의 부류가 습기濕氣로부터 생기면 이를 습생이라고 이름하니, 예컨대 벌레·누에나비·모기·노래기·지네 등과 같다. 어떤 것이 화생인가? 말하자면 유정의 부류가 의탁된 것 없이[無所託]

110 앞의 2구는 첫째 물음에 대한 답이고, 뒤의 4구는 둘째 물음에 대한 답이다.
111 '생'은 4생의 종류를 말하는 것이니, 모든 유정 중에 비록 갖가지 형체와 모습의 같지 않음이 있어 다른 부류들이 서로 뒤섞였더라도, 4생의 종류로서는 각각 같기 때문이다. 또 『대비바사론』 제120권(=대27-626하)에서 말하였다. "(문) 이와 같은 4생은 무엇을 자성으로 하는가? (답) 4온이나 5온을 자성으로 한다. 말하자면 욕계·색계는 5온이고, 무색계는 4온이다. 여기에서 어떤 분은 이숙온만을 자성으로 한다고 말하고, 어떤 분은 소장양에도 통한다고 말한다. 이를 4생의 자성이라고 이름한다." 『대비바사론』의 2설 중 앞의 설을 바른 것으로 한다.

생기면 이를 화생이라고 이름하니, 예컨대 지옥·천신·중유 등과 같다. 감관을 갖추고 결함 없이[具根無缺] 지체가 단박에 생기니[支分頓生], 없던 것이 홀연 있기[無而欻有] 때문에 화생이라고 이름한 것이다.[112]

2. 4생과 5취의 관계

인간과 방생의 취는 각각 네 가지를 갖춘다.[113] 난생의 인간이란, 말하자면 고니의 알로부터 생긴 세라世羅와 오파세라鄔波世羅, 녹모鹿母 소생인 서른두 명의 아들, 반차라왕般遮羅王의 오백 명의 아들 등과 같은 사람이다.[114]

112 이하 4생의 명칭을 해석하는 것이다.

113 제3구를 해석하는 것인데, 이는 곧 전체적으로 열거한 것이다.

114 이는 난생의 인간을 밝히는 것이다. '세라'는 당나라 말로 산山이고, '오파세라'는 당나라 말로 작은 산[小山]이니, 크고 작음이 같지 않기 때문에 작다는 것으로 구별을 표방하였다. 이 형제 2인은 모두 아라한인데, 산 근처에서 태어났기 때문에 산을 이름으로 한 것이다. 그래서 『대비바사론』 제120권(=대27-626하)에서 말하였다. "난생의 인간이란, 과거 이 주에 있던 상인이 바다에 들어갔다가 암 학 한 마리를 얻었는데, 형색이 뛰어나게 곱고 기이해서 기뻐하였다. 이윽고 알 두 개를 낳았고, 그 후 알이 열리고 두 동자가 나왔는데, 단정하며 총명하고 지혜로웠으며, 나이가 들자 출가하여 모두 아라한이 되었다. 아우의 이름은 오파세라, 형의 이름은 세라라고 하였다." 녹모鹿母란 비사가毘舍佉의 부인인데, 비사가는 이월성二月星이니, 별에 따라 이름한 것이다. 여기 말로는 장양이니, 곧 공덕이 생장한다는 뜻인데, 미가라彌伽羅장자의 아이이다. 그 부인에게 녹이라는 이름의 아들이 있었기 때문에 녹모라고 이름했으니, 아들에 따라 이름한 것이다. 서른두 개의 알을 낳았는데, 알마다 한 아이를 낳았다. '반차라'는 지명인데, 당나라 말로 '집오執五'이니, 이 왕은 땅에 따라 이름한 것이다. 왕비가 5백 개의 알을 낳았는데, 부끄러운데다가 재앙이 될까 두려워서 작은 함에 담아 긍가殑伽강에 버렸다. 물을 따라 흘러갔는데, 하류에 인접한 나라의 왕이 있어 물을 보다가 사람을 보내 접근해 가져오게 해서 알을 보았다. 갖고 돌아와 수일이 지나자 각각 아들 하나씩을 낳았다. 장성하자 날쌔고 용맹스러워 가는 곳마다 모두 누르니, 감히 대적할 자가 없었다. 그 때 인접국의 왕은 그 부왕과 오래된 원수여서, 그 아들들을 파견해 정벌하려고 먼저 글을 지어 이제 결전하고자 함을 알렸고, 조금 뒤 병사들이 도착해 그 성을 에워싸고 곧 격파하려고 하니, 반차라왕은 몹시 두려움이 생겨 왕비에게 묻자, 왕을 위로해 말하였다. '왕께서는 근심하지 않아도 됩니다. 이 5백 명의 아들은 모두 내 아이들이니, 위의 일을 모두 말해주면 당신의 아들들은 어미를 보고, 나쁜 마음이 반드시 쉴 것입니다.' 왕비가 스스로 성에 올라가 5백 명의 아들들에게 위의 인연을 말하며, '어떻게 지금 대역죄를 지으려고 하느냐? 만약 믿지 못하겠다면 모두 입을 벌려라'라고 하고, 왕비가 양쪽 유방을 안으니, 5백 개의 길에 유즙이 있어 각각 하나씩의 입으로 쏟아지

태생의 인간이란 지금 세상의 인간들과 같은 사람이다. 습생의 인간이란 만타다慢馱多, 차로遮盧, 오파차로鄔波遮盧, 합만鴿鬘, 암라위菴羅衛 등과 같은 사람이다. 화생의 인간이란 오직 겁초의 인간뿐이다.[115] 방생의 세 가지는 공히 현재 보이는 바이며, 화생은 용龍·게로다揭路荼 등과 같은 것들이다.[116]

일체 지옥과 모든 천신과 중유는 모두 오직 화생이다.[117] 아귀취는 태생·화생 두 가지에만 통한다. 태생의 아귀란 굶주린 아귀녀[餓鬼女]와 같은 것이니, 목건련에게 이렇게 말하였다. "나는 밤마다 새끼 다섯을 낳아[我夜生五子] 낳는 대로 모두 스스로 먹고[隨生皆自食] 낮에도 다섯 낳아 역시 그렇게[晝生五亦然] 다 먹었어도 배부른 적 없었네[雖盡而無飽]."[118]

자, 즉시 믿고 승복하였다. 그로 인해 곧 좋게 화해하고, 각각 자애의 마음을 일으켰으며, 양국은 교통하며 영원히 정벌하는 일이 없었다고 한다.

115 이는 태생·습생·화생의 인간을 밝히는 것이다. '만타다'는 왕의 이름인데, 당나라 말로는 '아양我養'이니, 포살타왕의 정수리 굳은 살에서 태어났다. 얼굴모습이 단정해서 왕이 안고 궁에 들어가 '누가 기를 수 있는가?'라고 고하니, 모든 궁에서 각각 '제가 기르겠습니다[我養]'라고 말했기 때문에 이름으로 표방한 것이다. 예전에는 정생왕頂生王이라고 말했는데, 이는 뜻으로 번역한 것이지, 바로 가리킨 것이 아니다. 이 왕은 장성해서 금륜왕이 되었다. '차로'는 당나라 말로 장딴지[髀]이고, '오파차로'는 당나라 말로 작은 장딴지[小髀]이니, 아양왕의 양쪽 장딴지 위에 각각 한 개의 굳은 살이 생겼는데, 그 굳은 살에서 하나의 아들을 낳았다. 얼굴모습이 단정해서 태어난 곳에 따라 이름하면서, 작다는 것으로써 차별을 표방한 것인데, 역시 전륜왕이 되었다. '합만'이란 과거에 발라합마달다跋羅哈摩達多라는 이름의 한 왕이 있었는데, 당나라 말로는 정수靜授이다. 왕의 겨드랑이 아래에 굳은 살이 있었는데, 한 여자아이를 낳아서 합만이라고 이름하였다. 겨드랑이 아래에서 마치 비둘기[鴿]처럼 날라 나왔는데, 왕이 화만[鬘]처럼 소중히 여겼기 때문에 이름으로 삼은 것이다. 혹은 태어난 뒤 비둘기처럼 늘 따라 다녔는데, 왕이 화만처럼 소중히 여겼기 때문에 이름으로 삼은 것이다. '암라위'란 암라위에 여인이 있었는데, 암라위나무의 습기에서 생겼다고 한다. 혹은 종자에서 생겼다거나 가지에서 생겼다고 하기도 한다. 나머지 글은 알 수 있을 것이다.

116 방생도 4생을 갖추었다는 것을 밝히는 것이다. 태생·난생·습생의 3생은 세상에서 공히 현재 보는 것이고, 화생은 용 및 게로다 등과 같은 것이다. '게로다'는 여기 말로 정영頂癭이다. 혹은 소발랄니蘇鉢剌尼라고도 이름하는데, 여기 말로 묘시妙翅이니, 날개[翅]가 특히 묘하다는 것이다. 예전에서 금시조라고 말했는데, 바로 가리킨 것이 아니다.

117 제4·제5구를 해석하는 것인데, 알 수 있을 것이다.

118 제6구를 해석하는 것이다. 화생의 아귀는 알 수 있지만, 태생은 알기 어렵기

3. 문답 분별

(1) 가장 뛰어난 것

모든 생 중 어떤 생이 가장 뛰어난가?[119] 가장 뛰어난 것은 오직 화생이라고 말해야 할 것이다.[120]

만약 그렇다면 어째서 최후신보살은 태어남에 자재함을 얻었는데도 태생을 받았는가?[121] 현세에 태생을 받으면 큰 이익이 있기 때문이다. 말하자면 위대한 석가종족의 친족과 권속들을 인도하고 관계하여 정법에 들게 하며, 또 나머지 부류를 인도해서, 보살이 전륜왕의 종족임을 알고 존경 사모하는 마음을 낳게 하고, 그로 인해 삿됨을 버리고 정법으로 나아갈 수 있게 하며, 또 교화받을 중생들로 하여금, '그 분은 이미 인간인데도 능히 큰 뜻을 이루셨다. 우리도 역시 그러한데, 어째서 이 기회에 바른 정진을 일으켜 오로지 정법을 닦을 수 없겠는가?'라는 증상한 마음을 낳게 하였다. 또 만약 그렇지 않다면 족성族姓을 알기 어려워서, '천신인가, 귀신인가?'라고 하며, 허깨비라고 의심할 것을 두려워한 것이니, 예컨대 외도의 논서에서 거짓되이 비방을 시설해 말한 것과 같다. "백 겁이 지난 뒤 장차 위대한 환술사가 세상에 출현해 세간을 먹어치우는 일이 있을 것이다." 그래서 태생을 받아 모든 의혹과 비방을 종식시킨 것이다.[122]

어떤 다른 논사는 말하였다. "신계身界를 남기기 위해서 태생을 받았으니, 한량없는 사람들과 여러 다른 부류들로 하여금 한번만 공양을 일으켜도 1

때문에 게송을 인용해 증명(=화생은 배부르는 현상이 없다는 취지)하였다. 난생·습생의 부류는 성품이 대부분 어리석지만, 아귀는 대부분 지혜롭다. 따라서 난생·습생이 아니다.

119 이하 둘째 묻고 답하는 것이다.

120 답이다. 화생이 가장 수승하다. 지옥에 열등한 화생을 받은 것도 있지만, 전체적인 모습에 의거해 말한 것이다.

121 힐난이다. 이미 화생이 수승하다고 했는데, 최후신보살은 어째서 화생하지 않았는가?

122 답에 나아가면 첫째 현세의 이익을 밝히고, 둘째 후세의 이익을 밝힌다. 이는 곧 현세의 이익인데, 간략히 네 가지가 있다. 혹은 석가종족을 인도하고, 혹은 다른 부류를 인도하며, 혹은 같은 부류을 인도하고, 혹은 다시 비방을 멈추려고 태생을 받은 것이다.

천 번 반복해 하늘에 태어나고 또 해탈을 증득하게 한다. 만약 화생을 받았다면 외적 종자[外種]가 없기 때문에 몸이 죽자마자 더 이상 남은 형체가 없어서, 마치 등불이 꺼지면 곧 보이는 것이 없는 것과 같았을 것이다."[123] 만약 붓다께는 지원통持願通이 있어서 오래도록 몸을 남길 수 있다는 것을 사람들이 믿는다면, 이는 해석이 될 수 없다.[124]

논의로 인해 논의가 생긴다. 만약 화생의 몸은 마치 등불이 사라지듯 죽어서 남기는 것이 없다면, 어째서 계경에서 화생인 게로다揭路荼가 화생인 용을 잡아서 먹이에 충당한다고 설했는가?[125] 알지 못했기 때문에 먹기 위해 용을 잡지만, 허기를 채운다고 말하지 않았는데, 여기에 무슨 허물이 있겠는가? 혹은 용이 아직 죽지 않았으면 잠시 허기를 채울 수 있지만, 죽고 나면 배고픔으로 돌아간다. 잠시 먹는다면 무엇이 허물이겠는가?[126]

⑵ 가장 많은 것

4생 중에는 무엇이 가장 많은가?[127] 오직 화생이다. 무엇 때문인가? 3취의 일부 및 2취의 전부와 일체 중유가 모두 화생이기 때문이다.[128]

....

123 이는 후세의 이익을 밝히는 것이다. 만약 화생을 받는다면 죽어서 남기는 형체가 없으므로 후세를 이익케 할 수 없지만, 만약 태생을 받는다면 사리를 남길 수 있으므로 후세의 유정을 이익케 하기 때문에 태생을 받은 것이다. (본문의) '신계'는 범어로 '타도[馬*太]都dhātu'이니, 곧 붓다의 신계이다. 또한 실리라室利羅śarīra라고도 이름하는데, 당나라 말로 체이니, 붓다의 신체이다. 예전에는 사리舍利라고 말한 것은 잘못이다.

124 논주의 힐난이다. 그 뜻은, 붓다께는 지원통이 있으니, 말하자면 수승한 원을 일으켜서 신계 남기기를 원하면 신통을 일으켜 원을 유지함으로써 오래도록 몸을 남길 수 있으므로 태생에 의지하지 않기 때문에 해석이 될 수 없다는 것이다. 신통[通]으로 능히 원願을 유지[持]하므로 지원통이라고 이름하는데, 이는 곧 신경지증통神境智證通(=신족통)이다. 혹은 곧 원으로써 몸을 유지해서 머물게 하니, 원이 능히 유지하기 때문이다. 지원持願이 곧 신통이므로 지원통이라고 이름하였다.

125 묻는 것이다. 화생은 죽으면 남기는 것이 없는데, 어떻게 잡아 먹는가? # 본문 중 '계경'은 장 19:31 세기경世紀經의 제5 용조품龍鳥品, 증일 19:27:8경 등이다.

126 답이다. 혹은 알지 못해서 먹으려고 잡았거나 혹은 잠시 허기를 채운다.

127 묻는 것이다.

128 답과 해석이다. 『순정리론』(=제22권. 대29-467중)에 양설이 있는데, 1설은 이 논서와 같고, 또 1설은 말하였다. "어떤 분은 습생이라고 말하였다. 현재

제7절 중유中有

제1항 총설

여기에서 어떤 법을 말하여 중유라고 이름하며, 어째서 중유는 곧 생이라고 이름하는 것[卽名生]이 아닌가?[129] 게송으로 말하겠다.

10 사유와 생유 중간의[死生二有中]
　5온을 중유라고 이름하니[五蘊名中有]
　이르러야 할 곳에 아직 이르지 않았기[未至應至處]
　때문에 중유는 생이 아니다[故中有非生][130]

논하여 말하겠다. 사유死有의 뒤, 생유生有의 앞에 있는 것, 곧 그 중간에 자체의 일어남[自體起]이 있어, 태어날 곳[生處]에 이르기 위해 이런 몸을 일으켰으니, 2취의 중간이기 때문에 중유라고 이름하였다.[131]

이런 몸이 이미 일어났다면 어째서 생이라고 이름하지 않는가?[132] 생은 말하자면 장차 이르러야 할 곳[當來所應至處]에 이른 것이라는 뜻[所至義]에 의해 생이라는 명칭을 건립한 것인데, 이 중유의 몸은 그 체가 비록 일어났어도 아직 거기에 이르지 않았기 때문에 생이라고 이름하지 않는 것이

많이 볼 수 있기 때문이다. 설령 살[肉] 등의 무더기가 광대무변하게 있어 아래로는 3륜三輪(=풍륜·수륜·금륜)을 건너고, 위로는 5정五淨(=색계 가장 위의 5정거천)을 초과해서 그 분량이 두루하다고 해도 단박에 변해서 벌레가 되니, 이 때문에 습생이 다른 세 가지보다 많다." 그러나 논평한 분은 없다. # 본문 중 '3취'는 인간·방생·아귀를 가리키고, '2취'는 천신·지옥을 가리킨다.

129 이하 일곱째로 중유에 대해 밝히는데, 그 안에 나아가면 첫째 중유를 밝히고, 둘째 외도를 논파한다. 중유를 밝히는 것에 나아가면 첫째 중유를 바로 밝히고, 둘째 중유가 있음을 증명하며, 셋째 여러 문으로 분별한다. 이는 곧 중유를 바로 밝히는 것인데, 첫째 중유를 묻고, 둘째 생이 아니라고 한 것에 대해 묻는다.

130 위의 2구는 처음 물음에 대한 답이고, 뒤의 2구는 뒤의 물음에 대한 답이다.

131 위의 2구를 해석하는 것인데, 알 수 있을 것이다.

132 물음이다.

다.[133] 무엇을 장차 이르러야 할 곳이라고 말하는가?[134] (업에 의해) 인기된 이숙이 완전히 분명해지는 것[所引異熟 究竟分明], 이것을 장차 이르러야 할 곳이라고 말한다.[135]

제2항 중유 실재의 논거

어떤 다른 부파에서는, "죽음으로부터 태어나는 곳까지지는 중간의 단절[間絕]이 인정되기 때문에 중유는 없다"라고 말한다.[136] 이는 인정되어서는 안 된다. 왜냐하면 이치와 가르침에 의한 때문이다.[137] 이치와 가르침이란 무엇인가?[138] 게송으로 말하겠다.

⑪ 마치 곡식 등이 상속하는 것처럼[如穀等相續]
처함에 틈 없이 속생하니[處無間續生]
영상의 실재는 성립되지 않고[像實有不成]
동등하지 않기 때문에 비유가 아니다[不等故非譬]

⑫ 동일한 처소에 둘의 병존은 없으며[一處無二竝]
상속 아니고, 둘에 의해 생겨서이며[非相續二生]
건달박[說有健達縛]
및 5불환과와 7선사 있다고 설하는 경 때문이다[及五七經故][139]

---

133 답인데, 역시 알 수 있을 것이다.
134 물음이다.
135 답이다. 중유는 어둡고 열등해서 천안으로만 볼 수 있고, 육안으로는 보는 것이 아니기 때문에 생이라고 이름하지 않는다. 생의 단계는 분명해서 육안과 천안으로 보기 때문에 생이라는 이름을 얻는다.
136 이하 둘째 중유가 있음을 증명하는 것이다. 장차 밝히려고 먼저 다른 부파의 중유 없다는 계탁을 서술한다. 『종륜론宗輪論』에 준하면, 대중부 등에서는 중유가 없다고 말한다.
137 논주의 논파이다.
138 물음이다.
139 답이다. 앞의 6구는 이치에 의한 증명이고, 뒤의 2구는 가르침에 의한 증명

1. 중유 실재의 이증理證

논하여 말하겠다. 우선 바른 이치에 의하면 중유는 없는 것이 아니다. 현재 세간을 보면 상속하여 일어나는 법은 반드시 처함에 틈 없이[處無間] 찰나에 속생續生한다. 마치 세간의 곡식 등이 상속하는 것처럼, 유정이 상속하는 이치도 역시 그러해야 하므로, 찰나에 속생하고, 처함에 반드시 틈이 없다.[140]

마치 거울 등에 의지해 본질로부터 영상이 생기는 것[從質像生]처럼, 어떤 법이 속생할 때 그 중간에 처함에 역시 틈 있는 것도 어찌 현재 보이지 않는가? 이와 같이 유정의 사유와 생유가 처함에 틈이 있다고 해서 어찌 속생을 방해하겠는가?[141] 모든 영상이 실재한다는 이치는 성립되지 않기 때문에, 또 동등한 것이 아니기 때문에 비유로 하는 것이 성립되지 않는다.[142] 말하자면 (본질과) 별도의 색법이 생긴 것을 말하여 영상이라고 이름하지

이다. 앞의 6구에 나아가면 처음 2구는 바로 이치를 세우는 것이고, 다음 4구는 외인의 의심을 풀어주는 것이다. 다음 4구 중 제3구는 제1구를 해석하는 것이고, 제4구는 제2구를 해석하는 것이다. (최후구의) '경'이라는 1글자는 다수의 경을 통틀어 나타낸다. 이 게송 중에서 이미 영상이 실제라는 것을 깨뜨렸으니, 논주가 경량부의 뜻으로써 논파한다는 것을 분명히 알 수 있다. 비록 다시 뜻으로 다른 부파의 중유 없다는 주장을 깨뜨리지만, 또한 겸하여 설일체유부의 영상의 물질은 실제가 아니라는 것도 나타내는 것이다.

140 마치 봄에 씨를 뿌려서 가을에 수확하는 중간에 반드시 싹 등의 상속이 있는 것처럼, 유정이 죽어서 태어나는 것도 역시 상속하는 중간에 반드시 중유가 있어 찰나에 속생해야 할 것이다. 논증식으로 말하자면 「(주장) 죽음과 태어남의 중간은 반드시 연속되어 있다. (이유) 상속하여 태어나기 때문이다. (비유) 마치 종자와 결실처럼」이다.

141 중유가 없다는 논사의 변론이다. 본질로부터 영상이 생기는 중간에 비록 틈이 있지만, 속생할 수 있다. 죽음으로부터 생에 이르는 중간에 틈이 있다고 해서 어찌 속생을 방해하겠는가? 곧 논주의 이유에 결정적이지 않은 허물이 있음을 나타낸 것이다. 마치 종자와 결실이 상속하여 생기는 것과 같기 때문에 죽음과 태어남의 중간은 반드시 연속連續되어 있다고 해야 할 것인가, 본질과 영상이 상속하여 생기는 것과 같기 때문에 죽음과 태어남의 중간은 연속이 없다고 해야 할 것인가?

142 이하 논주의 논파인데, 그 안에 나아가면 첫째 글을 표방하고, 둘째 간략히 해석하며, 셋째 널리 논파한다. 이는 곧 글을 표방하는 것인데, 첫째 곧 영상의 실재는 성립되지 않고, 둘째 곧 설령 성립된다고 해도 동등한 것이 아니라는 것이다.

만, 그 체가 실재한다는 이치는 성립될 수 없는 것이고, 설령 성립된다고 해도 동등한 것이 아니기 때문에 비유가 될 수 없다.143

(앞의 게송에서) '영상의 실재는 성립되지 않기 때문에 비유가 아니다'라고 말한 것은, 동일한 처소에 둘의 병존은 없기 때문이다.144 말하자면 동일한 처소에 거울이라는 색법과 영상이 함께 현전하는 것을 보지만, 두 가지 색법은 같은 처소에 함께 있어서는 안 되니, 다른 대종에 의지하기 때문이다.145 또 폭이 좁은 강물 위의 양쪽 언덕의 색법의 형상의 경우, 같은 처소에 동시에 두 가지 영상을 함께 나타내므로, 양쪽 언덕에 있는 자는 서로 보는 것이 분명하지만, 일찍이 동일한 처소에서 두 가지 색을 함께 본 적이 없으니, 이 두 가지 색이 함께 생긴 것이라고 말해서는 안 될 것이다.146 또 그림자[影]와 빛[光]은 일찍이 처소를 같이 한 적이 없다. 그런데도 일찍이 그림자 가운데 매달려 있는 거울을 보았을 때, 빛의 영상도 뚜렷이 거울면

143 이는 곧 (둘째) 두 가지 글을 간략히 해석한 것이다.

144 이하 (셋째) 널리 논파하는데, 그 안에 나아가면 첫째 영상의 실재를 논파하고, 둘째 동등한 것이 아님을 나타낸다. 영상의 실재를 논파하는 것에 나아가면 첫째 바로 논파하고, 둘째 보이는 것[所見]을 밝힌다. 바로 논파하는 것에 나아가면 첫째 전체적으로 논파하고, 둘째 개별적으로 논파하는데, 이는 곧 전체적인 논파이다. 무릇 실제의 색을 말한다면, 동일한 처소에 두 가지가 병존해 생기는 일이 없는데, 영상이 이미 병존해 생겼으니, 실재가 아님을 알 수 있다. 실재하는 것이 성립되지 않는 까닭에 비유가 아니다. 이는 게송의 제3·제5구 및 제4구의 일부(='비유가 아니다'라는 부분)를 해석하는 것이다.

145 이하 개별적인 논파인데, 그 안에 나아가면 네 가지가 있다. 첫째 거울과 영상이 같은 처소임에 의거한 논파, 둘째 두 개의 영상이 같은 처소임에 의거한 논파, 셋째 그림자와 빛이 같은 처소임에 의거한 논파, 넷째 가깝고 먼 것이 다르게 보이는 것에 의거한 논파이다. 이는 곧 첫째 거울과 영상이 같은 처소임에 의거한 논파이다. 거울이라는 색법과 영상이 동일한 처소에 함께 현전하는 것을 보지만, 만약 영상이 실제[實]라면, 두 가지 색법이 같은 처소에 함께 있어서는 안 되니, 각각 따로 다른 대종에 스스로 의지하기 때문이다. 이미 같은 처소에 있으니, 영상은 가법[假]임이 분명하다.

146 이는 (둘째) 두 개의 영상이 같은 처소임에 의거한 논파이다. 하나의 좁은 물이라는 같은 처소에, 동시에 양쪽 언덕의 영상을 나타내어 서로 보는 것이 분명하다면, 일찍이 동일한 처소에서 두 가지 실재하는 색을 본 적이 없으니, 이 두 가지 영상이 함께 생겼다고 말해서는 안 된다. 이것을 이미 함께 보았기 때문에 실제가 아님을 알 수 있다.

에 나타나지만, 여기에 두 가지가 함께 생겼다고 말해서는 안 될 것이다.[147] 혹은 '동일한 처소에 둘의 병존은 없다'고 말한 것은, 거울면과 달의 영상, 이것을 '둘'이라고 말한 것으로서, 가깝고 먼 것이 다르게 보이니, 마치 우물물을 보는 것과 같다. 만약 함께 생겨서 있는 것이라면, 어째서 다르게 보이겠는가? 따라서 모든 영상은 이치상 실제로는 없다는 것을 알 수 있다.[148] 그렇지만 여러 인연이 화합한 세력이 이렇게 보게 하는 것이니, 모든 법의 성품과 공능의 차별은 사의하기 어렵다.[149] '(영상의 실재는) 성립되지 않기 때문에 비유가 아니다'라고 한 것에 대해 분별하였다.[150]

'동등하지 않기 때문에 역시 비유가 아니다'라고 말한 것은, 본질과 영상은 상속하는 것이 아니기 때문이다. 말하자면 본질과 영상은 하나의 상속이 아니니, 오직 거울 등에 의지해서만 영상의 나타남이 있기 때문이며, 영상과 본질은 동시에 있기 때문이다. 사유·생유와 같은 것은 하나의 상속으로서 전후 틈 없이 다른 곳에서 속생한다. 본질과 영상은 서로 바라볼 때 이런 상속이 없으니, 서로 유사하지 않기 때문에 비유가 되지 않는다.[151]

147 이는 (셋째) 그림자와 빛이 같은 처소임에 의거한 논파이다. 그림자와 빛은 서로 어긋나므로 일찍이 처소를 같이 한 적이 없다. 그런데도 거울의 그림자 안에 빛의 영상이 나타나 있다면, 이 하나의 거울면 위에 그림자와 빛의 영상이라는 두 가지 색이 함께 생겨서는 안 되는데도, 이미 두 가지가 함께 생겼으니, 영상은 실제가 아님을 알 수 있다.

148 이는 (넷째) 가깝고 먼 것이 다르게 보이는 것에 의거한 논파이다. 거울과 달의 영상을 볼 때 보이는 거울은 곧 가깝고, 보이는 영상은 곧 먼 것이, 마치 우물물을 보는 것과 같다. 만약 실제의 색법이 함께 생겨서 있는 것이라면, 어째서 다르게 보이겠는가? 이미 보이는 것이 같지 않으니, 영상은 가유임을 분명히 알 수 있다. 곧 전체적으로 맺어 말한다. 따라서 모든 영상은 이치상 실제로는 없다는 것을 알 수 있다.

149 이는 보이는 것을 밝히는 것이다. 논주가 이상으로 실재하는 영상은 없다고 논파했지만, 지금은 경량부의 소견에 의해 거울이나 물 등 안에 영상의 색법은 실제로 없다는 것을 나타내는 것이다. 그렇지만 본질·거울 등의 여러 인연이 화합한 세력이 영상의 나타남을 있게 해서 이렇게 보게 하는 것이니, 있는 것이 아니지만, 있는 것과 유사하다. 실제로 이것을 볼 때 도리어 본질을 보는데, 그 때 영상을 보는 데도 어떻게 본질을 볼 수 있는가? 모든 법의 성품과 공능의 차별은 사의하기 어려우니, 그런 까닭에 보게 되는 것이다.

150 맺는 것이다.

151 이하 둘째로 동등한 것이 아님을 나타내는데, 이로써 게송 제4구와 제6구를

또 나타난 영상은 두 가지에 의해 생기기 때문이니, 말하자면 두 가지 연 때문에 모든 영상은 생길 수 있다. 첫째는 본질이고, 둘째는 거울 등이니, 두 가지 인연이 뛰어날 때 영상이 그것들에 의지해 생긴다. 그러나 생유는 두 가지 인연에 의해 일어날 수 없고, 오직 사유가 있었을 뿐, 별도의 뛰어난 의지처가 없다. 그래서 인용된 비유는 그 법과 동등한 것이 아니다. 또한 외적 비유정[外非情]인 정혈精血 등의 연을 뛰어난 의지처의 성품으로 한다고도 말할 수 없으니, 화생에 의한 것이 공중에 홀연 생길 경우, 거기에서 무엇이 뛰어난 의지처의 성품이 된다고 헤아리겠는가?[152]

바른 이치에 의해, 사유로부터 생유에 이르기까지 처함에 중간이 단절될 수 있다고 한 그들의 종지에 대해 논파하였다. 그러므로 중유는 결정코 없는 것이 아니다.[153]

2. 중유 실재의 교증敎證

(1) 칠유경·건달박경·장마족경

다음 성스러운 가르침에 의해 중유가 있음을 증명하겠다. 말하자면 계경에서, "유有에는 일곱 가지가 있으니, 5취의 유, 업유, 중유이다"라고 말씀하셨다.[154]

해석한다. 그 안에 나아가면 첫째 상속하는 것이 아님에 의거한 논파, 둘째 둘에 의해 생긴다는 것에 의한 논파인데, 이는 곧 첫째이다. 논주의 말은, 설령 영상이 실제라고 인정한다고 해도, 그 법(=사유에서 생유까지)과 동등한 것이 아니어서 비유로 되는 것이 성립하지 않는다는 것이다. 말하자면 본질과 영상은 하나의 물건이 여기에서 사라져 저기에 생김으로써 전후 상속하는 것이 아니다. 오직 거울 등에 의지해서만 영상의 나타남이 있기 때문에 본질로서가 아니니, 이는 영상과 본질은 체의 부류가 각각 달라서 하나의 상속이 아님을 나타낸다. 또 영상과 본질은 동시에 있기 때문에 하나의 상속이 앞에서 사라지고, 뒤에 생기는 것이 아니다. 사유·생유와 같은 것은 하나의 상속이므로 앞에서 사라지면 뒤에 생기고, 중간에 간격이 없는데, 본질과 영상은 그렇지 않기 때문에 비유가 되지 않는다.

152 이는 (둘째) 두 가지에 의해 생긴다는 것에 의거한 논파이다. 영상은 두 가지 연의 뛰어남에 의해 곧 나타나지만, 생유는 오직 한 가지 사유만 있어서 연이 되고, 별도의 뛰어난 의지처가 없기 때문에 비유가 법과 동등한 것이 아니다. 또한 정혈 등의 연을 뛰어난 의지처의 성품으로 한다고도 말할 수 없다. 태생이라면 그럴 수 있겠지만, 화생인데, 다시 어떻(게 그럴 수 있)겠는가?

153 맺는 것이다.

만약 이 계경을 그들 부파에서 암송하지 않는다면, 어찌 건달박경健達縛經도 또한 암송하지 않겠는가? 그 계경에서, "모태에 들어가는 것은 반드시 세 가지[三事]가 함께 현전하기 때문이니, 첫째 어머니의 몸이 적당할 때인 것[母身是時調適], 둘째 부모가 교애 화합하는 것[父母交愛和合], 셋째 건달박이 바로 현전하는 것[健達縛正現在前]이다"라고 말한 것과 같다. 중유의 몸을 제외한다면 무엇이 건달박이겠으며, 앞의 온이 이미 무너졌는데, 무엇이 현전하겠는가?155

만약 이 계경도 그들은 역시 암송하지 않는다면, 다시 장마족경掌馬足經은 어떻게 해석하겠는가? 그 경에서, "그대는 지금 아는가? 이런 건달박이 바로 현전한다면 바라문婆羅門이라고 할 것인가, 찰제리刹帝利라고 할 것인가, 폐사吠舍라고 할 것인가, 술달라戍達羅라고 할 것인가? 동쪽에서 왔다고 할 것인가, 남·서·북쪽에서 왔다고 할 것인가?"라고 말한 것과 같다. 앞의 온은 이미 무너져서 '왔다'고 말할 수 없으니, '왔다'는 이 말은 확고하게 중유뿐이다.156

....

154 이하 가르침에 의해 중유 있음을 증명하면서 뒤의 2구를 해석하는 것이다. 이는 곧 첫째 7유경(=앞에 나온 『장아함십보법경長阿含十報法經』 상권=대1-236중)을 인용하는 것인데, 이미 중유를 말했으니, 별도로 있다는 것을 분명히 알 수 있다.

155 둘째 건달박경(=중 54:201 차제경嗏帝經, 중 37:151 아섭화경阿攝和經, 증일 12:21:3경 등)이다. '건달'은 향香이라고 이름하고, '박'은 식食이라고 이름하는데, 곧 중유의 이름이다. 연을 갖추어야 비로소 모태에 들어간다고 말하는데, 첫째 어머니의 몸이 적당한 것이니, 말하자면 건乾·습濕 두 가지 질병[疾]이 없는 것이다. 둘째 교애의 현전이니, 말하자면 모두 탐욕을 일으키는 것이다. 셋째 건달박의 현전이니, 말하자면 중유가 일어나는 것이다. 그 뜻은 셋째를 취해서 중유 있음을 증명하는 것이다.

156 셋째 장마족경(=장마족은 아섭화Assalāyana의 의역어이니, 곧 위 중 37:151 아섭화경이다)이다. 조상들이 모두 말을 붙잡고 다루었기[執掌馬] 때문에 장마족이라고 이름했는데, 이 사람도 그 종족 중에 태어났기 때문에 이름으로 삼은 것이다. 붓다께서 장마족의 사람들을 위해 이 경을 설하셨는데, 경에서, "중유가 바로 현전한다면 4종성 중 어느 종성인가? 4방 중 어느 방위에서 왔다고 하겠는가?"라고 말씀하셨다. 앞의 온은 이미 무너져서 '왔다'고 말할 수 없으니, '왔다'는 이 말은 결정코 중유뿐이다. '바라문'은 여기 말로는 정지靜志이고, 찰제리는 여기 말로 밭을 수호하는 종성[守田種]이며, 폐사는 일을 일으키는 종성[興事種]이고, 술달라는 영농 종성[營田種]이다.

(2) 5불환경

만약 다시 이와 같은 계경도 암송하지 않는다면 오불환경五不還經은 어떻게 해석하겠는가? 그 계경에서, "5불환이 있으니, 첫째 중반中般, 둘째 생반生般, 셋째 무행반無行般, 넷째 유행반有行般, 다섯째 상류上流이다"라고 설한 것과 같다. 중유가 만약 없다면 무엇을 '중반'이라고 이름했겠는가?[157]

어떤 다른 논사는 주장하였다. "'중'이라는 이름의 하늘이 있어, 거기에 머물다가 반열반하니, 이 때문에 '중반'이라고 이름하였다."[158] 그러면 곧 '생' 등이라는 하늘이 있다는 것도 인정해야 할 것인데, 이미 그렇다고 인정되지 않기 때문에 그 주장은 훌륭한 것이 아니다.[159]

(3) 7선사취경

또 경에서, "7선사취善士趣가 있다"라고 설했으니, 말하자면 앞의 5불환 중 중반을 세 가지로 나눈 것으로서, 처소 및 시간이 가깝거나 중간이거나 멀기 때문이다. 비유하자면 장작불의 작은 불꽃이 흩어질 때에는 방금 일어났다가 가까이에서 곧 소멸하는 것처럼 첫 번째 선사도 역시 그러하고, 비유하자면 무쇠불의 작은 불꽃이 흩어질 때에는 일어나서 중간쯤에 이르러 소멸하는 것처럼 두 번째 선사도 역시 그러하며, 비유하자면 무쇠불의 큰 불꽃이 흩어질 때에는 멀리에서 미처 떨어지지 않고 소멸하는 것처럼 세 번째 선사도 역시 그러하다고 하였다. 그들의 주장처럼 '중'이라는 하늘이 별도로 있는 것이 아니라, 이런 시간과 처소에 3품의 차별이 있는 것이다. 따라서 그들의 주장은 결정코 이치에 맞는 것이 아니다.[160]

---

157 넷째 오불환경(=잡 [27]27:736 칠종과경七種果經, 잡 [27]27:740 과보경, 장 8:9 중집경 등)이다. 이미 중반이라고 말했으니, 중유가 있는 것이 분명하다.

158 다른 주장을 서술하는 것인데, 알 수 있을 것이다. 『대비바사론』 제69권(=대27-356하)에서는 분별론자라고 칭하고, 만약 『종륜론』에 의한다면 대중부 등에서 중유가 없다고 말한다.

159 다른 주장을 논파하는 것이다. 중반열반이 있다는 말을 듣고 곧 '중'이라는 하늘이 있다고 주장한다면, 이미 생반 등이 있다고 했으니, '생'이라는 하늘 등도 인정해야 할 것이지만, 이미 그렇다고 인정하지 않기 때문에 그 주장은 훌륭한 것이 아니다.

160 다섯째 7선사취경(=중 2:6 선인왕경善人往經)이다. 말하자면 앞의 5불환 중 중반을 셋으로 나누면 7선사가 된다. 셋으로 나눈다는 말은, 욕계에서 죽은

어떤 다른 분은 다시 말하였다. “혹은 수명의 중간이나, 혹은 하늘에 가까운 중간에서 나머지 번뇌를 끊고 아라한이 되니, 이를 중반이라고 이름한다.[161] 계의 단계[界位]나 상想의 단계나 심尋의 단계에 이르러 반열반하기 때문에 3품이 있는 것이다.[162] 혹은 색계의 중동분을 취한 뒤 곧 반열반하

뒤 색계의 중유를 받고 위로 가서 생을 받으므로, 처소 및 시간에 각각 세 가지가 있어서이다. 말하자면 가까운 것, 중간, 먼 것을 나누면 세 사람이 되는데, 아직 욕계를 벗어나지 않고 반열반할 경우 처소와 시간 모두 가까우므로 첫 번째 사람(=소위 속반速般)이라고 이름하고, 2계의 중간에 이르러 반열반할 경우 처소와 시간 모두 중간이므로 두 번째 사람(=소위 비속반非速般)이며, 그 색계에 이르러 반열반할 경우 처소와 시간 모두 멀므로 세 번째 사람(=소위 경구반經久般)이다. (본문 중) ‘미처 떨어지지 않고’라는 말은 아직 생을 받지 않았음을 비유한 것이다. 그들의 주장처럼 ‘중’이라는 하늘이 별도로 있는 것이 아니라, 이런 시간과 처소에 가깝거나 중간이거나 먼 차별이 있기 때문이다. 그들의 주장은 결정코 이치에 맞는 것이 아니라는 이것은, 그 다른 주장을 겸하여 논파한 것이다.

161 다른 주장을 서술하는 것인데, 『대비바사론』 제69권(=대27-357중)에서는 분별론자라고 칭하였다.(=상좌부에서도 중유를 부정한다는 것은 각묵 역 SN 제4권 p.192 및 전재성 역 SN 제4권 p.284 참조) 그 안에 나아가면 둘이 있는데, 첫째 전체적으로 해석하고, 둘째 개별적으로 해석한다. 전체적 해석에 나아가면 두 가지 다른 이해가 있다. 첫째는 수명의 중간이라는 것이니, 말하자면 색계에 태어나서 미처 그 수명이 끝나기 전, 수명의 중간에 나머지 번뇌를 끊고 아라한이 되는 것을 중반이라고 이름한다는 것이다. 둘째 하늘에 가까운 중간이라는 것이니, 말하자면 색계에 태어날 때, 근본천에 가까운 중간인, 먼 변두리에 조금 있다가 태어난 뒤 곧 와서 천신대중들에게 나아가는데, 곧 그 중간길, 아직 근본천에 이르기 전의 중간에서 곧 번뇌를 끊고 아라한이 되는 것을 중반이라고 이름한다는 것이다. 이는 곧 전체적 해석이다.

162 이하 개별적으로 해석한다. 수명의 중간에 대한 이 해석에는 그 세 가지가 있다. 첫째는 계의 단계에 이르러-계는 번뇌의 종자[惑種]를 말한다-, 둘째는 상의 단계에 이르러-상은 염오의 생각[染想]을 말한다-, 셋째는 심의 단계에 이르러-심은 심구尋求를 말한다- 반열반하기 때문에 3품이 있다는 것이다. 그래서 『순정리론』 제24권(=대29-476상)에서 말하였다. “어떤 분은 가진 모든 수명의 중간에 나머지 번뇌를 끊는 것을 모두 중반이라고 이름하지만, 계의 단계나 상의 단계나 심의 단계에 이르러 반열반하기 때문에 3품이 있다고 말한다. 그것은 말하자면 번뇌가 수면隨眠의 단계일 때 끊는 가행을 닦는 것을 계의 단계에 이르렀다고 이름한다. 여기에서의 뜻은, 종자로 있으면서 아직 작용하지 않는 것을 말하여 계의 단계라고 이름한다는 것을 나타내니, 곧 이근자이다. 처음 번뇌를 일으킬 때 곧 능히 정진해서 끊는 가행을 닦는 것을 상의 단계에 이르렀다고 이름한다. 여기에서의 뜻은 염오한 생각이 처음

니, 이를 첫째 경우라고 이름하고, 이로부터 그 다음 뒤에 하늘의 즐거움을 향수한 뒤 비로소 반열반하니, 이를 둘째 경우라고 이름하며, 다시 이로부터 그 뒤에 하늘의 법회에 들어가고 마침내 반열반하니, 이를 셋째 경우라고 이름한다. 법회에 들어간 뒤 다시 많은 시간을 경과해야 비로소 반열반하는 이것을 생반이라고 이름한다. 혹은 많은 수명을 줄이고 비로소 반열반하며, 처음 태어났을 때가 아니기 때문에 생반이라고 이름한 것이다."[163]

그러나 이와 같은 설명은 불꽃의 비유와 모두 상응하지 않는다. 왜냐하면 그 처소로 가는 것에 차별이 없기 때문이다.[164] 또 무색계에도 역시 중

작용하는 것을 말하여 상의 단계라고 이름한다는 것을 나타내니, 곧 중근자이다. 번뇌를 일으킨지 오래되어야 비로소 능히 정진해서 끊는 가행을 닦는 것을 심의 단계에 이르렀다고 이름한다. 여기에서의 뜻은, 번뇌의 힘에 의해 마음으로 하여금 경계에서 갖가지로 찾아 구하게 하는 것을 말하여 심의 단계라고 이름한다는 것을 나타내니, 곧 둔근자이다." 또 하늘에 가까운 중간을 해석하는 것에도 세 가지가 있다고 말하는데, 다시 계·상·심의 단계에 의거해 나누면 세 가지가 된다.

163 이는 하늘에 가까운 중간의 세 가지 차별에 대한 개별적 해석이다. 혹은 색계의 중동분을 취한 뒤 처음 이르렀을 때 곧 반열반하는 이것을 첫째 경우라고 이름하고, 이로부터 그 뒤에 하늘의 즐거움을 향수한 뒤 아직 법회에 들어가지 않은 단계에서 비로소 반열반하는 이것을 둘째 경우라고 이름하며, 다시 이로부터 그 뒤에 처음 하늘의 법회에 들어갔지만, 아직 근본천에 이르지 않은 단계에서 마침내 반열반하는 이것을 셋째 경우라고 이름한다. 이상 3인은 중반을 셋으로 나눈 것인데, 모두 근본천에 가까운 중간에 반열반하기 때문이다. 뜻의 편의상 생반이라는 말도 해석했는데, 법회에 들어간 뒤 다시 많은 시간을 거치고 비로소 반열반하는 이것을 생반이라고 이름한다. '혹은' 이하는 다시 생반을 해석하는 것이다. 또 해석하자면 여기에서 세 가지(=근본천에 가까운 중간의 세 가지 차별)는 그 순서대로 앞의 계·상·심의 3단계를 해석하는 것이기도 하다.

164 이하 논주의 논파이다. 시간에 의거한다면 비록 가깝거나 중간이거나 먼 차별이 있지만, 그 색계에, 처소에 의거해 가는 것을 분별한다면 곧 차별이 없다. 말하자면 욕계에서 죽어서 색계의 중유를 받고, 이로부터 거기에 이르는 가깝거나 중간이거나 먼 처소는, 속히 가서 생을 받을 것이로되 가서 머물지 않기 때문[行不住故]에, 처소에 의해 가는 것이 다르므로, 불꽃의 가깝거나 중간이거나 먼 차별과 동등할 수 있지만, (논파대상인 주장은) 그 처소로 가는 것에는 모두 차별이 없다. 가령 하늘에 가까운 중간을 세 가지로 나눈다고 해도, 거기에 태어난 뒤라면 늘 가고 머물지 않는 것[恒行不住]이 어찌 그 중유와 같겠는가? 따라서 불꽃이 비유하는 가깝거나 중간이거나 먼 차별과는 모두 상응하지 않는다.

반열반이 있다고 말해야 할 것이니, 거기에서도 수명의 중간에 반열반하는 경우가 있을 것이기 때문이다. 그렇지만 거기에 중반열반이 있다고 설하지 않으니, 우다나[嗢拕南]의 게송[伽他] 중에서 설한 것과 같다. "온갖 성자와 현자를 모두 모으면[總集衆聖賢] 4정려는 각각 열 가지이고[四靜慮各十] 3무색은 각각 일곱 가지이며[三無色各七] 여섯 가지만인 것은 비상비비상처를 말함이네[唯六謂非想]" 따라서 그들의 주장은 모두 허망한 것이다.[165]

165 또 논파한다. 만약 수명의 중간에 반열반하기 때문에 중반이라고 이름한다고 말한다면, 무색계에도 역시 수명의 중간에 반열반하는 경우가 있을 것이기 때문에 중반이라고 이름해야 하겠지만, 그 무색계에 중반이 있다고 설하지 않는 것은 우다나의 게송(=『순정리론』 제24권. 대29-476중에도 수록되어 있는데, 출전은 미상)에서 말하는 것과 같다. '온타남'은 여기 말로는 집시集施이고, '가타'는 여기 말로 게송[頌]이니, 붓다께서 요점되는 뜻을 모아 게송으로 만들어서 유정들에게 베풀었기 때문에 집시송集施頌이라고 이름한다. (게송 중) '성'은 성자를 말하고, '현'은 (5정심위 이상의) 범부를 말한다. (게송의 제2구는) 말하자면 어떤 한 사람은 욕계의 악하고 불선한 법을 떠나 초정려를 얻는데, 초정려에 대해 애락심을 낳아 출세간을 구하지 않고, 혹은 상품의 원인을 만들어 대범처에 태어나고, 혹은 중품의 원인을 만들어 범보천에 태어나며, 혹은 하품의 원인을 만들어 범중천에 태어나니, 곧 3인이 된다. 혹 어떤 한 사람은 초정려를 얻은 뒤 충분하다고 하지 않고, 초정려의 여러 유루법에 대해 싫어해 떠나려는 마음을 낳고 열반에 있는 선근을 좋아하여 돌아가 보리를 구해 곧 능히 순해탈분의 선근을 심으니, 앞에 보태면 4인이 된다. 다시 어떤 한 사람은 그 선정을 얻은 뒤 불환과를 증득하고 욕계의 몸에서 능히 모든 번뇌를 끊으니, 현반열반이라고 이름하는데, 앞에 보태면 5인이 된다. 다시 5인이 있어 그 선정을 얻은 뒤 중반에 이르거나 생반에 이르거나 유행반하거나 무행반하거나 상류반하니, 곧 5불환인데, 앞에 보태면 10이이 된다. 이와 같은 열 가지는 모두 초정려에 의지한 것인데, 초정려에 의지한 10인이 있는 것처럼 제2·3·4정려에 의지하는 것도 이에 준해 모두 10인이 있다. (문) 제4정려는 하늘의 수가 이미 많은데, 어떻게 그 아래와 같이 10인뿐인가? (해) 5정거천은 오로지 성자뿐이므로 곧 생반 등에 포함된다고 알아야 하고, 무상천은 반드시 외도 소생인데, 이는 현·성의 불제자만을 밝히는 것이니, 그러므로 말하지 않는다. 대범은 심구 없는 선정에 의한 과보여서 반드시 얻어야 하기 때문이고, 불제자이기 때문에 따로 말한 것이니, 그래서 4정려에는 각각 10인이라고 말한다. (게송 제3구) 앞의 3무색은 앞의 10인 중 각각 중반을 제외하니, 그 선정을 얻은 자는 중유가 없기 때문이다. 또 2생을 제외하니, 그 처는 하나(=4정려는 각각 셋이다)이기 때문이다. 각각 일곱 가지이기 때문에 '3무색은 각각 일곱 가지'라고 말한 것이다. (게송 제4구) 비상지非想地 중에는 앞의 7인 중 또 상류반을 제외하니, 그 선정을 얻은 뒤에는 태어날 상지[上]가 없기 때문이다. 그래서 '여섯 가지만인 것은 비상비비상처'라고 말

3. 논주의 결택

만약 다시 이런 등의 계경도 암송하지 않는다면, 위없는 법왕께서 오래 전에 멸도하셨고, 여러 위대한 법의 장수들도 반열반했으며, 성스러운 가르침은 가지가 갈라져 많은 부파를 이루었으니, 그들은 글의 뜻에 대해 다른 주장을 주고 받으며 치달리면서 취하거나 버리기를 정의[情]에 맡겼는데, 지금은 더욱더 치성하도다. 슬프구나! 그대들은 어리석음과 미혹함을 굳게 지키면서 이치를 어기고 가르침을 거부하니, 가슴 아프기 그지없다. 모든 존재가 앞의 이치와 가르침을 믿고 기준으로 삼는다면, 중유가 거기에 실제로 있다는 것을 공히 인정할 것이다.166

한 것이다. 또 해석하자면 초정려의 과보가 1인이 되고, 초정려를 얻은 뒤 순해탈분의 선근을 심은 것이 제2인이 되며, 그 선정을 얻은 뒤 현반열반하는 것이 제3인이 되고, 그리고 7선사취이니, 곧 중반을 셋으로 나눈 것과 아울러 생반 등의 넷을 앞에 보태면 10인이 된다. 제2·3·4정려 및 무색정의 경우 준하여 제외할 것은 알 수 있을 것이다. 이로써 무색계에는 중반이 없다는 것을 증지할 수 있다. 따라서 그들의 주장은 모두 허망한 것이다.

166 논주가 중유가 없다고 주장하는 가문을 가슴아파하며 탄식하고 결론을 맺는 것이다. '위없는 법왕'은 여래를 말하는 것이고, '여러 위대한 법의 장수'는 사라자 등이다. 이미 많은 부파를 이루었으니, 집착하는 견해가 같지 않은데, 지금은 더욱더 치성하다. 지금 논서를 짓는 데 900년의 시간이 이르렀다. (문) 어느 시대에 많은 부파를 이루었는가? (답) 『이부종륜론』의 뜻에 의하면 붓다 열반후 100여 년인 무우왕無憂王(=아소까왕) 시절에 처음 2부파를 이루었으니, 첫째 대중부大衆部, 둘째 상좌부上座部이다. 다음은 곧 이로부터 두 번째 100년 경에 대중부에서 3부파가 흘러 나왔으니, 첫째 일설부一說部, 둘째 설출세부說出世部, 셋째 계윤부雞胤部이다. 다음 다시 이로부터 두 번째 100년 경에 대중부에서 다시 1부파가 흘러 나왔으니, 다문부多聞部라고 이름한다. 다음 다시 이로부터 두 번째 100년 경에 대중부에서 다시 1부파가 흘러 나왔으니, 설가부說假部라고 이름하고, 두 번째 100년이 찼을 때 다시 대중부 중에서 분파되어 3부파가 되었으니, 첫째 제다산부制多山部, 둘째 서산주부西山住部, 셋째 북산주부北山住部이다. 이와 같은 여러 부파를, 본·말을 별도로 말하면 모두 9부파가 있으니, 1 대중부, 2 일설부, 3 설출세부, 4 계윤부, 5 다문부, 6 설가부, 7 제다산부, 8 서산주부, 9 북산주부이다. 그 상좌부는 그만한 시간을 거쳤을 때까지 한 맛으로 화합했는데, 300년 가량이 이르렀을 때 처음 상좌부 중에서 분파되어 2부파가 되었으니, 첫째는 설일체유부인데, 설인부說因部라고 이름하기도 하며, 둘째는 곧 본상좌부인데, 이름이 설산부雪山部로 바뀌었다. 다시 곧 이 세 번째 100년 경에 설일체유부 중에서 다시 1부파가 흘러 나왔으니, 독자부犢子部라고 이름한다. 다음 다시 세 번째 100년 경에 독자부

만약 그렇다면 어째서 계경 중에서, "극악한 업을 지은 악마[魔羅] 도사度使는 현재의 몸으로 무간지옥에 머리로 떨어졌다"라고 설했는가?[167] 이 경의 뜻이 말하는 것은, 그의 목숨을 아직 버리지 않았을 때 지옥의 맹렬한 화염이 그의 몸을 태웠고, 이로 인해 목숨이 끝나고 그 중유를 받아 이를 타고 무간지옥에 떨어졌다는 것이다. 그 악업의 세력이 강성해서 목숨의 끝남을 기다리지도 않고 괴로움의 상[苦相]이 이미 이르렀으니, 먼저 현수現受의 과보를 받고, 뒤에 생수生受의 과보를 받은 것이다.[168]

무엇 때문에 경에서, "한 부류의 유정이 5무간업無間業을 짓고 또 증장했다면, 무간에 반드시 결정코 지옥[那落迦]에 태어난다"라고 설했는가?[169] 이 경의 뜻은, 그가 다른 취趣로 가는 것을 부정하고, 아울러 그 업이 결정

에서 다시 4부파가 흘러 나왔으니, 첫째 법상부法上部, 둘째 현주부賢胄部, 셋째 정량부正量部, 넷째 밀림산부密林山部이다. 다음 다시 세 번째 100년 경에 설일체유부에서 다시 1부파가 흘러 나왔으니, 화지부化地部라고 이름하고, 다음 다시 세 번째 100년 경에 화지부에서 1부파가 흘러 나왔으니, 법장부法藏部라고 이름하며, 300년 말에 이르렀을 때 설일체유부 중에서 다시 1부파가 흘러 나왔으니 음광부飮光部라고 이름하는데, 선세부善歲部라고 이름하기도 하며, 네 번째 100년 초에 이르렀을 때 설일체유부 중에서 다시 1부파가 흘러 나왔으니, 경량부經量部라고 이름하는데, 설전부說轉部라고 이름하기도 한다. 이와 같은 여러 부파를 본·말을 별도로 말하면 모두 11부파가 있으니, 1 설일체유부, 2 설산부, 3 독자부, 4 법상부, 5 현주부, 6 정량부, 7 밀림산부, 8 화지부, 9 법장부, 10 음광부, 11 경량부이다.

167 중유가 없다는 논사들이 경(=중 30:131 항마경降魔經)을 인용해 힐난하는 것이다. 만약 중유가 있다면, 무엇 때문에 경에서 현재의 몸으로 무간지옥에 머리로 떨어졌다고 설했겠는가? 마라魔羅(=악마)의 이름이 도사度使인데, 도사는 여기 말로 허물고 무너뜨린다는 것[毁壞]이고, 마라는 여기 말로 죽이는 자[殺者]이다. 석가모니 붓다의 마왕은 파순波旬이라고 이름했는데, 갈락가손타羯洛迦孫馱 붓다의 마왕은 도사라고 이름하였다.

168 논주가 경에 대해 회통하는 것이다. 악마는 악업의 증상한 힘 때문 현세에 지옥의 맹렬한 화염을 받아 몸을 태웠으니, 괴로움의 모습이 이미 이르러 먼저 과보를 받아 현전했다는 것이다. 이 선행한 모습[前相]에 의거했기 때문에 현재의 몸으로 머리로 떨어졌다고 말한 것이니, 곧 이것(=현세의 과보를 받은 것)이 그 무간지옥인 것은 아니다.

169 중유가 없다는 논사들이 다시 경(=『대비바사론』 제69권=대27-357상에도 인용되고 있는 글인데, 출전은 알 수 없다)을 인용해 힐난한다. 5역죄를 짓고 나면 무간에 지옥에 떨어진다고 이미 말했으니, 중유는 없는 것이 분명하다. 만약 중유가 있다면 '유간有間'이 되어야 할 것이다.

코 순생수업임을 나타내는 것이다. 만약 문구에만 집착한다면 반드시 다섯 가지를 갖추어야 비로소 지옥에 태어나고, 그 중의 하나가 결여된 경우나 다른 업을 원인으로 해서는 아닐 것이니, 곧 큰 잘못이 될 것이다. 또 '무간에 지옥에 태어난다'라고 말했으니, 지으면 곧 태어나고 몸의 무너짐을 기다리지도 않아야 할 것이다. 혹은 중유가 태어남이라고 누가 인정하지 않겠는가? '나락가'라는 명칭은 중유에도 통한다. 사유의 무간에 중유가 일어날 때에도 역시 태어난다고 이름할 수 있으니, 태어남[生]의 방편이기 때문이다. 경에서는 무간에 '나락가'에 태어난다고 말하였지, 그 때 곧 생유라고는 말하지 않았다.170

만약 그렇다면 이런 경의 게송은 다시 어떻게 회통하겠는가? 경의 게송에서 말하였다. "바라문이여, 그대는 이제 성년을 지나[再生汝今過盛位] 노쇠에 이르러 염마왕과 가까운데[至衰將近琰魔王] 앞길로 가려고 해도 자량이 없고[欲往前路無資糧] 중간에 머묾 구해도 머물 곳이 없네[求住中間無所止]" 만약 중유가 있다면 어째서 세존께서 그 중간에 머물 곳이 없다고 말씀하셨겠는가?171 이 게송의 뜻은, 그가 인간 중에서 속히 마멸磨滅로 돌아가고

170 논주가 경에 대해 회통하는 것이다. 경에서 무간에 결정코 지옥에 떨어진다고 말한 것은, 다른 취趣의 틈이 없다는 것 및 순생수업으로서 다른 업의 틈이 없다는 것을 나타내는 것이다. 만약 문구에만 집착해서 곧 결정적인 것이라고 한다면, 반드시 다섯 가지를 갖추어야 비로소 지옥에 태어나지, 그 중의 하나가 결여되어 하나·둘·셋·넷을 지어서는 응당 태어나지 않아야 할 것이며, 또한 이 5무간업만이라야 능히 지옥에 태어나지, 다른 업을 원인으로 해서는 능히 지옥에 태어나는 것이 아닐 것인데, 만약 태어나지 않는다면 곧 큰 잘못이 될 것이다. 또 '무간에 지옥에 태어난다'라고 말했으니, 업을 지었다면 제2찰나에 곧 지옥에 태어나고, 몸의 무너짐을 기다리지도 않아야 할 것이다. 그렇지만 누군가가 무간업을 지었다면 혹 10년이나 20년 등을 지나서 비로소 무간지옥에 태어나니, 문구대로 곧 집착해서는 안 된다. 나는 중유도 태어난다는 이름을 얻는다고 인정하니, 태어남의 방편이기 때문이다. 경에서는 무간에 지옥에 태어난다고 말하였지, 그 때 곧 생유라고는 말하지 않았다. 또한 '나락가那落迦'라고 이름했는데, 나락가는 여기에서는 좋아할 수 없는 것[불가락不可樂]이라고 이름한다. 지옥의 중유 역시 좋아할 수 없는 것이기 때문에 경에서 무간에 나락가에 태어난다고 말하였지, 그 때 곧 생유라고 말하지 않았는데, 어찌 서로 어긋나는 것이겠는가?

171 중유가 없다는 논사들이 다시 경(=『별역잡아함경』 제5권. 대2-403하)을

잠시도 멈춤이 없다는 뜻을 나타내는 것이다. 혹은 그 중유가 태어날 곳에 이르도록 잠시의 멈춤도 없다는 것이니, 가는 것에 장애가 없기 때문이다.[172] 경의 뜻이 이와 같고, 다른 것이 아님을 어찌 아는가?[173] 그대는 다른 것과 같고, 이런 것이 아님을 다시 어찌 아는가?[174]

두 가지 책망이 이미 동등한데, 어째서 나에게만 따지는가?[175] 두 가지 해석이 경에 대해서는 모두 어긋남이 없는데, 어떻게 중유가 없다는 것만 증명하겠는가? 무릇 증거로 인용하는 말은 이치에 다른 갈래[異趣]가 없어야 할 것이니, 이것에 다른 갈래가 있다면 증거로 삼는 것이 성립될 수 없다.[176]

인용해 힐난한다. 이 게송은 붓다께서 바라문을 위해 읊은 것이니, 그는 외도의 법을 배웠는데, 붓다께서 그가 연로한 것을 보고, 게송을 읊어 나무라신 것이다. 바라문을 재생再生이라고 이름하니, 처음 태어난 것을 1생이라고 이름하고, 뒤에 바라문의 법을 받는 것을 다시 1생이라고 이름하기 때문에 법을 받고 나면 '재생'이라고 이름해 부른다. 마치 비구를 재생이라고 이름하는 것과도 같으니, 말하자면 처음 태어난 것 및 계를 받는 것이다. 태외胎外에 5위五位가 있으니, 첫째 영아[嬰孩], 둘째 동자童子, 셋째 소년小年, 넷째 성년盛年, 다섯째 노년老年이다. 붓다께서 그에게 이르셨다. "바라문이여, 그대는 지금 5위 중 넷째인 성년의 단계를 지나 늙어서 노년의 단계에 이르러 염마왕과 가깝다." 예전에 염라閻羅라고 말한 것은 잘못이다. '염마'는 여기 말로 정식靜息이니, 말하자면 범죄인이 스스로 과오를 알지 못해서 괴로움을 견디지 못하고 옥졸을 거슬러 항거하여 다시 잘못을 저지르는데, 왕이 보이고 말하는 것에 의해 곧 자기 죄를 알고 분수라고 결정해 받아들이니, 다툼을 쉬며 죄를 쉬는 것[息諍息罪]이 모두 왕에 의한 것이기 때문에 식쟁息諍이라고도 이름한다. "그대는 지금 앞의 선취의 길로 가려고 해도 보시·계·닦음 등의 자량이 없어서 지옥에 가 태어날 것인데, 중간에 머물기를 구해도 다시 머물 곳이 없다." 만약 중유가 있다면 어째서 세존께서 그 중간에 머물 곳이 없다고 말씀하셨겠는가? 이로써 중유가 없다는 것을 분명히 알 수 있다.

172 논주가 경에 대해 회통하는 것이다. 악업을 지었다면 속히 마멸磨滅로 돌아가고 잠시도 멈춤이 없다는 뜻 때문에 중간에 머물 곳이 없다고 말했거나, 중유는 속히 가서 생을 받기 때문에 중간에 머물 곳이 없다고 말한 것이다.

173 중유가 없다는 논사가 말한다. 경의 뜻이 이와 같이 중유가 있음을 말한 것이고, 이와 달리 중유가 없다고 말한 것이 아님을 어찌 알겠는가?

174 논주가 도리어 책망하는 것이다. 그대는 이 경의 뜻의 취지가, 그와 달리 중유가 없다고 말한 것과 같고, 이렇게 중유가 있다고 말한 것이 아님을 다시 어찌 아는가?

175 중유가 없다는 논사가 말한다. 두 가지 책망이 이미 동등한데, 어째서 한 쪽으로 중유가 없다는 것에 대해서만 따지는가?

176 논주가 말한다. 피차 두 가지 해석이 이치로는 모두 어긋남이 없는데, 어떻

게 중유가 없다는 것만 증명하겠는가? 무릇 증거로 인용하는 말은 다른 갈래로 통하지 않아야 한다. 이것에 다른 갈래가 있다면 증거로 삼는 것이 성립될 수 없다.

아비달마구사론
제9권

제3 분별세품分別世品(의 2)

제3항 중유의 형상과 4유四有

(중유는) 장차 어떤 취趣로 가고, 일어난 중유의 형상은 어떠한가?[1] 게송으로 말하겠다.

13 이는 동일한 업으로 인기되기 때문에[此一業引故]
장래 본유의 형상과 같은데[如當本有形]
본유는 말하자면 죽는 찰나 전[本有謂死前]
태어나는 찰나 후에 있는 것이다[居生剎那後][2]

논하여 말하겠다. 만약 업이 장차 갈 대상인 취[當所往趣]를 능히 인기한다면, 그 업은 곧 가는 주체[能往]인 중유도 초래한다. 따라서 이 중유가 만약 그 취로 간다면 곧 대상되는 취[所趣]의 장래 본유의 형상과 같다.[3]

1 이하 셋째 여러 문으로 분별하는데, 모두 11문이 있다. 이는 곧 제1 그 형상에 대해 밝히는 것이다. 어느 취로 가는가에 따라 일어나는 중유의 형상은 어떠한가, 나아가는 생과 같은지, 다른지를 묻는 것이다. 혹 두 개의 물음으로 나눌 수 있으니, 장차 어느 취로 가는가는 제1문이고, 일어나는 중유의 모습이 어떠한가는 제2문이다. 혹은 중유는 장차 어느 취로 가고, 어떤 업을 써서 감득하는가가 제1문이고, 일어나는 중유 이하가 제2문이다.

2 위의 2구는 바로 답하는 것이고, 아래 2구는 유사한 것(=본유)의 체를 밝히는 것이다. 혹은 첫 구는 처음 물음에 대한 답이고, 제2구는 둘째 물음에 대한 답일 수도 있으며, 아래 2구는 앞의 해석과 같다.

3 처음 2구를 해석하는 것이다. 중유와 생유는 비록 만업滿業은 다르다고 해도 견인업牽引業은 같다. 업이 갈 곳[所往]을 감득하고, 또한 가는 주체[能往](=중유)도 초래하므로 '동일한 업으로 인기된다'라고 이름했으니, 업이 같기 때문이다. 따라서 이 중유는 형상이 본유와 유사하니, 마치 인장과 인영의 무늬 모습이 다르지 않은 것과 같다. 혹은 중유와 생유는 동일한 업에 의해 인기된 것

만약 그렇다면 한 마리의 개 등의 뱃속에 5취의 중유가 단박에 일어날 수 있을 것인데, 이미 지옥의 중유의 현전이 있었다면, 어째서 어미의 뱃속을 태워버릴 수 없는가?[4] 그것은 본유로 있을 때에도 예컨대 잠시 공원에서 노닐듯, 늘 불타지는 않는데, 하물며 중유로 있을 때이겠는가? 설령 능히 태운다고 인정하더라도, 그것을 볼 수 없는 것처럼 감촉할 수도 없을 것이니, 중유의 몸은 지극히 미세하기 때문이다. 따라서 힐난한 것은 이치가 아니다. 모든 취의 중유가 동일한 뱃속에 있더라도 서로 접촉하거나 태울 것이 아니니, 업에 의해 차단되기 때문이다.[5]

【욕계의 중유】 욕계의 중유의 크기는 나이 오륙 세 가량의 어린아이와 같지만, 근根은 밝고 예리하다.[6]

....

이기 때문에 감득된 중유가 천취 등에 태어나야 할 것이라면 장차 하늘 등으로 갈 것이라고 할 수도 있다. 혹은 그 중유가 생유와 같은 업으로 감득된다는 이것은 제1구를 해석한 것이고, 곧 이 뜻에 의하기 때문에 이 중유가 만약 그 취로 간다면 곧 대상되는 취의 장래 본유의 형상과 같다는 것은 제2구를 해석한 것이라고 할 수도 있다.

4 힐난이다. 중유가 만약 본유의 형상과 같다고 한다면, 한 마리의 개 등의 뱃속에 다섯 마리의 새끼가 있다가 동시에 목숨이 끝나서 각각 하나의 취에 태어날 경우, 5취의 중유가 일시에 단박 일어날 수 있을 것이고, (그 경우) 이미 지옥의 중유의 현전이 있었다면, 응당 본유와 같이 (지옥의 불타는) 괴로움을 받을 것인데, 어떻게 어미의 뱃속을 태워버릴 수 없는가?

5 답이다. 지옥의 본유도 늘 불타지는 않으니, 마치 저 16증增(=뒤의 제11권 중 게송 59d~60c와 그 논설 참조)에서 잠시 노닐 때에는 태워지지 않는 것과 같다. 하물며 중유로 있을 때이겠는가? 혹은 등활지옥에서 잠시 시원한 바람을 만나거나, 혹은 등활이라고 칭할 때 잠시 쉰다거나 해서 또한 늘 불타지는 않는 것과 같다. 설령 능히 태운다는 것을 인정하더라도, 어미의 눈에는 보이지 않는 것처럼 감촉할 수도 없다. 중유의 몸은 지극히 미세하기 때문에 불도 역시 그러할 것이다. 모든 취의 중유가 동일한 뱃속에 있다고 해도 미세한 뜻은 같으므로 서로 접촉하거나 태울 것이 아니니, 업에 의해 차단되기 때문이다. 이에 준하면 어미뱃속도 역시 태움을 받지 않을 것이니, 업에 의해 차단되기 때문이다.

6 위에서 본유와 유사하다고 한 이 말은 전체적인 것을 나타낸 것이므로, 이제 개별적으로 형상을 드러내는 것이다. 욕계 중유의 크기는 나이 오륙 세 가량의 어린아이와 같지만, 근은 밝고 예리하다. 만약 인취로 태어나야 할 자라면 오륙 세 가량과 같고, 나머지 취는 준해서 알 수 있다. 몸이 작은데도 어찌 번뇌를 일으킬 수 있을까 의심할 것을 염려해서, 근은 밝고 예리하다고 한 것이니, 부모에 대해 그 갈애나 성냄을 낳을 수 있다는 것이다. 또 『순정리론』 제24권

보살의 중유는 성년일 때와 같아 형상과 크기가 두루 원만하고 모든 상호를 갖추었으니, 그래서 중유에 머물면서 모태에 들어가려고 할 때 1백 구지俱胝의 4대주 등을 비추었던 것이다.[7]

만약 그렇다면 어째서 보살의 어머니는 꿈속에서 흰 코끼리가 와서 자기 오른쪽 옆구리로 들어오는 것을 보았는가?[8] 이는 상서로운 상일 뿐, 중유와 관계된 것이 아니니, 보살은 오래도록 방생취를 버렸기 때문이다. 마치 흘률지왕訖栗枳王이 꿈에서 본 열 가지 일과 같다. "말하자면 큰 코끼리, 우물, 보릿가루와[謂大象井麨] 전단나무, 아름다운 원림과[栴檀妙園林] 작은 코끼리, 두 마리 원숭이와[小象二獼猴] 넓고 질긴 천과 투쟁이었네[廣堅衣鬥諍]" 이와 같이 꿈에 보인 것은 장차 닥쳐올 다른 일의 조짐을 나타낸 것일 뿐, 보인 것과 같은 것이 아니다.[9] 또 모든 중유는 생문生門으로 들어가지, 어머니의

(=대29-476하)에서 말하였다. "어떤 다른 논사는, 욕계의 중유는 모두 본유의 성년 때의 크기와 같다고 말하였다."

7 별도로 보살의 중유는 크다는 것을 나타낸 것이다. '구지'는 수의 명칭인데, 아래(=뒤의 제12권 중 게송 92d와 그 논설 참조)와 같이 알아야 한다.

8 힐난이다. 만약 성년과 같다면 어째서 어머니가 흰 코끼리를 보았는가?

9 답이다. 꿈에서 흰 코끼리를 본 이것은 상서로운 조짐을 나타낸 것이지, 중유와 관계된 것이 아니니, 보살은 91겁 이래 오래도록 방생취를 버렸기 때문이다. 다시 흘률지왕이 꿈에서 열 가지 일을 본 것(=『급고독장자녀득도인연경給孤獨長者女得度因緣經』 하권. 대2-852하)을 인용했는데, 모두 조짐을 나타낸 것이다. '흘률지'는 여기 말로 작사作事인데, 가섭파迦葉波붓다의 아버지이다. 꿈에 열 가지 일을 보고, 아침에 가섭붓다께 알리니, 붓다께서 대답하셨다. "이것은 장차 석가붓다가 남길 법의 제자들의 조짐입니다. ① 왕께서 꿈에, 큰 코끼리 한 마리가 실내에 갇혀 있는 것을 보았는데, 다른 문은 없고 작은 창문만 있어 그 코끼리가 방편으로 몸을 던져 나오려고 했지만, 꼬리가 창문에 걸려 빠져나올 수 없었다는 이것은, 석가가 남길 법의 제자가 부모 처자를 버리고 출가해 도를 닦을 수 있지만, 거기에서 여전히 명성과 이익에 대한 마음을 품어서 버리고 떠날 수 없으니, 마치 꼬리가 창문에 걸린 것과 같습니다. ② 왕께서 꿈에, 목마른 한 사람이 있어 물 마시기를 구했는데, 곧 8공덕을 갖춘 하나의 우물이 있어 그 사람을 뒤쫓아 오는데도 감히 마시지 못하는 것을 보았다는 이것은, 석가가 남길 법의 제자들과 여러 도속들이 기꺼이 법을 배우려고 하지 않고, 법을 아는 자가 있어 명리를 위해 그들을 따르며 위해 말해 주어도 여전히 배우지 않는 것을 나타냅니다. ③ 왕께서 꿈에, 한 되의 진주를 한 되의 보릿가루와 바꾸는 것을 보았다는 이것은, 석가가 남길 법의 제자들이 명리를 구하기 위해 붓다의 정법을 타인에게 말해 주고 그 재물을 바라는 것을 비유합니다.

배를 가르고 입태할 수 있는 것이 아니다. 그래서 쌍둥이[雙生]는 앞에 태어난 것이 아우이고, 뒤에 태어난 것이 형이다.[10]

법선현法善現의 말씀은 다시 어떻게 회통하겠는가? "흰 코끼리의 모습 단엄해[白象相端嚴] 여섯 어금니와 네 발 갖추었는데[具六牙四足] 바르게 알면서 어머니 뱃속으로 들어가[正知入母腹] 마치 선인이 숲에 은거하듯 누웠네

④ 왕께서 꿈에, 전단나무를 평범한 나무와 바꾸는 것을 본 것은, 석가가 남길 법의 제자들이 안의 정법을 외도의 문헌과 바꾸는 것을 비유합니다. ⑤ 왕께서 꿈에, 어떤 아름다운 원림에 꽃과 열매가 무성했는데, 미친 도적이 남김 없이 허물고 무너뜨리는 것을 본 이것은, 석가가 남길 법의 제자들이 여래의 정법의 원림을 마멸시킬 것을 나타냅니다. ⑥ 왕께서 꿈에, 여러 작은 코끼리들이 큰 코끼리 한 마리를 무리에서 몰아내는 것을 본 것은, 석가가 남길 법의 제자들 중 파계하는 비구들이 나쁜 붕당을 만들어 계를 지키고 덕이 있는 비구를 대중들 밖으로 쫓아내는 것을 나타냅니다. ⑦ 왕께서 꿈에, 몸에 똥을 칠한 어떤 한 원숭이가 돌진하자 대중들이 보고 모두 피하는 것을 본 것은, 석가가 남길 법의 제자들 중 파계하는 사람들이 여러 나쁜 일로 좋은 사람을 비방하니, 이를 보고 모두 멀리 피하는 것을 나타냅니다. ⑧ 왕께서 꿈에, 어떤 한 원숭이가 실제로는 덕이 없는데도 대중들이 공히 떠받들며 바닷물로 관정하고 왕으로 옹립하는 것을 본 것은, 석가가 남길 법의 제자들이 파계하는 비구가 실제로 아는 것이 없는데도 명리를 위해서 나쁜 붕당을 만들어 함께 의지하고 떠받들며 대중들의 우두머리로 세우는 것을 나타냅니다. ⑨ 왕께서 꿈에, 어떤 넓고 질긴 천을 18인이 있어 각각 일부씩을 잡고 4방에서 다투어 잡아당기는데도 천이 찢어지지 않는 것을 본 것은, 석가가 남길 법의 제자들이 붓다의 정법을 나누어 18부를 이루어 다른 주장들이 있는데도, 진법眞法은 상존해서 이에 의지해 도를 닦고 모두 해탈을 얻는 것을 나타내는데, 이는 배워야 할 법[所學之法]을 나타내는 것입니다. ⑩ 왕께서 꿈에, 많은 사람이 함께 모여 서로 정벌하여 사망시키고 다 빼앗는 것을 본 이것은, 석가가 남길 법의 제자들이 이미 나뉘어 18부를 이루었고, 각각 문인들이 있어 같지 않은 부파의 주장으로 서로 투쟁을 일으키는 것을 나타내는데, 이는 법을 배우는 사람[能學法人]을 나타내는 것입니다. 이와 같이 꿈에 보인 것은 장차 닥쳐올 다른 일의 조짐을 나타낸 것일 뿐, 이는 보인 것과 같은 것이 아닙니다."

10 이 글의 뜻은 태어날 문으로 들어가고, 오른쪽 옆구리로가 아님을 증명하는 것이다. 그래서 쌍둥이는 앞에 태어난 아이가 아우이니, 뒤에 입태했기 때문이며, 뒤에 태어난 아이가 형이니, 앞에 입태했기 때문이다. 또 『대비바사론』 제70권(=대27-363하)에서 말하였다. "(문) 보살의 중유는 어느 곳으로 입태하는가? (답) 오른쪽 옆구리로 들어가는데, 바르게 알면서 입태하니, 어머니에 대해 어머니라고 생각해서 음애婬愛가 없기 때문이다. 다시 어떤 분은, '생문으로 들어가니, 모든 난생과 태생은 법이 응당 그러하기 때문이다'라고 말하였다." 이 논서는 『대비바사론』의 뒤의 논사와 같다.

[寢如仙隱林]"[11] 반드시 회통할 필요는 없으니, 삼장三藏이 아니기 때문이며, 모든 풍송諷誦의 말씀은 실제를 벗어나기도 하기 때문이다. 만약 반드시 회통할 필요가 있다면, 보살의 어머니가 본 꿈의 모습대로 지은 게송일 것이므로 허물이 없다.[12]

【색계의 중유】 색계의 중유는 크기가 그 본유처럼 원만하며, 옷과 함께 태어나니, 참괴慚愧가 증상하기 때문이다. 보살의 중유도 역시 옷과 함께 한다. 선백鮮白 필추니는 본원本願의 힘 때문이었으니, 그 분은 태어나는 세상마다 자연의 옷이 있어 늘 몸에서 떨어지지 않고, 때에 따라 바뀌었으며, 나아가 최후에 반열반할 때에도 곧 이런 옷으로 시신을 싸서 화장하였다. 그 나머지 욕계의 중유는 옷이 없으니, 모두 증상한 참괴가 없기 때문이다.[13]

【4유의 체】 그 유사한 본유本有는 그 체가 무엇인가?[14] 말하자면 사유死有 전, 생유生有 후의 온蘊이다. 존재[有]의 체를 전체적으로 말한다면 5취온인데, 그것에 대해 단계별로 분석하면 넷이 된다. 첫째는 중유이니, 그 뜻은 앞에서 말한 것과 같다. 둘째는 생유生有이니, 모든 취趣에 결생結生하는 찰나를 말하는 것이다. 셋째는 본유本有이니, 태어나는 찰나를 제외하고, 죽는 찰나 전의 나머지 단계이다. 넷째는 사유死有이니, 최후의 찰나, 다음 중유의 전을 말하는 것이다. 유색의 유정은 4유를 구족하지만, 만약 무색계에 있다면 중유가 결여되고 3유만 갖춘다.[15]

---

11 보살의 중유가 만약 성년과 같다면, 법선현(=「가산불교대사림」에 마명馬鳴의 별명이라는 설명이 있다)이 읊은 게송은 다시 어떻게 회통할 것인지 묻는 것이다.

12 답에 나아가면, 첫째 삼장의 가르침이 아니므로 반드시 회통할 필요가 없고, 둘째 모든 풍송의 말씀은 실제를 벗어나기도 하기 때문이며, 셋째 만약 반드시 회통해야 한다면, 보살의 어머니가 본 꿈의 모습대로일 것이므로 선현이 지은 게송에 허물이 없다는 것이다.

13 색계 중유의 크기를 밝히고, 또 중유에게 옷이 있는지, 옷이 없는지 밝히는 것인데, 글대로 알 수 있을 것이다. # 선백 필추니가 가섭 붓다의 승가에 가사를 보시하고 일으킨 '본원'에 대해서는 『찬집백연경撰集百緣經』 제8권(=대 4-239중)에 설명이 있는데, 여기에서는 백정白淨비구니라고 번역되고 있다.

14 이하는 곧 뒤의 2구를 해석하는 것인데, 이는 곧 묻는 것이다.

15 처음은 곧 앞의 물음에 바로 답하는 것이고, 다음은 존재[有]의 체를 전체적으로 밝히는 것이다. 네 단계[四位]가 같지 않은데, 만약 욕계·색계의 유색의 유

제4항 중유의 9문분별

중유의 형상과 크기에 대해 설명했으니, 나머지 뜻을 분별하겠다. 게송으로 말하겠다.

⑭ 같은 부류와 청정한 천안에게 보이며[同淨天眼見]
　업의 신통으로 빠르며, 근을 갖추며[業通疾具根]
　무대이며, 바꿀 수 없으며[無對不可轉]
　냄새 먹으며, 오래 머무는 것 아니다[食香非久住]

⑮ 전도된 마음으로 바라는 경계로 나아가는데[倒心趣欲境]
　습생과 화생은 냄새와 처소에 염착하며[濕化染香處]
　천취는 머리로 올라가고, 3취는 횡으로 가며[天首上三橫]
　지옥은 머리로 아래로 돌아간다[地獄頭歸下][16]

1. 볼 수 있는 눈

논하여 말하겠다. 이 중유의 몸은 같은 부류는 서로 볼 수 있다. 만약 닦아서 얻은 지극히 청정한 천안이 있다면 역시 볼 수 있다. 그렇지만 태어나면서 얻은 모든 눈으로는 모두 볼 수 없으니, 지극히 미세하기 때문이다.

어떤 다른 논사는 말하였다. "천취 중유의 눈은 5취의 중유를 모두 볼 수 있고, 인간·아귀·방생·지옥의 중유는 네 가지, 세 가지, 두 가지, 한 가지를 보니, 말하자면 위의 것을 제외한 자신과 아래의 중유이다."[17]

정이라면 4유를 구족하지만, 만약 무색계라면 중유만 결여되고, 나머지 3유를 갖춘다. '결생'이라는 말 중 '결'은 말하자면 맺어서 이어지는 것[結續], 즉 끊어지지 않는다는 뜻이다.

16 이 2수의 게송은 다음 9문을 밝히는 것이다. 첫째 눈의 경계인지 밝히고, 둘째 행이 신속함을 밝히며, 셋째 갖추는 근을 밝히고, 넷째 무대無對임을 밝히며, 다섯째 바꿀 수 없음[不可轉]을 밝히고, 여섯째 먹는 것을 밝히며, 일곱째 머무는 시간을 밝히고, 여덟째 결생하는 마음을 밝히며, 아홉째 가는 모습[行相]을 밝히는 것이다.

2. 행의 신속

일체 신통 중 업의 신통[業通]이 가장 빠르다. 허공을 자유롭게 지나가는 이것이 말하자면 신통의 뜻인데, 신통이 업에 의해 획득되었으므로 업의 신통이라고 이름한다. 이 신통은 세력과 작용이 신속하기 때문에 빠르다고 이름한다. 중유는 가장 빠른 업의 신통을 모두 얻어서, 위로 세존에 이르기까지 막을 수 있는 것이 없으니, 업의 세력은 가장 강성하기 때문이다.[18]

3. 갖추는 근

일체 중유는 모두 5근을 갖춘다.[19]

4. 부딪침 없음[無對]

'대對'는 부딪쳐 장애하는 것[對礙]을 말함이니, 이것은 금강 등도 막을 수 없는 것이기 때문에 '무대'라고 이름한다. '붉게 타오르는 쇳덩어리를 쪼개고 보니, 그 속에 벌레가 살아 있더라'라는 말을 일찍이 들은 적이 있기 때문이다.[20]

5. 바꿀 수 없음

그 취趣로 가야 할 중유가 이미 생겼다면, 일체 종류의 힘으로도 모두 바꿀 수 없다. 말하자면 인간의 중유를 죽게 하고, 다른 중유가 일어나게 할 수 없으며, 나머지 부류도 역시 그러하니, 그 취로 가야 할 중유가 이미 일어났다면, 다만 거기로 가야 할 뿐, 결정코 다른 곳으로는 가지 못한다.[21]

17 이 중유의 몸은 5취의 같은 부류는 각각 개별적으로 서로 볼 수 있지만, 다른 취는 곧 서로 볼 수 없다. 만약 닦아서 얻은 지극히 청정한 천안이 있다면 다른 취의 중유도 역시 볼 수 있다. 모든 생득의 눈으로는 모두 볼 수 없으니, 중유는 지극히 미세하기 때문이다. 두 번째 논사는 위는 아래를 겸할 수 있다고 한다. 그래서 천취의 중유의 눈은 5취를 볼 수 있지만, 아래는 위에 미치지 못하는 까닭에 지옥은 자신의 부류만 볼 수 있고, 그래서 '위의 것을 제외한 자신과 아래'라고 말한 것이다. 이 논서의 게송의 글에서는 같은 부류에게 보인다고 말했으니, 이 논서의 첫 논사를 바른 것으로 한 것이다.

18 업의 신통이기 때문에 의주석이다. 여기에서의 글의 뜻은 대부분 알 수 있을 것이다.

19 생유를 구하는 것이기 때문에 갖추지 못한 근이 없다.

20 '무대'의 뜻을 해석하는 것이다. 쇳덩어리에 벌레(=중유)가 있더라는 것은 걸림이 없다는 뜻을 나타낸 것이다. 나머지 글은 알 수 있을 것이다.

21 중유는 바꿀 수 없다는 것[不可轉]을 밝히는 것이다.

6. 먹는 것

욕계 중유의 몸은 단식段食으로 자조[資]되는가? 비록 단식으로 자조되지만, 미세하지, 거친 것이 아니다. 그 미세하다는 것은 무엇인가? 오직 향기香氣임을 말하는 것이다. 이 때문에 건달박健達縛이라는 이름을 얻었다. 모든 어근[字界] 중에 뜻이 하나만인 것은 아니기 때문이니, 그 음이 짧은 것은 마치 설건도設建途나 갈건도羯建途처럼 생략된 것이기 때문에 허물이 없다. 복이 적은 것들은 나쁜 향기만 먹지만, 그 복이 많은 것들은 좋은 향기를 먹이로 한다.[22]

7. 머무는 시간

이와 같은 중유는 얼마 동안 머무는가?[23] 대덕大德께서 말씀하셨다. "이것은 정해진 기한이 없다. 태어날 연[生緣]과 아직 화합하지 않았다면 중유로서 늘 존속하니, 그 명근은 별도의 업으로 인기된 것이 아니어서 나아갈 취[所趣]의 인간 등의 중동분과 동일하기 때문이다. 만약 이와 다르다면 중유의 명근이 최후로 소멸할 때에도 사유를 세워야 할 것이다."[24]

22 '건달박gandharva'은 중간을 단음으로 부른 것인데, 만약 중간을 장음으로 부른다면 '건달알박gandhārva'이라고 말해야 한다. 그 '건달gandha'은 향이라고 이름하니, 자연字緣이고, '알박arva'은 자계字界인데, 혹은 찾는다[尋]는 뜻을 가리키고, 혹은 먹는다[食]는 뜻을 가리킨다. 찾는다는 것은 향기를 찾는 것[尋香]을 말하고, 먹는다는 것은 향기를 먹는 것[食香]을 말한다. '건달'로써 '알박'을 도우므로 곧 '건달알박'이라고 이름해야 하지만, 여기에서는 중간을 단음에 의해 불러서 '알頞'자를 생략해 버렸기 때문에 '건달박'이라고만 말한 것이다. 만약 장음으로 부른다면 '달'이 곧 '알'도 포함하는 것이고, 만약 단음으로 부른다면 '달'이 곧 '알'을 포함하지 않는 것이니, 비록 단음으로 '달'이라고 부른다고 해도 허물은 없다. 음운론 중 체의 예[體例]를 인용해 와서 증명한다면, 저 설건도śakandhu와 갈건도karkandhu가 모두 중간을 단음으로 해서 '건'이라고 부른 것인데, 만약 장음이라면 설건알도śakāndhu와 갈건알도karkāndhu라고 말해야 하는 것과 같다. '설건'과 '갈건'은 모두 자연이고, '알도'는 자계이다. 장음과 단음은 앞의 부류로 해석해야 할 것이다. 음운론에 의하면 자계와 자연이 있는데, 그 자계는 자연이 와서 돕는 것이 있을 때 곧 갖가지 뜻의 출현이 있으니, 마치 쌀이나 면 등은 소금 등이 도울 때 곧 갖가지 맛의 출현이 있는 것과 같다. 나머지 글은 알 수 있을 것이다.

23 (중유가 머무는 시간에 대해) 묻는 것이다.

24 답에 나아가면 모두 네 가지 해석이 있다. 이는 곧 첫 논사이다. 중유와 생유는 동일한 업으로 인기되기 때문에 중유로서 많은 시간 머물 수 있다고 말한

설령 수미산 만한 고깃덩어리가 있다고 해도 여름 우기에 이르면 변하여 벌레 무더기를 이루는데, (벌레의) 모든 중유들은 점점 이 때를 기다렸다고 말해야 하는가, 어떤 방향으로부터 단박 여기에 와 이르렀다고 말해야 하는가?[25] 비록 경론에 자세히 판석判釋하는 글은 없지만, 바른 이치에 의해 이렇게 말해야 할 것이다. "그 수가 끝없는 잡다한 부류의 태어날 것들이 있는데, 냄새와 맛에 탐착함으로써 수명이 짧아진다. 그 모든 유정들은 이 향기를 맡음으로 인해 냄새와 맛에 탐착하기 때문에 동시에 목숨이 끝나는데, 갈애로 인해 이전에 벌레의 몸을 감득했던 업을 깨닫고, 동시에 여기에서 미세한 벌레의 몸을 받은 것이다. 혹은 응당 여기에 함께 태어나야 유정들이 많았는데, 여러 연과 아직 화합하지 않아 중유 중에 머물다가 이제 여러 연을 만나 비로소 여기에 단박 태어난 것이다. 응당 함께 태어나야 할 것들은 결정코 시간을 달리하지 않으니, 예컨대 능히 전륜왕을 초래할 업이 있다면, 반드시 인간의 수명이 8만 세일 때나 이를 초과할 때에 이르러야 비로소 단박 여과與果하지, 다른 단계에서는 아닌 것처럼, 이것도 역시 그러해야 할 것이다. 그래서 세존께서, '모든 유정의 부류들의 업과 과보의 차별은 불가사의하다'라고 말씀하셨던 것이다."[26]

존자 세우世友는 말하였다. "이것은 최대한 7일이니, 만약 태어날 연과 아직 화합하지 않았다면 곧 여러 번 죽고, 여러 번 생긴다."[27] 어떤 다른 논사는 말하였다. "최대한 49일이다."[28]

비바사 논사들은 말한다. "이것은 짧은 시간 머무니, 중유 중에서 즐겁게

다. 만약 이와 다르다면, 중유와 생유는 별도의 업으로 감득되는 것이어서 중유의 명근이 최후에 소멸할 때에도 응당 사유를 세워야 할 것이다.

25 가정적으로 물음을 설정한 것이다.

26 대덕이 해석해 회통하는 것이다. 혹 단박에 태어나는 것도 있고, 혹 점점 기다리는 것도 있다. 탐착과 갈애로 말미암아, 먼저 과거에 벌레의 몸을 감득했던 업을 깨닫고, 마치 잠에서 깬 것처럼 작용을 일으키게 하는 것이다. 나머지 글은 알 수 있을 것이다.

27 제2논사의 설이다. 만약 태어날 연과 아직 화합하지 않았다면 최대한 7일까지 존속하고, 여러 번 죽고, 여러 번 생긴다고 한다.

28 제3논사의 해석이다. 중유는 최대한 49일을 존속한다. #『대비바사론』 제70권(=대27-361중)에 의하면 존자 설마달다設摩達多의 설이다.

생유를 구하기 때문에 오래 머물지 않고 신속히 가서 결생하는 것이다. 그 존재로 태어날 연과 아직 곧 화합하지 않았지만, 만약 결정코 이런 처소에 이런 부류로 태어나야 할 것이라면, 업의 힘이 곧 이런 연과 화합하게 한다. 만약 이런 화합할 연에 결정적으로 의탁될 것이 아니라면, 곧 다른 처소의 다른 부류에 기생寄生한다."[29]

어떤 분은 말하였다. "서로 유사한 부류의 생을 바꾸어 받는다[轉受]. 예컨대 집의 소[家牛], 개, 곰[熊], 말의 발정[欲增]은 순서대로 여름, 가을, 겨울, 봄에 속하지만, 들소, 승냥이, 큰 곰[羆], 나귀는 일정함이 없는데, 앞의 네 가지 중유가 때를 만나지 못했다면 순서대로 뒤의 넷과 같은 부류로 바꾸어 태어나기도 하는 것이다."[30] 어찌 중유는 동일한 업으로 인기되기 때문에 생유의 중동분과 반드시 다름이 없다고 하지 않았던가? 어떻게 서로 유사한 것을 바꾸어 받는다고 말할 수 있겠는가?[31]

8. 결생하는 마음

(1) 태생·난생의 결생

이와 같은 중유는 태어날 곳에 이르기 위해 먼저 전도된 마음[倒心]을 일으켜서 바라는 경계[欲境]로 치달아 나아간다. 그것은 업의 힘에 의해 일어난 안근으로, 비록 먼 곳에 머물더라도 태어날 곳의 부모가 교회交會하는

29 제4논사의 바른 뜻이다. 만약 결정코 이런 처소의 이런 부모에게 태어나야 할 업의 힘이 있다면, 곧 이런 부모의 연으로 하여금 화합하게 하니, 비록 먼 지방에 머물더라도 그로 하여금 곧 이르게 하며, 비록 지극히 계를 지녔더라도 또한 염오심을 일으키게 한다. 만약 이런 부모의 화합할 연에 결정적으로 의탁될 것이 아니라면, 그 상응하는 대로 곧 다른 처소의 다른 부류에 기생한다. 예컨대 사람의 중유가 학의 알[鶴卵]에 의지해 태어나는 것과 같은데, 그것에 의지해 태어난다고 해도 다시 사람에 포함되는 것이다. 다른 것에 의지해 수생하는 것도 이에 준해서 해석해야 한다.

30 이 논사의 뜻이 말하는 것은, 연이 결정적이지 않다면, 서로 유사한 부류의 몸을 바꾸어 받는다는 것이다. 예컨대 집의 소의 발정은 여름에 속하고, 개는 가을에 속하며, 곰은 겨울에 속하고, 말은 봄에 속하지만, 들소, 승냥이, 큰 곰, 나귀의 발정은 일정함이 없는데, 앞의 네 가지 중유가 때를 만나지 못했다면 순서대로 뒤의 넷과 같은 부류로 바꾸어 태어나기도 한다는 것이다. 이것은 바른 뜻이 아니다.

31 논주의 논파이다.

것을 능히 보고, 전도된 마음을 일으킨다. 만약 남성이라면 어머니를 반연해 남성의 애욕을 일으키고, 만약 여성이라면 아버지를 반연해 여성의 애욕을 일으키며, 이와 반대로 둘을 반연해 성내는 마음을 함께 일으킨다. 그래서 『시설족론』에 이와 같은 말이 있다. "그 때 건달박은 두 가지 마음 중의 어느 하나를 따라 현행시키니, 말하자면 애욕[愛] 혹은 성냄[恚]이다." 그것은 이런 두 가지 전도된 마음을 일으킴으로 말미암아 곧 자기 몸이 사랑하는 대상과 결합했다고 여기고, 미워해야 할 부정물[所憎不淨]이 배설되어 태胎에 이를 때 이것이 자기 존재라고 여겨서 곧 기쁨과 위안을 낳는다. 이로부터 온이 두터워지면서 중유는 곧 죽고 생유가 일어나니, 이미 결생했다고 이름한다. 만약 남성이 태에 처했다면 어머니의 오른쪽 옆구리에 의지해 등을 향하여 웅크리고 앉으며, 만약 여성이 태에 처했다면 어머니의 왼쪽 옆구리에 의지해 배를 향하여 머물며, 만약 남성도 아니고 여성도 아니라면 모태에 머물 때 일어나는 탐욕에 따라 상응하는 대로 머문다. 중유로서 여성도 아니고 남성도 아닌 경우는 반드시 없으니, 중유의 몸은 반드시 근을 갖추기 때문이다. 중유에 처했을 때에는 남성이거나 여성이기 때문에 모태에 들어가면 상응함에 따라 머물지만, 그 후 태아가 자라면서 혹은 남성 아닌 것이 되기도 하는 것이다.[32]

이 뜻에 대해서는 다시 생각해서 가려야 할 것이다. 업의 힘에 의해 정혈精血의 대종이 곧 근의 의지처[根依]가 된다고 할 것인가, 업이 별도로 근의 의지처인 대종을 낳고, 그것이 정혈에 의지해 머문다고 할 것인가?[33] 어떤

32 이는 중유가 전도된 마음 일으키는 것을 밝히는 것인데, 뜻의 편의상 태에 머무는 것에 대해서도 다시 밝힌 것이다. 전에 일으킨 탐욕에 따라 앞을 향하는 것과 등을 향하는 것이 있는데, 오른쪽이 뛰어나고, 왼쪽이 열등하기 때문에 남성은 오른쪽, 여성은 왼쪽이다. 그래서 『순정리론』 제24권(=대29-477하)에서 말하였다. "여성·남성은 좌·우의 일을 익혔기 때문에 과거에 분별한 힘으로 인해 그러하게 하기 때문이다." 온이 두터워진다고 말한 것은 점점 견고하며 두터워진다는 것이다. 나머지 글은 알 수 있을 것이다.

33 여기에서 뜻의 편의상 정혈의 대종이 근의 의지처를 이루는지, 근의 의지처를 이루지 않는지를 밝히려고 모두 두 가지 물음을 일으켰다. '근'은 신근을 말하는 것이니, 처음 태어날 때에는 신근뿐이기 때문이다. '의지처[依]'는 의지하는[所依] 대종을 말하는 것이다. (첫 물음은) 업의 힘에 의해 중유의 최후찰나

분은 이렇게 말하였다. “정혈이 곧 근의 의지처가 된다. 말하자면 전찰나의 근 없던 것[無根]은 중유와 함께 소멸하고, 후찰나의 근 있는 것[有根]이 무간에 속생하니, 마치 종자가 소멸하고 싹이 생기는 도리와 같다. 이 때문에 첫 단계를 갈라람羯剌藍이라고 이름하며, 또한 ‘부모의 부정不淨이 갈라람을 낳는다’거나 또 ‘필추들에게 이르시기를, 그대들은 긴 세월 동안 혈적血滴을 집수執受하여 갈타사羯吒私를 늘렸다’라고 하신 경의 문구도 훌륭하게 수순해 이룬다.”34 어떤 다른 논사는 말하였다. “별도로 대종을 낳으니, 마치 버려진 똥에 의지해 별도로 벌레가 생겨서 있는 것과 같다. 부정不淨한 무더기 중에서 갈라람이 생기기 때문에 부모의 부정이 갈라람을 낳는다고 설한

에 동시의 정혈의 대종으로 하여금 곧 생유 첫찰나의 근의 의지처인 대종이 된다고 할 것인지 묻는 것이다. 곧 된다고 말한 것은, 상속하는 도리[相續道]에 의거해 말해서, 전찰나의 대종이 후찰나의 근의 의지처인 대종이 된다고 말하는 것이다. 만약 횡으로 잡아 말한다면, 후찰나의 근의 의지처인 대종은, 실제로는 그 전찰나의 정혈의 대종을 써서 이루는 것이 아니지만, 그것이 낙사해서 단지 동류인이 됨으로써만 무간에 인기하기 때문에 곧 근의 의지처가 된다고 말한 것이다. 마치 우유가 변하여 낙이 되거나 물이 변하여 벌레가 되는 것은, 다시 상속하는 도리에 의거해 말할 때 우유가 곧 낙이 되고, 물이 곧 벌레가 된다고 말하는 것이지, 만약 횡적으로 바라보고 말한다면 낙과 벌레가 곧 우유와 물인 것은 아닌 것과 같다. 이는 곧 첫 물음의 뜻을 서술한 것이다. 두 번째 물음의 뜻은, 업이 중유의 후찰나의 근의 의지처인 가문의 대종을 별도로 낳아서, 그것이 정혈에 의지해 머물다가 능히 생유의 첫찰나의 근의 의지처가 되는 것이지, 전찰나의 정혈의 대종이 후찰나의 근의 의지처가 되지는 않는다는 것이다.

34 답이다. 2논사가 있는데, 이는 곧 첫 논사이다. 이 논사의 뜻이 말하는 것은, 정혈의 대종이 곧 근의 의지처가 된다는 것이다. 말하자면 전찰나의 근 없던 정혈의 대종이 중유와 함께 소멸하면서, 뒤의 생유의 첫찰나의 근 있는 대종을 견인해 무간에 속생하게 한다는 것이다. 그는, 생유의 첫찰나의 근의 의지처인 대종은 중유의 뒷 단계의 정혈의 대종을 써서 동류인으로 삼아 무간에 인기하는 것이, 마치 종자라는 원인이 소멸하면서 싹이라는 결과가 속생하는 것과 같다고 헤아리는 것이다. 정혈의 대종을 붙잡아 근의 의지처를 이루기 때문에 첫단계가 갈라람(=응결凝結 또는 응활凝滑의 뜻)이라는 명칭을 얻었다. 경에서, “(부모의) 부정이 갈라람을 낳는다”라고 설했으니, 정혈의 대종이 곧 근의 의지처가 된다는 것을 증지할 수 있고, 또 경에서, “처음 생을 받을 때 혈적(=핏방울)을 집수하여 몸을 이룬다”라고 설했기 때문에 정혈의 대종이 곧 근의 의지처가 된다는 것을 알 수 있다. ‘갈타사’는 여기에서 탐애貪愛라고 이름하는데, 혈확血鑊(=‘확’은 그릇이라는 뜻)이라고도 이름한다.

것이니, 따라서 그 경과 서로 어긋나는 허물이 없다."[35]

⑵ 습생·화생의 결생

이와 같이 우선 태생과 난생 두 가지의 결생에 대해 말했으니, 이제 다음으로 나머지도 상응하는 바에 따라 말하겠다. 만약 습생이라면 냄새에 염착하기 때문에 태어난다. 말하자면 멀리서 태어날 곳의 향기를 맡고, 곧 애염愛染을 낳아 거기로 가서 생을 받는데, 상응하는 업에 따라 향기에 청정함과 더러움이 있다.

만약 화생이라면 처소에 물들기 때문에 태어난다. 말하자면 멀리서 장차 태어날 곳을 관찰해 알고, 곧 애염을 낳아 거기로 가서 생을 받는데, 상응하는 업에 따라 처소에 청정함과 더러움이 있다.[36]

어찌 지옥에 대해서도 애염을 낳겠는가?[37] 마음이 전도되었기 때문에 애염을 일으킨다고 해도 허물이 없다. 말하자면 그 중유는 혹은 자신의 몸이 차가운 비바람에 핍박받는 것을 보다가 뜨거운 지옥의 화염이 치성한 것을 보면 따뜻한 감촉을 기뻐하는 생각에 거기로 몸을 던지기도 하고, 혹은 자신의 몸이 뜨거운 바람과 맹렬한 불에 핍박받는 것을 보다가 차가운 지옥

35 두 번째 논사의 해석인데, 업의 힘에 의해 근의 의지처인 대종을 별도로 낳는다고 한다. 이 중유의 최후의 몸의 근의 대종이 동류인이 되어 생유의 첫찰나의 근의 의지처인 대종을 인기하는데, 이 중유의 최후의 몸의 근의 대종은 정혈에 의지해 머무니, 정혈은 곧 이 대종과 시간을 같이하는 정혈이다. 그 부정한 것에 의지함을 연으로 해서 머물기 때문에 (거기에) 의지하는 것[寄]을 오는 것[來]으로 비유한 것이니, 마치 버려진 똥에 의지해 별도로 벌레가 생겨서 있는 것과 같다. 만약 그 부정한 것에 의지함을 연으로 하지 않는다면, 능히 생유의 근의 의지처를 낳을 힘이 없을 것이니, 마치 종자에서 싹이 생기는 것은 반드시 땅 등에 의지해야 하는 것과 같다. 경에서, "부모의 부정이 갈라람을 낳는다"라고 말한 것은, 부정한 무더기 중의 근의 의지처인 대종이 갈라람을 낳기 때문에 그 경과 서로 어긋나는 허물은 없다. 『순정리론』(=제24권. 대29-477하)의 뜻은, 논평하면서 이 논서의 뒷 논사를 취하고, 이 논서의 앞 논사를 논파해 말하였다. "무정물이 유정에게 종자가 되어 인기된다는 것은 도리와 맞지 않으니, 상속하는 것이 다르기 때문이다. 유정과 무정의 두 가지 색이 함께 소멸하고 뒤의 유정의 색이 일어날 때 무정은 원인이 되고 유정은 원인이 되지 않는다는 말은 도리에 맞는 것이 아니다."

36 습생·화생 두 가지의 결생에 대해 밝히는 것인데, 글대로 알 수 있을 것이다.

37 힐난이다. 화생은 처소에 물들기 때문에 태어난다고 했기 때문이다.

을 보면 마음으로 시원한 것을 바라고 거기로 몸을 던지기도 하는 것이다.[38] 선대의 옛 논사들은 이렇게 말하였다. "먼저 그곳을 감득하는 업을 지을 때의 자신의 동료의 무리를 보았기 때문에 그곳으로 치달아 나아가는 것이다."[39]

9. 중유의 가는 모습

또 천신의 중유는 머리를 바르게 해서 상승하니, 마치 앉은 데서 일어나는 것과 같다. 인간·아귀·방생의 중유가 가는 모습은 다시 사람 등과 같다. 지옥의 중유는 머리를 아래로 하고 발을 위로 해서 거기에 거꾸로 떨어지니, 그래서 게송에서 말하였다. "지옥에 거꾸로 떨어질 때[顚墜於地獄] 발을 위, 머리를 아래로 돌리니[足上頭歸下] 여러 선인들과[由毁謗諸仙] 적정 즐기고, 고행 닦는 분 헐뜯었기 때문이네[樂寂修苦行]"[40]

제5항 중유의 네 가지 입태

38 답인데, 글대로 알 수 있을 것이다.

39 경량부의 옛 논사들, 혹은 설일체유부의 옛 논사들이다. 먼저 그 지옥을 감득하는 업을 지을 때 사냥 등을 함께 하던 자신의 동료의 무리를 보았기 때문에 거기로 치달아 나아간다는 것이다.

40 이는 중유의 가는 모습[行相]을 밝히는 것이다. 우선 사람으로 죽는 자가 여러 취에 태어나는 것에 의거해 말했는데, 만약 다른 처에 의거해 중유가 수생할 때 가는 모습이라면 일정하지 않다. 우선 색구경천에서 사천왕천에 태어나는 경우, 머리를 아래로 하고, 발을 위로 한다고 해도 무방하고, 아래의 지옥에서 위의 지옥에 태어나는 경우, 머리를 위로 하고, 발을 아래로 한다고 해도 무방하다. 그래서 『대비바사론』 제70권(=대27-362상)에서 말하였다. "우선 사람으로 목숨이 끝난 자에 의해 말한 것이다. 만약 지옥에서 죽어 다시 지옥에 태어난다면, 반드시 머리를 아래로 하고 발을 위로 해서 가지는 않으며, 만약 하늘에서 죽어 다시 천취에 태어난다면, 반드시 발을 아래로 하고 머리를 위로 해서 가지는 않는다. 만약 지옥에서 죽어 인취에 태어날 경우 머리를 위로 해서 상승하겠지만, 만약 천신으로 죽어서 인취에 태어날 경우 머리로 하강해야 할 것이다. 아귀와 방생 2취의 중유는 그 갈 곳에 따라 상응하는 대로 알아야 할 것이다." 이것이 비바사의 바른 뜻이다. 인간·아귀·방생이 각각 스스로 취로 가는 중유의 행상은 다시 사람 등처럼 옆으로 가며 치달아 나아가니, 마치 새가 공중을 나는 것과 같으며, 그림의 날아가는 신선과도 같다. # 본문의 게송은 잡 [36]47:1244 연소법경燃燒法經에 있는 것이다.

앞에서 (중유는) 전도된 마음으로 어머니 태장胎藏에 들어간다고 말했는데, 일체 중유가 모두 결정코 그러한가?[41] 그렇지 않다. 경에서 "입태入胎에 네 가지가 있다"라고 말했기 때문이다.[42] 그 네 가지란 무엇인가?[43] 게송으로 말하겠다.

16 첫째는 들어감을 바르게 알고[一於入正知]
둘째와 셋째는 머묾과 나옴을 아울러 알며[二三兼住出]
넷째는 모든 단계에서[四於一切位]
그리고 난생은 늘 앎이 없다[及卵恒無知]

17 앞의 세 가지 입태는[前三種入胎]
전륜왕과 두 종류 붓다를 말함이니[謂輪王二佛]
업과 지혜가 모두 뛰어나기 때문에[業智俱勝故]
순서대로 그러하며, 넷째는 나머지의 태어남이다[如次四餘生][44]

논하여 말하겠다. 어떤 유정들은 복업을 많이 모으고 알아차림과 지혜를 힘써 닦았기 때문에 죽고 태어날 때 알아차림의 힘에 지탱되어[念力所持] 바르게 알고 어지러움이 없다. 그들 중 혹 어떤 분은 태에 들어감[入胎]을 바르게 알고, 혹 어떤 분은 들어감과 아울러 태에 머묾[住胎]을 바르게 알며, 혹 어떤 분은 들어감·머묾과 아울러 나옴을 바르게 안다. '아울러[兼]'라는 말은, 뒤는 반드시 앞에 동반된다는 것을 나타내기 위한 것이다. 어떤 유정들은 복과 지혜가 모두 적어서, 들어감·머묾·나옴의 단계를 모두 바르게 알지 못하니, 들어감을 바르게 알지 못하면, 머묾과 나옴도 반드시 그러하다. 게송을 맺는 법에 따랐기 때문에 네 가지를 역으로 말한 것이다.[45]

41 이하는 제11 입태에 대해 밝히는 것인데, 앞을 옮겨와서 물음을 일으켰다.
42 답이다. # '경'은 장 12:18 자환희경自歡喜經이다.
43 따지는 것이다.
44 답인데, 첫 게송은 네 종류 입태와 3시기(=들어감·머묾·나옴)의 차별을 밝히는 것이고, 뒤의 게송은 사람에 의거해 네 가지를 해석하는 것이다.

모든 난생은 입태 등의 단계에서 모두 늘 앎이 없다.[46] 난생은 알로부터 나오는 것인데, 어떻게 태장胎藏에 들어간다고 말하겠는가?[47] 난생은 먼저 반드시 태에 들어가기 때문이다. 혹은 장차 올 것[當來]에 의거해 난생이라고 이름한 것이니, 예컨대 계경에서 '유위를 만든다'라고 설하고, 세간에서도 '밥을 찐다'라거나 '보릿가루를 빻는다'라고 말하는 것과 같다. 따라서 난생에 대해 입태라고 말해도 허물이 없다.[48]

어떤 것들이 세 가지 단계에 바르게 알며, 바르게 알지 못하는가?[49] 우선 여러 유정들이 만약 복이 미약하고 옅으면, 모태에 들어가는 단계에 전도된 지각과 이해를 일으키니, 큰 바람과 비, 지독한 더위와 추위, 혹은 큰 군사들의 위협적이고 요란한 소리가 핍박하는 것을 보고, 마침내 스스로 우거진 풀, 조밀한 숲, 초막, 띠집에 들어가 나무담장 아래로 몸을 던진다고 보며, 머물 때에도 자기가 그 속에 머물고 있다고 보며, 나오는 단계에도

45 앞의 3구를 해석하는 것이다. 만약 복과 지혜를 닦는다면 바른 앎을 가질 수 있지만, 복과 지혜를 닦지 않는다면 바르게 알 수 없다. 만약 경(=위의 자환희경)의 순서에 의한다면 열등한 것으로부터 뛰어난 것으로 향하므로, 3시기에 알지 못하는 것을 첫째로 말하고, 나머지 세 가지의 순서는 이 논서와 같아야 하지만, 게송을 맺는 법에 따르면서 음운론에 저촉됨이 있을 것을 두려워했기 때문에 거꾸로 첫째 것을 네 번째로 한 것이다. 또 해석하자면 게송 중에서 4구를 만드는 법은, 양 단單구를 처음에 두고, 구俱구가 세 번째이며, 구비俱非구가 네 번째이므로, 3시기에 모두 알지 못하는 것이 의미상 구비구에 해당하기 때문에 거꾸로 첫째 것을 네 번째로 한 것이다. 또 해석하자면 경의 순서에 의한다면 첫째 3시기에 알지 못하는 것, 둘째 3시기에 아는 것, 셋째 2시기에 아는 것, 넷째 1시기에 아는 것이지만, 음운론에 저촉됨이 있을 것을 두려워해서 게송을 맺는 법에 따랐기 때문에 네 가지를 역으로 말한 것이다.

46 제4구를 해석하면서 난생은 3단계에 알지 못한다는 것을 밝히는 것이다.

47 묻는 것이다. 알에 들어간다고 말해야지, 어떻게 태에 들어간다고 하는가?

48 답이다. '입태'는 처음(=난생도 처음은 부성父性의 정혈이 먼저 태에 들어간다는 취지)의 명칭에 따라 말한 것이고, '난생'은 장래에 의거해 논한 것이니, 마치 유위를 만든다는 말과 같다. '만든다'는 것은 현재의 행위이고, '유위'는 장래의 결과인데, 현재 행위를 할 때 장래의 결과를 말한 것은 장래의 명칭에 따라 말한 것이다. 바로 쌀을 찔 때 밥을 찐다고 말한 것은 장래의 명칭에 따라 말한 것이고, 바로 보리를 빻을 때 보릿가루를 빻는다고 말한 것도 역시 장래의 명칭에 따라 말한 것이다. 따라서 난생에 대해 입태라고 말해도 허물이 없다는 것이다.

49 물음이다.

자신이 이 곳으로부터 나온다고 본다. 만약 복이 증상하고 많다면, 모태에 들어가는 단계에 전도된 지각과 이해를 일으키니, 스스로 자기 몸이 아름다운 원림에 들어가 꽃이 핀 누대나 전각에 올라 수승한 침상 등에 있다고 보고, 머물고 나올 때에도 앞에서와 같다. 이런 것을 일러 세 시기에 바르게 알지 못하는 것이라고 한다.[50] 만약 세 가지 단계에 모두 능히 바르게 안다면, 들어가는 등의 시기에 전도된 지각과 이해가 없으니, 말하자면 입태하는 단계에 스스로 입태하는 것을 알고, 태에 머물고 나올 때에도 머물고 나오는 것을 스스로 안다.[51]

또 네 가지 입태하는 자를 개별적으로 나타내어 보인다면, 우선 앞의 세 가지는 그 순서대로 전륜왕, 독각獨覺, 대각大覺을 말하는 것이다. 처음 입태는 전륜왕을 말함이니, 들어가는 단계에는 바르게 알지만, 머물 때에는 아니며, 나올 때에도 아니다. 두 번째 입태는 독승각獨勝覺을 말함이니, 들어가고 머무는 단계에는 바르게 알지만, 나오는 단계에서는 아니다. 세 번째 입태는 무상각無上覺을 말함이니, 들어가고 머물고 나오는 단계에서 모두 능히 바르게 안다. 이런 처음 3인은 장래의 명칭으로써 드러낸 것이다.[52]

어떤 인연이 이와 같이 세 품류를 같지 않게 하는가?[53] 업·지혜·양자가 순서대로 뛰어나기 때문이다. 첫째는 업이 뛰어나니, 말하자면 전륜왕은 과거세에 일찍이 광대한 복을 닦았기 때문이다. 둘째는 지혜가 뛰어나니, 말하자 독승각은 오래도록 다문多聞을 익혀 뛰어나게 사유해 가리기[思擇] 때문이다. 셋째는 양자가 뛰어나니, 말하자면 무상각은 과거 오랜 겁[曠劫] 동안 뛰어난 복과 지혜를 수행했기 때문이다.[54] 앞의 세 가지를 제외한 나머

50 이하 답인데, 이는 바르게 알지 못하는 것을 나타내는 것이다.

51 이는 바르게 아는 것을 밝히는 것이다. 전도 없는 지각으로 입태·주태·출태를 알기 때문에 바르게 안다는 것이다.

52 제5·제6구를 해석하는 것이다. 장차 입태하려고 할 때에는 중유의 지위에 있으므로 전륜왕 등이 아니지만, 전륜왕 등이라고 말한 것은 장래의 명칭에 따라 말한 것이다. # '독승각'은 2독각 중 소위 부행部行독각(=뒤의 제12권 중 게송 93cd와 그 논설 참조)을 가리킨다.

53 물음이다.

54 제7구 및 (제8구 중) '순서대로 (그러하며)'를 해석하는 것인데, 알 수 있을 것이다.

지 태생·난생은 복과 지혜가 모두 열등해서 모두 넷째가 된다.[55]

제6항 무아론과 중유

여기에서 '자아[我]'를 주장하는 외도가, "만약 유정이 다른 세상으로 굴러 나아감[轉趣餘世]을 인정한다면, 곧 우리가 주장하는 바 자아가 있다는 뜻이 이루어진다"라고 말하므로,[56] 이제 그것을 막기 위해 게송으로 말하겠다.

⑱ 자아는 없고, 여러 온일 뿐인데[無我唯諸蘊]
번뇌와 업에 의해 만들어진[煩惱業所爲]
중유가 상속함에 의해[由中有相續]
입태하니, 마치 등불과 같다[入胎如燈焰]

⑲ 이끄는 대로 순차 증장하며[如引次第增]
상속하고, 번뇌와 업에 의해[相續由惑業]
다시 다른 세상으로 나아가니[更趣於餘世]
그래서 존재의 수레바퀴에 처음은 없다[故有輪無初][57]

1. 유아론 논파

논하여 말하겠다. 그대들이 주장하는 자아는 어떤 모습인가?[58] 능히 이 온을 버리고, 능히 다른 온을 상속하는 것이다.[59] 내적으로 작용하는 사람

55 (제8구 중) '넷째는 나머지의 태어남'이라고 한 것과 3시기에 알지 못한다는 것을 해석하는 것이다.
56 이하는 큰 글의 둘째 외도의 계탁을 막는 것인데, 이는 곧 먼저 자아를 주장하는 자의 계탁을 서술하는 것이니, 곧 승론·수론 등이다.
57 이는 곧 바로 막는 것이다. 앞의 게송은 자아는 없고, 단지 번뇌와 업에 의해 입태하게 될 뿐임을 밝히는 것이고, 뒤의 게송은 상속하고 끊어지지 않으므로 존재의 수레바퀴에 처음이 없음을 나타내는 것이다.
58 논주가 따져 묻는 것이다.
59 자아를 주장하는 자의 답이다. 자아가 능히 이 온을 버리고, 자아가 능히 다른 온을 상속한다.

[內用士夫], 이것은 결정코 있는 것이 아니니, 마치 형색[色]이나 눈[眼]처럼 얻을 수 없기 때문이다. 세존께서도 역시, "업도 있고 이숙도 있지만, 만드는 주체[作者]는 얻을 수 없다. 말하자면 능히 이 온을 버리고, 그리고 능히 다른 온을 상속할 뿐이니, 법가法假만은 제외한다"라고 말씀하셨다.[60] '법가'는 무엇을 말하는 것인가?[61] 이것이 있음에 의해 저것이 있고, 이것이 생기기 때문에 저것이 생기는 것이니, 널리 말한다면 연에 의해 일어나는 것[緣起]이다.[62]

만약 그렇다면 어떤 자아가 부정되지 않는 것 [非所遮]인가?[63] 여러 온들이 있을 뿐이니, 말하자면 온에 대해 임시로 '자아'라는 명칭을 세운 것만은 부정될 것이 아니다.[64] 만약 그렇다면 여러 온이 곧 능히 이 세간으로부터 다른 세간으로 굴러 이르는 것[轉至]이라고 인정해야 할 것이다.[65] 온은 찰

60 논주의 논파이다. 내적으로 작용하는 사람이라는 자아, 이것은 결정코 있는 것이 아니다. 형색 등과 같은 것은 체가 있어 현량으로 알 수 있고, 눈 등과 같은 것은 작용이 있어 비량으로 알 수 있지만, (자아는) 얻을 수 없기 때문이다. 그 성스러운 가르침(=잡 [12]13:335 제일의공경) 중에서 세존께서도 다시, "업도 있고, 이숙도 있지만, 만드는 주체라는 실제의 자아[實我]는 얻을 수 없다. 말하자면 능히 이 앞의 온을 버리고, 그리고 능히 다른 뒤의 온을 상속하는 것은 단지 법가法假일 뿐이다"라고 말씀하셨다. 이 '법가'는 부정될 것이 아니다.

61 자아를 주장하는 자의 물음이다.

62 답이다. 이 원인이 있음에 의해 그 결과가 있고, 이 원인이 생기기 때문에 그 결과가 생기는 것이니, 자세히 말한다면 12연으로 일어나는 것이다. 지금 '이것을 버리고 다른 것으로 간다는 것'은 곧 인과로서 전후 상속하는 것을 밝히는 것이니, 곧 이 법가를 만드는 주체[作者]라고 이름한 것이지, 별도의 만드는 주체는 없다. 그래서 『순정리론』 제25권(=대29-485상)에서 말하였다. "인과로서 상속하는 형성된 것들[諸行]이 곧 만드는 주체라는 것을 나타내기 위하여 다시 '이것이 있음에 의해 저것이 있고, 이것이 생기기 때문에 저것이 생긴다'라고 말한 것이다." # '법가'는 범어 '다르마삼께따dharma-saṃketa'의 번역어인데, 이를 위 제일의공경에서는 '속수법俗數法'이라고 번역하였고, 이를 그 내용이 유사한 증일 30:37:7경에서는 '임시로 부르는 법인 인연의 법[假號法因緣法]'이라고 번역하고, 증일 49:51:8경에서는 단순히 '인연의 법[因緣法]'이라고 번역하였다.(=졸역 아함전서② 잡아함경Ⅱ p.275)

63 자아를 주장하는 자의 물음이다.

64 답이다. 온에 대해 임시로 세운 자아는 부정될 것이 아니다.

65 자아를 주장하는 자의 힐난이다. 온은 항상해서, 이 앞의 세간으로부터 다른

나에 소멸하므로 윤전輪轉에 대해 공능이 없지만, 자주 익힌 번뇌와 업에 의해 만들어지는 것이기 때문에 중유의 온으로 하여금 상속하여 입태하게 하니, 비유하자면 등불의 불꽃은 비록 찰나에 소멸하지만, 상속하여 다른 곳으로 굴러 이를 수 있는 것처럼, 여러 온도 역시 그러하므로, 구른다[轉]고 이름하더라도 허물은 없다. 따라서 비록 자아는 없지만, 번뇌와 업에 의해 여러 온이 상속하고 입태한다는 뜻이 성립된다.66

2. 업에 의한 상속·전생과 그 순서

업이 이끄는 바대로[如業所引] 순차 점점 증장하며 여러 온이 상속하고, 다시 번뇌와 업의 힘에 의해 만들어져 다른 세간으로 굴러 나아간다. 말하자면 일체 인기된 여러 온의 증장·상속의 길이의 분량이 같지 않은 것은, 수명을 인기한 업인業因에 차별이 있기 때문이다. 능히 인기한 업의 세력의 증상함과 미약함에 따라 그만큼의 시간과 같게 순차 증장하는 것이다.67

순서가 어떠한가?68 성스러운 가르침[聖說]에서 말한 것과 같다. "❶ 가장 처음이 갈라람이고[最初羯剌藍] 다음에 알부담이 생기며[次生頞部曇] 이것으로부터 폐시가 생기고[從此生閉尸] 폐시가 건남을 낳네[閉尸生鍵南] ❷ 다음이 발라사가이고[次鉢羅奢佉] 그 후 머리카락·털·손톱발톱 등[後髮毛爪等] 및 색근과 형상이[及色根形相] 점차 더욱 증장한다네[漸次而轉增]" 말하자면 모태 중의 분위分位에 다섯이 있으니, 첫째 갈라람 단계, 둘째 알부담 단계, 셋째 폐시 단계, 넷째 건남 단계, 다섯째 발라사가 단계이다. 이 모태 안의 화살[胎中箭]이 점점 순차 더욱 증장하여 나아가 색근과 형상이 원만한 단계에 이르는 것이다.69

뒤의 세간으로 굴러 이르는 것이라고 인정해야 할 것이다.

66 온은 찰나에 소멸하므로 구르는 것에 공능이 없지만, 번뇌와 업의 힘에 의해 중유로 하여금 입태하게 한다.

67 업이 이끄는 바대로 여러 온이 상속하고, 다시 번뇌와 업에 의해 굴러서 다른 세간으로 나아가는데, '말하자면 일체' 이하는 (업에 의해 여러 온이 상속한다는 것을) 따로 나타내는 것이다. 여러 온이 모두 길이의 분량이 같지 않은 것은, 수명을 인기한 업인業因에 차별이 있기 때문이니, 능히 인기한 업의 증상함과 미약함에 따라서 순차 증장하는 것이다.

68 물음이다.

69 답인데, 이는 태내의 다섯 시기에 순차 생장하는 것을 밝히는 것이다. 갈라람

업에 의해 일어난 이숙의 바람의 힘이 모태 안의 화살을 굴려서 산문産門으로 나아가게 하면, 마치 굳은 똥덩어리의 양이 넘치는 것처럼 막혀서 껄끄러우니, 여기에서 굴러 떨어질 때 극심한 고통은 견디기 어렵다.[70]

그 어머니가 혹은 때로 행동, 음식, 사업에서 분수를 넘었거나 혹은 그 자식의 숙세의 죄업의 힘으로 말미암아 태내에서 죽기도 한다. 그 때 해산의 법도에 매우 능통하고 영아를 잘 양생하는 여인이나 의사가 있다면, 소유穌油나 섬말리睒末梨즙을 따뜻하게 해서 그 손에 바르고 예리한 작은 칼을 잡을 것인데, 그 안은 항문속처럼 가장 극심하게 더러운 것들이 충만하고 어두컴컴한 곳이어서 한량없는 수천의 벌레들이 의지하는 곳으로서 항상 나쁜 즙이 흐르므로, 늘 잘 대처해야 한다. 정혈과 기름때로 썩어 문드러져 악취나고 더러운 것들이 흘러 넘쳐 그 비루함과 더러움을 차마 볼 수 없는데, 구멍 뚫려 누설되는 얇은 거죽이 그 위를 덮었으니, 숙업에 이끌린 몸의 자궁[瘡孔] 안에서 지절支節을 분해하여 밖으로 끌어내는 것이다. 그런데 이 태아는 숙세에 만든 순후수업順後受業을 탈 것인데, 그 나아갈 취趣는 알기 어렵다.[71]

은 여기 말로 화합和合인데, 혹은 잡예雜穢라고도 하고, 응활凝滑이라고도 한다. 알부담은 여기 말로 포皰이고, 폐시는 여기 말로 혈육血肉이며, 건남은 여기 말로 견육堅肉이고, 발라사거는 여기 말로 지절支節인데, 뒤에 머리카락·털·손톱발톱 등 내지 색근·형상이 원만해지는 단계를 전체적으로 다섯째 단계[第五位]라고 이름한다. 이 모태 중의 자식이 태에 처할 때 마치 화살이 몸으로 들어가듯이 그 어미를 손상시키기 때문에 '모태 안의 화살'이라고 이름한다.

70 바람의 힘에 의해 모태 안의 화살을 굴려서, 발을 위로 하고 머리를 아래로 해서 산문으로 나아가게 하면, 마치 굳은 똥덩어리의 양이 넘치는 것처럼 막혀서 껄끄러우니, 이 태 안으로부터 아래로 향해 굴러 떨어질 때 핍박받기 때문에 극심한 고통이 견디기 어렵다. 혹은 이 산문産門으로부터 나온 뒤 풀 따위에 굴러 떨어질 때 극심한 고통이 견디기 어렵다.

71 미처 출태하지 못하고 어려움이 있어서 죽는 경우에 대해 밝히는 것이다. 그 어머니가 혹 때로 행·주·좌·와의 거동에서 분수를 넘었거나, 혹 때로 음식의 차가움과 뜨거움에서 분수를 넘었거나, 혹 때로 사업에 종사함에서 분수를 넘었거나, 혹 그 자식의 숙세의 죄업의 힘으로 말미암아 태 안에서 죽기도 하는데, 그러면 나아가 지절을 분해해서 밖으로 끌어내기에 이른다. 그런데 이 태아는 숙세에 만든 순후수업을 탈 것[乘]인데, 3계·5취 중 그 나아갈 취는 알기 어렵다. 이 글에 준하면 중유는 순현수의 만업을 지을 수 있을 뿐, 만업이든

혹은 다시 어려움 없이 안전하게 태어날 수 있다고 해도 몸은 마치 새로 생긴 부스럼처럼 가늘고 연약하여 다루기 어려운데, 자식을 사랑하는 어머니나 다른 여인이 마치 칼이나 재와 같은 거칠며 껄끄러운 두 손으로 붙잡고 씻기고 닦아 편안하게 두고, 다음에 맑은 연유를 먹이며 모유를 마시게 하고, 점점 부드러운 음식과 거친 음식을 익혀 받아들이게 한다.[72] 순차 더욱 증장하여 근이 성숙한 단계에 이르면, 다시 번뇌를 일으켜 여러 업을 쌓아 모으니, 이로 인해 몸이 무너지고, 다시 앞에서와 같은 중유의 상속이 있어 다시 다른 세간으로 나아간다. 이와 같이 번뇌와 업이 원인이 되기 때문에 태어나고, 태어남이 다시 원인이 되어 번뇌와 업을 일으키며, 이 번뇌와 업으로부터 다시 태어남이 있다. 따라서 존재의 수레바퀴는 돌고 도는 것으로서 시작이 없다고 알아야 할 것이다.[73]

만약 시작이 있다고 주장한다면, 시작에는 원인이 없어야 할 것이고, 시작에 이미 원인이 없다면, 다른 것들도 저절로 일어나야 할 것이다. 그러나 현재 싹 등을 보면 종자 등을 원인으로 해서 생기니, 처소 및 시간이 모두 결정적이기 때문이다. 또 불 등으로 말미암아 익는 변화[熟變] 등이 생긴다. 이에 의해 원인 없이 일어나는 법은 결정코 없다. 상주하는 원인의 이론[常因論]에 대해 말한다면 앞에서 이미 버린 것과 같다. 그러므로 생사는 결정

인업이든 순생수·순후수의 업은 모두 지을 수 없기 때문에 (숙세에 만든) 순후수업이라고 말한 것이다. '섬말리'는 풀의 이름인데, 그 즙이 매끄럽다. 혹은 나무의 이름이다.

72 어려움 없이 출태하는 경우에 대해 밝히는 것이다. '마치 칼이나 재와 같다'는 것은 거칠고 껄끄러운 두 손(을 비유한 것)이다. '맑은 연유[淸酥]'는 제호醍醐를 말하는 것이다. 나머지 글은 알 수 있을 것이다.

73 근이 성숙한 단계에 이르면, 다시 번뇌와 업을 일으켜 중유가 상속하고, 다시 다른 세간으로 나아간다. 이와 같이 지금 몸의 번뇌와 업이 원인이 되기 때문에 후세에 태어나고, 후세에 태어남이 다시 원인이 되어 번뇌와 업을 일으키며, 이 번뇌와 업으로부터 다시 태어남이 있다. 따라서 존재의 수레바퀴는 돌고 도는 것으로서 시작이 없다고 알아야 한다. 혹은 이와 같이 전의 몸의 번뇌와 업이 원인이 되었기 때문에 금세에 태어났고, 금세에 태어남이 다시 원인이 되어 번뇌와 업을 일으키며, 이 번뇌와 업으로부터 다시 태어남이 있다고 할 수도 있다. 따라서 존재의 수레바퀴는 돌고 도는 것으로서 시작이 없다고 알아야 한다.

코 처음이 없다. 그렇지만 뒤의 끝은 있으니, 원인의 다함 때문이다. 태어남은 원인에 의했기 때문에 원인이 소멸해 무너질 때 태어남의 결과도 반드시 없을 것은, 이치상 결정코 그러해야 하니, 마치 종자가 소멸해 무너지면 싹도 반드시 생기지 않는 것과 같다.74

제2장 12연기

제1절 12인연의 3세 분별

이와 같은 온의 상속은 3생을 분위[位]로 한다고 말하는데, 게송으로 말하겠다.

⑳ 이와 같은 모든 연기는[如是諸緣起]
12지인데, 3제이니[十二支三際]
전제·후제는 각각 2지이고[前後際各二]
중제의 8지는 원만한 자에 의거한 것이다[中八據圓滿]75

74 어떤 외도의 계탁이거나 화지부의 계탁인데, 첫 찰나의 법은 원인으로부터 생기지 않았지만, 제2찰나 이후부터 비로소 원인으로부터 생겼으므로, 시작이 있다고 그들이 헤아린다면, 뒷 단계에서도 원인으로부터 생기지 않아야 할 것이니, 생긴 것이기 때문에 첫 단계와 같아야 할 것이다. (아니면) 첫 단계에 원인으로부터 생겼어야 할 것이니, 생긴 것이기 때문에 뒷 단계와 같을 것이다. 만약 처음과 뒤의 단계 모두 원인 없이 생겼다면 곧 현량에 어긋날 것이니, 현재 보면 싹 등은 종자 등으로 인해 생기니, 그 상응하는 바에 따라 어떤 곳에 의하든 어떤 시절에 의하든 모두 결정적이기 때문이다. 또 불 등이 원인이 됨에 의해 익는 변화 등의 결과가 생긴다. 이에 의해 원인 없이 일어나는 법은 결정코 없다. 상주하는 원인의 이론은 앞(=제7권 중 게송 ㊺d와 그 논설 참조)에서 이미 버린 것과 같다. 그러므로 생사는 결정코 처음이 없다. 그렇지만 뒤의 끝은 있으니, 번뇌와 업이라는 원인의 다함 때문이다. 태어남이라는 결과는 반드시 번뇌와 업이라는 원인에 의지하기 때문에, 만약 번뇌와 업이라는 원인이 소멸해 무너질 때 태어남의 결과도 반드시 없는 것은, 이치상 결정코 그러해야 하니, 마치 종자라는 원인이 소멸해 무너지면 싹 등의 결과도 반드시 생기지 않는 것과 같다.

75 이하 여덟째(=유정의 생을 밝히는 것에 9문이 있어 제8이 연기이고, 제9가

논하여 말하겠다. 12지支란 첫째 무명無明, 둘째 형성[행行], 셋째 의식[식識], 넷째 명색名色, 다섯째 6처處, 여섯째 접촉[촉觸], 일곱째 느낌[수受], 여덟째 갈애[애愛], 아홉째 취착[취取], 열째 존재[유有], 열한 번째 태어남[생生], 열두 번째 노사老死이다. 3제際라고 말한 것은 첫째 전제前際, 둘째 후제後際, 셋째 중제中際이니, 곧 과거·미래 및 현재의 3생이다.[76]

어떻게 12지를 3제에 건립하는가?[77] 말하자면 전제와 후제에 각각 2지를 세우고, 중제에 8지를 세우기 때문에 12지를 이루니, 무명과 행은 전제에 있고, 생과 노사는 후제에 있으며, 그 나머지 8지는 중제에 있다.[78]

이 중제의 8지는 일체 유정이 이 한 번의 생 중에 모두 갖추고 있는가?[79]

4유인데, 이 제8문과 제9문을 묶어 제2장으로 편성하였다) 12연기에 대해 밝히는 것이다. 그 안에 나아가면 첫째 열두 가지를 자세히 밝히고, 둘째 간략히 거두어 비유로 나타낸다. 자세히 밝히는 것에 나아가면, 첫째 전체적으로 분별하고, 둘째 개별적으로 밝힌다. 전체적 분별에 나아가면, 첫째 전체적으로 지분의 단계를 판별하고, 둘째 개별적으로 체성을 나타내며, 셋째 본래 설하신 뜻을 밝히고, 넷째 간략한 것으로 자세한 것을 거두며, 다섯째 의심과 힐난을 보내고 회통하며, 여섯째 경문을 모아 해석한다. 이는 곧 첫째 전체적으로 지분의 단계[支位]를 판별하는 것인데, 앞을 옮겨와서 종지를 표방하였다. # 이상의 설명을 제2장의 구성과 대비해 보이면 다음 도표와 같다.

<table>
<tr><td rowspan="12">제8 연기</td><td rowspan="11">12연기를 자세히 밝힘</td><td rowspan="6">전체적 분별</td><td>12인연의 3세 분별</td><td>제1절</td></tr>
<tr><td>12인연의 체</td><td>제2절</td></tr>
<tr><td>본래 설하신 뜻</td><td>제3절</td></tr>
<tr><td>간략한 것으로 자세한 것을 거둠</td><td>제4절</td></tr>
<tr><td>의심·힐난을 보내고 회통함</td><td>제5절</td></tr>
<tr><td>경문을 모아 해석함</td><td>제6절</td></tr>
<tr><td rowspan="5">개별적 해석</td><td>무명</td><td>제7절</td></tr>
<tr><td>명색</td><td>제8절</td></tr>
<tr><td>접촉</td><td>제9절</td></tr>
<tr><td>느낌</td><td>제10절</td></tr>
<tr><td>나머지 인연</td><td>제11절</td></tr>
<tr><td colspan="3">간략히 거두어 비유로 나타냄</td><td>제12절</td></tr>
<tr><td colspan="4">제9 4유</td><td>제13절</td></tr>
</table>

76 12지와 3제를 밝히는 것이다.
77 물음이다.
78 답인데, 알 수 있을 것이다.
79 물음이다.

모두가 갖추고 있는 것은 아니다.[80] 만약 그렇다면 어째서 8지가 있다고 말했는가?[81] 원만한 자에 의거한 것이다. 여기에서의 뜻이 말하는 것은, 모든 단계를 거치는 보특가라를 '원만한 자'라고 이름하므로, 중간에 요절한 자들 및 색계·무색계는 아니다. 단지 욕계의 보특가라에 의거한 것일 뿐이니, 대연기경에서 갖추고 있는 경우를 설하셨기 때문이다. 거기에서 설하였다. "붓다께서 아난다에게 말씀하셨다. '식識이 만약 입태하지 않았다면 광대하게 증장할 수 있겠느냐?' '아닙니다. 세존이시여.' ····"[82]

어떤 때에는 단지 두 부분으로만 연기를 설했으니, 첫째 전제에 포함되는 것과 둘째 후제에 포함되는 것이다. 앞의 7지는 전제에 포함되니, 무명 내지 느낌을 말하는 것이며, 뒤의 5지는 후제에 포함되니, 갈애 내지 노사를 말하는 것이다. 전제·후제에 원인·결과의 두 부분이 포함되기 때문이다.[83]

제2절 12인연의 체

무명 등의 지분은 어떤 법을 체로 하는가?[84] 게송으로 말하겠다.

---

80 답이다.

81 힐난이다.

82 해석이다. 8지분[支]이 있다고 말한 것은 원만한 자가 8단계를 거치는 것에 의거한 것이지, 중간에 요절한 자들은 아니니, 혹 명색의 지분에 있다가 명종하면 2단계만 거치고, 나아가 혹은 취착의 지분에 있다가 명종하면 7단계만 거친다. 그리고 색계에는 명색 지분이 없으니, 거기로 화생하면 모든 근이 반드시 갖추어지고, 무색계에는 명색·6처의 지분이 없으니, 색법이 없기 때문이다. 단지 욕계에 의거해 8지분을 갖춘다고 한 것일 뿐이니, 경(= '대연기경'은 중 24:97 대인경大因經을 가리킨다)을 인용해 욕계만 8지분을 갖추고 있다는 것을 증명한다. 경에서, "'식이 만약 입태하지 않았다면 광대하게 증장할 수 있겠느냐?' '아닙니다. 세존이시여.'"라고 설하고, 나아가 8지분에 이르기까지 자세히 설하셨다. 이미 입태를 말했으니, 욕계에 의거한 것임을 분명히 알 수 있으며, 그 경에서 (8지분을) 모두 설했으니, 원만한 자에 의거한 것임이 분명하다.

83 3제가 12지분을 포함하는 것을 해석하는 기회에, 다시 두 부분이 12지분을 거두는 것도 밝히는 것이다. 전제의 7지분 중 2원인(=무명·행)이 5결과를 초래하고, 후제의 5지분 중 3원인이 2결과(=생·노사)를 초래하니, 이는 곧 (중제의) 원인과 결과를 나누어 (전제·후제의) 2제로 한 것이다.

㉑ 숙세의 번뇌의 단계가 무명이고[宿惑位無明]
숙세의 모든 업을 형성이라고 이름하며[宿諸業名行]
의식은 바로 결생의 온이고[識正結生蘊]
6처의 앞이 명색이다[六處前名色]

㉒ 안근 등의 근의 생기로부터[從生眼等根]
3자의 화합 전이 6처이고[三和前六處]
세 가지 느낌의 원인의 차이를[於三受因異]
아직 요지하지 못할 때를 접촉이라고 이름한다[未了知名觸]

㉓ 음애 전에 있는 것이 느낌이고[在婬愛前受]
물건이나 음욕에 대한 탐욕이 갈애이며[貪資具婬愛]
여러 경계를 얻기 위하여[爲得諸境界]
두루 치달려 구하는 것을 취착이라고 이름한다[遍馳求名取]

㉔ 존재는 말하자면 바로 능히[有謂正能造]
미래의 결과를 견인하는 업을 짓는 것이고[牽當有果業]
미래의 존재 맺는 것을 태어남이라고 이름하며[結當有名生]
미래의 느낌까지가 노사이다[至當受老死][85]

논하여 말하겠다. 과거 생 중의 모든 번뇌의 단계로부터 지금의 결과가 성숙한 때까지를 전체적으로 무명無明이라고 말하니, 그것은 무명과 동시에 작용하기 때문이며, 무명의 힘에 의해 그것이 현행하기 때문이다. 마치 왕

84 이하 둘째 (12인연의) 체성을 개별적으로 나타내는데, 이는 곧 묻는 것이다.
85 답이다. 4게송에 나아가면 제1구는 무명을 분별하고, 제2구는 형성을 밝히며, 제3구는 의식을 밝히고, 제4구는 명색을 밝히며, 그 다음 2구는 6처를 밝히고, 그 다음 2구는 접촉을 밝히며, 다음 1구는 느낌을 밝히고, 다음 1구는 갈애를 밝히며, 그 다음 2구는 취착을 밝히고, 그 다음 2구는 존재를 밝히며, 다음 1구는 태어남을 밝히고, 다음 1구는 노사를 밝히는 것이다.

이 간다고 말할 때 인도하고 따르는 자들이 없는 것은 아니지만, 왕이 모두 뛰어나기 때문에 전체적으로 왕이 간다고 말하는 것과 같다.[86] 과거 생 중의 복업 등 업의 단계로부터 지금의 결과가 성숙한 때까지 전체적으로 형성[行]이라는 명칭을 얻는다. 게송 제1구의 '단계[位]'라는 말은 흘러서 노사에까지 이른다.[87]

어머니의 태 등에서 바로 결생할 때의 1찰나 단계의 오온을 의식[識]이라고 이름한다.[88] 결생한 의식의 뒤, 6처가 생기기 전, 그 중간의 모든 단계를 전체적으로 명색名色이라고 칭한다. 여기에서 '4처가 생기기 전'이라고 말해야 할 것인데도, '6처'라고 말한 것은 원만한 것에 의거해 세웠기 때문이다.[89] 눈 등이 이미 생겨서부터 근·경·식이 아직 화합하지 않은 단계까지

86 12지를 해석하므로 글도 열둘이 있는데, 이는 곧 처음이다. 시작 없는 숙세의 생 중에 업을 일으킨 모든 번뇌의 단계에 있는 5온으로부터 지금의 5과(=의식 내지 느낌)가 성숙한 난계에 이르기까지를 전체적으로 무명이라고 말한다. 그 5온은 무명과 동시에 작용하기 때문이고, 무명의 힘에 의해 그 5온이 현행하기 때문이다. 무명이 뛰어나므로 뛰어난 것을 좇아 명칭을 세운 것이다. 비유는 알 수 있을 것이다.

87 시작 없는 숙세의 생 중 복·비복·부동 등 업의 단계에 있는 5온으로부터 지금의 5과가 성숙한 단계에 이르기까지 전체적으로 형성[行]이라는 명칭을 얻는다. 업이 결과를 감득함에 뛰어나기 때문에 별도로 표방한 것이다. 제1구의 '단계'라는 말은 나아가 흘러서 노사에까지 이른다.

88 '태 등'은 습생·화생의 2생을 같이 취한 것이니, 그것들은 태에 들어가지 않기 때문이다. 첫찰나 중에는 의식이 가장 뛰어나기 때문에 의식으로써 명칭을 표방한 것이다.

89 의식의 뒤, 6처의 전, 그 중간의 모든 단계에 있는 5온을 전체적으로 명색이라고 칭한다. 명색이 뛰어나기 때문이니, 그래서 따로 명칭으로 표방한 것이다. '모든 단계'라고 말한 것은, 『대비바사론』 제23권(=대27-119상)에서 말하였다. "(어떤 것이 명색인가? 말하자면 결생한 뒤 아직 안근 등의 4색근이 아직 일어나지 않은, 6처가 아직 원만하지 못한) 중간의 5단계이니, 말하자면 갈라람, 알부담, 폐시, 건남, 발라사가이다. 이것을 명색의 단계라고 이름한다." 『대비바사론』의 글에 준하면, 갈라람은 다찰나에 통하니, 명색의 단계에 신처·의처도 이미 생겼을 것이므로, 여기에서 '4처가 생기기 전'이라고 말해야 할 것인데도, '6처'라고 말한 것은 6처가 원만한 것에 의거해 세웠기 때문이다. # 명색의 단계에서도 이미 6처가 있지만, 아직 원만하지 못하고, 원만한 것은 6처의 단계라는 취지이다. 그래서 『현종론』 제14권(=대29-841상)에서, "이미 신처·의처가 생겼으니, 어찌 이것(=명색)은 4처가 생기기 전에 있는 것이라고 말해야 하지 않는가? 이 힐난은 그렇지 않다. 아직 원만하며

6처六處라는 이름을 얻는다.[90] 3자의 화합에 이르렀을 때부터 세 가지 느낌의 원인의 차별을 아직 요지하지 못하는 단계를 전체적으로 접촉[觸]이라고 이름한다.[91] 세 가지 느낌의 원인이 차별되는 모습을 이미 요지했을 때부터 아직 음탕에 대한 탐욕[婬貪]을 일으키지 않는 이런 단계를 느낌[受]이라고 이름한다.[92]

뛰어나지 못하기 때문이다. 말하자면 앞의 2단계(=의식·명색)에서는 처가 여전히 감소하고 열등하지만, 6처의 단계에 처가 비로소 원만하며 뛰어난 것이다. 또 6처의 단계에서 신근·의근의 2근이 비로소 완전한 상태로 획득되니, 모두 현행하기 때문이다. 말하자면 반드시 지절이 열리는 단계여야 비로소 남근·여근을 획득하고, 그 때 모든 의식의 무리도 마침내 모두 현행해 일어날 수 있다. 따라서 신처·의처는 6처의 단계 중에서 비로소 완전한 상태로 획득되고 또 모두 현행해 일어난다. 이 때문에 6처가 생기기 전을 명색의 단계라고 이름한다고 말한 것이니, 이 설명이 훌륭한 것이다"라고 설명하고 있다.

90 '눈 등이 이미 생겨서'는 앞의 명색과 구별하는 것이고, '(근·경·식이) 아직 화합하지 않은 단계까지'는 뒤의 접촉 단계와 구별하는 것이니, 그 중간에 있는 5온이 6처라는 이름을 얻는다. 6처가 처음으로 원만하며 뛰어나기 때문에 별도로 표방한 것이니, 곧 태내의 발라사가 단계이다. 그래서 『대비바사론』 제23권(=대27-119상)에서 말하였다. "어떤 것이 6처인가? 말하자면 이미 4색근을 일으켜서 6처가 이미 만족한, 즉 발라사가 단계이니, 눈 등의 여러 근이 아직 능히 접촉에게 의지처가 되지 못하는 이것이 6처의 단계이다." 『순정리론』 제26권(=대29-486중)에서 말하였다. "어찌 이 단계에 여러 식이 생기지 않아서 세 가지가 아직 화합을 갖추지 못했다고 말할 수 있는가? 또 1단계도 의식이 생기지 않는 것은 없다. 곧 명색 중에서도 신식身識이 역시 일어나거늘, 하물며 6처의 단계에 3자의 화합이 없다고 말하겠는가? 그 나머지 의식의 무리도 역시 일어날 수 있다. 그렇지만 늘 뛰어난 것이 아니기 때문에 3자가 화합한다는 명칭을 아직 세우지 않는다. 이 단계 중에서는 오직 6처만 뛰어나기 때문에 6처에 의거해 단계의 차별을 표방한 것이다."

91 출태 이후 2·3세에 오면 이미 근·경·식 3자의 화합에 이르니, 이는 곧 앞의 단계와 구별하는 것이다. 능히 고수·낙수·사수를 낳지만, 거스르고 수순하며 중립적인 세 가지 원인-'원인'은 곧 경계이다-의 차별을 아직 요지하지 못한다는, 이것은 뒷 단계와 구별하는 것이다. 그 중간의 단계에 있는 5온을 전체적으로 접촉이라고 이름한다. 처음 경계와 접촉해 마주하면 접촉의 작용이 뛰어나기 때문에 접촉이라는 명칭을 표방한 것이다.

92 4세·5세 이후 14세·15세 이전에 세 가지 느낌이 생기는 원인의 차별을 이미 요지하는 것은, 앞의 단계와 구별하는 것이다. 비록 옷과 음식 등에 대한 탐욕을 일으키지만, 아직 음탕에 대한 탐욕[婬貪]을 일으키지 않는 것은, 뒤의 단계와 구별하는 것이다. 이 중간 단계에 있는 5온을 전체적으로 느낌이라고 이름한다. 수용受用하는 것이 뛰어나기 때문에 별도로 수受라는 명칭을 표방한

좋은 물건[妙資具]을 탐내고, 음애婬愛가 현행하지만, 아직 널리 추구하지 않는 이런 단계를 갈애[愛]라고 이름한다.[93] 갖가지 아주 좋은 경계를 얻기 위해 널리 두루 치달려 구하는[周遍馳求] 이런 단계를 취착[取]이라고 이름한다.[94] 치달려 구함을 원인으로 하기 때문에 능히 미래의 존재라는 과보를 견인하는 업을 쌓아 모으는 이런 단계를 존재[有]라고 이름한다.[95]

이런 업의 힘에 의해 여기에서 목숨을 버리고 바로 미래의 존재[當有]를 맺는, 이런 단계를 태어남[生]이라고 이름한다. 미래 존재의 태어남 지분은

것이다.

93 '16세·17세 이후 좋은 물건을 탐내고 또 음애가 현행한다'는 것은 앞의 단계와 구별하는 것이고, '아직 널리 추구하지 않는다'는 것은 뒤의 단계와 구별하는 것이니, 이 중간 단계에 있는 5온을 전체적으로 갈애라고 이름한다. 이 단계는 갈애가 뛰어나기 때문에 별도로 명칭을 표방한 것이다.

94 나이가 점점 늘어나면 갖가지 아주 좋은 경계를 얻기 위해 널리 두루 치달려 구하면서 수고로움과 피곤을 불사하지만, 그러나 아직 후유後有를 위해 선·악업을 능히 일으키지는 않는, 이 중간 단계에 있는 5온을 전체적으로 취착이라고 이름한다. 갈애와 취착이 차별되는 것은, 처음에 일어난 것을 갈애라고 이름하고, (이것이) 상속하여 치성하면 취착이라는 명칭을 세운다. 또 해석하자면 취착은 붙잡아 취하는 것[執取]이니, 곧 4취이다. 그래서『순정리론』제26권(=대29-488중)에서 말하였다. "갖가지 사랑할 만한 경계를 얻기 위해 널리 두루 치달려 구하는 이런 단계를 취착이라고 이름하는데, 취착에는 네 가지가 있으니, 말하자면 욕망[欲] 및 소견[見], 계금戒禁, 자아이론[我語]이다. 취하는 것이 차별되기 때문인데, 능취能取이기 때문에 취착이라고 이름한 것이다." 해석해 말하자면, 그 취착 지분을 논한다면 실제로 4취에 통하지만, 갈애가 증성한 것을 말하여 취착이라고 이름한 것은, 앞의 갈애를 상대해 말했기 때문이다.

95 또 점점 장성하면 취착해서 치달려 구하는 것이 뛰어남으로 인해, 미래의 존재라는 과보를 능히 견인하는 업을 쌓아 모으는데, 이런 업이 생기는 단계에 있는 5온을 전체적으로 존재라고 이름한다. 업을 이름하여 존재라고 한 것은 능유能有(=능히 존재하게 하는 것 내지 존재의 주체)이기 때문이다. 이 단계에는 업이 뛰어나기 때문에 존재라는 명칭으로 표방한 것이다. 그래서『현종론』(=제14권. 대29-841중)에서 말하였다. "여기에서 이것으로 말미암아, 이것에 의해 능히 미래의 결과가 있을 것이기 때문에 존재[有]라는 명칭을 세운 것이라고 알아야 한다. 존재에는 두 가지가 있으니, 말하자면 업과 이숙인데, 지금 여기에서는 업유業有만을 취한 것이다." 이 글에 준하면 존재 지분 이전에는 만업을 많이 짓더라도, 아직 견인업을 많이 짓지는 않는다. 만약 현재에도 갈애·취착·존재를 일으키지 않을 때에는 도리어 느낌 지분에 포함되는 것이라고 알아야 한다.

곧 금세[今]의 의식(지분)과 같다.[96] 태어남의 찰나 후 점점 증장하여 나아가 미래의 느낌 단계에 이르기까지를 전체적으로 노사老死라고 이름한다. 이와 같은 노사는 곧 금세의 명색·6처·접촉·느낌의 4지분과 같다.[97]

12지의 체의 차별을 분별하면 이와 같다.[98]

제3절 네 종류 연기와 본래 설하신 뜻

1. 네 종류 연기

또 모든 연기를 차별하면 네 가지를 말하니, 첫째는 찰나剎那, 둘째는 연박連縛, 셋째는 분위分位, 넷째는 원속遠續이다.[99]

어떤 것이 찰나인가?[100] 말하자면 탐욕으로 말미암아 살생을 행할 때 찰나경에 12지를 갖춘다는 것이다. (살생을 행하는) 어리석음[癡]이 말하자면 '무명'이고, 의도[思]가 곧 '형성[行]'이며, 여러 경계의 사물을 요별하는 것을 '의식[識]'이라고 이름하고, 의식과 함께 하는 3온을 전체적으로 '명색'

96 이 현재의 업의 힘으로 말미암아 여기에서 목숨을 버리고 바로 미래의 존재를 맺는 1찰나경에 있는 5온, 이 단계를 태어남이라고 이름한다. 미래의 태어남의 지분은 곧 금세의 의식처럼 각각 1찰나이다. 미래는 태어남이 뛰어나기 때문에 명칭으로 표방했지만, 현재는 의식이 강하므로 당체當體로 명칭을 받은 것이다.

97 태어남의 찰나로부터 이후 나아가 장래의 느낌 지분의 단계에 이르기까지 그 중간의 모든 단계에 있는 5온을 전체적으로 노사라고 이름한다. 이와 같은 노사는 금세의 명색 등의 4지분과 같다. 노사라는 명칭은 4지분(=명색·6처·접촉·느낌)의 단계에 통하니, 존재[有]를 포함하는 것에 의거해 태어남을 연으로 한다고 말하는 것이다. 태어남의 지분 이후에는 노사의 모습이 드러나기 때문에 명칭으로 표방한 것이다.

98 총결하는 것이다.

99 이하는 큰 글의 셋째 본래 설하신 뜻에 대해 밝히는 것이다. 그 안에 나아가면 첫째 분위[位]에 의거해 설하셨음을 밝히고, 둘째 어리석음과 미혹을 버리게 하려고 하셨음을 밝히는데, 이는 곧 처음 글이니, 장차 밝히려고 전체적으로 네 종류 연기를 서술한다. '찰나'는 동일한 찰나임을 말하는 것이고, '연박'은 전후 서로 순차 연접한 것[前後相次連接]을 말하는 것이며, '분위'는 전후 12분위임을 말하는 것이고, '원속'은 전후 시간을 멀리하여 상속함[前後隔時相續]을 말하는 것이다.

100 물음이다.

이라고 칭하며, 명색에 머무는 근을 '6처'라고 말하고, 6처가 다른 것을 마주하여 화합함으로써 '접촉[觸]'이 있으며, 접촉한 것을 받아들이는 것을 '느낌[受]'이라고 이름하고, 탐욕이 곧 '갈애[愛]'이며, 이와 상응하는 여러 번뇌[纏]를 '취착[取]'이라고 이름하고, 일으킨 몸과 말의 두 가지 업을 '존재[有]'라고 이름하며, 이런 여러 법이 일어나는 것을 곧 '태어남[生]'이라고 이름하고, 성숙하여 변하는 것을 '늙음[老]'이라고 이름하며, 소멸하여 무너지는 것을 '죽음[死]'이라고 이름한다는 것이다.[101]

....

101 답이다. 말하자면 동일찰나에 탐욕으로 말미암아 살생을 행하면 12지분을 갖춘다. '어리석음'은 탐욕과 상응하는 무명을 말하는 것이고, 탐욕과 상응하는 의도가 형성[行]이다. 탐욕과 상응하는 의식이 여러 경계의 사물을 요별하므로 '의식'이라고 이름한다. '의식과 함께 하는 3온'은 말하자면 5온 중 식온·수온을 제외한 것이니, 따로 지분으로 세우기 때문에 상온의 전부와 색온·행온의 일부를 취한 것이다. 색온의 일부란, 말하자면 색온 중 5근 및 신·어의 표업·무표업을 제외하니, 따로 지분으로 세우기 때문(=5근은 6처 지분, 신·어의 표업·무표업은 존재[有] 지분)에 그 나머지 의식과 함께 하는 색온을 취한 것이다. 행온의 일부라고 말한 것은, 말하자면 행온 중 무명·의도·접촉·탐욕 및 무참·무괴·혼침·도거와 아울러 생·이·멸을 제외하니, 따로 지분으로 세우기 때문(=무명·접촉·생은 각각 그 이름의 지분, 의도는 행 지분, 탐욕은 갈애 지분, 무참·무괴·혼침·도거는 취착 지분, 이·멸은 노사 지분)에 그 나머지 의식과 함께 하는 행온을 취한 것이다. 그래서 의식과 함께 하는 3온을 전체적으로 명색이라고 칭한다고 표현하였다. 명색은 '총체[總]'이고, 근은 그 '개별[別]'이니, 개별은 총체에 머물기 때문에 '명색에 머무는 근'이라고 말하였다. 5유색근을 말하여 6처라고 한 것이니, 비록 그 수에 감소가 있기는 하지만, (이는) 명색에서 해석한 것과 같다. 혹은 그 힘에 의해 능히 6처를 원만하게 하기 때문이다. 또 해석하자면 의意는 명名에 머무는 근이고, 안근 등의 5근은 색色에 머무는 근이기 때문에 명색에 머무는 근을 말하여 6처라고 한다. 의는 과거이지만, 5근은 현재에 있으므로, 많은 부분에 따라 말해서 6처라고 이름한 것이다. 6처가 다른 경·식을 마주하여 3자가 화합하기 때문에 별도로 접촉의 일어남이 있다. 접촉한 것을 받아들이는 것을 '느낌[受]'라고 이름하고, 탐욕이 곧 '갈애[愛]'이며, 탐욕과 상응하는 무참·무괴·혼침·도거의 여러 번뇌[전纏](=근본번뇌로부터 파생된 10수번뇌=무참·무괴·악작·수면睡眠·혼침·도거·분노[忿]·덮음[覆]·시기[嫉]·인색[慳]를 가리킴은 뒤의 제21권 중 게송 ㊼과 그 논설 참조)를 '취착'이라고 이름한다. 탐욕과 동시의 찰나에 같이 일어난 몸·말의 2업의 표表·무표無表를 '존재[有]'라고 이름한다. 이와 같은 여러 법이 미래에 바로 일어날 때 '태어남[生]'이라고 이름하고, 현재 이상異相이 되어 성숙하여 변하기에 이른 때 '늙음[老]'이라고 이름하며, 멸상이 되어 소멸하여 무너질 때 '죽음[死]'이라고 이름한다. 주상[住]은 곧 명색에 포함되는 것

다시 설하는 분이 있어, "찰나와 연박連縛은 『품류족론』의 말처럼 모두 유위에 두루하다"라고 하였다.[102] 12지분 단계에 있는 5온은 모두 분위分位에 포함된다.[103] 곧 이것이 멀리 떨어져 상속하고, 시작이 없는 것을 말하여 원속遠續이라고 이름한다.[104]

2. 설하신 뜻

세존께서 이에 대해 뜻으로 설하신 것은 무엇인가?[105] 게송으로 말하겠다.

이다. 여기에서 말한 찰나연기는 오직 유정과 유루에 의거한 것이다.

102 여기에서 말한 찰나와 연박은 모두 유위에 두루한 것이어서 유정과 무정, 유루와 무루에 통한다는 것이다. 찰나연기는 (위의 설명과) 같지 않기 때문에 다른 학설로 서술한 것이지만, 연박연기는 뜻이 같기 때문(=논주의 뜻과 같기 때문이라는 취지. 논주의 뜻은 뒤의 제6절 참조)에 따로 해석하지 않겠다. 무간無間을 '연連'이라고 이름하고, 서로 접한 것[相接]을 '박縛'이라고 한다. 혹은 이웃한 다음[鄰次]을 '연連'이라고 이름하고, 서로 속하는 것[相屬]을 '박縛'이라고 이름하기도 한다. 그래서 『순정리론』(=제29권. 대29-494중)에서 말하였다. "연박연기는 말하자면 동류·이류의 원인·결과가 무간에 서로 속하면서 일어나는 것이다." # 본문의 '『품류족론』의 말'은 그 제6권(=대 26-715하)에서, "연기법은 어떤 것인가? 유위법을 말한다"라고 한 부분을 가리킨다.

103 이는 전후 12지支의 단계에 있는 5온이 무간에 상속하는 것에 의거해 분위라고 이름한 것이니, 이는 순생수 및 부정수의 업과 번뇌에 의거해 말한 것이다. 그래서 『순정리론』(=제27권. 대29-494중)에서 말하였다. "분위연기는 말하자면 3생 중에 열두 가지 5온이 무간에 상속하는 것이다."

104 곧 이 분위연기가 멀리 떨어져 상속하는 것[隔遠相續]을 '원속'이라고 이름한 것이니, 이는 순후수 및 부정수(의 업과 번뇌)에 의거해 말한 것이다. 그래서 『순정리론』(=제27권. 대29-494중)에서 말하였다. "원속연기는 말하자면 전후제에 순후수 및 부정수의 업과 번뇌가 있기 때문에 시작 없이 윤회하는 것이다."(=앞의 2지, 중간의 8지, 뒤의 2지 사이의 생이 바로 서로 이어진 것이 아니라, 멀리로부터 생을 건너뛴 것이라는 취지)

네 종류 연기의 차별은 이렇게 알아야 할 것이다. 찰나연기는 말하자면 동일 찰나에 서로 바라보고 말한 것인데, 앞의 해석에 의거한다면 오직 유정과 유루만이고, 뒤의 논사에 의거한다면 비유정과 무루에도 통한다. 나머지 세 가지 연기는 모두 앞뒤에서 서로 바라보고 말한 것인데, 그 안에 나아가면 연박은 유정·무정, 유루·무루에 통하고, 분위와 원속은 오직 유정과 유루만이다. 만약 연박이라면 전후 찰나에 틈 없이 서로 이웃하여 이어져 매여서 상속하는 것[前後刹那 無間相鄰 連縛相續]이고, 만약 분위라면 12분위가 틈 없이 상속하는 것을 순생수 및 부정수(의 업과 번뇌)에 의거해 말한 것이며,만약 원속이라면 분위 중에서 순후수 및 부정수(의 업과 번뇌)에 의거해 말한 것이다.

105 바로 묻는 것이다. 세존께서 이 네 가지 연기 중에서 뜻으로 설하신 것은 무엇인가?

㉕a 분위에 의거해 설하셨음이 인정된다고 전하니[傳許約位說]
뛰어난 것을 좇아 지분의 명칭을 세우셨다는 것이다[從勝立支名][106]

논하여 말하겠다. 세존께서 오직 분위에 의거해 연으로 일어나는 것에 12지가 있다고 설하셨음이 인정된다고 전한다.[107] 만약 지支마다 모두 5온을 갖추었다면, 어째서 단지 무명 등이라는 명칭을 세우셨는가?[108] 모든 단계 중 무명 등이 뛰어나기 때문이니, 뛰어난 것에 나아가 무명 등의 명칭을 세우신 것이다. 말하자면 단계 중에 무명이 가장 뛰어나면 이 단계의 5온을 전체적으로 무명이라고 이름하고, 나아가 단계 중에 노사가 가장 뛰어나면 이 단계의 5온을 전체적으로 노사라고 이름한다. 따라서 체는 비록 전체[總]이지만, 명칭은 개별적[別]이라고 해도 허물은 없다.[109]

106 윗 구는 바로 답을 말하는 것이고, 아랫 구는 명칭 세운 것을 밝히는 것이다.
107 비바사 논사들은, 세존께서는 네 가지 연기 중 오직 분위에만 의거해 모든 연기의 12지분을 설하셨음이 공히 인정된다고 서로 전한다.
108 묻는 것이다.
109 답이다. 무명이 뛰어난 것은 모든 존재의 근본이기 때문이며, 독립적으로나[獨頭] 상응해서 일어나기 때문이며, 이미 소멸한 번뇌들은 요지하기 어려워 무명과 비슷하기 때문이며, 경에서 무명의 껍질을 부순다고 말하기 때문이다. 다음 형성이 뛰어난 것은, 형성은 만드는 것[造作]으로, 만드는 것이 업의 성품인데, 과보를 감득하는 것 중에 업이 가장 뛰어나기 때문이다. 그래서 지금의 과보를 보고, 과거의 업 때문이라고 말하는 것이다. 다음 의식이 뛰어난 것은 처음 수생할 때 의식이 가장 뛰어나기 때문이며, 경에서 6계(=지·수·화·풍·공·식계)가 유정을 이룬다고 말하기 때문인데, 비록 나머지 5계가 있기는 해도 의식처럼 강한 것이 아니기 때문이며, 한 몸의 주인이기 때문이며, 심왕이라고 말하기 때문이다. 다음 명색이 뛰어난 것은 이 단계 중에서 명과 색, 두 가지의 모습이 뛰어나기 때문이다. 다음 6처가 뛰어난 것은 이 단계에 이르면 6처가 처음 원만해서 근의 모습이 드러나기 때문이다. 다음 접촉이 뛰어난 것은 6근이 이미 갖추어졌으니, 근·경·식이 화합해서 처음 접촉이라는 결과를 낳기 때문이며, 처음 앞의 경계와 접촉할 때에는 접촉의 작용이 뛰어나기 때문이다. 다음 느낌이 뛰어난 것은 이미 접촉해서 마주했다면 느낌이 따라서 영납하기 때문에 느낌의 작용이 뛰어나다. 다음 갈애가 뛰어난 것은 이미 받아들였다면 물건을 사랑하여 탐내니, 갈애의 작용이 뛰어나기 때문이며, 갈애의 모습이 드러나기 때문이다. 다음 취착이 뛰어난 것은 이미 탐내며 사랑했다면 그 번뇌가 점점 증성해서 앞의 경계를 붙잡아 취하니, 취착의 작용이 뛰어나기 때문이다. 과거의 모습은 은밀하여 전체적으로 무명이라고 말

어째서 경에서 이 12지를 설명한 것과 『품류족론』의 설명에 차이가 있는가? 그 논서에서, "어떤 것을 연기라고 하는가? 일체 유위를 말한다 …"라고 말한 것과 같다.[110] 경은 별도의 뜻의 취지로 인해 설명한 것이지만, 아비달마는 법상法相에 의하여 말하므로, 분위, 찰나, 원속, 연박이 오직 유정에 속할 뿐이라거나 유정·비유정(에 통하는 것)이라는 등으로 이와 같이 펴 말한 것이다. 이를 차별이라고 말한다.[111]

3. 경에서 유정에만 의거한 이유

계경에서는 무엇 때문에 유정에 대해서만 설한 것인가?[112] 게송으로 말하겠다.

하지만, 현재의 모습은 드러나므로 갈애와 취착을 별도로 말하는 것이다. 다음 존재가 뛰어난 것은 이미 취착을 일으켰다면 다음에 곧 존재를 일으키는데, 존재는 능히 미래세의 과보가 있게 하는 것을 말하는 것으로, 곧 업의 성품이니, 이 단계는 업이 뛰어나기 때문에 존재라는 명칭을 표방한 것이다. 현재의 업은 미래의 과보를 구하기 시작하는 것이 뛰어나기 때문에 존재라는 명칭으로 표방하고, 과거의 업은 구하기 시작하는 것이 아니기 때문에 당체로서 명칭(=형성)을 받은 것이다. 다음 태어남이 뛰어난 것은 이미 현재 업을 지었다면 결정코 미래의 과보를 감득하여 미래의 과보가 막 생기려고 하니, 생기는 모습이 드러나기 때문이며, 생기는 모습이 뛰어나기 때문이다. 그래서 업을 짓는 자는 모두 미래에 어떤 곳에 태어날까 라고 말하니, 현재는 의식이 뛰어나므로 의식이라는 명칭으로 표방하지만, 미래는 태어남이 뛰어나므로 태어남을 좇아 명칭을 세운 것이다. 다음 노사가 뛰어난 것은 이미 생겨야 했다면 뒤에 반드시 늙고 죽으니, 이 단계는 노사의 모습이 두드러지게 뛰어나기 때문이다. 현재는 명색 등 4지분의 작용이 각각 뛰어나기 때문이며, 모습이 현저히 나타나기 때문에 각각 하나의 지분으로 세웠지만, 미래의 노사는 비록 또한 모습이 드러난다고 해도, 현재의 4지분에서 바라보면 모습을 조금 알기 어려우므로 전체적으로 노사로 표방한 것이다. 주상을 지분으로 세우지 않는 까닭은, 경에서 말하지 않고 3유위(=생·주이·멸)가 있다고 하기 때문이며, 무위와 혼동되기 때문이며, 싫어함을 낳는 것이 아니기 때문이다.

110 어째서 경에서는 12분위를 설하고, 논에서는 일체 유위라고 말하는지 묻는 것이다.

111 답이다. '등'이란 유루·무루 등을 같이 취한 것이다. 경에서는 별도의 뜻(=번뇌의 단멸)으로 설명하므로 오직 분위·원속을 유정·유루 등에 의거했을 뿐이지만, 논은 법상(=법의 모습)에 의하므로, 공통으로 찰나·연박, 유정·비정, 유루·무루 등에 의거한 것이다. 이를 (경과 논의) 차별이라고 말한다.

112 이하 둘째 어리석음과 미혹을 버리게 하려고 하셨음을 밝히는데, 경에 의해 물음을 일으켰다.

25c 전제·후제·중제에서의[於前後中際]
남의 어리석음·미혹을 버리게 하기 위해서이다[爲遣他愚惑]

논하여 말하겠다. 3제 중 남의 어리석음과 미혹을 버리게 하기 위해서였으니, 3제의 차별은 유정에게만 있는 것이다.[113]

어떻게 유정이 전제에 어리석고 미혹한가? 말하자면 전제에서 이런 의심이 생긴다. '나는 과거세에 일찍이 있었는가, 있었던 것이 아닌가? 어떤 나가 일찍이 있었는가? 어떻게 나가 일찍이 있었는가?'[114] 어떻게 유정이 후제에 어리석고 미혹한가? 말하자면 후제에서 이런 의심이 생긴다. '나는 미래세에 장차 있을 것인가, 있을 것이 아닌가? 어떤 나가 있을 것인가? 어떻게 나가 있을 것인가?'[115] 어떻게 유정이 중제에 어리석고 미혹한가? 말하자면 중제에서 이런 의심이 생긴다. '어떤 것이 나인가? 이 나는 어떤 것인가? 나는 무엇에 의해 있는 것[誰所有]이며, 나는 장차 무엇을 가질 것[當有誰]인가?'[116]

113 유정만을 말씀하신 것은 남의 어리석음과 미혹을 끊어주려고 하신 것이다. 모든 범부들은 자신의 안의 몸에 의해서 3제에 어리석고 미혹하므로, 붓다께서 그들을 위해 끊어주시려고 유정에 의거해 3제의 연기를 설하신 것이다.
114 이는 전제에서 생기는 의심을 나타내는 것이다. '나는 과거세에 일찍이 있었는가, 있었던 것이 아닌가?'라고 한 이것은 제1 나의 유·무에 대한 의심인데, 없다는 것은 곧 단절되었다[絶]는 말이다. 만약 있다고 집착한다면 '어떤 나가 일찍이 있었는가? 이것은 곧 온인가, 온을 떠난 것인가? 색이 나인가, 수·상 등인가?'라고 할 것인데, 이것은 제2 나의 자성에 대한 의심이다. 만약 그 중 어느 한 가지가 나라고 집착한다면 '어떻게 나가 일찍이 있었는가?' 항상한 것인가, 무상한 것인가? 남·여 등인가? 라고 할 것인데, 이는 제3 나의 차별에 대한 의심이다.
115 이는 후제에서의 어리석음을 밝히는 것인데, 과거에 준해서 해석하면 알 수 있을 것이다.
116 이는 중제에서의 어리석음을 밝히는 것이다. 현재에는 결정코 있다고 알기 때문에 유·무에 대해서는 의심하지 않는다. '어떤 것이 나인가?'는 나의 자성에 대한 의심이고, '이 나는 어떤 것인가?'는 나의 차별에 대한 의심이니, 전제에 준해서 해석할 것이다. 이 현재의 '나는 과거의 무엇으로 인해 있는 것이며', 이 현재의 '나는 미래세에 무슨 결과를 가질 것인가?' 전제에서 원인(이 있었을 것)을 의심하지 않는 것은 그 체가 (현재의) 원인이기 때문이며, 결과(가 있을 것)를 의심하지 않는 것은 (그 결과가) 현재임을 알기 때문이다. 미

이런 3제에서의 어리석음과 미혹을 제거하기 위해 경에서 유정의 연기만을 설했으니, 그 순서대로 무명·형성 및 태어남·노사와 아울러 의식 내지 존재를 설한 것이다. 왜냐하면 계경에서, "필추들이여, 잘 들으라. 만약 어떤 필추가 모든 연기緣起와 연이생법緣已生法을 여실하고 바른 지혜로써 능히 관찰해서 본다면, 그는 반드시 3제에 어리석고 미혹하지 않을 것이니, 말하자면 '나는 과거세에 일찍이 있었던가, 있었던 것이 아닌가?'라는 등이다"라고 설하셨기 때문이다.[117]

어떤 다른 논사는 말하였다. "갈애·취착·존재의 3지분도 역시 남의 후제에서의 어리석음과 미혹을 제거하기 위한 것이니, 이 3지분은 모두 후제의 원인이기 때문이다."[118]

제4절 혹·업·사와 12인연

또 여기에서 말한 연기문緣起門에는 12지분이 있지만, 세 가지와 두 가지를 성품으로 한다고 알아야 한다. '세 가지'는 혹惑kleśa·업業karma·사事vastu

래에서 원인(있는 것)을 의심하지 않는 것은 (그 원인이) 현재임을 알기 때문이고, 결과(가 있을 것)를 의심하지 않는 것은 그 체가 (현재의) 결과이기 때문이다. 이 때문에 중제에는 원인·결과 두 가지에 대한 의심이 있지만, 전·후제에는 유·무 두 가지에 대한 의심이 있는 것이다.

117 이는 전체적으로 맺는 것이다. 3제에서의 어리석음과 미혹을 제거하기 위해 경(=잡 [13]12:296 인연경因緣經)에서 유정의 연기만을 설한 것이니, 그 순서대로 과거의 무명과 형성을 설해서 전제에서의 어리석음을 제거하고, 미래의 태어남과 노사를 설해서 후제에서의 어리석음을 제거하며, 현재의 의식 내지 존재의 8지분을 설해서 중제에서의 어리석음을 제거하는 것이다. 3제의 연기는, 원인과 결과가 전후 서로 속함으로써 자재를 얻지 못할 뿐, 실제로 자아는 없다는 것이므로, 경에서 바른 지혜로써 능히 관찰해서 본다면 3제에서의 어리석음을 제거할 것이라고 말씀하신 것이다.

118 다른 학설을 서술하는 것이다. 갈애·취착·존재의 3지분은 미래의 원인이므로 원인으로 결과를 좇게 함으로써 후제에서의 어리석음을 제거한다는 것인데, 『순정리론』(=제27권. 대29-496중)에서 논파해 말하였다. "그는 의식 내지 느낌도 역시 남의 전제에서의 어리석음과 미혹을 제거하기 위한 것이라고 말해야 할 것이니, 이 5지분은 모두 전제의 결과이기 때문이다. (그렇다면) 곧 중제는 없으므로 곧 계경에 어긋날 것이다. 따라서 앞의 설이 낫다고 하겠다."

를 말하는 것이고, 두 가지는 결과와 원인을 말하는 것이다.[119] 그 뜻은 어떠한가? 게송으로 말하겠다.

㉖ 세 가지는 번뇌, 두 가지는 업[三煩惱二業]
일곱 가지는 사인데, 결과라고도 이름하며[七事亦名果]
결과를 줄이고, 아울러 원인을 줄인 것은[略果及略因]
중제에서 두 가지를 추리할 수 있기 때문이다[由中可比二][120]

논하여 말하겠다. 무명과 갈애·취착은 번뇌를 성품으로 하고, 형성 및 존재는 업을 성품으로 하며, 나머지 의식 등의 7지분은 사事를 성품으로 하니, 이것들은 번뇌와 업이 의지하는 사[所依事]이기 때문이다. 이와 같은 일곱 가지 사事는 곧 결과라고도 이름한다. 그 뜻에 준하면 나머지 다섯 가지는 곧 원인이라고도 이름하니, 번뇌와 업을 자성으로 하기 때문이다.[121]

어째서 중제에서만 결과와 원인을 자세히 말했는가? 전개해서 사事를 다섯 가지로 하고, 번뇌를 두 가지로 했기 때문이니, 후제는 결과를 줄여서 사事가 두 가지뿐이고, 전제는 원인을 줄여서 번뇌가 한 가지뿐이기 때문이다.[122] 중제의 자세함에 의해서 전·후 2제를 추리할 수 있으므로, 자세한 뜻이 이미 이루어졌다. 그래서 따로 설하지 않았으니, 설해도 곧 쓸모가 없는 것이다.[123]

119 이하는 제4 간략한 것으로 자세한 것을 거두는 것인데, 두 가지와 세 가지라는 간략한 것으로 열두 가지라는 자세한 것을 거두는 것이다.
120 위의 2구는 거두는 것을 바로 밝히는 것이고, 아래 2구는 방해되는 것을 풀이하는 것이다.
121 번뇌·업·사 및 원인·결과가 열두 가지를 거두는 것을 알 수 있을 것이다. '사'라는 결과에 의탁해서 원인을 만들기 때문에 '의지하는 사'라고 이름한 것이다. 혹은 이 사라는 결과에 의지해 번뇌와 업을 일으키므로 그것들이 '의지하는 사'인 것이다.
122 묻는 것이다.
123 답이다. 중제의 모습이 드러난 것은 자세히 결과와 원인을 설했기 때문이고, 전·후제가 알기 어려운 것은 간략히 설했기 때문이니, 중제에 의해 2제를 추리해 보면 자세한 뜻이 이미 이루어진 것이다.

제5절 혹·업·사의 무시무종의 상생

만약 연기의 지분이 열두 가지뿐이어서, 노사의 결과를 말하지 않는 것이라면 생사에 끝이 있어야 할 것이고, 무명의 원인을 말하지 않는 것이라면 생사에 시작이 있어야 할 것이다. 혹은 다른 연기의 지분을 다시 세워야 한다면, 다른 것에도 다시 다른 것이 있을 것이니, 끝이 없는[無窮] 허물을 이룰 것이다.[124] 더 이상 세우지 않아야 한다. 그렇지만 앞의 허물은 없으니, 이들 중에서 세존께서 뜻에 의해 이미 나타내셨다.[125] 어떻게 이미 나타내셨는가?[126] 게송으로 말하겠다.

㉗ 혹으로부터 혹과 업이 생기고[從惑生惑業]
업으로부터 사가 생기며[從業生於事]
사로부터 사와 혹이 생기니[從事事惑生]
존재의 지분은 이치상 이것들뿐이다[有支理唯此][127]

논하여 말하겠다. 혹으로부터 혹이 생기는 것은, 갈애가 취착을 낳는 것을 말하고, 혹으로부터 업이 생기는 것은, 취착이 존재를 낳고, 무명이 형성을 낳는 것을 말한다. 업으로부터 사가 생기는 것은, 형성이 의식을 낳는 것 및 존재가 태어남을 낳는 것을 말한다. 사로부터 사가 생기는 것은, 의식 지분으로부터 명색이 생기는 것부터, 나아가 접촉으로부터 느낌 지분이 생기는 것까지 및 태어남 지분으로부터 노사가 생기는 것을 말한다. 사로부터 혹이 생기는 것은, 느낌이 갈애를 낳는 것을 말한다. 존재의 지분을

124 이하 제5 의심과 힐난을 해석하고 회통하는데, 이는 곧 의심을 서술하는 것이다. 만약 (노사의) 결과와 (무명의) 원인이 없다면 끝과 시작이 있어야 할 것이고, 만약 다시 지분을 세운다면 끝이 없는 허물을 이룰 것이다.
125 답이다. 12지분 외에 더 이상 세우지 않아야 한다. 그렇지만 앞에서 말한, 시작이 있다거나 끝이 있다는 허물 및 끝이 없는 허물은 없다. 이 12지분 중에서 세존께서 뜻에 의해 이미 나타내셨다.
126 따지는 것이다.
127 게송으로 답한 것이다.

세우는 그 이치에 의하면 이것들뿐이다.[128] 노사가 사와 혹의 원인이 되는 것을 이미 나타내셨고, 그리고 무명이 사와 혹의 결과가 되는 것을 나타내셨으니, 무명과 노사는 혹과 사의 성품이기 때문이다. 어찌 다시 다른 연기의 지분을 세우는 것에 의지하겠는가? 그래서 경에서 "이와 같이 순전한 괴로움의 큰 온이 일어난다[純大苦蘊集]"라고 말씀하셨다. 만약 그렇지 않다면 이 말씀을 어디에 쓰겠는가?[129]

어떤 다른 분이 해석해 말하였다. "다른 계경에서는 비리작의非理作意가 무명의 원인이 되고, 무명이 다시 비리작의를 낳는다고 설하셨는데, 비리작의는 취착 지분에도 포함되기 때문에 이 계경 중에도 역시 설명이 있는 것이다."[130] 이 비리작의가 어떻게 취착 지분에 포함되겠는가? 만약 이것이

128 게송을 해석하는 것인데, 알 수 있을 것이다.

129 이처럼 명색이 6처를 낳고, 6처가 접촉을 낳으며, 접촉이 느낌을 낳는다고 했으니, 노사가 사의 원인이 됨을 이미 나타내셨고, 이처럼 느낌이 갈애를 낳는다고 했으니, 노사가 혹의 원인이 됨을 이미 나타내셨다. 이처럼 느낌이 갈애를 낳는다고 했으니, 무명이 사의 결과가 됨을 나타내셨고, 이처럼 갈애가 취착을 낳는다고 했으니, 무명이 혹의 결과가 됨을 나타내셨다. 과거의 무명은 곧 현재의 갈애·취착이라는 두 가지 혹의 성품에 속하기 때문이고, 미래의 노사는 곧 현재의 명색·6처·접촉·느낌이라는 네 가지 사의 성품이기 때문이니, 이에 의해 노사가 원인이 되는 것과 무명이 결과가 되는 것을 이미 나타내셨는데, 어찌 다시 다른 연기 지분을 세우는 것에 의지하겠는가? 그러니 끝과 시작이 있다는 허물은 없다. 그래서 계경(=잡 [13]12:293 심심경甚深經 등)에서 12연기를 설하시면서, "이와 같이 순전한 괴로움의 큰 온이 일어난다[순대고온집純大苦蘊集]"라고 말씀하셨다. 경을 인용한 뜻은, 무명도 결과이며, 노사도 원인임을 증명하려는 것이다. 열두 가지 존재의 지분은 고제·집제에 모두 통한다. 여러 지분의 결과의 뜻을 고온苦蘊이라고 이름하고, 여러 지분의 원인의 뜻을 말하여 집集이라고 이름한다. 만약 무명이 결과이며, 노사가 원인임을 인정하지 않는다면, 이 경의 말씀을 어디에 쓰겠는가?

130 이하 다른 학설을 서술하는 것인데, 고세친古世親의 해석이다. 이 분은 세친조사(=이 논서의 논주)가 아니고, 곧 『잡아비담심론』 제1권에 대한 자주子注 중에서 말한 화수반두和須槃豆로서, 설일체유부의 다른 논사인데, 이 논서(=『잡아비담심론』) 중에서 이미 논파했기 때문에 바른 이치가 아니다. 무명은 이미 비리작의라는 원인으로부터 생긴다(=잡 [12]13:334 유인유연유박법경有因有緣有縛法經)고 했기 때문에 무시無始의 비리작의는 역시 취착 지분에 포함된다는 것을 알 수 있다. 이 네 가지 취착은 법을 포함하는 것이 넓기 때문에, 다만 여러 혹을 포함할 뿐만 아니라, 비리작의도 역시 포함하기 때문이다. 또한 (취착은) 이 12연기에 대한 계경 중에 말씀이 있기 때문에 더 이상 다른

그것과 상응하기 때문이라고 말한다면, 곧 갈애와 무명도 그것에 포함되어야 할 것이다. 설령 그것에 포함됨을 인정하더라도, 비리작의가 무명의 원인이 되는 것을 어떻게 증명할 수 있겠는가? 만약 그것에 포함된다는 것만으로 곧 원인·결과임을 증명한다면, 갈애와 무명도 그것에 포함되기 때문에 별도로 연기 지분으로 세우지 않아야 할 것이다.[131]

다른 분이 다시 해석해 말하였다. "다른 계경에서, '비리작의가 무명의 원인이 되고, 무명이 다시 비리작의를 낳는다'라고 설하셨는데, 비리작의는 접촉할 때 있는 것이기 때문에 다른 경에서, '눈과 형색이 연이 되어 어리석음에서 생기는, 더러움에 물든 작의[癡所生 染濁作意]를 낳는다'라고 설하신 것이다. 이것이 느낌[受] 단계에서 반드시 무명을 인기하기 때문에 다른 경에서, '무명촉無明觸에 의해 생기는 여러 느낌이 연이 되어 갈애를 낳는다'라고 설하신 것이다. 그러므로 접촉할 때 비리작의가 느낌과 함께 일어나 무명에게 연이 되니, 이에 의해 무명은 원인이 없다는 허물이 없고, 또한 다른 연기 지분 세우는 것을 필요로 하지 않으며, 또 연기 지분에 끝이 없다는 허물도 없다. 비리작의가 어리석음으로부터 생기기 때문이니, 예컨대 계경에서, '눈과 형색이 연이 되어 어리석음에서 생기는, 더러움에 물든 작의를 낳는다'라고 설하신 것과 같다."[132]

연기 지분을 세우지 않는다는 것이다. 혹은 '비리작의는' 이하는 숨은 힐난에 대해 회통하는 것이니, 숨은 힐난의 뜻이 말하는 것은, 「만약 비리작의가 무명의 원인이 된다면, 12연기에 대한 경 중에서 어째서 다시 별도로 하나의 지분으로 세우지 않았는가?」라는 것이기 때문에 지금 회통해 말하기를, 단지 여러 혹들만 취착 지분에 포함되는 것이 아니라, 비리작의도 취착 지분에 포함되기 때문에 연기에 대한 경 중에 말씀이 있으므로 다시 별도로 세우지 않았다는 것이다.

131 논주의 논파이다. 만약 이 비리작의가 그 네 가지 취착의 번뇌와 상응하므로 곧 취착 지분에 포함되는 것이라고 말한다면, 갈애와 무명도 역시 네 가지 취착과 상응하므로 역시 네 가지 취착에 포함되어야 하고, 별도로 다른 연기의 지분으로 세우지 않았어야 할 것이다. 설령 취착 지분에 포함됨을 인정하더라도, 어떻게 무명의 원인이 된다는 것을 (이치로써) 증명할 수 있겠는가? 그대가 만약 취착 지분에 포함된다는 것만으로 곧 원인·결과임을 증명한다면, 갈애와 무명도 역시 네 가지 취착에 포함되므로 원인·결과로 됨이 증명될 것이고, 갈애와 무명의 지분도 별도로 세우지 않았어야 할 것이다.

다른 경에 비록 이런 진실한 말씀이 있더라도, 이 경에 대해서 응당 다시 설명해야 할 것이다.[133] 다시 설명할 필요가 없다.[134] 어떻게 증지證知하겠는가?[135] 이치에 의해 증지할 수 있다.[136] 어떤 것을 이치라고 하는가?[137] 무명을 떠난 느낌은 갈애의 연이 될 수 있는 것이 아니니, 아라한의 느낌은 갈애를 낳지 않기 때문이다. 또 전도 없는 접촉은 염오의 느낌의 연이 될

132 이는 경량부 중의 실리라다室利羅多Śrīlāta의 해석인데, 여기에서는 집승執勝이라고 이름했고, 『순정리론』(=제28권. 대29-497중)에서는 '상좌上座'라고 불렀다. 비리작의가 무명의 원인이 되는데, 접촉 지분에 포함되어 있는 것이니, 그래서 다른 경(=잡 [11]11:276 난다설법경難陀說法經)에서, 앞의 6처 단계의 눈과 형색이 연이 되어 어리석음에서 생기는, 더러움에 물든 작의(=비리작의)를 낳는다고 설했다는 것이다. 앞찰나의 6처 단계의 어리석음은 능생能生이고, 뒷찰나의 접촉 단계의 더러움에 물든 작의는 소생所生이기 때문에 어리석음에서 생기는 더러움에 물든 작의를 낳는다고 설했다. 이 경을 인용한 뜻은 비리작의는 접촉할 때 있다고 하는 말을 증명하려는 것이다. 이 접촉할 때의 비리작의가 원인이 되어 그 후 느낌 단계에서 반드시 무명을 인기하니, 이는 곧 무명에 원인이 있다고 하는 이유를 알 수 있음을 바로 나타낸다. 그래서 다른 경(='무명촉'은 잡 [3]3:63 분별경, 잡 [4]2:45 각경覺經 참조)에서, '무명촉에 의해'라고 말한 것은 접촉할 때 비리작의가 있다는 것을 나타내고, '생기는 여러 느낌이 연이 되어 갈애를 낳는다'는 것은 다시 느낌의 단계에 반드시 무명이 있다는 것을 나타낸다. 이 경을 인용한 뜻은, 무명이 비리작의로부터 생기는 것을 증명하려는 것이다. 곧 총결해 말한다. 그러므로 앞찰나의 접촉할 때 비리작의가 뒷찰나의 느낌과 함께 일어나 무명에게 연이 된다. 이에 의해 무명은 원인이 없다는 허물이 없으니, 비리작의로부터 생기기 때문이고, 또한 다른 연기의 지분 세우는 것을 필요로 하지 않으니, 비리작의는 접촉할 때 포함되기 때문이다. '또 연기의' 이하는 비리작의가 무명으로부터 생기므로 끝이 없다는 허물이 없음을 다시 나타내는 것이다. 경 중에서 이미, '어리석음에서 생기는, 더러움에 물든 작의'라고 설했으니, 비리작의가 무명으로부터 생긴다는 것을 분명히 알 수 있다. 앞에서 이 경을 인용한 것은, 비리작의가 접촉할 때 있다고 말한 것을 증명하려는 것이고, 지금 이 경을 인용한 것은, 비리작의가 무명으로부터 생긴다는 것을 증명하려는 것이니, 비록 동일한 경을 같이 인용했지만, 그 뜻은 각각 다르다.

133 논주의 논파이다. 다른 경에 비록 이런 진실한 말씀이 있다고 해도, 이 대연기경(=제1절 12인연의 3세 분별에서 인용된 '대인경')에 대해 다시 설명할 필요가 있다.

134 상좌의 답이다.

135 논주가 다시 따지는 것이다. # '증지'는 분명히 안다는 정도의 뜻이다.

136 상좌의 답이다.

137 논주가 다시 따지는 것이다.

수 있는 것이 아니며, 또한 무명을 떠난 접촉은 전도됨을 이룰 수 있는 것도 아니니, 아라한의 접촉은 전도된 것이 아니기 때문이다. 이와 같은 이치가 증거가 되기 때문에 알 수 있다.[138] 만약 그렇다면 곧 응당 큰 허물이 있을 것이니, 바른 이치에 의해 증지할 수 있는 것들은 일체 모두가 다시 말할 필요가 없어야 할 것이다. 따라서 그의 말은 힐난에 대한 해석이 될 수 없다.[139]

그렇지만 위에서 말한 경에서, 노사에 결과가 있으며, 무명에 원인이 있다고 따로 설하지 않았다고 해서, 생사에 곧 끝과 시작이 있음을 이룰 것이라고 한다면, 이런 힐난은 이치가 아니니, 경의 뜻은 다르기 때문이다. 또한 앞에서 말한 이치가 원만하지 않은 것도 아니다. 왜냐하면 이 경들은 단지 교화될 자의 3제에 대한 어리석음을 제거하고자 한 것일 뿐이기 때문이다. 교화될 자들은 오직, '어떻게 유정은 3세에 이어 상속하는가? 말하자면 전세로부터 금세에 태어날 수 있었으며, 금세로부터 다시 후세에 태어날 수 있는가?'라는 이런 의심만을 낳으니, 여래께서 다만 그들의 의심하는 생각을 제거해 주기 위해 앞에서 분별한 것과 같은 12지를 설하신 것이다. 말하자면 전제·후제·중제에 대한 남의 어리석음과 미혹을 제거하기 위해서였다.[140]

138 상좌의 답이다. 무명과의 상응을 떠난 느낌은 갈애의 연이 될 수 있는 것이 아니니, 아라한의 느낌은 갈애를 낳지 않기 때문이다. 이미 느낌이 갈애를 낳았다면, 느낌과 동시에 반드시 무명이 있었다는 것을 분명히 알 수 있다. 또 전도 없는 접촉은 염오의 느낌의 연이 될 수 있는 것이 아니며, 또한 무명을 떠난 접촉은 전도됨을 이룰 수 있는 것도 아니니, 아라한의 접촉은 전도된 것이 아니기 때문이다. 이미 전도된 무명촉이 능히 염오의 느낌의 연이 되었다면, 접촉과 동시에 반드시 비리작의가 있었다는 것을 분명히 알 수 있다. 여기에서의 뜻이 말하는 것은, 접촉할 때의 비리작의가 연이 되어 능히 느낌 단계의 무명을 낳는다는 것은, 곧 무명이 원인으로부터 생긴다는 것을 나타내고, 또한 비리작의가 접촉 안에 포함된다는 것도 나타내니, 이와 같은 이치가 증거가 되기 때문에 알 수 있다는 것이다.

139 논주가 큰 허물이 있다고 힐난하는 것이다. 바른 이치에 의해 증지할 수 있는 것들이라면 곧 일체 지분 모두 더 이상 경에 의한 증명을 말할 필요가 없어야 할 것이기 때문에 상좌의 말은 힐난에 대한 해석이 될 수 없다.

140 논주가 힐난을 옮겨와서 다시 경의 뜻을 해석하는 것이다. 세존께서는 유정의 3제에 대한 어리석음과 미혹을 제거해 주시기 위해 간략히 12지의 3세 인과를 설하신 것이다. 근기에 맞춰 설법하신 것은 앞에서 분별한 것과 같은데,

1. 연기법과 연이생법緣已生法

예컨대 세존께서 필추들에게, "내가 그대들을 위해 연기법과 연이생법緣已生法을 설명하겠다"라고 말씀하셨는데, 이 두 가지는 어떻게 다른가?[141] 우선 근본논서의 글에 의하면 이 두 가지는 차별이 없다. 다 같이 일체법을 포함한다고 말하기 때문이다.[142]

어떻게 미래의 아직 일어나지 않은 법[未來未已起法]을, 과거·현재와 같이 '연이생'이라고 말할 수 있겠는가?[143] 미래의 아직 만들어지지 않은 법[未來未已作法]은 어떻게 과거·현재와 같이 '유위'라고 이름할 수 있는가?[144] 능히 만드는 의도의 힘[能作思力]이 이미 만들었기 때문이다.[145] 만약 그렇다면 무루는 어떻게 해서 유위인가?[146] 그것도 역시 선한 의도의 힘이 이미

이치는 곧 원만하다. 이 경에서 노사에 결과가 있으며, 무명에 원인이 있음을 나타내어 보이려고 하신 것은 아니다. 만약 이치로써 말한다면 앞으로는 곧 끝이 없으니, 생사에는 시작이 없기 때문인데, 뒤로는 곧 다할 수 있으니, 도를 얻으면 곧 (생사가) 없기 때문이다.

141 이하는 큰 글의 여섯째 경문을 모아 해석하는 것인데, 경(=앞에 나온 잡[13]12:296 인연경)에 의해 물음을 일으켰다.

142 답이다. 우선 근본논서의 글(=앞에 나온 『품류족론』 제6권의 글을 가리킨다)로는 이 두 가지는 차별이 없다. 모두 일체 유위법을 포함한다고 말하기 때문이다.

143 외인의 힐난이다. 과거나 현재에 이미 일어난 것이라면 '이생已生'이라고 이름할 수 있겠지만, 미래의 아직 일어나지 않은 것인데, 어떻게 '이생'이라고 이름하겠는가?

144 외인에게 반대로 힐난하는 것이다. 이미 만듦[爲作]이 있어야 유위라고 이름하는데, 어떻게 미래의 이숙은 아직 만들어지지 않은 법인데, 과거나 현재와 같이 유위라고 이름할 수 있는가? 그런데 범어에는 본래 유위라고 부르는 말 중에 '이미'라는 뜻을 포함하고 있으므로(=유위의 범어 'saṃskṛta' 중 뒤의 'skṛta'는 만든다는 뜻의 동사 'kṛ'의 과거분사형이다), 완전히 갖춘다면 '이유위已有爲'라고 말해야 할 것이다.

145 외인이 해석하는 말이다. 미래의 이숙과는 현재세의 선·악의 의도의 힘에 의해 이미 조작되었기 때문에 유위라고 이름한다.

146 논주가 다시 따지는 것이다. 미래의 무루는 이미 이숙이 아닌데, 어떻게 해서 유위인가?

만들었기 때문이다.[147] 만약 그렇다면 열반을 얻는 것에 나아가서도 그러해야 할 것이다.[148]

이치의 실제로는 종류에 의하여 설한 것이라고 말해야 할 것이다. 예컨대 아직 변괴變壞되지 않은 것도 색色이라는 이름을 얻는 것처럼, 종류가 같기 때문에 그 말에는 허물이 없다.[149] 그렇지만 이제 계경의 뜻을 바르게 해석할 것인데, 게송으로 말하겠다.

㉘a 여기에서의 뜻을 바르게 말한다면[此中意正說]
원인이 연기이고, 결과가 연이생이다[因起果已生]

논하여 말하겠다. 모든 지분[支]의 원인의 분위[因分]를 말하여 연기라고 이름하니, 이것이 연이 되어 능히 결과를 일으키기 때문이다. 모든 지분의 결과의 분위[果分]를 연이생이라고 말하니, 이것은 모두 연으로부터 생기는 것이기 때문이다. 이와 같이 일체에 두 가지 뜻이 함께 성취되니, 모든 지분은 모두 원인과 결과의 성품을 갖기 때문이다.[150] 만약 그렇다면 안정된 건립[安立]은 응당 모두 성취되지 못할 것이다.[151] 그렇지 않다. 관점[所觀]

147 외인의 해석이다. 그 미래의 무루도 역시 현재의 무루의 선한 의도의 힘에 의해 이미 만들어졌기 때문에 유위라고 이름한다.

148 논주가 다시 따지는 것이다. 미래의 무루법은 선한 의도의 힘에 의해 이미 만들어졌기 때문에 득을 일으켜서 그것을 획득하므로 곧 유위라고 이름한다면, 열반도 역시 선한 의도의 힘에 의해 득을 일으켜서 열반을 얻는 것이니, 열반도 유위라고 이름해야 할 것이다. 그래서 '만약 그렇다면 열반을 얻는 것에 나아가서도 그러해야 할 것이다'라고 말한 것이다.

149 논주가 바르게 해석하는 것이다. 미래를 연이생이라고 이름한 것은, 이치의 실제로는 종류에 의해 말한 것이라고 말해야 할 것이니, 과거·현재에 이미 생긴 것의 종류이기 때문에 역시 이생이라고 이름한 것이다. 비유에 의지해서 견준다면, 변괴하는 것을 색이라고 이름하는데, 미래의 색은 아직 변괴하지 않았어도 과거·현재에 변괴한 색의 종류이기 때문에 역시 색이라는 이름을 얻는 것처럼, 미래의 것을 '이생'이라고 이름한 것은 종류가 같음에 의한 것이므로 그 말에는 허물이 없다.

150 논주가 경에 대해 2구로 해석하는 것이다.

151 힐난이다. 원인과 결과가 이미 별도의 체가 없으니, 연기와 연이생을 안립(=안정된 건립)은 응당 모두 성취되지 못할 것이다.

에 차별이 있기 때문이다. 말하자면 만약 이것을 볼 때 연이생이라고 이름한다면, 곧 이것을 보고 다시 연기라고 이름할 것이 아니니, 마치 원인과 결과, 아버지와 아들 등의 명칭과 같다.[152]

존자 망만望滿이 뜻을 말하였다. "법으로서 연기이면서 연이생이 아닌 것이 있으므로, 4구로 분별해야 할 것이다. 제1구는 말하자면 미래의 법이고, 제2구는 말하자면 아라한의 최후심의 단계에서의 과거·현재의 모든 법이며, 제3구는 말하자면 그 나머지 과거·현재의 법이고, 제4구는 말하자면 모든 무위법이다."[153]

경량부의 논사들은 이렇게 말한다. "여기에서 말한 것은 자기 생각을 서술한 것인가, 경의 뜻인가? 만약 경의 뜻이라고 한다면 경의 뜻은 그렇지 않다. 까닭이 무엇이겠는가? 우선 앞에서 말한 바, 열두 가지 5온이 12지가 된다고 한 분위연기는 계경에 위배되니, 경에서는 다르게 설했기 때문이다.

152 해석하는 것이다. 관점이 같지 않다. 말하자면 만약 이 앞의 원인을 보고 연이생이라고 이름한다면, 곧 이 앞의 원인을 보고 다시 연기라고 이름할 것이 아니며, 말하자면 이 뒤의 결과를 보고 연기라고 이름한다면, 곧 이 뒤의 결과를 보고 연이생이라고 이름할 것이 아니다. 비록 동일한 법이지만, 바라보는 곳[所望]이 같지 않으니, 마치 동일한 사물을 뒤에서 바라보면 원인이라고 이름하지만, 앞에서 바라보면 결과라고 이름하는 것과 같다. 아버지와 아들도 역시 그러하다.

153 존자 망만望滿Pūrṇāśa(=설일체유부의 논사)이 뜻을 말하였다. 만약 원인으로부터 이미 일어났다면 연이생이라고 이름하는데, 과거·현재의 일체 모든 법을 통틀어 포함하고, 만약 다른 법에게 원인에 된다면 연기라고 이름하는데, 과거·현재의 무학의 최후심만을 제외한, 그 나머지 3세의 유위법이다. 만약 연기라면 체는 좁고, 세는 넓으며, 만약 연이생이라면 체는 넓고 ,세는 좁기 때문에 4구를 이룬다. 제1구에는 연기이면서 연이생 아닌 것이 있으니, 말하자면 미래의 법은 원인이 될 수 있기 때문에 연기이지만, 아직 과거·현재에 이르지 않았으므로 연이생이 아니다. 제2구에는 연이생이면서 연기 아닌 것이 있으니, 말하자면 아라한의 최후심의 단계의 과거·현재의 모든 법은 과거·현재에 이르렀기 때문에 연이생이라고 이름하지만, 원인이 될 수 없으므로 연기가 아니다. 제3구는 연기이면서 연이생이기도 한 것이니, 말하자면 아라한의 최후심을 제외한 그 나머지 과거·현재의 법이다. 원인이 될 수 있기 때문에 연기라고 이름하며, 과거·현재에 이르렀기 때문에 연이생이라고 이름한다. 제4구는 연기도 아니고, 연이생도 아닌 것이니, 말하자면 모든 무위법이다. 원인이 되어 여러 결과를 취할 수 없기 때문에 연기가 아니고, 체가 항상한 것이기 때문에 원인으로부터 일어나지 않으므로 연이생이 아니다.

계경에서, '어떤 것을 무명이라고 하는가? 말하자면 전제에 대해 지혜가 없고 ‥‥'라고 설한 것과 같다. 이는 요의了義의 설이므로, 억눌러 불요의不了義로 만들 수는 없다. 따라서 앞에서 말한 분위연기는 경의 뜻과 서로 어긋나는 것이다."[154]

모든 경이 모두 요의의 설인 것은 아니고, 뛰어난 것에 따른 설도 있다. 예컨대 상적유경象跡喩經에서, "어떤 것이 안의 지계地界인가? 말하자면 머리카락·털·손톱발톱 등이다"라고 설했는데, 비록 그것에 다른 색법 등이 없는 것은 아니지만, 뛰어난 것에 나아가 설한 것처럼, 이것도 그러해야 할 것이다.[155] 인용한 경은 증거가 아니다. 그 경 중에서 지계로써 머리카락·털 등을 분별하려고 한 것이어서 비구족설[非具說]이 되는 것이 아니다. 그렇지만 그 경 중에서 머리카락·털 등으로써 지계를 분별했는데, 머리카락·털 등을 벗어난 지계가 있는 것은 아니기 때문에 그 경은 구족설具足說인 것이다. 이 경에서 설한 무명 등의 지분도 역시 그것처럼 구족설이 되어야 할 것이니, 설명된 것을 제외한 밖에 다시 남은 것은 없는 것이다.[156]

---

154 이하 결택하는 것이다. 이는 곧 분위연기가 5온을 체로 한다고 하는 것에 대한 경량부의 힐난을 서술하는 것이다. 경(=잡 [13]12:298 법설의설경) 중에서 이미 무명 등은 3제에 대한 지혜 없음 등을 체로 한다고 설했기 때문에 5온을 체로 하는 것이 아님을 알 수 있다. 이는 곧 경에 어긋나는 것이니, 경은 요의이기 때문이다.

155 설일체유부의 변론이다. 경이 모두 요의인 것은 아니고, 뛰어난 것에 따른 설도 또한 있으니, 상적유경(=중 7:30경)에서, "어떤 것이 안의 지계인가? 말하자면 머리카락·털·손톱발톱 등이다"라고 말한 것과 같다. 비록 그 머리카락·털·손톱발톱 등에 다른 색·향·미·촉 및 나머지 3대종 등의 법이 없는 것은 아니지만, 뛰어난 것에 나아가 말한 것이니, 머리카락·털·손톱발톱 등의 지계가 강하기 때문이다. 그래서 머리카락·털·손톱발톱 등을 써서 안의 지계를 해석한 것인데, 이 경에서 설한 무명 등 지분의 이치도 역시 응당 그러하니, 거기에 다른 색온 등(에 대한 지혜 없음)이 없는 것은 아니지만, 뛰어난 것에 나아가 무명 등의 명칭을 말한 것이다.

156 경량부의 논파인데, 인용한 것은 증거가 아니라는 것이다. 상적유경 중에서 안의 지계를 머리카락·털 등으로써 분별하려고 한 것은 비구족설이 되는 것이 아니다. 말하자면 지계는 좁고, 머리카락·털 등을 넓어서 색·향·미·촉을 갖추고 있어서이다. 만약 그 경에서, "어떤 것이 머리카락·털 등인가? 말하자면 안의 지계이다"라고 말했다면, 그대들의 말처럼 뛰어난 것을 들어서 치우치게 답한 것일 수 있을 것이니, 머리카락·털 등에 비록 색 등이 있어도 지계

지계는 머리카락·털 등을 벗어난 콧물·눈물 등 중에도 어찌 그 체가 역시 있지 않는가?[157] 콧물 등도 모두 그 경에 설한 것이 있으니, "다시 몸 안에 다른 물건도 있다"라고 설한 것과 같다. 만약 다시 거기에서와 같이 다른 무명이 있다면 지금 드러내어 보여야 할 것이다.[158] 만약 다른 부류를 이끌어 무명 안에 둔다면, 여기에 무슨 이익이 있겠는가?[159] 비록 모든 단계에 모두 5온이 있다고 해도, 이것의 있고 없음에 따라 저것이 결정코 있고 없는 것이어야, 이 법을 세워서 저 법의 지분[支]으로 할 수 있는 것이다. 혹은 5온이 있더라도, 형성과 복·비복·부동의 형성에 따른 의식 내지 갈애 등이 없기도 하다. 그러므로 경의 뜻은 곧 그 설명과 같은 것이다.[160]

가 강하기 때문이다. 그렇지만 그 경 중에서 머리카락·털 등으로써 안의 지계를 분별했는데, 머리카락·털 등을 벗어난 지계가 있는 것은 아니기 때문에 상적유경은 구족설인 것이다. 이 연기경(=법설의설경)에서 설한 무명 등도 상적유경처럼 구족설이 되는 것이니, 그래서 설명된 무명 등을 제외하면 그 밖에 남아 있는 것은 없다. 인용된 경은 자신을 위배하고, 남에게 수순하는 것임을 나타낸 것이다.

157 설일체유부의 힐난이다. 안의 지계는 머리카락·털 등을 벗어난 콧물·눈물 등 중에도 어찌 그 체가 역시 있지 않는가? 이는 곧 머리카락 등이 지계를 포함하는 것은 다하지 못하므로 구족설이 아니고, 도리어 뛰어난 것에 나아가 말한 것이라는 것이다.

158 경량부에서 힐난에 대해 회통하는 것이다. 콧물·눈물 등도 모두 설한 것이 그 상적유경에 있으니, "다시 몸 안에 다른 물건도 있다"라고 설한 것과 같다. '다른 물건'은 곧 콧물·눈물 등의 물건이다. 가정적으로 인정하면서 논파해 말한다. 만약 다시, 거기에서 머리카락·털 등을 떠나서 콧물·눈물 등 중에 따로 지계가 있다고 한 것과 같이, 무명의 지분을 떠난 밖에 다른 무명이 있다면 지금 드러내어 보여야 할 것이다. 그러나 무명을 떠난 밖에 별도로 무명이 있는 것은 없다.

159 경량부에서 또 책망한다. 만약 다른 부류인 5온을 이끌어 무명 안에 둔다면, 여기에 무슨 이익이 있겠는가?

160 경량부에서 이치를 세워서 회통해 해석하고, 자기 뜻을 맺어 이루는 것이다. 비록 모든 12단계에 모두 5온이 있다고 해도, 곧 그 5온을 써서 체로 할 것은 아니고, 서로 말미암고 의지하는 것이어야[相由藉者] 비로소 지분[支]으로 세울 수 있다. 그래서 이 원인의 있고 없음에 따라 저 결과가 결정코 있고 없는 것이어야, 이 원인의 법을 세워서 저 결과인 법의 지분으로 할 수 있는 것이다. 예컨대 아라한은 5온이 있어도, 형성과 복·비복·부동의 형성에 따른 의식이 없는 것처럼, 나아가 혹은 5온이 있어도 갈애 등이 없기도 하다. 따라서 5온의 힘 때문에 12지를 세운 것이 아니라고 알아야 한다. 그대들이 만약 무

【망만의 4구에 대한 비판】 앞에서 말한 4구의 이치도 역시 그렇지 않다. 만약 미래의 모든 법이 연이생이 아니라고 한다면 곧 계경에 위배되니, 경에서, "어떤 것이 연이생법인가? 말하자면 무명·형성 내지 태어남·노사이다"라고 설하였다. 혹은 2지분이 미래에 있다는 것을 인정하지 않아야 할 것이니, 이는 곧 앞에서 세운 3제를 무너뜨릴 것이다.[161]

【다른 학설에 대한 비판】 어떤 분이 말하였다. "연기는 무위법이다. 계경에서, '여래가 세간에 출현하든 세간에 출현하지 않든 이와 같은 연기의 법성法性은 상주한다'라고 말씀하셨기 때문이다."[162] 이와 같은 뜻에 의한다면 이치가 그럴 수 있지만, 만약 다른 뜻에 의한다면 이치가 곧 그렇지 않다.[163] 어떤 것이 '이와 같은 뜻'이고, 어떤 것이 '다른 뜻'이기에, '그럴 수 있다'거나 '그럴 수 없다'고 말하는가?[164] 말하자면 만약 말씀하신 뜻이, 여래께서 세간에 출현하시든 세간에 출현하시지 않든 형성 등은 항상 무명 등을 연으로 해서 일어나지, 다른 법을 연으로 하는 것이 아니며, 혹은 더 이상 연이 없기 때문에 상주한다고 말씀하셨다는, '이와 같은 뜻'으로 말씀하신 것이라고 한다면 이치가 곧 그럴 수 있지만, 만약 말하자면 말씀하신 뜻이, 연기라고 이름하는 별도의 법체가 있어 고요히 상주한다[湛然常住]고 말

학의 5온은 무명 등이 없기 때문에 지분으로 세우지 않는다고 말한다면, 이는 곧 바로 무명 등의 힘에 의해 지분을 세운 것이지, 5온의 힘에 의해 세우지 않은 것이다. 그러므로 연기경의 뜻은 곧 그 글에서 말한 것과 같고, 혹은 내가 말하는 것처럼 오직 무명 등을 써서 체로 할 뿐이다.

161 경량부에서 망만의 4구를 논파하는 것이다. 경(=앞에 나온 잡 [13]12:296 인연경)에서 연이생은 12지에 모두 통한다고 설했는데, 과거·현재만이라고 말한다면 어찌 상반되지 않겠는가? 혹은 태어남과 노사는 미래에 있는 것이 아닐 것이니, 그대들이 연이생은 오직 과거·현재만이라고 말하기 때문인데, 만약 2지분이 미래가 아니라면 곧 앞의 3제를 무너뜨릴 것이다.

162 『이부종륜론』에 준하면 대중부 등의 계탁인데, 또 『대비바사론』 제23권(=대27-116하)에서는 분별론자라고 불렀다. 이는 곧 계탁을 서술하는 것이다. 경(=앞에 나온 잡 [13]12:296 인연경) 중에서 이미, "이와 같은 연기의 법성은 항상 머문다"라고 설하셨기 때문에 연기의 체가 무위라는 것을 알 수 있다는 것이다.

163 논주가 전체적으로 논파하는 것이다.

164 대중부에서 따져 묻는 것이다.

씀하셨다는, 이런 '다른 뜻'으로 말씀하신 것이라고 한다면 이치가 곧 그렇지 않다는 것이다. 까닭이 무엇이겠는가? '생生'과 '기起'는 다 같이 유위의 모습이기 때문에, 별도의 상주하는 법[常法]이 무상한 모습을 만든다는 것은 바른 이치와 맞을 수 있는 것이 아니다. 또 일어남[起]은 반드시 일으키는 것[起者]에 의해야 건립되는데, 이런 상주하는 법이 그 무명 등과 어떻게 서로 관계하여 참여하기에, 이 법이 그것에 의해 건립되어 그것을 연으로 일으키는 것이 된다고 말할 수 있겠는가? 또 연기라고 이름하는 것이 항상한 것을 가리킨다고 말한다면, 이와 같은 단어의 뜻은 상응할 이치가 없다.[165]

2. 연기緣起의 뜻

여기에서 연기pratītya-samutpāda는 어떤 뜻의 단어인가?[166] 쁘라띠prati는 이른다[至]는 뜻이고, 이띠iti라는 어근[界]은 간다[行]gati는 뜻인데, 접두사의 돕는 힘에 의해 어근의 뜻이 전변되었으니, 그래서 '간다'가 '이른다'에 의해 전변되어 '연緣'이 되었다. 삼sam은 화합이라는 뜻이고, 웃ut은 상승이라

165 논주의 답이다. 말하자면 나의 뜻처럼 붓다께서 출현하시든 출현하시지 않든 형성 등 결과의 법은 항상 무명 등의 원인을 연으로 해서 일어나고, 다른 법을 연으로 해서 일어나는 것이 아니어서, 만약 무명이 끊어지면 행도 곧 연이 없기 때문에 상주한다고 말씀하셨다-경에서 법성이 상주한다고 말씀하신 것은 인과가 결정적이라는 뜻을 나타낸다-는 '이와 같은 뜻'으로 말씀하신 것이라고 한다면 이치가 곧 그럴 수 있다. 그렇지만 만약 말하자면 그대의 뜻처럼, 별도로 연기라고 이름하는 진실한 법의 체가 있어 고요히 상주한다고 말씀하셨다는, 이런 '다른 뜻'으로 말씀하신 것이라고 한다면 이치가 곧 그렇지 않으므로, 그 부파는 이치가 아니다. '까닭이 무엇이겠는가?'는 바로 허물을 나타내려는 말이다. '생生'과 '기起'는 안·목처럼 다른 이름으로서, 다 같이 유위의 모습인데, 별도의 무위의 상주하는 법이 무상한 모습을 만든다는 것은 바른 이치와 맞을 수 있는 것이 아니니, 그들은 무위가 연기라고 말하기 때문이다. 또 결과를 일으키는 작용은, 반드시 그것을 일으키는 원인인 것에 의해야 건립되는데, 이런 무위의 상주하는 법이 그 무명 등의 무상한 법-하나는 상주하고, 하나는 무상하다-과 어떻게 서로 관계하기에, 이 상주하는 법이 그 무명 등에 의해 건립되어 그 무명 등의 연기(=그 무명 등을 조건적으로 일으키는 것)가 된다고 말할 수 있겠는가? 또 무명 등을 연기라고 이름하면서, 그대가 항상한 것을 가리킨다고 말한다면, 이와 같은 단어(=후술하는 것처럼 '연기'라는 단어 자체가 무상하다는 뜻을 갖고 있다)의 뜻은 상응할 이치가 없을 것이다.

166 대중부의 물음이다.

는 뜻이며, 빠드pād라는 어근은 존재[有]라는 뜻이니, 존재가 화합과 상승에 의지해 전변되어 '기起'가 되었다. 이에 의해 존재할 법이 연에 이르고 나면 화합 상승하여 일어난다[有法至於緣已 和合升起]는 것이 연기의 뜻이다.[167]

이와 같은 단어의 뜻은 이치가 그래서는 안 된다. 까닭이 무엇이겠는가? 하나의 행위자[作者]에 의해 두 가지 작용이 있었다면, 앞의 작용에 '이已'라는 말이 있어야 하니, 예컨대 어떤 한 사람이 목욕하고 나서 비로소 먹는다[浴已方食]고 하는 것과 같다. 작용할 법이 일어나기 전에 존재해 있다가 먼저 연에 이르고 그 뒤에 비로소 일어나는 경우는 조금도 없으며, 행위자 없이 작용이 있을 수 있는 것은 아니다. 그래서 게송으로 말하였다. "연에 이르는 것이 일어남보다 먼저라면[至緣若起先] 있는 것 아니어서 이치에 맞지 않고[非有不應理] 동시라고 한다면 곧 자기를 허물 것이니[若俱便壞已] 그것을 먼저 말해야 하기 때문이네[彼應先說故]"[168]

167 경량부의 답, 혹은 설일체유부의 답이다. 음운론에 의하면 자연字緣과 자계字界가 있는데, 그 자계는 만약 어떤 자연이 와서 도우면 곧 갖가지 뜻의 일어남이 있다. '쁘라띠prāti'는 이른다는 뜻인데, 자연이고, '이띠iti'라는 의근은 간다는 뜻인데, 자계이다. ('자계'의) '계'는 체라는 뜻이다. 이 '이띠'라는 어근이 접두사 '쁘라띠'의 돕는 힘에 의해 그 어근의 뜻이 전변되어 '연緣'이 되니, 만약 돕는 것이 끝나 '연'이 되면 '쁘라띠띠야pratītya'라고 말해야 하는데, 이를 번역하면 연이라고 이름한다. 그러한 까닭은, 여러 연의 세력이 결과를 일으키는 것을 '간다[行]'이라고 이름하는데, 아직 이르지 못했을 때에는 아직 연의 뜻을 이루지 못하지만, 만약 연의 힘이 결과에 이르렀거나 여러 연이 서로 이르렀다면 비로소 연이라고 이름할 수 있다. 그래서 문자를 조성하는 집[造字家]에서, 간다는 어근 위에, 이른다는 뜻의 돕는 자연을 더함으로써, '간다[行]'가 연緣의 뜻으로 된 것이다. '삼sam'은 화합이라는 뜻, '웃ut'은 상승이라는 뜻으로, 이 둘은 자연이고, '빠드pād'라는 어근은 존재[有]라는 뜻으로 자계이다. '빠드'라는 존재의 어근이, 그 앞의 '삼웃samut'의 화합 상승이라는 자연의 돕는 힘에 의지해, 전변되어 '기起'가 되었다. 이처럼 돕는 것이 끝나서 '기'가 되었다면 '삼웃빠다samutpāda'라고 말해야 하고, 이를 번역하면 '기'라고 이름한다. 그러한 까닭은, 존재할 법들은 반드시 연과 화합해야 곧 상승할 수 있기 때문에 '기'라고 이름하는 것이다. 그래서 문자를 조성하는 집에서, 존재라는 어근 위에 화합 상응이라는 자연을 더함으로써, 존재가 '기'라는 뜻을 이룬 것이다. 그래서 총결하여, "이에 의해 존재로 갈 법이 4연에 이르고 나면 화합 상승하여 일어난다는 것이 연기의 뜻이다"라고 말하였다.

168 성론聲論의 논사가 '연에 이르고 나면 일어난다[至緣已起]'라고 한 것에 대해 힐난하는 것이다. 그래서 "이와 같은 단어의 뜻은 이치가 그래서는 안 된다"라

그런 허물은 없다. 성론聲論의 논사들에게 반대로 따져야겠다. 법은 어느 때의 것이 일어나는가? 현재 있는 것인가, 미래에 있을 것인가?169 가령 그렇다면 무엇이 허물인가?170 일어나는 것이 만약 현재의 것이라면, 일어나는 것은 이미 생긴 것[已生]이 아닌데, 어떻게 현재를 이루겠으며, 현재 이미 생긴 것이라면 다시 어떻게 일어나겠는가? 이미 생긴 것이 다시 일어난

고 말한 것이니, 이는 곧 전체적 비판이다. 까닭이 무엇인가? 하나의 행위자[作者]라는 실체에 의해 두 가지 작용이 있었다면 전후 따로 일어나므로, 앞의 작용에 '이已'라는 말이 있어야 한다고 말할 수 있다. 그 성론에서는, "모든 법에는 체가 있고, 작용이 있다. 체는 곧 여러 단계를 거쳐 머물므로 '작자'라고 이름하고, 작용은 곧 단계에 따라 같지 않으므로 '작용'이라고 이름하는데, 일체 작용은 반드시 작자에 의지한다"라고 계탁한다. 그들이 계탁하는 작용은, 승론勝論의 논사들이 업의 범주는 체를 떠나 별도로 있다고 하는 것과 같으므로-사례를 가리켜 따로 나타내는 것이다-, 예컨대 작자라고 이름하는 어떤 한 사람이 두 가지 작용을 일으켜, 먼저 목욕하고 나서[先澡浴已] 그 뒤에 비로소 먹는다면, 앞의 작용에 '마쳤다[已]'는 말을 해야 하는 것과 같다. 만약 작용할 법이 일어나기 전에 존재해 있는 것이 조금이라도 있다면, 먼저 연에 이르고 그 뒤에 비로소 일어난다고 말할 수 있겠지만, 작용할 법이 일어나기 전에 존재해 있다가 먼저 연에 이르고 나서 그 뒤에 비로소 일어나는 경우는 이미 없는데, 어떻게 '연에 이르고 나면 일어난다'라고 말할 수 있겠는가? '일어나기 전'이라고 말할 경우, 현재를 '일어나기'라고 이름하고, '전'은 아직 오지 않은 것을 말하는 것이니, 법이 세世에 작용하는 것에 의할 때에는 아직 오지 않은 것을 '전'이라고 이름한다. 혹 '일어나기 전'이란 일어남의 앞에 있기 때문이다. 즉 먼저 연에 이미 이른 것을 '일어나기 전'이라고 이름한 것이므로, 모두 아직 오지 않았음[未來]을 나타내는 것이다. 행위자라는 법체 없이(='일어나기 전'이어서 아직 오지 않은 법) 작용이 있을 수 있는 것은 아니니, 그 작용은 반드시 체에 의하기 때문이다. 그래서 게송을 읊어 논파해 말하였다. 「연에 이른다는 작용이 만약 일어남보다 먼저 있다면, 아직 오지 않은 법의 체는 있는 것이 아니기 때문에 도리에 맞지 않고, 만약 연에 이르는 작용이 일어남과 동시라고 한다면 곧 자기를 허물 것이니, 거기에서 먼저 연에 이르는 것을 말하고 그 뒤에 비로소 일어나는 것을 말해야 하지, 동시라고 말해서는 안 될 것이다.」 성론과 경량부는 모두 과거·미래는 체가 없다고 말하기 때문에 있는 것이 아님으로써 그 경량부를 논파하는 것이다. 만약 이 게송으로 설일체유부를 논파하는 것이라면, 성론에서 곧 자기 종지의 뜻으로써 논파하는 것이다.

169 경량부 논사가 힐난에 대해 풀이하는 것, 혹은 설일체유부에서 힐난에 대해 풀이하는 것이다. 여기에서 반대로 따지는데, 두 가지를 물어 따질 것을 결정하려는 것이다.

170 성론 논사의 답이다.

다면 곧 끝없음[無窮]에 이를 것이다. 일어나는 것이 만약 미래의 것이라면, 그 때에는 아직 있지 않는데, 어떻게 행위자를 이루겠으며, 행위자가 이미 없다면 어떻게 작용이 있겠는가? 따라서 일어나는 단계에 곧 연에도 이르는 것이다.[171] 일어나는 단계란 무엇인가?[172] 말하자면 미래세의 제행諸行이 바로 일어날 때, 곧 이 단계에 역시 연에도 이른다고 말한다.[173]

또 성론의 논사들이 망령되이 안립하는 행위자[作者]와 작용도 이치의 실제로는 성립될 수 없다. 이런 행위자가 있어서 이런 작용을 일으킨다고 하지만, 여기에서 작용이 일어나는 것과 달리 행위자가 있음을 본다는 것은

171 경량부의 논파 혹은 설일체유부의 논파이다. 경량부의 논파라고 말한 것은, 무릇 일어남이 아직 만족되지 않았다면 작용은 미래에 있고, 현재는 이미 생긴 것의 명칭이므로 일어나는 것이 아니며, 이미 생긴 것이 다시 일어난다면 곧 끝없음에 이를 것이다. 이에 의해 일어나는 것은 현재의 것이 아님을 알 수 있다. 일어나는 것이 미래의 것이라면, 그대들의 종지에 의하면 미래는 체가 없는데, 어찌 작자를 이룰 것이며, 작자가 오히려 없는데, 어떻게 작용을 일으킴이 있겠는가? 따라서 일어나는 것이 미래에 있을 것이라고 말할 수 없다. 논파를 마치고 바른 뜻을 서술해 말하였다. '따라서 일어나는 단계에 곧 연에도 이르는 것이다'라고. 이는 일어남과 연에 이르는 것은 동시임을 나타내는 것이다. 설일체유부의 논파라고 말한 것은, 일어나는 것이 만약 현재의 것이라면, 일어나는 것은 이미 생긴 것이 아니며, 일어나는 것이 (이미 생긴 것이 아니라면) 미래에 있을 것인데, 현재가 아닌 것으로써 어떻게 현재를 이루겠는가? 나머지 논파 및 바른 뜻을 서술하는 것은 모두 앞에서 말한 것과 같다.

172 성론의 물음이다.

173 경량부의 답, 혹은 설일체유부의 답이다. 경량부의 답이라고 말한 것은, 미래세에 법이 바로 일어나는 단계는 아직 있다고 이름하지 못하지만, 무간에 반드시 있을 것을 일어난다고 말할 수 있다는 것이다. 곧 그 일어나는 단계에 연에 이르는 때라고 이름하기 때문에 그 때 별도의 작자는 없다. (문) 아까 남에게 힐난할 때에는, 미래는 체가 없으므로 일어남이 없다고 하더니, 경량부도 미래는 역시 체가 없다고 하면서, 어떻게 스스로 미래에 일어남이 있다고 말하는가? (해) 성론에서는 결정코 작자가 있어야 비로소 작용이 있고, 먼저 연에 이른 뒤라야 비로소 바로 일어나는 것으로, 이와 같은 두 가지 작용은 반드시 의지하는 것이 있다고 집착하기 때문에 그들의 미래에는 일어날 수 있는 뜻이 없지만, 경량부의 뜻이 말하는 것은, 본래 작자는 없고 임시로 작용을 말하기 때문에 미래의 단계에 일어나는 것과 연에 이르는 것을 말하니, 장차 있으려고 하는 단계에 임시로 건립하기 때문이다. 설일체유부의 답이라고 말한 것은, 글을 해석하면 알 수 있을 것이므로, 애써 달리 해석할 것이 없다.

진실로 있을 수 있는 것이 아니다. 따라서 이런 뜻의 말은 세속적으로는 오류가 없는 것이다. 이런 연기의 뜻이 곧 (경에서) 설한 바 '이것이 있으므로 저것이 있고, 이것이 생기기 때문에 저것이 생긴다'라는 것이니, 따라서 그것을 인용해 연기의 뜻을 해석해야 할 것이다.[174] 그래서 게송을 읊어 말하였다. "❶ 있는 것 아니어도 일어난다고 하듯이[如非有而起] 연에 이르는 것도 그러해야 하니[至緣應亦然] 생긴 것이 일어난다면 끝이 없고[生已起無窮] 혹은 먼저 있었거나 있는 것 아니어야 하리라[或先有非有] ❷ 동시라도 이已라고 말할 수 있으니[俱亦有言已] 어둠은 이르렀고 등불은 꺼졌다거나[闇至已燈滅] 입을 벌리고 잔다고 하는데[及開口已眠] 만약 후에 잔다면 응당 다물어야 하리라[若後眠應閉]"[175]

174 경량부의 논파, 혹은 설일체유부의 논파이다. 또 성론의 논사들이 망령되이 안립하는 진실한 작자와 진실한 작용도 각각 체가 같지 않으므로 이치의 실제로는 성립될 수 없다. 그대들은, '체가 있는 실법實法이 곧 작자이고, 체를 떠난 일어남이 곧 작용이므로, 작자와 작용은 진실로 얻을 수 있다'라고 계탁하지만, 내가 지금 관찰컨대, 여기에서 진실한 작자와 그와 달리 일으키는 작용이, 각각 체가 같지 않으면서 진실로 얻을 수 있는 것이 있다고 보이지 않는다. 만약 불법에 의한다면 체를 떠난 밖에 별도의 실제의 작용은 없고, 곧 그 체 위에 작용이 있는 것이라고 말한다. 이런 여러 법에 대해 뜻으로, 이것이 작자이고, 이것이 작용이라고 말하는 것은, 세속의 이치로는 역시 오류가 없다. 연에 이르러 일어난다는 이런 뜻[此至緣起義]이 곧 경에서 설한 바, 이 무명 등이 있음에 의해 그 형성 등이 있으며, 이 무명 등이 생기기 때문에 그 형성 등이 생긴다는 것이니, 따라서 그 경을 인용해 연기의 뜻을 해석해야 한다.

175 경량부에서 말하는 2게송, 혹은 설일체유부에서 말하는 2게송이다. 경량부에서 말하는 2게송이라고 말한 것은, 논주가 경량부를 위해 2게송을 읊어 앞의 뜻을 거듭 섭수한다는 것이다. 처음 2구는 경량부의 종지를 서술하면서, 앞의 '따라서 일어나는 단계에 곧 연에도 이르는 것이다'라고 한 등을 노래한 것이고, 다음 2구는 맺으면서 성론을 논파하는 것이며, 뒤의 게송은 현상을 인용해 '동시'와 '이已'라고 말한 것을 증명하는 것이다. 혹은 앞(의 게송)에서, "동시라고 한다면 곧 자기를 허물 것"이라고 힐난한 것에 대한 답이니, 예컨대 미래의 법은 체가 비록 있는 것이 아니지만, 무간에 반드시 있을 것으로서 현재로 향하기 때문에 임시로 일어난다고 이름하듯이, 연에 이르는 것도 역시 그러해야 한다는 것이다. 일어나는 것과 같게 비례시키기 때문에 '역시 그러해야 한다'라고 말한 것이니, 마치 미래의 법은 체가 비록 있는 것이 아니지만, 무간에 반드시 있을 것으로서 현재로 향하기 때문에 임시로 '연에 이른다'고 이름하는 것과 같다. 만약 있는 것이 아니어서 연에 이를 수 없다고 말한다면, 역시 있는 것이 아니어서 바로 일어날 수 없다고 하겠지만, 일어나는

....
것은 반드시 이미 생긴 단계가 아니기 때문에 있는 것이 아니어도 오히려 일어난다고 이름할 수 있으므로, 역시 연에 이른다고도 말할 수 있어야 할 것이다. 따라서 비록 체가 없더라도 임시로 말하는 것에는 허물이 없다. '생긴 것이 일어난다면 끝이 없다'는 것은, 앞에서 일어나는 것이 현재 있는 것이라고 할 경우의 허물을 노래한 것이니, 이미 생긴 것이 다시 일어난다면 곧 끝없음에 이를 것이라고 한 것이다. '혹은 먼저 있었거나 있는 것 아니어야 하리라'란 앞에서 일어나는 것이 미래에 있을 것이라고 할 경우의 허물을 노래한 것이니, 만약 일어나는 것이 미래에 있을 것이라고 말한다면 두 가지 허물이 있다. 첫째는 말하자면 미래의 체가 먼저 있어야 할 것이니, 미래에 일어나는 것이 있기 때문이고, 둘째는 말하자면 일어나는 작용의 체가 있는 것이 아니어야 할 것이니, 미래는 체가 없기 때문이다. 또 해석하자면 미래에 먼저 일어나는 작용이 있다면 작자가 있는 것이 아닐 것이니, 자신의 종지에 위배되는 허물이다. 그들은 작용은 반드시 작자에 의한다고 하기 때문이다. 이런 도리에 의해 일어나는 것은 이미 생긴 것이 아니기 때문에 현재에 있지 않고, 미래는 체가 없기 때문에 미래에 있지 않다. 따라서 장차 있으려고 하는 것에 대해 임시로 일어난다는 말을 하고, 임시로 연에 이른다고 말하는 것이니, 임시[假]이기 때문에 허물이 없다. 성론의 논사에 대해 결정적이지 않은 허물을 만든다면, 동시의 법도 역시 '이已'라고 말할 경우가 있으니, 예컨대 어둠이 현재에 이른 것과 등불이 꺼져 낙사한 것처럼, 비록 다시 동시라고 해도 '어둠은 이르렀고, 등불은 꺼졌다[闇至已燈滅]'라고 말할 수 있는 것이다. 또 해석하자면 어둠과 등불의 꺼짐이 동시이므로 '어둠은 이르렀고, 등불은 꺼졌다'라고 말한 것이니, 여기에서 '꺼졌다'는 말은 꺼져서 없다는 것이기 때문에 어둠과 동시하고 말한 것이다. 또 예컨대 입을 벌리는 것과 잠자는 것은, 비록 다시 동시라고 해도 '입을 벌리고 잔다[開口已眠]'고 말하는 것과 같다. 따라서 연에 이르는 것과 일어나는 것은, 비록 다시 동시라고 해도 '이已'라고 말하는 것에는 허물은 없다. 성론에서 '어둠은 이르렀고 등불은 꺼졌다'는 것에 대해서는 변론하지 않고, 곧 '입을 벌리고 잔다'라는 것에 대해 힐난해 말하기를, "예컨대 어떤 한 사람이 먼저 입을 벌리고 그런 뒤에 비로소 잔다면, 이는 곧 앞·뒤이지 동시가 아니다"라고 할 수 있으므로, 숨은 힐난에 대해 회통하기 위해 (게송 제8구에서) 말하였다. "만약 뒤에 잠잘 때라면 이 입은 다물어야 할 것"(=잠들면 반드시 입을 다무는 사람에 의거할 경우)이라고 말한 것이니, 그래야 (입을 벌린 것은) 동시가 아닐 것이라는 것이다. 만약 잘 때 입도 역시 다무는 자가 있다고 말한다면, 비록 잘 때 입을 다무는 사람이 있다고 하더라도, 지금은 잘 때 입을 벌리는 자에 의거해 설한 것이라고 할 것이다.

설일체유부에서 말하는 2게송이라고 말한 것은, 논주가 설일체유부를 위해 2게송을 읊어 앞의 뜻을 거듭 섭수한다는 것이다. 처음 2구는 설일체유부의 종지를 서술하면서, 앞의 '따라서 일어나는 단계에 곧 연에도 이르는 것이다'라고 한 등을 노래한 것이다. 예컨대 미래에 진실한 작자가 있는 것이 아님에도 일어난다고 이름할 수 있는 것처럼, 미래에 비록 진실한 작자가 비록 없더라도 역시 연에 이른다고 이름하니, 일어나는 것과 같게 비례시키기 때문에 어떤 분은 이렇게 주장하였다. "다시 다른 뜻으로써 힐난을 풀어야 한다. 쁘라띠prati는 갖가지[種種]라는 뜻이고, 이띠iti라는 어근은 머물지 않는다[不住]는 뜻인데, 머물지 않음이 갖가지의 도움에 의해 변하여 연緣이 되었다. 삼sam은 취집聚集의 뜻이고, 웃ut은 상승의 뜻이며, 빠드pād라는 어근은 행行의 뜻인데, '웃'이 앞섬에 의해 행이 변하여 기起가 되었다. 이는 갖가지 연이 화합해서 제행의 법들[諸行法]로 하여금 모이고 상승하여 일어나게 함을 말한 것이니, 이것이 연기의 뜻이다."176 이와 같은 해석은 여기에서는 그럴 수 있다고 해도, 눈과 형색이 각각 연이 되어 안식을 일으키는 등의 이런 데서는 갖가지와 취집이 어찌 이루어지겠는가?177

'역시 그러해야 한다'고 말한 것이다. 뒤의 6구에 대한 해석은 그 상응하는 바에 따라 앞에 준해서 알 수 있을 것이다.

176 이는 경량부 중 상좌(=앞에 나온 실리라다)의 해석이다. 자계와 자연은 각각 많은 뜻을 포함하기 때문에 다른 해석에 통하게 하는 것이니, 상좌는 자기 종지에 따르게 하기 위해 다시 한 가지 해석을 해서 성론의 힐난에 대해 회통하려는 것이다. 말하자면 '쁘라띠'에서는 갖가지라는 뜻을 취하고, '이띠'라는 어근에서는 머물지 않는다는 뜻을 취했다. 머물지 않는다고 말한 뜻은 앞찰나의 모든 법이 연이 된다는 것을 나타내니, 법이 이미 낙사했기 때문에 머물지 않는다고 이름한 것이다. 이 머물지 않는 법이 만약 하나하나뿐이라면 연이 될 수 없으니, 하나는 작용이 없기 때문이다. 모여서 많은 것이 있으면 비로소 세력과 작용이 있기 때문에 문자를 조합하는 자가 머물지 않는다는 어근에 갖가지의 도움을 더했으니, 갖가지가 선행함으로써 머물지 않음이 연緣의 뜻이 된다는 것이다. '삼'에서는 취집의 뜻을 취하고, '웃'에서는 앞에서와 같이 상승의 뜻을 취하며, '빠드'라는 어근에서는 행의 뜻을 취했는데, '행'은 곧 유위로서 천류遷流한다는 뜻이다. 행의 법이 상승하는 것을 '기'라고 이름할 수 있기 때문에 '행'이라는 어근을 도와서 '상승'으로 한 것인데, 그 하나하나는 상승할 이치가 없기 때문에 '취집'을 말하여 여럿이 함께 생긴다는 것을 나타낸 것이다. 이 글에서 응당 '삼웃'이 선행함에 의해 '행'이 변하여 '기'가 되었다고 말했어야 할 것인데, '웃'자만 말하고 '삼'을 생략하고 말하지 않은 것은, 자연 중 하나의 도움만을 들더라도 무방해서이다. 이는 머물지 않고 갖가지가 포함되면 능히 행의 법으로 하여금 취집 상승하여 일어나게 한다는 것이 연기의 뜻임을 나타낸다. 여기에서의 뜻은, 머물지 않음이 연이 되었다는 것은 이것이 앞찰나임을 나타내고, 반드시 갖가지에 의한다는 것은 하나에는 공능이 없음을 나타내며, 이미 연을 맺는 것이 이루어졌어도 앞에 속하고 뒤가 아니라는 것은, 하나의 법이 먼저 이르고 그 뒤에 생기는 것이 아니라는 것을 나타낸다. 이에 의해 이미 성론의 힐난은 회통된다는 것이다. 또 해석하자면 설일체유부의 다른 논사가 성론의 힐난에 대해 회통하는 것이다.

3. 연기를 표현하는 2문구의 해석

무엇 때문에 세존께서, 말하자면 '이것이 있음에 의해 저것이 있다' 및 '이것이 생기기 때문에 저것이 생긴다'라는 2문구를 설하셨는가?[178] 연기에 대해 결정적임을 알게 하기 위한 것이었으니, 예컨대 다른 곳에서 "무명이 있음에 의해 모든 형성이 있을 수 있고, 무명을 떠나서는 모든 형성이 있을 수 있는 것이 아니다"라고 설하신 것과 같다.[179] 또 모든 지분[支]이 전생傳生하는 것임을 나타내어 보이기 위한 것이었으니, 말하자면 이 지분이 있음에 의해 저 지분이 있을 수 있고, 저 지분이 생기기 때문에 다른 지분이 생길 수 있다는 것이다. 또 3제가 전생하는 것임을 나타내어 보이기 위한 것이었으니, 말하자면 전제가 있음에 의해 중제가 있을 수 있고, 중제가 생기기 때문에 후제가 생길 수 있다는 것이다. 또 친연親緣과 전연傳緣을 나타내어 보이기 위한 것이었으니, 말하자면 무명이 무간에 형성을 낳는 경우도 있고, 혹은 전전하는 힘으로[展轉力] 모든 형성이 비로소 생기기도 한다는 것이다.[180]

177 논주의 논파이다. 이와 같은 해석은 이 12연기에서는 그럴 수 있을 것이니, 무명 등에는 각각 5온의 중다한 법이 있기 때문이다. 그렇지만 눈과 형색이 각각 연이 되어 안식을 일으키는 등에서는 눈과 형색이 각각 하나의 연이 되는 것인데, 여기에서는 갖가지가 모인다는 것이 어찌 이루어지겠는가? 또 해석하자면 눈과 형색은 따로 연이 될 때에는 곧 갖가지가 화합하는 것이 아니며, 안식은 하나의 체이지, 또한 모인 것도 아니다.

178 이하에서 경의 2문구를 해석하려고 묻는 것이다.

179 이하 답인데, 이것은 논주가 까닭을 해석하려고 먼저 표방한 것이다. 12연기에 대해 결정적임을 알게 하기 위한 때문이었으니, 다른 경론에서 말하는 것과 같다. "무명이 있음에 의해 모든 형성이 있을 수 있다"는 이것은 이것이 있음에 의해 저것이 있다는 것인데, 다시 자세히 결정하려고 말하였다. "무명을 떠나서는 모든 형성이 있을 수 있는 것이 아니다"라는 이것은 이것이 생기기 때문에 저것이 생긴다는 것이다. 여기에서의 뜻이 말하는 것은, 생기는 것[生]과 있는 것[有]은 명칭만 다를 뿐, 뜻은 같으니, 두 글에 차이가 있는 것이라고 말할 수 없다는 것이다. 단지 앞 글은 바로 서술하는 것이고, 뒷 글은 자세히 결정하는 것이라는 점에서, 뜻이 달라서 같지 않다고 말해야 할 뿐이다.

180 『순정리론』 제25권(=대29-482중상)에 준하면 3제의 전생 및 친연·전연은 상좌의 제자인 대덕 라마邏摩Rāma의 해석이다. 제1해에서, "모든 지분이 전생하는 것임을 나타내어 보이기 위한 것"이라고 말한 것은, 말하자면 이 무명 지분이 있음에 의해 저 형성 지분이 있을 수 있고, 저 형성 지분이 생기기 때

어떤 다른 논사는 이렇게 해석하였다. "이와 같은 2문구는 무인론無因論과 상인론常因論을 깨트리기 위한 것이었으니, 말하자면 원인 없이 모든 형성이 있을 수 있는 것은 아니며, 또한 항상한 자성·자아 등 생인生因 없는 것에 의한 때문에 모든 형성이 생길 수 있는 것도 아니라는 것이다."181 만약 그렇다면 곧 앞 문구는 쓸모 없게 될 것이니, 단지 '이것이 생기기 때문에 저것이 생긴다'라는 뒷 문구만에 의해도 앞의 무인론·상인론을 모두 깨트릴 수 있기 때문이다. 그렇지만 혹 어떤 분은 집착한다. "자아가 있어서 의지처가 되어야 형성 등이 있을 수 있고, 무명 등 원인의 분위[因分]가 생기기 때문에 형성 등이 생길 수 있다." 이 때문에 세존께서 그런 집착을 제거하기 위해, 결과가 있는 것은 곧 생인에 의한 것이라고 결판하신 것이다. 만약 이것이 생기기 때문에 저것이 생긴다면, 곧 이것이 있음에 의해 저것이 있는 것이므로, 결과가 있는 것은 별도로 다른 원인에 의한다고 말할 것이 아니니, 말하자면 무명이 형성에 연이 되고, 나아가 이와 같은 순대고온의 일어남[純大苦蘊集]에 이른다는 것이다.182

문에 나머지 의식 지분이 생길 수 있으니, 곧 12지가 전전하여 전해져 생긴다[展轉傳生]는 것이다. 제2해의 '3제의 전생'은 이에 준해 해석해야 할 것이다. 제3해에서, "또 친연親緣과 전연傳緣을 나타내어 보이기 위한 것"이라고 한 것은, 말하자면 무명이 무간에 직접 형성을 낳는 경우가 있다는 이것은, 이것이 있음에 의해 저것이 있다고 하는 것이고, 만약 무명의 전전하는 힘 때문에 모든 형성이 비로소 생기는 것이 있다면, 직접 낳는 것이 아니어서, 예컨대 무명을 일으키고, 다음에 무기심을 일으키며, 그리고 뒤에 형성을 일으키는 것과 같은데, 이는 이것이 생기기 때문에 저것이 생긴다고 하는 것이다.

181 경량부의 다른 논사인 존자 세조世曹인데, 『순정리론』(=제25권. 대29-482하)에서는 상좌의 도당徒黨이라고 칭하였다. 말하자면 원인 없이 모든 형성이 있을 수 있는 것이 아니기 때문에 '이것이 있음에 의해 저것이 있다'고 설했으니, 이는 무인론의 외도를 논파하려는 것이고, 또한 상주한다는 수론의 자성, 승론의 자아 등 생인 없는 것에 의해 모든 형성이 있을 수 있는 것도 아니기 때문에 '이것이 생기기 때문에 저것이 생긴다'고 설했으니, 이는 상인론의 외도를 논파하려는 것이다.

182 논주가 논파하면서 그 경은 집착을 제거하려는 것임을 나타내는 것이다. 뒷 문구가 모두 깨뜨릴 수 있으므로 앞 문구는 응당 쓸모가 없을 것이라는 이것은 곧 논파하는 것이다. 논주가 논파를 마치고 경의 뜻을 나타내려고 말하였다. 「그런데 혹 어떤 승론에서 집착한다. "자아가 있어서 의지처가 되어야 형성 등이 있을 수 있다"는 이것은, 이것이 있음에 의해 저것이 있다는 것(의

궤범軌範의 논사들은 이렇게 해석하였다. "이 2문구는 인과의 끊어지지 않음과 생기[因果不斷及生]를 나타내기 위한 것이다. 말하자면 무명이 끊어지지 않음에 의해 모든 형성이 끊어지지 않고, 곧 무명이 생기기 때문에 모든 형성이 생길 수 있는 것이니, 이와 같이 전전하여 모두 널리 말해야 할 것이다."183

어떤 분은 해석하였다. "인과의 머묾[住]과 생기[生]를 나타내기 위한 것이다. 말하자면 나아가 원인의 상속이 있으면 결과의 상속도 있고, 또 곧 원인의 분위[因分]가 생기면 그 때문에 여러 결과의 분위[果分]도 생긴다는 것이다."184 이는 생기를 분별하려고 하신 것인데, 어째서 머묾을 설하셨다는 것인가? 또 붓다께서 무엇 때문에 순차 설하신 것을 부수고, 먼저 머묾을 설하신 뒤에 생기를 설하셨겠는가?185

뜻)이다. "무명 등 원인의 분위가 생기기 때문에 형성 등이 생길 수 있다"는 이것은, 이것이 생기기 때문에 저것이 생긴다는 것(의 뜻)이다」라고. 이 때문에 세존께서 그런 집착을 제거하기 위해, 형성 등의 결과가 있는 것은 곧 무명 등의 생인에 의한 것이지, 자아에 의한 것이 아니라고 결판하신 것이다. 만약 이것이 생기기 때문에 저것이 생긴다면, 곧 이 원인이 있음에 의해 저 결과가 있는 것이므로, 형성 등의 결과가 있는 것은 별도로 이와 다른 자아가 원인이 됨에 의한다고 말할 것이 아니다. 이것이 있고 저것이 있는 등은 곧 무명이 형성에 연이 되는 등이지, 별도로 자아가 있어서 생기는 것은 없다는 것이다. '순대고온의 일어남'은 아래 글에서 해석하는 것과 같다.

183 이는 논주가 경량부의 궤범의 논사들을 받들어 익힌 것(=그래서 비판 없이 소개만 하였다는 취지)이다. '끊어지지 않음'이라고 말한 것은 동일하게 계박되었다는 것[同一繫縛]을 나타낸다. 말하자면 무명이 끊어지지 않음에 의해 모든 형성도 끊어지지 않기 때문에 '이것이 있음에 의해 저것이 있다'라고 말하였고, 곧 무명이 생기기에 모든 형성이 생길 수 있기 때문에 '이것이 생기기 때문에 저것이 생긴다'라고 말한 것이니, 전전하여 널리 12연기를 설해야 할 것이다.

184 상좌와 같이 배운 분의 해석이다. '머묾'은 상속하는 것이 머무는 것을 말한 것이니, 나아가 원인의 상속이 있으면 결과의 상속도 있기 때문에 '이것이 있음에 의해 저것이 있다'라고 설하셨고, 곧 원인의 분위가 생기면 그 때문에 여러 결과의 분위도 생기기 때문에 '이것이 생기기 때문에 저것이 생긴다'라고 설하셨다는 것이다.

185 논주의 논파이다. 이 연기를 설하신 뜻은 생기는 것을 분별하려고 하신 것인데, 무슨 이유에서 머묾을 설하셨겠는가? 설령 머묾을 설하신 것이라고 인정한다고 해도, 4상의 순서대로 먼저 생을 설하고, 뒤에 비로소 주를 설하셔야

다시 어떤 분은 이렇게 해석하였다. "'이것이 있음에 의해 저것이 있다'는 것은, 결과가 있음에 의해 원인에 소멸이 있다는 것이고, '이것이 생기기 때문에 저것이 생긴다'는 것은, 결과가 원인 없이 생기는가 의심할 것을 두려워해서, 이 때문에 다시 '원인이 생기기 때문에 결과가 비로소 일어날 수 있다'라고 말한 것으로, 원인이 없다고 말할 것이 아니라는 것이다."[186] 경의 뜻이 만약 그러하다면 응당, '이것이 있음에 의해 저것이 소멸해 없다'라고 설했어야 하고, 또 응당 먼저, '원인이 생기기 때문에 결과가 생긴다'라고 말한 뒤에 '결과가 있음에 의해 원인이 소멸해서 없다'라고 말했어야 할 것이다. 이와 같은 순서라야 비로소 훌륭한 말씀이라고 이름할 것이고, 만약 이와 다르다고 한다면, 연기를 분별하시고자 하면서 어떤 순서에 의했기에 원인의 소멸을 먼저 설하신 것인가? 따라서 그 분의 해석은 이 경의 뜻이 아니다.[187]

4. 경량부의 해석

또한 다음으로 어떤 것이, 무명이 형성에 연인 것[無明緣行]이며, …· 태어남이 노사에 연인 것[生緣老死]인가?[188] 내가 이제 경에 부합하는 뜻을 간략히 나타내겠다. 말하자면 어리석은 범부들은 연생법에 대해 오직 형성된 것

할 것인데, 어째서 순서대로가 아닌가?

186 경량부 중 실리라다室利羅多의 해석인데, 여기에서는 집승執勝이라고 말했는데, 『순정리론』(=제25권. 대29-482하)에서 상좌라고 부른 분이다. '소멸[滅]'은 말하자면 소멸해서 없는 것[滅無]이다. 나머지 글은 알 수 있을 것이다.

187 논주의 논파이다. 경의 뜻이 만약 그러해서, 그대의 말처럼 결과가 있을 때 원인에 소멸이 있는 것이라면, '소멸'이라는 말은 없는 것이니, 경에서 응당, '이것이 있음에 의해 저것이 없음을 이룬다'라고 말했어야 할 것인데, 무엇 때문에 '이것이 있음에 의해 저것이 있다'라고 설하셨는가? 이는 곧 경과 다르다고 책망하는 말이다. 경에서 또 응당 먼저, '원인이 생기므로 결과가 생긴다'라고 말한 뒤에 '결과가 생기면 원인이 없게 된다'라고 말했어야 할 것이다. 이와 같은 순서라야 비로소 훌륭한 말씀이라고 이름할 것이고, 만약 이와 다르다고 한다면, 연기를 분별하시고자 하면서 어떤 순서에 의했기에 원인의 없음을 먼저 설하신 것인가? 이는 곧 순서가 아니라고 책망하는 것이다. 따라서 그 분의 해석은 이 경의 뜻이 아니다.

188 이하 경량부의 12연기를 서술하는 것인데, 장차 밝히려고 물음을 일으킨 것이다.

일 뿐임을 알지 못해서 망령되이 아견我見 및 아만我慢의 집착을 일으켜[189] 스스로 즐거움과 즐겁지도 않고 괴롭지도 않음을 받기 위해 몸[身] 등의 각각 세 가지 업을 짓는다. 말하자면 자신이 장래의 즐거움을 받기 위해 여러 복업福業을 짓고, 장래의 즐거움과 즐겁지도 않고 괴롭지도 않음을 받기 위해 부동업不動業을 지으며, 현세의 즐거움을 받기 위해 비복업非福業을 지으니, 이와 같은 것을 무명이 형성에 연인 것[無明緣行]이라고 이름한다.[190]

마치 화염이 가는 것처럼 인업引業의 힘에 의해 의식이 상속하여 흘러 그러저러한 취趣로 가니, 중유에 의탁해서 태어날 곳으로 치달려가서 생유의 몸과 결합하는 것을 형성이 의식에 연인 것[行緣識]이라고 이름한다. 만약 이런 해석을 한다면 의식 지분이 6식에 통하는 것으로 분별한 계경과 잘 수순한다.[191]

의식이 선행하기 때문에 이 취趣 중에 명색의 생기가 있어 5온을 완전히 갖추어 전전 상속하여 1기의 생[一期生]에 두루하니, 대인경大因緣과 연기 등을 분별하는 여러 경에 모두 이와 같은 말이 있기 때문이다.[192] 이와 같

189 답이다. 말하자면 어리석은 범부들은 연으로부터 생기는 법은 오직 5온의 제행만 있을 뿐임을 알지 못해서 망령되이 아견을 일으키고, 아견으로 말미암아 다시 아만을 일으키는데, 알지 못하는 것이 곧 무명 지분이다.

190 이는 행 지분의 체를 나타내는 것이다. 중생들은 스스로 즐거움 및 즐겁지도 않고 괴롭지도 않음을 받기 위해 몸·말·마음으로 각각 복·비복·부동의 세 가지 업을 짓는다. 말하자면 자신이 욕계의 장래의 즐거움을 받기 위해 여러 복업을 짓고, 장래의 색계의 아래 3선정의 즐거움 및 제4선정 이상의 즐겁지도 않고 괴롭지도 않음을 받기 위해 부동업을 지으며, 욕계의 현세의 5욕락을 받기 위해 살생 등의 여러 비복업을 지으니, 이와 같은 것을 이름해서, 무명이 연이 되어 능히 행을 일으키는 것이라고 이름한다.

191 의식 지분의 체를 나타내는 것이다. 이미 인업이라고 말했으니, 형성 지분은 인업이지, 만업이 아님을 분명히 알 수 있다. 그 과거의 인업의 힘에 의한 때문에 6식이 상속하여 유전하는데, 마치 화염이 가는 것처럼, 상속하여 끊어지지 않고 그러저러한 취에 머문다. 이런 6식이 상속하여 끊어지지 않고 중유에 의탁해서 태어날 곳으로 치달려가서 생유의 몸과 결합하는 것을 형성이 의식에 연인 것이라고 이름한다. 이 의식은 중유와 생유에 통하니, 생유는 오직 의식일 뿐이지만, 중유의 단계에는 6식을 일으키는 것에 통한다. 만약 이런 해석을 한다면 의식 지분이 6식에 통하는 것으로 분별한 계경에도 잘 수순한다. 만약 설일체유부에 의한다면, 의식 지분은 오직 생유의 1찰나뿐이고, 중유에 통하지 않기 때문에 오직 의식뿐이다.

은 명색이 점차 성숙할 때 눈 등의 근을 갖추니, 6처라고 말한다.[193] 다음에 경계[境]와 화합하면 곧 의식의 생기가 있으니, 3자가 화합하기 때문에 순락수[順樂] 등의 접촉[觸]이 있고,[194] 이에 의해 곧 즐거움 등의 세 가지 느낌을 낳는다.[195]

이 세 가지 느낌을 좇아 세 가지 갈애를 견인해 낳으니, 말하자면 괴로움이 핍박함으로 말미암아 즐거운 느낌에 대해 욕애를 일으켜 낳음[發生]이 있기도 하고, 즐거운 느낌과 괴롭지도 않고 즐겁지도 않은 느낌에 대해 색애를 일으켜 낳음이 있기도 하며, 오직 괴롭지도 않고 즐겁지도 않은 느낌에 대해 무색애를 일으켜 낳음이 있기도 하다.[196]

느낌을 기뻐하는 갈애를 좇아 욕취 등의 취착을 일으킨다.[197] 여기에서

---

192 명색의 체를 나타내는 것이다. 의식이 선행하기 때문에 이 취 중에 다음으로 명색의 생기가 있어 5온을 완진히 갖추어 전전 상속하여 1기의 생에 두루하니, 나아가 목숨이 끝날 때까지를 전체적으로 명색이라고 이름한다. 이 명색의 단계는 길어서, 이 단계 안에 6처 등을 세운다는 것을 곧 경을 인용해 증명하니, 대인연경과 연기를 분별하는 경 등에서 모두 "명색은 5온을 완전히 갖추어 1기에 생에 두루하다"(=출전 미상)라고 말하기 때문이다.

193 육처의 체를 나타내는 것이다. 명색의 단계에서 점점 눈 등이 있게 되면 6처라고 이름한다.

194 접촉의 체를 나타내는 것이다. 이미 6근이 생겼다면 다음에는 경계와 화합하여 곧 의식의 생기가 있으니, 근·경·식이 화합해서 순낙수 등의 세 가지 접촉이 있는 것이다.

195 느낌 지분의 체를 나타내는 것이다. 이 접촉에 의해 곧 고수·낙수·사수의 세 가지 느낌이 생긴다.

196 갈애 지분의 체를 나타내는 것이다. 이 세 가지 느낌을 좇아 세 가지 갈애를 견인해 낳는다. 말하자면 욕계의 괴로움이 핍박해 괴롭힘으로 말미암아, 즐거운 느낌에 대해 욕계의 갈애를 일으켜 낳음이 있기도 하고, 색계의 초·제2·제3선정에서의 즐거운 느낌과 제4선정에서의 괴롭지도 않고 즐겁지도 않은 느낌에 대해 색계의 갈애를 일으켜 낳음이 있기도 하며, 오직 무색계에서의 괴롭지도 않고 즐겁지도 않은 느낌에 대해 무색계의 갈애를 일으켜 낳음이 있기도 하다.

197 이하 취착의 체를 나타내는 것이다. 그 안에 나아가면 첫째 총체적으로 표방하고, 둘째 개별적으로 해석하는데, 이는 곧 총체적 표방이다. 앞의 낙수와 사수를 기뻐하는 갈애를 좇아 뒤에 욕취 등의 네 가지 취착을 일으킨다. 경량부는 4취는 탐욕을 체로 한다고 하니, 대승과 같은데, 설일체유부라면 108번뇌를 체로 한다고 한다.

'욕'은 다섯 가지 묘욕妙欲을 말하고, '견'은 62견을 말하는데, 범망경梵網經에서 자세히 설한 것과 같다. ('계금' 중) '계'는 악을 멀리 여의는 계를 말하고, '금'은 개·소 등의 금계를 말하니, 예컨대 여러 이계離繫 및 바라문, 파수발다播輸鉢多, 반리벌라작가般利伐羅勺迦 등 상이한 부류의 외도들이, 몸을 노출하고 머리카락을 풀어헤치거나 검은 사슴가죽을 걸치거나 상투를 틀고 재를 칠하거나 세 개의 지팡이를 들거나 수염과 머리카락을 미는 등 갖가지 무의미한 고행을 수지하는 것과 같다. '아어我語'는 말하자면 내적인 몸[內身]을 말하니, 그것에 의지해 자아[我]를 말하기 때문이다.[198] 어떤 다른 논사는, "아견我見과 아만我慢을 '아어'라고 이름한다"라고 말하였다.[199] 어째서 이 두 가지만 유독 아어라고 이름하는가?[200] 이 두 가지에 의해 자

198 이하 둘째 개별적으로 해석하는 것이다. 첫째 네 가지 경계를 밝히고, 둘째 취착의 체를 나타내는데, 이는 곧 네 가지 경계를 밝히는 것이다. 첫째 '욕'이란 형색 등 다섯 가지 묘욕의 경계를 말하는 것이고, 둘째 '견'이란 62견을 말하는 것이니, 범망경(=장 14:21 범동경)에서 자세히 설하는 것과 같은데, 수면품(=뒤의 제19권 중 게송 ⑥에 관한 논설 말미 부분)에 이르면 열거하고 표방해 해석할 것이다. 셋째 '계금'이라고 함에서 '계'는 말하자면 계의 약속[戒約]이니, 곧 내도內道의 악을 멀리 여의는 계이고, '금'은 말하자면 금하여 끊게 하는 것[禁斷]이니, 곧 외도의 개·소 등의 금계이다. 예컨대 여러 이계 외도(=소위 니간타)들은 몸을 노출하거나 머리카락을 풀어헤쳐, 옷 등의 계박하는 것들을 멀리 여의는 갖가지를 수지하기 때문에 '이계'라고 이름하였다. 바라문 외도들은 손에 지팡이를 들고 가거나 검은 사슴가죽을 걸치는 것을 수지한다. 파수발다Pāśupāta 외도는 여기 말로는 우주牛主인데, '주'는 천주天主이니, 마혜수라천摩醯首羅天은 소를 타고 가기 때문에 우주라고 이름하였다. 이 외도는 그 하늘의 법을 배워서 그것에 따르는 것을 이름으로 삼았기 때문에 우주라고 이름하였다. 이 외도는 머리 위에 하나의 상투를 틀고, 신체에 재 바르는 것을 수지하였다. 반리벌라작가Parivrājaka 외도는 여기 말로는 변출遍出인데, 곧 출가했다는 뜻을 나타내니, 출가한 외도이다. 세 개의 지팡이를 들고 가거나 옷·병·발우 등의 물건을 향해 안주하거나 수염과 머리카락을 모두 미는 등 무의미한 고행을 수지한다. '등'은 다른 외도들을 같이 취한 것인데, 모두 '금'이라고 이름한다. 넷째 '아어'란 3계의 내적인 몸을 말하는 것이니, 그것에 의해 자아를 말하기 때문에 그래서 '아어'(=자아이론)라고 이름한다. 설일체유부에서 단지 위의 2계에 의거해서만, 그것에 의지해 자아를 말하는 것(=욕계에 의지한 것은 욕취에 포함된다고 보기 때문임은 뒤의 제20권 중 게송 ㊳과 그 논설 참조)과는 같지 않다.

199 경량부의 다른 논사이다.

200 묻는 것이다.

아가 있다고 말하기 때문이다. 자아는 있는 것이 아니기 때문에 '아어'라고 이름한 것이니, 저 계경에서, "필추들이여, 우매하고 들음 없는 이생의 부류들은 임시의 언설에 따라 자아에 대한 집착을 일으키지만, 거기에 실제로 자아 및 자아의 소유는 없다고 알아야 한다"라고 설한 것과 같다.[201] 앞의 네 가지에 대한 취착은 말하자면 욕탐欲貪이니, 그래서 세존께서 여러 경에서, "어떤 것이 취착인가? 이른바 욕탐이다"라고 해석하셨다.[202]

취착이 연이 됨에 의해 후유後有를 초래하는 갖가지 업을 적집하는 것을 말하여 존재[有]라고 이름하니, 세존께서 아난다에게, "후유를 초래하는 업을 말하여 존재[有]라고 이름한다"라고 말씀하신 것과 같다.[203] 존재가 연이 되기 때문에 의식이 상속하여 흘러 미래의 생으로 나아가 앞의 도리와 같이 5온을 구족하는 것을 말하여 태어남[生]이라고 이름한다.[204] 태어남이

....

201 답이다. 이 두 가지에 의해 자아가 있다고 말하기 때문에 '아'라고 이름하지만, '아'는 있는 것이 아니기 때문이며, 단지 말만 있을 뿐이기 때문에 '아어'라고 이름한 것이다. 경(=중 11:62 빈비사라왕영불경頻鞞娑邏王迎佛經)에서, "이생들은 임시의 언설에 따라 자아에 대한 집착을 일으키지만, 거기에 실제로 자아 및 자아의 소유는 없다"라고 설하셨으니, 자아는 체가 있는 것이 아님을 분명히 알 수 있기 때문에 '말만 있을 뿐'이라고 하였다.

202 이는 둘째 바로 취착의 체를 나타내는 것이다. 앞에서 말한 네 가지는 소취의 경계[所取境]이므로, 지금 바로 그 능연인 취착[能緣取]의 체를 나타내는 것이다. '욕탐'이라고 말한 것에서, 곧 '탐'을 '욕'이라고 이름한 것이니, '탐'은 3계에 통하므로, 욕계의 탐이 아닌 것이다. 경(=잡 [9]9:240 취경取經)에서 욕탐을 취착이라고 이름했으니, 다른 법에는 통하지 않는다.

203 존재 지분의 체를 나타내고, 경을 인용해 증명하는 것이다.

204 태어남 지분의 체를 나타내는 것이다. 존재가 연이 되기 때문에 의식이 상속하면서 유전하여 미래의 생으로 나아가, 앞의 의식 지분에서 말한 도리와 같이, 중유에 의탁해서 태어날 곳으로 치달려가서 생유의 몸과 결합하여 5온을 구족하는 것을 말하여 태어남이라고 이름한다. 대부분 의식 지분과 같지만, 차별이 없는 것은 아니니, 의식이라는 명칭은 좁아서 오직 6식만을 말하고, 태어남이라는 명칭은 넓기 때문에 5온에 통한다. 또 해석하자면 이 태어남 지분은 앞의 의식·명색 지분과 같으니, 이미 의식이 상속하여 흐른다고 말한 것은 앞의 의식 지분과 같고, 다시 5온을 구족한다고 말한 것은 앞의 명색과 같다. 여기에서 '생'이라고 말한 것은 처음 중유의 첫찰나로부터 나아가 목숨이 끝날 때까지 1기의 생임을 나타내는 것이니, 이 생의 단계에서 노사를 건립한다. 또 해석하자면 노사의 앞을 생이라고 말한 것이다. # 이 해석에 의하면 이 '생'은 태어남이라고 번역하기 보다는 글자 그대로 '생'이라고 칭하는 것이

연이 됨으로써 곧 노사가 있으니, 그 모습의 차별을 널리 말하면 경의 설과 같다.[205]

'이와 같은 순[如是純]'이라는 말은 오직 형성된 것[行]이 있을 뿐, 나와 나의 소유는 없다는 것을 나타내고, '대고온大苦蘊'이라는 말은 괴로움의 적집이 시작도 없고 끝도 없음을 나타내며, '집集'이라는 말은 여러 괴로움의 무더기가 생기는 것을 나타내기 위한 것이다.[206]

비바사의 종지는 앞에서 이미 말한 것과 같다.[207]

적절할 것이다.

205 노사의 체를 나타내는 것이다. 처음 태어난 뒤에 곧 노사를 건립한다. 또 해석하자면 생 지분의 단계 중에 노사를 건립한다. 그 노사의 모습은 머리카락이 희어지고 얼굴이 주름지는 등 갖가지로 차별되니, 자세히 말하자면 경과 같다. 또 해석하자면 머리카락이 희어지는 등 이후를 비로소 '노'라고 이름하고, 그 뒤를 '사'라고 이름한다.

206 이상은 경량부에서 12지분의 체를 나타낸 것인데, 다시 경문에서 "이와 같은 순대고온의 일어남"이라고 한 것을 해석하는 것이다. 경에서, 무명이 형성에게 연이고, …. 태어남이 노사에게 연이니, 이와 같은 순대고온이 일어난다고 말한 까닭에 곧 해석한 것이다.

207 이상은 경량부의 12연기에 대한 해석인데, 만약 비바사종의 12연기를 해석한다면, 앞에서 말한 것과 같다는 것이다.

아비달마구사론
제10권

제3 분별세품分別世品(의 3)

제7절 무명

1. 무명의 뜻

무명은 무슨 뜻인가?[1] 말하자면 체가 밝음 아닌 것[非明]이다.[2] 만약 그렇다면 무명은 눈[眼] 등이어야 할 것이다.[3] 이미 그러하니, 이것의 뜻은 '밝음이 없는 것[明無]'이라고 말해야 할 것이다.[4] 만약 그렇다면 무명은 체가 있는 것이 아닐 것이다.[5] 체가 있음과 뜻이 다른 것으로 넘치지 않음[義不濫餘]을 나타내기 위해 게송으로 말하겠다.

28c 명의 대치 대상이 무명이니[明所治無明]
마치 친구 아닌 자, 진실이 아닌 것 등과 같다[如非親實等][6]

1 이하 큰 글의 둘째 개별적으로 명칭의 뜻을 밝히는 것이다. 그 안에 나아가면 첫째 따로 4지분을 분별하고, 둘째 나머지는 별도의 글을 가리킨다. 첫째 따로 4지분을 분별하는 것에 나아가면 첫째 무명을 분별하고, 둘째 명색을 분별하며, 셋째 접촉을 분별하고, 넷째 느낌을 분별한다. 이하 무명을 분별하는데, 그 안에 나아가면 첫째 뜻을 해석하고, 둘째 증거를 세운다. 이하 뜻을 해석하는데, 이는 곧 묻는 것이다.
2 답이다. 체가 밝음이 아닌 것이기 때문에 무명이라고 이름해 부른다.
3 힐난이다. 눈·귀·코 등도 체가 밝음 아닌 것이니, 무명이어야 할 것이다.
4 해석하는 것이다. 힐난을 받자 바꾸어 헤아려서, 밝음이 없는 곳[明無之處]을 무명이라고 이름해 부른다.
5 다시 힐난하는 것이다. 밝음이 없는 곳을 무명이라고 이름해 부른다면 체가 응당 있는 것이 아닐 것이다.
6 앞의 두 가지에 허물이 있으므로 논주가 바르게 해석하는 것이다. 무명은 체가 있으므로, 있는 것이 아니라는 허물은 없으며, 뜻이 다른 눈 등으로 넘치지 않으므로 눈 등이라는 허물이 없음을 나타내기 위해, 밝음으로 대치되는 것[明所對治]을 무명이라고 이름하여 부르니, 마치 친구 아닌 자 등과 같다.(=뒤의 본문 3.에서 '4성제, 3보, 업과 과보를 요지하지 못하는 것'이 무명이라고 설명한다)

논하여 말하겠다. 마치 친구와 상대되는 모든 원적怨敵으로서, 친구와 상반되는 것을 '친구 아닌 자[非親友]'라고 이름하는 것과 같으니, 친구와 다른 자가 아니며, 친구가 없는 것이 아니다. 진리의 말씀[諦語]을 진실이라고 이름하고, 이것으로 대치되는, 헛되이 속이는 언론을 진실 아닌 것[非實]이라고 이름하는 것과 같으니, 진실과 다른 것이 아니며, 진실이 없는 것도 아니다. '등'이라는 말은, 비법非法·비의非義·비사非事 등은 그 성품이 (법·의·사와) 다른 것이 아니며, 없는 것이 아님을 나타내기 위한 것이다. 이와 같이 무명도 별도로 실제의 체가 있으니, 밝음[明]으로 대치되는 것으로서, 다른 것이 아니며, 없는 것이 아니다.[7]

2. 입증

어떻게 그러한지 아는가?[8] 형성의 연이라고 설했기 때문이다.[9] 다시 진실한 증거가 있으니, 게송으로 말하겠다.

㉙ 결 등이라고 설했기 때문이며[說爲結等故]
　나쁜 지혜는 아니니, 견이기 때문이고[非惡慧見故]
　(무명은) 견과 상응하기 때문이며[與見相應故]
　능히 지혜를 오염시킨다고 설했기 때문이다[說能染慧故][10]

논하여 말하겠다. 경에서 무명을 결結·박縛·수면隨眠 및 누漏·액軛·폭류瀑流 등이라고 설했는데, 나머지 눈[眼] 등 및 체가 전혀 없는 것은 결·박 등

7 이는 제2구를 해석하는 것이다. 원적을 친구 아닌 자라고 이름하고, 속이는 말을 진실 아닌 것이라고 이름한다. 법 아닌 것[非法]은 불선한 법을 말하는 것이고, 뜻 아닌 것[非義]은 불선한 뜻을 말하는 것이며, 일 아닌 것[非事]은 불선한 일을 말하는 것이다. 이런 친구 등으로 상대되어 제거될 법[所對除法]을 친구 아닌 자 등이라고 이름하는데, 친구 등과 다른 자가 아니며, 친구 등이 없는 것도 아니다. 무명도 역시 그러해서, 무명은 밝음으로 상대되어 제거될 법으로서, 밝음과 다른 것이 아니며, 밝음이 없는 것이 아니다.

8 이하 입증하는데, 이는 따져 묻는 것이다.

9 답이다. 이 무명은 형성의 연이 된다고 설했기 때문에 체가 있다는 것을 분명히 알 수 있다.

10 위의 1구는 바로 증명하는 것이고, 아래 3구는 다른 계탁을 깨뜨리는 것이다.

의 현상이라고 설할 수 있는 것이 아니기 때문에 무명이라고 이름하는 별도의 법이 있는 것이다.[11]

마치 나쁜 처자를 처자가 없다고 이름하는 것처럼, 이와 같이 나쁜 지혜[惡慧]는 무명이라고 이름해야 할 것이다.[12] 그것은 무명은 아니니, 견見이 있기 때문이다. 모든 염오의 지혜를 나쁜 지혜라고 이름하니, 그 안에 견이 있기 때문에 무명이 아니다.[13]

만약 그렇다면 견이 아닌 지혜[非見慧]는 무명이라고 인정해야 할 것이다.[14] 그렇지 않다. 무명은 견과 상응하기 때문이다. 무명이 만약 지혜라면, 견과 상응하지 않아야 할 것이니, 두 가지 지혜 자체가 함께 상응하는 일은 없기 때문이다.[15]

또 무명은 능히 지혜를 오염시킨다고 설했기 때문이니, 저 계경에서, "탐욕은 마음을 오염시켜 해탈하지 못하게 하고, 무명은 지혜를 오염시켜 청정하지 못하게 한다"라고 말한 것과 같다. 지혜가 다시 지혜 자체를 오염시킬 수 있는 것은 아니니, 마치 탐욕이라는 다른 부류가 마음을 오염시킬 수 있듯이, 무명도 역시 지혜와 다르기에 오염시킬 수 있다고 해야 할 것이

11 경(=잡 [18]18:49 염부차경閻浮車經)에서 무명은 9결, 3박, 10수면, 3루, 4액, 4폭류(=이상 번뇌의 명칭은 뒤의 제20·21권 참조) 등 중에 있다고 설했기 때문에 별도로 있다는 것을 알 수 있다. 이와 다른 눈 및 체가 전혀 없는 것은 결박 등이라고 설할 것이 아니다.

12 이는 다른 계탁을 서술하는 것이다. 마치 나쁜 처자에게는 처자의 공덕이 없어서 처자가 없다고 이름하는 것처럼, 이와 같이 나쁜 지혜도 밝음의 공덕이 없으니, 무명이라고 이름해야 할 것이다.

13 논주가 게송을 들어 바로 논파하는 것이다. 그 여러 나쁜 지혜는 무명이 아니다. 나쁜 지혜 중에는 다섯 가지 염오의 지혜(=유신견 등 5악견)가 있으므로 견의 성품(=여기에서 '견'은 헤아리는 것[推度]으로서, 지혜를 그 성품으로 한다)이기 때문이다. 견의 성품은 엄하고 예리하게 추구하여 결단하기 때문에 무명이 아니다.

14 외인의 변론이다. 만약 그렇다면 탐욕 등과 상응하는, 5견이 아닌 지혜(=탐욕 등 비변행의 수면과 상응하는 지혜 및 5식과 상응하는 수소단의 불공무명과 상응하는 지혜)는 이미 견의 성품이 아니므로 무명이라고 인정해야 할 것이다.

15 제3구로써 해석하는 것이다. 무명과 견은 함께 하기 때문에 지혜가 아님을 알 수 있다. 두 가지 지혜 자체가 함께 상응하는 일은 없기 때문이다.

다.[16] 어째서 여러 염오의 지혜가 선한 지혜 사이에 뒤섞여서 청정하지 못하게 하는 것을 '능히 오염시킨다'라고 설했다고 인정하지 못하겠는가? 마치 탐욕이 마음을 오염시켜 해탈하지 못하게 하는 것과 같은데, 어찌 반드시 현재 일어나서 마음과 상응해야 비로소 '능히 오염시킨다'라고 말하겠는가? 그렇지만 탐욕의 힘이 마음을 손박損縛해서 해탈하지 못하게 했더라도, 후에 바뀌어 그런 탐욕의 훈습을 소멸시킬 때 마음은 곧 해탈한다. 이와 같이 무명이 지혜를 오염시켜 청정하지 못하게 한다고 해도 지혜와 상응하는 것은 아니고, 다만 무명이 지혜를 손탁損濁하는 것일 뿐이다. 이와 같이 분별한다면 무엇이 이치와 상반되는 것이겠는가?[17] 스스로 분별한 바를 누가 다시 부정할 수 있겠는가? 그렇지만 탐욕이 마음과 다른 것처럼, 지혜와 다른 부류인 무명이 별도로 있다는 이 설이 훌륭한 것이다.[18]

어떤 분은, "번뇌는 모두가 무명이다"라고 주장했지만, 이것도 역시 앞과

16 제4구로써 해석해서 지혜가 아님을 증명하는 것이다. 경(=잡 [26]26:710 청법경聽法經)에서 무명은 능히 지혜를 오염시킨다고 설했기 때문에 곧 지혜의 체는 곧 무명이 아니라는 것을 알 수 있다. 어찌 지혜가 다시 지혜를 오염시킬 수 있겠는가?

17 경량부의 변론하는 뜻이다. 어째서 염오한 지혜의 종자가 선한 지혜 사이에 뒤섞인 것을 능히 지혜를 오염시킨다고 설했다는 것을(인정하지 못하며), 혹은 현행한 염오의 지혜가 전후하여 선한 지혜 사이에 뒤섞인 것을 능히 지혜를 오염시킨다고 설했다는 것을(인정하지 못하며), 혹은 염오한 지혜의 종자 및 전후하여 현행한 염오의 지혜가 선한 지혜 사이에 뒤섞인 것을 능히 지혜를 오염시킨다고 설했다는 것을 인정하지 못하겠는가? 마치 탐욕이 마음을 오염시키는 것과 같으니, 탐욕과 상응한다면 이치의 실제로는 오염된 것이며, 설령 상응하지 않더라도, 탐욕의 종자가 마음 사이에 뒤섞인 것을 탐욕이 마음을 오염시킨다고 설하고, 혹은 전후에 현행한 탐욕이 마음 사이에 뒤섞인 것을 탐욕이 마음을 오염시킨다고 설하며, 혹은 탐욕의 종자 및 전후에 현행한 탐욕이 마음 사이에 뒤섞인 것을 탐욕이 마음을 오염시킨다고 설한다. 그 후 탐욕의 종자를 소멸시키면 마음이 곧 해탈한다. (이와 같이) 무명이 지혜를 오염시킨다고 설했더라도 지혜와 상응하는 것은 아니고, 무명의 종자가 지혜 사이에 뒤섞인 것도 능히 지혜를 오염시킨다고 설하며, 혹은 전후하여 현행한 무명이 지혜 사이에 뒤섞인 것도 능히 지혜를 오염시킨다고 설하며, 혹은 무명의 종자 및 전후하여 현행한 무명이 지혜 사이에 뒤섞인 것도 능히 지혜를 오염시킨다고 설한다. 이와 같이 분별한다면 무엇이 이치에 상반되는 것이겠는가?

18 논주가 경량부 논사를 비판하고, 설일체유부를 논평하며 취하는 것이다.

같은 이치로 부정되어야 할 것이다.[19] 만약 모든 번뇌가 모두 무명이라면 결結 등 중에서 별도로 설하지 않았어야 하고, 또한 견 등과도 상응하지 않아야 하니, 견 등은 응당 자신과 상응하지 않기 때문이며, 혹은 또한 무명도 마음을 오염시킨다고 설했어야 할 것이다. 만약 이 경에서는 차별되는 것에 나아가 설한 것이라고 말한다면, 지혜를 오염시키는 것에 대해서도 총체적 명칭[總名]을 설하지 않았어야 할 것이다.[20]

3. 무명의 체상

무명은 별도의 법을 체로 한다고 이미 인정했으니, 이것의 체를 말해야 할 것인데, 그 모습은 어떠한가?[21] 말하자면 4성제, 3보, 업과 과보를 요지하지 못하는 것이다.[22] 어떤 모습인지 아직 헤아리지 못하겠다. 요지하지 못한다고 이름한 것은, 요지하는 것과 다르다는 것인가, 이것이 있는 것이 아니라는 것인가? 두 가지 모두 허물이 있는 것은, 무명에 대해 말한 것과 같다.[23]

이것은 말하자면 요지로 대치되는 별도의 법이다.[24] 이것도 또한 헤아리

19 어떤 다른 논사는, "일체 번뇌는 경계를 알지 못하므로 모두 무명이라고 말한다"라고 주장했는데, 이것도 역시 앞과 같은 이치로 부정되어야 한다.

20 허물이 앞의 이치와 같다는 것을 따로 드러내어 논파하는 것이다. 9결(=뒤의 제21권 중 게송 ㊵cd에 관한 논설 참조) 등 중에서 별도로 무명을 말하므로, 무명은 총체적 칭호가 아니라는 것을 분명히 알 수 있다. 또 만약 무명이 모든 번뇌라면 또한 견 등과도 상응하지 않아야 하니, 자신(=5견도 근본번뇌에 속함)과는 상응하는 것이 아니기 때문이다. 경 중에서 무명이 마음을 오염시킨다고 설했어야 하고, 탐욕이 마음을 오염시킨다고 설해서는 안 된다. 무명은 넓어서 탐욕도 포함하기 때문이다. 그대들이 만약 이 경에서 탐욕이 마음을 오염시킨다고 한 것은 차별되는 것에 나아가 설한 것이라고 말한다면, 응당 지혜를 오염시키는 것에 대해서도 무명이라는 총체적 명칭을 설하지 않고, 역시 차별되는 것에 나아가 설했어야 할 것이다.

21 외인의 물음이다.

22 설일체유부의 답이다. 4성제, 3보, 선·악의 업과 이숙과를 요지하지 못하는 것을 무명이라고 이름한다.

23 외인이 다시 힐난하는 것이다. 만약 요지하는 것과 다른 것이라고 한다면, 눈 등이어야 할 것이고, 만약 요지함이 없는 것이라고 한다면, 체가 있는 것이 아니어야 할 것이니, 두 가지 허물이 앞에서와 같다는 것이다.

24 답이다. 이 무명은 말하자면 요지하는 지혜로 대치되는 별도의 법이다.

기 어렵다. 그 모습은 무엇인가?[25] 이 부류는 법이 그러해서[法爾] 그렇게 말해야 한다. 예컨대 다른 곳에서, "어떤 것을 눈[眼]이라고 하는가? 말하자면 청정한 물질로서 안식이 의지하는 것이다"라고 말하는 것과 같다. 무명도 역시 그러해서, 작용을 분별할 수 있을 뿐이다.[26]

대덕 법구法救는, "이 무명은 유정들이 나를 믿어 으시대는 부류의 성품[恃我類性]이다"라고 말하였다.[27] 아만과 다르다면 '부류'의 체는 무엇인가?[28] 경에서 말씀하셨다. "나는 지금 이와 같이 알았으며 이와 같이 보았고, 존재하는 모든 애愛, 존재하는 모든 견見, 존재하는 모든 부류의 성품[類性], 모든 자아와 자아의 소유에 대한 집착, 아만의 집착과 수면을 단변지斷遍知하였기 때문에 그림자 없이 고요히 소멸[無影寂滅]하였습니다." 따라서 부류의 성품은 아만과 다른 것임을 알 수 있다.[29] 어찌 부류의 성품이 곧

25 외인이 다시 따지는 것이다.

26 답이다. 눈은 청정한 물질로서 안식이 의지하는 것이라고 한 것(=『품류족론』 제1권. 대26-692하)은 작용에 의거해 분별한 것인데, 무명도 역시 그러해서 4성제 등을 요지하지 못하는 것이라고, 작용을 분별할 수 있을 뿐이다.

27 이는 대덕의 뜻이다. '시아恃我'(=나를 믿어 으시댄다는 뜻)는 말하자면 나를 믿어 거만을 일으키는 것을 '시아'라고 이름한다. 곧 이것은 아만의 부류의 성품으로서, 무명이다. 이 무명은 아만의 흐름 부류의 성품[流類性]이기 때문에 아만에 의거해 무명을 나타내었는데, (무명은) 이치상 다른 번뇌의 흐름 부류의 성품이기도 하지만, 우선 아만에 의지해 나타낸 것이다. 또 이 무명은 공통으로 모든 번뇌와 상응하고, 다른 번뇌와 유사하기 때문에 이것만 '부류[類]'라는 명칭을 얻었다.

28 논주의 질문이다. 부류의 성품이 곧 아만이라면, 아만은 아견我見의 부류이기 때문에 부류의 성품이라고 이름했을 것이다. 그래서 아만과 다르다면 부류의 성품은 무엇인가 라고 말한 것이다.

29 대덕이 경(=잡 [34]34:962 견경見經인데, 현존본과는 표현이 많이 다르다)을 인용해 답하는 것이다. 경에서 '나는 지금 이와 같이 알았다'는 것은 수도이고, '이와 같이 보았다'는 것은 견도이다. 혹은 '이와 같이 알았다'는 것은 모든 지[諸智]이고, '이와 같이 보았다'는 것은 모든 인[諸忍]으로서, 알고 보았기 때문에 애 등이 영원히 끊어졌다는 것일 수 있다. 혹은 '이와 같이 알았다'는 것은 진지이고, '이와 같이 보았다'는 것은 무생지일 수 있으니, 관조하기 때문에 '보았다'고 이름하기 때문이다. 혹은 '이와 같이 알았다'는 것은 진지·무생지이고, '이와 같이 보았다'는 것은 무학의 정견의 지혜일 수 있으니, 진지·무생지는 보는 것이 아니기 때문이다. '존재하는 모든 애'의 '애'는 탐애이니, 애가 번뇌의 발[惑足]이기 때문에 따로 명칭을 표방한 것이다. '존재하는

무명이라고 알겠는가?[30] 다른 번뇌라고 말할 수 없기 때문이다.[31] 어찌 다른 만慢 등이라고 말할 수 없겠는가?[32]

만약 여기에서 더 이상 자세하게 추구한다면 말이 번잡해지기 때문에 이만 그쳐야 할 것이다.[33]

제8절 명색

모든 견'은 말하자면 5견 중 유신견을 제외한 나머지 4견이다. '존재하는 모든 부류의 성품'은 말하자면 무명이니, 두루 번뇌와 함께 하는 것이 뛰어나기 때문에 따로 말한 것이다. 무명은 아직 설하지 않았으므로 그것을 따로 나타내기 위해 '부류의 성품'이라고 말한 것이니, 그래서 『순정리론』(=제28권. 대29-502하)에서 말하였다. "뛰어난 번뇌 중 무명은 아직 말하지 않았으므로 그것을 따로 나타나기 위해 '류의 성품[類性]'이라는 말을 한 것이니, 두루 번뇌와 함께 하며, 두루 모든 취로 가기 때문[遍往諸趣故]에 류의 성품이라고 이름한 것이다. '류類'는 행行의 뜻이므로 류의 체이기 때문에 '류의 성품'이라는 명칭을 얻은 것이다." '모든 자아와 자아의 소유에 대한 집착'은 말하자면 유신견이 뛰어나기 때문에 따로 설한 것이다. 그래서 『순정리론』(=제28권. 대29-502중)에서 말하였다. "자아와 자아의 소유에 대한 집착은 모든 견의 뿌리[見根]이기 때문에 그 견 중 따로 두 가지(=자아와 자아의 소유)를 나타낸 것이다." '아만의 집착'은 말하자면 7만(=만慢·과만過慢·만과만慢過慢·아만·증상만增上慢·비만卑慢·사만邪慢) 중의 아만이니, 나를 써서 일어나기 때문이며, 뛰어나기 때문에 따로 표방한 것이다. '수면'은 의심과 성냄을 말한다. 그래서 『순정리론』(=제28권. 대29-502하)에서 말하였다. "의심과 성냄을 포함시키기 위해 '수면'이라는 말을 한 것이다." '단변지하였기 때문'은 말하자면 모든 번뇌를 다 끊으면 단변지를 얻으니, 곧 유여열반有餘涅槃이다. '그림자 없이 고요히 소멸하였다'는 것은 말하자면 무여열반無餘涅槃이다. 경에서 이미 별도로 부류의 성품을 설했기 때문에 부류의 성품은 아만과 다르다는 것을 알 수 있다.

30 논주가 대덕에게 따지는 것이다.

31 대덕이 답하여 말하는 것이다. 다른 탐욕 등이라고 말할 수 없기 때문이다.

32 논주가 다시 힐난하는 것이다. 이 경에서의 '부류의 성품'은 어찌 다른 6만六慢(=7만 중 별도로 열거된 아만을 제외한 것) 등이라고 말할 수 없겠는가? '등'은 과만過慢 등의 5만을 같이 취한 것이다. 만약 만 등을 '부류의 성품'이라고 한다면, 다른 번뇌의 부류이기 때문에 '부류의 성품'이라고 이름한 것이다. 경량부 논사들은 무명에 별도로 실제의 체가 있다는 것을 믿지 않는데, 논주의 뜻은 경량부의 벗이기 때문에 이런 힐난을 한 것이다. 『순정리론』(=제28권. 대29-502하)에서 해석하는 뜻은 대덕과 같다.

33 논주가 논쟁을 그치는 것이다.

명색은 무슨 뜻인가?[34] 색色은 먼저 분별한 것과 같으므로, 지금은 명名만 분별하겠다. 게송으로 말하겠다.

30a 명은 무색의 4온이다[名無色四蘊][35]

논하여 말하겠다. 무색의 4온은 무엇 때문에 명名이라고 칭하는가?[36] 건립된 명칭[名]과 근·경의 세력에 따라 그런 뜻으로 전변하기 때문에 '명'이라고 말하였다.[37] 어떻게 명칭의 세력에 따라 전변하는가?[38] 말하자면 세간에서 공히 건립한 갖가지 명칭에 따라 그러저러한 뜻으로 전변되어 표현되니, 곧 예컨대 소·말·색·맛 등의 명칭과 같다.[39] 이것은 다시 어떤 이유에서 '명'이라는 명칭으로 표방했는가?[40] 그러저러한 경계를 전변시켜 반연하며,[41] 또 명칭과 유사하며,[42] 명칭에 따라 드러나기 때문이다.[43]

34 이하에서 둘째 명색을 분별하려고, 묻는 것이다.
35 답이다. 색은 먼저 분별한 것과 같다는 것은, 앞의 계품의 색온 중에서 분별한 것을 말하는 것이다. 지금 명만을 분별하는 것은, 앞의 글에서 비록 나머지 4온도 분별했지만, 아직 '명'이라고 말하지 않았기 때문에 지금 분별하는 것이다.
36 묻는 것이다. '명'은 불상응행 중의 '명'인데, 4무색온은 무엇 때문에 '명'이라고 칭하는가?
37 답이다. 혹은 명은, 고래로부터 공히 건립된 명칭의 세력에 따라 그런 뜻으로 전변하기 때문에 '명'이라고 말한 것이다. 혹은 무색의 4온은 근·경의 세력에 따라 그 뜻이 전변되는 것이 명칭과 같기 때문에 명이라고 말한 것이니, 이 4온은 반드시 근에 의지하고, 경계를 반연하기 때문에 '근·경의 세력에 따라'라고 말한 것이다.
38 물음이다. 명은 어떻게 명칭의 세력에 따라 전변하는가?
39 답이다. 말하자면 겁초의 시기부터 갖가지 법에 따라 세간에서 공히 명칭[名]을 건립하니, 그 세력에 의한 때문에 그 후 명칭은 비로소 그러저러한 뜻으로 전변되어 표현될 수 있었다. 예컨대 소 등의 명칭처럼.
40 물음이다. 이 4온은 다시 어떤 이유에서 명이라는 명칭으로 표방하였는가?
41 답이다. 무색의 4온은 그러저러한 경계를 전변시켜 반연하는데, 전변시키는 것이 명칭과 같기 때문에 (명을) 명칭으로 표방하였다. 다른 불상응행에는 비록 전변함이 없지만, 무색 중에서 전변이 있는 것과 같기 때문에 명칭에 포함되더라도 허물이 없으니, 마치 변애하는 것을 색이라고 이름하는데, 무표색 중에는 변애함이 없지만, 색 중에 변애함이 있는 것과 같기 때문에 색에 포함되더라도 허물이 없는 것과 같다.
42 제2해이다. 4온은 명칭과 같은 무색법의 부류여서, 명칭과 비슷하기 때문에

어떤 다른 논사는 말하였다. "4무색온은 이 몸을 버리고 나면 다른 생으로 굴러 나아가는데, 전변하는 것이 '명칭'과 같기 때문에 '명'이라는 명칭으로 표방하였다."44

제9절 접촉

1. 여섯 가지 접촉

접촉[觸]은 무엇을 뜻으로 하는가?45 게송으로 말하겠다.

30b 접촉은 여섯 가지로서, 3자의 화합에서 생긴다[觸六三和生]46

논하여 말하겠다. 접촉에는 여섯 가지가 있으니, 이른바 안촉眼觸 내지

'명'이라는 명칭으로 표방하였다. 그래서 『대비바사론』 제15권(=대27-73중)에서 4온을 명이라고 이름한 까닭을 해석하면서 말하였다. "(답) 붓다께서는 유위를 모두 2부분으로 나누었으니, 색과 비색非色을 말한다. 색은 색온이고, 비색은 곧 수온 등의 4온이다. 비색의 무리 안에 모든 법을 현료顯了할 수 있는 명칭[名]이 있기 때문에 비색의 무리를 모두 명이라고 말한 것이다."

43 제3해이다. 무색의 4온은 모습이 은밀해서 알기 어렵지만, 명칭에 따라 드러나기 때문에 명이라는 명칭으로 표방하였다. 『대비바사론』(=제15권. 대27-73중)에서 말하였다. "어떤 분은 말하였다. '색법은 두드러지게 드러나므로 곧 색이라고 말하였고, 비색은 미세하고 은밀해서 명칭에 의해 드러나기 때문에 명이라고 말하였다.'"

44 제4해이다. 무색의 4온은 이 몸을 버리고 나면 미래의 다른 생을 받을 곳으로 굴러 나아가는데, 전변하는 것이 명칭과 같기 때문에 '명'이라는 명칭으로 표방하였다. 무루의 4온은 비록 수생하지 않지만, 이것의 부류이기 때문에 명에 포함시키더라도 허물이 없다. 처음 해석(=4해 중 제1해)은 경계를 바꾸는 것을 잡아서 전변이라고 이름한 것이고, 뒤의 해석(=제4해)은 생을 바꾸는 것을 잡아서 전변이라고 이름한 것이다. 비록 뜻은 차별되지만, 모두 전변에 의거해 명을 해석한 것이다.

45 이하 셋째 접촉에 대해 분별하는 것이다. 그 안에 나아가면 첫째 6접촉에 대해 밝히고, 둘째 2접촉에 대해 밝히며, 셋째 8접촉에 대해 밝힌다. 이하 6접촉에 대해 밝히는데, 물음을 일으켰다.

46 답이다. '접촉은'은 곧 체를 표방한 것이고, '여섯 가지'는 의지처에 나아가 나눈 것이며, '3자의 화합에서 생긴다'는 말은 원인을 들어 체를 나타낸 것이다.

의촉意觸이다.[47] 이것은 다시 무엇인가?[48] 3자의 화합에서 생기는 것[三和所生]이니, 말하자면 근根·경境·식識의 3자가 화합하기 때문에 별도로 접촉의 생기가 있는 것이다.[49]

우선 다섯 가지 접촉은 3자의 화합에서 생길 수 있으니, 근·경·식은 동시에 일어나는 것이 인정되기 때문이다. 그러나 의근은 과거이고, 법은 혹은 미래이기도 하며, 의식은 현재인데, 어떻게 화합하는가?[50] 이것을 곧 화합이라고 이름한 것은, 말하자면 인과의 뜻이 성립되고, 혹은 하나의 결과를 같이 하기 때문에 화합이라고 이름한 것이니, 말하자면 근·경·식 3자가 같이 수순하여 접촉을 낳기 때문이다.[51]

【접촉의 체에 관한 논란】 여러 논사들의 이에 대한 각혜覺慧는 같지 않다. 어떤 분은 말하였다. "3자의 화합을 곧 접촉이라고 이름한다." 그는 경을 인용해 증명하는데, 계경에서, "이와 같은 3법이 모여 화합하는 것[三法聚集

---

47 장항에 나아가면 처음은 게송을 해석하는 것이고, 뒤는 결택하는 것이다. 이하 게송을 해석하는 것인데, 곧 여섯 가지 접촉을 해석하는 것이다.
48 이 접촉의 체는 다시 무엇인지 묻는 것이다.
49 답하면서 '3자의 화합에서 생긴다'라고 한 것을 해석하는 것이다.
50 이하 결택하는 것이다. (문) 5식과 상응하는 접촉이 생기는 것은 세 가지의 화합일 수 있으니, 근·경·식이 같이 현재 있는 것이 인정되기 때문이다. 그러나 의식과 상응하는 접촉이 생기는 것은, 근·경·식 세 가지가 각각 1세에 있을 수 있는데, 어떻게 화합하는가? 법은 과거와 현재에도 있을 수 있기 때문에, 이 때문에 '혹은'이라고 말하였다.
51 답이다. 같은 세世여서 화합한다고 이름한 것이 아니다. 근·경·식 3자가 비록 다시 각각 1세에 있다고 해도 곧 화합한다고 이름하는 것은, 말하자면 인과의 뜻이 성립된다는 것이다. '의'와 '법'은 원인이 되고, 의식은 결과가 되는 것이다. 또 근·경·식 3자가 접촉이라는 동일한 결과를 낳는 것에 같이 수순하기 때문에 화합한다고 이름한 것이다. 화합에는 두 가지가 있으니, 첫째 함께 일어나는 것[俱起]을 화합이라고 이름하고, 둘째 서로 수순하여 결과를 낳기 때문에 화합이라고 이름한다. 6접촉 중 앞의 5접촉은 두 가지 화합을 갖추지만, 뒤의 한 가지는 서로 수순하여 결과를 낳으므로 화합이라고 이름한다. 그래서 『대비바사론』 제197권(=대27-984상)에서 이런 물음에 답하면서 말하였다. "화합에는 두 가지가 있다. 첫째는 함께 일어나 서로 여의지 않는 것을 화합이라고 이름하고, 둘째는 서로 어기지 않고 같이 하나의 일을 성취하는 것을 화합이라고 이름한다. 5식과 상응하는 접촉은 두 가지 화합에 의하기 때문에 화합이라고 이름하고, 의식과 상응하는 접촉은 하나의 일을 성취하는 화합에 의하기 때문에 화합이라고 이름한다."

和合]을 말하여 접촉이라고 이름한다"라고 말한 것과 같다고 한다.[52]

어떤 분은 말하였다. "3자의 화합에서 생기는, 마음과 상응하는 별도의 법을 말하여 접촉이라고 이름한다." 그도 경을 인용해 증명한다. 경에서, "어떤 것이 육육법문六六法門인가? 첫째 여섯 가지 내처[六內處], 둘째 여섯 가지 외처[六外處], 셋째 여섯 가지 의식의 무리[六識身], 넷째 여섯 가지 접촉의 무리[六觸身], 다섯째 여섯 가지 느낌의 무리[六受身], 여섯째 여섯 가지 갈애의 무리[六愛身]이다"라고 설했는데, 이 계경 중에서 근·경·식 외에 별도로 여섯 가지 접촉을 설했기 때문에 접촉이 별도로 있다는 것이다.[53]

곧 3자의 화합을 접촉이라고 이름한다고 말하는 분은, 뒤에 인용된 육육경에 대해 해석해 말하였다. "별도로 설했다고 해서 곧 별도의 체가 있는 것은 아니니, 느낌 및 갈애가 법처에 포함되는 것이 아니게 해서는 안 될 것이다."[54] 그런 허물은 없으니, 갈애·느낌·접촉을 떠나서 별도로 그 나머지 법처의 체가 있기 때문이다. 그대들의 종지에서는 접촉을 떠나서 별도로 셋은 없다고 하면서, 접촉 및 셋을 차별하여 설할 수 있는가?[55] 비록 의

52 이하 설의 같지 않음을 서술하는 것이다. 여러 논사들의 이 접촉에 대한 각혜(=깨달은 지혜)가 같지 않은데, 어떤 경량부의 논사는, 근·경·식 3자의 화합이 곧 접촉이라고 이름한다(=별도의 법이 있는 것이 아니라는 취지)고 한다. 경(=잡 [12]13:306 인경人經 등)에 의한 증명은 알 수 있을 것이다.

53 설일체유부의 논사는, 근·경·식 외에 별도로 접촉의 체가 있다고 말한다. 경(=잡 [12]13:304 육육경六六經)에 의한 증명은 알 수 있을 것이다. 경에서 '신身'이라고 말한 것은, 소위 몸[體]이다. 또 해석하자면 여러 순간의 의식 등이 적집된 것을 '신身'(=무리)이라고 이름한다. 그래서 『대비바사론』(=제49권. 대27-256하)에서 '6애신六愛身'을 해석하면서 말하였다. "(문) 무엇 때문에 '신身'이라고 이름하는가? (답) 많은 애가 적집되었기 때문에 '신身'이라고 이름하니, 1찰나가 아님을 말하는 것이다."

54 경량부 논사가 육육경에 대해 회통하는 것이다. 느낌과 갈애를 별도로 설했는데, 그렇지만 법처에 포함된다. 접촉을 별도로 설했지만, 곧 셋에 포함되는 것이다.

55 설일체유부에서 뜻을 변론하면서 도리어 경량부를 힐난하는 것이다. 우리의 종지로 하는 바와 같다면, 갈애·느낌·접촉을 떠나서 나머지 법처가 있으므로 차별하여 말할 수 있다. 그대들의 종지에서는 접촉을 떠나서 이미 별도로 셋이 있는 것은 없는데(=접촉과 근·경·식 셋은 별개가 아니라는 취지), 어떻게 접촉 및 그 셋을 차별하여 설할 수 있다고 말하겠는가?

식을 일으키지 않는 근·경이 있다고 해도 근·경에 의탁하지 않는 의식은 없기 때문에 이미 셋을 설하고, 다시 별도로 접촉을 설하는 것은 곧 쓸모없는 일이 될 것이다.[56]

어떤 다른 분이 변론해 말하였다. "모든 눈과 형색이 모두 모든 안식의 원인인 것은 아니며, 모든 안식이 모두 모든 눈과 형색의 결과인 것도 아니다. 원인·결과(의 관계)가 아니라면 별도로 설하여 셋이라고 하지만, 원인·결과에 거두어지면 전체적으로 접촉이라고 건립한다."[57]

3자의 화합을 떠나서 별도의 접촉이 있다고 말하는 분은, 앞에서 인용한 바, "이와 같은 3법이 모여 화합하는 것을 접촉이라고 이름한다"라는 경의 말씀에 대해 해석하였다. "우리 부파에서 암송하는 경문은 이와 다르다. 혹은 제불諸佛의 출현을 즐거움이라고 설하는 등과 같이, 원인 위에 임시로 결과의 명칭을 설한 것이다."[58]

이와 같이 계속해서 다시 서로 힐난하고 해석하면 말이 번잡하고 많아지기 때문에 이만 그쳐야 할 것이다.[59] 그렇지만 대법자對法者는 별도로 접촉이 있다고 말한다.[60]

2. 두 가지 접촉

56 외인의 변론을 옮겨와서 논파하는 것이다. 외인이 변론하는 뜻이 말하는 것은, 「능히 의식을 일으키지 않는 근·경도 역시 있으니, 이 때문에 경 중에서 근·경을 따로 설하는데, 어떻게 접촉을 떠난 밖에 별도로 셋이 없다고 나를 힐난하는가?」라는 것이다. 그래서 그것을 옮겨와서 논파하여 말한다. 비록 의식을 일으키지 않는 근·경이 있지만, 근·경에 의탁하지 않는 의식은 없다. 셋을 말하면 접촉을 포함할 수 있으므로, 다시 별도로 접촉을 말하는 것은 곧 쓸모 없는 일이 될 것이다.

57 경량부 논사의 변론이다. 피동분彼同分의 근·경·식에 의거하기 때문에 별도로 설하여 셋이라고 하지만, 만약 동분同分의 근·경·식 셋이 인과에 거두어지는 것에 의거한다면 전체적으로 건립해서 접촉이라고 한다는 것이다.

58 설일체유부에서 앞의 경량부가 인용한 경에 대해 해석하는 것이다. 첫째 우리가 암송하는 경문과 다르다고 해석하고, 둘째 설령 이런 경문이 있다고 해도, 세 가지 원인 위에 임시로 접촉이라는 결과의 명칭을 설했기 때문에 "3법이 모여 화합하는 것을 접촉이라고 이름한다"라고 말한 것이라고 한다. 마치 제불의 출현을 즐거움이라고 설하는 등과 같이, 원인에 결과를 세운 것이다.

59 논주가 논쟁을 그치는 것이다.

60 설일체유부가 맺어서 본래의 종지로 돌아오는 것이다.

곧 앞의 여섯 가지 접촉을 다시 합하면 두 가지가 된다. 게송으로 말하겠다.

30c 5식과 상응하는 것은 유대촉이고[五相應有對]
제6식과 함께 하는 것은 증어촉이다[第六俱增語][61]

논하여 말하겠다. 눈 등의 다섯 가지 접촉을 말하여 유대有對라고 이름하니, 유대의 근을 의지처로 하기 때문이다.[62] 제6의 뜻의 접촉[意觸]을 말하여 증어增語라고 이름한다. 그런 까닭은, 증어는 말하자면 명칭[名]인데, 명칭이 뜻의 접촉의 소연의 증장된 경계[長境]이기 때문에 이것만을 증어촉이라고 이름한 것이다. 예컨대 안식은 푸르다고만 알 수 있지[但能了靑], 푸른 것은 알지 못하지만[不了是靑], 의식은 푸르다고도 알고, 푸른 것도 안다고 말하는 것과 같다. 그래서 '증장[長]'이라고 이름한 것이다.[63] 따라서 유대촉이라는 명칭은 의지처에 따른 것이고, 증어촉이라는 명칭은 소연에 나아

61 이하 둘째로 두 가지 접촉에 대해 밝히는 것이다. 의지처[所依] 등에 의거해 나누면 두 가지가 된다.

62 첫 구를 해석하는 것이다. 안식 등의 5식과 상응하는 접촉을 유대라고 이름하니, 유대의 근을 의지처로 하기 때문에 의지처를 좇아 이름으로 한 것이다. 유대의 접촉이므로 의주석이다. 만약 『순정리론』(=제29권. 대29-506하)에 의한다면, 아울러 경계에도 의거한 것이니, 그래서 그 논서에서 말하였다. "유대의 근을 의지처로 하기 때문이며, 유대의 법만을 경계로 하기 때문이다."

63 제2구를 해석하는 것이다. 제6의식과 상응하는 접촉을 말하여 증어라고 이름한다. 명칭을 칭하여 증어라고 한 까닭은, 말은 음성이어서 표현하는 것[詮表]이 없지만, 명칭은 표현하는 것이 있어 말보다 증승增勝(=증상하고 뛰어나다는 뜻)하기 때문에 '증어'라고 이름한 것이다. 또 해석하자면 이 명칭은 말이 증상增上하게 됨으로써 비로소 능히 표현하는 것이기 때문에 증어라고 이름한 것이다. 또 해석하자면 '증'은 증장增長을 말하는 것이니, 명칭을 반연하기 때문에 말을 증장시킨다는 것이다. 또 해석하자면 말하자면 명칭의 힘에 의해 말을 증승하게 하기 때문에 증어라고 이름한 것이다. 이 명칭은 의식의 소연의 증장된 경계이니, 그래서 소연에 나아가 증어촉이라고 이름한 것이다. 증어의 접촉이므로 의주석이다. 명칭을 증장된 경계라고 한 까닭은, 예컨대 안식은 푸르다[靑]고만 알 수 있지, 푸른 것이라는 명칭[靑名]은 알지 못하지만, 의식은 푸르다고도 알고, 푸른 것이라는 명칭도 아는 것과 같다. 의식은 5식과 같이 경계를 반연한 뒤 다시 그 명칭을 반연하기 때문에 '증장'이라고 이름한 것이다.

가 건립된 것이다.[64]

어떤 분은 말하였다. "의식은 말이 증상하게 되어야 비로소 경계에서 구르지만, 5식은 그렇지 않다. 이 때문에 의식을 유독 '증어'라고 이름하고, 이와 상응하는 것을 '증어촉'이라고 이름한 것이다. 따라서 유대촉이라는 명칭은 의지처에 따른 것이고, 증어촉이라는 명칭은 상응하는 것에 나아가 건립된 것이다."[65]

3. 여덟 가지 접촉

곧 앞의 여섯 가지 접촉은 개별적으로 상응하는 것에 따라 다시 여덟 가지가 된다. 게송으로 말하겠다.

31 명, 무명, 둘이 아닌 접촉은[明無明非二]
　무루, 염오, 그 나머지와 상응하는 것이고[無漏染污餘]
　애촉과 에촉은 그 둘과 상응하는 것이며[愛恚二相應]
　낙 등의 접촉은 3수에 따른 것이다[樂等順三受][66]

논하여 말하겠다. 명·무명 등과의 상응으로 셋이 되니, 첫째 명촉明觸, 둘째 무명촉無明觸, 셋째 비명비무명촉非明非無明觸이다. 이 셋은 순서대로 곧 무루, 염오, 그 나머지와 상응하는 접촉이라고 알아야 한다. '그 나머지'는 말하자면 무루 및 염오의 나머지이니, 곧 유루의 선과 무부무기이다.[67]

무명촉 중의 일부는 자주 일어나므로, 그것에 의해 다시 애愛·에恚의 두

64 두 가지 접촉의 명칭에 대한 결론이다.
65 다른 학설을 서술하는 것이다. 이 설은 의식은 차별되는 언어가 증상한 것이 되기 때문에 비로소 경계에서 구르지만, 5식은 그렇지 않다는 것이다. 이는 우선 많은 부분에 따라 말한 것이니, 의식은 말에 의하기 때문에 능히 경계를 반연하는 것이 아닌 것도 역시 있다. 이 때문에 의식을 유독 증어라고 이름한 것이다. 말이 증상한 것이 된다고 하는 것은, 유재석이고, 이와 상응하는 것을 증어촉이라고 이름한 것은 상응하는 것에 따라 이름을 건립한 것이니, 인근석이다.
66 이하는 셋째 여덟 가지 접촉에 대해 밝히는 것이다. 상응하는 것이 같지 않음에 의거해 나누면 여덟 가지가 된다.
67 처음 2구를 해석하는 것이다.

가지 접촉을 세웠으니, 갈애·성냄의 수면隨眠과 함께 상응하기 때문이다.[68]

일체 접촉을 모두 거두면 다시 세 가지 접촉이 되니, 첫째 순락수촉順樂受觸, 둘째 순고수촉順苦受觸, 셋째 순불고불락수촉順不苦不樂受觸이다. 이 셋은 능히 낙수 등의 느낌을 견인하기 때문에, 혹은 낙수 등의 느낌에 영납되는 것[受所領]이기 때문에, 혹은 능히 느낌 행상의 의지처[受行相依]가 되기 때문에 '순수順受'라고 이름한 것이다.[69] 어떻게 접촉이 느낌에 영납되는 것이 되며, 행상의 의지처가 되는가?[70] 행상이 접촉(의 그것)과 지극히 유사하고, 접촉에 의해 생기기 때문이다.[71]

이와 같은 것들을 합치면 열여섯 가지 접촉이 된다.[72]

제10절 느낌[受]

68 제3구를 해석하는 것이다.
69 제4구를 해석하는 것이다. 명칭을 열거한 것은 알 수 있을 것이다. '순수촉順受觸'이라는 말을 해석하자면, 이 세 가지 접촉이라는 원인이 능히 낙수 등의 느낌이라는 결과를 견인하기 때문이니, 이는 곧 견인 주체[能引]가 견인 대상[所引]에 따르는 것이다. 이 접촉은 혹은 낙수 등 세 가지 느낌에 영납되는 것이기 때문이니, 느낌이 접촉한 것을 영납하는 자세한 내용은 앞(=제1권 중 게송 ⑭c와 그 논설)에서 해석한 것과 같다. 비록 모든 심소는 모두 접촉으로부터 생기지만, 느낌이 영납하는 것이 강하기 때문이다. 이는 곧 영납 대상[所領]이 영납 주체[能領]에 따르는 것이다. 혹은 접촉은 능히 느낌이라는 행상의 의지처가 되기 때문이니, 느낌이라는 행상은 반드시 접촉에 의지해 일어난다는 것이다. 이는 곧 의지 대상[所依]이 의지 주체[能依]에 따르는 것이다. 이렇게 따르기 때문에 순수順受라고 이름한 것이다.
70 물음이다. 어떻게 동시의 접촉이 느낌에 영납되는 것이 되며, 어떻게 동시의 접촉이 느낌의 행상의 의지처가 되는가? 앞의 세 가지 해석 중 처음 해석은 알 수 있기 때문에 별도로 묻지 않고, 뒤의 두 가지는 조금 은밀하기 때문에 지금 별도로 따지는 것이다.
71 답이다. 느낌의 행상은 접촉과 지극히 비슷하기 때문이니, 그래서 접촉은 느낌에 영납되는 것이 된다. 마치 아들이 아버지를 닮아서 아버지의 풍채를 이어받은 것과 같다. 이는 앞의 물음에 대한 답이다. 이 느낌이라는 행상은 접촉에 의해 생기기 때문이니, 그래서 접촉은 느낌의 행상의 의지처가 된다. 이는 뒤의 물음에 대한 답이다.
72 총결하는 것(=6+2+8=16)이다.

1. 느낌의 뜻

느낌[受]은 무엇을 뜻으로 하는가?[73] 게송으로 말하겠다.

32a 이것으로부터 여섯 가지 느낌이 생기는데[從此生六受]
다섯은 몸에 속하고, 나머지는 마음에 속한다[五屬身餘心]

논하여 말하겠다. 앞의 여섯 가지 접촉으로부터 여섯 가지 느낌이 생기니, 말하자면 안촉에서 생기는 느낌[眼觸所生受] 내지 의촉에서 생기는 느낌[意觸所生受]이다. 여섯 가지 중 앞의 다섯 가지를 신수身受라고 말하니, 색근色根에 의지하기 때문이고, 의촉에서 생기는 것을 심수心受라고 말하니, 마음에만 의지하기 때문이다.[74]

2. 느낌과 접촉의 시간적 관계

느낌이 생기는 것은 접촉에 대해 뒤인가, 동시인가?[75] 비바사 논사들은 말하였다. "동시에 일어나니, 접촉과 느낌은 서로서로 구유인이기 때문이다."[76]

2법이 동시에 생긴다면 어떻게 능생能生·소생所生의 뜻이 성립될 수 있는가?[77] 어떻게 성립되지 않겠는가?[78] 공능이 없기 때문이니, 이미 생긴 법에 대해 그 나머지 법은 공능이 없는 것이다.[79] 이것과 주장 명제[立宗]는 뜻에

---

73 이하에서 넷째로 느낌에 대해 밝히는데, 그 안에 나아가면 첫째는 전체적인 것이고, 둘째는 개별적인 것이다. 이는 곧 전체적인 것인데, 게송에 앞서 물음을 일으켰다.

74 답이다. 접촉이라는 원인의 차별에 의거해 나누면 여섯 가지가 되지만, 의지처의 차이에 의거하면 다시 전체적으로 두 가지가 되는데, 모두 의주석이다.

75 경량부 논사의 질문이다.

76 답이다.

77 경량부에서 다시 힐난하는 것이다. 접촉과 느낌의 2법이 동시에 생긴다면, 어떻게 접촉은 능생이 되고, 느낌은 소생이 되는 뜻이 성립될 수 있는가?

78 비바사 논사들이 반대로 경량부에 따지는 것이다.

79 경량부에서 다시 이치를 나타내는 것이다. 이미 생긴 느낌이라는 법에 대해 그와 다른 접촉이라는 법은 공능이 없다. 마치 소의 두 뿔이 동시에 생긴 것과 같은데, 피차 서로 바라볼 때 무엇이 능·소가 되겠는가?

차별이 없다. 2법이 동시에 생긴다면 능생·소생의 뜻은 성립하지 않는다고 말했는데, 이미 생긴 법에 대해 그 나머지 법은 공능이 없다고 하는 것과 같은 말은 그 뜻이 앞의 것과 같다. 거듭 말해서 무엇에 쓰겠는가?[80] 만약 그렇다면 곧 상호 서로 낳는 허물이 있을 것이다.[81] 인정하기 때문에 허물이 아니니, 우리의 종지에서는 2법은 구유인이 되고, 또한 상호간에 결과가 되는 것도 인정한다.[82]

그대들은 비록 그렇게 인정한다고 해도, 계경 중에서는 이 2법이 상호간에 원인·결과가 되는 것을 인정하지 않는다. 계경에서는 단지, "안촉眼觸이 연이 되어 안촉에서 생기는 느낌을 낳는다"라고 설했을 뿐, "안수眼受가 연이 되어 안수에서 생기는 접촉을 낳는다"라고 설한 경은 일찍이 없었다. 또 이런 뜻은 이치가 아니니, 능생能生의 법을 초월하기 때문이다. 만약 법이 능히 저 법을 낳는다는 것을 공히 인정한다면, 이 법은 저 법과 시간이 다르다는 것도 공히 인정하니, 예컨대 종자가 먼저이고 싹이 뒤이며, 우유가 먼저이고 낙酪이 뒤이며, 타격이 먼저이고 소리가 뒤이며, 의근이 먼저이고 의식이 뒤인 등과 같다.[83] 원인이 먼저이고 결과가 뒤라는 것은 공히 인정

80 비바사 논사들이 다시 경량부를 비판하는 것이다. 전후 두 가지 힐난은, 글은 달라도 뜻이 같다. 거듭 말해서 무엇에 쓰겠는가?

81 경량부에서 다시 힐난하는 것이다. 이미 2법이 동시라고 했으니, 접촉과 느낌은 곧 상호 서로 낳는 허물이 있을 것이다.

82 비바사 논사의 답이다. 접촉과 느낌 2법은 상호간에 원인과 결과가 된다는 것을 인정한다는 것이다.

83 경량부에서 다시 동시의 인과를 논파하는 것이다. 계경(=잡 [8]8:195 무상경無常經)에서는 단지, 접촉이 느낌을 낳는다고만 말했을 뿐, 느낌이 접촉을 낳는다고 말하지 않았기 때문에, 원인이 앞이고 결과가 뒤라는 것은 동시에 상호 원인과 결과가 된다는 것에 의거한 것이 아님을 알 수 있으니, 상호 서로를 낳는(허물이 있)다는 말은 곧 가르침에 위배되는 허물이 있다는 것이다. 또 이 동시에 상호 원인과 결과가 된다는 뜻은 도리에 맞는 것이 아니니, 능생能生의 법을 초월하기 때문이다. 이 접촉과 느낌이라는 2법에 함께 현재에 이르렀을 때 이미 생긴 것도 동시인데, 어떻게 상호 능생(=낳는 주체)이 된다고 말할 수 있겠는가? 따라서 그 뜻은 이치가 아니며, 능생의 법을 초월한다는 것이다. 무릇 인과라는 말은 반드시 앞을 뒤에서 바라보아야 한다. 만약 이 원인인 법이 능히 저 결과인 법을 낳는다는 것을 세간에서 공히 인정한다면[極成], 이 원인인 법은 저 결과와 그 시간이 다르다는 것도 공히 인정하는

하지 않는 것이 아니지만, 공히 인정하는 동시의 인과도 역시 있으니, 예컨대 안식 등은 눈·형색 등과 함께 하며, 4대종은 소조색과 함께 있는 것과 같다.[84] 여기에서도 역시 앞의 근·경을 연으로 하여 능히 뒤의 의식을 일으키며, 앞의 만드는 대종이 모여서 뒤의 소조색을 낳는다고 인정하는데, 어떤 이치가 부정할 수 있겠는가?[85] 예컨대 그림자와 싹과 같은 것은 어찌 동시에 있는 것이 아니겠는가?[86]

【경량부의 다른 학설에 관한 논란】 어떤 분은 말하였다. "접촉한 뒤에 비로소 느낌의 생기가 있다. 근·경이 먼저가 되고, 다음에 의식의 일어남이 있어, 이 3자가 화합하기 때문에 접촉이라고 이름하니, 제3찰나에 접촉을 연으로 하여 느낌이 생기는 것이다."[87] 만약 그렇다면 의식에는 모두 느낌이 있는 것이 아니어야 할 것이며, 모든 의식도 또한 모두 접촉하는 것이 아니어야 할 것이다.[88]

것이니, 예컨대 종자가 먼저이고 싹이 뒤인 등과 같다.

84 비바사 논사는 원인이 먼저이고 결과가 뒤인 것을 인정하지만, 다시 동시의 인과도 인정한다는 것이다. 예컨대 안식 등의 결과가 눈·형색 등의 원인과 함께 하는 것이나 4대종의 원인이 소조색의 결과와 함께 있는 것과 같다.

85 경량부에서 해석해서 회통하는 것이다. 이것들도 역시 전후의 인과이지, 동시인 것이 아니니, 말하자면 앞의 근·경을 연으로 하여 능히 뒤의 의식이라는 결과를 일으키며, 앞찰나의 능조能造의 대종이 원인이 되어 뒷찰나의 소조색이라는 결과를 능히 낳는다는 것인데, 무엇이 부정할 수 있는 것이겠는가?

86 비바사 논사가 동시의 인과를 나타내는 것이다. 경량부에서 논파하지 않은 까닭은 구유인에 대한 설명(=제6권) 중에서 전에 이미 논파했기 때문이다.

87 경량부 중 상좌의 해석이다. 접촉이 앞에 원인이 되어서 뒤에 느낌이라는 결과가 생긴다는 것이다. 예컨대 제1찰나에 근·경이 먼저가 되어 제2찰나에 다음으로 의식의 일어남이 있으며, 의식이 일어날 때 반드시 근에 의지하고 경을 반연하니, 이 3자의 화합을 곧 접촉이라고 이름한 것으로서, 별도의 체가 없다. 혹은 앞의 근·경 및 후의 의식, 이 3자의 화합을 임시로 접촉이라고 이름하는데, 제3찰나에 앞찰나의 접촉이라는 원인이 연이 되어 이 찰나의 느낌이라는 결과를 낳는다는 것이다.

88 비바사 논사의 힐난이다. 만약 전후하여 상대방을 낳는다면, 제2찰나에 접촉할 때 의식에는 모두 느낌이 있는 것이 아니어야 할 것이니, 이 찰나에 접촉이 생기고, 뒷찰나에 느낄 것이기 때문이다. 제3찰나에 느낌과 시간을 같이 하는 모든 의식도 또한 모두 접촉하는 것이 아니어야 할 것이니, 이 찰나의 느낌은 앞찰나의 접촉으로부터 생기기 때문이다.

그런 허물은 없다. 앞 단계의 접촉을 원인으로 했기 때문에 뒤의 접촉 단계에 느낌을 낳는다. 따라서 모든 접촉의 시기에는 모두 다 느낌이 있으며, 존재하는 의식의 체로서 접촉하는 것 아닌 것은 없다.[89] 이는 이치에 맞지 않다.[90] 무슨 이치에 어긋나는가?[91] 말하자면 혹은 두 가지 접촉이 경계를 달리할 때가 있는데, 앞의 느낌 단계의 접촉[前受位觸]을 원인으로 해서 뒤의 접촉 단계의 느낌[後觸位受]을 낳는다고 한다면, 어떻게 경계를 달리하는 느낌이 경계를 달리하는 접촉으로부터 생기겠는가? 혹은 이 마음과 상응하는 느낌은 이 마음과 동일한 경계를 같이 반연한 것이 아님을 인정해야 할 것이다.[92]

이미 그러하니, 만약 접촉을 이루는 의식[成觸識]이 있는데, 이 접촉에는 느낌이 없고, 이 단계 전에 의식으로서 느낌이 있으며, 체가 접촉하는 것 아닌 것이 있다고 인정하지만, 연의 어긋남[緣差] 때문에 그러하다면, 여기에 무슨 허물이 있겠는가?[93] 만약 그렇다면 곧 열 가지 대지법을 허물 것이

---

89 경량부(=중의 상좌)가 힐난에 대해 회통하는 것이다. 그런 허물은 없다는 것은, 앞의 제1찰나의 근·경과 시간을 같이 하는 접촉을 원인으로 하기 때문에 뒤의 제2찰나의 접촉 단계에 느낌이 있으니, 따라서 모든 접촉이 일어날 때에는 반드시 느낌이 모두 다 있다는 것인데, 이는 처음 힐난에 대해 풀이하는 것이다. 제3찰나의 느낌과 동시에 있는 의식의 체는 접촉하는 것 아닌 것이 없으니, 의식이 일어날 때에는 반드시 근에 의지하고 경을 반연해 일어나기 때문에 이 3자를 접촉하는 것이라고 이름하는데, 이 접촉은 비록 시간을 같이 하는 느낌을 낳을 수는 없지만, 뒤의 제4찰나의 느낌을 낳을 수 있다는 것인데, 이는 뒤의 힐난에 대해 풀이하는 것이다.

90 비바사 논사의 비판이다.

91 경량부의 반문이다.

92 비바사 논사가 허물을 나타내는 것이다. 예컨대 하나의 접촉은 형색을 반연하고, 하나의 접촉은 소리를 반연하는 것과 같기 때문에 '혹은'이라고 말한 것이다. (이렇게) 경계를 달리하는 두 가지 접촉이 있어서, 앞찰나의 형색을 반연하는 느낌 단계의 접촉(=이촉耳觸)을 원인으로 해서, 뒷찰나의 소리를 반연하는 접촉 단계의 느낌(=안생수眼生受)을 낳는다고 한다면, 어떻게 경계를 달리하는 느낌이 경계를 달리하는 접촉으로부터 생기겠는가? 혹은 이 소리를 반연하는 마음과 상응하는 느낌은, 이 마음과 같이 동일한 소리의 경계를 같이 반연한 것이 아님을 인정해야 할 것이니, 경계를 달리하는 접촉으로부터 생겼기 때문에, 응당 앞찰나의 형색을 반연하는 접촉과 같이 형색의 경계를 반연했을 것이다.

니, 그것은 결정코 일체 마음의 품류와 늘 함께 하기 때문이다.94

그것이 결정코 늘 함께 한다는 것은 어떤 가르침에 의해 건립한 것인가?95 근본논서에 의해 건립한 것이다.96 우리들은 단지 계경만을 근거로 한다. 근본논서는 근거가 아니니, 그것을 허문들 무엇이 허물이겠는가? 그래서 세존께서도, "경의 근거에 의지하라"라고 말씀하셨다. 혹은 대지법의 뜻은 반드시 모든 마음에 두루해야 하는 것이 아니다.97

만약 그렇다면 무엇을 대지법의 뜻이라고 이름하는가?98 말하자면 3지地가 있으니, 첫째 유심유사지有尋有伺地, 둘째 무심유사지無尋唯伺地, 셋째 무심무사지無尋無伺地이다. 다시 3지가 있으니, 첫째 선지善地, 둘째 불선지不善地, 셋째 무기지無記地이다. 다시 3지가 있으니, 첫째 유학의 지[學地], 둘

93 경량부에서 바꾸어 헤아리는 것이다. 이미 앞의 허물이 있다면 내가 이제 다시 해석하겠다. '만약 접촉을 이루는 의식이 있는데, 이 접촉에는 느낌이 없(다고 인정한)다'는 것은, 예컨대 (형색을 반연하는 앞의 접촉 후에) 소리를 반연하는 첫찰나의 접촉이 뒷찰나의 자기 부류의 느낌을 낳을 수 있기 때문이니, 이 의식을 접촉하는 것이라고 이름하기 때문에 '이 접촉'이라고 말한 것이지만, (경량부에서 가리키는 느낌은) 경계를 달리하는 접촉(=형색을 반연하는 앞의 접촉)으로부터 뒤에 일어난다고 하기 때문에 그래서 느낌이 없다는 것이다. 이 소리를 반연하는 첫 단계 전에, 예컨대 형색을 반연하는 최후 순간처럼, 의식으로서 느낌이 있지만, 체가 접촉하는 것 아닌 것이 있다. 경계를 요별하기 때문에 의식이 있으며, 앞찰나의 자기 부류의 접촉으로부터 생기기 때문에 느낌이 있지만, 앞찰나는 뒤의 소리를 반연하는 첫찰나의 느낌을 낳을 수 없기 때문에 체가 접촉하는 것이 아니다. 연의 어긋남 때문에 그런 것인데, 여기에 무슨 허물이 있겠는가? 만약 소리를 반연한 뒤에 다시 형색을 반연한다면, 앞의 최후찰나에 형색을 반연하는 의식 등은 접촉하는 것이라고 이름할 수 있으니, 뒤의 경계를 같이 하는 느낌을 능히 낳기 때문이다.

94 비바사 논사의 힐난이다. 만약 접촉과 느낌이 함께 하지 않을 때가 있다고 말한다면, 곧 대지법을 허물 것이니, 반드시 마음과 함께 하는 것이기 때문이다.

95 경량부에서 따지는 것이다.

96 비바사 논사의 답이다. 6족六足의 근본논서에 의한 것이다.

97 경량부의 비판이다. 경의 근거에 의해야지, 논서에 의한 증명은 성립되지 않는다.{='경의 근거에 의거하라'고 하신 것은 장 3:2 유행경 중 졸역 6.5 네 가지 큰 가르침의 법[四大敎法] 및『비나야잡사毘奈耶雜事』제37권(=대24-389중) 등 참조} 또 다시 해석해 말하자면, 대지법의 뜻은 반드시 일체 모든 마음과 동시에 일어날 것을 필요로 한다는 것이 아니다.

98 비바사 논사의 물음이다.

째 무학의 지[無學地], 셋째 비유학비무학의 지[非學非無學地]이다. 만약 법이 앞의 모든 지에 모두 있는 것이라면 대지법이라고 이름하고, 만약 법이 오직 모든 선지 중에만 있는 것이라면 대선지법이라고 이름하며, 만약 법이 오직 모든 염오의 지에만 있는 것이라면 대번뇌지법이라고 이름한다. 이와 같은 등의 법은 각각 상응하는 바에 따라 다시 번갈아 생기는 것[代而生]이지, 모두가 함께 일어나는 것이 아니다. 다른 분은, 이와 같은 대불선지법은 암송하는 기회에 이끌려 와서 요즘에 더해진 것이지, 본래 암송되었던 것이 아니라고 말하였다.[99]

만약 접촉 뒤에 비로소 느낌의 생기가 있다면 경을 어떻게 해석하겠는가? 예컨대 계경에서, "눈 및 형색이 연이 되어 안식, 3자의 화합인 접촉, 함께 일어나는 느낌·지각·생각[俱起受想思]을 낳는다"라고 설한 것과 같다.[100] 단지 '함께 일어난다[俱起]'고 말했을 뿐, '접촉과 함께 한다[觸俱]'라고 말하지 않았는데, 이것이 우리의 종지와 어떻게 어긋나기에 해석을 필요로 하는가? 또 무간인 것에 대해서도 함께[俱]라고 말하는 경우가 있으니, 예컨대 계경에서, "자애[慈]와 함께 행하여 알아차림각지를 닦는다"라고 설한 것과 같다. 따라서 그것은 증거가 아니다.[101]

99 경량부의 답이다. 만약 법이 앞의 유심유사 등의 모든 지에 모두 있는 것이라면 대지법이라고 이름하니, 반드시 마음과 동일 찰나에 동시에 생겨야 대지법이라고 이름하는 것이 아니다. 뜻의 편의상 아울러 대선지법 등을 해석했는데, 대불선지법을 해석하지 않은 까닭에 대해 어떤 다른 논사는 말하였다. 이와 같은 대불선지법은 단지 후대의 비바사 논사들이 대선지법을 암송하는 기회에 대불선지법을 이끌고 와서 요즘에 더해진 것이지, 근본논서에서 암송되었던 것이 아니기 때문에 별도로 해석하지 않은 것이다. 소번뇌지법을 해석하지 않은 까닭은 두루한 것이 아니기 때문이다.

100 비바사 논사가 경(=잡 [11]11:273 수성유경手聲喩經 및 [12]13:306 인경人經 등)을 인용해 힐난하는 것이다. 경에서 접촉이 느낌·지각·생각과 함께 한다[觸與受想思俱]고 말했는데, 어떻게 접촉 뒤에 느낌이 생긴다고 말하는가?

101 경량부에서 해석해 회통하는 것이다. 경에서는 '함께 일어나는 느낌·지각·생각'이라고 말했을 뿐, '느낌 등이 그 접촉과 함께 한다'고 말하지 않았는데, 이것이 우리의 종지와 어떻게 어긋나기에 해석을 필요로 하는가? 다시 해석해 말하기를, 또 전후 무간에 생기는 것에 대해서도 '함께'라고 말하는 경우가 있으니, 예컨대 계경(=잡 [27]27:744 자경慈經)에서, "자애의 삼매와 함께 행하여 알아차림각지를 닦는다"라고 설한 것과 같다. 여기에서 '함께'라는 말

만약 그렇다면 무엇 때문에 계경 중에서, "이 느낌, 이 지각, 이 생각, 이 의식의 이와 같은 모든 법은 서로 섞여서 분리되지 않는다[相雜不離]"라고 말했겠는가? 따라서 느낌 등과 분리된 의식은 없다.[102] 지금 자세히 생각해야 한다. 서로 섞인다[相雜]는 것은 무슨 뜻인가? 이 경에서 다시, "느껴진 모든 것은 곧 생각되는 것이고[諸所受卽所思], 생각되는 모든 것은 곧 지각되는 것이며[諸所思卽所想], 지각되는 모든 것은 곧 의식되는 것이다[諸所想卽所識]"라고 설했는데, 여기에서 이렇게 말한 것이 소연에 의거한 것인지, 찰나에 의거한 것인지 아직 알지 못하겠다.[103]

수명과 체온이 동시에 일어나는가에 대해서도 역시 이와 같이 서로 섞였다는 말이 있기 때문에 비례하면 이 말은 결정코 찰나에 의거한 것임을 알 수 있다.[104] 또 계경에서 3자의 화합이 접촉이라고 말하는데, 어떻게 의식

은 무간에 함께 한다는 것인데, 접촉이 느낌과 함께 한다고 설한 것도 역시 그러해서 무간인 것을 '함께'라고 설한 것이라고 알아야 한다. 따라서 그것은 증거가 아니다.

102 비바사 논사가 경(=중 58:211 대구치라경大拘絺羅經)을 인용해 힐난하면서, 동시에 일어남을 증명하는 것이다. 경에서 느낌 등 체가 다른 것도 서로 섞여서 결정코 서로 분리되지 않는다고 말했기 때문에 느낌 등과 분리된 의식은 없으며, 느낌 등이 대지법이라는 것도 증명해 이루는 것이다. 이미 의식이 일어날 때 반드시 느낌 등도 있으니, 곧 느낌이 접촉과 함께 생긴다는 것도 나타내는 것이다. 의식이 일어날 때 3자가 화합하기 때문에 반드시 접촉을 낳는다. 설령 경량부의 종지에서 접촉은 가법이라고 말한다고 해도, 결정코 느낌 등과 함께 일어난다는 것은 역시 인정해야 할 것이니, 의식은 접촉에 즉하기 때문[識卽觸故]이다. 그래서 『순정리론』(=제29권. 대29-505상)에서 말하였다. "접촉이 가법이라고 주장하는 종파도 느낌 등이 접촉과 함께 일어난다는 것은 역시 인정해야 할 것이니, 이 경에서 의식은 느낌 등과 섞인다고 설하기 때문인데, 의식은 접촉하는 것의 일부이기 때문이다."

103 경량부에서 다시 경문을 인용해 결정적이지 않다고 묻는 것이다. 이제 자세히 생각해야 한다. 서로 섞인다는 것이 무슨 뜻인가? 이 경에서 다시, "느껴진 모든 것은 곧 생각되는 것이다"라는 등으로 말했으니, 경 중에 전후 두 개의 글이, 동일한 소연에서 전후하여 일어나는 것에 의거해 서로 섞였다고 이름하여 이런 말을 한 것인지, 동일한 찰나에 동시에 일어나는 것에 의거해 서로 섞였다고 이름하여 이런 말을 한 것인지 아직 알지 못하겠다는 것이다.

104 비바사 논사의 해석이다. 저 계경 중에서 수명과 체온이 동시에 일어나는가에 대해서도 서로 섞였다는 말이 있으니, 비례하면 이 경의 말은 결정코 찰나에 의거한 것임을 알 수 있다. 그래서 『순정리론』(=제29권. 대27-505중)에

으로서 3자 화합하는 것이 아닌 것이나 3자 화합하는 것이면서 접촉이라고 이름하지 않는 것이 있겠는가? 따라서 일체 의식에는 다 같이 모두 다 접촉이 있으며, 존재하는 모든 접촉으로서 모두 느낌 등과 함께 생기지 않는 것은 없다는 점은 결정코 인정해야 할 것이다.[105]

3. 18의근행意近行

(1) 뜻과 수의 결정

방론을 마쳤으니, 본래의 뜻을 분별해야 할 것이다. 게송으로 말하겠다.

32c 이것은 다시 열여덟 가지가 되니[此復成十八]
의근행이 다르기 때문이다[由意近行異][106]

논하여 말하겠다. 앞에서 간략히 말한 하나의 심수心受를 의근행意近行의 차이에 의해 다시 나누면 열여덟 가지가 된다. 이 '다시'라는 말은 앞에 편승해 뒤를 일으키는 것을 나타내는 것이라고 알아야 한다.[107]

이 의근행 열여덟 가지는 어떤 것인가?[108] 말하자면 기쁨[喜]·근심[憂]·

서 말하였다. "앞(=느낌·지각·생각·의식이 섞였다는 글)은 찰나에 의거한 것이고, 뒤(=느껴진 모든 것은 곧 생각되는 것이라는 등의 글)는 소연에 의거한 것이니, 그 이치는 결정적이다."

105 비바사 논사가 경을 인용해 힐난하면서, 찰나에 의거해 동시에 생긴다는 것을 나타내는 것이다. 또 앞의 경에서 근·경·식 3자가 화합하는 것을 접촉이라고 이름한다고 말했는데, 어떻게 의식으로서 3자 화합하여 접촉하는 것이 아닌 것이 있겠으며, 근·경·식의 3자로 화합하는 것이면서 접촉이라고 이름하지 않는 것이 있겠는가? 따라서 일체 의식에는 다 같이 모두 다 접촉이 있으며, 존재하는 모든 접촉으로서 모두 느낌 등과 함께 생기지 않는 것은 없다는 점은 결정코 인정해야 할 것이다.

106 이하 둘째 개별적으로 분별하는 것인데, 그 안에 나아가면 첫째 열어서 수를 결정하고, 둘째 뜻을 분별한다. 이는 곧 처음 글인데, 맺어서 묻고 게송으로 답하였다.

107 신수身受의 모습은 드러나기 때문에 다시 해석하지 않지만, 심수心受는 뜻이 은밀한 까닭에 거듭 밝히는 것이다. 앞에서 간략히 말한 하나의 심수를 나누면 열여덟 가지가 된다. 게송의 처음에 말한 이 '다시'라는 말은 앞의 느낌에 편승해 뒤의 글을 일으키는 것을 나타내는 것이라고 알아야 한다.

108 물음이다.

평정[捨]의 각각 여섯 가지 근행[六近行]이다.[109] 이것은 다시 어떤 이유에서 열여덟 가지로 세웠는가? 만약 자성에 의한 것이라면 세 가지만 있어야 할 것이니, 기쁨·근심·평정 세 가지는 자성이 다르기 때문이다. 만약 상응하는 것에 의한 것이라면 한 가지만 있어야 할 것이니, 일체가 모두 의근[意]과 상응하기 때문이다. 만약 소연에 의한 것이라면 여섯 가지만 있어야 할 것이니, 형색 등의 6경을 소연으로 하기 때문이다.[110] 이것이 열여덟 가지가 된 것은 세 가지에 의한 것을 모두 갖추었기 때문이다.[111] 그 중 열다섯 가지 형색 등에 대한 근행은 부잡연不雜緣이라고 이름하니, 경계가 각각 다르기 때문이다. 세 가지 법에 대한 근행은 두 가지에 모두 통한다.[112]

의근행이란 명칭은 어떤 뜻을 가리키는 것인가?[113] 전하는 학설로는, 기쁨 등이 의근을 근연近緣으로 삼아 여러 경계로 자주 유행하기 때문이라고 하였다. 어떤 분은, "기쁨 등이 능히 근연이 되어 의근으로 하여금 경계로 자주 유행하게 하기 때문이다"라고 말하였다.[114]

어째서 신수身受는 의근행이 아닌가?[115] 의근에만 의지하는 것이 아니기

---

109 답이다. 셋에 여섯이므로 곧 열여덟 가지가 된다.
110 다시 세 가지 물음으로 따져서 열여덟 가지를 결정하는 것이다.
111 답이다. 세 가지 연에 의한 것을 갖추었기 때문에 열여덟 가지가 된다.
112 잡연과 부잡연에 대해 밝히는 것이다. 그 중 열다섯 가지를 부잡연이라고 이름하니, 말하자면 형색 등의 5경을 기쁨·근심·평정의 세 가지로 각각 따로 반연하기 때문이다. 세 가지 법에 대한 근행은 잡연과 부잡연에 통하니, 만약 법처 및 6내처만을 반연한다면 전체이거나 개별이거나 모두 부잡연이라고 이름하지만, 혹은 이 일곱 가지 중의 전부 또는 일부를 반연하면서 겸하여 5외경 중의 전부 또는 일부를 반연하거나, 오직 5외경 중의 전부 또는 일부만을 반연한다면 모두 잡연이라고 이름한다. 여기(='세 가지 법에 대한 근행')에서 법이라는 말은 공통의 명칭인 법이므로, 법처만인 것이 아니다. # 12처 중 '6내처'가 법처에 포함됨은 앞의 제1권 중 게송 ㉔와 그 논설 참조.
113 물음이다.
114 답이다. 앞의 해석은 기쁨 등이 의근을 근연近緣(=가까운 연)으로 삼아 여러 경계로 자주 유행하기 때문에 의근행이라고 이름했다는 것이고, 뒤의 해석은 기쁨 등이 능히 의근에게 근연이 되어 의근으로 하여금 경계로 자주 유행하게 하기 때문에 의근행이라고 이름했다는 것이다. # 양 해석이 유사한 듯하지만, 『현종론』 제15권(=대29-845중)에서, 앞의 해석에 의하면 지각 등도 의근과 상응하고, 의근에 의해 작용한다는 점에서 서로 차별되지 않는다는 이유로, 느낌의 역할을 강조한 뒤의 해석을 바른 것으로 말하였다.

때문에 '근近'이라고 이름하지 못하고, 무분별이기 때문에 '행行'도 아닌 것이다.[116]

제3정려의 의지意地의 낙근樂根은 어째서 의근행 중에 포함되지 않는가?[117] 전하는 학설로는, 욕계에는 의식과 상응하는 낙근이 없기 때문이며, 또 상대되는 고근에 포함되는 의근행이 없기 때문이라고 하였다.[118]

만약 오직 의지意地만이라면 어째서 경에서, "눈이 형색을 보고 나서 기쁨에 수순하는 형색에 대해서는 기쁨의 근행을 일으킨다"라고 말씀하시고, 널리 경에서처럼 설하셨는가?[119] 5식의 무리에 의해 견인된 의지의 기쁨 등의 근행에 의했기 때문에 이런 말을 한 것이다. 예컨대 안식에 의지해 부정관不淨觀을 견인하지만, 이 부정관은 의지에만 포함되는 것과 같다. 또 그 경에서, "눈이 형색을 보고 나서"라고 말씀하시고, 나아가 널리 설하셨기 때문에 힐난해서는 안 될 것이다.[120]

115 물음이다.

116 답이다. 말하자면 이 신수는 의식에만 의지하는 것이 아니기 때문에 '근'이라고 이름하지 못하고, 다시 무분별이기 때문에 '행'도 아닌 것이다. 그래서 『순정리론』(=제29권. 대29-507상)에서 말하였다. "의근행은 오직 의식에만 의지하기 때문에 '근'이라고 이름하고, 3세 등의 자상과 공상의 경계를 분별하기 때문에 '행'이라고 이름한 것이다. 일체 신수는 이와 상반되기 때문에 '의근意近'이 아니며, '행'이라고 이름하지도 못한다."

117 물음이다. 제3정려의 의지의 낙근도 역시 의식에만 의지하는데, 의근행 중에 어째서 포함되지 않는가?

118 답이다. 비바사 논사들이 전하는 학설로는, 3계 중 욕계에 있는 것이라면 상계에서도 역시 세우지만, (3계 중) 처음인 욕계에는 의식과 상응하는 낙근이 없기 때문에 그래서 상계에서도 역시 따로 세우지 않는다. 또 낙근에 상대되는 고근의 의근행이 없기 때문에 그래서 낙의 의근행을 세우지 않는다. 또 『순정리론』(=제29권. 대29-507중)에서 해석해 말하였다. "또 그 지의 낙은 경계에 응겨서 빠지는데[凝滯], 근행은 경계로 자주 옮김[推移]이 있고, 하나의 연에 빠지지 않아야 비로소 행이라고 이름하기 때문이다."

119 경을 인용해 힐난하는 것이다. 경(=잡 [12]13:336~338경)에서 이미, "눈으로 형색을 보고 나서 기쁨에 수순하는 형색에 대해서는 기쁨의 근행을 일으키며, 근심에 수순하는 형색에 대해서는 근심의 근행을 일으키며, 평정에 수순하는 형색에 대해서는 평정의 근행을 일으킨다. 이와 같이 …. 뜻이 법을 알고 나서 세 가지 근행을 일으킨다"라고 말했으니, 이로써 5식에도 통한다는 것을 분명히 알 수 있는데, 어째서 의식과만 상응한다고 말하는가?

120 경문을 회통해 해석하는 것이다. 5식의 무리에 의해 인기된 의근행에 의한

만약 비록 보고 나서 …… 닿고 나서가 아니더라도 기쁨·근심·평정을 일으킨다면 역시 의근행이다. 만약 이와 다르다면 욕계 중에는 색계의 형색 등을 반연하는 의근행이 없어야 할 것이며, 또 색계에 있으면서 욕계의 냄새·맛·감촉의 경계를 반연하는 모든 의근행도 없어야 할 것이다. '형색을 보고 나서'라는 등의 말은 명료한 것에 따라 말한 것이다.[121] 형색 등을 보고 나서 소리 등에 대해 기쁨·근심·평정을 일으키는 것도 역시 의근행이지만, 잡란雜亂 없는 것에 따랐기 때문에 이런 말을 한 것이니, 그 중에서 근·경이 결정된 것을 건립했기 때문이다.[122]

형색 등에 대해 기쁨 등의 셋 중 한 가지 근행만을 능히 따라 낳는 경우가 있는가?[123] 있지만, 상속에 나아간 것이지, 소연에 의거한 것이 아니다.[124]

것이니, 마치 안식에 의해 인기된 의지의 부정관과 같다. 이미, '보고 나서[已]'라는 말이 있는 것은 5식이 아님을 나타내는 것이니, 힐난해서는 안 된다.

121 경문의 '형색을 보고 나서'라는 등에 집착해서, 곧 형색 등을 바로 반연하는 것[直緣]은 근행에 포함되는 것이 아니라고 여길 것이 두려워서, 모두 포함된다는 것을 밝히기 위해 이 글이 있는 것이다. 형색 등에 대한 근행은 반드시 5식으로부터 그 뒤에 일어나 있을 것을 요하는 것이 아니니, 비록 보고 나서 …… 닿고 나서가 아니더라도 형색 등의 5경에 대해 기쁨·근심·평정을 일으킨다면 역시 의근행이다. 만약 이와 다르다면 반드시 5식으로 견인될 것을 필요로 할 것인데, (만약 그렇다면) 몸이 욕계에 있으면서 아직 욕망에 대한 탐염을 여의지 못했을 때 색계의 형색·소리·감촉을 반연하는 의근행이 없어야 할 것이니, 욕계의 3식은 상계를 반연하는 것이 아니기 때문이다. 또 몸이 색계에 있으면서 욕계의 냄새·맛·감촉의 3경을 반연하는 모든 의근행도 없어야 할 것이니, 색계에는 비식·설식이 없기 때문이며, 비록 신식은 있어도 하계를 반연하기 않기 때문이다. 실제로써 논한다면 5식에 의해 견인된 것 아닌 것도 역시 근행이다. (그런데도) 계경 중에서 '형색을 보고 나서'라는 등의 말을 한 것은, 우선 한 가지 모습에 의거해 명료한 것에 따라 말한 것이다.

122 경문의, "눈으로 형색을 보고 나서 기쁨에 수순하는 형색에 대해 기쁨의 근행을 일으킨다"라는 등에 집착해서, 곧 형색을 보고 나서 기쁨에 수순하는 소리에 대해 기쁨의 근행 등을 일으키는 것은 근행에 포함되는 것이 아니라고 여길 것이 두려워서, 모두 포함된다는 것을 밝히기 위해 이 글이 있는 것이다. 형색 등을 보고 나서 소리 등에 대해 기쁨·근심·평정을 일으키더라도 역시 의근행이지만, 경에 어긋난다고 힐난할 것이 두려워 역으로 회통하여 해석하는 것이다. 잡란 없는 것에 따르려고, 이 때문에 경 중에서 '보고 나서'라는 등의 말을 이렇게 한 것이다. 그 중에서 근·경이 결정된 것을 건립했기 때문이니, 말하자면 형색 등의 경계를 안근으로 보며, 또 의근으로 요별하기 때문이다.

123 물음이다. 형색 등은 오직 한 가지 근행만을 일으키는가?

⑵ 18의근행의 계繫·소연 분별

모든 의근행 중 몇 가지가 욕계의 계繫이며, 욕계의 의근행은 몇 가지가 무엇을 소연으로 하는가? 색계와 무색계에 대한 물음도 역시 그러하다.125 게송으로 말하겠다.

33 욕계의 계와 욕계 반연하는 것은 열여덟이고[欲緣欲十八]
색계 반연하는 것은 열둘, 무색계 반연하는 것은 셋이며[色十二上三]
색계의 앞 2정려의 계와 욕계 반연하는 것은 열둘이고[二緣欲十二]
여덟은 자계를, 둘은 무색계를 반연한다[八自二無色]

34 뒤의 2정려의 계와 욕계 반연하는 것은 여섯이고[後二緣欲六]
넷은 자계를, 하나는 무색계를 반연하며[四自一上緣]
무색계의 첫 근분정의 계와[初無色近分]
색계 반연하는 것은 넷이며, 자계 반연하는 것은 하나이다[緣色四自一]

35a 4근본정과 3변지의 계는[四本及三邊]
오직 하나뿐인데, 자지의 경계를 반연한다[唯一緣自境]126

....

124 답이다. 있다. 말하자면 한 사람의 상속신에 나아가면 기쁨 등의 셋 중에서 능히 한 가지 근행만을 따라 낳기 때문에 나머지 두 가지는 일으키지 않는다. 소연에 의거한 것이 아니니, 소연에 대해서는 다수의 반연이 있을 수 있기 때문이다. 그래서 『대비바사론』 제139권(=대27-716하)에서 말하였다. "(문) 혹시 형색 등에 대해 결정코 기쁨에 따르며 ··· 결정코 평정에 따르는 경우가 있는가? (답) 소연에 의한다면 그 때문에 없고, 상속에 의한다면 그 때문에 있다. 말하자면 형색 등이 혹 때로는 마음에 맞기도 하고 마음에 맞지 않기도 하는데, 혹 그것에 대해 마음에 맞으면 이것에 대해서는 마음에 맞지 않으며, 그 나머지에 대해서는 마음에 맞는 것도 아니고 마음에 맞지 않는 것도 아니기 때문이다. 어떤 분은, '형색 등은 친밀한 품류[親品]에 대해서는 기쁨에 따르고, 원수의 품류[怨品]에 대해서는 근심에 따르며, 중간의 품류[中品]에 대해서는 평정에 따른다'라고 말하였다."

125 이하 둘째 뜻을 분별하는데, 그 안에 나아가면 첫째 계와 소연을 분별하고, 둘째 유루·무루를 밝힌다. 이는 곧 첫 문인데, 첫째 모든 의근행 중 몇 가지가 욕계의 계인지 묻고, 둘째 욕계의 의근행은 몇 가지가 무엇을 소연으로 하는지 묻는 것이다. 색계·무색계에 대한 두 가지 물음도 역시 그러하다.

논하여 말하겠다. 욕계에 매인 것은 열여덟 가지를 갖추고 있고, 욕계의 경계를 반연하는 것의 그 수도 역시 그러하다. 색계의 경계를 반연하는 것은 열두 가지만 있으니, 냄새·맛에 대한 여섯 가지를 제외하는 것은 거기에 경계가 없기 때문이다. 무색계의 경계를 반연하는 것은 세 가지만 있을 수 있으니, 거기에는 형색 등 다섯 가지 소연이 없기 때문이다.127

욕계에 매인 것에 대해 말했으니, 색계에 매인 것에 대해 말하겠다. 초정려와 제2정려에는 열두 가지만 있으니, 여섯 가지 근심을 제외한 것을 말한다. 욕계의 경계를 반연하는 것도 열두 가지가 있으며, 냄새·맛에 대한 네 가지를 제외한 나머지 여덟 가지는 자계를 반연하고, 두 가지는 무색계를 반연하니, 말하자면 법에 대한 근행이다. 제3·제4정려에는 여섯 가지뿐이니, 말하자면 평정의 근행이다. 욕계의 경계를 반연하는 것도 여섯 가지가 있을 수 있으며, 냄새·맛에 대한 두 가지를 제외한 나머지 네 가지는 자계를 반연하고, 한 가지는 무색계를 반연하니, 말하자면 법에 대한 근행이다.128

색계에 매인 것에 대해 말했으니, 무색계에 매인 것에 대해 말하겠다. 공무변처의 근분정에는 네 가지만 있으니, 말하자면 평정으로 형색·소리·감촉·법을 반연하는 것뿐이다. 제4정려를 반연하는 것도 역시 네 가지를 갖추고 있는데, 이것은 개별적으로 반연할 수 있다고 인정하는 자에 나아가 말한 것이다. 만약 그 지에서는 하지를 전체적으로 반연할 뿐이라고 주장한다면, 다만 잡연雜緣의 법에 대한 의근행만 있다. 무색계를 반연하는 것은 한 가지 뿐이니, 말하자면 법에 대한 근행이다. 4근본지 및 위의 3변지[邊]에는 한 가지뿐이니, 말하자면 법에 대한 근행이다. 다만 자지의 경계

---

126 처음 2구는 욕계에 대해 밝히는 것이고, 다음 4구는 색계에 대해 밝히는 것이며, 뒤의 4구는 무색계에 대해 밝히는 것이다.

127 이는 욕계에 대해 밝히는 것이다. 욕계에 매인 18의근행은 모두 능히 욕계를 반연하고, 12의근행은 색계를 반연하며, 3의근행은 무색계를 반연한다.

128 이는 색계에 대해 밝히는 것이다. 초정려와 제2정려에는 열두 가지만 있는데, 모두 욕계를 반연하고, 여덟 가지는 색계를 반연하니, 냄새·맛을 반연하는 두 가지 기쁨과 두 가지 평정은 제외하며, 두 가지는 무색계를 반연한다. 제3·제4정려에는 여섯 가지 평정이 있는데, 모두 욕계를 반연하고, 네 가지는 색계를 반연하며, 한 가지는 무색계를 반연한다.

만을 반연할 뿐이니, 무색계의 근본정에서는 하지를 반연하지 않기 때문이며, 그 위의 3변지에서는 색계를 반연하지 않기 때문이다. '하지를 반연하지 않는다'는 뜻은 뒤에서 분별하는 것과 같다.[129]

(3) 18의근행의 유루·무루 분별

이 의근행은 무루에도 통하는가?[130] 게송으로 말하겠다.

㉟c 열여덟 가지는 유루뿐이다[十八唯有漏][131]

논하여 말하겠다. 의근행으로서 무루에 통하는 것은 없기 때문에 '열여덟 가지는 유루뿐'이라고 말하였다.[132]

129 무색계에 대해 밝히는 것이다. 공무변처의 근분정(=제4정려지의 염오를 원리하기 위해 제4정려의 색 등을 반연하여 추·고·장 등의 행상을 짓는 단계)에는 4근행이 있는데, 모두 색계를 반연할 수 있고, 한 가지는 무색계를 반연한다. 4무색계의 근본정 및 위의 3변지(=식무변처·무소유처·비상비비상처의 근분정)는 법에 대한 평정(의 근행) 한 가지뿐인데, 무색계만을 반연한다. 공무변처의 근분정에 대해서는 2설이 같지 않지만, 앞의 설을 바른 것으로 한 것이다. 그래서 『대비바사론』 제139권(=대27-716하)에서 말하였다. "개별적으로 하계를 반연함을 인정한다면 곧 4의근행이 있으니, 형색·소리·감촉·법에 대한 것을 말한다. 만약 전체적으로 하계를 반연함을 인정한다면 곧 법에 대한 평정의 의근행 한 가지만 있다." (문) 이 의근행은 3성에 통하는가? (해) 아래 성취문에 준하면 3성에 통한다. (문) 이 의근행은 자지·상지·하지를 공통으로 반연할 수 있는가? (해) 반연함이 세 종류일 수 있다. 만약 선(의 근행)이라면 자지·상지·하지를 반연함에 통하며, 만약 염오라면 자지·상지를 반연하고, 하지는 반연하지 않으니, 이미 떠났기 때문이며, 만약 무기라면 자지·하지를 반연하고, 상지는 반연하지 않으니, 힘이 열등하기 때문이다. (문) 몸이 어떤 지에 태어나면 능히 어떤 지의 의근행을 일으키는가? (해) 만약 선이나 염오라면 자지·상지를 일으킬 수 있지만, 하지의 선·염오를 일으킬 수 있는 것은 아니니, 기쁨이 열등하기 때문이며, 염오를 이미 떠났기 때문이다. 만약 무기라면 자지·상지·하지를 일으킬 수 있다. 자지를 일으키는 것은 알 수 있을 것이고, 상지를 일으킨다고 말한 것은, 예컨대 몸이 하지에 있을 때 상지의 통과심을 일으키는 것과 같다. 하지를 일으킨다고 말한 것은, 예컨대 몸이 상지에 있을 때 하지의 통과심을 일으키는 것과 같다. # 본문 말미에서 '하지를 반연하지 않는다는 뜻은 뒤에서 분별하는 것과 같다'고 한 것에서 '뒤'는 뒤의 제28권 중 게송 ㉑과 그 논설을 가리킨다.

130 이하에서 둘째 유루·무루에 대해 밝히는데, 이는 곧 물음을 일으킨 것이다.

131 답이다.

⑷ 18의근행의 성취·불성취 분별

누가 몇 가지 의근행을 성취하는가?[133] 말하자면 욕계에 태어나 아직 색계의 선심을 획득하지 않았다면, 욕계의 일체, 초·제2정려의 여덟 가지, 제3·제4정려의 네 가지, 무색계의 한 가지를 성취한다. 성취된 상계上界의 의근행은 모두 하계를 반연하지 않으니, 오직 염오이기 때문이다.[134] 만약 색계의 선심을 이미 획득했더라도 아직 욕탐을 떠나지 못했다면, 욕계의 일체와 초정려의 열 가지를 성취하며, 나머지에 대한 설명은 앞에서와 같다. 초정려 중에서는 네 가지 기쁨만 성취하니, 염오일 경우 하지의 향·미경을 반연하지 않기 때문이며, 평정은 여섯 가지를 모두 성취하니, 미지정未至定 중의 선심은 향·미경도 반연할 수 있기 때문이다.[135] 나머지는 이런 이치에 따라 상응하는 대로 알아야 할 것이다.[136]

132 장항에 나아가면 첫째 게송을 해석하고, 둘째 성취에 대해 밝히며, 셋째 다른 학설을 서술하고, 넷째 사구師句를 설한 경에 대해 회통하는데, 이는 곧 게송을 해석하는 것이다. 또 『순정리론』 제29권(=대29-508상)에서 말하였다. "무루에 통하는 근행은 없다. 왜냐하면 존재를 증장하는 것이기 때문이니, 무루의 모든 법은 이와 상반된다. 어떤 분은, '근행은 유정에게 모두 있지만, 무루는 그렇지 않기 때문에 근행이 아니다'라고 말하였다."

133 이하 성취에 대해 밝히는데, 이는 곧 물음이다.

134 답이다. 말하자면 욕계에 태어나 아직 색계의 선심을 획득하지 않았다면, 욕계의 열여덟 가지, 초·제2정려의 각각 여덟 가지-네 가지 염오의 기쁨과 네 가지 염오의 평정을 말한다-, 제3·제4정려의 네 가지-네 가지 염오의 평정이다-, 무색계의 한 가지-염오의 평정이다-를 성취하는데, 성취된 상계에 대한 의근행은 오직 염오이기 때문에 모두 하계를 반연하지 않는다.

135 색계의 선심을 획득했더라도 아직 욕탐을 떠나지 못했다면(=초정려의 근분정, 즉 미지정에 든 경우), 욕계의 열여덟 가지와 초정려의 열 가지를 성취하며, 나머지 제2정려 등에 대한 설명은 모두 앞에서와 같다. '초정려의 열 가지'라고 말한 것은, 말하자면 초정려 중 네 가지 염오(=아직 욕탐을 떠나지 못했으므로)의 기쁨을 성취하니, 염오의 기쁨은 하지의 향·미경을 반연하지 않기 때문이며, 선과 염오를 합쳐 논해서 평정은 여섯 가지를 모두 성취한다고 한 것이니, 미지정 중의 선심에 의한 평정(=미지정 중에는 기쁨이 없다)은 하지의 향·미경도 반연하기 때문이다.

136 그 나머지 욕탐을 떠난 경우 등에 대해서도 비례하여 해석하라는 것이다. 또 『순정리론』 제29권(=대29-508상)에서 말하였다. "이미 욕탐을 떠났더라도 만약 아직 제2정려의 선심을 얻지 못했다면, 그는 욕계와 초정려의 열두 가지를 성취하니, 말하자면 여섯 가지 근심을 제외한 것이며, 제2정려 등에

만약 색계에 태어났다면 욕계의 평정[捨]의 법에 대한 근행 한 가지만을 성취하니, 통과심通果心과 함께 하는 것을 말하는 것이다.137

어떤 분은 이렇게 말하였다. "이와 같은 여러 의근행은 비바사 논사들이 뜻에 따라 세운 것이다. 그렇지만 우리가 보기에 경의 뜻과는 차이가 있다. 왜냐하면 이런 지地에 대해 이미 이염離染을 얻었다면, 이 경계를 반연하여 의근행을 일으킬 수 있는 것이 아니기 때문이다. 따라서 유루의 기쁨·근심·평정 세 가지가 모두 의근행에 포함되는 것은 아니다. 오직 염오와 섞인 것[雜染者]이 의식과 더불어 서로 견인해서 자주 소연에 작용하게 하는 것만이 의근행이다."138

어떻게 의식과 더불어 서로 견인해서 자주 작용하게 하는가?139 사랑하거나[愛] 증오하거나[憎] 간택하지 않고 버리기[不擇捨] 때문이다. 그것을 대치하기 위해 6항주恒住를 설했으니, 말하자면 "형색을 보고 나서 기뻐하지 않으며 근심하지 않고, 마음이 항상 평정에 머물러 알아차림과 바른 앎을 갖추며, …· 법을 알고 나서도 역시 그러하다"라고 하셨다. 아라한에게

대해서는 모두 앞에서 말한 것과 같다. 만약 제2정려의 선심을 이미 획득했더라도 초정려에 대한 탐욕에서 아직 떠남을 얻지 못한 자(=제2정려의 근분정에 든 자)라면, 제2정려의 열 가지를 성취한다. 말하자면 기쁨이 넷일 뿐이니, 오직 염오이기 때문이며, 평정은 여섯 가지를 갖추니, 그 근분정의 선을 획득했기 때문이다. 나머지에 대해서는 앞에서 말한 것과 같다. 이런 도리에 의해 나머지도 준해서 알아야 할 것이다."

137 이는 (색계에 태어나지 않은 자와) 차별되는 것을 구별하는 것이다. 이에 준하면 통과심은 오직 평정[捨]과만 상응하니, 사수는 중용中庸이어서 통과심과 수순하기 때문이다. 근심은 이욕할 때 버렸고, 기쁨은 중용이 아닌 것이기 때문에 성취한다고 말하지 못한다. 또 『대비바사론』 제139권(=대27-717중)에서 말하였다. "만약 초정려에 태어났다면 욕계의 평정[捨]의 법에 대한 의근행 한 가지만을 성취하니, 즉 통과심과 함께 하는 것이다. 형색 등을 전체적으로 반연해서 경계로 삼아 일어나기 때문이다. (이하에 세 가지를 성취한다는 설과 여섯 가지를 성취한다는 설이 설명되고 있다)"

138 이하 다른 학설을 서술하는 것인데, 혹은 경량부의 설이기도 하다. 의근행은 오직 염오만이니, 의식과 더불어 서로 견인해서 자주 소연으로 가게 한다. 만약 이염하였다면 이 지의 근행은 반드시 현행하지 않는다. 따라서 오직 염오만이고, 선·무기는 아니다.

139 물음이다.

도 세간의 선법을 반연하는 기쁨이 없는 것은 아니지만, 다만 잡염의 근행을 막고 그치게 하기 위해 이런 말씀을 하신 것이다.[140]

【18의근행과 36사구師句】 또 기쁨 등은 서른여섯 가지 사구師句가 된다. 말하자면 탐기耽嗜와 출리出離의 의지처가 되는 것은 다른데, 이런 문구의 차별을 대사大師께서 설하셨기 때문이다. '탐기의 의지처'란 모든 염오의 느낌을 말하고, '출리의 의지처'란 모든 선의 느낌을 말하는 것이다.[141]

140 다른 학설의 답이다. '사랑'은 탐욕을 말하고, '증오'는 성냄을 말하며, '간택하지 않고 버리는 것'은 어리석음을 말하니, 이 어리석음은 법을 간택하지 않고 버리는 것이다. 기쁨은 사랑과 함께 하고, 근심은 증오와 함께 하며, 평정은 어리석음과 함께 하기 때문이다. 평정을 어리석음과 함께 한다고 말한 것은 강한 것과 많은 부분에 따른 것이다. 이 세 가지가 의식과 더불어 서로 견인해서 자주 소연에 작용하게 하는 것을 의근행이라고 이름한다. 이 글은 우선 3독에 의거한 것이지만, 나머지 번뇌도 역시 기쁨·근심·평정과 함께 하면서 의식과 더불어 서로 견인해서 자주 소연에 작용하게 하므로, 그런 잡염의 근행을 대치하기 위해 계경 중에서 6항주(=잡 [12]13:339~342 육상행경六常行經에서는 '6상행六常行'이라고 표현하고, 중 3:12 화파경和破經에서는 6선주처六善住處라고 표현하고 있다)를 설하신 것이다. 아라한에게도 선법에 대한 기쁨이 없는 것은 아니지만, 다만 잡염의 근행을 막으려고 이런 말씀을 하셔서 6항주를 설하신 것이니, 따라서 근행은 오직 잡염뿐임을 알 수 있다. 아라한에게는 잡염이 없기 때문에 근행이 아니라, 마음이 항상 평정에 머문다는 것을 알 수 있다. (여기에서) '평정'은 행사行捨(=행온의 평정으로서, 수온의 평정이 아니라는 취지)를 말하는 것이다. '알아차림과 바른 앎을 갖춘다'는 것은 6항주의 체이니, 그래서 『대비바사론』 제36권(=대27-189상)에서 말하였다. "(문) 6항주법은 무엇을 자성으로 하는가? (답) 알아차림과 지혜를 자성으로 한다. 만약 상응하는 것과 함께 있는 것을 겸하여 취한다면 4온·5온을 자성으로 한다."

141 다시 근행은 오직 잡염뿐임을 증명하는 것이다. 또 곧 기쁨·근심·평정을 세존께서 설하셨으니, 36사구師句가 된다. 말하자면 탐기耽嗜(=즐기고 좋아한다는 뜻)의 의지처가 별도로 열여덟 가지 있는 것이니, 이는 근행으로, 대치대상[所對治]이다. 출리의 의지처에 열여덟 가지가 있으니, 이는 근행이 아니고, 대치주체[能對治]이다. 두 종류가 같지 않아서 서른여섯 가지가 된다. 이미 두 가지를 따로 설하셨으니, 잡염만이 의근행이라는 것을 알 수 있다. 이런 문구의 차별은 붓다이신 대사께서 설하신 법이기 때문에 '사구師句'라고 이름한다. '탐기의 의지처'란 모든 염오의 느낌을 말하니, 느낌이 탐기하는 번뇌에 대해 의지처가 되기 때문이며, '출리의 의지처'란 모든 선의 느낌을 말하니, 느낌이 출리하는 선법에 대해 의지처가 되기 때문이다. 또 『대비바사론』 제139권(=대27-718상)에서 말하였다. "(문) 무엇 때문에 무부무기를 말하지 않는가? (답) 그것도 이 두 가지 중에 설명이 있기 때문이다. 말하자면 무부무기의 느

이렇게 설명한 느낌의 존재 지분 중에는 뜻의 문이 한량없이 차별된다고 알아야 할 것이다.[142]

제11절 나머지 인연

무슨 이유에서 그 나머지 존재지분에 대해서는 설명하지 않는가?[143] 게송으로 말하겠다.

㉟d 그 나머지는 이미 말했거나 장차 말할 것이다[餘已說當說]

논하여 말하겠다. 그 나머지 존재지분은 이미 말한 것도 있고, 장차 말할 것도 있기 때문에 여기에서 논하지 않았다. 이들 중 의식 지분은 먼저 이미, "식은 각각 요별하는 것을 말하는데, 이것을 곧 의처意處라고 이름한다"라는 등으로 말한 것과 같고, 그 6처 지분도 먼저 이미, "그 식의 의지처인 청정한 색을 눈 등의 5근이라고 이름한다"라는 등으로 말한 것과 같다. 형성[行]과 존재[有]의 2지분은 업품에서 장차 말할 것이며, 갈애[愛]와 취착[取]의 2지분은 수면품에서 장차 말할 것이다.[144]

낌은 염오품에 따르는 것이 있고, 선품에 따르는 것이 있는데, 염오품에 따르는 것은 탐기의 의지처에 포함되고, 선품에 따르는 것은 출리의 의지처에 포함될 것이다."

142 느낌 지분에 대해 간략히 말한다면 위에서 분별한 것과 같은데, 만약 번뇌 등 여러 다른 뜻의 문에 의거한다면 한량없이 차별되니, 이치대로 말해야 할 것이다.

143 이하 큰 글(=개별적으로 명칭의 뜻을 밝히는 글)의 둘째 나머지에 대해 별도의 글을 가리키는 것이다. 12지분 중 이상에서 네 가지를 설명했는데, 무슨 이유에서 그 나머지 8지분을 설명하지 않는지 묻는 것이다.

144 답이다. 의식 및 6처는 앞의 계품(=본문의 표현은 제1권의 게송 ⑯과 ⑨c에 있는 것이다)에서 이미 말했고, 형성·존재·갈애·취착은 업품과 수면품에서 장차 말할 것이다. (문) 생 및 노사는 앞에서 따로 말하지 않았고, 여기에서도 또한 가리키지 않았는데, 무슨 까닭이 있는가? (해) 생 및 노사 지분은 곧 의식 등의 5지분인데, 이 5지분 중 의식과 6처는 이미 앞의 글에서 가리켰고, 명색·접촉·느낌은 앞에서 따로 해석했기 때문에 따로 말하지 않았다.

제12절 간략히 거두어 비유로 나타냄

이 모든 연기를 간략히 세우면 세 가지가 되니, 말하자면 번뇌, 업, 이숙과의 사事인데, 외물[外]의 비유에 의지해 차별되는 공능을 나타내어야 할 것이다. 게송으로 말하겠다.

36 이들 중 번뇌를 말한다면[此中說煩惱]
종자와 같고, 또한 용과 같으며[如種復如龍]
풀의 뿌리, 나무의 줄기와 같고[如草根樹莖]
또 겨가 쌀을 안은 것과 같다[及如糠裹米]

37 업은 겨 안의 쌀과 같고[業如有糠米]
약초와 같으며, 꽃과 같고[如草藥如花]
모든 이숙과인 사는[諸異熟果事]
마치 익은 음식과 같다[如成熟飮食]145

논하여 말하겠다. 어째서 이 세 가지가 종자 등과 서로 유사한가? 마치 종자로부터 싹과 잎 등이 생기는 것처럼, 번뇌로부터 번뇌, 업, 사가 생긴다. 마치 용이 못을 지키면 물이 항상 마르지 않는 것처럼, 번뇌가 업을 지키면 생의 이어짐에 끝이 없다. 마치 풀의 뿌리가 아직 뽑히지 않았다면 싹이 베어도 베어도 다시 생기는 것처럼, 번뇌의 뿌리를 아직 뽑지 않았다면 취趣는 소멸해도 소멸해도 다시 일어난다. 마치 나무의 줄기로부터 빈번히 가지, 꽃, 열매가 생기는 것처럼, 여러 번뇌를 좇아 자주 번뇌, 업, 사를 일으킨다. 마치 겨가 쌀을 안으면 싹 등을 낳을 수 있지만, 홀로로는 낳을 수 있는 것이 아닌 것처럼, 번뇌[惑]와 그 득得이 업을 안으면 다른 생을 감득

145 이하 큰 글(=제8문 12연기를 밝히는 글)의 둘째 간략히 거두어 비유로 나타내는 것이다. 처음 1게송은 번뇌를 비유하는 것이고, 다음 2구는 업을 비유하는 것이며, 뒤의 2구는 사事를 비유하는 것이다.

할 수 있지만, 홀로로는 감득할 수 있는 것이 아니다. 번뇌가 종자 등과 같다는 것은 이와 같이 알아야 할 것이다.146

마치 겨에 있는 쌀은 싹 등을 낳을 수 있는 것처럼, 번뇌에 있는 업은 이숙을 초래할 수 있다. 마치 모든 약초는 결과가 익으면 최후의 끝[後邊]이 되는 것처럼, 업도 과보가 익고 나면 더 이상 이숙을 초래하지 않는다. 마치 꽃은 열매에 대해 생기의 가까운 원인[生近因]이 되는 것처럼, 업도 가까운 원인이 되어 능히 이숙을 낳는다. 업이 쌀 등과 같다고 한 것은 이와 같이 알아야 할 것이다.147

마치 익은 음식은 단지 수용해야 할 뿐, 다시 바뀌어 다른 음식이 될 수 없는 것처럼, 이숙과의 사事도 이미 성숙되고 나면 더 이상 다른 생의 이숙을 초래할 수 없다. 만약 여러 이숙이 다시 다른 생을 감득한다면, 다른 생이 다시 다른 생을 감득할 것이므로 해탈이 없어야 할 것이다. 사事가 음식과 같다고 한 것은 이와 같이 알아야 할 것이다.148

제13절 4유

이와 같이 연기하는 번뇌, 업, 사에 의해 생生에서 생으로 상속하지만, 4유四有를 넘지 않는다. 중유·생유·본유·사유는 앞에서 이미 해석한 것과 같고, 그 염오·불염오의 뜻과 3계에서의 유·무에 대해 이제 간략히 분별하겠다.149 게송으로 말하겠다.

---

146 첫 게송을 해석하는 것인데, 모두 5비유가 있다. '번뇌와 그 득이 업을 안으면'이라고 말한 것은, 말하자면 번뇌 및 번뇌의 득이 모두 업을 안을 수 있다는 것인데, 번뇌는 직접 안고[親裹], 득은 간접적으로 안는다[疏裹]. 그래서 『순정리론』(=제29권. 대29-509상)에서 말하였다. "번뇌는 업을 안아야 후유를 감득할 수 있지, 홀로로는 감득할 수 있는 것이 아니다." 나머지 글은 알 수 있을 것이다.

147 다음 2구를 해석하는 것인데, 모두 3비유가 있다. 마치 약초가 원인이 되어 결과가 익으면 최후의 끝이 되므로, 그 결과가 익은 뒤에는 결과를 낳을 수 없는 것처럼, 그 업도 역시 그러해서 이미 과보가 익은 뒤에는 다시 이숙을 초래하지 못한다는 것이다. 나머지 글은 알 수 있을 것이다.

148 뒤의 2구를 해석하는 것이다. 한 가지 비유인데, 알 수 있을 것이다.

38 네 가지 유 중[於四種有中]
　생유는 오직 염오이니[生有唯染汚]
　자지의 번뇌 때문이고[由自地煩惱]
　나머지는 3성이며, 무색계는 3유이다[餘三無色三][150]

논하여 말하겠다. 4유 중 생유는 오직 염오이다.[151] 어떤 번뇌에 의해서인가?[152] 자지自地의 모든 번뇌에 의해서이니, 말하자면 이 지地에 태어나면 이 지의 일체 번뇌가 이 지의 생유를 오염시키는 것이다. 그래서 대법자對法者들은 모두 이런 말을 하였다. "모든 번뇌 중에 결생 단계에서 윤택하는 공능이 없는 번뇌는 하나도 없다." 그렇지만 모든 결생은 오직 (근본)번뇌의 힘일 뿐, 자력으로 현행해 일어나는 전纏·구垢에 의하는 것이 아니다. 비록 이 단계 중에서는 마음과 몸이 어둡고 열등하지만, 자주 일어났거나 가까이에서 현행한 것이 견인해 일으키는 힘에 의해서 번뇌가 현행해 일어나는 것이다. 중유가 처음 상속하는 찰나도, 마치 생유처럼 반드시 염오라고 알아야 할 것이다.[153]

149 이하 큰 글의 아홉째 4유에 대해 밝히는데, 앞을 옮겨와서 뒤를 일으켰다. 4유는 앞에서 중유를 분별하는 곳에서 명칭과 뜻을 이미 해석한 것과 같으므로, 이제 성품[性] 및 계繫에 대해 분별한다.

150 첫 구는 전체적으로 표방하는 것이고, 다음 2구 및 (제4구 중) '나머지는 3성'이라고 한 것은 성품을 분별하는 것이며, 뒤의 '무색계는 3유'라고 한 것은 계界를 분별하는 것이다.

151 처음 2구를 해석하는 것이다.

152 이하 제3구를 해석하는데, 이는 곧 묻는 것이다.

153 답이다. '자지'는 타지가 아님을 나타내고, '모든 번뇌'는 근본번뇌임을 나타내니, 말하자면 이 지에 태어나면 이 지의 근본번뇌는 모두 현기現起(=현재 일어남, 또는 현행해 일어남)해서 생유를 오염시킬 수 있다는 것이다. 인용하는 글은 알 수 있을 것이다. 또 해석하자면 (근본번뇌 중) 현기하지 않은 것도 오염시키는 공능이 있기 때문에 '오염시킬 수 있다'라고 표현한 것이다. 논의 글에서 이미 '이 지의 일체 번뇌가 이 지의 생유를 오염시킨다'라고 말했으니, 모두 오염시키는 공능이 있다는 것을 분명히 알 수 있다. 그렇지만 모든 결생은 오직 근본번뇌의 힘일 뿐이다. 아울러 무참·무괴·혼침·도거는 근본번뇌와 상응하는 전纏이기 때문에 윤택함을 도울 수 있다. 자력에 의한 전纏·구垢(=전·구에 대해서는 뒤의 제21권 중에서 설명되고, 자력·수종에 대해서는 앞의

그렇지만 나머지 3유는 하나하나 3성에 통하니, 말하자면 본유·사유·중유 세 가지는 각각 선·염오·무기이다.[154]

무색계는 중유를 제외한 세 가지이니, 무색계는 다른 곳으로 가기 위한 별도의 처소가 있어 중유를 세울 수 있는 것이 아니다. 게송 중에서 욕계와 색계에 대해서는 말하지 않았기 때문에 거기에서는 4유를 갖추는 것이 인정된다는 것을 알 수 있다.[155]

제3장 유정의 주·몰과 3취

제1절 유정의 머묾과 4식

제1항 4식 총설

제4권 중 게송 ㉙에 대한 논설에 관한 설명에서 설명되었다)는 현기할 수 있는 것이 아니니, 성품이 미약하기 때문이다. 반드시 사택思擇에 의해야 비로소 현전하는데, 처음 결생하는 단계는 신심이 어둡고 열등하기 때문에 현기하는 것이 아니다. 자력의 전纏이란 인색[慳]·시기[嫉]·분노[忿]·덮음[覆]·후회[悔]를 말하고, 자력의 구垢란 6구垢(=괴롭힘[惱]·해침[害]·원한[恨]·아첨[諂]·속임[誑]·교만[憍])를 말하는 것이다. (문) 전 중 수면睡眠은 자력인 것인가, 따르는 것[수종隨從]인가? (해) 따르는 것이다. 이치상 실제로 이 단계 중에는 수면도 역시 없다. 그런데도 따로 가려내지 않은 것은, 만약 자력의 전·구라면 처음 결생하는 단계에 결정코 현기하는 것이 아니기 때문에 여기에서 따로 가려내었지만, 그 따르는 전은 곧 결정적인 것이 아니어서이다. 만약 무참·무괴·혼침·도거라면 이 단계에서 상응하지만, 만약 수면이라면 상응하지 않으니, 결생의 단계는 수면이 아니기 때문이다. (이와 같이) 따르는 전은 성품이 일정하지 않기 때문에 글에서 가려내지 않은 것이다. 또 해석하자면 수면은 자력의 전이다. 만약 이렇게 해석한다면 곧 자력의 전 중에서 이미 가려낸 것이다.(='수면'에 대해서 자세히 밝히는 것은 이것이 10전 중 남은 하나이기 때문이다) 비록 생유의 단계에서는 심신이 어둡고 열등하지만, 과거에 자주 일으켰던 번뇌에 의해서, 혹은 과거 가까이에서 현행한 것에 의해서, 혹은 그 두 가지 뛰어난 원인이 견인해 일으키는 힘에 의해서, 이 단계의 번뇌가 저절로 현기하는 것이다. 중유가 처음 상속하는 찰나도 반드시 염오인 것은, 생유와 같다고 알아야 할 것이라는 이것은 곧 뜻의 편의상 겸하여 밝힌 것이다.

154 게송의 '나머지' 3유에 대해 해석하는 것이다. 나머지 본유·사유·(제2찰나 이후의)중유는 각각 세 가지 성품에 통한다.

155 계界에 의거해 분별하면서 게송의 '무색계는 3유'를 해석하는 것이다.

유정의 연기에 대해 자세히 분별했는데, 이 모든 유정은 무엇에 의해 머무는가?[156] 게송으로 말하겠다.

39 유정은 먹이에 의해 머무는데[有情由食住]
단식은 욕계계이며, 체는 3처일 뿐[段欲體唯三]
색처가 아니니[非色不能益]
자신의 근과 해탈한 분을 유익하게 할 수 없기 때문이다[自根解脫故]

40 촉식·사식·식식의 3식은[觸思識三食]
유루이고, 3계에 통하며[有漏通三界]
의성 및 구생과[意成及求生]
식향, 중유, 기를 돕는다[食香中有起]

41 앞의 2식은 현세의[前二益此世]
소의 및 능의를 유익하게 하고[所依及能依]
뒤의 2식은 미래의 존재를[後二於當有]
순서대로 견인하고 그리고 일으킨다[引及起如次][157]

논하여 말하겠다. 경에서 설하였다. "세존께서 한 가지 법을 스스로 깨우치셨는데, 바르게 깨닫고 바르게 설하셨으니, 말하자면 모든 유정은 모두 먹이[食]에 의해 머무는 것 아닌 것이 없다는 것이다."[158] 어떤 것이 먹이[食]인가? 먹이에는 네 가지가 있으니, 첫째 단식[段], 둘째 촉식[觸], 셋째 사식[思], 넷째 식식[識]이다.[159]

156 이하는 큰 글(=유정을 전체적으로 분별하는 글)의 둘째 유정의 주住를 분별하는 것인데, 앞을 맺으면서 뒤를 일으킨 것이다.
157 게송의 답에 나아가면 제1구는 전체적으로 보이는 것이고, 다음 5구는 개별적으로 해석하는 것이며, 다음 2구는 경에 대해 회통하는 것이며, 뒤의 1게송은 뛰어난 작용을 밝히는 것이다.
158 이하 제1구를 해석하는 것이다. # 본문의 '경'은 잡 [17]17:489 일법경一法經을 가리킨다.

단식段食에는 두 가지가 있으니, 말하자면 미세한 것[細]과 거친 것[麤]이다. 미세한 것은 말하자면 중유의 먹이—냄새[香]를 먹이로 하기 때문이다— 및 천신과 겁초劫初의 먹이—변화의 더러움이 없기 때문이며, 마치 기름이 모래에 스며들듯 지체[支]에 흩어져 들어가기 때문이다—이다. 혹은 미세한 더러운 벌레[細汚虫]와 영아 등의 먹이를 말하여 미세한 것이라고 이름한다. 이와 반대되는 것이 거친 것이다.[160]

이와 같은 단식은 욕계에만 있다. 단식에 대한 탐욕에서 떠나야 상계에 태어나기 때문에 오직 욕계에 매인 것[繫]이다. 냄새·맛·감촉 세 가지는 일체 모두가 단식 자체가 되니, 조각으로 나누어져 마시고 삼킬 수 있기 때문이다. 말하자면 입이나 코로써 나누고 나누어 그것을 받아들이는 것이다.[161] 빛과 그림자, 뜨거움과 시원함은 어떻게 먹이가 되는가?[162] 전하는

159 '먹이'에는 모두 네 가지가 있다.

160 이하 단식에 대해 따로 해석하는 것이다. 이는 단식은 미세하거나 거칠다는 것을 나타내는 것이다. 첫째 더러움이 없는 것은 미세한 것이 되고, 더러움이 있는 것은 거친 것이 된다. '겁초의 먹이'란 말하자면 겁초 시기의 사람은 지미地味·지피병地皮餠·임등林藤(=뒤의 제12권 중 게송 96과 그 논설 참조)을 먹었는데, 변화의 더러움이 없기 때문이다. 향기로운 벼[香稻]를 먹은 뒤부터 변의 더러움이 있게 되었다. 둘째 적고 부드러운 것을 미세한 것이라고 이름하고, 많고 딱딱한 것을 거친 것이라고 이름한다. '미세하고 더러운 벌레'는 곧 서캐[蟣]나 이[虱]이니, 그 몸이 미세하고 적으며 더러운 것에서 생긴 것이다. 혹은 사람 몸 안의 벌레가 더러운 것을 먹는 것을 미세하고 더러운 벌레라고 이름한다.

161 오직 욕계에만 매인 것이고, 냄새·맛·감촉 세 가지는 일체 모두가 단식 자체이다. 배고픔과 목마름의 두 가지 감촉도 먹이라고 이름하는 것은 과거에 먹은 것을 소화시키기 때문이며, 새로운 먹이를 희망하기 때문이며, 병 없음을 나타내기 때문이니, 그래서 먹이라고 이름하는 것이다. '조각으로 나누어져 마시고 삼킬 수 있기 때문'이라고 한 것은, 말하자면 입으로 마시고 삼킬 수 있고, 코로 마실 수 있다는 것이니, 마치 코끼리 등이 코로 나누고 나누어 받아들이는 것과 같다. 그래서 단식이라고 이름한 것이니, 이는 곧 명칭을 해석하는 것이다. 또 해석하자면 말하자면 입으로 마시고 삼켜서 설근은 곧 부분부분 맛을 받아들이며, 코로 마시기 때문에 비근은 곧 부분부분 냄새를 받아들이며, 입과 코 안의 접촉으로 신근이 부분부분 감촉을 받아들이는 것이다.

162 물음이다. 예컨대 햇빛, 나무의 그림자, 불의 뜨거움, 바람의 시원함, 이 네 가지 중의 냄새·맛·감촉 세 가지는 마시고 삼킬 수 있는 것이 아닌데, 어째서 먹이라고 이름하는가?

학설로는, 이 말은 많은 것에 따라 논한 것이라고 한다. 또 비록 마시고 삼키는 것은 아니지만, 능히 몸을 유지하므로 역시 미세한 먹이에 포함되는 것이니, 마치 바르고 씻는 것 등과 같다.[163]

색처[色]도 조각으로 나누어 마시고 삼킬 수 있는데, 어째서 먹이가 아닌가?[164] 이것은 자신에 대응하는 근[自所對根]과 해탈한 분을 유익하게 할 수 없기 때문이다. 대저 먹이라고 이름하려면 반드시 먼저 자신의 근과 대종을 도와 유익하게 하고, 뒤에 다른 것에도 미쳐야 한다. 형색을 마시고 삼킬 때에는 자신의 근과 대종에게도 오히려 유익하지 않거늘, 하물며 다른 것에게 미칠 수 있겠는가? 그 모든 근은 경계가 각각 다르기 때문이다. 어떤 때 형색을 보고 기쁨과 즐거움이 생겼다면, 형색을 반연하여 생긴 접촉이 먹이인 것이지, 형색은 아니다. 또 불환자 및 아라한은 먹이에 대한 탐욕[食貪]으로부터 해탈하였으므로, 비록 갖가지 아주 좋은 음식을 보더라도 유익함이 없기 때문이다.[165]

163 답이다. 예컨대 사람이 추위로 병들었을 때 홀연 햇빛 및 화염의 감촉을 만나면 곧 유익한 것과 같으며, 사람이 더위로 병들었을 때 나무의 그림자 및 시원한 바람의 감촉을 만나게 되면 곧 유익한 것과 같으므로, 이것도 역시 먹이라고 이름한다. 단식이라고 말하는 것에 대해 비바사 논사들이 전하는 학설로는, 이 마시고 삼킨다는 말은 많은 것에 따라 논한 것이라고 한다. 마치 약을 몸에 바르거나 씻고 목욕하는 것 등은 비록 마시거나 삼키는 것이 아니지만, 능히 몸을 유지하므로 역시 미세한 먹이에 포함된다는 것이다. 색계에는 능히 거두어 유익하게 하는 감촉이 있지만, 필경 조각으로 나누어 마시고 삼키는 것이 없기 때문에 단식이 아니다.

164 물음이다.

165 답이다. 형색은 자신에 대응하는 안근을 유익하게 할 수 없고, 형색은 해탈한 분을 유익하게 할 수 없기 때문이다. 대저 먹이라고 이름하려면 반드시 먼저 자신에 대응하는 근 및 그 의지처인 대종을 도와 유익하게 하고, 뒤에 다른 근과 그 의지처인 대종에도 미쳐야 한다. 형색을 마시고 삼킬 때에는 자신의 안근과 의지처인 대종도 오히려 유익하게 할 수 없거늘, 하물며 다른 귀 등의 4근 및 그 의지처인 대종에게 미칠 수 있겠는가? 모든 색근은 경계가 각각 다르기 때문이다. 어떤 때 형색을 마시고 삼켰을 때 비근·설근·신근은 형색을 취하여 근과 대종을 유익하게 할 수 없다. 저 이욕한 분이 어떤 때 형색을 보고 기쁨과 즐거움이 생겼다면, 형색을 반연했기 때문에 접촉이 기쁨과 즐거움을 낳은 것이니, 이것은 촉식이지, 형색이 먹이인 것이 아니다. 또 뒤의 2과보를 얻은 분은 욕망을 떠났기 때문에 먹이에 대한 탐욕으로부터 해탈하였으므로,

촉식觸食은 3자의 화합에서 생긴 모든 접촉을 말하는 것이고, 사식思食은 의업意業을 말하는 것이며, 식식識食은 식온을 말하는 것이다. 이 세 가지는 오직 유루이며, 3계에 통하여 모두 있다.[166]

【무루가 아닌 까닭】 어째서 먹이의 체는 무루에 통하지 않는가?[167] 비바사 논사들은 이렇게 해석한다. "능히 모든 존재를 돕는 것[能資諸有]이 그 먹이의 뜻인데, 무루는 모든 존재를 소멸시키기 위해 닦아서 낳는 것[修生]이기 때문이다."[168] 또 계경에서도 설하였다. "먹이에는 네 가지가 있는데, 이미 생긴 유정들[部多有情]을 능히 안주하게 하고, 또 생을 구하는 모든 자들[諸求生者]을 능히 도와 유익하게 한다." 무루는 그렇지 않기 때문에 먹이의 체가 아니다. '부다部多'라는 말은 이미 생긴 것[已生]이라는 뜻을 나타내니, 모든 취趣가 생기고 나면 모두 '이미 생긴 것'이라고 말한다.[169]

다시 '생을 구하는 자'라고 말한 것은 무엇을 가리키는 것인가?[170] 이는

비록 갖가지 좋은 음식의 형색을 보더라도 몸을 유익함이 없기 때문인데, 만약 그 냄새·맛·감촉을 마시고 삼켰을 때라면 몸을 유익하게 할 수 있기 때문이다. 형색과 냄새·맛·감촉에 대해 모두 탐욕을 떠났지만, 형색을 보는 것은 이익이 없고, 나머지 세 가지는 이익이 있으니, 이 때문에 형색은 먹이가 아님을 알 수 있다. 또 해석하자면 형색이 먹이가 아닌 것은 닿지 않는 경계[不至境]이기 때문이니, 배고픔과 목마름을 여의게 하지 못한다면 먹이의 일이 성취되지 못하는데, 비록 본다고 해도 배고픔과 목마름을 없애주지 못하는 것이다. (문) 단식이 아닌 것에 대해 어째서 형색만 가려내었는가? (해) 소리는 상속하는 것이 아니고, 의근과 법은 분단分段이 없으며, 눈 등의 5근은 비록 두 가지 뜻(=상속과 분단)을 포함하지만, 먹는 것 중에 없기 때문이고, 체가 정묘淨妙하기 때문이며, 마시고 삼키는 것이 아니기 때문이니, 이 여덟 가지가 먹이가 아닌 뜻은 드러나기 때문에 따로 가려내지 않은 것이다.

166 나머지 세 가지 먹이를 해석하는 것이다. 체는 오직 유루이고, 계는 곧 3계에 통한다. 앞(=제2권 중 게송 31b와 그 논설)에서 18계를 분별하면서 15계는 오직 유루라고 말했으니, 단식은 오직 유루임이 이미 드러났기 때문에 따로 말하지 않았다.

167 물음이다.

168 답이다.

169 또 경(=출전 미상)을 인용해 먹이가 오직 유루임을 드러내는 것이다. '부다'와 '구생'은 모두 3유(=욕유·색유·무색유)의 몸인데, 4식이 이미 능히 안주하게 하고, 도와 유익하게 한다고 했으니, 유루임을 분명히 알 수 있다. 무루는 그렇지 않아서 모든 존재를 소멸시키기 위한 것이기 때문에 먹이의 체가 아니다.

170 이하 경을 회통하면서 제7·제8구를 해석하는데, 이는 곧 경에 의해 물음을

중유를 가리키니, 붓다 세존께서 다섯 가지 명칭으로 중유를 설하셨기 때문이다. 어떤 것이 다섯 가지인가? 첫째는 의성意成이다. 마음[意]을 좇아 생겼기 때문이니, 정혈精血 등에 있는 외적 인연이 화합하여 이루어진 것이 아니기 때문이다. 둘째는 구생求生이니, 항상 기뻐하며 장차 태어날 곳을 찾고 살피기 때문이다. 셋째는 식향食香이니, 몸이 냄새라는 먹이의 도움[資香食]으로 태어날 곳으로 가기 때문이다. 넷째는 중유이니, 2취趣 중간에 있는 온이기 때문이다. 다섯째는 기起라고 이름하니, 미래의 생에 대향對向하여 잠시 일어나기 때문이다.171

마치 계경에서, "유괴有壞 자체가 일어나고, 유괴 세간이 태어난다"라고 설한 것과 같은데, '일어난다[起]'는 것은 중유를 말하는 것이다.172 또 경에서, "어떤 보특가라는 기결起結을 이미 끊었어도 아직 생결生結을 끊지 못하였다"라고 설하면서, 이 경에서 널리 4구를 설했는데, 2계의 탐욕을 떠난 모든 상류반자가 제1구가 되고, 중반열반자가 제2구가 되며, 모든 아라한들이 제3구가 되고, 앞에서 말한 것들을 제외한 것이 제4구가 되었다.173

일으킨 것이다.

171 답이다. 경에서 중유의 다른 이름 다섯 가지를 설했는데, '구생'은 곧 다섯 가지 중 한 가지 명칭이니, 앞의 경에서 설한 '생을 구하는' 자는 곧 중유를 가리키는 것을 분명히 알 수 있다는 것이다. 나머지 글은 알 수 있을 것이다.

172 경을 인용해 굴려서 '기起'가 중유임을 증명하는 것이다. 마치 계경(=출전 미상)에서, "파괴될 수 있는 무상을 가진[有無常可破壞] 자체가 일어나고, 파괴될 수 있는 무상을 가진 세간이 태어난다"라고 설한 것과 같다.(=본문의 '유괴有壞'는 파괴될 것을 가졌거나 파괴될 것이 있다는 취지) '일어난다'는 것을 중유를 말하고, '태어난다'는 것을 생유를 말한다. '자체'와 '세간'은 그 공통의 명칭이니, 중유는 실제로 있다는 것을 밝히기 위해 '자체'로써 명칭을 표방하고, 생유는 항상하다고 집착할 것을 두려워해서 '세간'으로 허물을 나타낸 것이다. 또 해석하자면 영략호현한 것이다. 또 해석하자면 중유는 모습이 은밀하므로 '자체'로 명칭을 표방했고, 생유는 모습이 드러나므로 '세간'으로 명칭을 삼았다.

173 또 경(=출전 미상)을 인용해 '기'는 중유를 이름한 것임을 증명하는 것이다. 이 경에서 '끊음[斷]'을 설했는데, 끊음에는 두 가지 있다. 첫째는 영원한 대치를 얻어 끊는 것[得永對治斷]이니, 택멸을 얻고 물러나지 않는 것을 끊었다고 이름한다. 둘째 영원히 작용하지 않음을 얻어 끊는 것[得永不行斷]이니, 비택멸을 얻어 작용하지 않는 것을 끊었다고 이름한다. (본문의) 4구 중에서는 그 상응하는 바에 따라 이 두 가지 끊음을 말한다. 중유를 윤택하는 번뇌를 기결

또 '부다'란 아라한을 말하며, 나머지 갈애가 있는 자를 말하여 '생을 구하는 자'라고 이름한다.174

【몇 가지가 안주하게 하고 자익資益하는가】 몇 가지 먹이가 이미 생긴 유정들을 능히 안주하게 하고, 몇 가지 먹이가 생을 구하는 유정들을 도와 유익하게 하는가?175 비바사 논사들은 모두 4식을 갖춘다고 말한다. 갈애를 가진 모든 자는 또한 단식을 연으로 해서도 도와 유익하게 해서 후유를 초래하게 하니, 세존께서, "4식은 모두 병病·종기[癰]·화살[箭]의 근본, 늙음·

起結이라고 이름하고, 생유를 윤택하는 번뇌를 생결生結이라고 이름한다. 또 해석하자면 중유를 윤택하는 첫찰나의 번뇌를 기결이라고 이름하고, 생유를 윤택하는 첫찰나의 번뇌를 생결이라고 이름한다. '4구'라고 말한 것 중 제1구는, 기결은 이미 끊었어도 아직 생결은 끊지 못한 경우이니, 말하자면 욕계·색계의 탐욕을 떠난 모든 무색의 상류반자(=무색계에 태어나 반열반할 자)이다. 2계의 탐욕을 떠나 중유를 받지 않기 때문(=무색계는 중유가 없다)에 기결은 이미 끊었지만, 아직 무색탐을 끊지 못해서 다시 무색계의 생유를 받을 것이기 때문에 생결은 아직 끊지 못했다. 여기에서 끊었다는 말은 영원히 대치하는 끊음에 의거해 말한 것이다. 말하자면 욕계·색계에 대한 생결이 작용할 수 있다면, 반드시 겸하여 기결도 작용할 수 있지만, 무색계에 대한 생결이 현행한다면 반드시 결정코 기결에 대해 영원한 대치를 이미 얻은 것이기 때문에 이 끊음은 영원한 대치에 의거해 말한 것임을 알 수 있다. 제2구는 생결은 이미 끊었어도 기결은 아직 끊지 못한 경우이니, 말하자면 중반열반자는 생유를 받지 않기 때문에 생결은 이미 끊었고, 중유를 받을 것이기 때문에 기결은 아직 끊지 못했다. 여기에서 끊었다는 말은 현행하지 않음에 의거한 것이니, 생결에 대해 영원한 대치를 얻고서도 기결을 아직 끊지 못하는 이치는 없기 때문이다. 말하자면 생결을 끊었다면 곧 3계를 떠나니, 그에게는 반드시 남은 기결도 없어야 하기 때문이다. 따라서 이는 단지 영원히 작용하지 않음에 의거한 것임을 알 수 있다. 제3구는 기결도 이미 끊고 생결도 이미 끊은 경우이니, 말하자면 아라한은 3계의 탐욕을 끊어 중유를 받지 않기 때문에 기결을 이미 끊었고, 생유를 받지 않기 때문에 생결도 이미 끊었다. 여기에서 끊었다는 말은 영원한 대치에 의거해 말한 것이다. 이 몸으로 결정코 무학을 성취한 분이 있다면 현행하지 않음에 의거해서도 생결·기결을 끊었다고 이름하겠지만, 여기에서는 우선 영원한 대치에 의거해 말한 것이다. 제4구는 기결도 끊지 못하고 생결도 끊지 못한 경우이니, 앞에서 말한 것들을 제외한 경우이다.

174 제2의 해석이다. '부다'라는 말은 무생無生의 뜻이라는 것이니, 말하자면 아라한은 생을 받지 않기 때문이다. '부다bhūta'라는 말은 많은 뜻을 함축하기 때문에 범어로 둔 것이다. 나머지 범부와 유학, 갈애가 있는 모든 자들은 생을 구하는 자[求生]라고 이름하니, 다시 생을 받기 때문이다.

175 물음이다.

죽음의 연이 된다"라고 설하셨기 때문이다.[176]

또한 사식思食이 현세의 몸도 안주하게 하는 것을 볼 수 있으니, 세간에 전하는 말이 있다. 옛날에 한 아버지가 있었는데, 때마침 기근을 만나 다른 지방으로 가고자 했지만, 자신은 이미 굶주렸고 두 아들은 어려서, 마음은 데리고 가고 싶어도 감당할 힘이 되지 않자, 자루에 재를 담아서 벽 위에 걸어놓고 두 아들을 위로하며, '이것은 보릿가루가 든 자루'라고 말했더니, 두 아들은 희망을 품고 오랜 시간 연명했는데, 뒤에 어떤 사람이 와서 자루를 내려 열어 주자, 아들은 재인 것을 보고 절망하여 곧 죽어버렸다고 한다. 또 큰 바다에 있던 상인들이 조난하여 배는 부서지고 음식은 모두 잃어버렸지만, 멀리 쌓인 물거품을 보고 해안일까 의심하며 마음으로 속히 이르기를 희망하면서 목숨을 연장할 수 있었는데, 거기에 다다르자 해안이 아닌 것을 알고 절망하여 곧 죽어버렸다고 한다. 『집이문족론』에서 말하였다. "큰 바다에 큰 중생이 있었는데, 해안으로 올라가 알을 낳아서 모래 속에 묻고 다시 바다로 돌아갔다. 그 어미가 항상 생각하면 알은 곧 부서지지 않았지만, 그가 생각하기를 잊으면 알은 곧 부서져 버렸다."[177]

이것은 그렇지 않아야 하니, 먹이의 뜻에 어긋나기 때문이다. 어찌 남의 사식이 자신을 유지할 수 있을 것인가? 이치의 실제로는 '알이 항상 어미를 생각하면 썩어 무너지지 않을 수 있었지만, 잊어버리면 곧 목숨이 끝났다'라고 말해야 할 것이다. 접촉 단계에 있을 때를 기억하여 어미에 대한 생각

176 답이다. 이미 생긴 것과 생을 구하는 자 모두 4식을 갖춘다. 갈애를 가진 모든 자의 단식은 현세의 몸을 도와 유익하게 할 뿐만 아니라, 역시 단식이 연이 되어 현재의 번뇌와 업도 도와 유익하게 해서 후유의 과보를 초래하게 하는 것이다. 세존께서도, 현재의 4식은 모두 미래의 온갖 병의 근본, 종기의 근본, 독화살의 근본, 늙음의 연, 죽음의 연이 된다고 설하셨다.(=잡 [15]15:374 유탐경有貪經 참조) '병' 등은 모두 괴로움의 과보의 다른 명칭이니, 따라서 단식은 미래의 존재도 역시 도운다는 것을 알 수 있다.

177 사식思食은 단지 미래의 존재를 도와 유익하게 할 뿐만 아니라, 사식이 현세의 몸을 안주하게 하는 것도 볼 수 있기 때문에 사식이 현세를 유익하게 한다는 것을 알 수 있다. 세 가지 증명은 알 수 있을 것이다. # 3식 중 사식에 대해서만 증명한 것은, 접촉과 의식은 생각 내지 의도와 상응하기 때문에 그 2식은 사식에 포함된다는 취지.

을 일으키는 것이다.[178]

【먹이를 네 가지로 한 까닭】 모든 유루법은 모두 존재를 자양하거늘, 어째서 세존께서는 먹이로 네 가지만 설하셨는가?[179] 비록 그러하지만 수승한 것에 나아가 네 가지를 설하신 것이므로 허물이 없다. 말하자면 처음 2식은 능히 이 몸의 소의所依와 능의能依를 유익하게 하고, 뒤의 2식은 능히 미래의 존재[當有]를 견인하고, 능히 미래의 존재를 일으킨다.

'소의'라는 말은 유근신有根身을 말하는 것이니, 단식은 그것을 능히 도와 유익하게 하며, '능의'라는 말은 심·심소를 말하는 것이니, 촉식은 그것을 능히 도와 유익하게 한다. 이와 같은 2식은 이미 생긴 존재[已生有]를 도와 유익하게 하는 공능이 가장 수승한 것이다. '미래의 존재'라는 말은 미래에 태어날 것을 말하는 것이니, 그 미래에 태어날 것을 사식은 능히 견인하고, 사식이 견인하고 나면 업으로 훈습된 의식의 종자의 힘에 따라 후유가 일어날 수 있다. 이와 같은 2식은 아직 태어나지 않은 존재[未生有]를 견인해 일으키는 공능이 가장 수승한 것이다. 그래서 비록 유루는 모두 존재를 자양하지만, 수승한 공능에 나아가 4식만을 설하신 것이다.

앞의 2식은 양모와 같으니, 이미 태어난 것을 기르기 때문이고, 뒤의 2식은 생모와 같으니, 아직 태어나지 않은 것을 낳기 때문이다.[180]

---

178 세 번째 증명을 논파하고 다시 바른 해석을 펴는 것이다. 말하자면 지금 이 알이 과거에 품어서 따뜻하게 접촉하고 있던 단계의 어미를 기억하는 생각을 일으킨다는 것이다. 그래서 『대비바사론』 제130권(=대27-676중)에서 『집이문족론』(=제8권. 대26-400하)을 인용하면서 말하였다. "말하자면 어미가 먼저 품어서 따뜻하게 할 때에 있던 접촉을 기억하는 것이다."

179 이하 세 번째 게송을 해석하는데, 이는 곧 묻는 것이다.

180 답이다. 수승한 것에 나아가 4식을 설하신 것이기 때문에 허물이 없다. 4식 중에 나아가면 비록 4식은 모두 현세에 유익하고, 미래세에 유익하지만, 2식은 현세에 유익함이 뛰어나고, 2식은 미래에 유익함이 뛰어나다. '훈습'은 돕는 것[資]을 말한다. 사식이 견인하고 나면 업이 도운 의식의 종자의 힘에 따르기 때문에 후유가 일어날 수 있으니, 취과의 공능을 일으키는 것을 종자라고 이름한다. 또 해석하자면 경량부의 해석을 서술할 것인데, 이 해석은 유사하지만, 뛰어나다. 사식이 견인하고 나면 업으로 훈습된 의식의 종자의 힘에 따라 후유가 일어날 수 있다. 혹은 업으로 훈습된 의식의 종자의 힘에 따라 의식이 현행함을 얻어 후유가 일어날 수 있다. 나머지 글은 알 수 있을 것이다.

제2항 문답 분별

1. 단·접촉·생각·의식과 먹이와의 관계

존재하는 모든 단段은 모두 먹이[食]인가?[181] '단'이면서 '먹이' 아닌 것이 있으니, 4구로 분별해야 할 것이다. 제1구는 말하자면 마시거나 삼키는 것이 여러 근과 대종을 손괴하는 연이 되는 것이고, 제2구는 말하자면 나머지 3식이며, 제3구는 말하자면 마시거나 삼키는 것이 여러 근과 대종을 도와 유익하게 하는 연이 되는 것이고, 제4구는 앞에서 말한 것들을 제외한 것이다. 이와 같이 촉식 등도 그 상응하는 바에 따라 각각 모두 4구가 있다고 알아야 할 것이다.[182]

접촉 등으로서 여러 근과 대종을 도와 유익하게 하는 연이 되면서 먹이 아닌 것이 혹시 있는가?[183] 있다. 다른 지[異地] 및 무루의 접촉 등을 말한다.[184]

181 이하 문답하여 분별하는 것인데, 이는 곧 물음이다.

182 답이다. 제1구는 마시거나 삼킬 수 있기 때문에 '단'이라고 이름하지만, 근과 대종을 손상하기 때문에 먹이가 아니다. 제2구는 말하자면 나머지 3식은 능히 도와 유익하게 하기 때문에 먹이라고 이름하지만, 마시거나 삼키는 것이 아니기 때문에 '단'이 아니다. 제3구는 마시거나 삼킬 수 있기 때문에 '단'이라고 이름하며, 근과 대종을 유익하게 하기 때문에 먹이라고 이름한다. 제4구는 앞에서 말한 것들을 제외한 것이다. 촉식 등의 3식에도 모두 4구가 있다. 『집이문족론』 제1권(=대26-368중)에서 말하였다. "(문) 모든 접촉은 모두 먹이인가? (답) 4구로 분별해야 한다. 접촉으로서 먹이 아닌 것이 있으니, 말하자면 무루의 접촉 및 유루의 접촉으로 여러 근과 대종을 손괴하는 연이 되는 것이다. 먹이로서 접촉 아닌 것이 있으니, 나머지 3식을 말한다. 접촉이면서 먹이인 것이 있으니, 말하자면 유루의 접촉으로 여러 근과 대종을 도와 유익하게 하는 연이 되는 것이다. 접촉도 아니고 먹이도 아닌 것이 있으니, 앞에서 말한 것들을 제외한 것이다. 촉식에 대한 4구처럼 사식 및 식식도 역시 그러하다고 알아야 할 것이다."

183 물음이다. '접촉 등'은 사식과 식식을 같이 취한 것(=단식에 대해 묻지 않는 이유는 아래의 답에서 드러난다)이다.

184 답이다. 『순정리론』 제30권(=대27-510하)에서 말하였다. "어째서 무루의 접촉 등은 먹이가 아닌가? 먹이는 모든 존재를 능히 견인하고 능히 돕는 것을 말하는 것으로서, 싫어할 만하며 끊어야 할 갈애가 생장하는 곳이다. 무루는 비록 다른 것에 의해 견인된 존재를 돕기는 해도, 스스로는 존재를 견인하는 공능이 없으며, 싫어해 끊어야 할 갈애가 생장하는 곳이 아니기 때문에 건립해서 4식 중에 두지 않는 것이다. 이 원인을 다른 계界·지地에서 바라보면 비

먹고 나서 먹은 자의 몸을 손상함이 있는 것들도 역시 '먹이'라고 이름하니, 처음에는 도와 유익하게 했기 때문이다. 비바사 논사들은, 먹이는 두 시기에 능히 먹이의 일[食事]을 하므로 모두 먹이라는 이름을 얻는다고 하였다. 첫째는 처음 먹을 때 능히 배고픔과 목마름을 없애주는 것이고, 둘째는 소화되고 나서 근과 대종을 돕는 것이다.[185]

2. 5취·4생과 먹이

어떤 취趣, 어떤 생生은 각각 몇 가지 먹이를 갖추는가?[186] 5취·4생은 모두 4식을 갖춘다.[187]

어떻게 지옥에 단식이 있겠는가?[188] 무쇠구슬이나 끓는 구릿물은 어찌 단식이 아니겠는가?[189] 만약 능히 해가 되는 것도 먹이라고 한다면 곧 앞에서 말한 4구와 상반될 것이다. 또 『품류족론』에서도 말하였다. "어떤 것이 단식인가? 말하자면 능히 여러 근과 대종을 도와 유익하게 하는 것이다. …… 식식도 역시 그러하다."[190] 그 설명은 우선 능히 도와 유익하게 하는 것에 의해 먹이라고 이름하는 것을 말한 것이기 때문에 상반되지 않는다. 그렇지만 지옥 중의 뜨거운 무쇠구슬 등은, 비록 먹고 나서 능히 손해가 되기는 하지만, 능히 잠시 배고픔과 목마름을 해소하여 먹이의 모습을 얻기

록 유루법이라고 해도 먹이의 체가 아니니, 다른 계·지의 법은 역시 현세의 존재를 돕는 원인은 될 수 있지만, 후유를 견인하는 원인은 될 수 없기 때문에 먹이라고 이름하지 못한다. 모든 무루법이 현전할 때에는 비록 근과 대종을 돕는 원인이 될 수 있지만, 후유를 견인하는 원인이 될 수는 없으니, 비록 잠시 원인이 되어 근과 대종을 돕기는 해도, 단지 자기의 수승한 의지처를 성취해서 속히 열반으로 나아가 모든 존재를 영원히 소멸시키고자 하기 위한 것이기 때문이다. 그러나 자지의 유루가 현전할 때에는 현재를 도와 증상하게 하며 능히 후유를 초래하는 것이다."

185 널리 단식에 대해 밝히는 것이다. 처음에 유익하고 뒤에 손상하는 것이나, 처음에 손상하고 뒤에 유익한 것은 모두 먹이라고 이름한다.

186 묻는 것이다.

187 답이다.

188 힐난이다.

189 해석이다.

190 힐난하는 것이다. 만약 해가 되는 것도 먹이라고 이름한다면, 첫째 곧 4구의 설명과 상반되고, 둘째 『품류족론』(=제7권. 대26-719상)에 어긋난다.

때문에 역시 먹이라 이름한다. 또 고지옥孤地獄의 단식은 인간의 그것과 같기 때문에 5취 중에 모두 4식이 있는 것이다.[191]

【음식 보시의 공덕】 세존의 말씀으로는, 어떤 사람이 1백 명의 이욕한 외도 선인에게 음식을 보시하더라도, 만약 섬부림贍部林 중의 한 명의 이생異生에게 음식을 보시할 수 있다면, 그 과보는 저것보다 뛰어나다는데, 무엇을 일러 섬부림 중의 이생이라고 한 것인가?[192]

어떤 분은 이렇게 해석하였다. "섬부주에 머물고 있는 일체 모든 유복자有腹者이다."[193] 그 해석은 이치가 아니니, '한 명'이라는 말씀을 하셨기 때문이다. 또 여기에서 한량없는 이생들에게 음식을 보시한 일이 있었다면, 음식을 소수의 이욕한 외도 선인에게 보시한 것보다 이치상 당연히 뛰어날 것인데, 어찌 기이하게 비교해서 뛰어나다고 찬탄할 가치가 있었겠는가?[194] 어떤 분은 말하였다. "그는 붓다에 가까운 보살이다."[195] 이치상 역시 그렇지 않다. 그런 분에게 보시해서 얻는 복는 구지俱胝의 아라한에게 보시하는 것보다 뛰어나기 때문이다.[196] 비바사 논사가 말하였다. "이 이생

191 회통하는 것이다. 그 앞의 4구 및 『품류족론』의 설명은 우선 한결같이 능히 도와 유익하게 하는 것에 의해 먹이라고 이름하는 것을 말한 것이다. 실제로 말하자면, 처음에 유익하고 뒤에 손해되는 것이나 처음에 손해되고 뒤에 유익한 것 모두 먹이라고 이름하기 때문에 상반되지 않으니, 뜨거운 무쇠구슬 등은 처음에 유익하고 뒤에 손해되는 것일 뿐이다. 또 고지옥(=8한·8열지옥 외에 산야·지하 등 어디에나 있을 수 있는 고립된 지옥임은 뒤의 제11권 중 60d에 관한 논설 참조)의 단식은 인간의 그것과 같기 때문에 5취 공통으로 모두 4식이 있다.

192 4식에 대해 해석하는 기회에 다시 음식을 보시하는 공덕을 비교해 밝히는 것인데, 경(=중 39:155 수달다경須達哆經, 증일 19:27:3경 등을 가리키는 것으로 보이지만, 비교 내용이 본문과는 같지 않다)에 의해 물음을 일으켰다.

193 모두 네 가지 해석이 있는데, 이는 곧 첫 논사이다. '복腹'은 배의 위장[腹肚]을 말하는 것이다.

194 논주가 첫 논사를 논파하는 것이다. 그 경 중에서 '한 명의 이생'이라는 말을 했기 때문에 해석한 것이 이치가 아니라는 것이다. 또 여기에서 많은 사람에게 보시했다면 소수에게 한 것보다 뛰어날 것은 이치상 곧 의심의 여지가 없을 것인데, 어찌 기이하게 비교해서 뛰어나다고 찬탄할 가치가 있겠는가?

195 제2논사의 해석이다. 어떤 분은, '이생'은 곧 1백 겁 동안 상호의 업[相好業]을 닦은 붓다에 가까운 보살이라고 말하였다.

196 논주가 제2논사를 논파하는 것이다. '구지'는 여기 말로 100억(=뒤의 제12

은 순결택분順決擇分을 획득한 분이다."[197] 이 표현도 뜻과 역시 상응하지 않는다. 일찍이 계경이나 근본논서에서, '순결택분을 얻고 섬부림 중에 머문다'라고 설한 적이 없기 때문이다. 그것은 스스로 분별한 것일 뿐이라고 알아야 할 것이다.[198]

섬부림에 계시던 최후신 보살을 그 이생이라고 이름하였다는 이 설이 이치에 맞다. 그 때의 보살은 이욕한 선인과 같았기 때문에 그 선인을 상대해 비교하여 뛰어나다고 찬탄한 것이다. 비록 보살에게 보시하는 복의 뛰어남은 끝이 없지만, 앞에서 비교한 것에 편승하여 우선 1백 명(의 이욕한 외도 선인에게 보시한 것)보다 뛰어나다고 말한 것이다. 이치상 반드시 그러해야 한다. 뒤에 세존께서 그 이생을 제외하고, 다시 외도로써 예류향에 상대시켜 승열勝劣을 비교했기 때문이니, 만약 그렇지 않다면 세존께서 곧 그 이생으로써 예류향에 상대시키셨어야 할 것이다.[199]

....

권 중 게송 ⑫d에 관한 논설의 설명에 의해 계산하면 1천만이 된다)이다.

197 제3논사의 해석인데, 『대비바사론』 제130권(=대27-678중)에서 논평하는 분의 뜻에 해당한다.

198 논주의 논파이다. 이 섬부림 중의 이생이라는 명칭이 순결택분(을 얻은 분)이라는 것도 그 뜻과 역시 상응하지 않는다. 또 글의 증거가 없으니, 그것은 비바사 논사 스스로 분별한 것일 뿐이라고 알아야 한다.

199 넷째 논주 자신의 해석이다. 최후신에 머물던 석가보살이 섬부림에 있을 때를 그 이생이라고 이름한 것이라는 이 설이 이치에 맞다. 그 때의 보살은 이욕선인과 같이 염부림에 있었던 것이다. 또 해석하자면 그 때의 보살은 비록 아직 이욕하지 못했어도 번뇌를 조복한 것이 이욕선인과 같았기 때문에 그런 선인을 상대해서 비교해 뛰어남을 찬탄하신 것이다. 비록 보살에게 보시하는 복의 뛰어남은 끝이 없지만, 그 경에서 앞에서 비교한 것에 편승하여 우선 백 배로 상대시킨 것이기 때문이다. 우선 보살이 그 백 배보다 뛰어나다고 말한 것은 이치상 반드시 그러해야 한다. 말하자면 그 경 중에서, "어떤 사람이 능히 백 명의 바라문에게 음식을 보시하더라도, 만약 능히 한 분의 이욕선인에게 음식을 보시하면 그 과보가 저것보다 뛰어나다"라고 이렇게 설하고, 또, "어떤 사람이 백 명의 외도의 이욕선인에게 능히 음식을 보시하더라도, 만약 능히 섬부림 중의 한 분의 이생에게 보시한다면 그 과보가 저것보다 뛰어나다"라고 설했다. 그래서 '앞에서 비교한 것에 편승하여 우선 1백 명보다 뛰어나다고 말한 것이다'라고 말한 것이다. 뒤에 세존께서 그 섬부림 중의 이생을 제외하고, 다시 외도의 이욕선인으로써 예류향에 상대시켜 승열勝劣을 비교했기 때문이니, 만약 그렇지 않다면(=순결택분을 얻은 정도의 이생이라면) 세존께서 곧 그 섬부림 중의 이생으로써 예류향에 상대시켜 승열을 비교하셨어

제2절 유정의 죽음

유정의 연기 및 머묾에 대해 설명했으니, 먼저 말한 것처럼 수명이 다해 죽는 것 등에 대해 이제 바로 분별하겠다. 어떤 식이 현전하며, 어떤 느낌과 상응하여 죽음과 태어남이 있는지 등인데,[200] 게송으로 말하겠다.

42 단선근과 속선근[斷善根與續]
이염과 물러남, 사와 생은[離染退死生]
오직 의식 중에서만 인정되고[許唯意識中]
사와 생은 오직 사수이다[死生唯捨受]

43 그 둘은 정심·무심이 아니며[非定無心二]
두 가지 무기심으로 열반에 들고[二無記涅槃]
점차 죽을 때에는 발, 배꼽, 심장에서[漸死足臍心]
최후의 의식이 소멸하는데[最後意識滅]

44a 하계, 인간, 천신과 불생이며[下人天不生]
단말마는 수계 등 때문이다[斷末摩水等][201]

1. 현전하는 식

야 할 것이다. 그렇지만 그 경 중에서 이렇게 설하지 않으셨기 때문에 앞에 편승하여 우선 백 명보다 뛰어나다고 말한 것임을 알 수 있다.

200 이하 큰 글의 셋째 유정의 몰沒에 대해 분별하는 것이다. 물음 중에 여섯 가지가 있다. 첫째 어떤 식이 현전하는지 묻고, 둘째 어떤 느낌과 상응하는지 물으며, 셋째 정심定心과 무심無心으로도 사·생을 얻는지 묻고, 넷째 어떤 성품의 의식에 머물며 열반에 들어감을 얻는지 물으며, 다섯째 명종시 의식이 어느 곳에서 소멸하는지 묻고, 여섯째 단말마斷末摩라는 것은 그 체가 무엇인지 묻는 것이다. 물음 중 '등'은 나머지 네 가지 물음을 포함하는 것이다.

201 답이다. 그 중 처음 3구는 첫 물음에 대한 답이고, 다음 1구는 제2문에 대한 답이며, 다음 1구는 제3문에 대한 답이고, 다음 1구는 제4문에 대한 답이며, 다음 3구는 제5문에 대한 답이고, 뒤의 1구는 제6문에 대한 답이다.

논하여 말하겠다. 선근을 끊을 때와 선근을 이을 때, 계界·지地의 염오를 떠날 때와 이염離染에서 물러날 때, 목숨이 끝날 때와 생을 받을 때, 이 여섯 가지 단계에서는 자연히[法爾] 의식만 인정될 뿐, 나머지는 아니다. 게송에서 말한 '생生'이라는 말은 처음 결생하는 중유도 포함하는 것이라고 알아야 할 것이다.[202]

2. 상응하는 느낌

사와 생은 사수와만 상응한다고 인정되니, 사수와 상응하는 마음은 밝고 예리하지 못하기 때문이다. 나머지 느낌은 밝고 예리해서 사·생에 수순하지 않는다.[203]

3. 정심·무심일 수도 있는가

또 이 두 시기는 오직 산심[散]일 뿐, 정심[定]이 아니며, 반드시 유심의 단계여야 하므로, 반드시 무심이 아니다.[204]

정심에 있을 때에는 죽거나 태어나는 뜻이 있는 것이 아니니, 계界·지地가 다르기 때문이며, 가행으로 생기는 것이기 때문이며, 능히 거두어 유익하게 하기 때문이다.[205]

202 처음 3구를 해석하는 것이다. 이 6단계에는 자연히 의식만 인정될 뿐, 나머지 5식은 아니니, 공능이 없기 때문이다. (게송에서 말한) '생'이라는 말은, 생유의 첫 마음을 포함할 뿐만 아니라, 중유의 첫 마음도 포함하는 것이라고 알아야 한다. 만약 '생유'라고 말한다면 곧 중유에는 통하지 않지만, 만약 '생'이라고만 말한다면 곧 중유의 첫찰나에도 통한다. 예컨대 상계에서 죽어 하계에 태어날 때 중유의 첫찰나도 태어난다고 이름하는 것과 같기 때문이다. 여기에서의 본래 뜻은, 유정이 죽는 단계에 어떤 식이 현행하는가를 밝히고자 하는 것이지만, 뜻이 상응하기 때문에 덧붙여 나머지 다섯 가지 경우(=단선근과 속선근, 이염과 이염퇴, 생)도 분별한 것이다. 아래에서 생에 대해 따로 밝히는 것도 이에 준해서 알아야 한다.

203 제4구를 해석하는 것이다. 죽고 태어날 때의 마음은 밝고 예리하지 못하기 때문이다. 그 사수의 체도 역시 밝고 예리하지 못해서 성품이 서로 수순하기 때문에 사수와 상응한다. 나머지 두 가지 느낌은 성품이 밝고 예리하기 때문에 사·생에 수순하지 않는다.

204 이하 제5구를 해석하는 것이다. 게송에서 '둘[二]'이라고 말한 것은, 사와 생을 말하는 것이다. 이 두 시기는 산심일 뿐, 정심이 아니며, 반드시 유심의 단계여야 하므로 반드시 무심이 아니다. 이는 곧 글[章]을 여는 것이다.

205 이는 제1장을 해석하는 것이다. 정심에 있을 때에는 죽거나 태어나는 뜻이

또한 무심일 때에도 죽거나 태어나는 뜻이 있는 것이 아니니, 무심의 단계에서는 목숨에 반드시 손상이 없기 때문이다. 만약 소의신所依身이 장차 변괴變壞하려고 한다면, 반드시 결정코 소의신에 속한 마음을 다시 일으키고, 그런 뒤에 목숨이 끝나지, 다시 다른 이치가 없다. 또 무심인 자는 생을 받을 수 없으니, 원인이 없기 때문이다. 번뇌를 일으킴을 떠나서는 생을 받는 일이 없기 때문이다.[206]

4. 열반에 드는 마음의 성품

비록 사유死有는 세 가지 성품의 마음에 통한다고 말하지만, 열반에 드는 것은 오직 두 가지 무기심뿐이다. 만약 욕계에 사수의 이숙이 있다고 말한다면, 그는 욕계에서 열반에 드는 마음도 역시 위의무기와 이숙무기를 갖춘다고 말할 것이고, 만약 욕계에는 사수의 이숙이 없다고 말한다면, 그는 욕계에서 열반에 드는 마음에는 단지 위의무기만 있을 뿐, 이숙무기는 없다고 말할 것이다.[207]

있는 것이 아니다. 첫째 계·지가 다르기 때문이다. 무릇 죽고 태어나는 마음은 반드시 당해 지에서 일어나는 것이니, 만약 다른 계·지를 일으켰을 때 사와 생을 일으킴이 있다면, 곧 이것은 다른 계·지에서의 사와 생이지, 자신의 계·지에서의 사와 생이 아닐 것이다. 둘째 가행으로 생기는 것이기 때문이다. 무릇 죽고 태어나는 마음은 저절로 일어나기 때문이다. 셋째 능히 거두어 유익하게 하기 때문이다. 무릇 죽고 태어나는 마음은 미약하고 열등하기 때문에 거두어 유익하게 할 수 없는 것이다.

206 제2장을 해석하는 것이다. 또한 무심일 때에도 죽거나 태어나는 뜻이 있는 것이 아니다. 무심의 단계에서는 선정의 힘에 의해 유지되므로 남이 해칠 수 없으며, 또한 스스로 목숨을 끝낼 수 있는 것도 아니므로, 반드시 손상이 없다. 만약 소의신이 장차 변괴하여 목숨이 끝나려고 한다면, 반드시 결정코 자지自地 중 소의신에 속한 마음을 다시 일으키고, 그런 뒤에 목숨이 끝나는 것이다. 다시 다른 이치가 없다. 처음 태어날 때 같은 지의 마음이 생기기 때문에 뒤에 죽을 때에도 같은 지의 마음으로 죽는다. 이는 (무심의 단계에는) 목숨이 끝나는 마음이 없음을 해석한 것이다. 또 무심인 자는 생을 받을 수 없다. 생을 윤택하는 번뇌라는 원인이 없기 때문이다. 번뇌를 일으킨다는 원인을 떠나서는 생을 받는 일이 없기 때문이다. 이는 (무심의 단계에는) 수생하는 마음이 없음을 해석한 것이다.

207 이는 제6구를 해석하는 것이다. 비록 사유는 세 가지 성품의 마음에 통한다고 말하지만, 열반에 드는 것은 오직 이숙·위의의 2무기심뿐이다. 번뇌가 없기 때문에 반드시 염오의 마음은 없고, 비록 선심과 공교·통과무기심이 있을

어째서 무기심만이 열반에 들 수 있는가?[208] 무기는 세력이 미약하여 마음의 끊어짐[心斷]에 수순하기 때문이다.[209]

5. 최후에 의식이 소멸하는 곳

목숨이 끝나는 단계에는 어떤 신체 부위에서 의식이 최후에 소멸하는가?[210] 단박에 목숨이 끝나는 자는 의식과 신근이 문득 모두 소멸한다. 만약 점차 죽는 자가 하계·인간·천신으로 간다면, 발·배꼽·심장에서 순서대로 의식이 소멸한다. 말하자면 악취에 떨어지는 것을 말하여 하계로 간다고 이름하는데, 그의 의식은 최후에 발에서 소멸하고, 만약 인취로 간다면 의식은 배꼽에서 소멸하며, 만약 천신으로 왕생한다면 의식은 심장[心處]에서 소멸한다. 모든 아라한을 말하여 불생不生이라고 이름하는데, 그들의 최후의 마음도 심장에서 소멸한다. 어떤 다른 논사는, "그것이 소멸하는 곳은 정수리에 있다"라고 말하였다.

수 있지만, 강성하기 때문에 열반에 들지 못한다. 그래서 열반에 드는 것은 2무기심뿐인 것이다. 만약 제3정려 이하에도 사수의 이숙이 있다고 말한다면, 그는 욕계에서 열반에 드는 마음은 위의무기와 이숙무기를 갖춘다고 말할 것이고, 만약 제3정려 이하에는 사수의 이숙이 없다고 말한다면, 그는 욕계에서 열반에 드는 마음에는 단지 위의무기만 있을 뿐, 이숙무기는 없다고 말할 것이다. 그 2설 중 처음 설이 바른 것이다. 저 20심의 상생 중(=앞의 제7권 중 게송 73ab에 관한 논설 중 4.의 (1))에서, 욕계의 이숙생의 마음은 능히 위의 2계의 염오심(=유부무기심)을 낳는다고 한 것은, 곧 이 욕계의 이숙생의 마음이 사수와 상응하여 명종하고, 그 위의 2계의 염오심(=유부무기심)으로 수생한다는 것이니, 수생하고 명종하는 마음은 결정코 사수이기 때문이다. 이로써 욕계에도 결정코 사수의 이숙이 있다는 것을 분명히 알 수 있다. 또 이 논서의 아래 글(=뒤의 제15권 중 게송 49)에서도, "어떤 분은 그 아래에도 있다고 설하니[有說下亦有], 중간정도 이숙을 초래하며[由中招異熟] 또 이 세 가지 업이[又許此三業] 전후 아니게 성숙하는 것을 인정하기 때문이다[非前後熟故]"라고 말하였다. 이로써 제3정려 이하에도 사수의 이숙이 있다는 것이 바른 것임을 알 수 있다.

208 물음이다.

209 답이다. 이 2무기심은 세력이 미약하고 열등해서 마음의 끊어짐에 수순하기 때문이다. 나머지 선심과 무기심은 세력이 조금 강해서 마음의 끊어짐에 수순하는 것이 아니다. 나머지 사람이 죽을 때의 마음은 3성에 통하지만, 마음을 끊는 것과는 다르므로(=속생한다는 취지) 예가 될 수 없다.

210 이하 제7·제8구를 해석하는데, 이는 곧 묻는 것이다.

바로 목숨이 끝날 때 발 등의 처소에서 신근이 소멸하기 때문에 의식도 따라서 소멸하는 것이니, 목숨이 끝날 때가 되면 신근이 점차 소멸하다가 발 등의 처소에 이르러 문득 모두 소멸하는 것이, 마치 약간의 물을 뜨거운 돌 위에 두면 점차 줄어들고 점차 소실되다가 한 곳에서 완전히 다하는 것과 같다.211

6. 단말마斷末摩의 체

또 점차 목숨이 끝나는 자는 목숨이 끝날 때가 되면 대부분 말마末摩가 끊어지는 괴로움으로 핍박받는데, 말마라고 이름하는 별도의 물건[別物]은 없다. 그렇지만 몸 안에 특이한 지절[異支節]이 있어 건드리면 곧 죽음에 이르므로, 이것을 말마라고 말한다. 만약 수계·화계·풍계 중의 어느 하나가 증성하면, 마치 예리한 칼날처럼 그의 말마를 건드리고, 이로 인해 곧 극심한 괴로움이 생기니, 이로부터 오래지 않아 마침내 목숨이 끝나기에 이른다. 마치 장작을 자른 것과 같아서 '끊어졌다'라고 이름한 것이 아니고, 마치 끊어져서 감각이 없는 것과 같기 때문에 '끊어졌다'라는 명칭을 얻은 것이다.212

211 답이다. 이치의 실제로는 의식은 방소가 없는데도, 신근과 같은 곳에서 소멸한다고 말한 것은, 신근이 소멸하는 단계에 의식도 따라 소멸한다는 것이지, 방소가 있다는 것이 아니다. 나머지 글은 알 수 있을 것이다. 또 『대비바사론』 제69권(=대27-359중)에서 말하였다. "악취에 태어날 자는 의식이 다리에 있다가 소멸하고, 인간 중에 태어날 자는 의식이 배꼽에 있다가 소멸하며, 천상에 태어날 자는 의식이 목[頸]에 있다가 소멸하고, 반열반하는 분은 의식이 심장에 있다가 소멸한다."

212 제10구를 해석하는 것이다. 단박에 목숨이 끝나는 자에게는 단말마가 없고, 점차 목숨이 끝나는 자에게만 단말마가 있다. 말마marma는 몸 안의 사혈死穴인데, 그 크기가 지극히 적고, 건드리면 곧 죽음에 이른다. 그래서 『순정리론』(=제30권. 대29-514상)에서 게송을 인용해 말하였다. "몸 안에 별도의 처소 있어, 건드리면 곧 목숨 끊어지게 하니, 마치 청련화의 꽃술이, 티끌 등에 닿는 것과 같네" 또 해석하자면 대법장對法藏(=출전 미상) 중에서 말하였다. "중생의 몸 안에 말마라고 이름하는 곳이 100개가 있는데, 건드리면 곧 죽는다." 여기에서 '단斷'이라고 말한 것은, 마치 장작을 잘라서 두 부분으로 만든 것과 같아서 '끊어졌다'라고 이름한 것이 아니다. 수계 등이 증성할 때 이 말마를 끊는 것이, 마치 어떤 사람이 머리가 끊어짐을 당하면 감지하는 것이 없는 것과 같기 때문에 '끊어졌다'라는 명칭을 얻은 것이다. 나머지 글은 알 수 있을

지계地界에는 어째서 이런 끊는 작용이 없는가?[213] 제4의 내적 재환災患은 없기 때문이다. 내적인 3재환은 풍風·열熱·담痰을 말하는 것인데, 수계·화계·풍계의 증성함이 상응하는 바에 따라서 일으키는 것이다. 어떤 분은, "이것은 외부 기세간의 3재앙과 유사한 것이다"라고 말하였다.[214]

이 단말마는 천신에게는 있는 것이 아니다. 그렇지만 천자들이 장차 목숨이 끝나려고 할 때에는 먼저 다섯 가지 작은 쇠퇴의 모습[小衰相]의 나타남이 있다. 첫째 의복과 장엄구에서 사랑스럽지 못한 소리가 나는 것, 둘째 자신의 광명이 갑자기 어둡고 열등해지는 것, 셋째 목욕할 때 물방울이 몸에 달라붙는 것, 넷째 본성이 시끄럽게 치달렸어도 이제 하나의 경계에만 머무는 것, 다섯째 눈이 본래 고요하게 응시했어도 이제 자주 눈동자를 굴리는 것이다. 이런 다섯 가지 모습이 나타나더라도 결정코 죽는 것은 아니다. 다시 다섯 가지 큰 쇠퇴의 모습[大衰相]의 나타남이 있다. 첫째 옷이 티끌과 먼지로 너럽혀지는 것, 둘째 화만이 시드는 것, 셋째 양 겨드랑이에서 땀이 나는 것, 넷째 악취가 몸에 배는 것, 다섯째 본래 자리[本座]를 좋아하지 않는 것이다. 이런 다섯 가지 모습이 나타나면 반드시 결정코 죽는다.[215]

것이다.

213 물음이다.

214 답인데, 두 가지 해석이 있다. 첫째 안의 몸에 3재환災患(=재앙과 병, 또는 재앙 같은 병)이 있음에 의거한 것이다. 풍風·열熱·담痰을 말하는 것인데, 수계가 증성하면 담병이 일어나고, 화계가 증성하면 열병이 일어나며, 풍계가 증성하면 풍병이 일어난다는 것이다. 의방醫方에서 몸에 세 부분이 있다고 말하는데, 심장 이상이 담분痰分이고, 심장 이하 배꼽 위가 열분熱分이며, 배꼽 이하가 풍분風分이다. 둘째 외부 기세간에 역시 3재(=수재·화재·풍재)가 있음에 의거한 것이니, 지계는 재앙이 아니기 때문에 끊는 작용이 없다.

215 단말마는 천신에게는 있는 것이 아님을 나타내는 것이다. 그렇지만 두 종류의 5쇠퇴상의 나타남이 있다. 또 『순정리론』(=제30권. 대29-514중)에서도 말하였다. "작은 5상은 나타나더라도 결정코 명종하는 것이 아니니, 말하자면 뛰어나게 유익한 연을 만나면 오히려 바뀔 수 있기 때문이다. 큰 5상이 나타나면 결정코 명종하니, 설령 강한 연을 만나더라도 바뀌지 않기 때문이다. 이 5상은 모든 천신에게 모두 있는 것은 아니고, 이 5상 각각을 모두 갖추는 것도 아니다. 전체적으로 모아서 말하기 때문에 5상이 있다는 말하는 것이다." 또 『대비바사론』 제190권(=대27-953상)에서 말하였다. "(문) 어느 곳에 단말마가 있는가? (답) 욕계에 있는 것이지, 색계와 무색계는 아니다. 욕계 중에

제3절 유정의 3취三聚

세존께서는 이 유정세간이 태어나고 머물며 몰하는 가운데[生住沒中] 3취聚를 건립하셨는데, 무엇을 3취라고 말하는가?[216] 게송으로 말하겠다.

44c 정정취, 사정취, 부정취는[正邪不定聚]
성자, 무간업을 지은 자, 그 나머지이다[聖造無間餘]

논하여 말하겠다. 첫째는 정성정취正性定聚, 둘째는 사성정취邪性定聚, 셋째는 부정성취不定性聚이다.[217]

무엇을 '정성正性'이라고 이름하는가? 말하자면 계경에서 설하였다. "탐욕[貪]이 남음 없이 끊어지고, 성냄[瞋]이 남음 없이 끊어지며, 어리석음[癡]이 남음 없이 끊어져 일체 번뇌가 모두 남음 없이 끊어지면 이를 정성이라고 이름한다."[218] '정定'이란 성자를 말함이니, 성자는 이미 무루도의 생기가 있어서 모든 악법을 멀리하기 때문에 성자라고 이름하는데, 필경 이계의 득[離繫得]을 획득할 것이기 때문이며, 결정코 번뇌를 다할 것이기 때문

서도 지옥에는 단말마가 없다. 항상 끊어지기 때문이다. 방생과 아귀에는 단말마가 있으며, 인간 중 3주洲에는 있지만, 북구로주에는 없으며, 욕계의 여러 하늘에도 단말마가 없다. 그런 곳은 뇌란惱亂하는 업의 과보가 아니기 때문이다. (문) 어떤 보특가라에게 단말마가 있는가? (답) 이생과 성자에게 모두 있는데, 성자 중 예류·일래·불환·아라한·독각에게 모두 있지만, 세존만은 제외하니, 뇌란하는 업이 없기 때문이다."

216 이하 유정세간에 대한 큰 글의 둘째 3취의 차별을 밝히려고 묻는 것이다. 세존께서 이 유정세간에 처음 태어나 다음에 머물다가 뒤에 죽는 세 시기 중에 3취를 건립하셨는데, 무엇을 3취라고 말하는가? 또 해석하자면 '생'은 생유를 말하고, '주'는 본유를 말하며, '몰'은 사유를 말하고, '중'은 중유를 말하는 것으로, 이 네 가지에서 3취를 건립하셨다. '취聚'는 많은 유정을 나타내는 것인데, 무엇을 3취라고 말하는가?

217 답이다. 이는 곧 명칭을 열거하는 것이다.

218 이는 정성正性을 해석하는 것이다. 탐·진·치 및 거만·의심 등의 일체 번뇌를 다 끊은 것을 '남음 없다'고 이름한다. 이런 끊음은 곧 열반의 택멸이므로 정성이라고 이름한 것이다.

에 '정정正定'이라고 이름하는 것이다.[219]

이미 순해탈분을 획득한 분들도 역시 결정코 열반을 얻을 것인데, 어째서 '정정正定'이 아닌가?[220] 그들은 후에 혹 사정취邪定聚에 떨어지기도 하기 때문이다. 또 열반을 얻는 시기가 아직 결정되지 않았기 때문이니, 예류자가 극칠반유極七返有하는 등과 같은 것이 아니다. 또 그들은 아직 사성邪性을 버리지 않았기 때문에 '정정'이라고 이름하지 못한다.[221]

무엇을 '사성邪性'이라고 이름하는가? 말하자면 모든 지옥, 아귀, 방생, 이것들을 사성이라고 이름한다.[222] '정定'은 무간을 말하는 것이니, 무간업을

219 이는 따로 '정定'을 해석하는 것이다. '정定'이란 성자를 말하는 것이니, 성자는 말하자면 이미 무루도의 생기가 있어서, 모든 악하고 불선한 법을 능히 멀리 여의기 때문에 성자라고 이름한다. 말하자면 만약 어떤 사람이 견혹 등의 번뇌를 끊었다면, 곧 필경 물러나지 않는 이계의 득을 획득할 수 있기 때문에 결정코 번뇌를 다할 것이고 결정코 열반을 얻을 것이니, '정성正性'에 대해 결정적[定]이기 때문에 '정정正定'이라고 이름하는 것이다. 모든 유루의 도 역시 이계를 증득할 수 있지만, 결정코 번뇌를 다할 수 있는 것은 아니기 때문에 '정정正定'이라고 이름하지 못한다.

220 물음이다.

221 답이다. 이미 순해탈분을 획득했다고 해도 그들은 후에 혹 무간업을 지어 사정취에 떨어지기도 하기 때문이다. 또 열반을 얻는 시기가 아직 결정되지 않았기 때문이니, 예류자가 극칠반유極七返有(=최대한 일곱 번 반복해 존재를 받을 수 있음)하는 등과 같은 것이 아니다. 또 그 순해탈분을 얻은 사람들은 아직 능히 3악취의 사성邪性을 버리지 않았기 때문에 '정정'이라고 이름하지 못한다. 또 해석하자면 순해탈분을 얻은 사람은 난법·정법에 이른 뒤에 5역죄를 지을 수 있기 때문에 그들은 후에 혹 사정취에 떨어지기도 한다고 말하기 때문이며, 하·중품의 인법에 이르면 비록 사정취에 떨어지지는 않지만, 그들은 열반을 얻는 시기가 아직 결정되지 않았기 때문에 예류자가 극칠반유하는 등과 같은 것이 아니며, 증상의 인법이나 세제일법에 이르면 비록 열반을 얻는 시기에 정해진 기한이 있기는 하지만(=뒤의 제23권 중 게송 ㉔d와 그 논서에 의하면, 세제일법을 얻으면 무간에 견도에 들고, 증상인을 얻으면 반드시 세제일법에 이르기 때문에, 증상인과 세제일법을 얻으면 반드시 견도에 들어 극칠반유하므로 열반의 획득에 기한의 정함이 있는 셈이 된다), 그들은 이 생의 삿된 의지처의 성품[邪所依性]을 아직 능히 버리지 못했기 때문에 '정정'이라고 이름하지 못한다.

222 3악취를 모두 '사성邪性'(=삿된 성품)이라고 이름한다. 또 『순정리론』 제30권(=대29-514하)에서 말하였다. "무엇을 사성이라고 이름하는가? 말하자면 세 가지가 있다. 첫째는 취趣의 사성이고, 둘째는 업의 사성이며, 셋째는 견의 사성인데, 곧 악취·5무간업·5악견을 순서대로 그 체로 한다."

지은 자는 반드시 지옥에 떨어지기 때문에 '사정邪定'이라고 이름한다.[223]

정정正定·사정邪定의 나머지를 부정성不定性이라고 이름하니, 그들은 두 가지 인연을 기다려서 두 가지가 될 수 있기 때문이다.[224]

223 '정定'을 따로 해석하는 것이다. '정'은 5무간업을 말하는 것이니, 이런 업을 지었다면 반드시 지옥에 떨어진다. 이 5역업은 사성에 대해 결정적이기 때문에 사정邪定이라고 이름한다. 만약 다른 업을 지어도 역시 3악취에 떨어지는 경우가 있다고 해도 결정적인 것은 아니기 때문이다.

224 '부정성不定性'에 대해 해석하는 것이다. 정정正定과 사정邪定의 나머지에 있는 모든 법을 부정성이라고 이름한다. 그들은 선한 연에 의지해 정정의 성품이 될 수도 있고, 악한 연에 의지해 사정의 성품이 될 수도 있으니, 결정코 하나에 속한 것이 아니기 때문에 '부정'이라고 이름한다.

아비달마구사론

제11권

제3 분별세품分別世品(의 4)

제4장 기세간과 유정의 크기·수명

제1절 3륜

이와 같이 유정세간에 대해 논설했으니, 기세간器世間에 대해 이제 논설하겠다.[1] 게송으로 말하겠다.

---

1 이하 큰 글의 둘째 기세간에 대해 밝히는 것이다. 그 안에 나아가면 첫째 거주대상인 기세계[所居器]에 대해 밝히고, 둘째 거주주체의 분량[能居量]에 대해 밝히며, 셋째 세 가지(=공간·명칭·시간) 범위[三分齊]를 밝힌다. 거주대상인 기세계에 대해 밝히는 것에 나아가면, 첫째 작은 기세계를 개별적으로 밝히고, 둘째 대천세계를 전체적으로 밝힌다. 작은 기세계를 밝히는 것에 나아가면, 첫째 3륜을 밝히고, 둘째 9산을 밝히며, 셋째 8해를 밝히고, 넷째 4주를 밝히며, 다섯째 흑산 등을 밝히고, 여섯째 지옥을 밝히며, 일곱째 해와 달을 밝히고, 여덟째 하늘을 밝힌다. 이하에서 첫째 3륜을 밝히는데, 앞을 맺으면서 물음을 일으켰다. # 이상 설명된 글의 구성을, 본서의 편성과 대비해서 도표로 보이면 아래와 같다.

<table>
<tr><td rowspan="9">소거 기세계</td><td rowspan="8">작은 기세계</td><td>3륜</td><td>제4장 제1절</td><td rowspan="11">제11권</td></tr>
<tr><td>9산</td><td>제2절</td></tr>
<tr><td>8해</td><td>제3절</td></tr>
<tr><td>4주</td><td>제4절</td></tr>
<tr><td>흑산 등</td><td>제5절</td></tr>
<tr><td>지옥</td><td>제6절</td></tr>
<tr><td>해와 달</td><td>제7절</td></tr>
<tr><td>하늘</td><td>제8절</td></tr>
<tr><td colspan="2">대천세계</td><td>제9절</td></tr>
<tr><td rowspan="2">능거의 분량</td><td colspan="2">신체의 크기</td><td>제10절</td></tr>
<tr><td colspan="2">수명의 분량</td><td>제11절</td></tr>
<tr><td colspan="3">세 가지 범위</td><td>제5장</td><td>제12권</td></tr>
</table>

45 안립된 기세간은[安立器世間]
풍륜이 가장 아래에 있는데[風輪最居下]
그 크기는, 너비가 무수이고[其量廣無數]
두께가 160만 유선나이다[厚十六洛叉]

46 다음 그 위의 수륜은 깊이가[次上水輪深]
112만 유선나였는데[十一億二萬]
아래 80만 유선나는 물이며[下八洛叉水]
나머지는 응결되어 금륜이 되었다[餘凝結成金]

47 이 수륜과 금륜의 너비의[此水金輪廣]
직경은 120만과[徑十二洛叉]
3,450유선나이며[三千四百半]
그 둘레는 이것의 3배이다[周圍此三培][2]

논하여 말하겠다. 이 삼천대천세계는 이와 같이 안립되었고, 형상과 크기가 같지 않다고 인정한다.[3] 말하자면 모든 유정들의 업의 증상한 힘으로 먼저 가장 아래에, 허공에 의지하여 풍륜이 생겨서 있는데, 너비는 무수이고, 두께는 160만 유선나踰繕那이다. 이와 같은 풍륜은 그 체가 단단하고 치밀해서[堅密], 가령 어떤 한 대낙건나大諾健那가 금강륜金剛輪으로써 위력을 다해 내려친다면, 그 금강은 부서질 수 있어도 풍륜에는 손상이 없다.[4]

2 제1구는 전체적으로 밝히는 것이고, 나머지 구는 개별적으로 해석하는 것이다. (첫 게송 제4구의) '낙차洛叉'는 여기 말로는 억億이다. # 그래서 이 논서의 한역문에서 낙차=억으로 표기되고 있지만, 뒤의 제12권 중 게송 92d에 관한 논설에 의하면 1낙차는 10만이다. 이 논서에서의 '억'을 1억으로 계산하면 산수에 맞지 않지만, 10만으로 계산하면 산수에 맞는 경우가 많다. 그래서 이 권에서 낙차=억은 모두 10만으로 계산해 번역하였다.
3 제1구를 해석하는 것이다. 비바사 논사들은 이런 안립을 인정한다.
4 이는 풍륜에 대해 밝히는 것이다. 옆으로 삼천세계에 두루하기 때문에 '무수'라고 말한 것이나. 대낙건나[mahānagna]는 인간 중의 신의 이름인데, 여기 말로는 노형露形이다. 유선나jojana는 아래(=뒤의 제12권 중 게송 86d와 그 논설)에서

또 모든 유정들의 업의 증상한 힘이 큰 구름과 비를 일으켜 수레굴대[車軸]만한 물방울들을 풍륜 위에 퍼부어 쌓인 물이 바퀴를 이루었는데, 이와 같은 수륜이 아직 응결되지 않은 단계에는 깊이가 112만 유선나였다.[5] 어째서 수륜은 옆으로 흘러 흩어지지 않았는가?[6] 어떤 다른 논사는 말하였다. "일체 유정의 업의 힘으로 유지되어 옆으로 흘러 흩어지지 않게 하니, 마치 먹은 음식이 아직 소화되어 변화되기 전에는 결코 숙장熟藏으로 흘러 떨어지지 않는 것과 같다." 어떤 다른 부파에서는 말하였다. "바람에 의해 유지되어 흘러 흩어지지 않게 하니, 마치 대바구니가 곡식을 지탱하는 것과 같다."[7]

유정들의 업의 힘이 별도의 바람을 감득해 일으켜서 이 물을 내려침으로써 상부가 응결되어 금륜이 되었으니, 마치 익힌 우유[熟乳]가 멈춰 있으면 상부가 응고하여 막膜이 되는 것과 같았다. 그래서 수륜이 줄어들어 두께가 80만 유선나만 남고, 그 나머지는 바뀌어 금륜이 되었으니, 그 두께가 32만 유선나이며,[8] 수륜과 금륜의 너비와 크기는 그 수가 같다. 말하자면 직경은 120만 3,450 유선나이고, 그 가장자리의 둘레의 수는 그 세 배가 되니, 말하자면 그 둘레의 분량은 361만 350유선나가 되는 것이다.[9]

제2절 9산

게송으로 말하겠다.

48 소미로산이 중앙에 있고[蘇迷盧處中]

따로 해석하는 것과 같다. 예전에 유순由旬이라고 말한 것은 잘못이다.

5 이는 수륜에 대해 밝히는 것이다. 아직 응결되지 않은 단계에서는 아직 금륜을 이루지 못했다는 것을 나타낸다.

6 물음이다.

7 답이다. 어떤 다른 논사는, "유정들의 업의 힘으로 유지되어 흩어지지 않게 하니, 마치 음식이 아직 소화되어 변화되기 전에는 생장生藏에 있고, 결코 숙장熟藏으로 흘러 떨어지지 않는 것과 같다"라고 말하고, 어떤 다른 부파에서는, "별업別業으로 감득된 바람에 의해 유지되어 흩어지지 않게 한다"라고 말하였다.

8 이는 금륜을 해석하면서 겸하여 응결된 단계의 수륜의 크기를 나타내는 것이다.

9 이는 금륜·수륜의 직경과 둘레의 분량이 같음을 밝히는 것이다.

다음에 유건달라산[次踰健達羅]
이사타라산[伊沙馱羅山]
걸지낙가산과[朅地洛迦山]

49 소달리사나산[蘇達梨舍那]
알습박갈나산[頞濕縛羯拏]
비나달가산[毘那怛迦山]
니민달라산이다[尼民達羅山]

50 4대주 등의 밖에는[於大洲等外]
철륜위산이 있으며[有鐵輪圍山]
앞의 7산은 금으로 이루어졌고[前七金所成]
소미로산은 네 가지 보배이다[蘇迷盧四寶]

51 물에 잠긴 부분은 모두 8만인데[入水皆八萬]
묘고산은 나온 부분도 역시 그러하고[妙高出亦然]
나머지 8산은 반반씩 감소하며[餘八半半下]
너비는 모두 높이와 같다[廣皆等高量]10

10 이하 둘째로 9산에 대해 밝히는 것이다. 앞의 2게송과 2구는 9산을 밝히고, 다음 2구는 산의 체를 밝히며, 뒤의 1게송은 산의 크기를 밝히는 것이다. '소미로Sumeru'는 여기 말로는 묘고妙高인데, 과거에 수미須彌라고 말한 것은 잘못이다. 유건달라는 여기 말로는 지쌍持雙이다. 이 산의 정상에는 마치 수레바퀴자국과 같은 두 개의 길이 있어서, 산이 두 개의 자국을 지녔기 때문[持二跡故]에 지쌍이라고 이름하였다. 이사타라산은 여기 말로는 지축持軸이다. 산봉우리 위에 수레의 굴대[軸]와 같은 것이 솟아 있는데, 이 산이 능히 지탱하기 때문에 지축이라고 이름하였다. 걸지낙가는 인도 나무의 이름이다. 이 지방의 남쪽 변경에도 이 나무가 있어 첨목檐木이라고 부르는데, 산 위의 보배나무의 그 형상이 그것과 비슷해서 나무에 따라 이름으로 삼은 것이다. 과거에 가타라나무[佉陀羅木]라고 말한 것은 잘못이다. 소달리사나는 여기 말로는 선견善見이다. 장엄하고 빼어나게 아름다워서 보는 자[見者]들이 좋다[善]고 칭했기 때문에 선견이라고 이름하였다. 알습박갈나는 여기 말로는 마이馬耳이다. 산봉우리가 말의 귀[馬耳]와 비슷하다는 것이다. 비나달가는 여기 말로는 상비象

논하여 말하겠다. 금륜 위에는 아홉 개의 큰 산이 있는데, 묘고산왕妙高山王이 중앙에 처해 있고, 나머지 8산은 묘고산의 주위를 둘러싸고 있는데, 이 8산 중 앞의 7산을 내산[內]이라고 이름한다. 일곱째 산 밖에는 대주大洲 등이 있고, 그 밖에 다시 철륜위산이 있어 마치 바퀴처럼 하나의 세계 주위를 둘러싸고 있다. 지쌍산 등의 7산은 금으로만 이루어졌고, 묘고산왕은 네 가지 보배를 몸으로 하고 있다. 말하자면 북·동·남·서의 4면이 순서대로 금·은·폐유리吠琉璃·파지가頗胝迦 보배인데, 보배의 위덕에 따라 색이 공중에 나타나기 때문에 섬부주贍部洲의 하늘이 폐유리의 색과 비슷한 것이다.[11]

이와 같은 보배 등은 무엇으로부터 생긴 것인가? 역시 모든 유정들의 업의 증상한 힘에 의해 다시 큰 구름이 일어나 금륜 위에 비를 내렸는데, 수레굴대만한 빗방울이 쌓인 물이 세차게 파도치자 그 물이 곧 온갖 보배들의 종자곳간[種藏]이 되었고, 갖가지 위덕을 갖춘 맹렬한 바람이 불어 그것을 뚫고 내려치자 변화되어 온갖 보배의 부류 등이 생겼다. 이와 같이 물이 변화되어 보배 등이 생겼을 때, 원인이 소멸하고 결과가 생겨서 체가 함께 있지 않으니, 수론數論에서 전변하여 이루어진 것[轉變所成]이라고 하는 것과 같은 것이 아니다.[12]

鼻인데, 인도의 신의 이름이다. 산의 형상이 저 코끼리의 코[象鼻]와 비슷하게 때문에 이름으로 한 것이다. 니민달라는 물고기 이름이다. 그 물고기는 주둥이가 뾰족한데, 산의 봉우리가 그 물고기의 주둥이와 비슷하기 때문에 이름으로 한 것이다. # 9산의 명칭을 그 의역명, 장 18:30 세기경 중 제1 염부제주품에서의 명칭 및 범어·빠알리어 명칭과 함께 표기하면 아래와 같다.

염부제주품	구사론	의역명	범어 명칭	빠알리어
수미산	소미로산	묘고妙高산	수메루Sumeru	Sumeru
가타라산	유건달라산	지쌍持雙산	유간다라Yugandhara	Yugandhara
이사타라산	이사타라산	지축持軸산	이사다라Isādhara	Īsādhara
수거타라산	갈지낙가산	담목檐木산	카디라까Khadiraka	Karavīka
선견善見산	소달리사나산	선견善見산	수다르사나Sudarśana	Sudassana
마식馬食산	알습박갈나산	마이馬耳산	아쉬와까르나Aśvakarṇa	Assakaṇṇa
니민타라산	비나달가산	상비象鼻산	위날라까Vinalaka	Vinataka
조복調伏산	니민달라산	(지변持邊산)	니민다라Nimindhara	Nemindhara
금강위산	철륜위산	(금강金剛산)	짜끄라와다Cakravāḍa	Cakkavāḷa

11 묘고산의 4면은 북쪽이 금, 동쪽이 은, 남쪽이 폐유리, 서쪽이 파지가이다. 나머지 글은 알 수 있을 것이다.

수론은 전변의 뜻을 어떻게 주장하는가?[13] 말하자면 존재하는 법[有法]의 자성自性은 항상 존속하면서, 나머지 법의 생기도 있고 나머지 법의 소멸도 있다고 주장한다. 이와 같은 전변이 무슨 이치와 상반되겠는가?[14] 말하자면 존재하는 법이 상주하면서 별도로 법의 소멸과 법의 생기가 있다고 주장할 수 있다는 것은 반드시 용납될 수 없다.[15] 누가 법 외에 별도로 존재하는 법이 있다고 말했는가? 곧 이 법이 전변할 때 달라진 모습[異相]이 의지하는 것을 존재하는 법이라고 이름했을 뿐이다.[16] 이것도 역시 이치가 아니다.[17] 이치 아닌 것이 무엇인가?[18] 곧 이 물건이면서 이것과 같지 않다고

12 물이 능히 보배를 낳으므로 종자라고 이름하고, 물에서 보배가 나오므로 곳간이라고 이름하였다. 물에서 보배가 생길 때 원인이 소멸하고 결과가 생겼으므로 체가 함께 있지 않으니, 수론 외도가, 법체는 항상 존속하면서 전변하여 나머지 붓디[大] 등의 여러 법이 된다고 하는 것과 같은 것이 아니다.

13 수론의 계탁을 묻는 것이다.

14 답인데, 수론의 계탁(=상세는 앞의 제3권 참조)을 나타내는 것이다. 말하자면 수론에서는 살타·자사·답마라는, 존재하는 법[有法]의 자성은 항상 존재하면서, 나머지 23제의 생기도 있고, 나머지 23제의 소멸도 있다는 것이다. 또 해석하자면 나머지 아집 등의 생기도 있고, 나머지 붓디 등의 소멸도 있다는 것이다. 이와 같이 전후 전변한다는 것이 무슨 이치와 상반되겠는가? 마치 금 등이 변하여 팔찌 등이 되는 것과 같다. 금의 체는 팔찌 등과 다르지 않다. 생멸하는 자성을 곧 존재하는 법이라고 이름하니, 말하자면 자체의 성품이 붓디 등의 법에 있기 때문에 존재하는 법이라고 이름한다.

15 수론에 대해 힐난하는 것이다. 말하자면 상주하는 존재하는 법 위에 별도로 붓디 등 여러 제諦의 법의 소멸과 법의 생기가 있다고 주장할 수 있다는 것은 반드시 용납될 수 없다.

16 수론의 변론이다. 누가 붓디 등의 법 밖에 별도의 그 자성인 존재하는 법이 있다고 말했는가? 붓디 등의 법이 곧 존재하는 법이기 때문에 그 종지에서 '곧[卽]'이라는 뜻을 세운 것이다. 이 글은 응당 "누가 존재하는 법 외에 별도로 그 법이 있다고 말했는가?"라고 말했어야 할 것인데, "누가 법 외에 별도로 존재하는 법이 있다고 말했는가?"라고 말한 것은 뜻이 서로 비슷하기 때문이다. 곧 이 붓디 등의 법이 전변할 때 붓디 등의 달라진 모습이 의지하는 자성을 존재하는 법이라고 이름했을 뿐이다. 체에 의거해 논한다면 법 외에 별도로 존재하는 법이 있을 수 없지만, 서로 비슷한 것에 의거해 말한다면 자성을 존재하는 법이라고 이름한다고 말할 수 있다. 그들 종지의 25제 중 자아 및 자성은 항상한 것이고, 붓디 등의 23제의 경우 체는 상주하니, 곧 자성이기 때문이지만, 모습은 무상하니, 앞에 생겼다가 뒤에 소멸하므로 모습이 일정하지 않기 때문이다.

17 논주의 비판이다.

하는 이런 말의 뜻은 일찍이 들은 적이 없는 것이다.[19]

이와 같이 변화되어 금의 보배 등이 생긴 뒤 다시 업의 힘이 견인해 별도의 바람을 일으켜서 보배 등을 구별하고 거두어 모아서 산山을 이루고 대륙[洲]을 이루었으며, 물을 단 것과 짠 것으로 나누어서 내해內海와 외해外海를 따로 성립시켰다.[20] 이와 같은 9산은 금륜 위에 머무는데, 물에 잠긴 분량은 모두 같이 8만 유선나이고, 소미로산은 물 위로 나온 것도 역시 그러하지만, 나머지 8산은 물 위로 나온 것이 반반씩 점차 감소한다. 말하자면 처음의 지쌍산은 물 위로 나온 것이 4만 유선나이며, ···· 최후의 철륜위산은 물 위로 나온 것이 312.5 유선나이다. 이와 같은 9산 각각의 너비는 각각 물 위로 나온 자신의 분량과 같다.[21]

제3절 8해

게송으로 말하겠다.

52 산 사이에 여덟 개의 바다 있어[山間有八海]
앞의 7해를 내해라고 이름하는데[前七名爲內]
최초의 바다는 너비가 8만이고[最初廣八萬]
4변은 각각 그 세 배이다[四邊各三培]

53 나머지 6해는 반반으로 좁아지며[餘六半半狹]

18 수론에서 따지는 것이다.
19 논주의 답이다. 자성이 곧 이 붓디 등의 물건이면서, 이 붓디 등이 무상한 것과 같지 않다고 하는, 이런 말의 뜻은 일찍이 들은 적이 없는 것이다. 또 해석하자면 붓디 등이 곧 이 자성인 물건이면서 이 자성이 항상한 것과 같지 않다고 하는, 이런 말의 뜻은 일찍이 들은 적이 없는 것이다.
20 다시 업에 의한 바람이 보배와 물을 구별하여 산을 이루고 내륙, 내해, 외해를 이루었다.
21 그 9산의 높이와 너비의 분량을 밝히는 것이다. 물에 잠긴 부분은 모두 같지만, 물 위로 나온 것은 반반씩 감소하며, 너비는 물 위로 나온 것과 같으니, 생각하면 알 수 있을 것이다.

제8해를 외해라고 이름하는데[第八名爲外]
(너비가) 32만에[三洛叉二萬]
2천 유선나이다[二千踰繕那]

논하여 말하겠다. 처음의 묘고산으로부터 최후의 철륜위산 중간에 여덟 개의 바다가 있는데, 앞의 일곱을 내해라고 이름한다. 일곱 내해 안에 모두 8공덕수八功德水를 갖추었는데, 첫째 달고[甘], 둘째 차며[冷], 셋째 부드럽고[軟], 넷째 가벼우며[輕], 다섯째 맑고 깨끗하며[淸淨], 여섯째 냄새나지 않고[不臭], 일곱째 마실 때 목구멍을 손상하지 않으며[飮時不損喉], 여덟째 마신 뒤 배가 아프지 않은 것[飮已不傷腹]이다.

이와 같은 일곱 바다 중 첫째 바다의 너비는 8만 유선나이고, 지쌍산의 내변內邊의 둘레에 의거하면 그 4면의 길이는 각각 3배이니, 말하자면 각각 24만 유선나가 된다. 그 나머지 여섯 바다의 너비는 반반씩 좁아지니, 말하자면 두 번째 바다는 너비가 4만 유선나이며, …· 일곱 번째 바다는 너비가 1,250유선나이다. 이들 바다 등의 둘레에 대해 말하지 않은 것은 번거로움이 많기 때문이다. 여덟째 바다를 외해라고 이름하는데, 짠물로 가득 차 있으며, 너비는 32만2천 유선나이다.[22]

22 이는 곧 셋째 8해에 대해 밝히는 것이다. 묘고산과 지쌍산의 사이에 있는 첫째 바다의 모습은 대략 오른쪽과 같다. 그 너비는 8만(유선나)이고, 만약 그 길이를, 지쌍산의 내변(=묘고산쪽)의 둘레에 의거해 계산하면 그 4면에서 묘고산의 외변을 마주한 것이 8만이므로, 그 수가 3배(=묘고산 마주한 것 8만과 양쪽 너비 8만씩)이니, 각각 3×8=24이기 때문에 24만 유선나가 된다. 나머지 글은 알 수 있을

것이다.(=첫째 바다의 둘레를 계산하면 묘고산과 접한 쪽은 8만×4=32만 유선나가 되고, 지쌍산과 접한 쪽은 24만×4=96만 유선나가 될 것이다) 만약 『칭찬정토경稱讚淨土經』(=현존 『칭찬정토불섭수경』. 대12-348하인데, 표현은 상이함)에 의해 8공덕수를 말한다면, 첫째 맑고[澄淨], 둘째 청정하며[淸淨], 셋째 달고 맛있으며[甘美], 넷째 부드럽고[輕耎], 다섯째 윤택케 하며[潤澤], 여섯째 편안하게 소화되고[安和], 일곱째 마실 때 배고픔과 목마름 등 한

제4절 4대주

게송으로 말하겠다.

54 그 안의 대주의 모습은[於中大洲相]
남쪽 섬부주는 마치 수레와 같은데[南贍部如車]
세 변은 각각 2천 유선나이고[三邊各二千]
남쪽 변은 3.5유선나이다[南邊有三半]

55 동쪽 비제하주는[東毘提訶洲]
그 모습이 마치 반달과 같은데[其相如半月]
세 변은 섬부주와 같고[三邊如贍部]
동쪽 변은 350유선나이다[東邊三百半]

56 서쪽 구다니주는[西瞿陀尼洲]
그 모습이 이지러짐 없이 둥근데[其相圓無缺]
직경은 2천5백 유선나이고[徑二千五百]
둘레는 이의 세 배이다[周圍此三培]

57 북쪽 구로주는 주사위 같은데[北俱盧叕方]
4면이 각각 같이 2천 유선나이며[面各二千等]
중주도 다시 여덟 개 있는데[中洲復有八]
사대주의 가장자리에 각각 두 곳씩이다[四洲邊各二]

논하여 말하겠다. 외해 중에 대주大洲가 네 개 있는데, 말하자면 묘고산

량없는 병을 제거하며, 여덟째 마신 뒤 결정코 능히 모든 근과 4대종을 장양하고, 갖가지 수승한 선근을 증장한다. # 외해의 너비가 일곱 번째 내해의 절반이 아니라 32만2천 유선나인 것은, 이 외해 가운데에 4대주 등이 전개되기 때문인 것으로 보이지만, 다른 논서에도 자세한 설명이 없다.

을 마주한 네 면이다. 남쪽 섬부주贍部洲는 북쪽이 넓고 남쪽이 좁은데, 3변의 너비는 같아 그 모습은 수레와 같으니, 남쪽 변만 너비가 3.5유선나이고, 다른 3변의 너비는 각각 2천 유선나이다. 오직 이 대주 중에만 금강좌金剛座가 있어, 위로는 지면[地際]에 닿고, 아래로는 금륜에 근거하므로, 장차 정각正覺에 오를 일체 보살은 모두 이 자리 위에 앉아 금강유정金剛喩定을 일으키니, 나머지 의지처 및 나머지 처소에는 이를 유지할 수 있는 견고한 힘을 가진 것이 없기 때문이다.

동쪽 승신주勝身洲는 동쪽이 좁고 서쪽이 넓은데, (동쪽을 제외한) 3변의 너비는 같다. 형상은 반달과 같은데, 동쪽 변의 너비는 350유선나이고, 나머지 3변은 각각 2천 유선나이다. 서쪽 우화주牛貨洲는 보름달처럼 둥근데, 직경이 2,500유선나이며, 둘레가 7,500유선나이다. 북쪽 구로주俱盧洲는 형상이 네모난 의자[方座]와 같은데, 네 변의 너비는 같아서 각각 2천 유선나이다. '같다'는 말은 증감이 조금도 없음을 밝히기 위한 것이다.

그 주洲의 형상에 따라 사람들의 얼굴도 역시 그러하다.[23]

다시 여덟 개의 중주中洲가 있는데, 이는 대주大洲의 권속이니, 말하자면 4대주 곁에 각각 두 개씩의 중주가 있다. 남섬부주 가장자리의 2중주란, 첫째는 차말라주遮末羅洲, 둘째는 벌라차말라주筏羅遮末羅洲이다. 동승신주 가장자리의 2중주란, 첫째는 제하주提訶洲, 둘째는 비제하주毘提訶洲이다. 서우화주 가장자리의 2중주란, 첫째는 사체주舍搋洲, 둘째는 올달라만달리나주嗢怛羅漫怛里拏洲이다. 북구로주 가장자리의 2중주란, 첫째는 구랍바주矩拉婆洲, 둘째는 교랍바주憍拉婆洲이다.

이 모든 8주는 모두 사람이 사는 곳이다. 어떤 분은, 오직 1주에는 나찰사那剎娑가 산다고 말하였다.[24]

23 이는 곧 넷째 4주에 대해 밝히는 것인데, 그 안에 나아가면 첫째 4주에 대해 밝히고, 둘째 8중주에 대해 밝힌다. 인도국의 수레는 앞이 좁고 뒤가 넓기 때문에 인용해서 비유로 삼은 것이다. 보살의 최후의 소의신이 능히 이 선정을 유지하고, 또 금강좌의 처소가 능히 이 선정을 유지하지, 나머지 소의신 및 나머지 처소에는 이 선정을 유지할 수 있는 견고한 힘이 없다. 이 선정의 힘은 커서 나머지 의지처나 나머지 처소는 유지할 수 없는 것이다.

24 여덟 개의 중주에서 '차말라'는 여기 말로 묘우貓牛이고, '벌라차말라'는 여기

제5절 흑산黑山 등

게송으로 말하겠다.

58 이 주 북쪽에 9흑산이 있고[此北九黑山]
설산과 향취산 사이의[雪香醉山內]
무열뇌지는 가로와 세로가[無熱池縱廣]
50유선나이다[五十踰繕那]

논하여 말하겠다. 이 섬부주 중앙으로부터 북쪽으로 향하면 세 곳에 각각 세 겹의 흑산黑山이 있고, 흑산 북쪽에는 대설산大雪山이 있으며, 대설산 북쪽에는 향취산香醉山이 있는데, 대설산의 북쪽, 향취산의 남쪽에 큰 못이 있어 무열뇌無熱惱라고 이름한다. 거기에서 네 개의 큰 강[4대하四大河]이 나오니, 첫째는 긍가하殑伽河, 둘째는 신도하信度河, 셋째는 사다하徙多河이며, 넷째는 박추하縛芻河이다.

무열뇌지는 가로와 세로가 똑같아서, 4면이 각각 50유선나이고, 8공덕수가 그 안에 가득 차 있는데, 신통을 얻은 사람이 아니면 갈 수 없다. 이 못가에는 섬부나무의 숲[섬부림贍部林]이 있는데, 나무의 형상은 높고 크며, 그 열매는 달고 맛있다. 이 숲에 의해서 섬부주라고 이름한 것이다. 혹은 이 나무의 열매에 의해서 주洲의 이름을 세운 것이다.[25]

말로 승묘우勝貓牛이며, '제하'는 여기 말로 신身이고, '비제하'는 여기 말로 승신勝身이며, '사체'는 여기 말로 첨諂이고, '올달라만달리나'는 여기 말로 상의上議이며, 구랍바는 여기 말로 승변勝邊이고, 교랍바는 여기 말로 유승변有勝邊이다. (본문의) 2설 중 처음 설이 바른 것이다. 그래서 『대비바사론』 제172권(=대27-868상)에서 말하였다. "이 8주 안의 사람은 몸이 짧고 작아서 마치 이 곳의 난장이와 같다. 어떤 분은, '7주는 사람이 사는 곳이지만, 차말라주는 오직 나찰사만 산다'라고 말하였다. 어떤 분은, '여기에서 말한 여덟 가지는 곧 4대주의 다른 명칭이다. 낱낱의 주에는 모두 2개의 다른 명칭이 있기 때문이다'라고 말하였다."

25 이는 곧 다섯째 흑산 등에 대해 밝히는 것이다. 향취산은 말하자면 이 산 안에 여러 향기가 있어 맡으면 사람으로 하여금 취하게 하기 때문에 '향취'라고 이

제6절 지옥

다시 어느 곳에 지옥과 대지옥이 위치하고, 크기는 어떠하며, 몇 개가 있는가? 게송으로 말하겠다.

59 이 주 아래로 2만 유선나 지나면[此下過二萬]
무간지옥인데, 깊이와 너비가 같고[無間深廣同]
그 위가 일곱 지옥이며[上七捺落迦]
8대지옥의 증은 모두 열여섯이다[八增皆十六]

60 말하자면 뜨거운 잿불과 송장의 똥오줌과[謂煻煨屍糞]
날카로운 칼날과 뜨거운 강물의 증이[鋒刃熱河增]
각각 그 사방에 머물며[各住彼四方]
다른 여덟 가지 한지옥이 있다[餘八寒地獄]26

1. 8대지옥

논하여 말하겠다. 이 섬부주 아래로 2만 유선나를 지나면 아비지 대지옥[阿鼻旨 大捺落迦]이 있는데, 그 깊이와 너비는 앞의 거리와 같으니, 말하자면 각각 2만 유선나이다. 따라서 그 바닥은 여기에서 4만 유선나 떨어져 있다. 거기에서는 틈 없이 괴로움을 받으니[受苦無間], 나머지 7대지옥에서는 항상 괴로움을 받는 것이 아닌 것과 같지 않기 때문에 '무간無間'이라고 이름하였다. 우선 등활等活지옥과 같은 곳에서는 유정들의 몸이 비록 갖가지로 잘리

름한 것이다. 첫째 긍가Gaṅgā하는 동쪽에서 나와서 못을 한 바퀴 돌아 동쪽 바다로 들어가고, 둘째 신도Sindhū하는 남쪽에서 나와 못을 한 바퀴 돌아 남쪽 바다로 들어가며, 셋째 사다Śita하는 북쪽에서 나와 못을 한 바퀴 돌아 북쪽 바다로 들어가며, 넷째 박추Vakṣu하는 서쪽에서 나와 못을 한 바퀴 돌아 서쪽 바다로 들어간다.

26 이하 여섯째 지옥에 대해 밝히는 것이다. 만약 '날락가捺落迦naraka'라고 말한다면 죄를 받는 곳을 나타내고, 만약 '나락가那落迦nāraka'라고 말한다면 죄를 받는 사람을 나타낸다.

고 찔리며 갈리고 찧이더라도, 그들이 잠시 시원하게 불어오는 바람을 만나면 다시 본래대로 살아난다. 이런 이치 때문에 '등활'이라는 명칭을 세운 것인데, 무간지옥에서는 이와 같은 일이 없다. 어떤 다른 논사는 말하였다. "무간지옥 중에서는 즐거울 틈 없이 괴롭기 때문에 '무간'이라고 이름한 것인데, 다른 지옥 중에서는 사이에 일어나는 즐거움[樂間起]이 있으니, 비록 이숙으로서의 즐거움은 없어도 등류의 즐거움은 있다."[27]

일곱 지옥은 무간지옥 위에 있는데, 겹쳐 쌓여 있다[重累而住]. 그 일곱이란 무엇인가? 첫째는 극열極熱이고, 둘째는 염열炎熱이며, 셋째는 대규大叫이고, 넷째는 호규號叫이며, 다섯째는 중합衆合이고, 여섯째는 흑승黑繩이며, 일곱째는 등활等活이다. 어떤 분은, 이 일곱은 무간지옥의 옆에 있다고 말하였다.[28]

2. 8지옥의 16증增

8지옥에는 증增이 각각 열여섯 있으니, 그래서 박가범薄伽梵께서 이런 게송을 읊으셨다. "❶ 이 8지옥은[此八奈落迦] 매우 벗어나기 어렵다고 나는

27 ('아비지avīci'의) '아阿'는 '무無'라고 이름하고, '비지毘旨'는 '간間'이라고 이름하는데, 이 논서에 두 가지 해석이 있고, 『순정리론』(=제31권. 대29-516중)에 다시 1설이 있다. "어떤 분은, 틈[隙]이 없어서 '무간'이라는 이름을 세운 것이니, 비록 유정이 작다고는 해도 몸이 크기 때문이다 라고 말하였다." 또 『대비바사론』 제115권(=대27-601중)에서도 말하였다. "이숙과에 의해 무간이라는 이름한 것이니, 여러 유정들은 큰 악업을 지었기 때문에 그 지옥에 태어나면서 광대한 몸을 얻었다. 하나하나의 몸의 형상이 모두 다 광대해서, 그 많은 곳에 두루하면서 중간에 틈[間隙]이 없기 때문에 무간이라고 이름하였다."

28 『대비바사론』 제172권(=대27-865하)에서 말하였다. "어떤 분은 말하였다. '이 섬부주 아래로 4만 유선나 내려가면 무간지옥의 바닥에 이르는데, 무간지옥의 가로·세로와 높이는 각각 2만 유선나이다. 다음 그 위의 1만9천 유선나 사이에 나머지 7지옥이 안립되는데, 하나하나의 가로와 세로는 1만 유선나이다.' 어떤 분은 말하였다. '이 섬부주 아래로 4만 유선나 내려가면 무간지옥에 이르는데, 무간지옥의 가로·세로와 높이는 각각 2만 유선나이다. 다음 그 위로 3만5천 유선나에 걸쳐 나머지 7지옥이 안립되어 있는데, 하나하나의 가로, 세로와 높이는 각각 5천 유선나이다.' 어떤 분은 말하였다. '무간지옥은 중앙에 있고, 나머지 7지옥은 주위를 에워싸고 있으니, 마치 지금의 취락들이 큰 성을 에워싸고 있는 것과 같다.'" 나머지 7지옥의 명칭을 해석하는 것은 앞(=제8권 첫머리에서 욕계를 설명하는 글)에서 이미 서술한 것과 같다.

말하니[我說甚難越] 뜨거운 무쇠가 땅이 되고[以熱鐵爲地] 주위를 무쇠담장이 둘러싸고 있도다[周匝有鐵牆] ❷ 4면에는 네 개의 문이 있는데[四面有四門] 무쇠부채로써 열고 닫으며[關閉以鐵扇] 분량을 교묘히 배치한[巧安布分量] 열여섯의 증이 각각 있도다[各有十六增] ❸ 수백 유선나에 걸쳐[多百踰繕那] 악업 지은 자들이 가득한데[滿中造惡者] 뜨거운 화염이 널리 두루 교차하며[周遍焰交徹] 맹렬한 불이 늘 이글거리네[猛火恒洞然]"

열여섯의 증이란 8지옥 4면의 문 밖에 각각 네 곳이 있다. 첫째는 뜨거운 잿불의 증[당외증塘煨增]이다. 말하자면 이 증 안에서는 뜨거운 잿불에 무릎까지 잠기니, 유정이 거기에 노닐면서 잠시라도 발을 내리면 피부·살과 피가 모두 불에 타서 문드러져 떨어지지만, 발을 들면 다시 생겨서 본래대로 회복된다. 둘째는 송장 똥오줌의 증[시분증屍糞增]이다. 말하자면 이 증 안은 송장 똥오줌의 진창이 가득한데, 거기에는 주둥이가 바늘처럼 날카롭고 몸이 희며 머리가 검은 낭구타娘矩吒벌레가 많이 있어서, 유정이 거기에서 노닐면, 살갗을 뚫고 뼛속으로 파고 들어온 이 벌레들에게 모두 그 골수를 빨려 먹힌다. 셋째는 날카로운 칼날의 증[봉인증鋒刃增]이니, 말하자면 이 증에는 다시 세 가지가 있다. 첫째는 칼날의 길[도인로刀刃路]이니, 말하자면 이 곳 안은 칼날을 늘어놓은 것이 큰 길이 되어서, 유정이 거기에서 노닐면서 잠시라도 발을 내리면 피부·살과 피가 모두 끊어지고 부서져 떨어지지만, 발을 들면 다시 생겨서 본래대로 회복된다. 둘째는 칼잎의 숲[검엽림劍葉林]이니, 말하자면 이 숲 위는 순전히 날카로운 칼날만이 잎이 되어서, 유정이 거기에서 노닐다가 바람이 불면 잎이 떨어지면서 지체를 자르고 찔러 뼈와 살점이 떨어지며, 그러면 거기에 있던 까마귀, 박駮, 개가 그것을 씹고 뜯어먹는다. 셋째는 무쇠가시의 숲[철자림鐵刺林]이니, 말하자면 이 숲의 위에는 길이가 열여섯 손가락쯤 되는 날카로운 무쇠가시가 있어서, 유정이 핍박받아 나무를 오르내릴 때 그 가시의 날카로운 칼날이 아래와 위에서 찌르고 꿰뚫는데, 무쇠부리의 새가 있어 유정의 눈동자, 심장, 간을 찾아서 다투어 쪼아먹는다. 칼날의 길 등의 세 가지는 비록 종류는 달라도 무쇠로 된 무기가 같기 때문에 하나의 증에 포함된 것이다. 넷째는 뜨거운 강물의 증[열하증烈河增]이니, 말하자면 이 증은 넓은데, 그 안에는 뜨거운 짠물이 가득 차 있어서, 유정이 안에 들어가면 떠 있거나 가라앉아서, 혹은 거슬러서나 따라 가면서, 혹은 가로지르거나 돌아가면서 쪄지고 삶겨져 뼈와 살이 문드러진다. 마치 큰 가마솥 안에 잿물을 가득 채워 깨나 쌀 등을 넣고 아래에서 맹렬한 불로 태우면 깨 등은 그 안에서 아래위로 회전하면서 온몸이 문드러지는 것처럼, 유정도 역시 그러한데, 설령 도망가려고 해도 양 언덕 위에 옥졸들이 있어 손에 칼과 창을 들고 지키면서 돌아가게 하므로 빠져나올 수 없다. 이 강은 마치 해자[壍]와 같고, 앞의 셋은 동산[園]과 유사하다.

4면에 각각 네 개의 증이기 때문에 '모두 열 여섯'이라고 말한 것이다. 이는 증상增上하게 형벌의 해침을 받는 곳이기 때문에 '증'이라고 이름한 것이니, 본지옥에서 적합하게 해침을 받은 뒤 거듭 해침을 당하기 때문이다. 어떤 분은 말하였다. "유정이 지옥에서 나와 다시 이런 괴로움을 만나기 때문에 '증'이라고 말한 것이다."[29]

【옥졸은 유정인가】 지금 여기에서 논의로 인해 논의가 생기니, 여러 지옥의 옥졸은 유정인가?[30] 어떤 분은, 유정이 아니라고 말하였다.[31] 그렇다면 어떻게 움직이는가?[32] 유정의 업의 힘에 의해서이니, 마치 성겁成劫시의 바람과 같다.[33] 만약 그렇다면 저 대덕 법선현法善現의 말씀을 어떻게 회통하

29 이상은 16증을 해석하는 것이다. 문마다 각각 네 개가 있어 네 겹으로 에워싸고 있으며, 해자[壍]가 가장 밖에 있다. '증'이라고 말한 것에 대해, 제1해는 여기는 증상하게 형벌의 해침을 받는 곳이기 때문에 증이라고 이름했다고 말하고, 제2해는 본지옥에서 적합하게 해침을 받은 뒤 거듭 해침을 당하기 때문에 증이라고 이름했다고 말하며, 제3해는 어떤 분이, 유정이 지옥에서 나온 뒤 자주 다시 이런 괴로움을 만나기 때문에 증이라고 이름했다고 말했다는 것이다. 이는 본지옥에서 나온 뒤 자주자주 괴로움을 받는 것에 의거해 증이라고 이름했다는 것이기 때문에 제2설과 같지 않다. ('박가범Bhagavān'에서) '박가'는 여기 말로 공덕이고, '범'은 여기 말로 '갖추었다[具]'는 뜻이다. # 앞의 게송은 잡 [36]47:1244 연소법경 및 증 36:42:2경에 나오는 것이다.

30 물음이다.

31 답이다.

32 따지는 것이다.

33 해석이다.

겠는가? 그의 게송에서 말한 것과 같다. “마음에 항상 분노의 독을 품고[心常懷忿毒] 여러 악업 모으기를 좋아하며[好集諸惡業] 남의 괴로움 보며 기뻐한다면[見他苦欣悅] 죽어서 염마왕의 졸개 되리라[死作琰魔卒]”[34] 여러 유정들을 던져 지옥에 두는, 염마왕의 사자인 나찰사邏刹娑들을 염마왕의 졸개라고 이름한다. 이들은 실제로 유정이지만, 지옥 중에서 유정을 해치는 자가 아니다. 따라서 지옥의 옥졸은 실제로 유정이 아니다.[35]

어떤 분은, 유정이라고 말하였다.[36] 만약 그렇다면 이들의 악업은 어떤 곳에서 이숙과를 받는가?[37] 곧 지옥 중에서이다. 지옥 중에서는 오히려 무간업으로 감득되는 이숙과도 용납되는데, 이것이 무슨 이치에서 부정되겠는가?[38] 만약 그렇다면 어째서 불이 그들을 태우지 못하는가?[39] 이는 결정코 업의 힘에 의해 간격 장애되기 때문이다. 혹은 다른 대종을 감득했기 때문에 불에 타지 않는 것이다.[40]

3. 8한지옥과 고지옥

뜨거운 지옥에 여덟 가지가 있다고 말했는데, 다시 다른 여덟 개의 차가운[寒] 지옥이 있다. 그 여덟 개는 무엇인가? 첫째 알부다頞部陀, 둘째 니라부다尼刺部陀, 셋째 알찰타頞[口*析]吒, 넷째 확확바臛臛婆, 다섯째 호호바虎虎婆, 여섯째 올발라嗢鉢羅, 일곱째 발특마鉢特摩, 여덟째 마하발특마摩訶鉢特摩이다. 이 곳의 유정은 혹독한 추위에 핍박받는데, 그로 인한 몸과 소리의

34 힐난이다. 이미 ‘죽어서 졸개 되리라’라고 했으니, 유정임을 분명히 알 수 있다.
35 힐난에 대해 회통하는 것인데, 알 수 있을 것이다.
36 다른 학설을 서술하는 것이다.
37 물음이다.
38 답이다. 옥졸의 악업의 과보는 곧 지옥 중에서 받는다. 지옥 중에서는 저 무간업으로 감득되는 큰 과보도 오히려 용납되는데, 하물며 이 옥졸의 악업의 작은 과보를 용납하는 이것이 무슨 이치에서 부정되겠는가?
39 힐난이다.
40 양 해석은 알 수 있을 것이다. 또 『순정리론』 제31권(=대29-517상)에서 말하였다. “무간·대열 및 염열의 3지옥은 그 안에 모두 지키는 옥졸이 없고, 대규·호규 및 중합의 3지옥은 옥졸이 조금 있으니, 염마왕의 사자가 때때로 왕래하며 그 곳을 순찰하기 때문이며, 그 나머지는 모두 옥졸이 지키는 곳이니, 유정·무정의 다른 부류의 옥졸들이 죄 있는 유정을 지키면서 다스리고 벌주기 때문이다.”

변화에 따라 그 명칭을 세운 것으로, 이 8지옥은 모두 섬부주 아래, 앞에서 말한 것과 같은 대지옥의 옆에 있다.41

이 섬부주는 그 분량이 얼마 없는데, 아래에 무간 등의 지옥을 어찌 수용하겠는가?42 대륙[洲]은 마치 곡식을 쌓은 것처럼 위는 뾰족하고, 아래는 넓다. 이 때문에 대해大海는 점점 좁아지면서 점점 깊어지는 것이다.43

위에서 논설한 것과 같은 16지옥은 일체 유정들의 증상한 업이 감득한 것이지만, 나머지 고孤지옥은 각각의 개별적 업[別業]이 초래한 것이어서, 혹은 다수가, 혹은 두 명이, 혹은 한 명이 머무는 곳이다. 차별이 여러 종류이므로 처소도 일정하지 않으니, 강, 산 자락, 광야 근처이기도 하고, 지하나 공중 및 다른 곳이기도 하다. 여러 지옥의 기세계가 배치된 것은 이와 같아서, 본래의 처소는 밑에 있지만, 갈라진 가지[支派]는 일정하지 않다.44

---

41 이하 8한지옥에 대해 밝히는 것이다. '알부다arbuda'는 여기 말로 수포[皰](=물집)이니, 혹독한 추위가 몸을 핍박해서 그 몸에 물집이 생긴 것이다. '니라부다nirarbuda'는 여기 말로 '물집이 갈라진 것[皰裂]'이니, 혹독한 추위가 몸을 핍박해서 몸의 물집이 갈라진 것이다. 다음 3한지옥은 추위에 핍박되어 입에서 다른 소리(=알찰타aṭaṭa·확확바hahava·호호바huhuva)가 나오는 것이다. '올발라utpala'는 여기 말로 청련화이니, 혹독한 추위가 핍박하여 몸이 변화해 갈라지는 것이 청련화와 같다는 것이다. '발특마padma'는 여기 말로 홍련화이니, 혹독한 추위가 핍박하여 몸이 변화해 갈라지는 것이 홍련화와 같다는 것이다. '마하발특마mahāpadma'는 여기 말로 대홍련화이니, 혹독한 추위가 핍박하여 몸이 변화해 갈라지는 것이 대홍련화와 같다는 것이다. 여기에서 유정이 혹독한 추위로 핍박받는데, 앞의 둘과 뒤의 셋은 몸의 변화에 따라 명칭을 세운 것이고, 중간의 셋은 소리의 변화에 따라 그 명칭을 세운 것이다. 또 해석하자면 앞의 둘은 몸에 따라 명칭을 세운 것이고, 중간의 셋은 소리에 따라 명칭을 세운 것이며, 뒤의 셋은 색의 변화에 따라 명칭을 세운 것이다. 또 『순정리론』(=제31권. 대29-517상)에서 말하였다. "여기에서 유정은 혹독한 추위에 핍박받는데, 몸·소리·상처의 변화에 따라 차별되는 명칭을 세웠으니, 말하자면 그 순서대로 둘·셋·셋이다." 이 8지옥은 모두 섬부주의 아래에 있으니, 앞에서 말한 것과 같은 대지옥의 옆이다. 또 『순정리론』(=제31권. 대29-517상)에 1설이 있어 말하였다. "이 8한지옥은 4대주를 둘러싼 윤위산 밖의 지극히 어두운 곳에 있다."

42 물음이다. 대륙의 크기는 지극히 좁지만, 지옥의 크기는 지극히 넓은데, 어떻게 땅 아래에 무간지옥 등의 지옥을 수용할 수 있는가?

43 답인데, 알 수 있을 것이다.

44 16지옥은 증상한 업이 초래한 것이지만, 나머지 고지옥은 유정의 부류의 각각

4. 방생과 아귀의 주처

방생의 주처는 말하자면 물과 육지와 공중이다. 본래의 처소는 대해大海였지만, 후에 다른 곳으로도 흘러갔다.

아귀들의 본래 처소는 염마왕의 나라이니, 이 섬부주 아래로 5백 유선나를 지나가면 염마왕의 나라가 있고, 가로와 세로도 역시 그러한데, 여기로부터 전전하여 다른 곳에도 흩어져 살게 되었다. 혹 어떤 것은 단엄하고 큰 위덕을 갖추고 있으면서 여러 부귀를 누리며 자재한 것이 천신과 같지만, 혹 어떤 것은 굶주려서 야위고 얼굴 모습이 누추한데, 이와 같은 등의 부류를 널리 말하자면 경에서와 같다.[45]

제7절 해와 달

해와 달이 머무는 곳과 크기 등의 뜻에 대해 게송으로 말하겠다.

61 해와 달은 소미로의 중턱에 있는데[日月迷盧半]
51유선나와 50유선나이며[五十一五十]
한밤, 일몰, 한낮과[夜半日沒中]
일출은 4대주에서 같은 때이다[日出四洲等]

62 우기의 두 번째 달의[雨際第二月]
후반 제9일부터 밤은 점점 길어지고[後九夜漸增]

의 개별적 업이 초래한 것이므로, 혹은 많은 유정이, 혹은 두 명의 유정이, 혹은 한 명의 유정이 그 안에 머무는 곳이다. 차별이 여러 종류이므로 처소도 일정하지 않으니, 강, 산 등의 근처이기도 하고, 공중에 있기도 하며, 바다 등의 다른 곳에 있기도 하다. 여러 지옥의 기세계가 배치된 것은 이와 같아서, 본래 처소는 지하에 있지만, 뒤에 갈라진 가지는 유전流轉하므로 일정하지 않다.

45 뜻의 편의상 방생과 아귀의 주처에 대해 겸하여 밝히는 것이다. 『순정리론』(=제31권. 대29-517중)에서 말하였다. "이 섬부주의 남쪽 가장자리에서 바로 아래로 5백 유선나 내려 가면 염마왕의 도읍이 있는데, 가로와 세로도 역시 그러하다." 이 글로써 증명된다. # 본문 말미의 '경'이란 『정법염처경正法念處經』 제16~17권(=대17-92상) 등을 가리킨다.

겨울의 네 번째 달에도 역시 그렇게[寒第四亦然]
밤은 짧아지는데, 낮은 이와 반대이다[夜減晝翻此]

63 낮과 밤이 납박씩 길어지는 것은[晝夜增臘縛]
남북의 길로 다닐 때이고[行南北路時]
해에 가까와지면 자신의 그림자에 덮이니[近日自影覆]
그래서 월륜이 이지러져 보인다[故見月輪缺]46

논하여 말하겠다. 해와 달과 뭇 별들은 무엇에 의지해 머무는가?47 바람에 의지해 머문다. 말하자면 모든 중생들의 업의 증상한 힘이 함께 바람을 견인해 일으켜서 묘고산 주위로 공중에서 선회하도록 해 등을 운행시키고 지탱해서 멈추거나 떨어지지 않게 하는 것이다.48 그것들이 머무는 곳은 여기에서 몇 유선나 떨어졌는가? 지쌍산의 정상이니, 묘고산의 중턱과 나란하다.49

해와 달의 직경은 몇 유선나인가? 해는 51유선나이고, 달은 50유선나이다. 별은 가장 작은 것이 1구로사俱盧舍이고, 그 가장 큰 것이 16유선나이다. 일륜日輪 아랫면의 파지가 보배는 불구슬[火珠]로 이루어진 것이어서 능히 따뜻하게 하고 능히 비추며, 월륜月輪 아랫면의 파지가 보배는 물구슬[水珠]로 이루어진 것이어서 능히 차게 하고 능히 비춘다. 유정들의 업의 증상한 힘에 따라 생긴 것으로서, 능히 눈[眼]·몸·열매·꽃·작물·약초 등에 대해 그 상응하는 바대로 이익되게도 하고 손해되게도 한다.50

46 이하 일곱째 해와 달에 대해 밝히는 것이다. 제1구는 해와 달의 가까운 정도를 밝히는 것이고, 제2구는 해와 달의 몸의 크기를 밝히는 것이며, 다음 2구는 네 가지 시간을 밝히는 것이고, 뒤의 2게송은 밤과 낮이 길어지고 줄어드는 것을 밝히는 것이다.
47 묻는 것이다.
48 답이다.
49 바로 제1구를 해석하는 것이다.
50 제2구를 해석하면서 겸하여 별의 크기를 나타내는 것이다. 해와 달 두 가지의 체는 유정의 업의 증상한 힘에 따라 생긴 것인데, 능히 눈 등에 대해 이익되게도 하고 손해되게도 한다. 예컨대 햇빛을 만나면 눈으로 여러 형색을 보고,

오직 하나의 해와 달이 널리 4대주에서 해야 할 일을 한다. 하나의 해는 해야 할 일을 4대주에서 동시에 하는가? 그렇지 않다. 어떠한가? 북구로주가 한밤이면 동승신주는 일몰이고, 남섬부주는 한낮이며, 서우화주는 일출이니, 이 네 가지 때[時]는 같다. 나머지도 비례해서 알아야 할 것이다.[51]

해가 이 섬부주를 운행하는 길에 차별이 있기 때문에 낮과 밤을 줄이기도 하고 늘이기도 하는데, 우기[雨際]의 두 번째 달의 후반 제9일부터 밤이 점점 길어지고, 겨울[寒際]의 네 번째 달의 후반 제9일부터 밤이 점점 짧아진다. 낮이 길어지고 짧아지는 것은 이와 반대이니, 밤이 점점 길어질 때 낮은 곧 점점 짧아지고, 밤이 점점 짧아지면 낮은 곧 점점 길어진다.[52]

몸의 차가움이 따뜻함을 얻으며, 열매가 익고, 꽃이 피며, 농작물 등의 물건이 모두 성숙함을 얻는 이런 것은 곧 이익이 되는 것이고, 혹은 예컨대 햇빛을 만나면 박쥐·독사 등이 형색을 볼 수 없고, 열병을 앓는 몸이 손상되며, 열매가 무너지고, 꽃이 시들며, 농작물 등의 물건이 모두 다 시드는 이런 것은 곧 손해가 되는 것이다. 예컨대 달빛을 만나면 박쥐·독사 등이 눈으로 형색을 볼 수 있고, 열병을 앓는 몸의 뜨거움이 시원함을 얻으며, 열매가 익고, 꽃이 피며, 농작물 등의 물건이 모두 성숙함을 얻는 이런 것은 곧 이익이 되는 것이고, 혹 달빛을 만나면 예컨대 사람 등의 눈으로 멀리서 형색을 볼 수 없고, 냉병을 앓는 사람의 몸이 손상되며, 열매가 무너지고, 꽃이 시들며, 농작물 등의 물건이 모두 다 시드는 이런 것은 곧 손해가 되는 것이다. 손익이 같지 않기 때문에 '그 상응하는 바대로 이익되게도 하고 손해되게도 한다'라고 말한 것이다. # '구로사'가 1유선나의 8분의 1임은 뒤의 제12권에서 설명된다.

51 제3·제4구를 해석하는 것인데, 생각하면 알 수 있을 것이다.

52 낮과 밤이 길어지고 짧아지는 것에 대해 말하자면, 인도라는 나라의 법은 12개월을 3계절[三際]로 나누는데, 첫째 여름[熱際]에 4개월이 있고, 둘째 우기[雨際]에 4개월이 있으며, 셋째 겨울[寒際]에 4개월이 있지만, 그 지방의 풍속에 따라 3계절을 세우는 것이 같지 않다. 또 16(=이하 날자는 모두 음력이다)일을 그 달의 첫 날[月一日]로 하고, 15일을 그 달의 마지막 날[月滿日]로 하며, 다시 한 달을 둘로 나누어 앞의 15일을 흑반黑半이라고 하고, 뒤의 15일을 백반白半이라고 한다. 만약 태泰법사의 뜻에 의해 해석한다면, 2월 16일부터 6월 15일까지가 여름의 4개월이 되고, 6월 16일부터 10월 15일까지가 우기의 4개월이 되며, 10월 16일부터 2월 15일까지가 겨울의 4개월이 된다. 이는 곧 '우기의 두 번째 달의 후반 제9일'부터 밤이 점점 길어지는 것은 여기에서의 8월 9일(=음력이므로 추분을 가리키는 취지)에 해당하고, '겨울의 네 번째 달의 후반 제9일'부터 낮이 점점 길어지는 것은 여기에서의 2월 9일(=춘분을 가리키는 취지)에 해당한다. (그렇지만) 추분일 이후부터 춘분일 이전까지는 밤이 길다고 말한다. 비록 동지일 이후부터는 낮이 점점 길어지지

만, 밤이 낮보다 길기 때문에 밤이 길다고 말하는 것이다. 춘분일 이후부터 추분일 이전까지는 낮이 길다고 말한다. 비록 하지일 이후부터는 밤이 점점 길어지지만, 낮이 밤보다 길기 때문에 낮이 길다고 말하는 것이다. 만약 (태법사처럼) 이렇게 해석한다면 곧 이 논서와 서로 어긋난다. 이 논서에서는, 해가 이 섬부주를 운행하면서 남으로 향하거나 북으로 향하면 그 순서대로 밤이 길어지거나 낮이 길어진다고 말한다. 이 논서의 글에 준한다면 해가 남을 향하면 밤이 길어지는데, 어떻게 동지일 이후는 해가 북을 향하는데도 밤이 길어진다고 말하겠으며, 이 논서의 글에 준한다면 해가 북을 향하면 낮이 길어지는데, 어떻게 하지일 이후는 해가 남을 향하는데도 낮이 길어진다고 말하겠는가? 또 『대비바사론』 제136권(=대27-701하~상)과도 서로 어긋난다. 그 논서에서 말하였다. "마가다월摩伽陀月-여기에서의 11월에 해당한다-의 백반 제8일에 이르면 밤에 18모호율다牟呼栗多(=하루는 30모호율다)가 있고, 낮에 12모호율다가 있는데, 이후 낮은 길어지고 밤은 짧아진다." 또 말하였다. "실라벌나월室羅筏拏月-여기에서의 5월에 해당한다-의 백반 제8일에 이르면 밤에 12가 있고, 낮에 18이 있는데, 이후 낮은 짧아지고 밤은 길어진다." 이 글의 증거에 준해서, 밤이 가장 길 때부터 낮은 길어지고 밤은 짧아진다고 말하며, 낮이 가장 길 때부터 밤은 길어지고 낮은 짧아진다고 말한다는 것을 알 수 있다. 만약 추분 이후부터 밤이 길어지고 낮이 짧아지며, 춘분 이후부터 낮이 길어지고 밤이 짧아진다고 말한다면, 곧 이 글과 서로 어긋나는 것이다.

이제 해석해 말하자면 서방의 여러 나라에서 겨울·여름·우기의 3계절은 일정하지 않으니, 다시 지방의 풍속에 따라 3계절을 세우는 것이 다르다. 세친보살이 논서를 지은 곳에서 세우는 3계절은, 여기에서의 11월 16일부터 3월 15일까지가 여름의 4개월이 되고, 3월 16일부터 7월 15일까지가 우기의 4개월이 되며, 7월 16일부터 11월 15일까지가 겨울의 4개월이 된다. 그 우기의 두 번째 달의 후반 제9일부터 밤이 점점 길어지는 것은 여기에서의 5월 9일에 해당하니, 하지일과 대략 서로 맞게 된다. 이는 곧 밤이 가장 짧을 때부터 밤이 길어진다고 말하는 것이다. 그 겨울의 네 번째 달의 후반 제9일부터 밤이 점점 짧아지는 것은 여기에서의 11월 9일에 해당하니, 동지일과 대략 서로 맞게 된다. 이는 곧 밤이 가장 길 때부터 밤이 짧아진다고 말하는 것이다. 낮이 길어지고 짧아지는 것을 말한다면 밤과 반대라고 알아야 한다. 이 해석을 잠깐 보자면 이 지방의 절기와는 같지 않지만, 논서의 글에 수순하니, 그래서 논서에서, 해가 이 섬부주를 운행하면서 남을 향하거나 북을 향하면 그 순서대로 밤이 길어지거나 낮이 길어진다고 말한 것이다. 또한 『대비바사론』의 글에도 수순하는 것임은 앞에서 말한 것과 같다.

여기에서 위 『대비바사론』의 글과 논주의 설명에 따라 인도의 3계절의 월 배치를 정리해 보이면 아래와 같다.

[여름]	제달라制怛羅caitra월	음력 11.16~12.15	(양력 1월)
	폐사가吠舍佉vaiśākha월	12.16~ 1.15	(2월)
	서슬체誓瑟搋jyaiṣṭha월	1.16~ 2.15	(3월)
	아사다阿沙茶āsādha월	2.16~ 3.15	(4월)

낮과 밤이 길어질 때에는 하루의 낮과 밤이 얼마나 길어지는가? 1납박臘縛씩 길어진다. 낮과 밤이 짧아지는 것도 역시 그러하다. 해가 이 섬부주를 운행하면서 남쪽을 향하거나 북쪽을 향하면, 그 순서대로 밤이 길어지거나 낮이 길어진다.[53]

무엇 때문에 월륜月輪은 흑반黑半의 말末이나 백반白半의 처음 단계에 이지러짐[缺]이 있어 보이는가?[54] 세시설世施設에서 이렇게 해석하였다. "달의 궁전의 운행이 일륜日輪에 가까와짐으로써 달이 일륜의 빛에 의해 비춤의 침해를 받으면, 나머지 가장자리에 그림자를 일으켜 스스로 월륜을 덮으니, 그 때 원만하지 않은 것처럼 보이게 하는 것이다."[55] 예전의 논사는 이렇게

....

[우기] 실라벌나室羅筏拏śrāvaṇa월 3.16~ 4.15 (5월)
바달라발다婆達羅鉢陀bhādrapada월 4.16~ 5.15 (6월)
아습박유사阿濕縛庾闍āśvayuja월 5.16~ 6.15 (7월)
갈율지가羯栗底迦kārttika월 6.16~ 7.15 (8월)
[겨울] 말가시라末伽始羅mṛgaśīrṣa월 7.16~ 8.15 (9월)
보사報沙pauṣa월 8.16~ 9.15 (10월)
마가磨伽māgha월 9.16~10.15 (11월)
파륵루나頗勒窶那phālguna월 10.16~11.15 (12월)

53 논서의 아래 글(=뒤의 제12권)에 준하면 120찰나가 1달찰나怛刹那가 되고, 60달찰나가 1납박이 되며, 30납박이 1모호율다가 되고, 30모효율다가 하루 낮밤이 되는데(=24시간÷30÷30=1.6분이 1납박), 그 중 밤과 낮이 가장 길 때에 이르면 18모호율다가 있고, 가장 짧을 때에 이르면 12모호율다가 있다. 그 중간의 길이가 6모호율다인데, 30납박이 1모호율다가 되어 30×6=180납박이 되기 때문에 밤과 낮의 증감이 각각 1납박이라고 이름한 것이다. 하지일 이후 해가 이 섬부주에서 운행하면서 북쪽으로부터 남쪽을 향하는 것을 밤이 길어진다고 말할 때에는 1납박씩 길어지고, 낮은 곧 1납박씩 짧아지는 것이다. 만약 동지일 이후 해가 이 섬부주에서 운행하면서 남쪽으로부터 북쪽으로 향하는 것을 낮이 길어진다고 말할 때에는 1납박씩 길어지고, 밤은 곧 1납박씩 짧아지는 것이다. 남북의 도로에 180이 있어 날마다 1도로를 가는 것이다. 이런 글의 증거로써 밤이 가장 짧을 때 이후를 밤은 길어지고 낮은 짧아진다고 말하며, 낮이 가장 짧을 때 이후를 낮은 길어지고 밤은 짧아진다고 말한다는 것을 알 수 있다.

54 묻는 것이다. 흑반이 점점 다하기 때문에 '(흑반의) 말'이라고 말한 것이지, 최후인 것이 아니며, 제15일을 제외한 이전의 14일을 모두 '백반의 처음'이라고 이름한 것이다. 또 해석하자면 흑반·백반의 15일 중 뒤에 가까운 것을 '말'이라고 이름하고, 앞에 가까운 것을 '처음'이라고 이름한 것이다.

55 답이다. 세시설론(=구역에서는 『분별세경分別世經』이라고 번역했는데, 어느

해석하였다. "일륜과 월륜은 운행의 법도[行度]가 같지 않아서 원만함과 이지러짐이 있는 것으로 나타나는 것이다."[56]

제8절 하늘

제1항 사천왕천四天王天

해 등의 궁전에는 어떤 유정이 사는가?[57] 사대천왕에게 부속된 천중天衆

것을 가리키는지 미상이다. 다만 『기세인본경起世因本經』 제10권=대1-416중에 본문과 같은 해석이 있다)에서 이렇게 해석하였다. 달이 해의 비춤을 받아 그림자를 일으켜 자신을 덮으니, 그렇게 덮인 어두운 곳은 멀리에서 둥글지 않아 보인다. 해의 몸은 정묘하지만, 달의 몸은 조금 거칠기 때문에 달이 비춤을 받으면 그림자를 일으켜 자신을 덮으니, 마치 나무가 그림자를 일으키는 것과 같다. 비춤에 이미 많고 적음이 같지 않으므로, 그림자가 덮는 것도 많고 적음이 다르니, 그래서 이지러짐과 회복이 일정하지 않은 것이다.

56 경량부 중 예전 논사의 해석이다. 해와 달이 도로를 운행하는 법도가 같지 않으니, 이 도로에서 운행할 때에는 그것이 둥글게 보여야 하고, 저 도로에서 운행할 때에는 그것이 이지러져 보여야 하는 것이다. 또 해석하자면 일륜은 빠르게 다니고, 월륜은 천천히 다니므로 운행의 법도가 같지 않다. 햇빛은 혁혁하고, 달빛은 어둡고 열등하니, 해가 점점 달에 가까워지면 해가 월륜을 비추어 그 비춤을 빼앗아 나타나지 못하게 한다. 만약 지극히 가까워지면 비춤을 빼앗아 모두 나타나지 못하게 하고, 만약 점차 멀어지면 비로소 점차 나타나게 되다가, 뒤에 비추지 않을 때에는 그 체가 완전히 나타난다. 비춤을 빼앗아 나타나지 않는 것이지, 그림자가 덮기 때문이 아니라는 것이다.

57 이하 여덟째 하늘 기세계[天器]에 대해 밝히는 것이다. 그 안에 나아가면 천신이 사는 기세계를 밝히고, 둘째 하늘 기세계의 근원近遠에 대해 밝힌다. 천신이 사는 기세계를 밝히는 것에 나아가면 첫째 바로 하늘 기세계를 밝히고, 둘째 편의상 다른 뜻을 나타낸다. 전자에 나아가면 첫째 4천왕의 기세계를 밝히고, 둘째 삼십삼천의 기세계를 밝히며, 셋째 공거천에 대해 밝힌다. 이하에서 사천왕천의 기세계를 밝히는데, 장차 밝히려고 물음을 일으킨 것이다. # 이상 설명된 글의 구성을 제8절의 편성과 대비해 보이면 아래 도표와 같다.

<table>
<tr><td rowspan="4">천신이 사는 기세계</td><td rowspan="3">하늘 기세계</td><td>4천왕천</td><td>제1항 사천왕천</td></tr>
<tr><td>삼십삼천</td><td>제2항 삼십삼천</td></tr>
<tr><td>공거천</td><td>제3항 공거천</td></tr>
<tr><td colspan="2">편의상 다른 뜻을 나타냄</td><td>제4항 욕생과 낙생 등</td></tr>
<tr><td colspan="3">하늘 기세계의 근·원</td><td>제5항 하늘 기세계의 근·원</td></tr>
</table>

들이다.[58] 이 모든 천중들은 여기에만 머무는가?[59] 만약 공거천空居天이라면 이와 같은 해 등의 궁전에만 머물지만, 만약 지거천地居天이라면 묘고산의 여러 층급層級 등에 머문다.[60]

몇 개의 층급이 있고, 그 분량은 어떠하며, 어떤 천신들이 어떤 층급에 머무는가?[61] 게송으로 말하겠다.

64 묘고산의 층급에 넷이 있는데[妙高層有四]
서로의 거리는 각각 1만 유선나이며[相去各十千]
옆으로 나온 것은 1만6천[傍出十六千]
8천, 4천, 2천의 유선나이다[八四二千量]

65 견수 및 지만과[堅手及持鬘]
항교와 사대천왕의 천중들이[恒憍大王衆]
순서대로 4개 층급에 사는데[如次居四級]
나머지 7산에도 역시 머문다[亦住餘七山][62]

논하여 말하겠다. 소미로산에는 4층급이 있는데, 수륜의 끝에서 시작하여 제1층을 다하기까지 서로 떨어진 거리가 1만 유선나이다. 이와 같이 나아가 제3층으로부터 제4층을 다하기까지도 역시 1만 유선나이다. 이 4층급은 묘고산으로부터 옆으로 돌출되어 그 하반부를 모두 에워싸고 있는데, 제1층급에서 돌출된 것은 1만6천 유선나이고, 제2·제3·제4층급에서 돌출된 것은 그 순서대로 8천·4천·2천 유선나이다.

58 답이다.
59 물음이다.
60 답이다. '해 등'은 여러 별들을 같이 취한 것이고, '층급 등'은 7금산金山을 같이 취한 것이다.
61 바로 게송의 글을 일으키는 것인데, 첫째 층급에 대해 묻고, 둘째 그 분량에 대해 물으며, 셋째 머무는 천신에 대해 묻는 것이다.
62 제1구는 제1문에 대한 답이고, 다음 3구는 제2문에 대한 답이며, 뒤의 1게송은 제3문에 대한 답이다.

견수堅手라고 이름하는 약차신藥叉神이 첫 층급에 머물고 있고, 지만持鬘이라고 이름하는 약차신이 제2층급에 머물고 있으며, 항교恒憍라고 이름하는 약차신이 제3층급에 머물고 있는데, 이들 셋은 모두 사대천왕에 부속된 천중天衆들이다. 제4층급은 사대천왕과 여러 권속들이 함께 머물러 사는 곳이다. 그래서 경에서 이에 의해 '사대왕중천四大王衆天'이라고 말한 것이다.

마치 묘고산 밖의 4개 층급에 사대천왕과 천중 및 권속들이 사는 것처럼, 이와 같이 지쌍산·지축산 등의 7금산金山 위에도 역시 천신들이 살고 있는데, 이는 사대천왕에 부속된 봉읍封邑이다. 이들을 땅에 의지해 머무는 사대왕중천이라고 이름하는데, 욕계의 하늘 중에서 이 하늘이 가장 넓다.[63]

제2항 삼십삼천三十三天

삼십삼천은 어떤 곳에 머물러 있는가? 게송으로 말하겠다.

66 묘고산 정상의 8만 유선나에[妙高頂八萬]
삼십삼천이 사는데[三十三天居]
네 모퉁이에 있는 네 봉우리는[四角有四峯]
금강수가 머무는 곳이다[金剛手所住]

67 중앙의 선견이라는 이름의 궁은[中宮名善見]
둘레가 1만 유선나인데[周萬踰繕那]

63 묘고산은 물 위로 나온 것이 8만 유선나인데, 이 4개 층급은 수륜의 끝에서 시작해서 제4층을 다하기까지 4만 유선나에 있기 때문에 '하반부'라고 말한 것이다. 제4층급은 4대천왕 및 여러 권속들이 함께 살고 있는 곳인데, 각각 1면에 머물므로 4천왕이라고 이름한 것이다. 그래서 경(=장 20:30 세기경의 제7 사천왕품 등)에서도 이에 의해 4대왕중천이라고 말하였다. 나머지 글은 알 수 있을 것이다. # 위 세기경에 의하면, 4천왕은 동쪽·남쪽·서쪽·북쪽을 각각 관장하는 '제두뢰타·비루륵·비루바차·비사문'천왕(=니까야에서의 '다따랏타Dhataraṭṭha·위룰하까Virūḷhaka·위루빡카Virūpakkha·웻사와나Vessavaṇa'의 음역어)인데, 흔히 지국持國천왕·증장增長천왕·광목廣目천왕·다문多聞천왕이라고 칭한다.

높이 1.5유선나의 금성이 에워싸고[高一半金城]
갖가지로 장식된 땅이 부드럽다[雜飾地柔軟]

68 안에는 수승전이 있어[中有殊勝殿]
둘레가 1천 유선나이며[周千踰繕那]
밖은 네 동산으로 장엄했으니[外四苑莊嚴]
중거·추악·잡림·희림이다[衆車麤雜喜]

69 오묘한 땅이 사방에 있는데[妙地居四方]
동산과의 거리가 각각 20유선나이며[相居各二十]
동북쪽은 원생수이고[東北圓生樹]
서남쪽은 선법당이다[西南善法堂][64]

논하여 말하겠다. 삼십삼천은 소미로산 정상에 머무는데, 그 정상의 4면이 각각 8만 유선나로서, 아래 4변과 그 길이에 차이가 없다.[65] 어떤 다른 논사는, 둘레가 8만 유선나로서, 4변을 따로 말하면 각각 2만 유선나라고 말하였다.[66]

소미로산 정상의 네 모퉁이에는 각각 하나의 봉우리가 있고, 그 높이와

---

64 이하 둘째 삼십삼천의 기세계에 대해 밝히는데, 물음과 게송에 의한 답이다.
65 이 논사의 뜻이 말하는 것은, 아래 4변과 그 길이에 차이가 없다고 이미 말했으니, 이에 준하면 묘고산의 형상은 마치 네모난 의자[方座]와 같으면서, 밖으로 층급이 돌출되었다는 것이다. 혹은 아래의 넓은 곳과 같으니, 또한 마치 북[鼓]과도 유사한 것을 어찌 방해하겠는가?
66 이 논사의 뜻이 말하는 것은, 그 4층급은 점차 물러나서 산을 잠식하여 몸통을 이룬다는 것이다. 제1층의 경우 양변 공히 3만2천(=양쪽 돌출부분 1만6천×2. 이하 같다)이 있고, 제2층의 양변은 공히 1만6천이 있으니, 전자에 보태면 4만8천이 되며, 제3층의 양변은 공히 8천이 있으니, 전자에 보태면 5만6천이 되고, 제4층의 양변은 공히 4천이 있으니, 전자에 보태면 6만이 된다. 그래서 산의 정상의 4면은 각각 2만 유선나(=돌출부분의 합계 6만을 묘고산 1변의 전체 길이 8만에서 뺀 것)이고, 만약 둘레의 길이에 의거하면 8만 유선나가 있다고 말한 것이다. 『대비바사론』(=제133권. 대27-691하)과 『순정리론』(=제31권. 대29-518하)에 모두 양설이 있는데, 모두 논평한 분은 없다.

너비는 각각 500유선나인데, 금강수金剛手라고 이름하는 약차신들이 머물고 있으면서 천신들을 수호한다.67

【선견궁·금성·수승전】 소미로산 정상에는 선견善見이라고 이름하는 궁이 있다. 1면이 2,500유선나로서, 둘레가 1만 유선나인데, 금성金城의 높이는 1.5유선나이다. 그 땅은 평탄하고, 역시 순금으로 이루어진 것으로서, 모두 백 종류를 쓴, 한 가지 뒤섞인 보배로써 장엄하게 장식되었으며, 땅의 감촉은 마치 투라면妬羅綿처럼 부드러워서, 밟을 때 발에 따라 오르내리니, 이것이 천제석天帝釋이 도읍한 큰 성이다. 그 성 안에는 수승전殊勝殿이 있는데, 갖가지 오묘한 보배로써 구족하게 장엄되어, 다른 천궁을 가리기 때문에 수승이라고 이름한 것으로서, 1면이 250유선나이므로, 둘레는 1천 유선나이다. 이런 것들을 일러 성 안의 사랑할 만한 것들[諸可愛事]이라고 한다.68

【네 개의 동산와 오묘한 땅】 성 밖의 4면은 네 개의 동산[四苑]이 장엄했는데, 이는 그 천신들이 함께 유희하는 곳이다. 첫째는 중거원衆車苑, 둘째는 추악원麤惡苑, 셋째는 잡림원雜林苑, 넷째는 희림원喜林苑인데, 이것들은 큰 성을 장엄하는 외부 장식이 된다.69

67 제3·제4구를 해석하는 것이다. 손에 금강장金剛杖을 들었으므로 금강수라고 이름한 것이다.

68 선견궁 및 궁전을 해석하는 것이다. 보는 자들이 좋다고 칭하기 때문[見者稱善故]에 선견이라고 이름하였다. '약차'는 신의 이름인데, 천신·아귀·방생에 통한다. 포악暴惡하다는 뜻인데, 혹 용건勇健이라고 말하거나 복과 도움 있는 것[有福祐]이라고 말한다. 1백 개가 한 가지이기 때문에 '백일百一'이라고 말한 것이니, 마치 백 가지 맛[百味]의 음식이라고 말하는 것과 같다. '투라면'의 '투라妒妒'는 나무 이름인데, 솜이 나무열매 중에서 나오므로 투라면이라고 이름했으니, 마치 버들가지솜[柳絮]이라고 말하는 것과 같다.

69 네 개의 동산에 대해 해석하는 것이다. 『대비바사론』 제133권(=대27-692상)에서 말하였다. "첫째는 중거원이니, 말하자면 이 동산에서는 하늘의 복의 힘에 따라 갖가지 수레가 나타난다. 둘째는 추악원이니, 하늘이 전투하려고 할 때 그 상응하는 바에 따라 갑옷과 무기 등이 나타나는 것이다. 셋째는 잡림원이니, 천신들이 그 안에 들어가면 가지고 노는 것이 모두 같은데, 모두 뛰어난 기쁨이 생기는 것이다. 넷째는 희림원이니, 지극히 오묘한 욕망의 티끌의 빼어난 부류들이 모두 모여 있어서, 돌아다니며 보아도 싫증이 없다. 이런 네 개의 동산은 형상이 모두 정사각형인데, 하나하나의 둘레는 1천 유선나이고, 중앙에 각각 하나의 여의지如意池가 있다. 그 한 면이 각각 50유선나인데, 8공

네 동산의 4변에는 네 곳의 오묘한 땅[妙地]이 있는데, 그 중간에서 동산과의 거리는 각각 20유선나이다. 이 곳은 그 천신들의 뛰어난 유희처여서, 천신들은 거기에서 승부를 겨루며 즐겁게 오락한다.[70]

【원생수】 성 밖 동북쪽에는 원생수圓生樹가 있는데, 이는 삼십삼천이 욕락을 누리는 뛰어난 곳으로, 나무뿌리의 깊이와 너비는 5유선나이며, 위로 솟은 줄기와 옆으로 퍼진 가지의 높이와 너비는 분량이 같이 100유선나이다. 빼어난 잎과 활짝 핀 꽃에서 오묘한 향기가 부드럽게 풍기니, 순풍일 때에는 향기가 100유선나까지 풍겨 가득하고, 역풍일 때에도 50유선나에 두루하다.[71]

순풍이면 그럴 수 있겠지만, 어떻게 역풍에도 풍기는가? 어떤 다른 논사가 말하였다. "향기가 거슬러 풍기는 뜻은 없으나, 나무의 경계를 벗어나지 않음에 의했기 때문에 거슬러 풍긴다고 말한 것이다."[72] 이치상 실제로 원생수에는 이와 같은 공덕이 있으니, 흘러나온 향기가 바람을 거슬러서도 풍길 수 있다. 비록 하늘의 부드러운 바람이 힘으로 끌어안아 막는다고 해도, 능히 상속하여 다른 곳으로 흘러 나아가다가 점점 미약해져서 그 근처에서 문득 다하는 것이니, 순풍에 풍기는 것처럼 멀리 이를 수 있는 것은 아니다.[73]

덕수가 그 안에 가득차 있고, 바라는 대로 오묘한 꽃, 보배로 된 배[寶舟], 오묘한 새들 하나하나가 기이하게 고우면서 갖가지로 장엄되었다."

70 네 곳의 오묘한 땅을 해석하는 것이다.

71 원생수에 대해 밝히는 것이다.

72 이 논사의 뜻이 말하는 것은, 향기가 거슬러 풍길 수는 없는데도 거슬러 풍긴다고 말한 것은, 나무의 경계를 벗어나지 않음에 의해 거슬러 풍긴다고 말했다는 것이다. 나무의 경계를 벗어나지 않는다고 말한 것은, 원생수의 몸통은 밖의 가지가 있는 면에서 각각 50유선나이니(=위에서 가지의 너비가 100유선나라고 하였다), 예컨대 나무 아래 동쪽변 가까이에 서 있으면 그 나무몸통에서 50유선나인 것과 같다. 만약 동풍이 있다면 역풍이라고 이름할 것인데, 이 사람은 비록 나무몸통에서 50유선나 떨어져 있지만, 나무의 경계 안에 서 있으니, 머리 위의 가지 등의 향기를 얻기 때문에 '나무의 경계를 벗어나지 않음에 의했다'라고 말한 것이다. 역풍에도 50유선나를 얻는다고 말한 것은 나무몸통에서 바라보고 논한 것이므로, 만약 나무의 경계를 벗어난다면 곧 향기를 얻지 못한다는 것이다.

이와 같은 꽃의 향기는 자신의 지대[自地]에 의지해 바람에 따라 상속하여 굴러서 다른 곳에 이르는 것인가, 단지 바람에 풍기는 것에만 별도로 향기가 생길 뿐인가?[74] 여기에는 일정한 뜻은 없으니, 궤범의 논사들은 이런 2문門에 모두 허물이 없다고 인정한다.[75] 만약 그렇다면 어째서 박가범께서 이렇게 말씀하셨겠는가? "꽃의 향기는 바람을 거슬러 풍길 수 없고[花香不能逆風熏] 뿌리와 줄기 등의 향기도 역시 그러하지만[根莖等香亦復爾] 선사의 공덕의 향기는 향기롭게 풍기니[善士功德香芬馥] 역풍에도 흘러 아름다움이 모든 방위에 두루하네[逆風流美遍諸方]"[76] 인간계의 향기에 의거했기 때문에 이렇게 설하신 것이니, 이런 공능이 없다는 것을 세상에서 공히 알기 때문이다.[77] 화지부化地部의 경에서는 설하였다. "이 향기는 순풍일 때에는 100유선나까지 풍겨 가득하고, 바람이 없을 때라면 50유선나에만 두루하다."[78]

【선법당】 성 밖의 서남쪽 모퉁이에는 선법당善法堂이 있는데, 삼십삼천들은 때때로 거기에 모여서 여법하거나 여법하지 않은 일에 대해 상세히 논의한다.[79]

---

73 논주의 바른 해석이다. 하늘의 향기의 공덕은 뛰어나서 역풍에도 풍길 수 있으니, 나무의 경계를 벗어난 50유선나이다. 순풍에 능히 나무경계를 벗어나 100유선나까지 풍기는 것처럼 멀리 이를 수 있는 것은 아니다.

74 물음이다. 이와 같은 꽃의 향기는 자신이 부서진 꽃 중의 지대[自碎華中地大]에 의지해 바람에 따라 상속하여 굴러서 다른 곳에 이른다고 하는가? 욕계의 8극미(=4대종과 색·향·미·촉)는 서로 여의지 않기 때문에 지대가 있는 것이다. 능조(의 4대종) 중에 나아가면 지대가 강하므로 '의지해'라고 말한 것이지, 다른 대종 등이 없는 것은 아니다. 또 해석하자면 '지地'는 부서진 꽃을 말하는 것이니, 향기에게 의지처가 되기 때문에 '지'라고 말한 것이다. 또 해석하자면 '지'는 토지를 말하는 것이니, 이 꽃의 향기는 이 토지에 의지해 상속하여 유전한다고 하는가, 단지 바람에 풍기는 것만이 바람 속에 별도로 향기가 생겨서 굴러서 다른 곳에 이른다고 하는가?

75 답이다. 궤범의 논사들은 두 가지에 통한다고 해도 허물이 없다고 해석한다.

76 힐난이다. 만약 향기가 거슬러 풍길 수 있다면, 어째서 게송(=잡 [38]38:1073 아난경阿難經)에서, 꽃의 뿌리 등의 향기는 거슬러 풍길 수 없고, 공덕의 향기만 거슬러 흐를 수 있다고 설했는가?

77 논주의 회통이다. 인간계의 향기는 거슬러 풍길 수 없다는 것을 공히 알지만, 만약 하늘의 향기에 의거한다면 거슬러서도 풍길 수 있다.

78 다른 부파의 설을 서술하는 것이다. 그 부파에서는, 이 원생수의 향기는 순풍에는 100유선나에 이르고, 바람이 없다면 50유선나라고 설한다.

제3항 공거천空居天

이와 같이 삼십삼천이 사는 외부 기세계에 대해 분별했는데, 그 나머지 유색有色의 천중들이 머무는 기세계는 어떠한가? 게송으로 말하겠다.

70a 이 위의 유색의 천신들은[此上有色天]
허공에 의지하는 궁전에 머문다[住依空宮殿]

논하여 말하겠다. 이 앞에서 말한 삼십삼천 위의 유색의 천신들은 허공에 의지하는 궁전에 머문다.

어떤 이들을 위의 유색의 천신들이라고 이름하는가? 말하자면 야마천夜摩天, 도사다천覩史多天, 낙변화천樂變化天, 타화자재천他化自在天 및 앞에서 말한 범중천梵衆天 등 열여섯 곳에 있는 이들이다. 앞과 아울러 합치면 22 하늘이 있는데, 모두 외부 기세계에 의지한다.[80]

제4항 욕생欲生과 낙생樂生 등

1. 6욕천의 행음

이와 같이 말한 여러 천중들에 대해 게송으로 말하겠다.

70c 6욕천의 욕망 향수는 교합하며, 포옹하고[六受欲交抱]
손 잡으며, 미소짓고, 바라보는 음행에 의한다[執手笑視婬]

79 선법당에 대해 해석하는 것이다.

80 이하 셋째 공거천의 기세계에 대해 밝히는 것이다. 야마천으로부터 색구경천에 이르기까지는 머무는 궁전이 모두 허공에 의지할 뿐이다. 가습미라(=설일체유부)에 의하기 때문에 색계가 '열여섯'이라고 말한 것이다. 또 『순정리론』(=제31권. 대29-519상)에서 말하였다. "어떤 분은 말하였다. '공중에 조밀한 구름이 널리 펼쳐진 것이 마치 땅과 같아서, 그 궁전의 의지처가 된다.' 외부 기세간은 색구경천까지이다. 위는 무색이기 때문에 시설할 수 없다."

논하여 말하겠다. 6욕천만이 묘욕妙欲의 경계를 향수한다. 그 중 처음 두 가지, 땅에 의지해 사는 천신들[依地居天]은 몸의 교합[形交]으로써 음애[婬]를 성취하니, 사람과 다름이 없다. 그렇지만 풍기風氣의 배설로써 뜨거운 고뇌[熱惱]가 곧 없어지니, 인간처럼 다른 부정不淨이 있는 것은 아니다. 야마천의 천중들은 잠시 포옹함[纔抱]으로써 음애를 성취하며, 도사다천은 손을 잡는 것[執手]만에 의해서, 낙변화천은 서로 향해 미소지음[相向笑]만으로써, 타화자재천은 서로 바라봄[相視]으로써 음애를 성취한다. 그러나 비바사 논사들은 이렇게 해석하였다. "6욕천은 모두 몸의 교합으로써 음애를 성취하니, 세시설世施設 중에서 서로 포옹하는 등을 설한 것은 그런 시간의 차별을 나타내기 위한 것일 뿐이다." 이상 여러 천신들의 욕망의 경계가 점점 오묘한 것은, 탐심貪心이 점점 민첩하기 때문에 그렇게 만드는 것이다.[81]

2. 천신들의 처음 태어남

그 여러 천신들의 남·여의 무릎 위에 동남·동녀의 홀연 화생함이 있음에 따라서 곧 그 천신들이 낳은 남·여라고 말한다. 처음 태어난 천중들은 몸의 크기가 어떠한가? 게송으로 말하겠다.

71a 처음에 마치 5세 내지 10세와 같은데[初如五至十]
색계는 원만하며 옷을 입고 있다[色圓滿有衣]

논하여 말하겠다. 우선 여섯 욕계의 천신으로 처음 태어나면 순서대로 마치 5·6·7·8·9·10세의 사람과 같은데, 태어난 뒤 몸의 형상은 속히 원만함을 이루게 된다. 색계의 천중들은 처음 태어날 때 몸의 크기가 두루 원만하며 오묘한 의복을 갖춘다. 일체 천중들은 모두 성언聖言으로 말하니, 말하자면 그들의 언사는 중인도의 그것과 같다.[82]

---

81 이하는 둘째 편의상 다른 뜻을 나타내는 것인데, 그 안에 나아가면 첫째 6욕천의 행음에 대해 밝히고, 둘째 여러 천신들의 처음 태어남에 대해 밝히며, 셋째 욕생과 낙생에 대해 밝힌다. 이는 곧 첫째 6욕천의 행음에 대해 밝히는 것이다.

82 이는 곧 둘째 천신들의 처음 태어남에 대해 밝히는 것이다. 우선 6욕천이 처

3. 욕생欲生과 낙생樂生

욕생과 낙생의 차별은 어떠하다고 알아야 하는가?[83] 게송으로 말하겠다.

71c 욕생 세 가지는 인간·천신이며[欲生三人天]
낙생 세 가지는 9처이다[樂生三九處][84]

논하여 말하겠다. '욕생 세 가지'란, (첫째) 현전하는 여러 묘욕妙欲의 경계를 즐거이 향수하는 여러 유정이 있는데, 그는 이와 같이 현전하는 욕망의 경계에서 자재하게 구르니, 말하자면 인취人趣 전부 및 아래 네 가지 천신이다. (둘째) 자신이 변화시킨[自化] 여러 묘욕의 경계를 즐거이 향수하는 여러 유정이 있는데, 그는 자신이 변화시킨 묘욕의 경계에서 자재하게 구르니, 말하자면 오직 제5 낙변화천만이다. (셋째) 남이 변화시킨[他化] 여러 묘욕의 경계를 즐거이 향수하는 여러 유정이 있는데, 그는 남이 변화시킨 묘욕의 경계에서 자재하게 구르니, 말하자면 제6 타화자재천이다.

태어난 대로 현전하는 욕망의 경계를 향수함에 의하기 때문이며, 즐기는 대로 자신이 변화시킨 욕망의 경계를 향수함에 의하기 때문이며, 즐기는 대로 남이 변화시킨 욕망의 경계를 향수함에 의하기 때문에 욕계 중에서

음 태어나면 순서대로, 사천왕천은 5세와 같고, 삼십삼천은 6세와 같으며, 야마천은 7세와 같고, 도사다천은 8세와 같으며, 낙변화천은 9세와 같고, 타화자재천은 10세와 같은데, 태어난 뒤 몸의 형상은 속히 원만함을 이루게 된다. 색계의 천중들이 처음 태어날 때에는 몸의 크기가 두루 원만하며 오묘한 의복을 갖춘다. 범중천과 같은 경우는 처음 태어나면 반 유선나이고, 나아가 색구경천은 처음 태어나면 1만6천 유선나이다.(=색계 천신의 크기는 뒤의 게송 76c~77b와 그 논설 참조) 2계의 천신들은 모두 성언聖言으로 말하는데, '성언'은 중인도의 언어(=붓다께서 주로 사용하신 언어라는 취지)를 말하는 것이다. 인도는 여기 말로는 월지月支이니, 달에는 1천 가지 명칭이 있는데, 이것도 그 하나이다. 예전에는 천축天竺, 혹은 현두賢豆, 혹은 신독身毒이라고도 말했는데, 모두 잘못이다. 또 『순정리론』(=제31권. 대29-519중)에서 말하였다. "말하자면 그 언사는 중인도의 그것과 같다. 그렇지만 배우지 않고서도 스스로 가르침의 말씀을 이해한다."

83 이하 셋째로 욕생과 낙생에 대해 밝히려고, 물음을 일으킨 것이다.

84 답이다.

욕생의 차별을 세 종류로 분별한 것이다.[85]

'낙생 세 가지'란 3정려 중의 9처에 태어나서 세 종류 낙樂을 향수하니, 말하자면 그들은 떠남에서 생긴 기쁨과 즐거움[離生喜樂], 선정에서 생기는 기쁨과 즐거움[定生喜樂], 기쁨을 떠난 즐거움[離喜樂]에 안주하기 때문이다. 오랜 시간 안주하고, 오랜 시간 괴로움을 떠나며, 오랜 시간 낙을 향수하기 때문에 낙생이라고 이름한 것이다.[86] 정려중간에 태어나면 전혀 기쁨과 즐

---

85 세 종류 욕생을 해석하는 것은 『집이문족론』 제5권(=대26-386상)에서 3욕생과 3낙생을 널리 해석한 것과 같은데, 모두 인용할 수 없으므로 간략히 뜻을 서술해 말하겠다. 여러 유정이 있다는 것은 가유[假者]를 말함이다. '현전하는 여러 묘욕의 경계를 즐거이 향수한다'는 것은, 말하자면 유정들은 과거의 업으로 감득한 바, 본래 태어난 바에 따라 현전하는 욕망의 경계를 늘 즐거이 수용하고, 따로 변화시켜 만드는 것이 아니라는 것이다. 그는 이렇게 본래 태어난 바에 따라 현전하는 욕망의 경계에 대해 세력이 있기 때문에 자재하게 구른다. 말하자면 인취의 전부 및 욕계에서 아래 4천을 취한다. '묘욕의 경계[妙欲境]'라고 말한 것은, 경계가 욕망인 것이 아니라 탐욕을 욕망이라고 이름하는데, 경계가 능히 욕망을 낳기 때문에 '욕망의 경계[欲境]'라고 이름하며, 어리석은 범부가 망령되이 계탁하므로 '묘妙'라고 이름한 것이다. 경계를 수용할 때 즐거이 스스로 변화시키고 자재하게 구르는 이런 부류의 업을 짓는 유정들이 있으니, 오직 제5의 낙변화천을 말함이다. 경계를 수용할 때 열등한 천자들로 하여금 갖가지 색·성·향·미·촉의 경계를 변화시켜 만들게 하고, 그 중에서 수용하면서 자재하게 구르는 이런 부류의 업을 짓는 유정들이 있으니, 제6 타화자재천을 말함이다. 『집이문족론』에 준하면 소리도 변화시킬 수 있다. 세 종류의 차별을 별도로 세운 까닭은, 그들은 본래 태어난 대로 현전하는 욕망의 경계를 수용하는 뜻에 의했기 때문에 제1욕생을 세우고, 그들은 즐기는 대로 자신이 변화시킨 욕망의 경계를 수용하는 뜻에 의했기 때문에 제2욕생을 세우며, 그들은 즐기는 대로 남이 변화시킨 욕망의 경계를 수용하는 뜻에 의했기 때문에 제3욕생을 세운 것이다. 욕계 중 욕생의 차별을 분별하면 세 종류이니, 그래서 욕생이라고 말하였다. 그래서 『집이문족론』에서 말하였다. "욕생이란 말하자면 욕계에서 산다는 것이다." 또 해석하자면 5욕의 경계를 수용하면서 살기 때문에 욕생이라고 이름한 것이다.

86 세 종류 낙생을 해석하는 것이다. 초·제2·제3선정을 3정려라고 이름하는데, 그 3정려의 처소에 각각 셋이 있으므로, '9처에 태어나서 세 종류 낙을 향수한다'라고 표현한 것이다. 3낙생이라고 말한 것 중, 첫째는 말하자면 그 초선정의 유정은 욕계의 악하고 불선한 법을 떠남에서 생기는 기쁨과 즐거움에 안주한다는 것이다. 혹은 곧 선정이 곧 떠남이라고 이름한 것이니, 떠남의 세력에 의해 기쁨과 즐거움이 생기기 때문이다. 『법온족론』 제7권(=대26-483중)에 준하면, '기쁨'은 희수喜受를 말하고, '즐거움'은 경안輕安을 말하는 것이다. 둘째는 말하자면 그 제2선정의 유정은 초선정으로부터 생긴 제2선정의 기쁨과

거움이 없는데, 어째서 역시 낙생천이라고 부르는지 생각해야 할 것이다.[87]

제5항 하늘 기세계의 근원近遠

1. 하늘 기세계 사이의 거리

앞에서 말한 천신들의 22처소의 상하간 서로 떨어진 그 거리는 어떠한가? 게송으로 말하겠다.

72a 그 아래와의 거리와 같이[如彼去下量]
위와의 거리의 수치 역시 그러하다[去上數亦然]

논하여 말하겠다. 각각의 하늘 사이가 몇 유선나인지는 쉽게 셀 수 있는 것이 아니다. 단지 그 아래와의 거리를 전체적으로 들 수 있을 뿐인데, 위

즐거움에 안주한다는 것이다. 혹은 곧 그 제2선정의 세력에 의해 기쁨과 즐거움이 생기기 때문이다. 기쁨과 즐거움은 앞의 해석과 같다. 셋째는 말하자면 그 제3선정의 유정은 제2선정의 기쁨을 떠남에서 생긴 제3선정의 즐거움에 안주한다는 것이다. 그래서 『집이문족론』(=제5권. 대26-386하)에서 말하였다. "기쁨을 떠난 즐거움이다." 제3정려의 즐거움은 소위 낙수樂受이다. 오랜 시간 이 세 종류 낙에 안주하고, 이 세 종류에 의해 오랜 시간 괴로움을 떠나서, 오랜 시간 이 세 종류 낙을 수용하기 때문에 낙생이라고 이름한 것이다. 『집이문족론』에 준하면 '오랜 시간' 등의 셋은 모두 3낙생에 통한다. 여기에서 '낙'이라고 말한 것은 혹은 희수를 낙이라고 이름하거나, 혹은 경안을 낙이라고 이름하거나, 혹은 낙수를 낙이라고 이름한 것이라고 알아야 한다. 또 한 가지 해석으로 도운다면, 초선정에서는 오랜 시간 낙에 안주하고, 제2선정에서는 오랜 시간 괴로움을 떠난다. 초선정에서도 괴로움을 떠나기는 해도 여전이 괴로움의 의지처가 있지만, 제2선정에서는 괴로움을 떠나고 또 괴로움의 의지처도 떠나니, 모습이 두드러지기 때문에 괴로움을 떠난다고 말한 것이다. 제3선정에서는 오랜 시간 낙을 수용한다.

87 논주가 중간정(=오직 사수뿐임은 뒤의 제28권 중 게송 23ab와 그 논설 참조)에 의거해 생각해 보기를 권한 것이다. 『순정리론』(=제31권. 대29-519하)에서 해석해 말하였다. "대범천에게 이미 기쁨과 즐거움의 현행이 있다면(=생정려의 느낌이 정정려와 반드시 같지는 않아 초정려에 태어나면 희수·낙수·사수가 있음은 뒤의 제28권 중 게송 12와 그 논설 참조), 낙생천이라고 이름하더라도 역시 허물이 없다."

와의 거리는 비례해서 그러하니, 어떤 하늘로부터 아래의 바다로 내려가는 거리에 따라, 그 위에 이를 곳은 그 아래와의 거리와 같다는 것이다. 말하자면 묘고산의 제4층급으로부터 아래의 큰 바다까지의 거리는 4만 유선나인데, 이는 사대천왕이 본래 머무는 곳으로서, 그로부터 그 위의 삼십삼천과의 거리도 역시 그 사대천왕천으로부터 그 아래 바다와의 거리와 같으며, 삼십삼천으로부터 아래의 큰 바다와의 거리와 같이, 위의 야마천과의 그 거리도 역시 그러하다. 이와 같이 나아가 선견천으로부터 아래의 큰 바다와의 거리와 같이, 그로부터 위의 색구경천과의 거리도 역시 그 선견천으로부터 아래 바다와의 거리와 같다. 여기로부터 위로 향해서는 더 이상 머무는 곳이 없고, 이 곳이 가장 높아서 '색구경色究竟'이라고 이름한 것이다.

어떤 다른 논사는, "그것은 애구경천礙究竟天이라고 이름한다"라고 말했는데, 그것은 말하자면 '애礙'라는 명칭은 적집된 색을 가리키는데, 그런 애가 다하기에 이르렀으므로 '구경究竟'이라는 명칭을 얻었다는 것이다.[88]

2. 하지의 천신의 상승

아래 처소에 태어난 경우 상승하여 위를 볼 수 있는가? 게송으로 말하겠다.

72c 신통력이나 남에 의지함 떠나서는[離通力依他]
아래 천신은 상승해 위를 볼 수 없다[下無昇見上]

논하여 말하겠다. 삼십삼천은 자신의 신통력에 의해 본래 처소로부터 야마천으로 상승할 수 있다. 혹은 다시 남에게 의지하기도 하니, 말하자면 신통을 얻은 자 및 위의 천중에 의해 영접되면 야마천으로 갈 수 있다. 그 나머지 천신들이 상승하는 것도 비례해서 그러하다.

내려왔거나 올라가 이르렀다면 하지의 천신이 상지의 천신을 보지만, 하지의 천신의 눈으로 상계上界·상지上地를 볼 수는 없다. 그의 경계가 아니기

88 이하 하늘 기세계의 근·원에 대해 밝히는데, 그 안에 나아가면 첫째 바로 기세계의 근·원에 대해 밝히고, 둘째 아래 천신의 상승에 대해 밝힌다. 이는 곧 바로 기세계의 근·원에 대해 밝히는 것이다. 욕계의 6천과 색계의 16천, 모두 22천인데, 서로의 거리는 알 수 있을 것이다.

때문이니, 마치 그 곳의 감촉을 지각하지 못하는 것과 같다. 이 때문에 상지로부터 하지로 내려올 때에는 자신의 몸으로 오는 것이 아니라, 반드시 하지의 몸을 변화시켜 만들어야 한다.[89]

어떤 다른 부파에서는, "그 하지의 천신도 낙욕[樂]에 따라 상지의 색을 볼 수 있으니, 마치 이 욕계의 하지에 태어나서 상지의 하늘을 보는 것과 같다"라고 말하였다.[90]

제9절 대천세계

야마천 등의 천궁의 의지처는 분량이 얼마나 되는가?[91] 어떤 다른 논사는, "이 위의 네 하늘의 의지처의 너비는 묘고산의 정상과 같다"라고 말하였고, 어떤 다른 논사는, "올라갈수록 2배씩 증가한다"라고 말하였다. 어떤 다른 논사는, "초정려지의 궁전의 의지처는 하나의 4대주와 같고, 제2정려는 소천세계와 같으며, 제3정려는 중천세계와 같고, 제4정려는 대천세계와 같다"

---

89 이는 곧 둘째 아래 천신의 상승에 대해 밝히는 것이다. 아래 천신이 상승해 위를 보는 것에는 모두 세 가지 연에 의하니, 첫째는 자신이 신통의 능력을 얻어 가는 것, 둘째는 신통을 얻은 다른 자에 의지하는 것, 셋째는 상지의 천신에 영접되어 가는 것이다. 만약 상지의 천신이 내려왔거나 하지의 천신이 상지에 이르렀다면 하지의 천신이 상지의 천신을 볼 수 있다. 그렇지만 하지나 하계의 눈으로 상지나 상계의 색을 볼 수는 없다. 그의 경계가 아니기 때문이니, 상지의 색은 미세하기 때문이다. 마치 하지의 몸이 상지의 감촉을 지각하지 못하는 것과 같다. 그래서 상지에서 하지로 오는 것은 자신의 몸으로 오는 것이 아니라, 반드시 하지의 몸을 변화시켜 만들어야 비로소 하지의 천신이 볼 수 있다. 만약 자신의 몸으로 온다면 하지의 눈으로 보지 못한다.

90 대중부의 설을 서술하는 것이다. 그 하지의 천신도 낙욕에 따라 상지의 색을 볼 수 있으니, 마치 이 욕계의 하지의 하늘에 태어나서 상지의 천신을 보는 것과 같다고 하였다. 『순정리론』(=제31권. 대29-520상)에서 논파해 말하였다. "(그 설은 이치가 아니니) 모든 지에서 서로 바라보면 인과가 다르기 때문이다. 반드시 하지의 염오를 떠나야 비로소 상지에 태어날 수 있기 때문에 하지의 안근으로는 상지의 색을 볼 수 없으니, 이는 비천한 하지의 업으로 감득된 결과이기 때문이다."

91 이하 큰 글(=기세계를 밝히는 글)의 둘째 전체적으로 대천세계를 분별하는 것인데, 이는 곧 물음이다.

라고 말하였고, 어떤 다른 논사는, “아래 3정려지의 너비는 순서대로 소천·중천·대천세계와 같고, 제4정려지의 너비는 끝이 없다”라고 말하였다.[92]

어떤 분량과 같은 것을 소천·중천·대천세계라고 말하는가?[93] 게송으로 말하겠다.

73 4대주, 해, 달과[四大洲日月]
소미로산, 욕계의 하늘과[蘇迷盧欲天]
범천세계가 각각 1천 개인 것을[梵世各一千]
1소천세계라고 이름한다[名一小千界]

74 이 소천세계의 1천 배를[此小千千倍]
말하여 중천세계라고 이름하며[說名一中千]
이것의 1천 배를 대천세계라고 하는데[此千倍大千]
모두 동일하게 이루어지고 무너진다[皆同一成壞]

논하여 말하겠다. 1천 개의 4대주 내지 범천세계, 이와 같은 것을 전체적으로 1소천세계라고 말하고, 소천세계의 1천 배를 1중천세계라고 이름하며, 1천 개의 중천세계를 전체적으로 1대천세계라고 이름한다. 이와 같은 대천세계는 같이 이루어지고 같이 무너지는데, 같이 이루어지고 같이 무너지는 모습은 뒤에서 자세히 분별할 것이다.[94]

92 종지에 의해 바로 답하는 것이다. 욕계의 위의 네 하늘에 대해서는 2논사의 해석이 있고, 색계의 4정려지에 대해서도 2해석이 있는데, 글대로 알 수 있을 것이다. 제4정려지의 너비에 대해 ‘대천세계와 같다’라고 말하거나 ‘너비는 끝이 없다’라고 말한 것은, 중다한 개별적 처소가 쌓인 분량에 의거해 말한 것이지, 전체적으로 땅의 형상은 없다. 그래서 아래 논서(=뒤의 제12권)에서 제4정려지에 대해 해석하면서, “말하자면 그 하늘의 처소는 전체적으로 땅의 형상이 없고, 단지 뭇별의 거처가 각각 따로인 것과 같을 뿐”이라고 말하였다.
93 물음으로 게송의 글을 일으키는 것이다.
94 알 수 있을 것이다. 지금 뒤의 게송의 글(=73~74)에 준하면, 앞의 글에서 첫 논사가, “초정려는 4대주와 같다”라고 말한 것이 바른 것이 된다. 또 『순정리론』(=제31권. 대29-520중)에서도 말하였다. “이 중 소천세계에는 그 범

제10절 신체의 크기

외적 기세계의 크기가 다르듯이 신체의 크기도 역시 다른가?[95] 역시 다르다.[96] 어떠한가?[97] 게송으로 말하겠다.

75 섬부주 사람의 신장은[贍部洲人量]
3.5주 내지 4주이며[三肘半四肘]
동·서·북주의 사람은[東西北洲人]
순서대로 2배씩 증가한다[倍倍增如次]

76 욕계 천신은 구로사의[欲天俱盧舍]
4분의 1인데, 4분의 1씩 증가하고[四分一一增]
색계 천신은 1유선나에서[色天踰繕那]
처음 넷은 절반씩 증가한다[初四增半半]

77a 이 위는 2배씩 증가하지만[此上增倍倍]
무운천만은 3유선나를 감한다[唯無雲減三]

논하여 말하겠다. 섬부주 사람의 몸은 대부분 신장이 3.5주肘이지만, 그 중 신장이 4주인 사람도 일부 있다. 동승신주 사람의 신장은 8주이고, 서우화주 사람의 신장은 16주이며, 북구로주 사람의 신장은 32주이다.

천세계만을 열거했기 때문에 소광천(=제2정려의 첫 하늘) 등은 소천세계에 포함되는 것이 아니다. 소천세계 등을 쌓아서 중천·대천이 되기 때문에 중천·대천도 역시 그것을 포함하지 않는다. 또 '소小'라는 말은 비천한 아래라는 뜻으로서, 위를 제외하기 때문이다." # '같이 이루어지고 무너지는 모습'은 뒤의 제12권 중 제5장의 제2절 이하에서 자세히 설명된다.

95 이하는 큰 글(=기세간에 대해 밝히는 글)의 둘째 능거能居의 분량을 밝히는 것이다. 그 안에 나아가면 신체의 크기를 밝히고, 둘째 수명의 길이를 밝힌다. 이는 곧 첫째 신체의 크기를 밝히려고 물음을 일으킨 것이다.

96 답이다.

97 따지는 것이다.

욕계 6천 중 가장 아래 천신의 신장은 1구로사俱盧舍의 4분의 1이고, 이와 같이 그 뒤로는 각각 4분의 1씩 증가하여 제6천에 이르면 신장이 1.5구로사이다.

색계 천신의 신장은, 처음 범중천은 반 유선나이고, 범보천은 완전한 1유선나이며, 대범천은 1.5유선나이고, 소광천은 완전한 2유선나이다. 이 위의 다른 천신은 모두 2배씩 증가하는데, 무운천만은 3유선나를 감한다. 말하자면 무량광천의 천신은 2배 증가하여 2유선나로부터 4유선나에 이르며, 나아가 색구경천의 천신은 증가하여 만滿 1만6천 유선나이다.[98]

제11절 수명의 길이

1. 인간과 천신의 수명

신체의 크기는 이미 다르다고 했는데, 수명의 길이도 다른가?[99] 역시 다르다.[100] 어떠한가?[101] 게송으로 말하겠다.

77c 북주는 정해진 수명이 1천 년이고[北洲定千年]

98 '구로사'(=1유선나의 8분의 1로서, 소리가 들리는 최대한의 거리라고 한다)는 여기 말로 명환鳴喚이다. 무운천만 3유선나를 감하는 까닭은, 변이하는 느낌[변이수變異受](=초정려의 희수·낙수, 제2정려의 희수·낙수, 제3정려의 낙수)으로부터 처음으로 변이하지 않는 느낌[불변이수不變異受](=사수)을 닦는 것이 어렵기 때문에 3유선나를 감한 것이다. 또 해석하자면 색구경천의 1만6천을 맞추기 위한 까닭에(=2배씩 증가하면 무량광천은 4, 극광정천은 8, 소정천은 16, 무량정천은 32, 변정천은 64, 무운천은 128유선나가 되는데, 여기서 3을 뺀 125유선나로 해야 색구경천은 정확히 1만6천이 된다) 3유선나를 감한 것이다. 또 해석하자면 법이 그러하기 때문에 그러한 것이다. 나머지는 알 수 있을 것이다. # 본문의 '주肘'는 팔의 길이를 나타내는 것으로, 대략 1자6치(=1.6×30.3=48.48cm)라고 하므로, 3.5주는 대략 170cm 정도이다.

99 이하 둘째 수명의 길이에 대해 밝히는데, 그 안에 나아가면 첫째 인간과 천신의 수명의 길이에 대해 밝히고, 둘째 악취의 수명의 길이에 대해 밝히며, 셋째 중간에 요절하는 것과 요절하지 않는 것에 대해 밝힌다. 이하에서 첫째 인간과 천신의 수명의 길이에 대해 밝히려고, 물음을 일으킨 것이다.

100 답이다.

101 따지는 것이다.

서주·동주는 절반씩 감소한다[西東半半減]

78 이 주는 수명이 일정하지 않아[此洲壽不定]
최후는 십 년인데, 최초는 헤아릴 수 없고[後十初叵量]
인간세계의 5십 년은[人間五十年]
가장 아래 하늘의 하루 밤낮이다[下天一晝夜]

79 이에 의거한 수명이 5백 년인데[乘斯壽五白]
위의 다섯 하늘은 두 배씩 증가하며[上五倍倍增]
색계에는 밤낮의 구별이 없으며[色無晝夜殊]
몸의 길이와 같은 겁의 수이다[劫數等身量]

80 무색계의 처음은 2만 겁이고[無色初二萬]
그 뒤는 2만씩 증가하는데[後後二二增]
소광천의 위와 아래 하늘은[少光上下天]
대겁의 전부와 절반이 1겁이 된다[大全半爲劫][102]

(1) 인간의 수명

논하여 말하겠다. 북구로주 사람의 정해진 수명은 1천 세이고, 서우화주 사람의 수명은 5백 세이며, 동승신주 사람의 수명은 250세인데, 남섬부주 사람의 수명은 정해진 한도가 없다. 겁劫이 감소할 때 최후에는 최대한의 수명이 10년이지만, 겁초 시기의 사람의 수명은 헤아릴 수 없으니, 백·천 등의 수로 계산할 수 없다. 이상 인간 수명의 길이에 논설하였다.[103]

(2) 욕계 천신의 수명

반드시 천상의 낮과 밤을 먼저 건립해야 비로소 천신의 수명의 길이를 계산할 수 있다. 천상에서는 어떻게 밤과 낮을 건립하는가?[104] 인간의 50

102 게송으로 답하는 것이다.
103 인간의 수명에 대해 밝히는 것이다.

세가 욕계 6천 중 가장 아래에 있는 하늘의 하루 밤낮이 되고, 이런 밤낮에 30을 곱하면 1달이 되며, 12달이 1년이 되는데, 그들의 수명은 5백 년이다. 그 위의 다섯 욕계천은 점차 함께 두 배씩 증가한다. 말하자면 인간의 100세가 두 번째 하늘의 하루 밤낮이 되고, 이런 밤낮에 곱하여 1달과 1년이 되는데, 그들의 수명은 1천 년이다. 야마천 등의 네 하늘은 순서대로 인간의 2백·4백·8백·1천6백 세가 하루 밤낮이 되고, 이런 밤낮을 곱하여 1달과 1년이 되는데, 순서대로 그들의 수명은 2천·4천·8천·1만6천 년이다.[105]

지쌍산 이상에는 해와 달이 모두 없는데, 그런 하늘에서는 어떻게 낮과 밤을 건립하며, 아울러 광명의 일은 무엇에 의해 성취될 수 있는가?[106] 예컨대 백련화[拘物陀]나 홍련화[鉢特摩] 등과 같은 꽃이 벌어지고 닫히는 것에 의해 낮과 밤을 건립한다. 또 여러 새들이 울고 고요한 차별에 의하거나, 천중들이 깨어나고 잠드는 차별에 의하기도 한다. 자신의 광명에 의해 외부의 광명의 일을 성취한다. 이상 욕계천의 수명의 길이에 대해 논설하였다.[107]

(3) 색계 천신의 수명

색계의 하늘에는 밤낮의 차별이 없으므로 단지 겁의 수로써 수명의 길이를 알 수 있을 뿐인데, 그 겁의 수명의 길이는 몸의 길이의 수와 같다. 말하

104 물음이다.

105 답이다. 욕계 제6천(=사천왕천) 위의 5천을 아래의 사천왕천에서 바라보면 각각 두 가지 함께 2배의 증가가 있으니, 첫째는 밤낮의 2배 증가이고, 둘째 수명의 길이의 2배 증가이다. 그래서 “그 위의 다섯 욕계천은 점차 함께 두 배씩 증가한다”라고 말한 것이다. 나머지 글은 알 수 있을 것이다. # 본문에 따라 계산하면 사천왕천의 수명은 50×30×12×500=900만 년이 되고, 그 위로는 순차 4배씩 증가하므로 삼십삼천은 3천6백만 년, 야마천은 1억4천4백만 년, 도사다천은 5억7천6백만 년, 낙변화천은 23억4백만 년, 타화자재천은 92억1천6백만 년이 된다.

106 물음이다.

107 답이다. 꽃이 벌어지면 낮이 되고, 꽃이 닫히면 밤이 된다. ‘구물두kumuda’는 여기 말로 백련화이고, ‘발특마padma’는 여기 말로 홍련화이다. 새가 울면 낮이 되고, 새가 고요하면 밤이 된다. 천신이 깨어나면 낮이 되고, 천신이 잠들면 밤이 된다. 자신의 몸이 띠는 광명으로 외부 광명의 일을 성취하지, 외부의 빛을 빌리지 않는다. # ‘지쌍산 이상에는 해와 달이 모두 없다’는 것은, 해와 달은 지쌍산의 정상 높이에 해당하는 묘고산의 중턱이 있다고 앞의 게송 61a에서 밝혔기 때문이다.

자면 몸의 길이가 반 유선나라면 수명의 길이도 반 겁이며, 그 몸의 길이가 1유선나라면 수명의 길이도 1겁이며, 나아가 몸의 길이가 1만6천 유선나라면 수명의 길이도 역시 같이 1만6천 겁이다. 이상 색계 천신의 수명의 길이에 대해 논설하였다.

(4) 무색계 천신의 수명

무색계 네 종류 천신의 수명의 길이는 아래로부터 순서대로 2만·4만·6만·8만 겁이다.[108]

위에서 말한 겁劫은 그 길이가 어떤 것인가? 괴겁의 그것인가, 성겁의 그것인가, 중겁의 그것인가, 대겁의 그것인가?[109] 소광천 이상은 대겁의 전부가 1겁이 되고, 그 아래의 모든 하늘은 대겁의 절반이 1겁이 되니, 곧 이에 의했기 때문에 대범천왕은 범보천의 수명을 지나 1겁반이라고 설한 것이다. 말하자면 성·주·괴의 각각 20중겁인 60중겁이 1겁반이 된 것이니, 그래서 대겁의 절반인 40중겁이 아래 세 하늘의 수명을 재는 겁의 분량이 된 것이다.[110]

108 위의 2계의 수명의 길이에 대해 밝히는 것이다.

109 물음이다. 그 겁의 분량은, 공겁을 포함한 괴겁의 40중겁을 1겁이라고 이름한 것인가, 20중겁인 성겁을 1겁이라고 한 것인가, 주겁 중에 (수명이 8만 세에서 10세로) 한 번 내려오고 (10세에서 8만 세로) 한 번 올라가는 1중겁을 잡아 1겁이라고 한 것인가, 80중겁이 1대겁이 되는 것에 의거한 것인가? 불경 중에서 혹은 1중겁을 1겁이라고 하니, 예컨대 무간지옥의 과보와 같으며, 혹은 20중겁을 1겁이라고도 하니, 예컨대 성겁 등과 같으며, 혹은 40중겁을 1겁이라고도 하니, 예컨대 범보천과 같으며, 혹은 80중겁을 1겁이라고도 하니, 예컨대 소광천과 같다. 이런 같지 않음 때문에 이렇게 물은 것이다. 또 해석하자면 '괴겁'은 공겁을 포함한 40중겁이고, '성겁'은 주겁을 포함한 40중겁이며, '중겁'은 한 번 올라가거나 내려가는 것을 말하고, '대겁'은 80중겁을 말하는 것이다. 괴겁·성겁은 비록 시간이 같지만, 앞의 논서의 글에서 '무너지고 이루어진다'고 한 것(=앞의 게송 74d와 그 논설)을 타고 물음을 일으켰기 때문에 두 가지를 모두 말한 것이다. 또 해석하자면 '괴겁'은 20중겁이고, '성겁'도 20중겁이며, 한 번 올라가거나 한 번 내려가는 것이 '중겁'이고, 80겁이 '대겁'이다.

110 답이다. 소광천 이상은 80중겁인 대겁 전부가 1겁이 되니, 네 가지 겁 중 큰 것이 겁이 된 것이며, 그 아래의 모든 하늘은 대겁의 절반이 1겁이 되니, 네 가지 겁 중 시간이 괴겁과 같으므로(=범중천은 신장이 반 유선나여서, 수명이 반 겁인데, '반 겁'이라는 시간은, 1겁을 40중겁으로 할 경우 괴겁=20중

2. 악취의 수명

선취善趣의 수명의 길이에 대해 논설했는데, 악취惡趣는 어떠한가? 게송으로 말하겠다.

81 등활 등 위의 6지옥은[等活等上六]
순서대로 욕계 천신의[如次以欲天]
수명을 하루 밤낮으로 하는데[壽爲一晝夜]
수명의 길이도 역시 그들과 같다[壽量亦同彼]

82 극열지옥은 1중겁의 절반이고[極熱半中劫]
무간지옥은 1중겁 전부이며[無間中劫全]
방생은 가장 긴 것이 1중겁이고[傍生極一中]
아귀는 1월을 1일로 한 5백 년이다[鬼月日五百]

83 알부다지옥의 수명의 길이는[頞部陀壽量]
1바하의 참깨를[如一婆訶麻]
1백 년에 한 알씩 없앨 때 다하는 기간과 같고[百年除一盡]
그 뒤로는 20배씩 증가한다[後後倍二十][111]

논하여 말하겠다. 사대왕천 등 6욕천의 수명은, 그 순서대로 등활 등 6지옥의 하루 낮, 하루 밤이 되는데, 수명의 길이도 순서대로 그 천신과 같다. 말하자면 사대왕천의 수명의 길이 5백 년이 등활지옥에서의 하루 낮, 하루 밤이 되는데, 이런 밤낮에 곱한 것을 1달과 1년으로 할 때 이와 같은 햇수

겁과 같다) 곧 이에 의해 40중겁이 1겁이 된 것이다. 그래서 대범천왕은 범보천의 수명을 지나 1겁반이라고 설한 것이다. 말하자면 대범천왕은 성·주·괴(=공겁시에는 제2선천에 태어나므로 초선천에 없다)의 각각 20중겁, 총 60중겁이 1겁반이 된 것이니, 그래서 대겁의 절반인 40중겁이 아래 세 하늘의 수명을 재는 겁의 분량이 된 것이다.

111 이하에서 둘째 악취의 수명의 길이에 대해 밝히는데, 묻고 게송으로 답한 것이다.

로 그들의 수명은 5백 년이며, 나아가 타화자재천의 수명 1만6천 년이 염열지옥에서의 하루 낮, 하루 밤이 되는데, 이런 밤낮에 곱한 것을 1달과 1년으로 할 때, 이와 같은 햇수로 그들의 수명은 1만6천 세이다. 극열지옥의 수명은 1중겁의 절반이고, 무간지옥의 수명은 1중겁이다.[112]

방생의 수명의 길이는 다양하여 정해진 한도가 없다. 만약 수명이 가장 긴 것이라면 역시 1중겁이니, 난다難陀 등 큰 용왕들을 말하는 것이다. 그래서 세존께서 말씀하셨다. "큰 용에는 여덟이 있는데, 모두 1겁 동안 머물며, 능히 대지를 지탱한다." 아귀는 인간세계의 1달을 1일로 하는데, 이런 것에 곱하여 달과 년을 이룰 때, 그 수명은 5백 년이다.[113]

한寒지옥의 수명의 길이는 어떠한가? 세존께서 비유에 의지해 그들의 수명을 나타내어 말씀하였다. "예컨대 이 곳 인간들의 20가리佉梨는 마게다摩揭陀국에서 1바하의 분량[一麻婆訶量]이 되는데, 누군가가 참깨[巨勝]를 그 안에 가득 채워두고, 가령 다시 누군가가 1백 년에 하나씩 없앤다면, 이와 같이 해서 참깨는 다할 기약이 있기 쉽더라도, 알부다지옥에 태어나서 수명의 길이를 다하기는 어렵다." 이것의 20배가 두 번째 지옥의 수명이 되며, 이와 같이 그 뒤로는 20배씩 증가한다. 이것을 일러 8한지옥의 수명의 길이라고 한다.[114]

112 8열지옥의 수명의 길이에 대해 밝히는 것이다.

113 방생과 아귀의 수명의 길이에 대해 밝히는 것이다. '난다Nanda'는 여기 말로 기쁨[喜]이다. '8용왕'이라고 말한 것은 『법화경』(=제1권 서품)에서 말하였다. "8용왕이 있으니, 난다 용왕, 발난다跋難陀 용왕, 사가라娑伽羅 용왕, 화수길和修吉 용왕, 덕차가德叉迦 용왕, 아나바달다阿那婆達多 용왕, 마나사摩那斯 용왕, 우발라優鉢羅 용왕이다."

114 8한지옥에 대해 해석하는 것이다. '가리'는 1섬[斛]을 수용하고, '바하'는 여기 말로 둥구미[竺-二+耑]인데, 20가리를 수용하는 것이다. '1마바하량一麻婆訶量'이라는 이것은 바하 분량의 크기임을 나타내는 것이지, 참깨[麻]를 취하려는 것이 아니니, 마치 '1곡천一穀[竺-二+耑]'이라고 말하는 것과 같다. 게송에서 '여일바하마如一婆訶麻'라고 말한 것은, 바하 중의 참깨를 취한 것을 나타내니, 마치 1천곡一[竺-二+耑]穀이라고 말하는 것과 같다. '마게다Magadha'는 여기 말로 무뇌해無惱害이고, '거승巨勝'은 참깨[胡麻]의 다른 명칭이다. 참깨는 다하기 쉽지만, 수명은 다하기 어렵다는 것은 수명의 길이를 나타내는 것이다. 나머지 글은 알 수 있을 것이다. # 본문 중의 비유는 잡 [48]48:1278 구

3. 수명 중간의 요절

이런 여러 수명에는 중간의 요절[中夭]이 있는가? 게송으로 말하겠다.

84a 모든 곳에 중간의 요절이 있지만[諸處有中夭]
북구로주는 제외된다[除北俱盧洲]

논하여 말하겠다. 모든 곳에서 수명에는 모두 중간의 요절이 있지만, 북구로주에서만 결정코 수명이 1천 세이다.

이것은 처소에 의거해 말한 것이지, 개별 유정에 의거한 것이 아니다. 개별 유정으로서는 중간에 요절하지 않는 자도 있기 때문이다. 말하자면 도사다천에 머무는 일생소계一生所繫 보살 및 최후의 존재[最後有], 붓다께서 수기하신 자, 붓다의 사자, 수신행과 수법행자, 보살과 전륜왕의 어머니로서 그 둘을 잉태했을 때, 이런 등의 분들은 상응하는 대로 모두 중간에 요절하는 일이 없다.[115]

갈리경瞿迦梨經에서 설하신 것이다.

115 이는 곧 셋째 중간의 요절과 요절하지 않음에 대해 밝히는 것이다. 모든 곳의 수명에 모두 중간의 요절이 있지만, 북구로주에서만은 결정코 수명이 1천 세이다. 이것은 살고 있는 처소에 의거해 말한 것이지, 개별 유정에 의거한 것이 아니다. 개별 유정으로서 중간에 요절하지 않는 자도 있기 때문이다. 말하자면 도사다천에 머무는 일생소계 보살은 시작 없는 때로부터 많은 생사에 계박되었지만, 이제 1생만 매여서 아직 성불을 얻지 못하고 있기 때문에 일생소계라고 말하는 것이니, 이 보살은 결정코 수명이 4천 세로서, 반드시 중간의 요절이 없다. '최후의 존재'는 말하자면 이 몸에 의지해 무학을 얻을 것이 정해져 있어서 최후의 존재라고 이름하니, 만약 아직 과보를 증득하지 못했다면 반드시 중간의 요절이 없고, 뒤에 무학을 성취한 뒤에는 역시 중간에 요절할 수 있다. 붓다께서 수기하신 자와 붓다의 사자는 말하자면 일이 아직 끝나지 않았다면 반드시 중간의 요절이 없고, 일이 끝난 뒤에는 역시 중간에 요절할 수 있다. 수신행과 수법행자는 말하자면 견도의 15찰나에 있으므로 반드시 중간의 요절이 없고, 견도에서 나온 뒤에서는 역시 중간에 요절할 수 있다. 보살의 어머니가 보살을 회임했을 때와 전륜왕의 어머니가 전륜왕을 회임했을 때, 아직 태어나지 않은 동안은 반드시 중간의 요절이 없고, 후에 태어난 뒤에는 역시 중간에 요절할 수 있다. 이런 등의 분들은 상응하는 대로 모두 중간에 요절하는 일이 없다.

(문) 앞(=제5권 중 제6항 명근에 관한 문답 분별)에서 양쪽의 해침을 받는

것 아닌 경우 중에서 자애삼매 등을 말했는데, 중간에 요절하지 않는 경우 중에서는 어째서 말하지 않는가? 또 중간에 요절하지 않는 경우로 일생소계보살을 말했는데, 양쪽의 해침을 받는 것 아닌 경우 중에서는 어째서 말하지 않았는가? (해) 중간에 요절하지 않는 이치상 자매삼매, 멸진정, 무상정도 말해야 하지만, 시간이 일정하지 않아서이니, 견도 중의 수신행·수법행이 결정코 15찰나인 것과 같은 것이 아니다. 지옥·왕선·전륜왕·색계·무색계의 유정은 비록 양쪽의 해침을 받는 것이 아니지만, 중간에 요절할 수 있기 때문에 여기에서 말하지 않았다. '견도'는 곧 수신행·수법행이고, '달미라' 등은 모두 붓다께서 수기하신 분들을 보라. 나머지는 이 뒤의 글과 같다. 또 해석하자면 지옥·전륜왕·색계·무색계는 중간에 요절할 수 있고, 나머지 자매삼매·멸진정·무상정·왕선은 중간의 요절이 없지만, 여기의 '등'이라는 글자에 모두 포함되어 있는 것이다. 또 해석하자면 그 상응하는 바에 따라 '등'이라는 글자가 양쪽의 해침을 받는 것 아닌 경우를 포함하고, 일생소계보살을 말하지 않은 것은 생략해서 논하지 않은 것이니, 모두 다 열거한 것이 아니다. 여기에서 중간에 요절하는 것이 아니라면 결정코 양쪽의 해침을 받는 것도 아니지만, 양쪽의 해침을 받는 것 아닌 경우로서 중간에 요절하는 자는 있다고 알아야 하니, 색계의 유정 등을 말하는 것이다.

아비달마구사론
제12권

제3 분별세품分別世品(의 5)

제5장 공간·시간의 단위와 세간의 성주괴공

제1절 공간과 시간의 산정

1. 물질·명칭·시간의 최소단위

이와 같이 유선나 등에 의거해 기세간과 신체의 크기의 차별에 대해 분별했고, 해[年] 등에 의거해 수명의 길이에 차이가 있음을 분별했지만, 두 가지 수량이 같지 않음에 대해서는 아직 논설치 않았으니, 논설해야 할 것이다. 이 두 가지의 건립은 명칭에 의하지 않는 것이 없는데, 앞의 두 가지 및 명칭의 최소단위[極少]는 아직 자세히 밝히지 않았으니, 이제 먼저 세 가지의 최소단위에 대해 분별해야 할 것이다.[1] 게송으로 말하겠다.

84c 극미, 문자, 찰나가[極微字刹那]
물질, 명칭, 시간의 최소단위이다[色名時極小][2]

1 이하는 큰 글의 셋째 세 가지 범위[三分齊]에 대해 밝히는 것이다. 첫째는 세 가지(=물질·시간·명칭)의 최소단위를 밝히고, 둘째는 앞의 두 가지(=물질·시간)의 분량에 대해 밝히는데, 이하에서 첫째 세 가지의 최소단위를 밝힌다. '이와 같이 유선나 등에 의거해 기세간과 신체의 크기의 차별에 대해 분별했다'는 이것은 물질[色]에 대해 분량을 밝혔다는 것이고, '해 등에 의거해 수명의 길이에 차이가 있음을 분별했다'는 이것은 시간에 대해 분량을 밝혔다는 것이다. 물질과 시간, 두 가지의 건립은 차별되어 같지 않지만, 명칭에 의하지 않는 것이 없는데, 앞의 두 가지 및 명칭의 최소단위는 아직 자세히 밝히지 않았으니, 이제 먼저 세 가지의 최소단위에 대해 분별해야 할 것이라는 것은 앞을 맺으면서 물음을 일으킨 것이다.
2 게송으로 답한 것이다.

논하여 말하겠다. 모든 물질을 분석하면 1극미極微에 이르기 때문에 1극미가 물질의 최소단위가 된다.[3] 이와 같이 모든 명칭 및 시간을 분석하면 1문자[字], 1찰나刹那에 이르니, 명칭과 시간의 최소단위가 된다.[4]

하나의 문자로 된 명칭이란 예컨대 구瞿라는 명칭을 말하는 것과 같다.[5] 어떤 것을 1찰나의 길이라고 이름하는가? 여러 연이 화합한 법이 그 자체를 얻는 순간[衆緣和合法 得自體頃], 혹은 어떤 움직이는 법이 1극미를 움직여 옮기는 순간[有動法 行度一極微]이다. 대법의 논사들은, "예컨대 장사가 손가락을 빠르게 한 번 퉁길 무렵이 65찰나이다"라고 말하였다. 이와 같은 것을 1찰나의 길이라고 이름한다.[6]

2. 공간의 분량

세 가지 최소단위는 알았다. 앞의 두 가지의 분량은 어떠한가?[7] 이제 우선 앞의 유선나 등에 대해 분별하겠다. 게송으로 말하겠다.

85 극미, 미, 금진, 수진과[極微微金水]
토·양·우모진, 극유진과[兎羊牛隙塵]
기, 슬, 광맥과 지절은[蟣虱麥指節]

3 물질의 최소단위를 밝히는 것이다.
4 명칭과 시간의 최소단위를 모두 해석하는 것이다.
5 이는 명칭의 최소단위를 별도로 해석하는데, 문자에 의거해 나타내는 것이다. 명칭에는 여러 종류가 있으니, 하나의 문자로 생기는 명칭이 있고, 둘의 문자로 생기는 명칭이 있으며, 여러 문자로 생기는 명칭이 있다. 하나의 문자로 생기는 명칭이란 예컨대 구瞿(=말[言]·빛[光] 등 아홉 가지 뜻이 있음은 앞의 제5권 중 게송 48ab에 관한 논설에서 밝혔다)라는 명칭을 말하는 것과 같다.
6 이는 시간의 최소단위를 별도로 해석하는 것이다. 현재 화합하는 법이 자체를 얻는 순간 곧 낙사하고, 더 이상 경과하거나 멈추지 않은 것을 1찰나라고 이름한다. 혹은 어떤 움직이는 법이 1극미를 움직여 옮기는 순간을 1찰나라고 이름한다. 모든 법은 실제로는 가고 움직이는 것이 없지만, 상속하는 길 중에서 임시로 움직임을 말하기 때문이다. 대법의 논사들의 말은 글대로 알 수 있을 것이다. 찰나의 길이를 자세히 해석하자면 『대비바사론』 제136권(=대27-701중 이하)과 같다.
7 이하 둘째 앞의 두 가지 분량에 대해 밝히는데, 앞을 맺으면서 물음을 일으킨 것이다.

뒤로 갈수록 7배씩 증가한다[後後增七倍]

86 24지가 1주이고[二十四指肘]
4주가 1궁의 분량이 되며[四肘爲弓量]
500궁이 1구로사이고[五百俱盧舍]
이것의 8배가 1유선나이다[此八踰繕那][8]

논하여 말하겠다. 극미가 처음이 되고, 지절指節이 뒤가 되는데, 뒤로 갈수록 모두 7배씩 증가한다고 알아야 할 것이다. 말하자면 7극미가 1미微가 되고, 미를 쌓아 일곱에 이르면 1금진金塵이 되며, 7금진을 쌓으면 1수진水塵이 되고, 수진이 쌓여 일곱에 이르면 1토모진兎毛塵이 된다. 7토모진을 쌓으면 1양모진羊毛塵이 되고, 양모진을 일곱 쌓으면 1우모진牛毛塵이 되며, 7우모진을 쌓으면 1극유진隙遊塵이 된다. 극유진 일곱이 1기蟣가 되고, 7기가 1슬虱이 되며, 7슬이 1광맥穬麥이 되고, 7광맥이 1지절指節이 된다. 3지절이 1지指가 되는 것은 세상에서 공히 인정하는 것이니, 이 때문에 게송 중에서 따로 분별하지 않았다.

24지를 옆으로 펼친 것을 1주肘라고 하고, 4주를 세워서 쌓은 것을 1궁弓이라고 하는데, 1길[尋]을 말하는 것이다. 500궁을 세워서 쌓은 것을 1구로사俱盧舍라고 하는데, 1구로사는 마을로부터 아련야阿練若에 이르는 중간의 길[道]의 분량이라고 인정한다. 8구로사를 말하여 1유선나라고 한다.[9]

8 답에 나아가면 첫째 물질의 분량에 대해 밝히고, 둘째 시간의 분량에 대해 밝히는데, 이하는 물질의 분량을 밝히는 것이다. '유선나 등'은 구로사 등을 같이 취한 것이다.

9 이 미微가 곧 궁극[極]이므로 극미라고 이름한다. 만약 『순정리론』 제32권(=대29-522상)에 의한다면, "그런데 극미에는 대략 두 가지가 있다는 것이 인정되니, 첫째는 실實이고, 둘째는 가假이다. 그 모습은 어떠한가? '실'은 말하자면 극미가 색 등을 이룬 자상이니, 화합하여 모인 단계에서 현량으로 얻는 것이다. '가'는 분석에 의해 비량으로써 아는 것이니, 말하자면 쌓인 색 중에서 지혜로써 점점 분석하여 최소 단위에 이른 연후에 그 중에서 색·성 등의 극미의 차별을 분별한 것이다. 이런 분석에 의해 이른 것을 가극미라고 이름하니, 지혜로 하여금 심구·사찰케 하면 지극하게 기쁨을 낳기 때문이며, 이 미가 곧 궁극이

3. 시간의 분량

이와 같이 유선나 등에 대해 논설했으니, 이제 뒤의 해[年] 등의 분량의 차별에 대해 분별하겠다. 게송으로 말하겠다.

87 120찰나가[百二十刹那]
1달찰나의 분량이 되고[爲怛刹那量]
1납박은 이것의 60배이며[臘縛此六十]
이것의 30배가 1수유이다[此三十須臾]

기 때문에 극미라고 이름한다. '극'은 말하자면 색 중에서 분석하여 궁극에 이른 것이고, '미'는 말하자면 혜안으로만 갈 수 있는 것이니, 따라서 극미란 말은 미의 궁극이라는 뜻을 나타낸다"라고 말하였다. 그 논서의 글에 준하면 두 종류의 미가 있다.(=이는 물질의 최소단위인 극미에 길이나 부피가 있는가? 만약 있다면 그것은 다시 분석될 수 있어서 더 이상 극미라고 할 수 없을 것이고, 만약 없다면 공간적 점유성을 본질로 하는 색법의 성품에 반하게 되는 모순을 안게 되므로, 이를 해결하기 위해 고안된 것으로 이해된다)

7극미를 쌓으면 1미가 되는데, 미는 미세한 적취[細聚]임을 나타낸다. 범어로 아누阿菟aṇu인데, 여기에서는 미微라고 이름한다. 눈으로 보는 형색 중 가장 미세한 것인데, 천안, 전륜왕의 눈, 최후신보살의 눈으로만 볼 수 있는 것이라고 알아야 한다. 미를 쌓아서 일곱에 이르면 1금진金塵이 되는데, 금·은·동·철을 모두 금이라고 이름하니, 『잡아비담심론』(=제2권. 대28-886하)에서 동진銅塵이라고 말하고, 구역에서는 철진鐵塵이라고 말한 것은 모두 한 쪽에 치우친 것이다. 티끌은 금 중에서 왕래하는 것을 장애하기 않기 때문에 금진이라고 이름한 것이다. 또 해석하자면 미를 쌓아서 일곱에 이르면 비로소 금 위에 머물기 때문에 금진이라고 이름한 것이다. 수진水塵에 대한 양 해석도 역시 그러하다. 토모진은 분량이 토끼의 털끝과 같아서 토모진이라고 이름한 것이다. 또 해석하자면 수진을 쌓아 일곱에 이르면 비로소 토끼의 털끝 위에 머물므로 토모진이라고 이름한 것이다. 양모진·우모진에 대한 양 해석 역시 그러하다. 극유진 등은 글이 드러나서 알 수 있을 것이다. 만약 이 곳 세간에 의해 1유선나를 계산해서 리里의 수를 만든다면, 말하자면 1주에는 1자 6치가 있는데, 4주가 1궁이 되므로, 1궁에는 6자 4치가 있으며, 500궁이 1구로사가 되므로, 500궁을 계산하면 3,200자가 있고, 8구로사가 1유선나가 되므로, 8구로사를 계산하면 25,600자이다. 5자를 1걸음으로 해서 계산하면 5,120걸음인데, 360걸음을 1리로 해서 계산하면 14리와 나머지 80걸음이 1유선나가 된다.(=1유선나=25,600자를 미터법으로 계산하면 25,600×30.3cm=7756.8m이므로, 대략 8km라고 할 수 있겠다) '아련야'라는 말에서 '아'는 없다[無]는 말이고, '련야'는 시끄럽고 번잡한 것[喧雜]의 이름이다.

88 수유의 30배가 하루 밤낮이고[此三十晝夜]
서른 밤낮이 한 달이며[三十晝夜月]
열두 달이 1년이 되는데[十二月爲年]
그 중 절반은 밤이 짧아진다[於中半減夜]

논하여 말하겠다. 1찰나의 120배가 1달찰나怛刹那가 되고, 60달찰나가 1납박臘縛이 되며, 30납박이 1모호율다牟呼栗多가 되고, 30모호율다가 하루 밤낮이 되는데, 이런 밤과 낮은 어떤 때에는 길어지고, 어떤 때에는 짧아지며, 어떤 때에는 같다. 서른 번의 밤과 낮이 한 달이 되고, 모두 열두 달이 1년이 되는데, 그 1년을 나누면 세 계절[三際]이 되니, 말하자면 겨울[寒]·여름[熱]·우기[雨]에 각각 4개월씩이 있다. 12개월 중 6개월은 밤을 줄이니[減夜], 1년 중에 밤(낮)을 모두 여섯 번 줄인다. 어째서 이와 같은가? 그래서 어떤 게송에서 말하였다. "겨울·여름·우기 중에서[寒熱雨際中] 한 달 반이 이미 지났다면[一月半已度] 그 나머지 반 달에서[於所餘半月] 하룻밤이 감소하는 것을 지혜로운 분들은 안다오[智者知夜減]"[10]

10 이하 둘째 시간의 분량에 대해 밝히는데, 그 안에 나아가면 첫째 해의 분량에 대해 밝히고, 둘째 그 여러 겁의 분량에 대해 밝힌다. 이는 곧 해의 분량에 대해 밝히는 것이다. 하지로부터 동지까지는 밤이 길어지고 낮이 짧아지며, 동지로부터 하지까지는 낮이 길어지고 밤이 짧아진다. 또 해석하자면 시간이 긴 것을 '증'이라고 이름하고, 시간이 짧은 것을 '감'이라고 이름한 것이다. 만약 이렇게 해석한다면, 추분으로부터 춘분까지는 밤이 길고 낮이 짧으며, 춘분으로부터 추분까지는 낮이 길고 밤이 짧다. '모호율다'는 여기 말로 수유須臾이다. 1년 중 모두 여섯 번의 밤을 줄인 것을 여기에서 '밤을 줄인다'라고 말한 것이므로, 이에 비추면 낮도 역시 여섯 번 감소하니, 1년 중 6개월은 작은 것(=음력으로 6개월은 30일이고, 6개월은 29일)을 나타내는 것이다. 1년을 세 계절로 나누니, 말하자면 겨울·여름·우기에 각각 4개월씩이 있는데, 이 겨울·여름·우기의 12개월 중 1개월 반이 이미 지났다면 그 나머지 반 달은 밤(=낮을 포함. 이하 같다)이 감소하고, 이와 같이 나아가 여섯 번째로 1달 반이 이미 지났다면 그 나머지 반 달은 다시 밤이 한 번 감소한다고 알아야 한다. 이 게송으로써 증명되기 때문에 여섯 밤이 감소하고, 이렇게 감소된 밤으로 말미암아 헤아려서 윤달[潤月]을 만든 것이다. 논주가 모든 역법의 수를 자세히 밝히지 않은 까닭은, 사람들이 탐착해서 삿된 생계로 살아갈 것을 염려해서이다.

제2절 네 가지 겁

1. 네 가지 겁

이와 같이 찰나로부터 해에 이르기까지 분별했는데, 겁의 분량은 같지 않으므로 이제 다음으로 분별하겠다.[11] 게송으로 말하겠다.

89 네 가지 겁이 있다고 알아야 하니[應知有四劫]
말하자면 괴겁·성겁·중겁·대겁인데[謂壞成中大]
괴겁은 지옥에 태어나지 않는 때로부터[壞從獄不生]
외부 기세계가 완전히 다할 때까지이다[至外器都盡]

90 성겁은 바람이 일어날 때로부터[成劫從風起]
지옥에 처음 태어날 때까지이고[至地獄初生]
중겁은 수명이 한량없는 때로부터[中劫從無量]
감소해 10세뿐일 때에 이르고[減至壽唯十]

91 다음 증가와 감소를 열여덟 번[次增減十八]
한 뒤 증가해 8만 세에 이르기까지[後增至八萬]
이와 같이 이루어진 뒤 머무는 것을[如是成已住]
중의 20겁이라고 이름한다[名中二十劫]

92 성겁과 괴겁, 무너진 뒤 허공인[成壞壞已空]
시간은 모두 머무는 겁과 같고[時皆等住劫]
80중겁이 대겁인데[八十中大劫]
3무수의 큰 겁이 있다[大劫三無數][12]

11 이하 여러 겁의 분량에 대해 밝히는데, 그 안에 나아가면 첫째 겁의 대소를 밝히고, 둘째 겁 중의 사람에 대해 밝히며, 셋째 겁 중의 재앙에 대해 밝힌다. 이하 첫째 겁의 대소에 대해 밝히는데, 앞의 맺으면서 물음을 일으켰다.

12 처음 1구는 네 가지 겁의 수를 드는 것이고, 제2구는 네 가지 겁의 명칭을

2. 괴겁

논하여 말하겠다. 괴겁壞劫이라고 말한 것은, 지옥에 유정이 더 이상 태어나지 않는 때로부터 외부 기세계[外器]가 완전히 다할 때까지를 말한다. 괴壞에는 두 가지가 있으니, 첫째는 취趣의 괴이고, 둘째는 계界의 괴이다. 다시 두 가지가 있으니, 첫째는 유정의 괴이고, 둘째는 외부 기세계의 괴이다. 말하자면 이 세간은 20중겁의 머묾을 지나고 나면 이로부터 다시 머묾의 20중겁과 같은 괴겁이 있어 곧 이른다.

만약 그 때 지옥 유정들의 목숨이 끝나고 다시 새로이 태어나는 유정이 없으면 괴겁의 시작이 되는데, 나아가 지옥에 유정이 하나도 없기에 이르면, 그 때를 이름하여 지옥이 이미 무너졌다고 한다. 결정코 지옥의 과보를 받아야 할 업이 있는 모든 자들은 업의 힘에 이끌려 타방의 지옥 중에 놓인다. 이에 의해 방생과 아귀도 준하여 알아야 하지만, 각각 본래 처소에 머물던 것들이 먼저 무너지고, 인간·천신과 섞여 살던 것들은 인간·천신과 같이 무너진다.

열거한 것이며, 다음 2구는 괴겁을 해석한 것이고, 다음 2구는 성겁을 해석한 것이며, 다음 6구는 중겁을 따로 해석한 것이고, 다음 2구는 나머지 3겁을 견주어서 해석하는 것이며, 다음 1구는 대겁을 해석하는 것이고, 마지막 1구는 곧 무수겁을 해석하는 것이다. (문) 무엇 때문에 4겁 중 공겁·주겁을 말하지 않았는가? (해) 괴겁으로써 공겁을 포함하고, 중겁에 의거해 주겁을 분별했기 때문에 따로 말하지 않은 것이다. 또 해석하자면 중겁에 의거해 주겁을 분별하였고, 공겁은 별도의 체가 없어서 게송 중에서 견주어서 나타낸 것이다. 또 해석하자면 괴겁으로써 공겁을 포함하고, 성겁으로써 주겁을 포함하기 때문이다. 그래서 『대비바사론』 제135권(=대27-700하)에서 말하였다. "겁에는 세 종류가 있으니, 첫째 중간겁中間劫, 둘째 성괴겁成壞劫, 셋째 대겁이다. 중간겁에 다시 세 종류가 있으니, 첫째 감겁減劫, 둘째 증겁增劫, 셋째 증감겁增減劫이다. 감겁이란 사람의 수명이 한량없을 때로부터 줄어서 10세에 이르기까지이고, 증겁이란 사람의 수명이 10세일 때로부터 늘어서 8만 세에 이르기까지이며, 증감겁이란 사람의 수명이 10세일 때로부터 늘어서 8만 세에 이르렀다가 다시 8만 세로부터 줄어서 10세에 이르기까지이다. 이 중 한 번은 줄고, 한 번은 늘며, 열여덟 번 증감하므로 20중간겁이 있는 것이다. 20중겁을 거쳐서 세간이 이루어지고, 20중겁 동안 이루어진 뒤 머무니, 이를 합쳐서 성겁이라고 이름하고, 20중겁을 거쳐서 세간이 무너지고, 20중겁 동안 무너진 뒤 비어 있으니, 이를 합쳐서 괴겁이라고 이름한다. 총 80중겁을 합쳐서 대겁이라고 이름한다."

만약 그 때 인취人趣인 이 섬부주의 한 사람이 스승 없이 자연히 초정려를 얻고, 정려로부터 일어나서, "이생희락離生喜樂은 매우 즐겁고 매우 고요하구나"라고 이렇게 외쳐 말하면, 다른 사람들도 들은 뒤 모두 정려에 들며, 목숨이 끝나고 모두 범천세계 중에 태어나게 되는데, 나아가 이 섬부주의 유정들이 완전히 다하기에 이르면, 이를 섬부주의 사람이 이미 무너졌다고 이름한다. 동·서의 2주도 이에 비례하여 말해야 할 것이다. 북구로주의 경우 목숨이 다하면 욕계의 하늘에 태어나니, 그들은 선정에 들어 이욕離欲하는 능력이 없기 때문이다. 이렇게 나아가 인취에 유정이 하나도 없으면, 그 때를 이름하여 인취가 이미 무너졌다고 한다.

만약 그 때 천취天趣인 사대왕천 중 어떤 한 천신이 자연히 초정려를 얻고, …… 모두 범천세계 중에 태어나게 되는데, 그 때 그 하늘의 유정들이 완전히 다하기에 이르면 이를 사대왕중천이 이미 무너졌다고 이름하며, 나머지 5욕계천도 비례해서 이와 같이 말해야 할 것이다. 나아가 욕계에 유정이 하나도 없기에 이르면 욕계 중의 유정이 이미 무너졌다고 이름한다.

만약 그 때 범천세계 중의 어떤 한 유정이 스승 없이 자연히 제2정려를 얻고, 그 정려로부터 일어나서, "정생희락定生喜樂은 매우 즐겁고 매우 고요하구나"라고 이렇게 외쳐 말하면, 다른 천신들도 들은 뒤 모두 그 정려에 들며, 목숨이 끝나고 모두 극광정천에 태어나게 되고, 나아가 범천세계 중의 유정들이 완전히 다하기에 이르면, 이와 같은 것을 유정세간이 이미 무너졌다고 이름하는데, 오직 기세간만이 텅빈 채 머문다.

이 삼천세계를 감득한, 나머지 시방세계의 일체 유정들의 업이 다하면, 여기에 점차 일곱 개의 태양이 있어 나타나니, 모든 바다가 말라 버리고, 온갖 산들이 활활 타며, 대륙과 풍륜·수륜·금륜도 함께 따라서 불타고, 바람이 불어 맹렬한 화염이 위의 천궁을 불태우며, 나아가 범천의 궁전도 남는 재 없이 다 태운다. 자지自地의 화염은 자지의 궁전을 태울 뿐, 타지他地의 화재가 타지의 궁전을 태울 수 있는 것이 아니지만, 서로 견인해 일으키기 때문에 하지의 화염의 바람이 불어 상지의 궁전을 태운다는 이런 말을 한 것이다. 말하자면 욕계의 맹렬한 화염이 상승한 것이 연이 되어 색계의 화염을 견인해 낳는 것이다. 나머지 재앙도 상응하는대로 역시 그러하다고 알아야 할 것이다.

이와 같이 지옥이 점차 감소하는 때로부터 시작하여 기세계가 다할 때까지를 전체적으로 괴겁이라고 이름한다.[13]

3. 성겁

앞에서 말한 성겁은 바람이 일어나면서부터 지옥에 처음 유정이 태어나기에 이르기까지를 말한다. 말하자면 이 세간이 재앙으로 파괴된 뒤 20중겁 동안 오직 허공만 있다가, 이런 긴 세월이 지나면 다음에는 응당 다시 머묾의 20겁과 같은 성겁이 곧 이르러 있게 된다. 일체 유정들의 업의 증상한 힘에 의해 공중에 점차 미세한 바람이 생겨서 있으니, 이는 기세간이 장차 이루어지려는 조짐이다. 바람이 점점 거세어져서 앞에서 말한 것과 같은 풍륜·수륜·금륜 등을 성립시키는데, 처음에는 대범왕궁 내지 야마천궁을 성립시키고, 그 후에 풍륜 등을 일으키니, 이것을 외부 기세간의 성립이라고 말한다.

처음으로 한 유정이 극광정천에서 죽어서 대범천의 처소에 태어나 대범왕이 되면, 그 후에 여러 유정들도 역시 거기에서 죽어서 범보천에 태어나는 자도 있으며, 범중천에 태어나는 자도 있고, 타화자재천궁에 태어나는 자도 있으며, 점차 내려와서 나아가 인취人趣의 구로주·우화주·승신주·섬부주에 태어나기에 이르고, 그 후 아귀·방생·지옥에도 태어난다. 자연히 뒤에 무너진 것이 반드시 최초에 이루어지는데, 만약 처음으로 한 유정이 무

13 이상은 괴겁을 해석하는 것인데, 글이 드러나서 알 수 있을 것이다. 『순정리론』(=제32권. 대29-522하)에서 말하였다. "이에 의해 방생과 아귀취도 준해서 알아야 할 것이니, 그 때는 사람의 몸 안에 모든 벌레가 없어서, 붓다의 몸과 같다. 방생이 무너졌기 때문이다. 어떤 분은 2취 중 사람에게 유익한 것은 사람과 함께 무너지고, 나머지는 먼저 무너진다고 말하였다. 이와 같은 2설 중 앞의 설이 나은 것이다." 『순정리론』에서 논평한 분은 앞의 설을 취했지만, 이 논서는 『순정리론』을 근거로 한 것이 아니다. 그 뒤의 설과 같은 것도 허물이 없다. 또 『순정리론』에서 말하였다. "북구로주의 경우 목숨이 다하면 욕계의 하늘에 태어난다. 그들은 둔근이어서 이욕하는 일이 없기 때문이다. 욕계의 하늘에 태어난 뒤에는 정려가 현전하고 변하여 뛰어난 의지처를 얻었으므로 비로소 이욕할 수 있다."

간지옥에 태어나면 20중겁에 걸친 성겁이 이미 찼다[已滿]고 알아야 할 것이다.[14]

4. 주겁

이 뒤에 다시 20중겁이 있어, 이루어진 뒤의 주겁[成已住]이라고 이름하는데, 순차 일어난다. 말하자면 바람이 일어나 기세간을 만든 때로부터 나아가 그 후 유정이 점점 머물기에 이르기까지 이 섬부주 인간의 수명은 한량없는 세월을 경과하다가, 주겁의 처음에 이르면 수명이 비로소 점차 감소하는데, 한량없음으로부터 감소하여 최소인 10세에 이르기까지를 곧 주겁 최초의 1중겁[初一住中劫]이라고 이름한다. 이 뒤에 열여덟 번 동안 모두 증가와 감소가 있으니, 말하자면 10세로부터 증가하여 8만 세에 이르렀다가 다시 8만 세로부터 감소하여 10세에 이르면, 그런 것을 두 번째 중겁이라고 이름한다. 그 다음 뒤의 열일곱 번도 비례해서 모두 이와 같다. 그 열여덟 번의 뒤에 10세로부터 증가하여 최대인 8만 세에 이르기까지를 스무 번째 중겁이라고 이름한다. 일체 겁에서 증가는 8만 세를 넘기는 일이 없고, 일체 겁에서 감소는 최소한이 10세일 뿐이다. 열여덟 번의 중겁 중에서 한번 증가했다가 한번 감소하는 시간의 분량은 최초의 감소시 및 최후의 증가시와 똑같다. 따라서 20중겁은 시간의 분량이 모두 같은데, 이것을 총칭하여 이루어진 뒤의 주겁[成已住劫]이라고 이름한다.[15]

....

14 이는 성겁을 밝히는 것인데, 알 수 있을 것이다. 또『순정리론』제32권(=대29-523중)에서 말하였다. "모든 대범왕은 반드시 이생에 포함된다. 성자가 다시 하지에 태어나는 일은 없기 때문이며, 위의 2계에서는 견도에 드는 일은 없기 때문이다."

15 이는 중겁을 밝히면서 아울러 주겁을 나타내는 것이다. 이 논서의 글에 준하면 수명이 점점 감소할 때 비로소 주겁이라고 이름하니, 수명이 아직 감소하지 않을 때는 성겁에 포함된다. (문) 최초의 겁은 감소하기만 하고, 최후의 겁은 증가하기만 하는데, 어떻게 시간이 중간의 18중겁과 같은가? (해) 20중겁의 주겁을 앞뒤에서 서로 바라보면 앞의 유정은 복이 뛰어나고, 뒤의 유정은 복이 열등하다. 주겁 중 최초의 겁은 복이 가장 뛰어나기 때문이며, 아주 묘한 경계를 수용해야 하기 때문에 내려오는 시간이 지극히 더디다. 제2겁 이후는 그 복이 점점 엷어져서 올라가는 것은 조금 더디고, 내려가는 것은 점점 빨라진다. 올라갈 때에는 경계는 뛰어난데, 복은 엷기 때문에 수용에 적합하지 않으니, 그래서 올라갈 때 더디고, 내려갈 때에는 경계가 열등하고, 복이

그 나머지 성겁·괴겁 및 무너진 뒤의 공겁은 모두 20번 감소하고 증가하는 차별은 없지만, 시간의 분량은 주겁과 같으므로 주겁에 준하여 각각 20중겁을 이룬다.[16] 성겁 중 최초의 중겁에 기세간을 일으키고, 그 후의 19중겁 중에 유정들이 점차 머물며, 괴겁 중 최후의 중겁에 기세간을 줄이고, 그 앞의 19중겁 중에 유정들이 점차 버려진다.[17] 이와 같이 말한 성·주·괴·공의 각각 20중겁을 쌓으면 80중겁이 되니, 이를 합한 80중겁이 대겁의 분량이 되는 것이다.[18]

5. 겁의 성품

겁의 성품[性]은 무엇인가?[19] 말하자면 오온일 뿐이다.[20]

【3무수 겁의 뜻】 경에서, "3겁아승기야三劫阿僧企耶 동안 정진 수행하여 비로소 성불하실 수 있었다"라고 설하셨는데, 앞에서 말한 네 종류 겁 중 어떤 겁을 쌓아서 3무수 겁[三劫無數]을 이루는가?[21] 앞의 대겁을 겹쳐서 십·

옅기 때문에 응당 수용에 적합하니, 그래서 내려갈 때 빠른 것이다. 이와 같이 나아가 제19겁에 이르기까지 복은 점점 옅어져서 올라갈 때에는 매우 더디고, 내려갈 때에는 매우 빠르다가, 제20겁에 이르면 복이 가장 옅기 때문에 올라갈 때 지극히 더디다. 그래서 최초겁과 최후겁이 중간의 18겁과 같은 것이다. 또 해석하자면 수명이 아직 감소하지 않을 때는 성겁에 포함되고, 한량없는 수명으로부터 처음 감소하는 이후를 비로소 주겁이라고 이름하는데, 제20겁에 올라가 8만 세에 이를 때에는 많은 시간을 경과하며 멈추기 때문에 최초와 최후의 겁이 중간의 18겁과 같은 것이다.

16 주겁에 대해 밝히는 기회에 다시 성겁·괴겁·공겁 세 가지의 시간은 모두 주겁에 준한다는 것을 나타내는 것이다.

17 성겁·괴겁 두 가지가 같지 않음을 밝히는 것이다. 공업은 쉽기 때문에 1중겁에 이루고 허물지만, 별업은 어렵기 때문에 19중겁 동안 이루고 허문다. 이 논서의 글에 준하면 범왕은 (=수명 1.5겁=60중겁이 아니라) 단지 58중겁의 수명을 받을 뿐이니, 말하자면 성겁의 19중겁, 주겁의 20중겁, 괴겁의 19중겁이다.

18 대겁을 밝히는 것이다.

19 물음이다.

20 답이다. 겁은 말하자면 시간의 단위인데, 시간은 별도의 체가 없으므로 법에 의거해서 밝히는 것이다. 따라서 5온을 체로 하는 것이다. 그래서 『대비바사론』 제135권(=대27-700중)에서 말하였다. "겁의 체는 무엇인가? 어떤 분은 색처라고 말하였다"라고 하면서 인용해 증명하며, "여시설자는, '밤낮 등의 단계에는 모두 5온이 생멸하지 않는 것이 없는데, 이것으로 겁을 이루니, 겁의 체도 역시 그러하다. 그렇지만 겁은 이미 3계에 공통된 시간의 단위이기 때문에 5온·4온을 써서 성품으로 하는 것이다'라고 하였다."

백·천이 되며, 나아가 3무수 겁이 되기에 이르도록 쌓는 것이다.[22] 이미 '무수無數'라고 칭했으면서 어떻게 다시 '3'을 말했는가?[23] '무수'라는 말은 셀 수 없음을 나타내는 것이 아니니, 해탈경解脫經에서 말한 60수數 중 아승기야는 그 하나의 수이다.[24]

어떤 것이 60수인가?[25] 그 경에서 말한 것과 같다. 하나만 있고 다른 것이 없는, 수의 시작을 '일一'이라고 하는데, 일의 열 배가 십十이 되고, 십의 열 배가 백百이 되며, 백의 열 배가 천千이되고, 천의 열 배가 만萬이 된다. 만의 열 배를 낙차洛叉라고 하고, 10낙차를 도락차度洛叉라고 하며, 10도락차를 구지俱胝라고 하고, 10구지를 말다末陀라고 한다. 10말다를 아유다阿庾多라고 한다.(제10수) 10아유다를 대大아유다라고 하며, 10대아유다를 나유다那庾多라고 하고, 10나유다를 대나유다라고 한다. 10대나유다를 발라유다鉢羅庾多라고 하고, 10발라유다를 대발라유다라고 하며, 10대발라유다를 긍갈라矜羯羅라고 하고, 10긍갈라를 대긍갈라라고 하며, 10대긍갈라를 빈발라頻跋羅라고 하고, 10빈발라를 대빈발라라고 하며, 10대빈발라를 아추바阿芻婆라고 한다.(제20수) 10아추바를 대아추바라고 하고, 10대아추바를 비바하毘婆訶라고 하며, 10비바하를 대비바하라고 하고, 10대비바하를 올층가嗢蹭伽라고 하며, 10올층가를 대올층가라고 하고, 10대올층가를 바할나婆喝那라고 하며, 10바할나를 대바할나라고 하고, 10대바할나를 지치바地致婆라고 하며, 10지치바를 대지치바라고 하고, 10대지치바를 혜도醯都라고 한다.(제30수) 10혜도를 대혜도라고 하고, 10대혜도를 갈랍비羯臘婆라고 하며, 10갈랍바를 대갈랍바라고 하고, 10대갈랍바를 인달라印達羅라고 하며, 10인달라를 대인달라라고 하고, 10대인달라를 삼마발탐三磨鉢耽이

21 경(=증일 16:24:8경 중 졸역 14.)에 의해 물음을 일으키는 것이다. (아승기야asaṁkhya에서) '아'는 없음[無]을 말하고, '승기야'는 수數라고 이름한다.
22 답이다. 앞의 80중겁인 대겁을 겹쳐서 십·백·천이 되고, (나아가) 3무수 겁에 이른다.
23 힐난이다.
24 해석인데, 경(='해탈경'은 특정 경의 명칭이 아니라, 4아함에 포함되지 않은, 4아함에서 벗어난 별도의 경이라는 뜻)을 인용해 증명한 것이다.
25 물음이다.

라고 하며, 10삼마발탐을 대삼마발탐이라고 하고, 10대삼마발탐을 게저揭底라고 하고, 10게저를 대게저라고 하며, 10대게저를 염벌라사拈筏羅闍라고 한다.(제40수) 10염벌라사를 대염발라사라고 하고, 10대염발라사를 모달라姥達羅라고 하며, 10모달라를 대모달라라고 하고, 10대모달라를 발람跋藍이라고 하며, 10발람을 대발람이라고 하고, 10대발람을 산야珊若라고 하며, 10산야를 대산야라고 하고, 10대산야를 비보다毘步多라고 하며, 10비보다를 대비보다라고 하고, 10대비보다를 발라참跋邏攙이라고 한다.(제50수) 10발라참을 대발라참이라고 하고, 10대발라참을 아승기야阿僧企耶라고 한다. 이들 수 중에서 나머지 여덟 개는 망실되었다.

만약 대겁을 헤아려서 이들 수 중의 아승기야에 이르면 무수 겁[劫無數]이라고 이름하는데, 이런 무수 겁을 다시 쌓아서 세 번에 이르면 경에서 설한 3무수 겁이 되는 것이다. 모든 계산으로 세어서 알 수 없는 것이기 때문에 3무수 겁이라고 말하게 된 것이 아니다.[26]

어떤 이유에서 보살은 발원하고 긴 세월 동안 정진 수행해서 비로소 불과佛果를 기약할 수 있었는가?[27] 어째서 발원하고 긴 세월의 수행을 인정하지 않을 것인가? 무상보리無上菩提는 매우 얻기 어려워서, 많은 원행願行이 아니면 획득 성취할 수 없으니, 보살은 반드시 3무수 겁을 거치면서 큰 복덕과 지혜의 자량인 6바라밀다波羅蜜多와 많은 백천의 고행[多百千苦行]을 닦아야 비로소 무상정등보리無上正等菩提를 증득한다. 그러므로 결정코 긴 세월 동안 원을 일으켰어야 하는 것이다.[28]

26 경을 인용해 답하는 것이다. 아승기야는 제52의 수로서, 이 60수 중 그 하나이다. 논주가 세상에 나오기에 이른 현재 앞의 52수만 있었고, 외워 전한 분들이 뒤의 8수를 망실하였다. 만약 대겁을 헤아려서 이 60수 중 제52의 아승기야에 이르면 '겁무수'라고 이름하는데, 이런 무수 겁을 다시 쌓아서 세 번에 이르면 경에서 설한 3무수 겁이 된다. 모든 계산으로 세어서 알 수 없는 것이기 때문에 3무수 겁이라고 말하게 된 것이 아니다. 『대비바사론』 제177권(=대27-890하)에 모두 7설이 있는데, 이 논서는 제3설에 해당한다. 자세한 것은 거기에서 해석하는 것과 같다.

27 물음이다.

28 답이다. '바라pāra'는 여기 말로 피안彼岸이고, '밀다mita'는 여기 말로 도달한다[到]는 것이다.

다른 방편으로도 열반을 얻을 수 있는데, 어째서 보리를 위해 오래도록 많은 고행을 닦았는가?[29] 일체 유정들을 이롭게 하고 안락하게 하기 위해서였다. 그래서 보리를 구하고자 긴 세월 동안, '어떻게 해야 나로 하여금 큰 감당의 능력을 갖추게 해서 괴로움의 폭류에서 모든 유정들을 구제하게 할까?'라는 원을 일으켰기 때문에 열반의 도를 버리고 무상보리를 구했던 것이다.[30]

다른 유정을 구제하면 자기에게 어떻게 유익한가?[31] 보살은 유정의 구제로써 자기의 연민심[悲心]을 성취하니, 그래서 남의 구제를 자기의 이익으로 삼는 것이다.[32]

보살에게 이와 같은 일이 있었다는 것을 누가 믿겠는가?[33] 자기를 윤택케 하려는 마음을 품고 있고 큰 자비가 없는 이런 유정에게는 이런 사실이 믿기 어렵겠지만, 자기를 윤택케 하려는 마음은 없고 큰 자비를 가진 이런 유정에게는 이런 사실은 믿기 어려운 것이 아니다. 마치 누군가가 연민 없음을 오래 익혔다면, 비록 자기에게 이익이 없어도 남에게 손해 입히기를 즐긴다는 것은 세상에서 다 같이 아는 것처럼, 이와 같이 보살은 자비를 오래 익혔으므로, 비록 자기에게 이익이 없어도 남에게 이익 주는 것을 즐겼는데, 어째서 믿지 못하는가? 또 마치 유정들은 자주 익힌 힘으로 말미암아 실체 없이 형성된 것[無我行]에 대해 유위임을 알지 못하여 '자아[我]'라고 집착하여 애착을 낳고, 이것이 원인이 되어 온갖 괴로움을 달게 짊어진다는 것은 지자智者라면 다 같이 아는 것처럼, 이와 같이 보살은 자주 익힌 힘 때문에 자아에 대한 애착을 버리고 남을 연민하는 마음을 늘렸으니, 이것이 원인이 되어 온갖 괴로움을 달게 짊어졌는데, 어째서 믿지 못하는가? 또

29 힐난이다. 만약 다른 이승이라면 적은 방편을 닦아서도 역시 열반을 얻는데, 어째서 보리를 위해 오래도록 많은 고행을 닦는가?

30 답이다. 유정들에게 이익을 주기 위해 긴 세월 원을 닦았기 때문에 이승의 열반이라는 작은 길을 버리고, 돌려서[迴] 무상정등보리를 구한 것이다.

31 물음이다.

32 답이다.

33 힐난이다. 보살은 오로지 남에게 이익을 주고자 할 뿐, 스스로 자기를 유익하게 하지 않는다는 것을 누가 믿겠는가?

종성種姓이 다름으로 말미암아 이런 뜻[志]과 원願의 일어남이 있었다. 남의 괴로움을 자기의 괴로움으로 삼고, 남의 즐거움을 자기의 즐거움으로 삼았지만, 자신의 괴로움이나 즐거움은 자기의 괴롭거나 즐거운 일이라고 여기지 않았으니, 남에게 이익을 주는 것과 다른, 자신의 이익이 따로 있다고 보지 않았기 때문이다.

이와 같은 뜻에 의해 어떤 게송에서 말하였다. "❶ 하품의 사람은 방편에 힘써서[下士勤方便] 항상 자신의 즐거움을 구하며[恒求自身樂] 중품의 사람은 괴로움의 소멸을 구하고[中士求滅苦] 즐거움은 아니니, 괴로움의 의지처이기 때문이다[非樂苦依故] ❷ 상품의 사람은 항상 힘써서[上士恒勤求] 스스로 괴로워도 남의 안락[自苦他安樂] 및 남의 괴로움의 영원한 소멸 구하니[及他苦永滅] 남의 괴로움을 자기 것이라 여기기 때문이다[以他爲己故]"[34]

제3절 겁 중의 사람

34 답이다. 이승의 사람은 자기를 윤택케 하려는 마음을 품고 있어 큰 자비가 없는데, 이런 유정에게는 남을 구제하는 것이 곧 자기에게 이익이 된다고 칭하는 이런 사실이 믿기 어렵겠지만, 보살행을 하는 사람은 자기를 윤택케 하려는 마음이 없고 큰 자비가 있으니, 이런 유정에게는 남을 구제하는 것이 곧 자기에게 이익이 된다고 칭하는 이런 사실이 믿기 어려운 것이 아니다. 또 세 가지를 이끌어서 증명한다. 첫째는 연민 없음과 자비 있음을 이끌어서 증명하고, 둘째는 나를 집착해 애착함과 나에 대한 애착 없음을 이끌어서 증명하며, 셋째는 유정이 수행하는 종성의 차이를 이끌어서 증명하니, 여러 유정들의 종성의 차별에 의하기 때문이다. 어떤 게송의 말은, 처음 2구는 범부에 대해 밝히는 것이니, 하품의 사람은 자신의 인·천의 즐거움을 힘써 구한다는 것이고, 다음 2구는 이승에 대해 밝히는 것이니, 중품의 사람은 세 가지 괴로움의 소멸은 구하지만, 유루의 즐거움은 구하지 않는데, 이런 즐거움은 미래의 괴로움의 의지처이기 때문이다. 또 해석하자면 이런 즐거움은 행고의 의지처이기 때문이다. 또 해석하자면 이런 즐거움은 무너질 때 괴롭기 때문에 괴로움의 의지처라고 이름한다. 뒤의 1게송은 보살에 대해 밝히는 것이니, 상품의 사람은 항시 힘써 스스로 온갖 괴로움을 짊어지고 받기를 구하면서, 다른 유정들로 하여금 가까이로는 인·천의 선취의 안락을 얻게 하고, 멀리로는 남의 괴로움을 영원히 다 소멸시켜 열반의 즐거움을 얻게 하려고 한다. 왜냐하면 종성이 같지 않기 때문에 남의 괴로움과 즐거움을 자기의 괴로움과 즐거움으로 여기기 때문이다.

1. 붓다와 독각의 출세

이와 같이 겁의 길이의 차별에 대해 분별했는데, 모든 붓다들과 독각이 세간에 출현하는 것은 증가할 때의 겁인가, 감소하는 단계의 겁인가? 게송으로 말하겠다.

93 8만에서 감소해 100세에 이르는 동안[減八萬至百]
모든 붓다들께서 세간에 출현하시고[諸佛現世間]
독각은 증가할 때나 감소할 때인데[獨覺增減時]
인각유는 100겁 수행 후 출현한다[麟角喩百劫][35]

(1) 붓다의 출현

논하여 말하겠다. 이 섬부주의 인간의 수명이 8만 세로부터 점차 감소해서 나아가 수명이 최대 100세일 때에 이르는 이 중간에 모든 붓다들께서 출현하신다.[36]

35 이하 둘째로 겁 중의 사람에 대해 밝히는데, 그 안에 나아가면 첫째 붓다와 독각에 대해 밝히고, 둘째 전륜왕에 대해 밝히며, 셋째 작은 왕의 출현에 대해 밝힌다. 이는 곧 첫째 붓다와 독각에 대해 밝히는 것인데, 위의 2구는 붓다에 대해 밝히는 것이고, 뒤의 2구는 독각에 대해 밝히는 것이다.

36 그 80겁 중 20성겁, 20괴겁, 20공겁에는 붓다의 출세가 없고, 오직 20주겁 중에만 붓다의 출세가 있다. 그런데 20주겁 중 19번의 증가하는 단계에는 붓다의 출세가 없고, 19번의 감소하는 단계에 붓다의 출세가 있다. 겁의 감소하는 단계에 나아가면 8만 세에서 시작해서 나아가 100세에 이르는 이 중간에 붓다의 출세가 있다. 그래서 『현겁경賢劫經』 제10권(=현존본 제7권. 대14-50상)에서 설하였다. "구류손불께서는 사람의 수명이 4만 세일 때 출세하셨고, 구나함모니불께서는 사람의 수명이 3만 세일 때 출세하셨으며, 가섭불께서는 사람의 수명이 2만 세일 때 출세하셨고, 석가모니불께서는 사람의 수명이 100세일 때 출세하셨다." 만약 『서역기』 제6권(=대51-901중 이하)에 의한다면, 구류손불께서는 사람의 수명이 6만 세일 때 출세하셨고, 구나함모니불께서는 사람의 수명이 4만 세일 때 출세하셨으며, 가섭파불께서는 사람의 수명이 2만 세일 때 출세하셨고, 석가모니불께서는 사람의 수명이 100세일 때 출세하셨다. 이는 부파가 달라서 같지 않은 것이리라. (문) 이 20주겁 중 석가모니불께서는 어느 겁에 출세하셨는가? (해) 제9 주겁에 출세하셨다. 그래서 『입세立世아비담론』 제9권(=대32-215중)에서 주겁을 설명하는 가운데 말하였다. "이 20소겁 중 세계가 일어나 이루어진 뒤 머물던 중 얼마가

무슨 이유로 증가하는 단계에는 붓다의 출현이 없는가?[37] 유정의 즐거움이 증가하여 싫어하라[厭]고 가르치기 어렵기 때문이다.[38]

무슨 이유로 100세보다 감소할 때에는 붓다의 출현이 없는가?[39] 5탁濁이 지극히 증성해서 교화하기 어렵기 때문이다. 5탁이라고 말한 것은, 첫째 수탁壽濁, 둘째 겁탁劫濁, 셋째 번뇌탁煩惱濁, 넷째 견탁見濁, 다섯째 유정탁有情濁이다. 감소하는 겁이 끝나려고 하면 수명 등의 비천함이, 마치 찌꺼기의 더러움[滓穢]과 같기 때문에 '탁'이라고 이름한 것이다. 앞의 2탁에 의해 그 순서대로 수명과 자구資具가 지극히 쇠퇴 손상을 입으며, 다음 2탁에 의해 선품善品이 쇠퇴 손상되니, 욕락과 스스로의 고행에 탐닉하기 때문이다. 혹은 재가와 출가의 선을 손상시키기 때문이다. 뒤의 1탁에 의해 자신을 쇠퇴 손상시키니, 말하자면 자신의 몸의 크기·색·힘, 알아차림, 지혜, 정진, 용맹 및 무병無病을 허물기 때문이다.[40]

이미 지났으며, 얼마가 아직 지나지 않았던가? 8소겁이 이미 지났고 11소겁은 아직 오지 않았으며, 제9의 1겁은 아직 다하지 않았었다." 이 논서의 글에 준하기 때문에 석가모니불께서는 제9겁을 만나 출세하셨다는 것을 알 수 있다. 미륵불께서는 제10겁을 만나면 출세하실 것이다. 이 논서의 나머지 글은 알 수 있을 것이다.

37 물음이다.

38 답이다.

39 물음이다.

40 답인데, 뜻의 편의상 5탁을 밝힌다. '수탁'은 목숨[命]을 체로 한다. '겁탁'이라고 말한 것에서 '겁'은 시간[時]을 말하는 것이니, 시간은 별도의 체가 없으므로 법에 의거해 밝히는데, 5온을 체로 한다. 또 해석하자면 만약 널리 겁의 체를 나타낸다면 5온을 체로 하지만, 여기에서 겁탁은 물질[色]을 체로 하니, 그래서 논의 글에서, 자구資具(=살림도구)가 쇠퇴 손상된다고 말한 것이다. '번뇌탁'은 5둔사[鈍惑]를 체로 하고, '견탁'은 5견을 체로 하며, '유정탁'은, 유정은 법을 떠나서는 별도의 성품이 없으므로 5온을 체로 한다. 또 해석하자면 악업을 체로 한다. 감소하는 겁이 끝나려고 하면 수명 등의 비천함이, 마치 찌꺼기의 더러움과 같기 때문에 탁이라고 이름한 것이다. 앞의 수탁이 일어나기 때문에 수명이 지극히 쇠퇴 손상을 입어 나아가 10세에 이르고, 앞의 겁탁이 일어나기 때문에 의복·음식 등 자구가 지극히 쇠퇴 손상을 입으니, 이로써 겁탁은 물질을 체로 한다는 것을 알 수 있다. 다음 번뇌탁과 견탁이 일어나기 때문에 선품善品이 쇠퇴 손상되니, 번뇌탁으로 욕락에 탐닉하기 때문에 탐욕을 일으켜 선을 손상하고, 견탁으로 스스로 고행하기 때문에 계취戒取를 일으켜 선을 손상한다. 혹은 번뇌탁으로 재가의 선을 손상시키고, 견탁으로 출가

(2) 독각의 출현

독각의 출현은 겁의 증가와 감소에 통한다. 그런데 모든 독각에는 다른 두 종류가 있으니, 첫째는 부행部行이고, 둘째는 인각유麟角喩이다.[41]

부행독각은 먼저 성문이었다가 뛰어난 과보를 얻었을 때 바뀌어 독승獨勝이라고 이름한다.[42] 어떤 다른 분은 이렇게 말하였다. "그는 먼저 이생異生이었을 때 일찍이 성문의 순결택분을 닦았는데, 지금 스스로 도를 증득하여 독승이라는 이름을 얻은 것이니, 본사本事 중의 설명에 의한 것이다. 한 산속에 모두 5백 명의 고행하는 외도 선인이 있었는데, 어떤 한 마리의 원숭이가 일찍이 독각과 서로 가까이 살면서 그의 위의를 보았으며, 이리저리 유행하다가 외도 선인들의 처소에 이르러 먼저 보았던 독각의 위의를 나타내자, 모든 선인들이 그것을 보고 모두 공경 사모하는 마음이 생겨 잠깐 사이에 모두 독각의 보리를 증득하였다고 하였다. 만약 먼저 성자였다면 고행을 닦지 않았어야 할 것이다."[43]

인각유란 말하자면 반드시 홀로 살던 분[必獨居]이다.[44] 두 종류 독각 중

의 선을 손상시킨다. 뒤의 유정탁이 일어나기 때문에 자신을 쇠퇴 손상시켜서, 신체의 크기가 작아지고, 색이 흰 것을 검게 하며, 힘이 강한 것을 약하게 하고, 바른 알아차림과 바른 지혜를 삿된 알아차림과 삿된 지혜로 만들며, 정진과 용맹을 해태로 만들고, 무병을 유병으로 만드니, 이로써 유정탁은 5온을 체로 한다는 것을 알 수 있다.

41 독각의 출세를 밝힘과 아울러 두 종류를 나타내는 것이다.

42 부행독각을 해석하는 것이다. 여럿이 무리지어 서로 따르므로[衆部相隨] '부행'이라고 이름하고, 가르침을 떠나서 스스로 깨닫는 것을 '독각'이라고 이름한다. 부행독각은 먼저 성문으로서 앞의 3과인 사람이 뒤에 제4의 뛰어난 과보를 얻었을 때 가르침을 떠나서 홀로 뛰어난 과보를 증득했다고 해서 바뀌어 독승이라고 이름한다. 또 해석하자면 먼저 성문의 초과였다가 뒤에 뒤의 세 가지 뛰어난 과보를 얻었을 때 가르침을 떠나서 홀로 뛰어난 과보를 깨달았다고 해서 바뀌어 독승이라고 이름한다. 앞의 해석이 나은 것이다.

43 다른 학설을 서술하는 것이다. 만약 먼저 성자였다면 응당 계취戒取를 일으켜 고행을 닦지 않았어야 할 것이다. 이로써 먼저 이생이었다는 것을 알 수 있다. 나머지 글은 알 수 있을 것이다. # '본사'는 여시어경을 가리키는데, 본문의 이야기는 『현우경賢愚經』 제13권(=대4-443하)에 수록되어 있다.

44 인각유를 해석하는 것이다. 마치 기린은 뿔이 하나로서, 둘이 함께 생기는 일이 없는 것처럼 홀로 살면서 도를 깨닫기 때문에 기린의 뿔[麟角]에 비유한 것이다. 그래서 『대비바사론』 제30권(=대27-156중)에서 말하였다. "인각유는

인각유는 반드시 100대겁 동안 보리의 자량을 닦은 연후에야 비로소 인각유독각을 성취한다.[45]

독각이라고 말한 것은, 말하자면 현재의 몸으로 지극한 가르침[至敎] 받는 것을 떠나 스스로 도를 깨달을 뿐이니, 능히 자신은 조복했지만, 남을 조복하지는 못하기 때문이다.[46]

무슨 이유로 독각은 남을 조복하지 못한다고 말하는가? 그는 정법을 연설할 수 없는 분이 아니니, 그도 역시 무애해無礙解를 얻었기 때문이며, 또 과거에 들었던, 제불께서 펴신 성스러운 가르침의 이치를 능히 기억하기 때문이다. 또 그에게 자비심이 없다고 말할 수도 없을 것이니, 유정을 섭수하기 위해 신통을 나타내었기 때문이다. 또 법을 받을 근기가 없다고 말할 수도 없을 것이니, 그 때의 유정들도 세간의 이욕의 대치도를 능히 일으키기 때문이다.[47] 비록 그런 이치가 있다고 해도, 그는 과거에 적은 기쁨·즐거움의 승해[少欣樂勝解]를 익혀서, 설하려는 희망이 없기 때문이다. 또 유정들이 심오한 법을 받아들이기 어렵다는 것을 아니, 생사의 흐름에 따른지 이미 오래되어 흐름을 거스르게 하기 어렵기 때문이다. 또 대중들 섭수

근이 지극히 뛰어나기 때문이며, 홀로 출현하는 것[獨出]을 좋아하기 때문이니, 마치 붓다처럼 반드시 둘이 함께 세간에 출현하는 일은 없다고 알아야 한다. 사리자 같은 분도 오히려 함께 출현하는 일이 없거늘, 하물며 그 분보다 여러 배 뛰어난 인각유이겠는가?"

45 인각유가 수행하는 시절에 대해 밝히는 것이다.

46 명칭을 해석하는 것이다.

47 외인의 힐난이다. 무슨 이유로 독각은 남을 조복하지 못한다고 말하는가? 그는 정법을 연설할 수 없는 분이 아니니, 그도 역시 4무애해를 얻었기 때문이다. 논주가 만약 법을 설할 수는 있지만, 근기에 맞추어 설법할 수 없기 때문에 설하지 않는다고 말한다면, 또 그 독각은 숙명지를 얻어서 과거에 들었던, 붓다께서 말씀하신 가르침의 이치를 억념할 수 있는데, 어째서 근기에 맞추어 설법할 수 없겠는가? 논주가 만약 비록 설법할 수 있고, 또한 근기도 알지만, 자비심이 없기 때문에 설하지 않는다고 말한다면, 또 그 독각에게 자비심이 없다고 말할 수도 없을 것이니, 유정들을 섭수하기 위해 신통을 나타내었기 때문이다. 논주가 만약 비록 설법할 수 있고, 또 근기도 알며, 또한 자비심도 있지만, 법을 받아들일 근기가 없기 때문에 남을 조복하지 않는다고 말한다면, 또 법을 받아들일 근기가 없다고 말할 수도 없을 것이니, 그 때의 유정들도 역시 세간의 이욕하는 유루도를 일으킬 수 있기 때문이다.

하기를 피했기 때문에 남을 위해 정법을 펴 설하지 않는 것이니, 시끄럽고 번잡한 것을 두려워하기 때문이다.48

2. 전륜왕의 출현

전륜왕이 세간에 출현하는 것은 어떤 시기에 있고, 몇 종류이며, 몇이 함께 하고, 어떤 위엄이며, 어떤 모습인가?49 게송으로 말하겠다.

94 전륜왕은 8만 세 이상일 때[輪王八萬上]
금륜·은륜·동륜·철륜왕이[金銀銅鐵輪]
1·2·3·4주에 출현하는데[一二三四洲]
역순이며, 혼자임은 붓다와 같다[逆次獨如佛]

95 영접받거나 스스로 가서 항복받거나[他迎自往伏]
다투거나 진 펼치면 승리하나 해침 없으며[諍陣勝無害]
상은 바르거나 원만하거나 명료하지 않으니[相不正明圓]
그래서 붓다와 같은 것 아니다[故與佛非等]50

(1) 출현의 시기

논하여 말하겠다. 이 섬부주의 사람 수명이 한량없는 때로부터 나아가 8만 세에 이르는 동안 전륜왕의 태어남이 있다. 8만 세보다 감소할 때에는 유정의 부富와 즐거움이 손상되고, 수명이 감소하며, 온갖 악이 점차 치성

48 답이다. 비록 그런 이치가 있다고 해도 그 독각은 과거에 적은 기쁨·즐거움의 승해를 오래도록 익혀서, 설법하려는 희망이 없기 때문이다. 적은 기쁨·즐거움에 대한 승해가 강하기 때문에 따로 열거한 것이다. 또 유정들이 심오한 법을 받아들이기 어렵다는 것을 아니, 생사의 흐름을 따른 지 이미 오래되어 생사의 흐름을 거스르게 하기 어렵기 때문이다. 또 대중들 섭수하기를 피해서 정법을 설하지 않으니, 시끄럽고 번잡한 것을 두려워하기 때문이다.

49 이하는 둘째 4전륜왕에 대해 밝히는데, 첫째 시기를 묻고, 둘째 종류를 물으며, 셋째 함께 함을 묻고, 넷째 위엄을 물으며, 다섯째 상相을 물었다.

50 제1구는 첫 물음에 대한 답이고, 제2·제3구 및 제4구의 '역차逆次' 2글자는 제2문에 대한 답이며, 제4구 중 '독여불獨如佛' 3글자는 제3문에 대한 답이고, 제5·제6구는 제4문에 대한 답이며, 제7·제8구는 제5문에 대한 답이다.

하여, 대인大人의 그릇이 아니기 때문에 전륜왕이 없다. 이 왕은 바퀴가 구르면[輪旋轉] 그 인도에 응하여 위엄으로 일체를 항복시키므로 전륜왕이라고 이름한 것이다.[51]

⑵ 종류

『시설족론』에서 네 종류가 있다고 말했으니, 금·은·동·철의 바퀴가 차별에 응하기 때문이다. 그 순서대로 뛰어남·상·중·하품이니, 역순으로 능히 1·2·3·4주의 왕이 되어 다스린다. 말하자면 철륜왕은 1주의 세계를 다스리는 왕이며, 동륜왕은 2주, 은륜왕은 3주, 금륜왕은 4주의 세계를 다스리는 왕이다. 계경에서는 뛰어난 것에 나아가 금륜왕만을 설했으니, 그래서 계경에서 말하였다. "만약 왕이 끄샤뜨리야[刹帝利] 종성에 태어나 있다가 관정의 지위[灑頂位]를 이어 받고, 보름날 재계齋戒를 수지할 때 머리과 몸을 깨끗이 씻고 수승한 재계를 수지한 뒤 높은 누대의 전각에 오르면 신하와 관리들이 보좌하는데, 동쪽에 홀연 금륜보가 나타나 있다. 그 바퀴는 천 개의 바퀴살[輻]에, 바퀴통·바퀴테를 완전히 갖추고 온갖 모습이 원만 청정하여, 정교한 장인이 만든 것과 같은데, 오묘한 광명을 펴며 왕의 처소로 와서 응하면, 이 왕은 결정코 금륜을 굴릴 왕인 것이다." 다른 바퀴를 굴릴 왕도 역시 그러하다고 알아야 할 것이다.[52]

⑶ 함께 함

전륜왕은 붓다처럼 둘이 함께 태어나는 일이 없다. 그래서 계경에서 말하였다. "두 분의 여래·응·정등각께서 세상에 출현해 계시는 처소는 없었고, 단계도 없었으니, 전에도 아니었으며, 후에도 아닐 것이다. 어떤 처소든

51 제1구를 해석하는 것이다. 이 논서의 글에 준하면, 네 종류 전륜왕은 모두 사람의 수명이 8만 세 이상일 때라야 비로소 세간에 출현한다.

52 제2·제3구 및 제4구의 '역차逆次' 2글자에 대해 해석하는 것이다. 처음은 논서를 인용해 4전륜왕을 해석하였다. 철륜왕은 1주이니, 섬부주를 말하고, 동륜왕은 승신주를 더한 2주이며, 은륜왕은 다시 우화주를 더한 3주이고, 금륜왕은 다시 북구로주를 더한 4주이다. '계경(=잡 [27]27:722 전륜왕경, 장 18:30 세기경의 제3 전륜성왕품, 증일 33:39:8경 등)에서는' 이하는 경문을 회통해 해석하는 것이다. 논서에 의하면 4전륜왕을 말했지만, 경은 뛰어난 것에 나아가 금륜왕만을 설했다는 것을 경을 인용해 증명한 것이다.

어떤 단계든 오직 한 분의 여래뿐인데, 여래에 대한 설명처럼 전륜왕도 역시 그러하다."[53]

세심하게 생각해 가려야 할 것이니, 이 '오직 한 분'이라는 말은 하나의 삼천세계에 의거한 것인가, 일체 세계에 의거한 것인가?[54] 어떤 분은 말하였다. "다른 세계에는 결정코 붓다의 태어남이 없다. 까닭이 무엇이겠는가? 박가범의 공능에 장애가 있다고 해서는 안 되니, 한 분의 세존만으로도 널리 시방에서 교화할 수 있기 때문이다. 만약 한 분의 붓다께서 교화할 능력이 없는 곳이 하나라도 있다면, 나머지도 역시 그러할 것이다. 또 세존께서 사리자에게, '가령 다시 어떤 사람이 그대의 처소로 와서, 바로 지금 교답마씨喬答摩氏와 평등하고 평등한 위없는 깨달음을 얻은 바라문이나 사문이 혹시 있는가 라고 물으면, 그대는 그 물음에 어떻게 대답하겠는가?'라고 말씀하셨을 때, 사리자는 세존께 이렇게 말씀드렸다. '저는 그런 질문을 받으면 이와 같이 대답하겠습니다. 지금 우리 세존과 같은 위없는 깨달음을 얻은 바라문이나 사문은 없다. 왜냐하면 나는 세존으로부터, 두 분의 여래·응·정등각께서 세상에 출현해 계시는 처소는 없었고, 단계도 없었으니, 전에도 아니었으며, 후에도 아닐 것이고, 어떤 처소든 어떤 단계든 오직 한 분의 여래뿐이라고, 직접 듣고 직접 수지했기 때문이다 라고 말입니다.'"[55]

만약 그렇다면 어째서 범왕경梵王經에서, "나는 지금 이 삼천대천의 모든 세계 중에서 자재한 굴림을 얻었다"라고 말씀하셨겠는가?[56] 거기에는 비밀한 뜻[密意]이 있다.[57] 비밀한 뜻이란 무엇인가?[58] 말하자면 만약 세존께서

---

53 제4구 중 '혼자임은 붓다와 같다[獨如佛]'를 해석하는 것이다. 전륜왕이 하나의 세계에 둘이 함께 태어나는 일이 없음은. 붓다께서 함께 하는 일이 없는 것과 같다. '처處'는 방위의 처소[方處]를 말하는 것이고, '위位'는 시간의 단계[時位]를 말하는 것이다. # 본문의 '계경'은 장 12:18 자환희경自歡喜經이다.

54 논주가 생각하기를 권하는 것이다. 경에서 '오직 한 분'이라고 말한 것은 하나의 삼천세계에 의거한 것인가, 일체 삼천대천세계에 의거한 것인가?

55 설일체유부의 해석이다. 시방세계에 오직 한 분의 여래뿐이고, 두 분이 함께 태어나는 일이 없다는 것에 대해, 이치를 세우고 가르침을 인용한 것은 알 수 있을 것이다. 바라문을 여기에서는 '범지梵志'라고 이름했다. '교답마Gotama'는 끄샤뜨리야 중 하나의 성姓이고, '씨氏'는 씨족氏族을 말하는 것이다.

56 외인이 경(=중 19:78 범천청불경梵天請佛經)을 인용해 힐난하는 것이다.

가행加行을 일으키시지 않으면 이 삼천대천세계만을 관찰하실 수 있지만, 만약 세존께서 가행을 일으키셨을 때라면 가이없는 세계가 모두 불안佛眼의 경계인 것이다. 천이통 등도 이에 비례해서 알아야 할 것이다.[59]

어떤 다른 부파의 논사는 말하였다. "다른 세계에도 별도로 붓다께서 세간에 출현하시는 일이 있다. 왜냐하면 많은 보살들이 현재 함께 보리의 자량을 닦고 익히고 있기 때문이다. 하나의 세계에 일시에 여러 붓다는 없을 수 있겠지만, 다수 세계의 여러 붓다를 무슨 이치로 막을 수 있겠는가? 따라서 가이없는 세계 중에는 가이없는 붓다의 출현이 있다. 만약 오직 한 분의 붓다뿐이라면, 설령 1겁 동안 머무시더라도 한 세계의 불사佛事조차 오히려 두루 하실 수 없을 것인데, 하물며 인간과 같은 수명으로 가이없는 세계를 유익하게 하실 수 있겠는가? 그런데 여러 유정들은 가이없는 세계에 사는데다가 시기·처소·근성의 차별도 끝이 없다. 붓다께서는 이런 유정의 부류를 두루 관찰하셔야 하고, 이와 같은 시기·처소에서도 세존을 보게 해야 한다. 붓다께서는 곧 근기에 맞추어 신통을 나타내시고 설법하시어, 그 허물이 아직 생기지 않은 자는 생기지 않게 하고, 이미 생긴 모든 유정들은 능히 끊어 소멸시키게 하며, 그 공덕이 아직 생기지 않은 자는 생길 수 있게 하고, 이미 생긴 모든 유정들은 능히 원만하게 하실 것인데, 어떻게 한 분의 붓다께서 이런 일을 단박에 성취하시겠는가? 그러므로 동시에 결정코 여러 붓다께서 계시는 것이다.[60] 그런데도 그들이 인용한 바, '두 분의 여래께서 세간에 출현해 계시는 처소는 없었고, 단계도 없었으니, 전에도 아니었으며, 후에도 아닐 것이다'라는 등에 대해서는 함께 생각해서 가려야 할 것이니, 이 말은 한 세계에 대한 말인가, 여러 세계에 대한 말인가? 만약 여러 세계에 대해

57 답이다.

58 외인이 따지는 것이다.

59 경문을 회통해 해석하는 것이다. 범왕경은 가행을 짓지 않음에 의거해서, 불안이 하나의 삼천세계에 대해서만 관찰해 보는 것이 자재하다는 것이지, 만약 가행을 일으킴에 의거한다면 불안은 능히 가이없는 세계에 대해 관찰해 보는 것이 자재하다. 천이통 등도 이에 비례해서 알아야 할 것이다.

60 시방에 붓다께서 계신다고 말하는, 어떤 다른 부파의 가문인데, 알 수 있을 것이다.

말한 것이라면 곧 전륜왕도 다른 세계 중에는 역시 있는 것이 아니어야 할 것이니, 붓다와 같다고 말함으로써 함께 태어나는 것을 부정했기 때문이다. 만약 전륜왕이 다른 세계에 별도로 있다는 것을 인정한다면, 어떻게 다른 세계에서의 붓다를 인정하지 않겠는가? 붓다께서 세간에 출현하시는 것은 길상吉祥한 복을 갖추었기 때문이라면, 다수의 세계의 다수의 붓다가, 무엇이 허물이기에 부정되겠는가? 말하자면 다수의 세계 중에 여러 붓다들께서 함께 출현하시면, 곧 한량없는 유정들을 요익饒益하여 증상한 삶[增上生] 및 결정적인 뛰어난 도[決定勝道]를 얻게 하실 수 있을 것이다."[61]

만약 그렇다면 무엇 때문에 한 세계 중에는 두 분의 여래께서 동시에 출현하시는 일이 없는가?[62] 소용 없기 때문이니, 말하자면 한 세계 중에서는 한 분의 붓다께서 충분히 모두를 요익할 수 있다. 또 서원의 힘[願力] 때문이니, 말하자면 모든 여래들은 보살이었을 때 먼저 이런 서원을 일으켰다. "원컨대 나는 미래에 구원자 없고 의지처 없으며 눈 멀어 어두운 세계에 있으면서 등정각을 이루어 일체 유정을 이익하고 안락케 함으로써 구원자 되고 의지처 되며 눈이 되고 인도자 되기를!" 또 공경하고 존중하게 하려는 때문이니, 말하자면 한 세계 중에는 한 분의 여래만 계셔야 곧 깊이 공경하고 존중할 것이다. 또 속히 수행하게 하려는 때문이니, 말하자면, "일체지一切智의 세존은 매우 만나기 어려우니, 그 분이 세운 가르침을 속히 수행해야 한다. 반열반하시거나 다른 곳으로 가시거나 해서 곧 우리를 구원자 없고 의지처 없게 해서는 안 될 것이다"라고 이와 같이 알게 하려는 것이다. 그래서 한 세계 중에 두 분 붓다의 출현은 없는 것이다.[63]

61 시방의 붓다를 세우는 가문에서 앞의 사리자경에 대해 회통하는 것이다. 이 경은 하나의 세계에 의거한 것인가, 여러 세계에 의거한 것인가? 만약 여러 세계에 의거해 오직 한 분의 붓다만 계신다고 한다면, 곧 전륜왕도 다른 세계에는 있는 것이 아닐 것이니, 경에서 붓다와 같다고 설함으로써 함께 태어나는 것을 부정했기 때문이다. 그대들의 종지에서 이미 전륜왕은 다른 세계에 별도로 있다고 인정하는데, 어째서 다른 세계의 붓다는 인정하지 않는가? 함께 출현하시면 유익함이 많은데, 어째서 인·천의 증상한 삶을 얻게 하는 것 및 결정적인 무루의 뛰어난 도를 얻게 하는 것을 인정하지 않는가?

62 설일체유부의 힐난이다.

63 시방의 붓다를 세우는 가문의 답이다. 첫째 소용이 없고, 둘째 서원의 힘 때문

⑷ 위엄

이와 같이 말한 네 종류 전륜왕이 위엄으로 모든 지역을 평정하는 것에도 역시 차별이 있다. 말하자면 금륜왕의 경우 모든 작은 나라의 왕들이 각각 스스로 와서 영접하면서 이렇게 청하여 말한다. "저희들의 국토는 넓고 풍요로우며 안온하고 부유 안락하여 여러 사람들이 많습니다. 원컨대 천존天尊께서 직접 교칙만 내려 주십시오. 저희들은 모두 천존의 신하[翼從]입니다." 만약 은륜왕이라면 스스로 그들의 국토로 감으로써 위엄이 가까이에 이르면, 그들이 비로소 신하로서 항복한다. 만약 동륜왕이라면 그들의 국토에 이른 뒤 위엄을 펴고 덕을 과시해야 그들은 비로소 뛰어난 왕으로 추대한다. 만약 철륜왕이라면 역시 그들의 국토에 이르러 위세를 나타내고 진을 펼치면 승리하여 곧 멈춘다. 모든 전륜왕은 모두 상처주거나 해치는 일이 없으며, 항복케 하여 승리를 얻더라도 각각 그들의 거처에 안주하게 하고, 10선업도善業道를 닦도록 권유하고 교화한다. 그래서 전륜왕은 죽으면 결정코 하늘에 태어나는 것이다.

경에서, "전륜왕이 세간에 출현하면 곧 7보가 있어 세간에 출현한다"라고 설했는데, 그 7보란 무엇인가? 첫째 바퀴 보배[輪寶], 둘째 코끼리 보배[象寶], 셋째 말 보배[馬寶], 넷째 구슬 보배[珠寶], 다섯째 여인 보배[女寶], 여섯째 주장신主藏臣 보배, 일곱째 주병신主兵臣 보배이다.[64]

코끼리 등의 다섯 가지 보배는 유정의 수에 포함되는데, 어떻게 남의 업이 다른 유정을 낳는가?[65] 다른 유정이 남의 업에 따라 일어나는 것이 아니다. 그렇지만 먼저 상호 서로 소속되는 업[互相屬業]을 지었으므로, 그 중의

이며, 셋째 공경하고 존중하게 하려는 것이고, 넷째 속히 수행하게 하려는 것이다.

64 이상은 제5·제6구를 해석하는 것이다. # 이에 의하면 게송 제6구에서 '다툰다[諍]'는 말은, 위엄을 펴고 덕을 과시하는 것[宣威競德]을 가리킨다. 7보의 출현을 설한 '경'은 잡 [27]27:721 전륜왕경, 증일 33:39:7경, 중 11:58 칠보경 등이다.

65 힐난이다. 7보 중 윤보와 주보를 제외한 나머지 상보 등 5보는 유정의 수에 포함되는데, 어떻게 다른 전륜왕의 업이 다른 유정을 낳는가? 이는 직접적 원인[親因]에 의거해 힐난하는 것이다.

하나가 자신의 업에 의한 태어남을 받으면, 다른 것도 역시 동시에 자신의 업을 타고 일어나는 것이다.[66]

(5) 모습[相]

이와 같이 말한 모든 전륜왕은, 7보가 있다는 점만 다른 왕과 다른 것이 아니라, 서른두 가지 대사상大士相이 있다는 점도 역시 다르다.[67] 만약 그렇다면 전륜왕과 붓다는 어떻게 다른가?[68] 붓다의 대사상은 처한 것이 바르고 명료하며 원만하지만, 전륜왕의 상은 그렇지 않기 때문에 차별이 있다.[69]

3. 작은 왕의 출현

겁초의 사람들에게 왕이 있었는가, 없었는가? 게송으로 말하겠다.

96 겁초에는 색계 천신과 같았지만[劫初如色天]
후에 점차 맛의 탐욕 증가하고[後漸增貪味]
게을러 저장해서 도적 일어나니[由惰貯賊起]
막기 위해 밭 지킬 자를 고용했다[爲防雇守田][70]

논하여 말하겠다. 겁초 시기의 사람들은 모두 색계의 천신과 같았다. 그

66 답이다. 다른 코끼리 등의 유정이 다른 전륜왕의 직접적 원인인 업에 의해 일어나는 것이 아니니, 각자 자기의 직접적 원인에 의해 태어나기 때문이다. 그렇지만 먼저 상호 서로 계속繫屬되는 간접적인 증상한 업[疏增上業]을 지었으므로, 그 중의 하나가 자신의 업을 타고 태어나면, 다른 것도 역시 동시에 자신의 업을 타고 일어나는 것이다.

67 뒤의 2구를 해석하는 것이다. 네 종류는 하나가 아니기 때문에 '모든'이라고 이름하였다. 전륜왕은 모두 32상을 갖추는데, 금륜왕은 뛰어남을 갖추고, 나머지 3왕은 비록 있기는 해도 금륜왕과 같은 것이 아니다.

68 물음이다.

69 답이다. 『순정리론』(=제32권. 대29-525하)에서 해석해 말하였다. "처한 것이 바르다고 말한 것은, 말하자면 붓다의 몸에서 온갖 상호는 치우침 없이 그 자리를 얻었기 때문이다. 명료하다고 말한 것은, 말하자면 붓다의 몸에서 상호가 지극히 분명하여 능히 마음을 빼앗기 때문이다. 원만하다고 말한 것은, 말하자면 붓다의 몸에서 온갖 상호는 두루 원만하고, 결함이 없기 때문이다."

70 이하 셋째 작은 왕[小王]의 출현에 대해 밝히는 것이다. 이는 물음과 게송에 의한 답이다.

래서 계경에서 설하였다. "겁초 시기의 사람들은 마음으로 이룬 신체[色意成]를 가졌는데, 지체가 원만하고 모든 근에 결함이 없어 형색이 단엄했으며, 몸이 광명을 띠었고, 허공으로 오르는 것에 자재했으며, 기쁨과 즐거움을 마시고 먹으며 긴 수명 동안 오래도록 머물렀다."[71]

이와 같은 부류들이 있을 때 지미地味가 점차 생겼는데, 그 맛은 감미롭고 그 냄새는 매우 향기로웠다. 그 때 맛을 탐내는 품성의 어떤 한 사람이 냄새를 맡고 애착을 일으켜 떠서 맛보고는 곧 먹으니, 다른 사람들도 따라서 배우고, 다투어 그것을 취해 먹었다. 그 때 비로소 처음 단식段食을 수용했다고 이름하는데, 단식을 섭취했기 때문에 몸은 점차 단단하고 무거워졌으며, 광명은 숨어 사라지고 캄캄한 어둠이 곧 생기니, 해와 달, 온갖 별들이 이로부터 출현하였다.

점차 맛에 탐닉함으로 말미암아 지미는 곧 숨어 버렸고, 이로부터 다시 지피병地皮餠이 생겨서 있자 그것을 다투어 탐내어 먹으니, 지피병도 다시 숨어 버렸다. 그 때 다시 임등林藤이 출현해 있으니, 다투어 탐내어 먹었고, 그 때문에 임등도 다시 숨어 버렸으며, 땅을 갈아 파종하는 것 아닌 향기로운 벼[香稻]가 저절로 생겨서 있었다. 여럿이 함께 그것을 취해 먹거리로 충당했는데, 이 음식은 거칠었기 때문에 더러운 찌꺼기가 몸에 남아 있었고, 이를 제거하고자 했기 때문에 곧 두 길[二道]이 생겼으며, 이로 인해 마침내 남근·여근이 생겨서 있었고, 2근의 차이로 말미암아 형상도 역시 달라졌으며, 숙세에 익힌 힘 때문에 곧 서로 바라보자 이로 인해 이윽고 비리작의非理作意가 생겼고, 욕탐이라는 귀신 도깨비[鬼魅]가 몸과 마음을 홀려 어지럽히니, 마음을 잃고 미쳐 날뛰며 범행 아닌 일[非梵行]을 행하였다. 인간 중 욕망이라는 귀신[欲鬼]이 처음으로 발동한 것은 이 때였다. 그러나 그 때의 모든 사람들은 먹는 때에 따라 바로 향기로운 벼를 취했지, 저장하는 일은 없었다.[72]

71 제1구를 해석하는 것이다. 겁초에 화생하는 것을 '마음으로 이룬'이라고 이름하였고, 처음에는 아직 단식을 먹지 않고, 기쁨과 즐거움을 음식으로 삼았다.
본문 중 '계경'은 중 39:154 바라바당경婆羅婆堂經 및 장 22:30 세기경의 제12 세본연품世本緣品 등이다.

그 후 품성이 게으른 어떤 사람이 향기로운 벼를 많이 취해서 저장해 두고 뒤에 먹으려고 하자, 다른 사람들도 따라서 배우고 점점 더 많이 저장하니, 이로 말미암아 벼에 대해 내 것이라는 마음[我所心]이 생겨서 각각 마음대로 탐내는 생각만큼 많이 수확하고도 싫증이 없었다. 그래서 수확한 곳마다 다시는 재생하는 일이 없자, 이윽고 함께 밭을 나누고 먼 훗날 다할 것을 염려해 방비하니, 자기에게 분배된 밭에 대해서는 아끼고 지키려는 마음이 생기고, 남에게 분배된 밭에 대해서는 침입해 빼앗으려는 마음을 가졌다. 도둑질의 허물이 일어나기 시작한 것은 이 때였다.[73]

그래서 막고 방비하고자 함께 모여 상의해서 무리 중 덕 있는 한 사람을 저울질해서, 각각 수확의 6분의 1씩으로써 고용하여 방호하게 하면서 봉하여 전주田主로 삼았다. 이로 인해 끄샤뜨리야[刹帝利]라는 명칭을 세웠는데, 대중들이 흠모하여 받들자 은덕이 온 천하로 퍼졌으니, 그래서 다시 대삼말다왕大三末多王이라고 이름하였다. 이후 모든 왕들은 이 왕이 시초가 되었다. 당시 혹 어떤 사람은 그 성정이 집에 있기를 싫어하고, 비고 한적한 곳에 있으면서 맑게 계행 닦기를 좋아했으니, 이로 인해 바라문婆羅門이라는 이름을 얻었다.

그 후 어떤 왕이 재물을 탐내고 아껴서 국토의 백성들에게 능히 균등하게 배급되도록 하지 않았기 때문에 빈궁한 사람들이 도적질을 많이 행하였고, 왕은 금지시키기 위해 가볍거나 무거운 형벌을 시행했으니, 살해하는 일이 시작된 것은 이 때였다. 그 때 죄 있는 사람은 형벌을 두려워하는 마음에 그 허물을 덮어 감추고, 생각과 다른 말을 일으켰으니, 거짓말[虛誑語]이 생긴 것은 이 때가 시초였다.[74]

---

72 제2구를 해석하는 것이다. '지미'는 말하자면 땅 속에서 나오는 것인데, 마치 녹은 엿[融餳]과 같다. '지피병이 생겼다'는 것은 지미가 점점 말라서 떡처럼[餅] 된 것을 '지피병'이라고 이름한다. '임등'은 이 등나무로 숲을 이루었기 때문에 '임등'이라고 이름한 것이다. 임등을 먹었을 때까지는 몸에 변의 더러움이 없었지만, 향기로운 벼를 먹은 이후부터 비로소 변의 더러움이 있었다. 나머지 글은 알 수 있을 것이다.

73 제3구를 해석하는 것이다.

74 제4구를 해석하는 것이다. '삼말다śaṃmata'는 여기 말로 공히 인정한다[共許]

제4절 겁 중의 재앙

1. 소삼재小三災

감소하는 단계의 겁에 작은 세 가지 재앙[소삼재小三災]이 있다.[75] 그 모습은 어떠한가? 게송으로 말하겠다.

97 업도가 증가하면서 수명이 감소해[業道增壽減]
10세에 이르면 3재가 나타나니[至十三災現]
도병·질병·기근인데, 순서대로[刀疾飢如次]
일곱 날·달·해만에 그친다[七日月年止][76]

논하여 말하겠다. 여러 유정들이 거짓말을 일으키면서부터 여러 악업도가 뒤로 갈수록 더욱 증가하는데, 그 때문에 이 섬부주 사람들의 수명이 점차 감소하여 나아가 최소한인 10세에 이르면 소삼재가 나타난다. 따라서 모든 재앙과 병[諸災患]은 두 가지 법이 근본이 되니, 첫째는 맛있는 음식을 탐내는 것[耽美食], 둘째는 성품이 게으른 것[性嬾惰]이다. 이 소삼재는 중겁의 말에 일어나는데, 삼재란, 첫째는 도병刀兵, 둘째는 질병[疾疫], 셋째는 기근饑饉이다.

말하자면 중겁의 말, 수명이 10세일 때의 사람들은 비법非法의 탐욕으로 상속相續을 오염시키고, 바르지 못한 애착이 그 마음을 덮어 가리며, 삿된 법에 얽매여서 성냄의 독이 증상하니, 서로 보기만 해도 곧 사납고 예리한 해침의 마음을 일으키는 것이, 마치 지금의 사냥꾼들이 들판의 짐승을 보듯하므로, 손에 잡히는 것마다 모두 예리한 칼이 되어, 각각 흉악 광포함[兇

는 것이니, 여러 사람들이 좋은 사람[好人]이라고 공히 인정했다는 것이다. 악업도 중 무거운 것에 따라 말하고, 그 나머지 가벼운 것은 생략하고 논하지 않았다. 나머지 글은 알 수 있을 것이다.

75 이하 셋째로 겁 중의 재앙에 대해 밝히는 것이다. 그 안에 나아가면 첫째 소삼재에 대해 밝히고, 둘째 대삼재에 대해 밝히는데, 이는 게송 전에 근본을 표방하는 것이다.

76 묻고 게송으로 답한 것이다.

狂]을 즐기며 상호 서로 잔혹하게 해친다.

또 중겁의 말, 수명이 10세일 때의 사람들은 앞에서와 같은 여러 허물을 갖추었기 때문에 비인非人이 독을 토하여 질병[疾疫]이 유행하는데, 걸리면 갑자기 목숨이 끝날 정도로 치료하기 어렵다.

또 중겁의 말, 수명이 10세일 때의 사람들은 앞에서와 같은 여러 허물을 역시 갖추었기 때문에 천룡天龍이 분노하며 꾸짖어 감로의 비를 내리지 않으니, 이로 말미암아 세간에서 오래도록 기근을 만나는데, 이미 버틸 수 있는 구제가 없으므로 대부분 목숨이 끝난다. 이 때문에, "기근 때문에 곧 취집聚集, 백골白骨, 운주運籌가 있다"라고 설한 것이다.

두 가지 이유에 의해 취집이 있다고 이름한다. 첫째는 사람의 취집이니, 말하자면 그 때 사람들은 지극히 굶주리고 여위어서 무리로 모여 죽기 때문이다. 둘째는 종자의 취집이니, 말하자면 그 때의 사람들은 뒷 사람의 이익을 위해 그 먹을 것을 취하여 작은 상자 속에 넣어두고 종자로 삼으려고 한다. 그래서 기근시에 취집이 있다고 이름한 것이다. 백골이 있다는 말도 역시 두 가지 이유에 의해서이다. 첫째 그 때의 사람들은 몸이 마르고 말라 목숨이 끝나면 오래지 않아 백골이 곧 나타난다는 것이다. 둘째 그 때의 사람들은 기근에 핍박되어 백골을 모아서 그 즙을 졸여 마신다는 것이다. 운주가 있다는 말도 역시 두 가지 이유 때문이다. 첫째는 양식이 적어서 산가지[籌]를 돌려서 먹는다는 것이니, 말하자면 한 집안에 어른부터 어린애까지 산가지에 따른 날이 이르러야 약간의 거친 음식을 얻는 것이다. 둘째는 산가지로써 옛날의 저장창고[場蘊]를 뒤적여서 약간의 곡식알을 얻고, 많은 물로써 삶아 그것을 나누어 함께 마심으로써 남은 목숨을 건지는 것이다.

그런데 지극한 가르침[至教]에 그것을 대치하는 방법을 설한 것이 있다. 말하자면 만약 누군가가 하루 낮과 하루 밤 동안 불살생의 계를 지킬 수 있다면, 미래의 생에서 결정코 도병의 재앙의 일어남을 만나지 않으며, 만약 간절하고 청정한 마음을 일으켜 하나의 하리달계訶梨怛雞를 승중僧衆에게 받들어 보시할 수 있다면, 미래세에 결정코 질병의 재앙의 일어남을 만나지 않으며, 만약 누군가가 간절하고 청정한 마음을 일으켜 한 덩어리의 밥을 승중에게 받들어 보시할 수 있다면, 미래세에 결정코 기근의 재앙의 일어남을 만나지 않는다는 것이다.[77]

이 3재가 일어나면 각각 얼마의 시간을 거치는가? 도병의 재앙이 일어나면 최장 7일이고, 질병의 재앙이 일어나면 7월 7일이며, 기근의 재앙이 일어나면 7년 7월 7일이니, 이를 지나면 곧 그치고, 인간의 수명은 점차 증가한다. 동·서의 2주에도 유사한 재앙의 일어남이 있으니, 말하자면 성냄이 증성하면, 몸이 여위고 힘이 약해지며 자주 배고픔과 목마름을 더하는 것인데, 북구로주에는 모두 없다.[78]

2. 대삼재大三災

앞에서 화재는 세계를 불태우며, 나머지 재앙도 상응하는대로 역시 그러하다고 알아야 한다고 말했는데, 무엇을 나머지라고 하는가? 이제 갖추어 분별하겠다.[79] 게송으로 말하겠다.

98 3재는 화재·수재·풍재로서[三災火水風]
위의 3정려를 꼭대기로 삼으니[上三定爲頂]
순서대로 내적 재앙과 같지만[如次內災等]
제4정려에 없음은 부동이기 때문이다[四無不動故]

99 그렇지만 그 기세계도 항상한 것 아니니[然彼器非常]

77 위의 3구를 해석하는 것이다. 이 글로써 소삼재는 각각 따로 중겁의 말에 일어난다는 것을 증명한다. 또 『입세아비담론』 제9권(=대32-219상)에서도, 소삼재는 따로 겁 중에 일어난다고 말했으니, 거기에서 자세히 말한 것과 같다. '상속'은 몸을 말하는 것이고, '삿된 법'은 모든 악법을 말하는 것인데, 이 때에는 다른 허물도 역시 일으키지만, 강함에 따라 허물이 무거우므로 탐욕과 성냄을 치우쳐 말한 것이라고 알아야 할 것이다. '장場'은 곡식이나 보리를 쌓아 모으는 곳이니, 그래서 '장온場蘊'이라고 이름하였다. '하리달계'는 열매 이름인데, 예전에 '하리륵訶梨勒'이라고 말한 것은 잘못이다. 나머지 글은 알 수 있을 것이다.
78 이는 제4구를 해석하는 것이다. 도병의 재앙으로 죽는 것은 빠르기 때문에 시일이 가장 짧고, 질병의 재앙으로 죽는 것은 더디므로 그 시일이 조금 길며, 기근의 재앙으로 죽는 것은 가장 더디기 때문에 시일이 가장 길다.
79 이하 둘째 대삼재에 대해 밝히는데, 앞을 옮겨와서 물음을 일으킨 것이다.

유정과 함께 생멸하기 때문이며[情俱生滅故]
반드시 7화재가 있어야 1수재가 있고[要七火一水]
7수재와 화재 후에야 풍재가 있다[七水火後風][80]

⑴ 대3재 총설

논하여 말하겠다. 이 대삼재는 유정의 부류을 핍박해서, 하지下地를 버리고 위의 하늘에 모이게 하는데, 처음 화재가 일어나는 것은 일곱 개의 해가 나타나기 때문[由七日現]이고, 다음 수재가 일어나는 것은 장마비 때문[由雨霖淫]이며, 뒤의 풍재가 생기는 것은 바람이 서로 부딪치기 때문[由風相擊]이다. 이 3재의 힘은 기세간을 파괴하고, 나아가 극미까지도 역시 남아 있는 것이 없게 한다.[81]

80 앞의 3구는 3재에 대해 밝히는 것이고, 다음 3구는 제4정려에는 재앙이 없음을 밝히는 것이며, 뒤의 2구는 재앙이 일어나는 순서를 밝히는 것이다.
81 제1구를 해석하는 것이다. 『대비바사론』 제133권(=대27-690상)에서 화재가 일어날 때에 대해 말하였다. "어떤 분은 일곱 개의 해가 먼저 지쌍산에 숨어 있다가 먼저 하나가 비추고, 뒤에 여섯이 점차 나와 곧 세간을 허문다고 말하였다. 어떤 분은 하나의 해가 일곱 개의 해로 나누어진다고 말하였다. 어떤 분은 하나의 해가 일곱 배의 뜨거움을 만든다고 말하였다. 어떤 분은 일곱 개의 해가 먼저 지하에 숨어 있다가 뒤에 점차 출현한다고 말하였다. 여시설자는 여러 유정 부류들의 업의 증상한 힘이 세계를 이루어지게 하고, 겁 말의 시기에 이르면 업의 힘이 다하기 때문에 그에 따라 그 근처에 재앙의 불이 생겨서 있으며, 나아가 범천궁에 이르기까지 모두 타버리게 된다고 말하였다." 수재가 일어날 때에 대해서, "어떤 분은 제3정천의 가장자리로부터 뜨거운 잿물이 비내려서 능히 세간을 허문다고 말하였다. 어떤 분은 아래 수륜으로부터 솟아나온다고 말하였다. 여시설자는 여러 유정 부류들의 업의 증상한 힘이 세계를 이루어지게 하고, 겁 말의 시기에 이르면 업의 힘이 다하기 때문에 그에 따라 그 근처에 재앙의 물이 생겨서 있으며, 그 인연에 의해 세계가 곧 무너진다고 말하였다." 풍재가 일어날 때에 대해서, "어떤 분은 제4정천의 가장자리로부터 바람이 일어나 능히 세간을 허문다고 말하였다. 어떤 분은 아래의 풍륜으로부터 사나운 바람의 일어남이 있다고 말하였다. 여시설자는 여러 유정 부류들의 업의 증상한 힘이 세계를 이루어지게 하고, 겁 말의 시기에 이르면 업의 힘이 다하기 때문에 그에 따라 그 근처에 재앙의 바람이 생겨서 있으며, 변정천에 이르기까지 모두 흩어져 무너지게 된다고 말하였다." 이 논서의 3재앙은 모두 『대비바사론』의 바른 뜻(=여시설자의 설)도 아니고, 『대비바사론』의 논평하는 분을 근거로 한 것도 아니며, 선호함에 따라 말한 것이다.

【승론의 극미상주론 논파】 한 부류의 외도는 극미의 상주를 주장하니, 그들은, "그 때에도 나머지 극미는 있다"라고 말하였다.[82] 어떤 이유로 그들은 나머지 극미가 여전히 있다고 주장하는가?[83] 뒤에 거친 것[麤事]이 생길 때 종자가 없다고 해서는 안 되기 때문이다.[84] 어찌 앞에서, 여러 유정의 업에 의해 생긴 바람이 능히 종자가 된다고 말하지 않았는가? 혹은 이는 곧 앞의 재앙 꼭대기의 바람[前災頂風]이 연이 되어 견인해 낳는 바람이 종자가 된다.[85] 또 화지부의 계경 중에서는, "바람이 다른 세계[他方]로부터 종자를 날려 여기에 오게 한다"라고 설하였다.[86]

---

82 이하 다른 주장을 논파하는데, 이는 곧 계탁을 서술하는 것이다. 따로 승론외도라는 한 부류가 있어, 극미는 상주한다고 주장한다. 그들은 괴겁시에는 단지 거친 물질[麤色]만 파괴할 뿐, 그 때 상주하는 극미는 여전히 남아 있다고 말한다.

83 논주가 따져 묻는 것이다.

84 승론의 답이다. 뒤에 겁이 이루어질 때 거친 것이라는 결과가 생기는 데 종자가 없어서는 안 되기 때문이다. 그들은 이렇게 주장한다. 괴겁 시에는 거친 물질만 파괴할 뿐, 항상한 극미는 파괴하지 않으며, 이 항상한 극미는 허공 중에 산재하여 각각 따로 머물다가 겁이 장차 이루어지려고 할 때 중생들의 업의 힘이 항상한 극미로 하여금 둘씩 둘씩 화합하여 하나의 거친 결과를 낳게 하니, 분량이 부모와 같다. 생긴 거친 결과는 다시 각각 둘씩 둘씩 화합하여 함께 하나의 거친 결과를 낳으니, 따라서 다시 분량이 부모와 같으며, 이와 같이 계속해서 둘씩 둘씩 화합하여 대지 등을 이룬다. 두 개의 극미로부터 생긴 결과 이후를 '거친 것'이라고 이름하고, 흩어져 있던 항상한 극미를 종자라고 이름하니, 그 거친 결과에 대해 종자가 되기 때문이다. 괴겁 시에는 그 거친 것만 파괴할 뿐, 극미는 파괴하는 것이 아니라고 알아야 한다는 것이다.

85 바른 뜻을 서술하는 것이다. 어찌 앞에서, 세계가 이루어지려고 할 때 여러 유정의 업에 의해 허공 중에 생긴 바람이 능히 세계의 종자가 되기 때문이라고 말하지 않았는가? 그래서 『순정리론』(=제32권. 대29-456하)에서 말하였다. "바람 중에 갖추어져 있는 갖가지 미세한 물건이 동류인이 되어 거친 물건을 견인해 일으키는 것이다." 혹은 이 아래 세계가 장차 이루어지려고 할 때 곧 앞의 재앙 꼭대기의 바람이 연이 되어 하지의 바람을 견인해 낳아 일으키니, 이 바람이 능히 세계의 종자가 될 수 있다. 예컨대 20공겁 후 장차 겁을 이룰 때에는 앞의 괴겁시의 제2정려 등의, 화재 등의 꼭대기 바람을 써서 연으로 하기 때문에 인기된 하지의 바람이 그 종자가 되어 모든 세계를 낳는다. '괴'를 뒤의 '성'에서 바라보면 그 앞이기 때문에 앞의 재앙의 꼭대기라고 이름한 것이다.

86 다른 부파의 계탁을 서술하는 것이다. 모든 세계가 파괴되는 것은 동시가 아니므로, 이 세계가 처음 이루어질 때에는 바람이 다른 곳으로부터 모든 종자

비록 그러하다고 해도 싹 등이 생길 때, 이런 종자 등의 원인이 직접 견인해 일으킨 것[親所引起]이라고는 인정하지 않는다.[87] 만약 그렇다면 싹 등은 무엇으로부터 생기는가?[88] 자신의 부분[自分]으로부터 생긴다. 이와 같은 자신의 부분은 다시 자신의 부분으로부터 생기며, 계속 나아가 가장 미세하게 부분 있는 것[有分]에 이르면 극미로부터 생긴다.[89]

싹 등이 생기는 것에 대해 종자 등은 어떤 힘을 갖는가?[90] 싹 등의 극미를 능히 견인해 모으는 것[引集]을 제외하면, 종자 등에는 더 이상 싹 등을 낳는 힘이 없다.[91] 무슨 이유로 결정코 이런 주장을 하는가?[92] 다른 부류[異類]로부터 생긴다는 것은 결정코 이치에 맞지 않기 때문이다.[93] 어떤 이치에 맞지 않는가?[94] 응당 일정함[定]이 없을 것이기 때문이다.[95] 공능이

를 날려 이 세간으로 오게 해서 모든 세계를 이루고, 싹 등의 결과를 낳는다고 한다.

87 승론 논사의 계탁을 서술하는 것이다. 불법은 그러하다고 해도 우리 종지에서는, 싹 등의 결과가 생길 때, 이런 종자 등의 원인이 직접 인기한 것이라고는 인정하지 않는다.

88 논주가 따져 묻는 것이다. 그대들이 종자가 직접 싹 등을 낳는다는 것을 인정하지 않는다면, 싹 등은 무엇으로부터 생기는지 아직 알지 못하겠다.

89 승론의 답이다. 거친 싹 등의 결과는 각각 자신의 부분인 미세한 싹 등으로부터 생긴다. 이와 같은 싹 등의 자신의 부분은 다시 싹 등의 자신의 부분의 원인으로부터 생기며, 거친 것으로부터 미세한 것을 향해 계속 나아가 가장 미세하게 부분 있는 것에 이르면 두 부모인 싹 등의 극미로부터 생긴다. 부모를 취해 이룬 것은 그 부분이 있기 때문에 '부분 있는 것'이라고 이름하고, 부모인 2극미는 단지 부분[分]이라고 이름할 뿐이다. 두 개의 부분은 다르기 때문에 부분 있는 것이라고 이름하지 않는다. 그들의 종지에서는 종자·싹·줄기 등의 항상한 극미는 각각 달라서 오직 자신의 부류끼리만 서로 낳지, 다른 부류를 낳는 것은 아니라고 한다.

90 논주가 다시 따지는 것이다.

91 승론의 답이다. 이 종자 등은 싹 등의 항상한 극미를 능히 견인해 모으는 것을 제외하면, 종자 등에는 더 이상 직접 싹 등을 낳는 별도의 뛰어난 힘이 없다. 이 싹 등은 각각 자신의 부분인 싹 등으로부터 생기기 때문이다.

92 논주가 다시 따지는 것이다.

93 승론의 답이다. 싹의 지대 등이 그 다른 부류인 종자의 지대 등으로부터 생긴다는 것은 결정코 이치에 맞지 않는다. 그들은, 싹의 종자는 비록 다시 같이 지대를 체로 하지만, 부류가 각각 다르다고 계탁한다.

94 논주가 다시 따지는 것이다.

95 승론에서 반대로 논주에 대해 힐난하는 것이다. 만약 다른 부류로부터 다른

일정하기 때문에 일정하지 않다[不定]는 허물은 없으니, 마치 소리[聲]나 숙변熟變 등이 다른 부류로부터 일정하게 생기는 것과 같다.[96]

속성의 법으로는 다름이 있지만, 실체의 법으로는 그렇지 않다. 실체의 법을 현견하면 오직 같은 부류로부터만 생기니, 마치 덩굴[藤]이 가지[枝]를 낳고, 또 실[縷]이 옷감[衣]을 낳는 등과 같다.[97] 이는 이치에 맞는 것이

부류가 생길 수 있다면 응당 일정함이 없을 것이기 때문이니, 곡식 등의 종자로부터 보리 등의 싹이 생겨야 할 것이다.

96 논주가 힐난에 대해 해석하는 것이다. 마치 보리의 종자 등은 일정하게 그 보리의 싹 등의 결과를 능히 낳고, 다른 곡식의 싹 등의 결과는 능히 낳지 않는 것과 같다. 그래서 공능이 일정하기 때문에 일정하지 않다는 허물은 없다고 말하였다. 마치 소리는 일정하게 손이나 북 등의 다른 부류로부터 생기는 것과 같고, 마치 불탄 물건이 익어서 변한 것[숙변熟變]은 섶과 불 등의 다른 부류로부터 일정하게 생기는 것과 같다. 혹은 섶을 태울 때 흰 것으로부터 누런 것이 생기고, 누런 것으로부터 검은 것이 생기는 등을 다른 부류로부터 일정하게 생긴다고 이름한 것이다. 또 해석하자면 승론에서는 소리 등을 인용해 비유로 삼는데, 그들의 종지에서는 속성의 범주[德句] 중 소리는 실체의 범주[實句] 중 허공[空] 가문의 속성으로서, 허공이라는 다른 부류로부터 생기며, 또 속성의 범주 중 결합[合]·분리[離]라는 다른 부류로부터 생긴다고 계탁한다. 예컨대 손과 북은 결합이 소리를 낳는 것이고, 예컨대 대나무를 쪼개는 것은 분리가 소리를 낳는 것이다. 숙변熟變은 색인데, 색은 속성의 범주에 포함된다. 이 색은 실체의 범주 중 불[火] 가문의 속성인데, 불이라는 다른 부류로부터 생기고, 또한 섶으로부터 생긴다. '등'은 나머지 속성의 범주 중의 다른 부류로부터 생기는 법을 같이 취한 것이다. 곧 그들의 설은 자신의 가르침과 상반된다는 것을 나타내는 것이다.

97 승론의 변론하는 뜻이다. 속성의 범주의 법으로는 차별이 있으니, 소리나 숙변 등과 같은 것은 그 다른 부류로부터 생긴다고 할 수 있지만, 실체의 범주의 법으로는 곧 그렇지 않다. 종자와 싹의 지대는 모두 실체의 범주에 포함되는 것으로서, 각각 자신의 부분으로부터 생긴다. 또 사례를 인용해 증명한다. 세간을 현견하면 실체의 범주의 법 중 오직 같은 부류로부터만 생기니, 예컨대 여러 덩굴[衆藤]이 하나의 전체적인 가지[總支]를 낳는 것과 같다. 그들의 종지에서는 덩굴을 떠나 별도로 가지의 체가 있다고 하는데, 체는 모두 지대로서, 함께 실체의 범주에 포함된다. 그래서 이 덩굴이 같은 부류의 가지를 낳는다고 말한 것이다. 또한 여러 실이 하나의 전체적 옷감을 낳는 것과 같다. 그들의 종지에서는 실을 떠나 별도로 옷감의 체가 있다고 하는데, 모두 지대로서 함께 실체의 범주에 포함된다. 그래서 이 실이 같은 부류의 옷감을 낳는다고 말한 것이다. 이 두 가지는 모두 동시에 생기는 것이다. 또 덩굴과 가지, 실과 옷감은 형상이 서로 비슷해서 덩굴을 볼 때 가지도 역시 곧 보며, 실을 볼 때 옷감도 역시 곧 본다. 그래서 서로 비슷하다고 말한다.

아니다.[98] 이치 아닌 것이 무엇인가?[99] 공히 인정하지 않는 것[不極成]을 인용해 입증근거[能立]로 삼았기 때문이다.[100] 지금 여기에서 인용한 것이 어째서 공히 인정하지 않는 것인가?[101] 덩굴과 가지, 실과 옷감은 다르다고 인정하는 것이 아니기 때문이다. 곧 덩굴이나 실이 결합하고 적절히 배열됨으로써 같지 않을 때 가지나 옷감이라는 명칭을 얻으니, 마치 개미의 행렬[蟻行] 등과 같다.[102]

어떻게 그렇다고 알겠는가?[103] 한 가닥 실의 결합 중에서는 옷감을 인식한 적이 없고, 실만 인식하기 때문이다. 무엇이 있어 장애하기에 옷감을 인식하지 못하게 하는가? 만약 한 가닥의 실 중에서 전체 옷감에 대한 인식의 일어남이 없다면, 곧 한 가닥의 실 위에 옷감의 부분은 있어도, 옷감은 없어야 하며, 전체 옷감은 여러 부분이 모인 것일 뿐임을 인정해야 할 것이다. 다시 옷감이라고 이름하는, '부분 있는 것'이 별도로 있는 것도 아니다. 또 옷감의 부분이 실과 다른 것이라고 어떻게 알겠는가? 만약 옷감은 반드시 다수의 소의所依와의 결합을 기다려야 한다고 말한다면, 다수의 날실[經]의 결합만에서도 역시 옷감을 인식해야 할 것이다.[104] 혹은 필경 옷감을 인식

98 논주가 변론을 비판하는 것이다.
99 승론에서 도리에 논주에게 따지는 것이다.
100 논주가 이치 아님을 나타내는 것이다. 무릇 인용되는 사례는 피차 공히 인정하는 것이어야 할 것인데, 그대들은 공히 인정하지 않는 것을 인용해 입증근거인 사례로 삼았기 때문이다.
101 승론에서 다시 이유를 따지는 것이다.
102 논주의 답이다. 우리가 종지로 하는 바로는, 덩굴을 떠나서 별도로 가지의 체가 있다는 것은 인정하는 것이 아니고, 실을 떠나서 별도로 옷감의 체가 있다는 것은 인정하는 것이 아니며, 곧 여러 덩굴이 결합하고, 여러 실이 결합하면서, 돌거나 구부려 배치된 차별이 같지 않을 때 가지라는 명칭이나 옷감이라는 명칭을 얻는다. 마치 개미의 행렬 등과 같으니, 개미를 떠난 밖에 별도의 행렬의 체는 없다. 승론에서도 역시 별도의 행렬의 체가 없다는 것을 인정하기 때문에 공히 인정하는 것을 인용해 사례로 한 것이다.
103 승론에서 다시 논주에게 따지는 것이다.
104 논주가 이치로써 따져서 논파하는 것이다. 여기에서는 우선 실을 떠나 옷감이 있다는 것을 논파하고, 덩굴을 떠나 가지가 있다는 것은 옷감에 준해 논파되어야 하기 때문에 따로 나타내지 않았다. 승론종은 하나의 전체적인 옷감과 여러 실의 결합이 있다고 계탁하므로, 논주가 논파해 말한다. 한 가닥 실과

할 이치가 없어야 할 것이니, 중간 및 다른 가장자리는 근根을 대하지 않기 때문이다. 만약 점차로 모두 근을 대할 수 있다고 말한다면, 곧 응당 안근과 신근은 여러 부분만 인식할 뿐이므로, 그것이 부분 있는 옷감을 인식한다고 말해서는 안 될 것이다. 따라서 곧 여러 부분을 점차 요별하여 전체적으로 부분 있는 것이라는 지각을 일으키는 것이니, 마치 선화륜旋火輪과 같다.[105]

그 전체적인 옷감의 결합(=한 가닥의 실만으로 된 옷감) 중에서는 일찍이 옷감을 인식한 적이 없고, 오직 실만을 인식했기 때문이니, 만약 실 위에 전체적인 옷감이 별도로 있다고 말한다면, 실을 볼 때 무엇이 있어 장애하기에 옷감을 인식하지 못하게 하는가? 만약 장애가 있다고 말한다면, 실을 볼 때 어째서 장애는 보지 못하는가? 이미 장애는 보지 못하고 그 실만을 보기 때문에 실을 떠나 별도로 있다는 옷감은 없음을 알 수 있다. 만약 별도의 옷감이 있다면 어째서 보지 못하겠는가? 승론에서는 옷감은 많은 실의 결합이라고 계탁하지만, 여기에서는 우선 한 가닥 실로써 힐난하니, 나머지 실은 준해서 알아야 할 것이다. 혹은 한 가닥 실이라는 말은 많은 실 중의 하나하나의 실을 나타내는 것이다. 만약 그대들이 변론해서 말하기를, 한 가닥 실 중에는 전체 옷감에 대한 인식이 일어날 수 없다고 한다면, 곧 한 가닥 실 위에는 단지 옷감 가문의 일부만 있을 뿐, 전체 옷감은 없어야 할 것이다. 이미 그러하니 이 전체 옷감의 체는 여러 실 위의 여러 옷감의 부분이 모여 옷감을 이룬 것이라고 인정해야 할 것이다. 그렇다면 이는 가유이지, 실법이 아니니, 다시 부분 있는 전체 옷감이 별도로 있는 것을 말하여 실체의 옷감이라고 이름한 것이 아닐 것이다. '부분 있는 것[有分]'이라는 말은, 말하자면 이 전체 옷감에 여러 실의 부분이 있는 것, 혹은 이 전체 옷감에 여러 옷감의 부분이 있는 것을 '부분 있는 것'이라고 이름한 것일텐데, 만약 전체 옷감은 여러 실 위의 옷감의 부분을 취해서 이룬 것이라고 인정한다면, 다시 바꾸어서 따져 말할 것이다. 또 실 위의 옷감 부분이 실과 달리 있다는 것을 어떻게 알겠는가? 만약 실 위에 별도로 옷감의 부분이 있다고 말한다면, 실을 볼 때 어째서 그 옷감의 부분은 보지 못하는가? 이미 옷감의 부분을 따로 보지 못하니, 실을 떠나서 별도로 옷감의 부분은 없다는 것을 분명히 알 수 있다. 그대들이 만약 다시 이 전체 옷감의 체는 한 가닥 실의 결합으로는 드러날 수 있는 것이 아니고, 이 옷감은 반드시 많은 실을 소의로 해서 결합하는 것을 기다려야 체가 비로소 드러난다고 말한다면, 힐난해 말할 것이다. 많은 날실[經縷]만 화합하고, 아직 씨실[緯縷]을 붙이지 않았을 때에도 옷감을 역시 인식해야 할 것이다. 또 해석하자면 만약 전체 옷감은 반드시 많은 소의의 실의 화합을 기다려야 옷감의 체가 비로소 드러나지, 한 가닥 실로는 아니라고 말한다면, 많은 날실만 화합하고, 아직 씨실을 붙이지 않았을 때에도 역시 옷감을 인식해야 할 것이다. 이상은 실에 의거해 논파한 것이다.

105 이는 곧 근에 의거해 논파하는 것이다. 혹은 필경 전체 옷감을 인식할 이치가 없어야 할 것이니, 마치 하나의 옷감의 이 한 쪽 가장자리를 안근으로 보고

말하자면 만약 실의 상이한 색깔·종류·업을 떠난다면, 옷감의 색깔 등 세 가지는 인식될 수 없기 때문이다. 만약 비단옷감 위의 색깔 등은 옷감에 속한 것이라고 한다면, 곧 실체가 다른 부류로부터 일어난다는 점을 인정해야 할 것이니, 하나하나의 실은 색깔 등에서 갖가지 차이가 없기 때문이다. 혹은 상이한 색깔 등이 없는 일부분 쪽에서는 옷감을 보지 못해야 할 것이니, 그것은 옷감을 나타내는 것이기 때문이다. 혹은 곧 그 부분에서도 상이한 색깔 등을 보아야 할 것이니, 옷감은 반드시 상이한 색깔 등의 모습을 갖는다고 하기 때문이다. 그들은 부분 있는 것은 체가 오직 하나뿐이라고 하면서도, 갖가지 색깔·종류·업의 차이가 있다고 인정하니, 이와 같은 점이 있음을 살핀다면 매우 기이한 일이라고 하겠다.[106]

신근으로 접촉할 때 중간 및 다른 가장자리는 근을 대하지 않는 것과 같기 때문이다. 중간 및 밖은 모두 근을 대하는 것이 아니니, 이는 곧 한 단 전체 옷감을 인식하는 것이 아니다. 어찌 하나의 옷감에 유대有對와 부대不對가 있겠는가? 그러니 필경 (전체) 옷감을 인식할 이치가 없다고 알아야 할 것이다. 혹 근을 대하는 부분을 옷감이라고 이름할 수 있다고 한다면, 근을 대하지 않는 것은 옷감에 포함되는 것이 아니어야 할 것이다. 그대들이 만약 이 중간 및 다른 가장자리도 점차로 모두 안근·신근을 대할 수 있고, 단박에 대하는 것이 아니라고 말한다면, 곧 응당 안근·신근은 여러 옷감의 부분만 인식할 뿐이므로, 그 안근·신근의 2근이 부분 있는 전체 옷감을 인식한다고 말해서는 안 될 것이다. 승론에서는 옷감을 안근·신근이 인식할 수 있다고 계탁한다.

이미 외도의 이해에 대해 논파를 마쳤으니, 바른 뜻을 보여서 말한다. 그러므로 곧 모든 실이라는 부분 위에서 안식·신식의 2식이 점차 요별하고, 그 다음 뒤에 의식이 전체적으로 부분 있는 한 단의 옷감이라는 지각을 일으키는 것이니, 따라서 마치 선화륜과 같다. 실제로는 불이라는 물질을 보는 것이지, 불의 바퀴[火輪]를 보는 것이 아니지만, 안식 후에 의식이 바퀴라고 여기는 것이다. 바퀴는 실제로 체가 없고, 이 옷감도 역시 그러하다.

106 앞에서 실을 떠나 옷감이 있다고 한 것에 대해 논주가 이치로써 해석하는 것이다. 옷감의 상이한 색깔은 청·황 등의 색깔을 말하고, 상이한 종류는 명주·털 등의 종류를 말하며, 상이한 업은 추위 등을 막는 등의 업을 말하는 것이다. 말하자면 만약 이 실 위의 상이한 색깔을 떠나고, 이 실 위의 상이한 종류를 떠나며, 이 실 위의 상이한 업을 떠난다면, 이 옷감 위의 상이한 색깔, 이 옷감 위의 상이한 종류, 이 옷감 위의 상이한 업은 얻을 수 없기 때문이다. 여기에서 해석하는 뜻은, 실 위에 상이한 색깔·종류·업이 없다면, 옷감 위에도 곧 상이한 색깔·종류·업이 없을 것인데, 만약 옷감 위에 상이한 색깔·종류·업이 있다면 옷감이 있다는 것이 증명될 수 있겠지만, 옷감 위에 이미 상이한 색깔·종류·업이 없으니, 옷감의 체는 역시 없다는 것을 분명히 알 수 있

또 동일한 불의 광명계光明界 안에서는 멀고 가까움이 같지 않다고 해서, 태움과 비춤에 차이가 있거나, 감촉과 색깔이 차별된다는 것은 성립될 수 없어야 할 것이다.107 각각의 개별 극미는 비록 감관[根]의 경계를 초월하

....

다는 것이다. (상이한) 색깔·종류·업이 없음에 의거해 그 옷감을 논파한 것에 대해, 만약 그대들이 변론해서, "비단옷감 위의 상이한 색깔·종류·업은 옷감에 속한 것이지, 실에 속한 것이 아니니, 이 비단옷감의 상이한 색깔·종류·업이기 때문이다"라고 말한다면, 그대들은 곧 실체의 범주 중 옷감은 다른 부류로부터 일어난다는 것을 인정해야 할 것이다. 왜냐하면 비단옷감 위의 하나하나의 실의 색깔은 각각 청색 등으로서, 갖가지 상이한 색깔이 없고, 하나하나의 실의 종류는 각각 명주 등으로서, 갖가지 상이한 종류가 없으며, 하나하나의 실의 업은 각각 추위 등을 막는 업으로서, 따로 갖가지 상이한 업이 없는데, 이미 갖가지 색깔·종류·업이 없는 실이 갖가지 색깔·종류·업의 옷감을 낳았기 때문이다. 이는 곧 실과 옷감은 서로 바라볼 때 각각 다른데, 그 실이 옷감을 낳았으니, 다른 부류가 능히 낳는다는 것이고, 실과 옷감 두 가지가 모두 실체의 범주에 포함된다면, 이는 곧 실체가 다른 부류로부터도 일어난다는 것을 인정해야 할 것인데, 어째서 앞에서 실체는 오직 같은 부류로부터만 생긴다고 말했는가? 이는 곧 실로써 옷감에 대해 힐난한 것이다. 비단옷감 위의 혹 상이한 색깔 등이 없는 일부분 쪽에서는 옷감을 보지 못해야 할 것이다. 그 상이한 색깔 등은 비단옷감을 나타내는 것이기 때문이니, 이 일부분 중에는 상이한 색깔 등이 없기 때문이다. 그대들이 만약 비단의, 상이한 색깔 등이 없는 곳인 일부분도 역시 옷감이라고 이름한다고 고집한다면, 혹은 곧 그 상이한 색깔 등이 없는 비단의 일부분에서도 상이한 색깔 등을 보아야 할 것이니, 옷감은 반드시 상이한 색깔 등의 모습을 갖는다고 주장하기 때문이다. 다시 조롱하여 말한다. 그들은 부분 있는 전체 옷감은 체가 오직 하나뿐이라고 하면서도, 갖가지 색깔·종류·업의 차이가 있다고 인정하는데, 동일함과 상이함은 서로 거스르는데도 서로 있을 수 있다고 하니, 이런 점이 있음을 살핀다면 매우 기이한 것이라고 하겠다.

107 위에서 승론의 실과 옷감의 지대에 대해 논파했는데, 뜻의 편의상 다시 승론의 화대에 대해 논파하는 것이다. 그들은, 동일한 불의 광명계 안에서는 그 어느 곳에 이르더라도 일단一段의 광명은 체가 하나뿐이지만, 많은 (화대의) 극미 위에 의지해 (그 극미와 별도로) 일어나므로, 다시 실을 떠나 옷감의 체가 별도로 있는 것과 비슷하다고 계탁하는 까닭에 다음으로 논파하는 것이다. 그 동일한 불의 광명계 안에서는 그 어느 곳에 이르더라도 체가 만약 하나라면, 어떻게 거기에서 멀리서 타는 것을 접촉할 때에는 통증이 적고, 가까이서 타는 것을 접촉할 때에는 통증이 많으며, 멀리서 형색을 비출 때에는 어둡고 약하며, 가까이서 형색을 비출 때에는 밝고 드러나는가? 이런 등이 같지 않다고 해서 다른 차별이 있다는 것은 성립되지 않아야 할 것이다. 이미 같지 않음이 있어 다른 차별이 있으니, 하나의 체가 아님이 분명하다. (광명을 이루는 화대의) 극미가 많다고 한다면 곧 이런 허물은 없을 것이다. 또 해석하자면

지만, 함께 모이면 현재 감관으로 증득될 수 있는 것이니, 마치 그들이 종지로 하는 바, 화합하면 능히 결과를 낳는다고 하는 것과 같다. 혹은 마치 눈 등이 화합하면 능히 식을 일으키는 것처럼, 또 마치 티끌 들어간 눈으로 흩어진 머리카락을 볼 때 여럿이 서로 인접해 있으면 그도 곧 볼 수 있지만, 하나하나 멀리 떨어져 머물면 곧 볼 수 없는 것처럼, 극미의 감관에 대한 이치도 역시 그러해야 할 것이다.108

또 곧 색 등에 대해 극미라는 명칭을 세운 것이기 때문에 색 등이 파괴될 때에는 극미도 역시 파괴되는 것이다.109 극미는 실체에 포함되고, 색 등은

체가 만약 하나라면, 어떻게 그 동일한 화계火界 중에서 멀고 가까움의 같지 않음-이것은 멀다고 이름하거나 이것은 가깝다고 이름하는 것을 말한다-이 있는 것을 분별할 수 있겠는가? '태움과 비춤에 차이가 있다'는 것은, 말하자면 여러 물건을 같이 태우더라도 누렇거나 검은 차이가 있고, 말하자면 여러 물건을 같이 비추더라도 밝거나 어두운 차이가 있다는 것이다. '감촉과 색깔의 차별'은, 말하자면 그 중에서 뜨거운 감촉이 차별되고, 말하자면 그 중에서 색깔에 차별이 있다는 것이다. 이런 등의 차별이 모두 성립되지 않아야 할 것이다. 또 해석하자면 하나의 화계에서 멀고 가까운 두 가지가 같지 않으면, 태움과 비춤 두 가지에 차이가 있고, 감촉과 색깔 두 가지도 차별되는데, 만약 체가 하나라면 이 멀고 가까운 등은 모두 성립되지 않아야 할 것이다.

108 숨은 힐난에 대해 회통하는 것이다. 숨은 힐난으로 말한다. 「각각의 개별 극미는 이미 감관의 경계를 초월한다. 따라서 미세한 극미 외에 거친 것인 하나의 불의 광명 등이 있어서 눈 등의 경계가 되는 것이라고 알아야 한다.」 이런 힐난에 대해 회통하기 위해 이렇게 말한다. 각각의 개별 극미는 하나하나 따로 머물면 비록 근의 경계를 초월하지만, 여러 극미가 함께 모이면 (거친 것이 별도로 없다고 해도) 현재 감관의 경계로서 증득될 수 있다. 마치 그 외도의 승론에서 종지로 하는 바, 부시[火鑽] 등이 화합하면 능히 불이라는 결과를 낳지만, 혼자로는 능히 낳는 것이 아닌 것과 같다. 혹은 눈·형색·밝음·허공 등의 연이 화합하면 능히 식을 일으키지만, 혼자로는 능히 낳는 것이 아닌 것과 같다. 또 티끌 들어간 눈이 흩어진 머리카락을 볼 때 서로 인접해 있으면 곧 보지만, 따로 머물면 보지 못하는 것과 같다. 극미의 감관에 대한 이치도 역시 그러해야 한다.

109 논주가 또 자기 종지를 서술하는 것이다. 체가 다르지 않음에 의거해 파괴가 동시임을 나타냄으로써 승론을 논파하는 것이다. 승론에서는 색 등은 극미와 달라서, 괴겁시에 거친 색 등이 파괴되어도 극미는 파괴되지 않는다고 하므로, 그들의 집착을 깨뜨리기 위해 이 글이 있는 것이다. 또 색·성·향·미·촉에서 극미라는 명칭을 세운 것이니, 색 등을 떠난 밖에 별도의 극미는 없기 때문에, 색 등이 파괴될 때에는 극미도 역시 파괴된다. 체가 같기 때문에 파괴는 반드시 동시이고, 따라서 괴겁시에 극미는 있는 것이 없다.

속성에 포함되니, 체를 달리하므로 결정코 동시에 소멸하지 않아야 할 것이다.[110] 이 두 가지의 체가 다르다는 것은 이치상 반드시 그렇지 않으니, 자세히 관찰할 때 형색 등을 떠나서 별도의 지地 등이 있는 것이 아니기 때문에 체가 다른 것이 아니다. 또 그들의 종지에서도 지地 등은 안근·신근의 인식대상이라고 스스로 인정하는데, 어찌 형색·감촉과 다르겠는가?[111] 또 털로 짠 융단이나 붉은 꽃 등을 태웠을 때 그에 대한 지각은 곧 없어지기 때문에 털 등의 지각은 단지 색깔 등의 차별을 반연하여 일어난 것일 뿐이니, 숙변熟變이 생겼을 때 형상과 분량이 같기 때문이다. 마치 행렬된 것[行伍]이 단지[瓶]나 동이[盆]로 가려 인식되는 것[記識]과 같으니, 만약 형상을 보지 않는다면 가려 인식되지 않을 것이기 때문이다.[112] 그러니 누가 어리

110 승론의 변론하는 뜻이다. 여섯 가지 범주 중 미세한 극미의 체는 실체의 범주에 포함되고, 거친 색·성 등은 속성의 범주에 포함되니, 체가 다르기 때문에 파괴가 시간을 함께 하지 않는다. 따라서 괴겁시에는 다만 그 거친 색·성 등만을 능히 파괴할 뿐, 그 항상한 미세 극미는 능히 파괴하지 못한다.

111 논주가 다시 논파하는 것이다. 이 실체와 속성 두 가지의 체가 각각 다르다는 것은 이치상 반드시 그렇지 않다. 자세히 관찰할 때 곧 그 색 등에서 극미라는 명칭을 세운 것이니, 색·성·향·미·촉을 떠난 밖에 그대들이 세우는 별도의 실체의 범주 중의 지·수·화·풍의 극미의 체성이 있는 것이 아니다. 따라서 실체와 속성 두 가지 체가 각각 다른 것이 아니다. 또 승론종에서는 스스로 인정하기를, 실체의 범주 중 지地 등은 안근의 인식대상이라고 하는데, 어찌 속성의 범주 중의 형색과 다르겠으며, 신근의 인식대상이라고 하는데, 어찌 속성의 범주 중의 감촉과 다르겠는가? 이는 곧 이치로써 따짐으로써 승론을 논파하는 것이다.

112 이 글도 역시 형색 등을 떠난 밖에 실체의 범주 중 지대地大가 별도로 있다고 하는 것을 논파하는 것이다. 승론종에서는 털로 짠 융단이나 붉은 꽃 등은 실체의 범주 중 지대를 체로 한다고 주장하기 때문에 지금 다시 논파하는 것이다. 털이 어떤 색인가에 따라 융단은 흰 색이 되고, 붉은 꽃은 붉은 색이 되며, '등'은 그 나머지 아직 말하지 않은 것을 같이 취한 것이다. 털로 짠 융단이나 꽃 등은 아직 타지 않았을 때에는 털 등인 것을 알지만, 만약 타고 나면 그 털 등에 대한 지각은 곧 없기 때문에, 따라서 그 털 등에 대한 지각은 단지 청·황·적·백색 등의 차별을 반연하여 일어난 것일 뿐이다. 혹은 '등'이라는 말은 향·미·촉을 같이 취한 것일 수 있다. 왜냐하면 털 등이 타고 숙변熟變(=익어서 변한 것)이 생겼을 때 같이 어떤 색이 되더라도 형상과 분량이 같기 때문(=색깔을 제외한 형색의 표현은 같기 때문)이다. (그 때에는) 털로 짠 융단인지, 붉은 꽃인지 등 무엇인지를 알지 못하니, 이로써 단지 색 등이 차별되어 같지 않음을 반연하여 털 등이라는 이해를 한 것이었을 뿐임을 알 수 있다.

석은 부류의 미친 말[愚類狂言]을 채택해 기록하겠는가? 따라서 그들의 종지에 대한 자세한 논쟁은 그쳐야 할 것이다.[113]

(2) 대3재의 꼭대기

이 3재의 꼭대기[頂]는 어느 곳에 있는가?[114] 제2정려가 화재의 꼭대기가 되니, 이 아래는 불에 의해 타는 것이기 때문이다. 제3정려가 수재의 꼭대기가 되니, 이 아래는 물에 의해 잠겨버리는 것이기 때문이다. 제4정려가 풍재의 꼭대기가 되니, 이 아래는 바람에 의해 날려 흩어지는 것이기 때문이다. 어떤 재앙의 위[上]인가에 따라서 그 재앙의 꼭대기라고 이름한다.[115]

어째서 아래 3정려는 화재·수재·풍재를 만나는가?[116] 초·제2·제3정려 중의 내적 재앙[內災] 이 그것과 같기 때문이다. 말하자면 초정려는 심구·사

색 등을 떠난 밖에 털 등의 체가 되는 별도의 지대는 없는 것이다. 또 해석하자면 털 등이 타서 숙변이 생겼을 때 형상과 분량은 이전에 아직 타지 않았을 때와 같은데, 비록 형상과 분량이 같더라도 털 등임을 인식하지 못하기 때문에 단지 현색 등의 차별을 반연하여 털 등이라는 이해를 한 것이었을 뿐임을 알 수 있다. 현색 등을 떠나면 털 등의 체가 되는 별도의 지대는 없는 것이다. 땅 위의 행렬되어 있는 기와그릇이 서로 뒤섞여 머물더라도 단지[瓶]나 동이[盆]로 가려 인식하는 것[記識]과 같은 경우는 현색에 의한 것이 아니니, 현색은 같기 때문이다. 단지 형상에 의한 것이니, 형상이 다르기 때문이다. 만약 형상이 차별되어 같지 않음을 보지 않고, 단지 현색이 같이 누런 색이거나 같이 검은 색인 것만을 본다면, 가려 인식되지 않기 때문이다. 단지나 동이 등의 물건은 형상 등을 떠난 밖에 이미 별도의 체가 없으니, 털 등도 현색 등을 떠난 밖에 실체의 범주인 지대를 체로 하는 것은 역시 없다는 것을 알 수 있다. 또 해석하자면 행렬되어 있는 형색의 극미가 단지나 동이일 때와 같은 경우는 형상이 다르기 때문에 단지나 동이로 인식되는 것이니, 만약 형상을 보지 않는다면 가려 인식되지 않기 때문이다. 나머지 해석은 앞에서와 같다. 또 해석하자면 행렬된 여러 곡식이나 보리 등이 네모이거나 둥근 것과 같은 경우는 네모난 형색 등을 떠나면 별도로 행렬이 있는 것은 없다. 만약 형상을 보지 않는다면 가려 인식되지 않기 때문이니, 마치 단지나 동이를 가려 인식하는 것처럼 역시 그러하다고 알아야 한다. 둥근 형색 등을 떠나서 별도의 단지나 동이는 없으니, 만약 형상을 보지 않는다면 가려 인식되지 않기 때문이다. 나머지 해석은 앞에서와 같다. 그 승론종에서는 행렬 및 단지·동이는 모두 체가 있다고 하기 때문에 공히 인정하는 것을 인용해 지금 비유대상으로 삼은 것이다.

113 논파를 마치고 논쟁을 멈추는 것이다.
114 이하 제2구를 해석하는데, 이는 곧 물음이다.
115 바르게 해석하는 것인데, 알 수 있을 것이다.
116 이하 제3구를 해석하는데, 이는 곧 물음이다.

찰이 내적 재앙이 되니, 능히 마음을 태워 괴롭히는 것이 외적 화재와 같기 때문이다. 제2정려는 희수喜受가 내적 재앙이 되니, 경안輕安과 함께 몸을 윤택하는 것이 물과 같다. 따라서 온몸의 둔중함[麤重]이 이에 의해 모두 제거되니, 그래서 경에서도, "고근苦根은 제2정려에서 소멸한다"라고 설하였다. 제3정려는 움직이는 숨[動息]이 내적 재앙이 되니, 숨도 역시 바람으로서, 외적 풍재와 같기 때문이다. 만약 이런 정려에 들면 이와 같은 내적 재앙이 있으므로, 이런 정려지에 태어나면 그 때 이런 외적 재앙의 파괴를 만나는 것이다.117

어째서 지地에서는 재앙을 세우지 않는가?118 기세간이 곧 지이기 때문이니, 다만 화火 등만이 지와 서로 거스를 수 있을 뿐, 지는 다시 지와 거스른다고 말할 수 없는 것이다.119

제4정려는 무엇이 외적 재앙이 되는가?120 거기에는 외적 재앙이 없으

117 답이다. 제2정려와 같은 경우 희수가 능히 내적 재앙이 되니, 경안과 함께 몸을 윤택함이 물과 서로 비슷하기 때문이다. 욕계 고수의 고르고 부드럽지 못한 성품[不調柔性]을 둔중함[麤重]이라고 이름하는데, 몸 안에 두루해 있다. 초정려의 기쁨은 미약해서 여전히 아직 소멸시킬 수 없지만, 제2정려의 기쁨은 지극해서 온몸의 둔중함이 이 지극한 기쁨으로 말미암아 모두 다 제거되기 때문이다. 그래서 경(=출전 미상) 중에서, "고근의 둔중함은 제2정려에서 소멸한다"라고 설하였고, 그래서 『순정리론』 제32권(=대29-527상)에서도 말하였다. "제2정려는 희수가 내적 재앙이 되니, 경안과 함께 윤택하는 것이 물과 같다. 따라서 온몸의 둔중함이 이에 의해 모두 제거되니, 그래서 경에서도 고근은 제2정려에서 소멸한다고 설하였다. 내심의 기쁨이 몸의 경안을 얻는다고 말하기 때문이다. 오직 화재인 심구·사찰을 그쳐서 쉬게 할 뿐만 아니라, 또한 괴로움의 의지처인 식신識身(=제2정려에는 5식이 없다)도 소멸시키기 때문에 고근이 제2정려에서 소멸한다고 말한 것이다. 초정려 중에는 여전히 심구·사찰이 있어 증상한 기쁨이 없으므로 괴로움이 소멸한다고 말하지 않는다."(=다만 앞의 제3권 중 게송 ⑬과 그 논설에서는 색계에는 고근이 없다고 했는데, 경량부는 이와 달리 본다고 하였다) 나머지 글은 알 수 있을 것이다.

118 물음이다.

119 답이다. 또 『순정리론』 제32권(=대29-527상)에서 말하였다. "앞에서 말한 3재와 같은 것은 말마末摩를 끊는 것인데, 끊어지는 대상[所斷]인 말마가 곧 지이기 때문에 지를 끊는 주체[能斷]로 세울 수는 없는 것이다. 대종의 부류가 같아서 서로 거스르지 않기 때문이다."

120 제4구를 해석하는데, 이는 곧 물음이다.

니, 내적 재앙을 떠났기 때문이다. 이에 의해 붓다께서 거기를 말하여 '부동不動'이라고 이름하셨으니, 내외의 3재가 미치지 않는 곳이기 때문이다. 어떤 분은 말하였다. "그 지에는 정거천淨居天이 있기 때문이다. 그들은 모든 재앙에 의한 파괴를 만나지 않으니, 그들은 무색천에 태어날 수 없고, 또한 다시 다른 곳으로 가지도 않아야 하기 때문이다."[121]

만약 그렇다면 그 지의 기세계는 항상한 것[常]이어야 할 것이다.[122] 그렇지 않다. 유정과 함께 생기고, 함께 소멸하기 때문이다. 말하자면 그 하늘의 처소는 전체적인 땅의 형상이 없고, 단지 뭇 별들의 거처가 각각 다른 것처럼, 유정들이 거기에 태어날 때나 죽을 때 머물 천궁도 따라서 일어나거나 따라서 소멸한다. 그러므로 그 기세계 자체도 역시 항상한 것이 아니다.[123]

⑶ 대3재의 순서

앞에서 말한 3재는 순서가 어떠한가?[124] 반드시 먼저 틈 없이 일곱 번의 화재가 일어나고, 그 다음에 결정코 한 번의 수재가 일어나야 하며, 이후에 틈 없이 다시 일곱 번의 화재가 있고, 일곱 번의 화재를 거치면 다시 한 번의 수재가 있다. 이와 같이 나아가 일곱 번의 수재를 채우기에 이르면, 다시 일곱 번의 화재가 있은 후에 풍재가 일어난다. 이와 같이 모두 쉰여섯 번의 화재, 일곱 번의 수재, 한 번의 풍재가 일어나는 것이다.[125]

어째서 이와 같은가?[126] 그 유정들이 닦은 선정의 원인이 올라갈수록 점

---

121 답이다. 이 글로써 다른 계에는 정거천이 없다는 것이 증명된다. 그래서 『순정리론』 제32권(=대29-527상)에서 말하였다. "비바사 논사들은 말하였다. 제4정려는 정거천을 포함하기 때문에 재앙이 손상할 수 없다. 그들은 무색천에 태어날 수도 없고, 또한 다시 다른 곳으로 가지도 않아야 한다. 이에 의해 다른 계에는 정거천이 없다는 것이 증명된다. 만약 다른 세계에 정거천이 있다면, 응당 지옥처럼 다른 곳으로 옮겨 가야 할 것인데, 어찌 다시 다른 곳으로 가지 않아야 한다고 말했겠는가? 그 아래의 3하늘(=무운천·복생천·광과천)의 처소도 정거천의 위력으로 섭지됨으로 말미암아 재앙의 파괴가 없다. 동일한 정려지에서 처소가 조금 같지 않다고 해서, 곧 재앙에 의해 파괴되거나 파괴되지 않는 차별이 있을 수는 없는 것이다."

122 이하 제5·제6구를 해석하는데, 이는 곧 묻는 것이다.

123 답인데, 알 수 있을 것이다.

124 이하 제7·제8구를 해석하는데, 물음이다.

125 답인데, 알 수 있을 것이다.

점 뛰어나기 때문이니, 감득하는 몸의 수명도 그 길이가 점점 길어지고, 이로 말미암아 거처도 역시 점점 오래 머무는 것이다. 이에 의해 변정천의 수명이 64겁이라는 『시설족론』의 글도 잘 해석된다.[127]

126 어째서 초정려는 자주 화재를 만나고, 제2정려는 자주 수재를 만나며, 제3정려는 한 번의 풍재만 만나는가?

127 답이다. 그래서 『순정리론』 제32권(=대29-527중)에서 말하였다. "어째서 7화재라야 비로소 1수재인가? 극광정천의 수명의 세력 때문이다. 말하자면 그 수명의 길이가 최대 8대겁이기 때문에 제8에 이르러야 비로소 한 번의 수재이다. 이에 의해 반드시 7수재와 56(=8×7)화재를 거친 뒤라야 한 번의 풍재인 것은 변정천의 수명의 세력 때문이라고 알아야 한다. 말하자면 그 수명의 길이는 64겁이기 때문에 제8의 8이라야 비로소 한 번의 풍재인 것이다. 마치 여러 유정들이 닦은 선정이 점점 뛰어나고, 감득한 이숙의 몸의 수명이 점점 길어지는 것처럼, 이 거처도 역시 점점 오래 머무는 것이다."

阿毘達磨俱舍論
아비달마구사론

第四 分別界品
제4 분별업품

尊者世親 造
존자세친 조

三藏法師玄奘 奉詔譯
삼장법사현장 봉조역

아비달마구사론
제13권

제4 분별업품分別業品[1](의 1)

제1장 업의 체성

제1절 업

제1항 2업과 3업

앞에서 논설한 바와 같은 유정세간과 기세간은 각각 여럿으로 차별되는데, 이런 차별은 무엇에 의해 생겼는가?[2] 게송으로 말하겠다.

1 만드는 것[造作]을 '업'이라고 이름하는데, 이 품에서 자세히 밝히기 때문에 '분별'이라고 이름한 것이다. 다음으로 업을 밝히는 까닭은, 앞 품에서 결과를 밝혔으니, 이 품에서는 원인을 밝히는 것이다. 결과는 홀로 일어나지 않고, 반드시 원인에 의지해 생기는데, 결과에서 바라보면 이것이 직접적[親]이기 때문에 다음에 업에 대해 논설한다.

2 이 품 안에 나아가면 첫째 업의 체성을 밝히고, 둘째 경의 여러 업을 해석하며, 셋째 여러 업을 뒤섞어 밝힌다. 업의 체성을 밝히는 것에 나아가면 첫째 바로 업의 체성을 밝히고, 둘째 여러 문으로 업을 분별하며, 셋째 표·무표를 자세히 밝힌다. 바로 업의 체성을 밝히는 것에 나아가면 첫째 소조所造의 업을 밝히고, 둘째 능조能造의 대大를 밝힌다. 소조의 업을 밝히는 것에 나아가면 첫째 2업과 3업에 대해 밝히고, 둘째 다섯 가지 업을 밝힌다. 이하 첫째 2업과 3업을 밝히는데, 앞을 옮겨와서 물음을 일으켰다. # 이상 설명된 제4품의 내용을 이 책의 구성과 대비해 요약해 보이면 아래 도표와 같다.

<table>
<tr><td rowspan="4">업의 체성</td><td rowspan="2">업의 체성</td><td>업</td><td>제1장 제1절</td><td rowspan="3">제13권</td></tr>
<tr><td>업과 대종</td><td>제2절</td></tr>
<tr><td colspan="2">업의 여러 문 분별</td><td>제3절</td></tr>
<tr><td colspan="2">표와 무표</td><td>제4~8절</td><td>제14~15권</td></tr>
<tr><td rowspan="2">경의 여러 업</td><td colspan="2">경의 여러 업</td><td>제2장</td><td>제15~16권</td></tr>
<tr><td colspan="2">십업도</td><td>제3장</td><td>제16~17권</td></tr>
<tr><td colspan="3">여러 가지 업</td><td>제4장</td><td>제17~18권</td></tr>
</table>

① 세간의 차별은 업에 의해 생겼는데[世別由業生]
의도 및 의도로 행한 일이니[思及思所作]
의도는 곧 의업이고[思卽是意業]
행한 일은 신업·어업을 말한다[所作謂身語][3]

논하여 말하겠다. 하나의 창조주[一主]가 먼저 지각[覺]함에 의해 생긴 것이 아니라, 단지 유정들의 업의 차별에 의해 일어났을 뿐이다.[4] 만약 그렇다면 어째서 같이 업으로부터 생겼는데도 울금鬱金·전단栴檀 등은 매우 애락愛樂할 만하며, 내적 몸의 형상[內身形] 등은 그와 상반되는가?[5] 모든 유정들의 업의 부류가 이와 같아서이다. 만약 뒤섞인 업[雜業]을 지어 내적 몸의 형상을 감득했다면, 9창문瘡門에서 항상 깨끗지 못한 것을 유출하니, 그것을 대치하기 위해 외적 도구[外具]를 감득하여 매우 애락할 만한 색·향·미·촉을 낳은 것이다. 모든 천중天衆 등은 순수히 청정한 업[純淨業]을 지었기 때문에 그 초래된 두 가지 현상이 모두 오묘한 것이다.[6]

3 첫 구는 바로 답하는 것이고, 제2구는 업의 체를 나타내는 것이며, 아래 2구는 3업의 체를 나타내는 것이다.
4 제1구를 해석하는 것이다. '일주一主'는 말하자면 하나의 천주天主나 대범왕이나 대자재천 등이다. 여러 외도들은 이런 천주가 능히 만물을 만든다고 계탁하는데, 장차 만들고자 할 때에는 먼저 경계를 수용하려는 지각을 일으키고, 그런 뒤에 모든 세간을 낳는다고 한다. 혹은 수론 외도는, 하나의 자아라는 주체[我主]는 의도를 체로 하는데, 경계를 수용하려고 할 때 반드시 먼저 지각을 일으켜야 한다고 하니, 자아가 이제 경계를 수용할 수 있기를 바라면 그런 뒤에 자성이 점점 전변하여 모든 세간을 낳는다고 계탁한다. 혹은 승론 외도는 자아가 만드는 주체가 되어 모든 법을 낳는데, 역시 지각이 선행된 후에 세간을 낳는다고 계탁한다. 그래서 하나의 창조주가 먼저 지각하면 생긴다고 말했는데, 논주가 배척해서, 이 모든 세간은 하나의 창조주가 먼저 지각함에 의해 생긴 것이 아니라, 단지 유정들의 업의 차별에 의한 것일 뿐이라고 말한 것이다.
5 물음이다. 같이 업에서 생겼는데, 외부의 울금 등은 매우 애락할 만한데, 내부의 몸의 형상 등은 애락할 만한 것이 아닌가?
6 답이다. 모든 유정들의 공업共業·불공업은 종류가 같지 않으므로 감득하는 과보도 각각 다르다. 혹은 공통의 청정한 업을 지어서 울금 등을 감득하기도 하고, 혹은 공통의 청정치 못한 업을 지어서 독한 가시 등을 감득하기도 한다. 혹은 불공의 청정한 업을 지어서 내적인 청정한 몸을 감득하기도 하고, 혹은 불공의 청정치 못한 업을 지어서 내적인 더러운 몸을 감득하기도 한다. 혹은

이 원인되는 업은 그 체가 무엇인가?[7] 말하자면 심소인 의도[思] 및 의도로 행한 일[思所作]이다. 그래서 계경에서도, "두 가지 업이 있으니, 첫째는 사업思業, 둘째는 사이업思已業이다"라고 설했으니, 사이업이란 의도로 행한 일을 말하는 것이다.[8]

이와 같은 두 가지 업을 분별하면 셋이 되니, 즉 유정의 신업·어업·의업을 말하는 것이다.[9]

어떻게 이 세 가지 업을 건립하는가? 의지하는 것[所依]에 의거한 것인가, 자성에 의거한 것인가, 등기等起에 나아간 것인가?[10] 그렇다고 한다면 무엇에 어긋나는가?[11] 만약 의지하는 것에 의거한다면 하나의 업뿐이어야 하니, 모든 업은 모두 몸[身]에 의지하기 때문이다. 만약 자성에 의거한다

뒤섞인 업을 지어서 내적 더러움과 외적 청정함을 감득하기도 하고, 혹은 뒤섞인 업을 지어서 내적 청정함과 외적 더러움을 감득하기도 한다. 혹은 순수히 청정치 못한 업을 지어서 내·외 모두 더러움을 감득하기도 하고, 혹은 순수히 청정한 업을 지어서 내·외 모두 청정함을 감득하기도 한다. 이는 모두 업의 같지 않음에 의한 것이니, 그래서 감득하는 과보도 차별되는 것이다. 이런 이치 때문에 만약 뒤섞인 업을 지었다면 그래서 감득하는 과보가 안은 더럽고 밖은 청정하니, 그 내적인 몸의 청정치 못함을 대치하기 위해 매우 애락할 만한 외적 색 등을 감득하는 것이다. 따라서 울금 등과 같게 비례시킬 수 없다. 이처럼 모든 천신 등은 순수히 청정한 업을 지었기 때문에 감득한 과보도 내·외 모두 오묘한 것이다. '잡업雜業'·'순업純業'이라고 말한 것은, 청정하며 더러운 과보를 감득하면 '잡'이라고 이름하고, 청정한 과보만 감득하면 '순'이라고 이름한다. 혹은 선·악업이 뒤섞인 것을 '잡'이라고 이름하고, 오직 선업만인 것을 '순'이라고 이름한다. 혹은 사람 등의 선업을 짓는 것은 미약해서, 번뇌가 증강하면 자주 번뇌에 의해 침입받아 뒤섞이기 때문에 '잡'이라고 이름하는데, 천신의 선업을 짓는 것은, 비록 번뇌를 일으키기는 해도 선이 뛰어나고 악이 열등하기 때문에 '순'이라는 이름을 얻는다. # 본문 중 '9창문'은 1입, 2눈, 2콧구멍, 2귀, 2배설기관을 가리키는 말이다.

7 이하 제2구를 해석하는데, 이는 곧 물음이다.

8 답이다. '사업'은 심소인 의도[思]를 말하는 것이니, 의도가 곧 업이기 때문에 사업이라고 이름한 것이다. '사이업'은 의도로 행한 일이니, 신·어의 2업이 의도의 행한 일[思之所作]이다. 의도한 뒤에 행하기[思已作] 때문에 사이업이라고 이름한다. # 본문의 '계경'은 중 27:111 달범행경達梵行經을 가리킨다.

9 아래 2구를 해석하는 것이다.

10 물음이다. 이 3업의 건립은 의지처인 몸에 의거한 것인가, 자체의 성품에 의거한 것인가, 능히 등기하는 것(=같이 일어나는 것)에 나아간 것인가?

11 외인의 의심하는 생각을 책망하는 것이다.

면 오직 말[語]만 업이어야 하니, 세 가지 중 말만 곧 업이기 때문이다. 만약 등기에 나아간다면 역시 하나의 업뿐이어야 하니, 모든 업은 모두 마음[意]과 등기하기 때문이다.[12] 비바사 논사들은, "세 가지 업을 세운 것은 그 순서대로 위의 세 가지 원인에 의한 것이다"라고 말한다.[13] 그렇지만 심소인 의도가 곧 의업이고, 의도로 행한 일인 업을 나누어 신업과 어업으로 한 것이니, 이는 의도와 등기하는 것[思所等起]이기 때문이다.[14]

제2항 5업

1. 표업·무표업 총설

신업과 어업은 자성이 어떤 것인가?[15] 게송으로 말하겠다.

②a 이 신업·어업의 2업은[此身語二業]
모두 표·무표를 성품으로 한다[俱表無表性]

12 외인이 의심하는 마음을 펴는 것이다.

13 답이다. 의지하는 몸에 의하기 때문에 신업을 세웠다. 색의 형상이 모여 쌓인 것을 전체적으로 몸이라고 이름하는데, 이 업은 몸에 의지하기 때문에 신업이라고 이름한다. 자성에 의하기 때문에 어업을 세웠다. 업의 성품이 곧 말이기 때문(=신업이나 의업은 몸이나 마음이 곧 업인 것은 아니라는 취지)에 어업이라고 이름한다. 등기하는 것에 의하기 때문에 의업을 세웠다. '의意'는 곧 의식을 말하는 것인데, 업은 곧 의도를 말하는 것이다. '등기'라고 말한 것은, 말하자면 등기하는 주체[能等起]라면 '의'에 있고 '의도'가 아니며, 혹 등기의 대상[所等起]라면 '의도'에 있고, '의'가 아니며, 혹 능·소에 통한다면 '의' 및 '의도'에 있으며, 혹 '의'와 같이 일어나는 것[意等所起]이라면 '등'은 곧 '의'에 있고, '기'는 곧 '의도'에 있다. '의'와 등기하기 때문에 의업이라고 이름한다.

14 아래 2구를 해석하는 것이다. 논주가 설일체유부의 3업에 대해 서술했기 때문에 '그렇지만'이라는 말을 둔 것이다. 의도가 의업이니, 의도는 능작能作이고, 능등기能等起이며, 신·어는 소작所作이고, 소등기所等起이다.

15 이하 둘째로 5업(=의업, 표의 신업·어업, 무표의 신업·어업)에 대해 밝힌다. 그 안에 나아가면 첫째 전체적으로 표와 무표를 밝히고, 둘째 신·어의 표를 개별적으로 밝히며, 셋째 따로 무표업이 있음을 증명한다. 이하 첫째로 표와 무표를 전체적으로 밝히는 것이다. 의업이 의도라는 것은 앞에서 분별한 것과 같은데, 신·어의 자성은 아직 말하지 않았으므로, 이제 묻는 것이다.

논하여 말하겠다. 이와 같이 말한 여러 업 중 신업·어업은 모두 표表와 무표無表를 성품으로 한다고 알아야 할 것이다.[16]

2. 신·어의 표업

⑴ 신·어의 표업의 체상

우선 신·어의 표업은 그 모습이 어떠한가?[17] 게송으로 말하겠다.

②c 신표업은 개별 형상(을 체로 하는 것)이라고 인정되고[身表許別形]
행동을 체로 하는 것이 아니다[非行動爲體]

③ 모든 유위법은[以諸有爲法]
유찰나로서 다하기 때문이고[有刹那盡故]
원인 없는 것은 없어야 할 것이기 때문이며[應無無因故]
낳는 원인이 능히 소멸시켜야 하리라[生因應能滅]

④ 형상도 역시 실재가 아니니[形亦非實有]
2근이 인식해야 하기 때문이고[應二根取故]
별도의 극미가 없기 때문이며[無別極微故]
어표업은 말소리(를 체로 하는 것이)라고 인정된다[語表許言聲][18]

16 이와 같이 말한 여러 업 중 신업·어업은 모두 표와 무표를 성품으로 한다고 알아야 한다. 같이 색업인데, 하나는 자기 마음의 선 등을 능히 표시表示해서 남으로 하여금 알게 하기 때문에 '표'라고 이름하고, 하나는 곧 자기 마음을 표시할 수 없기 때문에 '무표'라고 이름한다. 이 차별에 의해 두 가지 명칭을 세운 것이다. 의업은 색이 아니어서 표시할 수 없기 때문에 '표'라고 이름하지 못하고, 표가 없기 때문에 무표도 역시 없다. 무표라는 명칭은 같은 색의 부류인 신·어의 표시를 부정하는 것이기 때문이다.

17 이하 둘째 개별적으로 신·어의 표업을 밝히는데, 장차 밝히려고 물음을 일으킨 것이다.

18 게송의 10구 중 앞의 9구는 신표업을 밝히는 것이고, 뒤의 1구는 어표업을 밝히는 것이다. 앞의 9구 중에 나아가면 처음 1구는 논주가 설일체유부에서는 형상[形]을 신표로 한다는 것을 서술하는 것이고, 다음 5구는 논주가 정량부에서 행동[動]을 신표로 한다는 것을 논파하는 것이니, 이 행동의 색은 경량부 및 설일체유부에서 모두 있다고 인정하지 않기 때문에 먼저 논파한 것이

논하여 말하겠다. 의도의 힘에 의한 때문에 개별적으로 이러저러한 몸의 형상[身形]을 일으키는 것을 신표업이라 이름한다.[19]

(2) 정량부의 행동론 비판

어떤 다른 부파에서는, "행동[動]을 신표라고 이름하니, 몸이 움직일 때 업에 의해 움직이기 때문이다"라고 말했으니, 이를 논파하기 위해 '행동이 아니다'라고 말한 것이다.[20] 일체 유위법은 모두 유찰나有刹那이기 때문이다.[21]

며, 다음 3구는 논주가 설일체유부에서 형상을 신표로 한다는 것을 논파하는 것이다. 만약 경량부의 종지에 의한다면, 신·어의 2표는 형색 및 소리의 많은 체가 쌓여 모인 것이 상속하는 분위를 '표'라고 말하는 것이다. 하나는 표시하는 능력이 없으니, 하나의 물건은 능히 홀로 표시하지 못하기 때문이다. 선·악의 1찰나는 능히 이익·손해할 수 없다고 말하는 것은, 반드시 상속에 의해야 생기기 때문이고, 적집되어야 이루어지기 때문이니, 가법이지, 실법이 아니다. 만약 정량부에 의한다면, 유위법 중 긴 시간으로서 찰나멸하는 것 아닌 표가 있다고 인정한다. 그래서 신·어의 표는 모두 극미에 의거해 상속 운전되어 능히 표시하는 것이 있으니, 곧 행동에 의해서 이익·손상을 표시할 수 있다고 한다. 만약 설일체유부에 의한다면 신·어의 2표는 별도의 극미가 있는데, 이는 실재[實有]의 성품이라고 한다. 논주의 여기에서의 뜻이 경량부의 벗이기 때문에 그 둘의 종지를 논파하는데, 어표업에 대해서는 신표업에 준해서 말하기 때문에 재론하지 않는 것이다.

19 제1구를 해석하는 것이다. 설일체유부(의 종지)를 서술한 것은 자파 논사의 종지를 드러내는 것이다. 그래서 앞의 게송에서 신표는 개별 형상이라는 것이 인정된다고 말한 것이다. 털·머리카락 등이 모인 것을 전체적으로 몸이라고 이름하는데, 몸의 형상은 하나가 아니기 때문에 '이러저러하다'고 말한 것이다. 이 몸 중에서 의도의 힘에 의한 때문에 개별적으로 이러저러한 몸의 형상을 일으켜서 능히 마음을 표시하는 것을 신표업이라고 이름한다.

20 제2구를 해석하는 것이다. 어떤 다른 정량부의 설인데, 별도로 행동의 색[動色]이 있어 여기로부터 저기에 이르는 것을 신표업이라고 이름한다고 한다. 모인 색[聚色]의 몸이 움직여 구를 때 이 업의 색[業色]이 능히 그것을 움직이기 때문이다. 정량부에서는, 유위법 중 심·심소법 및 소리·빛 등은 찰나멸이기 때문에 반드시 행동行動이 없지만, 불상응행·신표업색·몸[身]·산·섶 등은 찰나멸이 아니어서 많은 시간 동안 오래 머물므로, 그 상응하는 바에 따라 처음 시기에는 생이 있고, 뒤의 시기에는 멸이 있으며, 중간에 주이住異가 있으니, 생멸을 거치지 않고 여기로부터 다른 곳으로 가 이를 수 있는 행동의 뜻이 있다고 계탁한다. 이런 집착을 깨뜨리기 위해 게송 중에서 '행동이 아니다'라고 말한 것이다.

21 이하 제3구와 제4구 중 '유찰나이기 때문'을 해석하는 것이다. 그래서 이치를 세우고 바로 논파함으로써 행동이 없음을 증명한다. 논증식으로 말한다면, 「신표업의 색에는 결정코 행동이 없다. 유찰나이기 때문이니, 마치 소리·빛 등

찰나는 무엇을 말하는 것인가?[22] 체의 획득의 무간에 소멸하는 것[得體無間滅]이니, 이런 찰나를 가진 법을 유찰나라고 이름한다. 마치 지팡이[杖]를 가진 사람을 일컬어 유장有杖이라고 이름하는 것과 같다. 모든 유위법은 자체를 얻자 마자 이로부터 무간에 반드시 소멸하여 없음으로 돌아간다. 만약 이 곳에서 생겼다면 곧 이 곳에서 소멸하지, 여기로부터 다른 곳으로 굴러 이를 수 없다. 따라서 행동을 신표라고 이름한다고 말할 수 없는 것이다.[23]

만약 유위법이 모두 유찰나라면, 다른 곳에 이르지 못한다는 뜻이 성립될 수 있을 것이다.[24] 모든 유위법은 모두 유찰나라는 그 이치는 공히 인정하는 것이니, 후에 반드시 다하기 때문이다. 말하자면 유위법의 소멸은 원인을 기다리지 않는다. 왜냐하면 원인을 기다리는 것은 결과를 말하는 것인데, 소멸하여 없는 것[滅無]은 결과가 아니기 때문에 원인을 기다리지 않는 것이다. 소멸은 이미 원인을 기다리지 않고, 생기자 마자 곧 소멸하는 것이다.[25] 만약 처음에 소멸하지 않는다면 뒤에도 역시 그러해야 할 것이

과 같다」이다.

22 정량부의 질문이다.

23 논주의 답이다. 본래 없던 것이 지금 있게 되는, 법이 처음 생길 때를 체를 획득한다[得體]고 이름하는데, 이 체가 무간에 반드시 소멸하여 없음으로 돌아가는, 이런 찰나를 가진 모든 유위법을 유찰나라고 이름한다. 비유에 의탁해 견준다면 마치 지팡이를 가진 사람을 유장有杖이라고 이름하는 것과 같다. 모든 유위법은 현재세에 이르러 자체를 얻자 마자 이 현재로부터 무간에 반드시 소멸하여 없음으로 돌아간다. 만약 이 곳에서 막 생겼다면 곧 이 곳에서 물러나 소멸하므로, 이 생긴 곳으로부터 굴러서 다른 곳에 이르러 소멸할 수 없다. 그래서 정량부에서 행동을 신표라고 이름해서는 안 된다는 것이다.

24 정량부의 변론이다. 만약 모든 유위법이 모두 유찰나라고 한다면, 곧 다른 곳에 이르지 못한다는 뜻이 성립되므로, 자연히 찰나를 가진 것 없는 유위[有爲無有刹那]가 있을 것이니, 예컨대 신표업과 같다. 이 찰나라는 이유는 성립되지 못하는 허물이 있다.

25 논주가 (이유가) 성립되지 못한다고 하는 허물에 대해 변론하면서, 제4구 중 '다하기 때문[盡故]'이라고 한 2글자를 해석하는 것이다. 색과 불상응행은 결정코 유찰나이다. 후에 반드시 다하기 때문이니, 마치 등불의 빛 등과 같다. 논주가 다시 소멸이 원인을 기다리지 않는다는 것을 나타내었으니, 말하자면 유위법은 찰나에 결정코 소멸하므로, 소멸이 원인을 기다리지 않는다는 것이다. 까닭이 무엇이겠는가? 이치로써 말하자면 원인을 기다리는 것은 말하자면 결과이다. 소멸은 없는 법[無法]인데, 없는 법은 결과가 아니기 때문에 원

니, 뒤와 처음은 성품의 동등함이 있기 때문이다. 이미 뒤에 다함이 있으니, 앞에도 소멸이 있음을 알 수 있다. 만약 뒤의 것은 차이가 있어서 비로소 소멸할 수 있다고 한다면, 곧 이것인데도[卽此] 차이가 있다고 이름해서는 안 될 것이니, 곧 이것인 것이 서로 다르다는 것은 이치상 반드시 그렇지 않기 때문이다.[26]

인을 기다리지 않는다. 추론으로 말한다면, 「소멸은 원인을 기다리지 않는다. 없음이기 때문이니, 마치 토끼의 뿔과 같다.」 혹은 논증식을 세워 말한다면, 「소멸은 원인을 기다리지 않는다. 결과가 아니기 때문이니, 마치 거북의 털과 같다.」 혹은 논증식을 세워 말한다면, 「소멸은 원인을 기다리지 않는다. 없음은 결과가 아니기 때문이니, 마치 허공의 꽃과 같다.」 소멸은 이미 원인을 기다리지 않고, 생기자 마자 곧 소멸한다. 여기에서 소멸이라는 말은, 유위법은 일어난 뒤 없어진다는 것을 말하는 것이기 때문이다. 이 소멸은 체가 없다는 것을 모든 부파에서 공히 인정한다.

다음 널리 유위제법의 생멸에 대해 밝힌다면, 두 가지 원인이 있다. 첫째는 주인主因이니, 말하자면 생멸하는 모습[生滅相]이다. 법과 더불어 항상 함께 하는 원인의 작용이 강하고 뛰어나기 때문에 주인이라고 이름한 것이다. 둘째는 객인客因이니, 말하자면 나머지 인연인데, 있기도 하고 없기도 한 것이다. 원인의 작용이 뛰어난 것이 아니기 때문에 객인이라고 이름한 것이다. 정량부에 의하면, 모든 법이 생기는 것은 주·객 2인에 의하므로 어렵고, 모든 법이 소멸할 때에는 어려움과 쉬움에 통하니, 만약 심·심소법 및 소리·빛 등이라면 단지 주인에만 의하고, 객인에 의하지 않지만(=쉬움), 만약 불상응행 및 나머지 색법 등, 섶 등이라면 주·객 2인에 의한다(=어려움)고 한다. 설일체유부에 의하면, 모든 법이 생기는 것은 주·객 2인에 의하므로 어렵고, 모든 법이 소멸하는 것은 주인에만 의할 뿐, 객인에는 의하지 않으므로 쉽다고 한다. 경량부에 의하면, 모든 법이 생길 때에는 객인에 의해 생기고, 모든 법이 소멸할 때에는 객인에 의해 소멸하는 것이 아니며, 주인은 체가 없으므로 인이라고 말할 수 없다고 한다. 또 해석하자면 경량부에서는 생멸은 비록 실제의 체가 없지만, 임시로 있다고 말하는데, 모든 법이 생길 때에는 주·객인에 의해 생기고, 모든 법이 소멸할 때에는 원인에 의하지 않고 소멸한다고 한다. 또 해석하자면 경량부는 설일체유부와 같이, 모든 법이 생길 때에는 주·객인에 의해 생기고, 모든 법이 소멸할 때에는 주인에 의해 소멸하지, 객인에 의하는 것이 아니며, 주인은 비록 별도의 체가 없지만, 임시로 인이라고 말할 수 있다. 다시 외도들의 계탁이 있는데, 모든 법이 생길 때에는 원인 없이 생기고, 모든 법이 소멸할 때에는 원인 없이 소멸한다고 한다. 이는 곧 모든 부파의 다른 생각을 간략히 서술한 것이다.

26 그들의 계탁을 옮겨와서 따짐으로써 논파하는 것이다. 만약 색 등의 법이 첫 단계에 소멸하지 않는다면, 뒷 단계의 시기에도 역시 소멸하지 않아야 할 것이다. 뒤는 처음과 체성의 동등함이 있기 때문이다. 이미 뒤에 다함이 있으니

어찌 세간에서 섶 등이 불과 화합함에 의해서 소멸하여 없음[滅無]에 이르는 것을 현견하지 않는가? 현량現量을 뛰어넘는 다른 인식근거는 결정코 없다. 따라서 법의 소멸이 모두 원인을 기다리지 않는 것은 아니다.[27] 섶 등이 불과 화합함에 의해서 소멸했다는 것을 어떻게 아는가?[28] 섶 등이 불과 화합한 후 곧 보이지 않기 때문이다.[29] 함께 자세히 생각해야 한다. 이와 같은 섶 등은 불과 화합함에 의해서 소멸했기 때문에 보이지 않은 것인가, 앞의 섶 등은 생긴 뒤 스스로 소멸했고, 뒤에 다시 생기지 않아서 없기 때문에 보이지 않은 것인가? 마치 바람과 화합한 등燈의 불빛, 손과 화합한 방울의 소리와 같다. 따라서 이런 뜻의 성립은 비량比量에 의해야 한다.[30]

앞에도 소멸이 있다는 것을 알 수 있다. 그대들이 만약 변론해 말하기를, 색 등은 뒷 단계에 앞과는 다른 체가 있어 비로소 소멸할 수 있다고 한다면, 대저 다르다고 말하는 것은, 양 법을 서로 바라볼 때 뒷 단계의 시기에 곧 이 앞 단계의 법 자체인데도 차이가 있다고 이름해서는 안 될 것이다. 곧 이 앞의 법인 것이 체상에 차이가 있다는 것은 이치상 반드시 그렇지 않기 때문이다.

27 정량부의 변론이다. 모든 법의 소멸에는 객인을 기다리는 것도 있음을 나타내는 것이다. 어찌 세간에서 섶 등이 불과 화합하는 객인의 힘에 의한 때문에 소멸하여 없음에 이르는 것을 현견하지 않는가? 3량 중 모든 법의 증명에 취할 것으로서, 나머지 두 가지인 비량과 성교량은 결정코 현량을 뛰어넘을 수 없다. 따라서 모든 법의 소멸이 모두 객인을 기다리지 않는 것은 아니다.

28 논주가 따지는 것이다.

29 정량부의 답이다.

30 논주가 정량부에게 생각하기를 권하는 것이다. 그대들의 종지처럼 이 앞의 섶 등은 불과 화합하는 객인客因의 힘에 의해서 소멸하여 없기 때문에 보이지 않은 것인가, 우리의 종지로 하는 바처럼 이 앞의 섶 등은 불에 의해 소멸해서가 아니라, 생긴 뒤 스스로 소멸하고, 뒤에 섶이 생기지 않아서 없기 때문에 보이지 않은 것인가? 섶 등은 불과 화합하든 화합하지 않든 찰나찰나 주인主因에 의해 스스로 소멸한다고 알아야 할 것이다. 만약 불과 아직 화합하지 않았다면, 섶 등은 뒤의 결과(=상속하여 생겼을, 섶이라는 같은 부류의 결과)를 견인해 낳을 힘이 있었지만, 이 불은 단지 섶 등으로 하여금 뒤의 결과를 견인해 일으킬 힘을 없게 하고, 다시 뒤의 섶 등을 능히 거슬러 생기지 못하게 했을 뿐, 섶 등을 소멸시킨 것은 아니다. 마치 그대들의 종지에서도, 바람과 등의 불빛이 화합하거나 손이 방울 소리와 화합할 경우, 역시 불빛이나 소리는 바람이나 손이라는 객인에 의해 능히 소멸하는 것이 아니라, 화합하든 화합하지 않든 찰나찰나 주인에 의해 스스로 소멸하는 것을 인정하는 것과 같다. 만약 아직 화합하지 않았을 때라면 불빛이나 소리는 능히 뒤의 결과를 견인할 힘이 있었지만, 뒤에 손이나 바람과 화합했을 때 손이나 바람은 단지 불빛이나 소

무엇을 비량이라고 말하는가?[31] 말하자면 앞에서 말한 것처럼 소멸하여 없는 것은 결과가 아니기 때문에 원인을 기다리지 않는다는 것이다.[32] 또 만약 원인을 기다려 섶 등이 비로소 소멸한다면, 일체 소멸은 원인을 기다리지 않는 것이 없어야 할 것이니, 마치 생김은 원인을 기다리고, 원인 없는 것은 없는 것과 같을 것이다. 그렇지만 세간에서 현견하면, 지각·불빛·음성은 다른 원인을 기다리지 않고 찰나에 저절로 소멸한다. 따라서 섶 등의 소멸도 역시 원인을 기다리지 않는 것이다.[33]

어떤 분은 주장하였다. "지각이나 소리의 경우, 전법은 후법을 원인으로 하여 소멸한다."[34] 그것도 역시 이치가 아니니, 2법은 함께 하지 않기 때문이다. 의심[疑]과 앎[智], 괴로움과 즐거움, 탐욕과 성냄 등은 자상自相이 상

리로 하여금 능히 뒤의 결과를 견인할 힘을 없게 하고, 다시 뒤의 불빛이나 소리를 능히 거슬러 일어나지 못하게 했을 뿐, 불빛이나 소리를 소멸시킨 것은 아니다. 따라서 이런 모든 법이 찰나에 소멸한다는 뜻의 성립은 비량에 의해야 한다. 또 해석하자면 이런 법의 소멸은 원인을 기다리지 않는다는 뜻이 성립되는 것이다.

31 정량부의 질문이다.

32 논주가 앞의 글을 인용해 답하는 것이다. 논증을 세운 것은 앞에서와 같다.

33 제5구의 '원인 없는 것은 없어야 할 것이기 때문[應無無因故]'이라고 한 것을 해석하는 것이다. 그대들이 만약, 반드시 객인을 기다려 섶 등이 비로소 소멸한다고 굳게 주장한다면, 모든 유위의 일체법의 소멸은 모두 객인을 기다려서 소멸하지 않는 것이 없을 것이다. 논증식을 세워 말한다면, 「지각·불빛 등의 소멸도 객인을 기다려야 한다. 유위에 포함되기 때문이니, 마치 섶 등과 같다.」 생으로써 멸에 비례시켜야 할 것이니, 마치 유위법이 생기는 것은 모두 객인을 기다리고, 원인 없는 것은 없는 것처럼, 유위법이 소멸하는 이치도 역시 그러해서, 모두 객인을 기다리고, 원인 없는 것은 없어야 할 것이다. (그렇지만) 만약 모든 법의 소멸이 반드시 객인을 기다려야 한다면 곧 현량에 위배된다. 세간에서 지각·불꽃·음성은 객인을 기다리지 않고 찰나에 저절로 소멸하는 것을 현견한다. 심·심소법은 능히 지각해 살피기 때문에 전체적으로 지각이라고 이름한다. 곧 스스로 맺어 말하였다. 따라서 섶 등의 소멸도 역시 객인을 기다리지 않는 것이다. 논증식을 세워 말한다면, 「섶 등은 소멸할 때 객인을 기다리지 않는다. 유찰나이기 때문이니, 마치 지각이나 불빛 등과 같다.」

34 이하 다른 계탁을 서술하고 논파하는데, 이는 승론의 다른 논사이다. 앞의 지각이나 소리의 소멸은 뒷찰나의 것이 생기는 것을 원인으로 한다. 뒤는 앞과 성품이 상반되기 때문이니, 마치 뒤의 물이 앞의 물을 핍박해 흐르게 하는 것과 같다. 그 논사는 4상을 세우지 않고, 단지 뒷찰나의 것이 생김에 의해 앞찰나의 것을 소멸케 한다고 한다.

반되기 때문에 이치상 함께 하는 뜻이 없다. 만약 다시 어떤 단계에 명료했던 지각·소리의 무간에 곧 불명료한 것이 생겼다면, 어떻게 같은 부류의 불명료한 법이 명료한 같은 부류의 법을 소멸시킬 수 있겠으며, 최후의 지각·소리는 다시 무엇에 의해 소멸하겠는가?[35]

어떤 분은, "등불빛의 소멸은 주상 없음[住無]을 원인으로 한 것이다"라고 주장하였고,[36] 어떤 분은, "불빛이 소멸할 때는 법이나 비법의 힘[法非法力]에 의한다"라고 주장하였다.[37] 그것들은 모두 이치가 아니다. 없음은 원인이 아니기 때문이며, 법과 비법은 생멸의 원인이 아니니, 찰나찰나에 수순함[順]·어긋남[違]이 상반되기 때문이다.[38] 혹은 일체 유위법 중에 모두 이

35 논주의 논파이다. 그것 또한 이치가 아니다. 만약 2법이 함께 생긴다면 이것이 저것을 소멸시킨다고 말할 수 있겠지만, 전후의 두 가지 지각, 전후의 두 가지 소리는 함께 일어나지 않기 때문이다. 앞찰나의 것이 만약 현재에 이르렀다면 뒷찰나의 것은 아직 생기지 않았으니, 체가 없어서 전법을 소멸시킬 수 없어야 할 것이고, 뒷찰나의 것이 만약 현재에 이르렀다면 앞찰나의 것은 이미 낙사했는데, 어떻게 후법이 전법을 소멸시킬 수 있겠는가? 마치 의심과 앎의 2법, 괴로움과 즐거움의 2법, 탐욕과 성냄의 2법 등은 자상이 상반되므로 이치상 함께 하는 뜻이 없거늘, 어떻게 후법이 전법을 소멸시킨다고 말할 수 있겠는가? 설령 후찰나의 것이 앞찰나의 것을 소멸시킬 수 있다고 인정한다고 해도, 어떻게 뒷 단계의 불명료한 지각이나 소리가 앞 단계의 명료한 지각이나 소리를 소멸시킬 수 있겠는가? 설령 뒷찰나의 열등한 것이 앞찰나의 뛰어난 것을 소멸시킬 수 있다고 인정한다고 해도, 만약 상속하여 일어나 뒷찰나의 것이 앞찰나의 것을 소멸시킬 수 있다면, 최후의 지각이나 소리는 다시 무엇에 의해 소멸하겠는가?

36 이는 상좌부와 정량부의 계탁이다. '주住'는 주상住相을 말하는 것이다. 주상이 만약 있다면 법이 소멸할 수 없지만, 주상이 없기 때문에 비로소 법을 소멸시킬 수 있다. 그 등불빛의 소멸은 주상 없음을 원인으로 한 것이다.

37 이는 승론의 다른 계탁이다. 법과 비법은 속성의 범주에 포함되는 것이다. 그 사람에게 이익이 있는 것을 법이라고 이름하고, 그 사람에게 이익이 없는 것을 비법이라고 이름하는데, 이 둘의 힘에 의해 능히 모든 법을 낳고, 능히 모든 법을 소멸시킨다고 한다. 예컨대 어두운 방 안에 밝은 등 하나가 있을 때, 수용자쪽에서 바라본다면, 등이 있으면 이익이 있으므로 곧 법에 의한 생이고, 등이 사라지면 이익이 없으므로 곧 비법에 의한 소멸이다. 만약 절도자쪽에서 바라본다면, 등이 있으면 이익이 없으므로 곧 비법에 의한 생이고, 등이 사라지면 이익이 있으므로 곧 법에 의한 소멸이다.

38 논주가 두 가지 주장을 쌍으로 비판하는 것이다. 앞의 주장에 대해 논파해 말한다. 대저 주상이 없다는 말은 곧 체가 없다는 것인데, 체가 없는 법은 원인

런 원인의 뜻이 있다고 헤아릴 수 있을 것인데, 이미 그렇다면 본 논쟁[本諍]은 곧 그치고 쉬어야 할 것이니, 모두가 유찰나여서 다른 원인을 기다리지 않음을 인정하는 것이기 때문이다.[39]

또 만약 섶 등의 소멸이 불과의 화합을 원인으로 한 것이라면,[40] 숙변熟變이 생기는 중에 하·중·상의 성숙이 있으므로, 생인生因 자체가 곧 멸인滅因이 되어야 할 것이다. 까닭이 무엇이겠는가? 말하자면 불과의 화합에 의해 능히 섶 등으로 하여금 숙변의 생기가 있게 할 때, 중·상의 숙변이 생기면서 하·중의 숙변을 소멸하게 하기 때문이다.[41] 혹은 곧 하·중의 숙변을 낳는 원

이 되는 것이 아니기 때문이다. 그래서 없음은 원인이 아니기 때문이라고 말한 것이니, 논증식을 세워 말한다면, 「주상 없음은 원인이 아니다. 체가 없기 때문이니, 마치 토끼의 뿔과 같다.」 뒤의 주장에 대해 논파해 말한다. 그 승론처럼, 1찰나 중에 법과 비법이 모두 생기의 원인이 되며, 법과 비법이 모두 소멸의 원인이 되는 것은 아니다. 찰나찰나마다 법은 곧 수순하고, 비법은 위배하므로, 두 가지가 상반되기 때문이니, 어떻게 2법이 모두 생멸의 원인이겠는가? 또 『순정리론』(=제33권. 대29-534상)에서도 말하였다. "법과 비법도 또한 소멸의 원인이 아니니, 빈 동굴 안에서 불빛의 일어남이 있는 것을 보기 때문이다." 해석해 말하자면, 빈 동굴 안의 불빛은 곧 손익이 없으니, 이미 상대되는 것[所對]이 없어 법과 비법이 없는데, 무엇이 소멸의 원인이 되겠는가?

39 거듭 승론의 뜻을 논파하는 것이다. 그대 승론의 논사들이 혹 일체 유위법 중에는 찰나찰나에 모두, 이런 법과 비법이 있어 생멸의 원인의 뜻이 된다고 헤아릴 수 있다고 한다면, 비록 다시 그대들이 법과 비법이 생멸의 원인의 차이라고 헤아린다고 해도, 곧 유위의 찰나 생멸을 인정하는 것이다. 이미 항상 생멸한다고 한다면, 이런 즉 곧 근본된 정량부와의 찰나멸이 없다는 논쟁은 곧 그치고 쉬어야 할 것이니, 모두가 유찰나여서 불 등이 소멸하는 다른 원인을 기다리지 않음을 인정하는 것이기 때문이다. 또 해석하자면 두 가지 주장을 겹쳐서 논파하는 것이다. 혹은 일체 유위법 중에는 찰나찰나 모두, 이 주상 없음이라는 소멸의 원인의 뜻이 있으며, 이런 법과 비법이라는 소멸의 원인의 뜻이 있다고 헤아릴 수 있을 것인데, 이미 그렇다면 곧 찰나멸이 없다는 본 논쟁은 곧 그치고 쉬어야 할 것이니, 모두가 유찰나여서 불 등이 소멸하는 다른 원인을 기다리지 않음을 같이 인정하는 것이기 때문이다. 또 해석하자면 정량부를 거듭 논파하는 것이다. 그대들 정량부에서는 혹은 일체 유위법 중에는 찰나찰나에 모두, 이 주상 없음이라는 소멸의 원인의 뜻이 있으며, 이런 주인主因에 의해 소멸한다는 뜻이 있다고 헤아릴 수 있을 것인데, 이미 그렇다면 찰나멸이 없다는 정량부와의 논쟁은 곧 그치고 쉬어야 할 것이니, 모두가 유찰나여서 불 등이 소멸하는 다른 원인을 기다리지 않기 때문이다.

40 이하 제6구의 '낳는 원인이 능히 소멸시켜야 하리라[生因應能滅]'라고 한 것을 해석하는 것인데, 장차 논파하려고 주장을 옮겨온 것이다.

인이거나 혹은 그 비슷한 것이 곧 능히 하·중의 숙변을 소멸시키는 원인이 된다고 한다면,[42] 곧 생인生因 자체가 곧 멸인滅因이어야 할 것이다. 혹은 멸인과 생인은 체상에 차별이 없어야 할 것이므로, 곧 이것이거나 이것과 비슷한 것에 의해서 그것이 있어서는 안 되며, 그것도 다시 곧 이것이거나 이것과 비슷한 것에 의해서 있는 것 아님[非有]이어서도 안 될 것이다.[43]

41 이는 곧 바로 논파하는 것이다. 그대들이 만약 섶 등이 소멸할 때 불이 원인이 된 것이라고 고집한다면, 생인 자체가 곧 멸인이 되어야 할 것이다. 예컨대 불이 섶을 태워 숙변이 생기는 중에 하·중·상 3품의 같지 않음이 있으니, 처음에 누런 것을 하품이라고 이름하고, 다음에 검은 것을 중품이라고 이름하며, 뒤에 완전히 검은 것을 상품이라고 이름하는데, 생인 자체가 곧 멸인이 되어야 할 것이다. 까닭이 무엇이겠는가? 말하자면 불이라는 원인이 섶 등과 화합함에 의해 능히 섶 등으로 하여금 숙변의 생기가 있게 할 때, 3품이 같지 않아서, 중품의 숙변이 생기면 하품의 숙변은 소멸하고, 상품의 숙변이 생기면 중품의 숙변이 소멸한다. 중품의 숙변의 생인이 곧 하품의 숙변의 멸인이어야 하니, 중품의 숙변이 생길 때 곧 하품의 숙변이 소멸하기 때문이며, 상품의 숙변의 생인은 곧 중품의 숙변의 멸인이어야 하니, 상품의 숙변이 생길 때 곧 중품의 숙변이 소멸하기 때문이다. 그래서 생인 자체가 곧 멸인이 되어야 한다고 말한 것이다.

42 계탁을 변론하는 뜻을 서술하는 것이다. 혹은 곧 하품의 숙변을 낳는 원인이 곧 능히 하품의 숙변을 소멸시키는 원인이 되는 것이지, 중품의 숙변을 낳는 원인이 능히 하품의 숙변을 소멸시키는 것이 아니며, 혹은 곧 중품의 숙변을 낳는 원인이 곧 능히 중품의 숙변을 소멸시키는 원인이 되는 것이지, 상품의 숙변을 낳는 원인이 능히 중품을 소멸시키는 것이 아니라는 것이다. 그래서 '혹은 곧'이라고 말한 것이니, 이것이 '혹은 곧[或卽]'이라는 계탁이다. 혹은 다시 바꾸어 계탁한다. 하품의 숙변을 낳는 원인은 하품의 숙변을 소멸시키는 원인과 비슷하며, 중품의 숙변을 낳는 원인이 중품의 숙변을 소멸시키는 원인과 비슷하니, 불꽃이 생기고 소멸하는 두 가지 원인은 곧 비록 다르지만, 동시에 서로 뒤섞이기 때문에 서로 비슷해 보인다는 것이다. 하나는 생인이고, 하나는 멸인이지, 하나의 법이 생인·멸인이 되는 것이 아니다. 혹은 그들은 계탁하기를, 불꽃은 상속하면서 멈추지 않고 전후 서로 비슷한데, 앞에 생인이 되었다가 뒤에 멸인이 되지만, 하나의 법이 생인·멸인이 되는 것이 아니라고 한다. 혹은 하품의 숙변을 낳는 원인이 곧 능히 하품의 숙변을 소멸시키는 원인 되는 것과 비슷하지만, 하품의 숙변을 낳는 원인이 곧 능히 하품의 숙변을 소멸시키는 것은 아니며, 비록 서로 비슷해 보이더라도 체는 각각 다르다. 혹은 중품의 숙변을 낳는 원인이 곧 능히 중품의 숙변을 소멸시키는 원인 되는 것과 비슷하지만, 중품의 숙변을 낳는 원인이 곧 능히 중품의 숙변을 소멸시키는 것은 아니며, 비록 서로 비슷해 보이더라도 체는 각각 다르다. 그래서 '혹은 비슷하다'라고 말한 것이니, 이것이 '혹은 비슷하다[或似]'는 계탁이다.

설령 화염이 차별되게 생기는 중에서는 능생能生·능멸能滅의 원인이 다르다고 헤아릴 수 있다고 해도, 재[灰]·눈[雪]·초醋·해[日]·물[水]·땅[地]과 화합해서 능히 섶 등의 숙변이 생기게 하는 중에서는 어떻게 생인·멸인이 다르다고 헤아리겠는가?[44] 만약 그렇다면 물을 끓일 때 줄어서 다하는 것을 현견하는데, 불과의 화합이 거기에서 하는 일은 무엇인가?[45] 현상적 불[事火]과의 화합에 의해 화계火界의 힘이 증가하고, 화계의 증가에 의해 능히 수취水聚로 하여금 후후의 단계에 점점 미약함을 낳게 해서, 나아가 가장 미약함에 이른 뒤에는 더 이상 상속하지 않게 하니, 이를 불과의 화합이 거기에서 한 일이라고 이름한다.

따라서 모든 법을 소멸하게 하는 원인은 없고, 법은 저절로 소멸하는 것

43 앞의 두 가지 계탁을 논파하는 것이다. 곧 하·중의 숙변을 낳는 원인 자체가 곧 하·중의 숙변의 멸인이어야 할 것인데, 어떻게 생인이 곧 멸인이 되겠는가? 이는 '혹은 곧'이라는 계탁을 논파하는 것이다. 혹은 하품의 숙변의 멸인·생인이나 중품의 숙변의 멸인·생인은 체상이 비슷하다고 하므로 체상에 차별이 없어야 할 것이다, 이미 체상이 비슷하다면 어떻게 하나는 생인이 되고 하나는 멸인이 된다고 말할 수 있겠는가? 이는 '혹은 비슷하다'는 계탁을 논파하는 것이다. '곧 이것이거나' 이하는 양쪽을 쌍으로 논파하는 것이니, '곧'은 '혹은 곧'이라는 계탁이고, '비슷하다'는 것은 '혹은 비슷하다'는 계탁이며, ('그것이 있어서는'에서의) '있다'는 것은 생을 말하고, '있는 것 아님'은 멸을 말하는 것이다. 곧 이 불빛에 의해서 그 하·중의 숙변이 있어서는 안 되고, 그 하·중의 숙변이 다시 곧 이 불빛에 의해 있는 것 아님이어서도 안 될 것이다. 이는 곧 '혹은 곧'이라는 계탁을 논파하는 것이다. 혹은 이 불빛과 비슷한 것에 의해서 그 하·중의 숙변이 있어서는 안 되고, 그 하·중의 숙변이 다시 혹은 이 불빛과 비슷한 것에 의해서 있는 것 아님이어서도 안 될 것이다. 이는 곧 '혹은 비슷하다'는 계탁을 논파하는 것이다. 이 글은 사이에 뒤섞어서 양쪽을 쌍으로 논파한 것이니, 논주의 글이 교묘하므로 잘 생각해야 한다.

44 가정적으로 계탁하고 따져서 논파하는 것이다. 설령 화염은 잠깐 일어났다가 잠깐 숨어버리고, 화합하다가 흩어지기도 하며, 갑자기 길다가 갑자기 짧아지고, 작다가 커지기도 하는 차별상으로서 생기는 중에서는 능생의 원인이 다르고 능멸의 원인이 다르다고 헤아릴 수 있겠지만, 재 등의 여섯 가지에는 (화염처럼) 일어나고 숨는 등의 모습이 없어 각각 차별이 없는데, 섶 등과 화합해서 능히 섶 등의 숙변이 생기게 하는 중에서는 어떻게 생·멸의 원인이 다르다고 헤아릴 수 있겠는가?

45 정량부의 물음이다. 만약 그렇다면 물을 끓이면 줄어서 다하는 것을 현견하므로, 이로써 불이 소멸의 원인이 된다는 것을 분명히 알 수 있다. 만약 그렇지 않다면 불과의 화합이 거기에서 하는 일은 무엇인가?

이니, 무너지는 성품[壞性]이기 때문이다. 저절로 소멸하기 때문에 생기자 마자 곧 소멸하는 것이고, 생기자 마자 곧 소멸하므로 찰나멸의 뜻이 성립된다. 유찰나이기 때문에 결정코 행동行動은 없다. 그럼에도 예컨대 풀을 태우면서 불꽃이 가는 것처럼, 무간에 방소를 달리하여 생기는 것에 대해, 행의 증상만[行增上慢]을 일으킨 것이다. 이미 이런 이치에 의해 행동은 결정코 없으므로, 신표는 형상이라는 이치가 성립될 수 있다.[46]

⑶ 형상 실재론 비판

그런데 경량부에서는 이렇게 말한다. "형상[形]은 실재[實有]가 아니다. 말하자면 현색의 무리[顯色聚]가 한 면에 많이 생겼을 때 곧 그것에 대해 임시로 긴 형색[長色]을 세우고, 이 긴 형색에 기대어 다른 현색의 무리가 한 면에 적은 것에 대해 임시로 짧은 형색[短色]을 세우며, 사방의 면에 함께 많이 생긴 것에 대해 임시로 네모난 형색[方色]을 세우고, 모든 곳에서 두루 원만하게 생긴 것에 대해 임시로 둥근 형색[圓色]을 세우니, 그 나머지 형색에 대해서도 상응하는 대로 알아야 할 것이다. 마치 불타는 나무를 볼 때, 한 방면으로 무간에 빠르게 움직이면 곧 길다고 여기고, 그것이 도는 것을 보면 둥근 형색이라고 여기는 것과 같다. 따라서 형상은 실제의 별도 부류로서의 색처[實別類色]의 체가 없다."[47] 만약 별도 부류로서의 형상의 색처

46 논주의 답이다. 객인[客]인 현상적 불과의 화합에 의해, 주인[主]인 화계의 힘이 증가하고, 주인인 화계의 힘의 증가에 의해 능히 수취水聚(=물의 무더기)로 하여금 점점 미약하게 해서 상속되지 않게 한다. 이를 불과의 화합이 거기에서 한 일이라고 이름한다. 불은 단지 능히 앞의 물로 하여금 힘이 없게 해서 뒤의 물을 인기하지 못하게 할 뿐이며, 또 뒤의 물을 거슬러 생을 얻지 못하게 할 뿐이다. 앞의 물을 소멸시키는 것이 아니기 때문에 객인이 제행을 소멸하게 하는 것은 없다. 유위의 모든 법은 순간순간 멈추지 않고 자체가 낙사해 소멸하는 것이니, 무너지는 성품이기 때문이며, 저절로 소멸하기 때문이다. 생기자 마자 곧 소멸하므로 찰나라는 뜻이 성립된다. 유찰나이기 때문에 결정코 행동은 없다. 방소를 달리 하는 무간에 임시로 행동이라고 이름했지만, 망령되이 행동이라고 여긴다면 증상만인 것이다. 논주가 논파를 마치고 다시 전하는 말[傳言](='전하는 학설')을 인정하였다. 이미 이런 이치에 의해 정량부가 주장하는 행동은 결정코 없으며, 설일체유부종의, 신표는 형상이라는 이치가 성립될 수 있다고, 우선 방편상 인정함을 서술하면서 그 다음에 다시 논파하려는 것이다.

47 이하 논주가 경량부의 뜻을 서술하면서, 설일체유부의 형상이라는 형색[形色]

[形色]가 실제로 있다고 말한다면, 곧 하나의 색처가 2근의 인식대상이어야 할 것이니, 말하자면 색취色聚에서의 긴 등의 차별을, 눈으로 보든 몸으로 접촉하든 모두 요지할 수 있을 것이다. 이에 의해 2근이 인식한다는 허물을 이룰 것이니, 이치상 색처로서 2근의 인식대상인 것은 없기 때문이다. 그러므로 감촉에 의해 긴 등의 모습을 인식하는 것처럼, 이와 같이 현색에 의해 형상을 인식할 수 있는 것이다.48

이 실재한다는 주장을 논파한다. 이는 곧 게송 제7구의 '형상도 역시 실재가 아니다[形亦非實有]'라는 것을 해석하면서, 실제의 형상은 없으며, 현색에 의해 임시로 세운 것임을 밝히는 것이다. 말하자면 여러 현색의 배열이 같지 않은 것에 대해 장·단·방·원의 형색을 임시로 세웠다는 것이니, 글대로 알 수 있을 것이다. '그 나머지 형색에 대해서도 상응하는 대로 알아야 한다'는 것은, 그 중 면이 볼록하게 나오게 생긴 것에 대해 임시로 높은 형색을 세우고, 장소가 오목하게 생긴 것에 대해 임시로 낮은 형색을 세우며, 가지런하게 생긴 것에 대해 임시로 평평한 형색을 세우고, 차이나게 생긴 것에 대해 임시로 평평하지 않은 형색을 세운 것이니, 실제로는 현색을 보면서 마음으로 길다는 등으로 여긴다는 것이다. 비유에 의지해 견주기를, 마치 불타는 나무를 볼 때, 빠르게 움직이면 길다고 여기고, 돌면 둥글다고 여기지만, 이 길거나 둥근 것은 불타는 나무에 의해 임시로 세운 것이니, 실제로는 불타는 나무를 보면서 마음으로 길다는 등으로 여기는 것과 같다. 형상이 현색에 의지하는 이치도 역시 그러해야 하기 때문에 형상은 실제의 별도 부류로서의 색처의 체가 없다.

48 이는 곧 게송 제8구의 '2근이 인식해야 하기 때문[應二根取故]'이라는 것을 해석하는 것이다. 경량부 논사가 말한다. 그대들, 항상 있다는 부파[常有宗]에서 만약 실제로 형상이 별도로 있다고 말한다면, 하나의 형색이 2색근의 인식대상이어야 할 것이다. 말하자면 색취色聚에서의 긴 등의 차별을, 안근으로 보든 신근으로 접촉하든 모두 길다는 등으로 요지할 것이니, 이 때문에 2근이 인식한다는 허물을 이룰 것이다. 이치로 말하자면 12처 중 하나인 색처가 2색근의 인식대상인 것은 반드시 없다. 이치로써 논파해 마치고, 바른 뜻을 보여 말하기를, 그러므로 감촉에 의해 의식이 그에 대해 임시로 길다는 등으로 인식하는 것처럼, 이와 같이 현색에 의해 의식이 그에 대해 임시로 형상을 인식할 수 있는 것이다. 형상은 감촉과 현색에 의해 임시로 건립된 것이기 때문에 의식이 인식한다고 말한 것이다. # 본문의 '形色'을 '형상의 색처'으로 번역한 이유에 대해 밝혀 두겠다. 안근의 인식대상인 '색경=색처=색'은 장·단·방·원 등의 형상[saṃsthāna]과 청·황·적·백 등의 현색[varṇa], 이 2요소에 의해 인식된다고 할 수 있고, 그래서 필자는 안근의 인식대상인 색[rūpa](=색경=색처)을 번역할 때 형상의 '형'자와 현색의 '색'자를 조합해서 '형색'으로 번역해 왔다. 그런데 본 논서에서는 안근의 인식대상인 색[rūpa](=색경=색처)의 번역어로서 '형색形色'을 사용한 예는 거의 없는 반면, 그 1요소인 형상, 곧 위의 범어 saṃsthāna를 번역할 때 대부분 '형形'이라고만 하면서, 간혹 '형색形色'이

어찌 감촉과 형상이 하나의 색취에 함께 작용하지 못하겠는가? 따라서 감촉을 취함으로 인해 능히 형상을 기억하는 것이지, 감촉 중에서 직접 형상의 색처를 취하는 것이 아니다. 마치 불이라는 형색을 보고 곧 불의 따뜻한 감촉을 기억하며, 꽃의 냄새를 맡고 능히 꽃의 형색을 기억하는 것과 같다.49 이들 중의 2법은 결정코 서로 여의지 않기 때문에 하나를 취함으로 인해 다른 것도 기억할 수 있지만, 감촉과 형상은 결정코 서로 여의지 않는 관계가 없는데, 어떻게 감촉을 취함으로 인해 결정코 형상을 기억할 수 있겠는가? 만약 감촉과 형상은 결정코 같은 적취[同聚]가 아니지만, 그런데도 감촉을 취함에 의해 형상을 기억할 수 있다고 한다면, 현색도 역시 감촉으로 인해 결정코 기억해야 할 것이며, 혹은 형상도 현색처럼 결정적 관계가 없으므로, 곧 감촉을 취하는 단계에서 형상을 알지 못해야 할 것이다. 그렇지만 실제로는 그렇지 않다. 따라서 감촉을 취함으로 인해 형상을 기억할 수 있다고 말해서는 안 될 것이다.50 혹은 비단[錦] 등 중에서는 다수의 형

라고 한 곳이 보이는데, 이는 안근의 인식대상인 색을 가리키는 것이 아니라, 그 1요소인 형상을 가리키는 것으로서, 그 의미는 '형상으로서의 색처', 즉 색처의 구성요소인 형상이라는 취지이다. 본문의 이 부분 역시 그런 예의 하나로 보여서 '형상의 색처'로 번역한 것인데, 형상의 실재 여부를 논하는 이 문항의 경우 그 예가 뒤에도 다시 몇 곳 등장한다. 그래서 이후에는 별도의 언급 없이 '형상의 색처' 또는 단순히 '형상'이라고 번역하겠다.

49 설일체유부의 변론이다. '작용[行]'이라는 말은 있다[在]는 것이다. 어찌 감촉과 형상이 하나의 색취에 함께 있지 못하겠는가? 따라서 신근이 감촉을 취함으로 인해 의식이 먼저 보았던 형상을 능히 기억하는 것이지, 감촉 중에서 신근이 직접 형상을 취하는 것이 아니다. 따라서 색처를 2근이 인식하는 허물은 없다. 비유에 의지해 견주기를, 마치 눈으로 불의 붉은 형색을 보고, 의식이 곧 먼저 접촉했던 불의 따뜻한 감촉을 기억하는 것이지, 형색 중에서 눈이 감촉을 직접 취하는 것이 아닌 것과 같다. 또 코가 꽃의 냄새를 맡고, 의식이 능히 먼저 보았던 꽃의 형색을 기억하는 것이지, 냄새 중에서 코가 형색을 직접 취하는 것이 아닌 것과도 같다.

50 경량부의 힐난이다. 이들 중 불의 붉은 색과 불의 따뜻한 감촉, 꽃의 냄새와 그 꽃의 색깔이라는 두 가지 법은 결정코 서로 여의지 않기 때문에 하나를 취함으로 인해 다른 것도 기억할 수 있지만, 이와 같은 감촉과 이와 같은 형상은 서로 소속되어 결정코 서로 여의지 않는 관계가 있을 수 없다. 혹 매끄러운 감촉에 긴 등(의 형상)이 있으며, 혹 때로는 껄끄러운 등에도 역시 긴 등(의 형상)이 있기 때문이다. 어떻게 감촉을 취함으로 인해 형상을 기억할 수 있겠

상을 보기 때문에 곧 일처一處에 다수의 실제 형상이 있어야 하겠지만, 이치상 그러하지 않아야 하는 것은 여러 현색과 같다. 그러므로 형상의 색처는 실제로 체가 있는 것이 아니다.[51]

또 존재하는 모든 유대有對의 실색實色은 반드시 별도 부류의 실제 극미를 가져야 하지만, 길다는 등으로 이름할 극미는 없다. 따라서 곧 다수의 극미가 이와 같이 배열되어 차별되는 모습에 대해 임시로 길다는 등을 건립한 것이다.[52] 만약 곧 형상의 극미가 이와 같이 배열된 것을 길다는 등으로 이름한 것이라고 말한다면, 이는 다만 붕당朋黨일 뿐이니, 공히 인정하는 것이 아니기 때문이다. 말하자면 만약 형상의 색처에 별도 극미의 자상

는가? 또 가정적으로 논파한다. 만약 감촉과 형상은 결정코 같은 적취가 아니지만, 그럼에도 감촉을 취함으로 인해 형상을 기억한다면, 감촉은 역시 현색과도 결정코 같은 적취가 아니므로, 현색도 역시 감촉으로 인해 결정코 기억해야 할 것이다. 또 만약 현색이 결정코 감촉에 속함이 없다면, 접촉할 때 곧 현색을 알 수 없을 것이니, 결정코 속한 것이 아니기 때문이다. 혹은 형상도 현색처럼 결정코 감촉에 속한 것이 아니어야 하므로, 곧 감촉을 취하는 단계에서 형상을 알 수 없어야 할 것이다. 그렇지만 실제의 도리는 곧 그렇지 않다. 눈을 감고 접촉할 때에는 형상만을 알 수 있을 뿐, 현색을 능히 아는 것은 아니다. 이로써 형상은 가법이고, 현색은 실법임을 알 수 있다. 따라서 그대들은 감촉을 취함으로 인해 먼저 보았던 실제의 형상을 기억할 수 있다고 말해서는 안 된다. 만약 실제의 형상을 기억한다면, 어째서 현색을 기억하지 못하겠는가? 이미 현색을 기억하지 못하니, 형상은 가법임이 분명하다. 또 해석하자면 실제의 형상은 그렇지 않으니, 왜냐하면 만약 실제의 형상이 있다면 신근도 역시 직접 취할 것이기 때문이다. 따라서 감촉을 취함으로 인해 먼저 보았던 실제의 형상을 기억할 수 있다고 말해서는 안 된다.

51 경량부에서 또 논파하는 것이다. 혹 비단 등을 왼쪽에서 보면 말이 보이고, 오른쪽에서 보면 소가 보이며, 정면에서 보면 사람이 보이고, 뒤집어서 보면 귀신이 보인다. 중다한 다른 부류의 형상이 같지 않으니, 곧 일처一處에 다수의 실제의 형상이 있어야 하겠지만, 이치상 그러해서는 안 된다. 마치 여러 현색과 같으니, 많은 실제의 체가 있다면 바뀜[改變]이 없을 것이다. 그러므로 형상은 실제로 체가 있는 것이 아니다.

52 경량부에서 다시 힐난하는 것이다. 또 존재하는 모든 5근·5경의 유대의 실색은 반드시 별도 부류의 실제 극미를 가져야 하지만, 이치로써 궁구하면 길다는 등으로 이름할 극미는 없다. 따라서 곧 다수의 현색 극미라는 물건이 이와 같이 배열되어 차별되는 모습에 대해 임시로 길다는 등을 세운 것이다. 논증식을 세워 말한다면, 「형상은 실재가 아니다. 별도의 극미가 없기 때문이니, 마치 허공의 꽃과 같다.」

이 있다는 점이 공히 인정된다면, 모여서 이와 같이 배열됨으로써 긴 것 등이 될 수 있겠지만, 모든 형상의 색처에는 마치 현색처럼 별도 극미의 자상이 있다는 점이 공히 인정되는 것이 아닌데, 어떻게 모여서 배열됨이 있을 수 있겠는가?[53]

현색의 모습은 같지만, 형상의 모습은 차이가 있는 흙그릇 등을 어찌 현견하지 못하는가?[54] 곧 다수의 물건이 배열된 차별에 대해 임시로 길다는 등을 건립한 것이라고 이미 분별하지 않았는가? 마치 수많은 개미 등에게는 그 모습[相]에 다르지 않음이 있지만, 가거나 도는[行輪] 배열된 형상[形]에는 차별이 있는 것처럼, 형상이 현색 등에 의지하는 이치도 역시 그러해야 하는 것이다.[55]

어둠 속에서나 먼 곳에서 나무그루터기 등의 물건을 보면, 어찌 현색은 알 수 없어도 형상은 알 수 있지 않는가? 그런데 어찌 곧 현색 등이 배열된 것을 형상이라고 하겠는가?[56] 어둡거나 먼 곳에서 보면 현색을 명료하지 않으

53 경량부에서 설일체유부의 변론을 옮겨와서 논파하는 것이다. 그대들이 만약 곧 형상의 극미가 배열된 것을 길다는 등으로 이름한 것이라고 말함으로써, 앞에서 말한 것처럼 별도의 극미가 없으므로, 이유에 성립될 수 없는 허물 있음을 드러낸다면, 이는 붕당의 마음일 뿐이니, 우리는 (별도의 형상 극미가) 있다고 인정하지 않으므로, 공히 인정하는 것이 아니기 때문이다. 또 해석하자면 이는 승론 논사들의 종지와의 붕당일 뿐이니, 현색과 형상의 체성이 각각 별개라는 그들의 종지는 공히 인정하는 것이 아니기 때문이다. 만약 형상 극미 자체가 피차 공히 인정하는 것이라면, 배열된 것이 긴 것 등이 될 수 있겠지만, 형상 극미 자체가 현색처럼 피차 공히 인정하는 것이 아닌데, 어떻게 배열되겠는가?

54 설일체유부의 변론이다. 여러 흙그릇 등이, 청색이든 황색이든 현색의 모습은 같지만, 단지나 동이 등으로 형상의 모습은 각각 차이가 있는 것을 어찌 현견하지 못하는가? 따라서 현색 외에 실제로 별도의 형상이 있다고 알아야 한다.

55 경량부에서 다시 논파하는 것이다. 앞에서 이 뜻에 대해 이미 분별하지 않았는가? 곧 다수의 현색의 물건이 배열된 차별에서, 임시로 긴 등의 단지나 동이 등의 차이를 세운 것이다. 비유에 의지해 견준다면, 마치 수많은 개미 등의 경우, 그 검은 모습 등에는 차이나지 않음이 있지만, 혹 어떤 때에는 길게 줄지어 가거나[長行] 둥글게 도는[圓輪], 배열된 형상이 차별되는데, 개미 등의 모습을 떠난 밖에 별도로 가거나 도는 것은 없는 것처럼, 형상이 현색 등에 의지하는 이치도 역시 그러해야 하므로, 현색 등을 떠난 밖에 별도로 형상은 없는 것이다. '현색 등'은 감촉을 같이 취한 것이다.

니, 이 때문에 길다는 등의 분별을 일으킬 뿐이다. 마치 먼 곳이나 어둠 속에서 많은 나무나 사람을 보면 단지 행렬[行]이나 무리[軍]만 알 뿐, 개별 모습을 알지 못하는 것과 같다. 이치상 반드시 그러해야 한다. 혹 어떤 때에는 현색과 형상을 알지 못하고, 전체적인 모임[總聚]만을 알 뿐이다.[57]

(4) 경량부의 표·무표업

이미 행동과 형상을 부정해 버렸는데, 그대들 경량부에서는 무엇을 신표身表로 세우는가?[58] 형상을 신표로 세우는데, 가법[假]일 뿐, 실재[實]가 아니다.[59] 이미 가법을 써서 신표로 삼을 뿐이라고 주장했으니, 다시 어떤 법을 신업身業으로 세우는가?[60] 만약 업이 몸에 의지한 것이라면 신업으로 세우니, 말하자면 능히 몸을 갖가지로 움직이게 하는 의도[思]가 몸이라는 문

56 설일체유부의 변론이다. 어둠 속에서나 먼 곳에서 눈으로 나무그루터기 등을 보면, 어찌 푸른 등의 현색은 알지 못해도 긴 등의 형상만은 알지 않는가? 그러니 현색 외에 별도로 실제의 형상이 있다는 것을 분명히 알 수 있다. 어찌 곧 현색 등이 배열된 것을 형상이라고 하겠는가?

57 경량부에서 회통하는 것이다. 어둡거나 먼 곳에서 많은 현색을 보면 대부분 명료하지 않지만, 완전히 반연하지 않는 것은 아니다. 이 때문에 의식이 장·단·방·원 등의 분별을 일으킬 뿐, 실제의 형상을 보는 것은 아니다. 비유에 의지해 견준다면, 마치 먼 곳이나 어둠 속에서 많은 나무나 사람을 보면, 의식은 다만 많은 나무의 임시의 행렬이나 많은 사람의 임시의 무리만 알 뿐, 많은 나무나 많은 사람의 개별 모습을 알지 못하는 것과 같다. 또 해석하자면 의식이 나무의 행렬이나 사람의 무리만 알 뿐, 안식이 나무나 사람의 개별 모습을 알지 못한다. '행렬'과 '무리'는 형상을 비유한 것이고, '개별 모습'은 현색을 비유한 것이다. 이치상 반드시 그러해야 한다. 그 이치는 무엇인가? 혹 어떤 때에는 의식은 현색과 형상의 차별을 알지 못하고, 의식은 전체적인 무리라는 임시의 모습만을 알기도 하는 것이다. 또 해석하자면 안식이 현색과 형상 두 가지를 알지 못하고, 의식이 전체적인 무리라는 임시의 모습만을 알 뿐이다. 명료하지 못하기 때문에 현색을 알지 못한다고 이름한 것이고, 형상을 반연하지 못하기 때문에 형상을 알지 못한다고 이름한 것이다. 또 해석하자면 안식이 현색을 알지 못하는 것은 분명하지 못하기 때문에 현색을 알지 못한다고 이름한 것이지, 완전히 알지 못한다는 것은 아니다. 의식이 형상을 알지 못하는 것은 형상을 분별하지 못하기 때문에 형상을 알지 못한다고 이름한 것이니, 의식은 전체적인 무리라는 임시의 모습만을 알 뿐이기 때문이다.

58 맺고 묻는 것이다.

59 경량부의 답이다. 그 경량부에서는 신·어의 2표업은 색·성 위의 가법이라고 한다.

60 질문이다.

[身門]에 의지해 행해지기 때문에 신업이라고 이름한다. 어업과 의업을 그 상응하는 바에 따라 차별되는 명칭을 세우는 것도 역시 그러하다고 알아야 할 것이다.61

만약 그렇다면 어째서 계경 중에서, "두 가지 업이 있으니, 첫째는 사업, 둘째는 사이업이다"라고 설했겠는가? 이 두 가지는 어떻게 다른가?62 말하자면 앞의 가행加行에서 사유사思惟思를 일으켜 '나는 해야 할 이러이러한 일을 해야겠다[我當應爲 如是如是 所應作事]'라고 하는 것을 사업思業이라고 이름하고, 이렇게 사유한 뒤 작사사作事思를 일으켜 앞에서 의도한 바에 따라서 해야 할 일을 하려고 몸을 움직이고 말을 일으키는 것을 사이업思已業이라고 이름한다.63

만약 그렇다면 표업은 곧 결정코 없을 것이고, 표업이 이미 없으니, 욕계의 무표업도 역시 있는 것이 아니어야 할 것이니, 곧 큰 허물을 이룰 것이

61 경량부의 답이다. 만약 업이 몸의 문에 의지해 행해진다면, 곧 신표를 반연함을 경계로 해서 일어난다면, 신업이라고 이름한다. 어업도 준해서 해석할 것이다. 이와 달리 그 나머지 마음[意]과 함께 일어나는 것은 의지意地에 의지해서 일어나기 때문에 마음의 문[意門]에 의지한다고 이름한다. 나머지 2문에 의지하는 것(=신업·어업)도 역시 마음에도 의지하지만, 단지 개별적인 뜻에만 의지해 곧 개별적 명칭으로 세운 것이다. 이(=의업)는 공통의 명칭을 받았지만, 공통의 명칭이 개별적 명칭이 된 것이니, 마치 색처 등과 같다. 완전히 갖추어 말해야 한다면, 몸에 의지한 업, 말에 의지한 업, 마음에 의지한 업이니, 경량부의 3업은 모두 의도[思]를 체로 한다.

62 경량부에게 따져 묻는 것이다. 가르침을 인용해 어긋난다고 분별하는 것이다. 만약 그 3업의 체가 모두 의도라면, 경(=앞에서도 인용된 중 27:111 달범행경)에서 '사이思已'라고 말한 것은 무엇을 가리키는 것이겠는가? 이미 '사이'라고 말했으니, 업은 '사'가 아님을 분명히 알 수 있다.

63 경량부에서 회통하는 것이다. 사유사는 먼 인등기因等起(=원인으로서 같이 일어나는 것)이고, 작사사는 가까운 인등기이다. 『대승성업론大乘成業論』(=대 31-785하)에서 말한, 첫째 심려사審慮思와 둘째 결정사決定思는 이 논서에서의 사유사에 포함되는 것으로서, 사업이며, 셋째 동발사動發思는 이 논서에서의 작사사에 포함되는 것으로서, 사이업이다. 찰나등기(=바로 업을 지을 때 같이 일어나는 소위 수전심隨轉心)를 말하지 않는 것은, 이 시기의 마음의 성품은 반드시 같지는 않아서, 죄와 복의 2문이 그것에 의해 결정되는 것이 아니기 때문에 그것에 의해 업의 차별을 말하지 않는 것이다. 설령 그 단계에 같은 부류의 '사思'를 일으키더라도 그 상응하는 바에 따라 두 가지 사思에 포함되는 것이다. 신·어의 2업은 곧 작사사로서, 사이업이라고 이름한다.

다.[64] 그런 큰 허물을 막을 수 있는 이치가 있다. 말하자면 앞에서 말한 것과 같은 두 가지 표업의 수승한 의도로부터 일어난 의도의 차별을 무표라고 이름한다. 여기에 무슨 허물이 있겠는가?[65]

이것은 수심전隨心轉의 업이라고 이름해야 할 것이니, 마치 선정의 무표가 마음과 함께 일어나는 것과 같기 때문이다.[66] 그와 같은 허물은 없으니, 심려審慮·결정決定의 수승한 의도와 동발動發의 수승한 의도가 견인해 낳는 것이기 때문이다. 설령 표업이 있다고 인정하더라도 앞에서 말한 것과 같은 의도의 힘을 기다려야 하니, 성품이 무디기 때문[性鈍故]이다.[67]

64 힐난이다. 만약 일을 하려는 의도[작사사作事思]를 사이업이라고 이름한다면, 색·성의 표업은 곧 결정코 없을 것이고, 표업이 이미 없으니, 욕계의 무표업도 역시 있는 것이 아니어야 할 것이니, 욕계의 무표업은 표업에 의해 일어나기 때문이다. 곧 큰 허물을 이룰 것이다.

65 경량부의 답이다. 그런 큰 허물을 막을 수 있는 이치가 있다. 말하자면 앞에서 말한 것과 같은, 몸을 움직이거나 말을 일으킨 두 가지 표업의, 멀고 가까운 두 가지 원인과 등기等起한, 수승한 현행의 의도[現行思]의 세력에 따라서, 신심에 훈습하여 일어날 의도(=의도의 종자)가 현행의 의도와 차별되어 갖가지로 다른 것을 '의도의 차별'이라고 이름하였다. 혹은 다른 의도의 종자와 같지 않은 것을 '의도의 차별'이라고 이름하였다. 의도의 종자에 대해 임시로 건립했기 때문에 무표라고 이름한 것이다. 여기에 무슨 허물이 있겠는가? 명칭을 해석해 말한다면, 이 의도의 종자는 몸을 움직이거나 말을 일으켜서 내심을 표시할 수 없으므로 무표업이라고 이름한 것이다. 경량부에 의하면 신·어의 2표업은 무기의 성품이고, 의도는 3성에 통한다. 따라서 사업만 훈습하여 종자를 이룰 수 있을 뿐, 표업은 훈습할 수 없다. 그래서 『순정리론』(=제34권. 대29-538상)에서 말하였다. "그들은 신·어가 오직 무기일 뿐이라고 인정하기 때문이다."

66 다시 힐난하는 것이다. 만약 의도의 종자를 무표라고 이름한 것이라면, 그 의도의 종자는 항상 마음에 의지하고 기댈 것[依附]이니, 이는 수심전의 무표업이라고 이름해야 할 것이다. 마치 선정과 함께 하는 무표가 마음에 따라 함께 일어나는 것과 같기 때문이다.

67 경량부에서 다시 해석하는 것이다. 우리에게 그와 같은 수심전이라는 허물은 없다. 욕계 산심의 의도의 종자인 무표는, 앞에 현행한 심려의 수승한 의도와 결정의 수승한 의도라는, 등기한 먼 원인, 동발(=작사)의 수승한 의도라는, 등기한 가까운 원인이 견인해 낳는 것이기 때문에 무심無心일 때에도 (의도의 종자는 여전히) 역시 있으므로, 수심전의 업이라고 이름하지 않는다. 만약 선정의 무표라면, 그 의도가 견인한 것이 아니라, 단지 선정의 마음일 때에만 동시에 있는 의도 위에 임시로 건립된 것이기 때문에 입정하면 곧 있지만, 출정하면 곧 없다. 그래서 수심전의 업이라고 이름하는 것이기 때문에 비례될

⑸ 설일체유부의 표·무표업

비바사 논사들은, "형상[形]은 실법[實]이기 때문에 신표업은 형상의 색처[形色]를 체로 한다"라고 말한다.68

어표업의 체는 말하자면 곧 말소리[言聲]이다.69

3. 무표업

....

것이 아니다. 우리가 설령 그대들 설일체유부와 같이 신·어의 두 가지 표업이 있다고 인정하더라도, 역시 앞에서 말한 것과 같은 의도의 힘을 기다려 무표를 견인해 일으킨다는 것이다. 표업은 스스로 무표를 낳을 수 없으니, 신·어의 표색은 성품이 무디기 때문이다. 또 해석하자면 가령 그대들의 별도로 그 표업 있다는 주장을 인정하더라도, 그대들 역시 앞에서 말한 것과 같은 멀고 가까운 두 가지 의도의 힘을 기다려야 비로소 무표를 견인할 것이니, 표색의 성품은 무디기 때문이다. 또 해석하자면 단지 무표만 앞의 의도를 기다려 견인되는 것이 아니라, 우리가 표업이 있다고 인정하더라도 역시 앞에서 말한 것과 같은 의도의 힘을 기다려야 하니, 표업의 성품은 무디기 때문이다.

68 비바사 논사들이 맺어서 본래의 종지로 돌아가는 것이다.

69 제10구를 해석하는 것이다. 만약 설일체유부에 의해 신표업을 해석한다면, 머리카락·털·손톱발톱 등은 모두 몸이라고 이름하고, 장·단 등의 색은 내심을 표시하므로 표라고 이름하며, 표로써 만드는 것[造作]이 있는 것을 업이라고 이름하는데, 몸에 의해 표를 일으키니, 곧 표를 업이라고 이름하기 때문에 신표업이라고 이름하는 것이다. 어표업이라는 말은, '어'는 말하자면 말소리[言聲]로서, 소리로 능히 내심을 표시하므로 표라고 이름하고, 표로써 만드는 것이 있는 것을 업이라고 이름하는데, 어가 곧 표이고, 표가 곧 업이기 때문에 어표업이라고 이름한다. 의업이라는 말은, 의는 말하자면 의식이고, 업은 곧 의도이니, 의에 의해 업을 일으키기 때문에 의업이라고 이름한 것이다. 그래서 『순정리론』(=제34권. 대29-539중)에서 말하였다. "무엇 때문에 어표의 체는 곧 말[語言]인데, 신표와 의업은 곧 몸과 마음이 아닌가? 말을 떠나서는 표시할 수 있는 소리가 없지만, 몸과 마음을 떠나도 색표色表(=색에 의한 표시)와 사업思業이 있기 때문에, 신업이라는 명칭의 건립은 의지처에 따르고, 어업은 자성에 의거하며, 의업은 등기한 것에 따른 것이다. 이 때문에 거기에는 서로 어긋나는 허물이 없다." 만약 경량부에 의해 해석한다면, 신표업의 신은 앞의 해석과 같고, 표는 가법인 형상을 체로 한다. 말하자면 형상의 상속이 능히 내심을 표시하니, 이 표는 곧 색법 위에 임시로 세운 것이다. 업은 말하자면 몸을 움직이는 의도이니, 업이 몸의 문에 의지해 능히 표를 일으키기 때문에 신표업이라고 이름한 것이다. 어표업이라는 말은, 어는 말하자면 음성이고, 표는 음성을 체로 한다. 말하자면 음성의 상속이 능히 내심을 표시하니, 이 표는 곧 소리 위에 임시로 세운 것이다. 업은 말하자면 말을 일으키는 사업思業이 말의 문에 의지해 능히 표를 일으키기 때문에 어표업이라고 이름한 것이다. 의업은 앞에서와 같다.

(1) 경량부의 가유론

무표업의 모습은 앞에서 논설한 것과 같다.[70] 경량부에서는 역시 이렇게 말한다. "이것은 실재가 아니다. 이전 맹서의 제한[先誓限]에 의해서 짓지 않을 뿐이기 때문이며, 그것도 역시 과거의 대종에 의지해 시설된 것이지만, 과거의 대종은 체가 있는 것이 아니기 때문이며, 또 모든 무표에는 색의 모습이 없기 때문이다."[71]

(2) 설일체유부의 실유론

비바사 논사들은 이것도 역시 실재[實有]라고 말한다.[72] 어떻게 그런지 아는가?[73] 게송으로 말하겠다.

⑤a 세 가지 색, 무루의 색[說三無漏色]

복의 증장, 지은 것 아님 등을 설했기 때문이다[增非作等故][74]

【제1증】 논하여 말하겠다. 계경에서 설하였다. "색에 세 가지가 있는데,

70 이하 셋째로 무표의 모습을 따로 밝히는 것이다. 앞(=제1권 중 게송 ⑪과 그 논설)에서 해석한 것과 같다고 가리켰다.

71 경량부의 해석을 서술하는 것이다. 경량부에서는 이 무표업도 실제의 성품이 아니라고 말한다. 이전 맹서의 제한에 의해서 모든 악을 짓지 않을 뿐인데, 짓지 않는다는 말은 짓는 것을 떠났다는 것을 표시하는 것이므로, 별도로 체가 있는 것이 아니다. 또 그 무표의 성품도 역시 과거의 대종에 의지해 시설된 것이지만, 그 과거의 의지대상[所依]인 대종은 이미 소멸해서 체가 없는데, 의지주체[能依]인 무표가 어찌 현재 실재하겠는가? 또 모든 무표에는 질애質礙라는 색의 자상이 없기 때문이다. 어떻게 색으로서 실재하는 것이라고 말할 수 있겠는가? 단지 의도의 종자에 대해 임시로 무표를 세웠을 뿐이라고 해도 곧 무방한 것이다.

72 비바사 논사의 해석을 서술하는 것이다.

73 따져 묻는 것이다.

74 이 게송 중에 모두 여덟 가지 증거가 있어 무표가 있음을 증명한다. 첫째 세 가지 색을 설한 것으로 증명하고, 둘째 무루의 색을 설한 것으로 증명하며, 셋째 복의 증장을 설한 것으로 증명하고, 넷째 지은 것 아님이 업을 이루는 것으로 증명하며, 다섯째 법처의 색으로 증명하고, 여섯째 팔정도의 지분으로 증명하며, 일곱째 별해탈로 증명하고, 여덟째 계가 둑[堤塘]이 되는 것으로 증명한다. 앞의 네 가지는 게송에서 말했고, 뒤의 네 가지는 '등'에 포함된 것이다.

이 세 가지가 일체 색을 포함하는 처處가 된다. 첫째 유견유대有見有對의 색처가 있고, 둘째 무견유대無見有對의 색처가 있으며, 셋째 무견무대無見無對의 색처가 있다."75

【제2증】 또 계경 중에서 무루의 색이 있다고 설하였다. 예컨대 계경에서, "무루법은 어떤 것인가? 말하자면 과거·미래·현재에 존재하는 모든 색에 대해 탐애와 성냄을 일으키지 않고, 나아가 의식에 이르기까지도 역시 그러한 것, 이것을 무루법이라고 이름한다"라고 설한 것과 같다.76 무표색을 제외한다면 어떤 법을 무견무대 및 무루의 색이라고 이름하겠는가?77

【제3증】 또 계경에서 복의 증장[福增長]이 있다고 설하였다. 예컨대 계경에서, "청정한 믿음을 가진 선남자나 선여인이 의지처 있는 일곱 가지 복업사[有依七福業事]를 성취한다면, 가든 머물든, 잠자든 깨어 있든 항상 상속하여 복업이 점점 증장하고, 복업이 계속 일어난다. 의지처 없는 것[無依]도 역시 그러하다"라고 설한 것과 같다. 무표업을 제외할 경우, 만약 다른 마음을 일으키거나 무심일 때라면, 어떤 법에 의지해 복업이 증장한다고 설했겠는가?78

75 이는 제1 세 가지 색을 설한 것(=잡 [12]13:322 안내입처경)에 의한 증명이다. 이 세 가지가 전체적인 처[總處]가 되어 일체 색을 포함한다. '색이 있다'는 것은 말하자면 한 부류의 색이 있다는 것이다. '유견'은 말하자면 이 색처는 눈으로 볼 수 있기 때문이다. '유대'는 말하자면 장애유대이다. 어떤 한 부류의 색은 안근의 경계가 아니므로 무견이라고 이름하고, 부딪치는 질애가 있기 때문에 유대라고 이름하니, 5근과 4경(=유견유대인 색경 제외)을 말하는 것이다. 어떤 한 부류의 색은 안근의 경계가 아니므로 무견이라고 이름하고, 질애에 부딪치는 것이 아니기 때문에 무대라고 이름하니, 무표색을 말하는 것이다. 경 중에서 이미 무견무대를 설했으니, 별도로 무표색이 있다는 것을 분명히 알 수 있다.

76 이는 제2 무루의 색에 의한 증명이다. 이 경(=잡 [4]2:56 누무루법경漏無漏法經)의 뜻은, 3세의 5온 중 무루의 모든 법을 나타내는 것이다. 경 중에서 이미 무루의 색이 있다고 설했으니, 별도로 무표색이 있다는 것을 분명히 알 수 있다.

77 두 계경이 무표색의 성립을 증명한다는 것을 쌍으로 나타내는 것이다. 무표색을 제외한다면 첫 경 중에서 어떤 법을 무견무대라고 이름했겠으며, 둘째 경 중에서 어떤 법을 무루의 색이라고 이름했겠는가?

78 이는 제3 복의 증장에 의한 증명이다. (중 2:7 세간복경에서) 의지처 있는 일곱 가지 복업사를 성취한다고 한 것은, 첫째 나그네에게 보시하는 것, 둘째

【제4증】 또 스스로 지은 것은 아니고, 단지 남을 보내어 하게 했을 뿐일 경우, 만약 무표업이 없다면 업도業道를 이루지 않아야 할 것이다. 남을 보내는 표업은 그 업도에 포함되는 것이 아니어서, 이 업으로는 지어야 할 것을 아직 바로 지을 수 없기 때문이니, 시켜서 지어야 할 것을 지었다고 해도 이것의 성품에는 차이가 없기 때문이다.79

【제5증】 또 계경에서, "필추들이여, 법은 말하자면 외처外處인데, 11처에 포함되지 않는 법으로서, 무견무대라고 알아야 한다"라고 설하시면서, '무

길을 가는 사람에게 보시하는 것, 셋째 병 있는 사람에게 보시하는 것, 넷째 병 시중드는 사람에게 보시하는 것, 다섯째 원림을 보시하는 것, 여섯째 일상의 음식[常食](=뒤의 제18권 중 게송 ⑫a에 관한 논설 참조)을 보시하는 것, 일곱째 때에 따라 보시하는 것인데, 아래(=아래 ⑶의 비판. 이 일곱 가지는 위 중 2:7경에서 열거된 것과는 대체로 다르다)에서 따로 밝히는 것과 같다. 이런 일곱 가지 복업사를 성취한 자는 항상 상속하여 앞의 복업을 계승하므로, 점점 복업이 증장되고 뒤에 계속 일어남이 있다. 이와 같은 일곱 가지는 의지하는 것이 있기 때문에 의지처 있는 것이라고 이름하고, 선이기 때문에 복이라고 이름하며, 짓는 것이기 때문에 업이라고 이름하고, 의도가 의탁한 것을 일[事]이라고 이름하는데, 복·업·사 세 가지는 아래(=제18권 중 게송 ⑯과 그 논설)에서 따로 해석하는 것과 같다. '의지처 없는 것도 역시 그러하다'는 것은 그 일곱 가지 일이 의지하는 것이 없기 때문에 의지처 없는 것이라고 이름한 것이다. 단지 깊은 마음을 일으켜 행 등에 대해 따라 기뻐하고 공경하기만 한다면 복도 역시 계속 일어나는 것이, 의지처 있는 것에 비례해서 같기 때문에 '역시 그러하다'고 말한 것이다. 무표업을 제외할 경우, 만약 다른 염오·무기의 마음을 일으킨다면, 혹은 무심일 때라면, 어떤 법에 의지해 복업이 증장한다고 설하겠는가? 만약 이렇게 해석한다면 오직 마음을 일으켜 따라 기뻐하고 공경할 뿐이어서 신표업이 없을 것이다. 그래서 또 해석하자면 의지처 없는 복은, 단지 마음을 일으킬 뿐만 아니라, 또한 몸으로도 공경해야 복업이 증장할 것이다. 단지 보시하는 물건이 없기 때문에 의지처 없는 것이라고 이름할 뿐이다. 무표업이 만약 없다면 어떻게 복이 증장하겠는가?

79 이는 제4 스스로 지은 것 아닌 업[非自作業]에 의한 증명이다. 또 스스로 몸의 세 가지, 말의 네 가지를 지은 것이 아니고, 남을 보내어 하게 했을 뿐일 경우, 만약 무표업이 없다면 업도를 이루지 않아야 할 것이다. 남을 보내는 표업은 그 업도에 포함되는 것이 아니다. 이 표업은 단지 가행일 뿐, 지어야 할 것을 아직 바로 지을 수 없기 때문이니, 시켜서 살생 등의 일을 짓게 해다고 해도, 이 교사자가 보낸 표업의 성품은 또한 차이가 없기 때문이다. 이미 별도 부류의 신·어업이 생긴 것이 없으니, 곧 남을 보내는 것에는 업도가 없어야 하겠지만, 실제로는 업도를 이룬다. 따라서 그 때 다시 별도로 무표의 업도를 견인해 낳았다는 것을 알 수 있다.

색'이라고 말씀하시지 않았다. 만약 법처에 포함되는 무표색을 보지 않는다면, 이 말씀은 결여된 것이어서 곧 쓸모 없는 것이 될 것이다.[80]

【제6증】 또 만약 무표색이 없다면 8정도의 지분[八道支]도 없을 것이니, 선정에 있을 때에는 말 등이 없기 때문이다.[81] 만약 그렇다면 무엇 때문에 계경 중에서, "그는 이와 같이 알고 그는 이와 같이 보았기에 정견·정사유·정정진·정념·정정을 닦고 익혀서 모두 원만함에 이르렀으며, 정어·정업·정명은 이전에 이미 얻어서 청정 선백하였다"라고 설했겠는가?[82] 이는 이전에 세간적 이염의 도[離染道]를 이미 얻었음에 의해 설한 것이므로, 상반되

80 이는 제5 법처의 색에 의한 증명이다. 또 계경(=앞에 나온 잡 [12]13:322 안내입처경)에서 설하였다. "비구들이여, 12처 중 법처라고 말한 것은 소위 외처인데, 11처에 포함되지 않는 법이니, 눈에 보이는 것이 아니므로 무견이라고 이름하고, 장애가 없기 때문에 무대라고 이름한 것이라고 알아야 한다." 이 경 중에서 '무색'이라고 말씀하시지 않았으니(=그 앞에서 뜻[意]의 내입처에 대해서는 '색이 아니다[非色]'라고 말씀하셨다), 법처에 무표색이 있다는 것을 분명히 알 수 있다. 만약 그 법처의 무표색을 보지 않는다면, 이 경은 결여 감소된 것[闕減]이어서 곧 쓸모 없는 것이 될 것이니, 완전히 갖추려면 다시 무색이라고 말씀하셨어야 할 것이다. 『순정리론』(=제35권. 대29-539하)에서는 각별처경各別處經이라고 칭하였다. # 그 논서에서의 아래 글이 이해에 도움이 된다. "또 법처의 색은 결정코 있어야 한다. 각별처경에서 외경인 법처에 대해 설하시면서 의처처럼 무색이라고 설하신 것이 아니기 때문이다. 법처 중에 결정코 색이 있으므로 무색이라고 설하시지 않은 것이다."

81 이는 제6 팔정도의 지분에 의한 증명이다. 만약 무표업이 없다면 선정에 있을 때에는 그 정어·정업·정명이 있어 팔정도의 지분을 갖추었다고 말할 수 없을 것이다. 5지분만 있을 것이니, 선정에 있을 때에는 정어 등의 3지분은 모두 없기 때문이다.

82 힐난이다. 만약 무루의 선정에 있을 때 도공道共의 무표가 있는 것을 정어·정업·정명이라고 이름한 것이라면, 무엇 때문에 계경(=출전 미상이다) 중에서, '그는 이와 같이 알았다'는 것은 지智이고, '그는 이와 같이 보았다'는 것은 인忍이며, 혹은 '그는 이와 같이 알았다'는 것은 견도이고, '그는 이와 같이 보았다'는 것은 수도이며, 혹은 '그는 이와 같이 알았다'는 것은 수도이고, '그는 이와 같이 보았다'는 것은 견도인데, 정견 등 다섯 가지를 닦고 익혀서 모두 원만함에 이르렀으며, 정어 등 세 가지는 이전에 이미 얻었다고 말했겠는가? 이 경에서 이미 무루의 선정 중에서는 정어·정업·정명을 설하지 않고, 다시 정어·정업·정명은 이전에 이미 얻었다고 말했으니, 이 세 가지는 무루의 선정에 있을 때에는 체가 곧 있는 것이 아님을 분명히 할 수 있다. 어떻게 무표색이 있음을 증명할 수 있겠는가?

는 허물이 없다.[83]

【제7증】 또 만약 무표색이 없다고 부정한다면 곧 별해탈율의도 역시 없어야 할 것이니, 계를 받은 뒤에는 계의 상속이 있어서 비록 다른 연緣의 마음을 일으키더라도 필추 등이라고 이름해야 할 것이 아닐 것이다.[84]

【제8증】 또 계경에서, "살생 등에서 떠나는 계를 제당계堤塘戒라고 이름하니, 능히 긴 시간 동안 상속하여 범계犯戒의 허물을 가로막기 때문이다"라고 설했는데, 그 체가 없다면 제당이라고 이름할 수 있는 것이 아닐 것이다.[85]

이런 등의 증거에 의해서 무표색이 실재한다는 것을 알 수 있다.[86]

(3) 경량부의 비판

경량부 논사들은, 그런 증거가 비록 많고 갖가지로 희기希奇하지만, 이치에는 맞지 않는다고 말한다.

【제1증 비판】 그런 까닭은 인용한 증거 중 우선 첫 경에서 세 가지 색이 있다고 설한 것에 대해, 유가사瑜伽師들은 이렇게 설하기 때문이다. "정려를 닦을 때 선정의 힘으로 생긴, 선정의 경계인 색은 안근의 경계가 아니기 때문에 무견이라고 이름하고, 처소에 장애되지 않기 때문에 무대라고 이름한 것이다." '만약 이미 그러하다면 어떻게 색이라고 이름하겠는가?'라고 말한

83 회통하는 것이다. 경에서 정어·정업·정명을 이전에 이미 얻었다고 말한 이것은, 이전에 세간적 이염의 도를 이미 얻었음에 의해 설한 것이지, 무루도에 의거한 것이 아니다. 먼저 그 유루도를 얻었을 때 3사邪(=사어·사업·사명)를 일으키지 않았기 때문에, 뒤의 무루관일 때 다만 5지분을 얻는다고 설한 것일 뿐, 무루의 선정일 때 이 정어 등 3지분이 없다는 것은 아니다. 따라서 그 경과 상반되는 허물은 없다.

84 이는 제7 별해탈에 의한 증명이다. 또 만약 무표색이 없다고 부정한다면 곧 계戒의 체도 없을 것이니, 계를 받은 뒤에는 계의 상속이 있어서 비록 악·무기의 다른 연緣의 마음을 일으키더라도 필추 등이라고 이름해야 할 것이 아닐 것이다. 그렇지만 이미 계를 받은 뒤에는 계의 상속이 있으므로, 비록 악·무기의 다른 연의 마음을 일으키더라도 필추 등이라고 이름하므로, 별도로 무표가 있어 그 계의 체가 된다는 것을 분명히 알 수 있다.

85 이는 제8 계가 제당堤塘(=둑)이 됨에 의한 증명이다. 계가 둑이 되니, 별도로 무표가 있어 그 체가 되었다는 것을 분명히 알 수 있다.

86 이런 여덟 가지 증거에 의해 실제로 무표색이 있다는 것을 알 수 있다. 이는 곧 총결하는 것이다.

다면, 이런 힐난에 대한 해석은 무표에 대해 해석한 것과 같다.[87]

【제2증 비판】 또 경에서 말한 무루의 색에 대해 유가사들은, "곧 선정의 힘에 의해 생긴 색 중 무루의 선정에 의한 것을 곧 무루의 색이라고 말한다"라고 말한다.[88] 어떤 다른 논사는, "무학의 몸의 색 및 모든 외부의 색은 모두 무루이니, 번뇌의 의지처[漏依]가 아니기 때문에 무루라는 명칭을 얻는다"라고 말하였다.[89]

그렇다면 무엇 때문에 경에서, "유루법이란 존재하는 모든 눈[諸所有眼] 내지 ····"라고 말했겠는가?[90] 이것들은 번뇌를 대치하는 것[漏對治]이 아니기 때문에 유루라는 명칭을 얻은 것이다.[91] 그렇다면 곧 여기에서 유루이면서 또한 무루이기도 하다고 말했어야 할 것이다.[92] 만약 그렇다면 무엇이

87 이하 경량부에서 앞의 여덟 가지 증거에 대해 논파하는데, 이는 곧 제1증에 대한 논파이다. 처음은 곧 전체적으로 비판하는 것이고, 뒤는 곧 개별적으로 해석하는 것이다. 우선 첫 경에서 세 가지 색을 말한 것 중 무견무대에 대해 유가사들은 말한다. 정려를 닦을 때 선정의 힘에 의해 생긴 것이 선정의 경계인 색이니, 곧 앞의 8변처(='10변처' 중 앞의 여덟 가지) 등의 색인데, 안근의 경계가 아니기 때문에 무견이라고 이름하고, 처소에 장애되지 않기 때문에 무대라고 이름한 것이지, 무표인 것이 아니다. 「만약 이미 그러하다면 무견무대를 어떻게 색이라고 이름하겠는가?」라고 말한다면, 이런 힐난에 대한 해석은 무표에 대해 해석한 것(=앞의 제1권)과 같다. 그대들의 무표색도 무견무대인데, 어떻게 색이라고 이름하는가? '유가yoga'는 여기에서 상응이라고 이름하니, 곧 관행자觀行者의 다른 명칭이다.

88 이하 제2증에 대해 논파한다. 두 번째 경에서 말한 무루의 색에 대해 유가사들은 말한다. 곧 선정의 힘에 의해 생긴 색 중에는 두 가지 색이 있으니, 만약 유루의 선정에 의해 일어난 색이라면 곧 유루라고 말하고, 만약 무루의 선정에 의해 일어난 색이라면 곧 무루의 색이라고 말한다. 무표를 말하여 무루의 색이라고 이름한 것이 아니다.

89 다른 해석을 서술하는 것이다. 어떤 다른 분은 비유사譬喩師의 말이다. 무학의 몸 안에 있는 모든 색 및 외부 기세간에 있는 모든 색은 모두 무루이다. 모든 번뇌가 의지해 증장하는 것이 아니기 때문에 무루라는 명칭을 얻은 것이니, (번뇌가) 의거하고 반연해 증장하는 것이 아니다[非據緣增].

90 설일체유부의 힐난이다. 무엇 때문에 경(=출전 미상)에서, "유루법이란 말하자면 15계(=18계 중 의근·법경·의식을 제외한 것)이다"라고 말했겠는가?

91 비유사가 경에 대해 회통하는 것이다. 이 15계는 번뇌를 대치하는 것이 아니기 때문에 유루라는 명칭을 얻은 것이다.

92 설일체유부의 힐난이다. 그러하다면 곧 여기에서 응당, 하나의 법체에 대해 유루라고 이름하면서 또한 무루라고 이름하기도 한다고 말했어야 할 것이다.

허물인가?[93] 서로 뒤섞이는 허물이 있다.[94] 만약 이런 이치에 의해 유루라고 설했다면, 일찍이 이 이치에 의하지 않는 것은 무루라고 말한 것이며, 무루의 경우도 역시 그러한데, 무슨 뒤섞임이 있겠는가? 만약 색처 등이 한결같이 유루라면, 이 경에서 어째서 차별하여 설했겠는가? 곧 "유루有漏·유취有取의 모든 색은 마음의 재앙과 덮개[心栽覆事]이며, 소리 등도 역시 그러하다"라고 설한 것과 같다.[95]

【제3증 비판】 또 경에서 설한 복의 증장이라는 말에 대해 선대의 궤범사軌範師는 이렇게 해석하였다. "자연적인 힘[法爾力]으로 말미암아 복업이 증장하는 것이다. 이러저러한 시주施主가 보시한 재물을 이러저러한 받는 자가 수용할 때 받는 자들의 시물을 수용한 공덕과 섭익攝益에는 차별이 있기 때문에, 그 후 시주의 마음이 비록 다른 것을 반연하더라도, 앞서 반연하여 보시한 의도에 의해 훈습된 것이 미세하게 상속하면서 점점 전변하여 차별되게 생기고, 이에 의해 장래에 다양한 과보를 감득한다. 그래서 비밀한 뜻

93 비유사의 응답이다.

94 설일체유부에서 다시 따지는 것이다. 만약 하나의 법체에 대해 유루라고 이름하면서 또한 무루라고도 이름한다면, 서로 뒤섞이는 허물이 있다.

95 비유사의 답이다. 만약 번뇌를 대치하는 것이 아니라는 이런 이치에 의해 유루라고 말했다면, 일찍이 이 이치에 의하지 않는 것은 무루라고 말한 것이다. 무루도 역시 그러해서 만약 번뇌의 의지처가 아니기 때문이라는 이런 이치에 의해 무루라고 말했다면, 일찍이 이 이치에 의하지 않는 것은 유루라고 말한 것이다. 1법을 상대하여 세운 명칭이 같지 않은 것은 마치 아버지·아들과 같은데, 무슨 뒤섞이는 허물이 있겠는가? 만약 색처 등의 15계가 그대들의 종지에서 말하듯이 한결같이 유루라면, 이 경(=잡 [12]13:332 육부경六覆經)에서 어째서 차별하여 설했겠는가? 곧 "유루·유취有取(=취착 있음)의 모든 색은 능히 그 마음의 재앙과 덮개[心栽覆事]를 일으킨다"라고 설한 것과 같다. '재栽'는 재앙[栽蘖]을 말하고, '부覆'는 덮어 가리는 것[覆障]을 말하니, 재·부 두 가지는 번뇌의 다른 명칭이다. 마음에게 재앙이 되며 능히 마음을 덮는 것이다. 취착 있는 모든 색은 마음의 재앙·덮개의 소연인 것[心栽覆所緣事]이기 때문에 마음의 재앙과 덮개라고 말한 것이다. 경 중에서 여섯 가지 마음의 재앙·덮개를 해석하면서, 유루·유취의 모든 색은 마음의 재앙·덮개라고 하였으니, 별도로 마음의 재앙·덮개가 아닌 무루·무취의 모든 색이 있다는 것을 알 수 있다. 그렇지 않다면 어째서 차별하여 설했겠는가? 만약 유루뿐이라면, 경에서 다만 모든 색은 마음의 재앙과 덮개라고만 말했을 것이다. 소리 등도 역시 그러하다.

으로써, 항상 상속하여 복업이 점점 증장하며 복업이 계속 일어난다고 설한 것이다."96

'만약 어떻게 다른 상속신의 공덕·섭익의 차별에 의해 다른 상속신으로 하여금 마음이 비록 다른 것을 반연하더라도 전변을 갖게 하는가?'라고 말한다면, 이런 의문과 난점에 대한 해석은 무표의 경우와 같으니, 그것은 다시 어떻게 다른 상속신의 공덕·섭익의 차별에 의해, 다른 상속신으로 하여금 진실한 무표법의 생기를 별도로 갖게 하는가?97

만약 의지처 없는 여러 복업사라면, 어떻게 상속신의 복업이 증장하는가?98 역시 자주 익혀서 그것을 반연한 의도 때문이니, 나아가 꿈 속에 이

96 이하 제3증에 대해 논파한다. 복의 증장에 대해 경량부의 선대의 궤범사는, 자연적인 힘에 의해 종자를 훈습하여 복업을 증장하게 한다고 해석하였다. 시주가 하나가 아니므로 이러저러하다고 이름하고, 받는 자가 하나가 아니므로 이러저러하다고 이름한 것이다. 여러 받는 자들이 시물을 수용해서 자애 등의 공덕을 닦고 몸과 마음을 섭익(=거두어 이익케 함)하니, 몸과 마음이 편안하고 강해지는 것에 차별이 있기 때문이다. 또 해석하자면 여러 받는 자들이 시물을 수용해서 자애삼매 등 갖가지 공덕을 얻고 중생을 섭익하는 것에 차별이 있기 때문에, 그 후 시주의 마음이 악·무기의 다른 연을 일으키더라도 앞서 반연하여 보시한 의도에 의해 훈습된 종자가 시주의 몸 안에 있어서, 행상이 미세하게[行相微細] 상속하여 끊어지지 않다가[相續不斷], 뒤에 점점 전변하여[後漸轉變] 무간에 결과를 낳는데[無間生果], 공력이 앞보다 뛰어나 차별되게 낳는다[功力勝前 差別而生]. 이상 다섯 가지(=한문 병기한 다섯 가지)는 모두 종자의 다른 명칭인데, 이런 의도의 종자에 의해 장래 능히 부귀 등 다양한 과보를 감득하는 것이다. 그래서 밀의密意로써 의도에 의해 훈습된 종자가 항상 상속하여 복업이 점점 증장하고 복업이 계속 일어난다고 말한 것이지, 현설顯說(=드러난 것에 의한 말)이 아니다.

97 경량부에서 힐난을 옮겨와서 따지며 논파하는 것이다. 그대들이 만약, 「어떻게 다른 받는 자의 상속신 중의 공덕·섭익에 차별이 있기 때문에, 다른 시주의 상속신 중에서 마음이 비록 악·무기의 다른 연을 일으키더라도 종자가 있어서 전변을 낳게 하는가?」라고 말한다면, 이런 의문과 난점에 대한 해석은 그대들이 세우는 무표의 경우와 같다. 그것은 다시 어떻게 다른 받는 자의 상속신 중의 공덕·섭익에 차별이 있기 때문에, 다른 시주의 상속신 중에 진실한 무표법의 생기가 별도로 있게 하는가?

98 질문이다. 만약 의지처 있는 복이라면 그 받는 자가 시물을 수용할 때의 공덕·섭익에 차별이 있기 때문에 그 보시자의 복업을 증장하게 한다는 이런 일이 그럴 수 있겠지만, 만약 의지처 없는 여러 복업사라면, 단지 타방의 제불께서 세상에 출현했다는 말을 듣고 멀리서 공경하는 마음을 낳을 뿐, 시물을 그

르기까지도 항상 따라서 일어나는 것이다.[99] 무표론자라면 의지처 없는 복업에는 이미 표업이 없는데, 어찌 무표가 있겠는가?[100]

어떤 분은 말하였다. "의지처 있는 모든 복업사도 역시 자주 익혀서 그 경계를 반연한 의도에 의한 때문에 항상 상속하고 증장한다고 말한다."[101] 만약 그렇다면 경에서, "청정한 계를 갖추고 조련하던 선법을 성취한 필추들이, 남이 보시한 여러 음식을 수용한 뒤 무량심無量心의 선정에 들어서 몸으로 증득함을 구족해 머물면, 이 인연에 의해 시주의 한량없는 복의 선이 상속신을 더욱 윤택하게 하고, 한량없는 안락이 그의 몸에 흘러들 것이라고 알아야 한다"라고 설했으니, 시주는 그 때 복이 항상 증장할 것인데, 어찌 결정코 그것을 반연한 수승한 의도가 항상 있겠는가? 그러므로 말한 바

분에게 보시함에 의한 공덕·섭익의 차별이 없는데, 어떻게 상속신 중의 복업이 증장할 수 있는가?

99 경량부의 답이다. 단지 의지처 있는 경우만 의도의 힘 때문에 복 등이 증장하는 것이 아니라, 이런 의지처 없는 복업의 경우에도 역시 자주 익혀서 그 붓다 등을 반연한 수승한 의도의 힘 때문에 나아가 꿈 속에 이르기까지도 공경한 의도의 종자가 항상 증장하고 상속하여 따라서 일어나는 것이다.

100 경량부에서 반대로 힐난하는 것이다. 항상 있다고 설하는 부파[說常有宗]의 무표론자가 세우는 무표는 표에 의지해 생기는 것인데, 의지처 없는 복업은 단지 공경하는 마음만 일으킬 뿐이어서 이미 표업이 없거늘, 어찌 무표가 있겠는가? 『현종론』 제18권(=대29-861하)에서 변론하여 말하였다. "이 중에 표업이 없다고 누가 말했는가? 이치상 있어야 하기 때문이다. 말하자면 어떤 곳, 어떤 방위의 마을에 여래나 그 제자가 머물고 있다는 말을 듣고 환희를 낳기 때문에 복이 항상 증장하기도 하지만, 그는 반드시 증상한 신심을 가져서 멀리서 그 방위를 향해 몸으로 공경하면서 예찬함을 펴서 복의 표업 및 복의 무표업을 일으켜 스스로 장엄하면서 직접 받들어 뵙기를 희망할 것이다. 그래서 무표에 의지해 복업이 항상 증장하는 것이다." 『순정리론』(=제35권. 대29-542하)의 뜻도 『현종론』과 같다. 『현종론』 등의 변론에 의한다면, 의지처 없는 복업도 반드시 표업에 의지해 생기는 것이다.

101 경량부의 다른 논사의 설을 서술하는 것이다. 어떤 분은, 의지처 있는 모든 복업사가 증장하게 될 때, 단지 그 보시대상인 재물에 의할 뿐만 아니라, 역시 시주가 자주 익혀서 그 경계의 재물을 반연한 수승한 의도에 의해서도 항상 상속하고 증장한다고 말하였다. 또 해석하자면 이 논사의 뜻이 말하는 것은, 단지 의지처 없는 것만 자주 익혀서 그 경계를 반연한 의도에 의해 복이 항상 증장하는 것이 아니라, 의지처 있는 여러 복업도 역시 자주 익혀서 그 경계를 반연한 의도에 의해서 상속하고 증장한다는 것이다.

(보시할 때의) 의도에 의해 훈습된 것[思所熏習]이 미세하게 상속하다가 점점 전변하여 차별되게 생긴다는 것이 결정코 이치에 맞다.[102]

【제4증 비판】 또 스스로 지은 것이 아니고 단지 남을 보내어 행하게만 했어도 업도가 어떻게 원만하게 성취될 수 있는지에 대해서는 이렇게 말해야 할 것이다. 본래의 가행加行으로 말미암아 사자使者가 교사에 의해 할 일을 성취했을 때, 자연히[法爾] 능히 교사자(의 가행에 의해 훈습된 의도의 종자)로 하여금 미세하게 상속하다가 전변하여 차별되게 (업도의 의도의 종자를) 낳게 하니, 이에 의해 장래에 다양한 과보를 감득할 수 있다. 스스로 행하는 모든 일이 완성될 때에도 역시 이와 같은 도리에 의한 것이라고 알아야 할 것이다. 즉 이것이 미세하게 상속하다가 전변하여 차별된 것을 업도라고 이름한 것이니, 이는 곧 결과에 대해 임시로 원인의 명칭을 세운 것이라고 알아야 할 것이다. 이것은 신·어업에 의해 견인된 결과이기 때문이니, 마치 무표업이 별도로 있다고 주장하는 부파에서 무표도 역시 신·어의 업도라고 이름하는 것과 같다.[103]

102 논주가 경(=출전 미상)을 인용해 다른 논사의 설을 논파하는 것이다. 필추들이 남이 보시한 것을 수용한 뒤 4무량심의 선정에 들어서 몸으로 이 선정의 증득을 구족한 것이 원만하면, 이 인연에 의해 시주의 한량없는 복이 증장한다고 알아야 한다고 했으니, 시주는 그 때 복이 항상 증장할 것인데, 어찌 결정코 그 보시를 반연한 의도가 항상 있어야 비로소 증장한다고 하겠는가? 그러므로 앞의 논사가 말한 것처럼 의도로 훈습된 것(=종자)이 미세하게 상속하다가 점점 전변하여 차별되게 생긴다는 것이 결정코 이치에 맞다. 단지 보시하고 나면 그 의도에 의해 훈습된 종자에 의해 복이 항상 증장할 뿐, 시주가 자주 경계를 반연한 의도에 의해 비로소 증장하는 것이 아니다.

103 이하는 제4증에 대해 논파하는 것이다. 증거를 옮겨와서 이와 같이 말해야 할 것이라고 해석한다. 교사자가 본래 남에게 교사했을 때 이미 능히 가행한 의도의 종자를 훈습해 이룬 것이 상속하여 머물므로, 사자가 교사에 의해 행한 살생 등이 궁극적으로 완성될 때, 자연히[法爾] 능히 교사자의 몸 안의 이전 가행에 의해 훈습된 의도의 종자로 하여금 다시 근본업도의 의도의 종자를 일으키게 해서, 미세하게 상속하다가 전변하여 차별되게 낳게 하는데, 그 후후의 단계에서 버릴 인연을 아직 만나지 못했다면 찰나찰나 점점 증장하니, 이에 의해 근본업도의 의도의 종자가 미래세에 능히 다양한 과보를 감득한다. 스스로 행한 일이 이루어질 때의 이치도 역시 이와 같다. 곧 이 미세한 등의 종자를 업도라고 이름한 것이라고 알아야 하는데, 이 의도의 종자를 업도라고 이름한 이것은 결과 위에 임시로 원인의 명칭을 세운 것이다. 원인과 결과라

그런데 대덕大德은, "그 (살해대상인) 취온聚蘊에 대해 삼시三時에 일으키는 생각[思]에 의해 살생죄에 저촉되는 것이니, 말하자면 나는 장차 죽일 것이다, 지금 바로 죽인다, 이미 죽였다는 것이다"라고 말하였다.104 단지 이에 의해서만 업도가 완성되는 것은 아니니, 자신의 어머니 등이 실제로 아직 살해되지 않았다면, 이미 살해했다고 여기는 것에 의해 무간업을 이루게 해서는 안 될 것이다. 그렇지만 착오 없이 스스로 지은 살생의 일에

고 말한 것은, 가행이라는 훈습주체[能熏]가 신·어업을 동발動發한 의도를 원인이라고 이름하고, 훈습된 종자[所熏]에 의해 인기된 의도의 종자를 결과라고 이름한 것이다. 그 현행의 동발사動發思는 만드는 것[造作]이 있기 때문에 '업'이라고 이름하는데, 이는 앞의 심려·결정의 2사思가 노니는 곳[所遊]이므로 '도'라고 이름한 것이다. 혹은 능히 선악의 여러 취를 낳는 것에 통하기 때문에 '도'라고 이름한 것이니, 현행한 의도의 원인이 바로 업도인데, 종자인 의도의 결과를 업도라고 이름한 것은 그 결과 위에 임시로 원인의 명칭을 세운 것이다. 또 해석하자면 의도의 종자를 '도'라고 이름한 것이니, 선악을 낳는 것에 능히 통하는 길[道]이기 때문이다. 그런데도 업이라고 이름한 이것은 결과 위에 임시로 원인의 명칭을 세운 것이니, 이는 신·어업에 의해 견인된 결과이기 때문이다. 말하자면 앞의 가행에서 현행한 의도는 원인으로서 신·어업이지만, 의도의 종자는 결과로서, 신·어업이 아닌데도 업이라고 이름한 것은, 결과 위에 임시로 원인의 명칭을 세운 것이다. 또 해석하자면 가행의 신·어표表는 의도에 의해 일으켜진 것이기 때문에 임시로 '업'이라고 이름하고, 의도가 밟은 곳[所履]이기 때문에 또한 '업도'라고도 이름한다. 표업이 업도인데, 의도의 종자는 그것에 의해 일어난 것이기 때문에, 그것이 원인이고, 의도의 종자는 결과이다. 따라서 그 결과 위에 임시로 원인의 명칭을 세운 것이다. 또 해석하자면 가행의 현행이 능히 일으킨 의도를 '업'이라고 이름하고, 일으켜진 신·어를 '도'라고 이름하니, 그 의도인 업이 노닐며 의탁한 것이기 때문에 도라고 이름한 것이다. 도가 업을 도와서 종자를 훈습해 이루게 하니, 이 업 및 도를 모두 원인이라고 이름하고, 이것이 업도인데, 훈습된 의도라는 결과를 업도라고 이름한 것은 그 결과 위에 임시로 원인의 명칭을 세운 것이다. 마치 별도로 무표가 있다고 주장하는 부파에서 무표도 역시 신·어의 업도라고 이름하는 것과 같다. 표업을 바로 신·어의 업도라고 이름하지만, 무표는 신·어의 업도에 따라 생기기 때문에 신·어의 업도라고 이름하니, 이것 역시 결과에 대해 임시로 원인의 명칭을 세운 것이다.

104 다른 학설을 서술하는 것이다. '대덕'은 달마다라達磨多羅Dharmatrāta(=법구法救)를 말하는 것이다. '그 취온'은 살해대상인 중생을 말하는 것이니, 살해대상인 중생에 대해 3시에 생각을 일으키는 것이다. 첫째 나는 장차 죽일 것이다, 둘째 바로 죽인다는 생각을 일으키고, 셋째 살해했다고 생각을 일으키면 비로소 죄에 저촉된다는 것이다.

대해 이와 같은 생각을 일으켰다면 살생죄에 곧 저촉될 것이다. 만약 이것에 의해 말한 것이라면 이치에 맞지 않는 것은 아니다.[105]

어째서 무표에 대해서만 미움을 품어 결정코 없다고 부정하면서, 훈습된 종자가 미세하게 상속하면서 전변하여 차별된 것이라고 인정하는가?[106] 그런데 이것과 그것은 모두 요지하기 어려우니, 지금 이들 중에 미워하는 것은 없다. 그러나 업도는 마음의 종류라고 인정되므로, 몸의 가행으로 말미암아 일이 완성되었을 때 그 마음과 몸을 떠나서 교사자의 몸 안에 별도로 무표법이 생겨서 있다는, 이와 같은 종지는 기쁨을 생기게 하지 못한다. 만약 이것이 그 가행을 견인해 낳음에 의해 일이 완성되었을 때, 곧 이것이 그것으로 말미암아 상속하다가 전변하여 차별되게 생긴다고 한다면, 이와 같은 종지는 가히 기쁨을 생기게 할 만하니, 단지 마음 등의 상속 전변의 차별에 의해서 미래의 결과를 능히 낳는다고 하기 때문이다. 또 이전에도 이미 설하기도 하였다.[107] 이전에 설한 것은 무엇인가?[108] '표업이 이미 없

105 논주의 논파이다. 단지 3시에 일으키는 이 생각에 의해서만 업도가 완성되는 것은 아니니, 자신의 어머니 등이 실제로 아직 살해되지 않았다면, 어두운 방에서 이미 살해했다고 여김으로써 3시의 생각을 일으켰다고 해서 무간업을 이루어서는 안 될 것이다. 그렇지만 착오 없이 스스로 지은 살생의 일에 대해 3시의 생각을 일으켰다면 살생죄에 곧 저촉될 것이다. 만약 이에 의해 말한 것이라면 이치에 맞지 않는 것은 아니지만, 실제로 아직 피살되지 않았는데, 단지 3시의 생각만 일으켰다면 곧 이치에 맞지 않다.

106 설일체유부의 힐난이다. 어째서 (우리의) 무표에 대해서만 결정코 없다고 부정하면서, 경량부의 종자의 무표는 인정하는가?

107 논주의 답인데, 양 가문에 대해 논평하여 전한다. 그런데 이 설일체유부와 그 경량부가 말하는 무표는 모두 요지하기 어렵다. 혹은 이 경량부와 그 설일체유부(의 무표)는 모두 요지하기 어렵다. 나는 그것들에 대해 마음이 평등한 성품이어서, 바로 미워하는 것은 없다. 그러나 설일체유부는 스스로 업도의 무표는 선·악의 마음과 같은 성품의 종류라고 인정한다. 이 무표는 등기한 것이기 때문에 마음에 의해 견인되어 얻는 것이므로 마음의 종류이다. 또 해석하자면 우리는 그 의도의 종자의 업도도 마음의 종류라고 인정한다. 같이 무색이기 때문에 종류라고 말한 것이다. 만약 설일체유부의 논사가, 그 교사 받은 자가 몸의 가행에 의해 여기로부터 저기에 이르러 칼 등을 들고 살생 등을 행하여 일이 완성되었을 때, 그 몸을 떠나며 그 마음을 떠나서, 교사자의 몸 안에 별도로 무표법이 생겨서 있다고 말한다면, 이와 같은 종지는 기쁨을 생기게 하지 못한다. 경량부의 논사가 만약, 이 교사자가 그 교사 받은 자를 이

는데, 어찌 무표가 있겠는가?'라고 말한 등이다.[109]

【제5증 비판】 또 법처를 설하시면서 무색이라고 말씀하시지 않은 것은, 앞에서 설한 것처럼 선정의 경계라는, 법처에 포함되는 무견무대의 색이 있기 때문이다.[110]

【제6증 비판】 또 도의 지분에 여덟 가지가 없어야 할 것이라는 말은, 또 그는 '바로 도에 있을 때 어떻게 정어·정업·정명이 있을 수 있는가?'라고 말해야 할 것이다. 이런 단계에 바른 말을 일으키고, 바른 행위를 일으키며, 옷 등을 구함이 있다고 하겠는가?[111] 그렇지 않다.[112] 어째서인가?[113] 그는 이와 같은 종류의 무루의 무표를 획득했기 때문에 출관出觀 후 앞의 세력에 의해 능히 세 가지 바름[正]을 일으키고, 세 가지 삿됨[邪]을 일으키지 않으니, 원인 중에 결과의 명칭을 세웠기 때문에 무표에 대해 어·업·명이라는 명칭을 세운 것이다.[114] 만약 그렇다면 어째서 이런 뜻을 받아들이지 않는

끌어서 여기로부터 저기에 이르러 칼 등을 드는 가행을 낳게 함으로써 살해 등을 행하는 일이 완성되었을 때, 곧 이 교사자는 그 교사한 일이 완성되었기 때문에 몸과 마음을 떠나지 않고 바야흐로 근본업도의 의도의 종자가 있어서 상속하다가 전변하여 차별되게 생겼다고 말한다면, 이와 같은 종지는 가히 기쁨을 생기게 할 만하다. 경량부는 단지 그 마음과 몸 안에 의도의 종자가 있어 상속하다가 전변하여 차별됨에 의해서 능히 미래의 결과를 낳는다고 하기 때문에, 별도로 무표가 있음에 의해 능히 낳는다는 것이 아니다. 또 이전에도 이미 설하기도 하였다.

108 질문이다.

109 답이다. 이는 의지처 없는 복업에 관한 글이다. '등'이란 이전의 여러 글을 같이 취한 것이니, 이 글은 뒤에 있기 때문에 뒤를 들어서 앞을 같이 취한 것이다.

110 이는 제5증에 대한 논파이다. 또 법처는 무견무대라고 설하시면서 무색이라고 말씀하시지 않은 것은, 앞의 유가사가 말한 것처럼 선정의 경계라는, 법처에 포함되는 무견무대의 색이 있기 때문이다. 그래서 무색이라고 말씀하시지 않은 것이다.

111 이하 제6증에 대해 논파한다. 또 도의 지분에 여덟 가지가 없어야 할 것이라는 말은, 또 그대들은, '바로 무루도에 있을 때 어떻게 현재 정어·정업·정명이 있는가?'라고 말해야 할 것이다. 이런 단계에 바른 말을 일으키는 것을 정어라고 이름하고, 바른 행위를 일으키는 것을 정업이라고 이름하며, 옷·음식 등을 구하는 것을 정명이라고 이름하는데, 있다고 하겠는가?

112 설일체유부의 답이다.

113 논주가 따지는 것이다.

가? 비록 무표가 없더라도, 도에 있을 때 이와 같은 의요意樂와 의지依止를 획득했기 때문에 출관 후 앞의 세력에 의해 능히 세 가지 바름을 일으키고 세 가지 삿됨을 일으키지 않으니, 원인 중에 결과의 명칭을 세우기 때문에 8성도의 지분을 모두 안립할 수 있다.115

어떤 다른 논사는 말하였다. "오직 사어邪語 등의 일을 행하지 않는 것만을 말하여 도의 지분이라고 한다. 말하자면 선정에 있을 때에는 성도聖道의 힘에 의해 곧 결정적 부작[決定不作]을 능히 획득하니, 이런 결정적 부작은 무루도에 의해 안립됨을 얻기 때문에 무루라고 이름한 것이다. 일체처에서 반드시 별도로 진실한 법체가 있음에 의해야 비로소 명칭과 수를 세우는 것은 아니다. 마치 득得과 부득不得, 헐뜯음과 기림, 칭찬과 비방, 괴로움과 즐거움

114 설일체유부의 해석이다. 그 성자는 이와 같은 종류의, 도와 함께 하는 무루의 무표를 획득했기 때문에 출관 후 앞의 무루 무표의 세력에 의해 능히 세 가지 바름을 일으키고, 세 가지 삿됨을 일으키지 않으므로, 선정에 있으면 세 가지가 있다고 말하는 것이다. 도와 함께 하는 무표라는 원인 중에 어·업·명이라는 세 가지 결과의 명칭을 세웠기 때문에 그래서 무표에 대해 어·업·명이라는 명칭을 세운 것이다.

115 경량부 논사의 말이다. 만약 그렇다면 어째서 우리의 뜻을 받아들이지 않는가? 우리 부파의 종지에 의하면 비록 별도로 무표의 실체는 없지만, 바로 그 무루도에 있을 때 이것(=무표)과 같은 의요意樂와 의지依止를 획득한다. 의요는 의욕[欲]을 체로 한다. 혹은 승해를 체로 하거나 혹은 의욕 및 승해를 체로 한다. 의식意識과 상응하는 즐김[樂]이기 때문에 의요라고 이름한 것이다. 의지는 의요와 동시의 의도가 체성이 되니, 그 의요에게 의지가 되기 때문이다. 의요의 의지이기 때문에 의요의지意樂依止라고 이름한 것이다. 또 해석하자면 의요는 곧 현행의 의도를 체로 하니, 출관 후의 세 가지 바름에게 의지가 되기 때문에 의요의지라고 이름한 것이다. 전체적으로 말하자면, 도와 시기를 함께 하는 의도를 곧 무표라고 이름하고, 도공계道共戒라고 이름하는 것이지, 별도로 있는 체는 없다. 의지가 되는 그런 계를 획득하기 때문에 출관 후 앞의 무루계의 세력에 의해 능히 세 가지 바름을 일으키고 세 가지 삿됨을 일으키지 않는다. 바로 도에 있을 때에는 비록 말을 일으키거나 바른 행위를 일으키거나 옷·음식 등을 구하거나 하는 일이 없지만, 앞의 원인 중에 뒤의 결과의 명칭을 세우기 때문에 그 도의 단계에 8성도의 지분을 모두 안립할 수 있다. 또 해석하자면 의요는 존재하는 의향[意趣]을 말하고, 의지는 의지하는 몸을 말하니, 그들이 말하기를, 선정 중에는 세 가지 바름의 체가 없지만, 도의 세력에 의해 의요 및 수승한 의지를 획득했기 때문에 이것이 뒤에 세 가지 삿됨을 능히 여의게 하므로, 원인에 결과의 명칭을 표방해서 종자에 세 가지 바름이라는 명칭을 세운 것이라고 한다.

이라는 세간 8법[八世法]에서, 이 부득은 옷·음식 등을 얻지 못함이 별도로 실제의 체가 있는 것은 아닌 것처럼, 이것도 역시 그러해야 할 것이다."[116]

【제7증 비판】 별해탈율의도 역시 이에 준해야 할 것이다. 말하자면 의도와 서원[思願]의 힘에 의해 먼저 기약[要期]을 세우면 신·어의 악업을 결정코 막을 수 있으니, 이에 의해 별해탈율의를 건립한 것이다.[117] 만약 다른 연緣의 마음을 일으킨다면 응당 율의가 없어야 할 것이라는 이런 힐난은 이치가 아니니, 허물을 일으키려고 할 때 훈습력에 의해 기억해서 곧 제지하기 때문이다.[118]

116 경량부의 다른 학설을 서술하는 것이다. 이 논사의 뜻이 말하는 것은, 오직 사어·사업·사명을 짓지 않는 것을 말하여 세 가지 도의 지분이라고 한 것일 뿐이라는 것이다. 말하자면 바로 그 무루정에 있을 때 성도의 힘에 의해 곧 능히 사어 등에 대한 결정적 부작을 획득하는 것이 정어 등이 되는 것이지, 별도로 체가 있는 것이 아니다. 「만약 별도의 체가 없다면 어떻게 무루라고 이름하겠는가?」 이런 숨은 힐난에 대해 회통해 말하기를, 이런 결정적 부작은 무루도에 의해 안립됨을 얻기 때문에 무루라고 이름한다. 앞 논사의 뜻이 말하는 것은, 의도에 의지해 임시로 세워서 도구계道具戒라고 이름한 것이 세 가지 바름의 체가 된다는 것인데, 다른 논사의 뜻이 말하는 것은, 부작은 체가 없지만, 곧 도에 의해 얻으므로, 별도로 의지하는 것을 말할 것이 아니니, 곧 부작이 세 가지 바름의 체가 된다고 말한다. 일체처에서 반드시 체가 있음에 의해야 비로소 명칭과 수를 세우는 것은 아니라면서, 곧 사례를 가리켜 말한다. 마치 세간 8법 중 제2의 옷·음식 등에 대한 부득이 별도로 체가 있어 비로소 명칭과 수를 세운 것이 아닌 것과 같다. 세간 8법 중의 부득은 체가 없어도 수가 그 안에 있는데, 8도지 중 이 정어 등도 역시 그러해야 할 것이다. 세간법이라고 말한 것에 대해 『대비바사론』(=제173권. 대27-872중)에서, "세간의 유정들이 수순하는 것이기 때문에 세간법[世法]이라고 이름한다"라고 말했는데, 자세한 것은 『대비바사론』 제44권 및 제173권에서 해석하는 것과 같다.

117 이하는 제7증에 대한 논파이다. 별해탈율의에 별도로 체성이 없는 것도 역시 이에 준해야 할 것이다. 말하자면 가까이서 인등기한 의도와 서원의 힘 때문에, 먼저 기약을 세우고 악을 짓지 않겠다고 맹서하면, 결정코 신·어의 악업을 막을 수 있다. 가행 단계에서 훈습한 의도의 종자가 제3귀의나 제3갈마의 일이 완성될 때에 이르렀다면, 앞의 의도의 종자에 따라서 다시 7지支(=몸의 3지와 입의 4지)의 의도의 종자를 훈습해 이루어 순간순간 증장한다. 이에 의해 별해탈율의를 건립한 것이니, 의도의 종자에 임시로 세운 것이지, 별도의 체는 없다.

118 앞의 설일체유부의 힐난을 옮겨와서 회통하는 것이다. 그대들이 앞에서 힐난하여 말한, 만약 계에 별도의 체가 없다면 악·무기의 다른 연의 마음을 일으킬 때에는 응당 율의가 없어야 할 것이라는 이런 힐난은 이치가 아니다. 계

【제8증 비판】 계戒가 둑[堤塘]이 된다는 뜻도 역시 이에 준해야 할 것이다. 말하자면 먼저 결정코 악을 짓지 않겠다는 맹서의 제한[誓限]을 세우면, 이후 자주 기억해서 참괴慚愧가 현전하므로, 능히 스스로 규제를 유지해서 범계하지 않게 한다. 따라서 둑이라는 뜻은 마음이 수지함에 의한 것이다. 만약 무표가 능히 범계를 막는다고 한다면, 실념失念하여 파계하는 자가 없어야 할 것이다.[119]

이런 등의 많은 쟁론은 그만 그치겠다.[120] 비바사 논사들은, "무표색이라고 이름하는 실물實物이 있다는 것이 우리의 종지이다"라고 말한다.[121]

제2절 업과 대종

1. 표·무표의 대종

앞에서 무표는 대종으로 만들어진 성품[大種所造性]이라고 논설했는데, 표색의 대종이 만드는 것인가, 다른 것이 있는가?[122] 게송으로 말하겠다.

를 받은 자의 몸과 마음 안의, 순간순간 훈습된 의도의 종자인 계의 힘이, 허물을 일으키려고 할 때 기억해서 곧 제지하기 때문이다.

119 이는 제8증에 대한 논파이다. 그대들이 말하는 바 계가 둑이 된다는 뜻도 역시 이 별해탈율의에 준해서 해석해야 할 것이다. 말하자면 먼저 가행의 의도로, 결정코 악을 짓지 않겠다는 맹서의 제한을 세워서 의도의 종자를 훈습해 이루면, 의도의 종자가 증장한 힘에 의해 이후 자주 기억하여 참괴가 현전하므로, 능히 스스로 규제를 유지해서 범계하지 않게 한다. 따라서 둑이라는 뜻은 마음이 수지함에 의한 것이지, 별도의 체는 없다. 그대들 설일체유부에서 만약 무표에 별도로 실체가 있어서 순간순간 현전하므로 능히 범계를 막는다고 한다면, 실념하여 파계하는 자가 없어야 할 것이(지만 실제로는 그렇지 않)다. 만약 경량부에 의한다면 의도의 종자를 계라고 이름하는데, 별도로 체가 없으므로, 종자에 만약 힘이 있으면 능히 기억해서 범계하지 않지만, 종자에 만약 힘이 없으면 기억할 수 없어서 곧 범계하니, 별도의 체가 없으므로 범계할 수 있는 것이다.

120 논주가 논쟁을 멈추는 것이다.

121 설일체유부에서 맺고 본래의 종지로 돌아가는 것이다.

122 이하는 둘째 능조의 대종에 대해 밝히는 것이다. 그 안에 나아가면 첫째 표·무표의 대종의 다름이고, 둘째 대종이 만드는 시기의 같고 다름이며, 셋째 지地에 의거해 능조를 밝히는 것이다. 이하는 첫째 표·무표의 대종의 다름이다. 앞(=제1권의 게송 ⑪)에서 무표는 대종으로 만들어진 성품이라고 말했는데,

⑤c 이것의 능조인 대종은[此能造大種]
표색의 소의와는 다른 것이다[異於表所依]

논하여 말하겠다. 무표색과 표색은 다른 대종에 의해 생긴다. 왜냐하면 동일한 화합으로부터 미세하고 거친 결과가 있다는 것은 이치에 맞지 않기 때문이다.[123]

2. 무표와 대종의 전후관계

표색과 대종은 반드시 동시에 생기는 것처럼 무표색도 역시 그러한가, 차별이 있는가?[124] 일체 소조색은 대부분 대종과 동시에 생기지만, 현재·미래(의 소조색)에는 과거(의 대종)에 의한 것도 일부 있다.[125] 일부란 무엇인가?[126] 게송으로 말하겠다.

⑥a 욕계계의 후찰나의 무표는[欲後念無表]
과거의 대종에 의지해 생긴다[依過大種生]

논하여 말하겠다. 오직 욕계계欲界繫의 첫찰나 후에 있는 무표만은 과거의 대종으로부터 생긴다. 이것이 의지대상[所依]이 되어 무표가 일어날 수 있지만, 현재 몸의 대종은 단지 의지처[依]가 될 수 있을 뿐이니, 그 순서대로 전인轉因과 수전인隨轉因이 되는 것이다. 마치 바퀴가 땅에서 굴러갈 때 손과 땅을 의지처[依]로 삼는 것과 같다.[127]

표를 만드는 대종이 곧 무표도 만드는가, 다른 대종이 있어 무표를 만드는가 묻는 것이다.

123 답이다. 이 무표의 능조인 대종은 표색이 의지하는 대종과는 다르다. 왜냐하면 하나의, 갖추어 화합한 4대종의 원인으로부터 미세한 무표(=무견무대)의 결과도 있고, 거친 표(=유견유대)의 결과도 있다는 것은 이치에 맞지 않기 때문이다.

124 이하 둘째 대종이 만드는 시기의 같고 다름을 밝히는데, 물음을 일으킨 것이다.

125 답이다. 많은 것에 따라 말한다면, 일체 소조색은 대부분 대종과 동시이지만, 현재·미래에는 과거의 대종에 의한 소조색도 역시 일부 있다.

126 따지는 것이다.

127 답이다. 오직 욕계계의 첫찰나 후 제2찰나 이후에 있는 무표만은 과거의 대

3. 지地에 의거한 업과 대종

어떤 지의 신·어업은 어떤 지의 대종으로 만들어진 것인가? 게송으로 말하겠다.

⑥c 유루는 자신의 지에 의지하고[有漏自地依]
무루는 태어난 곳에 따른다[無漏隨生處][128]

논하여 말하겠다. 욕계에 매인 신·어업은 오직 욕계에 매인 대종으로 만들어진 것이고, 이와 같이 나아가 제4정려에 이르기까지 신·어업은 오직 그 지의 대종으로 만들어진 것이다.[129] 만약 신·어업이 무루라면, 이 지에 태어남에 따라서 일으켜 현전시켜야 하므로, 곧 이 지의 대종으로 만들어진 것이다. 무루법은 계界에 떨어지지 않기 때문이며, 대종으로서 무루인 것은 반드시 없기 때문이며, 소의신의 힘에 의해 무루가 생기기 때문이다.[130]

종으로부터 생긴다. 이 과거의 대종은 그 만드는 주체[能造]로서 생인 등 5인(=제7권 중 게송 ⑥⑥에 관한 논설에서 말한 생기[起]·전변[變]·지탱[持]·존속[住]·증장[長])을 갖추어 직접적인 의지대상[親所依]이 됨으로써 뒷 찰나의 무표가 일어날 수 있지만, 제2찰나 이후의 현재 몸의 대종은 동시의 무표에서 바라보면 만드는 주체가 아니며, 또한 생인 등의 5인이 있을 수 있는 것도 아니다. 단지 간접적인 의지처[疎依]가 되어 무표가 일어날 수 있을 뿐, 과거의 대종이 직접 일으키는 원인[親轉因](=전인轉因)이 되는 것이다. '전轉'이라는 말은 일으킨다[起]는 것이다. 그것이 일으키기 때문에 현재 몸의 대종이 간접적으로 따라서 일으키는 원인[疏隨轉因]이 되니, 그것에 따라서 무표를 일으키기 때문이다. 따라서 일으키는 것이 곧 원인이므로 수전인隨轉因이라고 이름한 것이다. 혹은 무표가 대종에 따라서 일어나니, 따라서 일어나는 것의 원인이므로 수전인이라고 이름한 것이다. 마치 바퀴가 땅에서 굴러갈 때 손이 능히 굴리는 의지처[能轉依]가 되는 것은 과거의 대종을 비유하고, 땅이 따라서 굴리는 의지처[隨轉依]가 되는 것은 현재의 대종을 비유한다. (문) 무엇 때문에 색계의 뒷 찰나의 무표는 말하지 낳고, 욕계의 뒷 찰나의 무표만 말하는가? (해) 색계의 수심전의 계[隨心轉戒]는 반드시 동시의 사대종이 만든다. 또 그 계에는 산심의 무표가 없기 때문이다.

128 이하는 셋째 지에 의거해 능조의 대종을 밝히는 것인데, 물음과 게송에 의한 답이다.

129 제1구를 해석하는 것이다. 유루의 신·어업은 계박이 있기 때문에 같은 지의 대종에 의해 만들어진 것이다.

제3절 업의 여러 문 분별

1. 표·무표업의 부류

이 표·무표업은 그 부류가 무엇이며, 또한 어떤 부류의 대종의 소조인가?[131] 게송으로 말하겠다.

⑦ 무표업은 무집수이고[無表無執受]
또한 등류성이기도 하고, 유정에 속하며[亦等流情受]
산지의 무표는 등류성이며[散依等流性]
유집수의 대종에 의지하되, 상이한 대종이 낳는다[有受異大生]

⑧ 선정에서 생기는 무표는 소장양이며[定生依長養]
무집수의 대종에 의지하되, 상이한 대종이 없으며[無受無異大]
표업은 오직 등류성인데[表唯等流性]
몸에 속하는 것은 유집수이다[屬身有執受][132]

---

130 제2구를 해석하는 것이다. 만약 신·어업이 무루라면 이 지에 태어남에 따라서 일으켜 현전하게 해야 하므로 곧 이 지의 대종으로 만들어진 것이다. 왜냐하면 무루법은 계界에 떨어지지 않기 때문이니, 그래서 그 지의 대종을 쓰지 않으며, 대종으로서 무루인 것은 반드시 없기 때문이니, 그래서 불계의 대종이 만드는 것은 없으며, 소의신의 힘에 의해 무루의 계가 생기기 때문이니, 그래서 그 몸에 따른 대종을 써서 만드는 것이다.

131 이하 둘째 여러 문으로 업을 분별하는 것이다. 그 안에 나아가면 첫째 부류에 의거해 밝히고, 둘째 성품·계·지를 밝힌다. 이하는 첫째 부류에 의거해 밝히는 것인데, 그 안에 나아가면 첫째 유집수·무집수의 부류를 밝히고, 둘째 5사五事의 부류를 밝히며, 셋째 유정·비유정의 부류를 밝히고, 넷째 같고 다른 대종의 부류를 밝힌다. 이는 곧 묻는 것인데, 첫째 이 표·무표업은 그 부류가 무엇인지 묻고, 둘째 또한 어떤 부류의 대종의 소조인지 묻는다.

132 게송의 답 중 처음 2구는 모든 무표에 대해 밝히는 것이고, 다음 2구는 산지[散]의 무표가 의지하는 대종에 대해 밝히는 것이며, 그 다음 2구는 정지[定]의 무표가 의지하는 대종에 대해 밝히는 것이고, 뒤의 2구는 모든 표업에 대해 밝히는 것이다.

논하여 말하겠다. 지금 이 게송에서는 먼저 무표에 대해 분별하였다. 이것은 무집수이니, 변애變礙가 없기 때문이다. 또한 등류성이기도 하다. '또한'이라는 말은 이것에는 일찰나인 것도 있음을 나타내니, 최초의 무루를 말하는 것이다. 나머지는 모두 등류성이니, 말하자면 동류인으로부터 생기는 것이다. 이것은 유정에 속할 뿐이니, 안에 의지해 일어나기 때문이다.133

그 중 욕계에 있는 무표는 등류성의 대종이며, 유집수의 대종으로서, 별도로 상이한 대종이 낳는다. '상이한 대종이 낳는다'는 말은 신·어의 일곱 가지는 하나하나가 별도 대종의 소조임을 나타내는 것이다.134

선정에서 생기는 무표의 차별에는 두 가지가 있으니, 말하자면 모든 정려율의와 무루율의이다. 이 두 가지는 모두 선정에 의해 장양된 것이며 무집수의 대종에 의지하고, 상이한 대종에 의해 생기는 것이 없다. '상이한 대종이 없다'는 말은, 이 무표업 7지七支는 동일하게 갖추어진 사대종에서 생

133 처음 2구를 해석하면서 그 무표에 대해 밝히는 것이다. 지금 이 게송에서는 먼저 무표에 대해 밝혔다. 정지[定]이든 산지[散]이든 모든 무표는 변애가 없기 때문에 모두 무집수이고, 5류 중에서는 또한 등류성이기도 하다. 게송에서 설한 '또한'이라는 말은, 이 무표에는 일찰나인 것도 있음을 나타낸다. 말하자면 최초의 무루인 고법인품은 무표와 함께 생기고, 동류인으로부터 생기지 않기 때문에 일찰나이다. 그 나머지 무표는 모두 등류성이니, 말하자면 동류인으로부터 생기기 때문이다. 이숙인으로부터 생기는 것이 아니기 때문에 이숙생이 아니고, 극미의 적집이 없기 때문에 소장양이 아니며, 유위이기 때문에 유실사가 아니다. 안에 의지해 일어나기 때문에 유정의 수일 뿐이다. 밖에 의지하는 것이 아니기 때문에 비정에는 통하지 않는다.

134 제3·제4구를 해석하면서 산지[散]의 무표가 의지하는 대종[所依大種]에 대해 밝히는 것이다. 욕계 산지의 무표가 의지하는 대종은 5류 중 동류인으로부터 생기기 때문에 등류성이다. 이숙인으로부터 생기는 것이 아니기 때문에 이숙생이 아니고, 별도의 뛰어난 연이 없기 때문에 소장양이 아니며, 동류인으로부터 생기기 때문에 일찰나가 아니고, 유위이기 때문에 유실사가 아니다. 이것(=산지 무표가 의지하는 대종)은 유집수이니, 그래서 『순정리론』 제35권(=대29-544하)에서 말하였다. "산지의 무표가 의지하는 대종이 유집수인 것은, 산심의 결과이기 때문이니, 사랑하는 마음이 있어 현재 내부의 자신의 체라고 집착하기 때문이다." 욕계 산지의 7지支(=몸의 3지와 말의 4지)는 심수전心隨轉이 아니니, 무심일 때에도 역시 계를 얻기 때문이다. 또 7지를 서로 바라보면 구유인이 아니니, 하나의 결과를 같이 하는 것이 아니기 때문이다. 그래서 7지는 각각 별도의 대종이 만드는 것이다.

긴 것임을 나타낸다. 왜냐하면 마치 마음이 오직 하나뿐인 것처럼, 의지하는 대종에 차별이 없기 때문이다.[135]

유표有表는 오직 등류뿐이라고 알아야 할 것이다. 이것이 만약 몸에 속하는 것이면 유집수이고,[136] 나머지 뜻은 모두 산지[散]의 무표와 같다.[137]

135 제5·제6구를 해석하면서 정지[定]의 무표가 의지하는 대종에 대해 밝히는 것이다. 5류 중에서 소장양이 있으니, 선정의 뛰어난 연을 만났기 때문이다. 그래서 『순정리론』(=제35권. 대29-544하)에서 말하였다. "어째서 산지에 있는 무표를 능히 만드는 대종은 오직 등류성인데, 정지의 무표는 소장양으로부터 생기는가? 수승한 마음이 현전하는 단계에는 반드시 대종의 여러 근을 능히 장양하기 때문에 정심과 함께 하면 반드시 수승하게 장양된 대종이 능작인이 되어 정심과 함께 할 때 있는 무표를 만들지만, 산지의 무표를 인등기한 마음은 시간을 함께 하지 않기 때문이며, 무심의 단계에 있더라도 역시 일으킴이 있기 때문에 의지하는 대종이 오직 등류성일 뿐이니, 인등기한 마음은 무표를 낳는 주체인 여러 대종을 장양할 수 없기 때문이다." 이숙인으로부터 생기는 것이 아니기 때문에 이숙생이 아니다. 무릇 5류 중 등류라는 것은 이숙생과 소장양에 포함되지 않는 법을 등류라고 이름하는데, 선정을 만드는 대종은 소장양에 모두 다 포함되기 때문에 따로 등류의 대종을 세우지 않는 것이다. 동류인으로부터 생기기 때문에 일찰나가 아니고, 유위이기 때문에 유실사가 아니다. 이것은 무집수이다. 그래서 『순정리론』 제35권(=대29-544하)에서 말하였다. "의지하는 대종이 무집수인 것은 정심定心의 결과이기 때문에 반드시 사랑하는 마음이 이 대종을 현재 내부의 자신의 체라고 집착함이 없기 때문이며, 또 이 대종은 그 밖의 집수하는 모습이 없기 때문에 무집수라고 이름한다." 신·어의 7지는 하나의 사대종이 만드니, 의지하는 대종이 마치 선정의 마음처럼 오직 하나로서 차별이 없기 때문이다.

136 뒤의 2구를 해석하면서 표업에 대해 밝히는 것이다. 5류 중에서는 동류인으로부터 생기기 때문에 등류성이다. '오직'이라는 말은 나머지 네 가지를 가려내는 것이니, 이숙인으로부터 생기는 것이 아니기 때문에 이숙생이 아니고, 별도의 뛰어난 연이 없기 때문에 소장양이 아니며, 동류인으로부터 생기기 때문에 일찰나가 아니고, 유위이기 때문에 유실사가 아니다. 표업에는 두 가지가 있으니, 신업 및 어업을 말한다. 표업이 만약 몸에 속하는 것이라면, 근에 의지해 생기기 때문에 유집수이지만, 표업이 만약 말에 속하는 것이라면, 근에 의지하지 않기 때문에 무집수이다. 유정·비유정을 말하지 않은 까닭은, 내심[內]에 의해 표를 일으키는 것이어서 이미 유정임이 드러났기 때문에 따로 말하지 않은 것이다.

137 비례시킨 것이다. 표업의 4대종은 산지의 무표를 만드는 주체인 4대종과 대체로 같아서, 등류성이고, 유집수이며, 별도의 다른 대종으로부터 생긴다. 또 해석하자면 이것은 유정에 속하고, 그리고 만드는 주체인 대종은 산지의 무표와 같다.

표업이 생길 때 반드시 본래 몸의 형상·분량을 파괴하는가, 그렇지 않은가?[138] 만약 그렇다고 한다면 무엇이 허물인가?[139] 만약 파괴한다면 이숙의 색이 끊어졌다가 다시 상속해야 할 것인데, 이는 비바사의 종지에 어긋날 것이다. 만약 파괴되지 않는다면 어떻게 한 몸의 처소에 두 가지 형상·분량의 성취가 있을 수 있겠는가?[140] 별도로 새로 생긴 등류의 대종이 있어 유표업을 만드는 것이지, 본래의 몸을 파괴하지 않는다.[141] 만약 그렇다면 그 어떤 신체 부분에 의해 유표업을 일으켰더라도 본래보다 커져야 할 것이니, 새로 생긴 대종이 두루 증익할 것이기 때문이다. 만약 두루 증익하지 않는다면 어떻게 두루 표업을 낳겠는가?[142] 몸에 공극孔隙이 있기 때문에 서로 용납할 수 있다.[143]

2. 표·무표의 3성 분별

업문業門의 두 가지, 세 가지, 다섯 가지 차별에 대해 분별했는데, 이들의 성품[性]·계界·지地의 차별은 어떠한가?[144] 게송으로 말하겠다.

138 물음이다. 표업이 생길 때 반드시 본래의 이숙신의 형상·분량을 파괴하는가, 그렇지 않은가?
139 답이다.
140 쌍으로 따지는 것이다.
141 해석이다.
142 힐난이다. 표업과 이숙이라는 두 가지 색이 함께 생긴다면 본래보다 커져야 할 것이다. 만약 두루 증익하지 않는다면 어떻게 두루 표업을 낳겠는가?
143 회통이다. 이숙의 비고 성근 몸[虛疏身]에는 공극孔隙(=구멍과 틈)이 있기 때문에 등류의 표색을 용납할 수 있다. 그래서 『대비바사론』 제122권(=대27-635상)에서 말하였다. "그런데 표·무표가 몸에 의지해 일어나는 것에는 일부에 의지하는 것이 있으니, 손가락을 튕기거나 발을 드는 등 일부를 움직여서 선·악업을 짓는 것과 같고, 전부에 의지하는 것이 있으니, 붓다께 예배하거나 원수를 쫓아가는 등 온 몸을 움직여서 선·악업을 짓는 것과 같다. 이 중 소의신의 극미의 수량에 따라서 표업(의 극미의 수량)도 역시 그러하고, 표업의 수량과 같이 무표업도 역시 그러하다."
144 이하 둘째 성품·계·지에 대해 밝히는데, 그 안에 나아가면 첫째 바로 성품·계·지에 대해 밝히고, 둘째 3성의 근거를 밝힌다. 이하 첫째 바로 성품·계·지를 밝히는 것인데, 앞을 맺으면서 물음을 일으켰다. 이상 업의 문에 혹은 두 가지, 말하자면 사업과 사이업의 차별이 있고, 혹은 세 가지, 말하자면 신·어·의업의 차별이 있으며, 혹은 다섯 가지, 말하자면 신·어의 각각 표·무표의 두 가지 및 사업의 차별이 있는 것에 대해 분별했는데, 이런 다섯 가지 업의 3성·

⑨ 무표는 유기, 나머지는 3성이고[無表記餘三]
불선업은 욕계에만 있으며[不善唯在欲]
무표는 욕계·색계에 두루하지만[無表遍欲色]
표업은 사찰 있는 2지에만 있다[表唯有伺二]

⑩a 욕계에는 유부무기의 표업이 없으니[欲無有覆表]
등기하는 마음이 없기 때문이다[以無等起故][145]

논하여 말하겠다. 무표업은 오직 선·불선의 성품에만 통할 뿐, 무기는 없다. 왜냐하면 무기의 마음은 세력이 미약해서 강한 업을 견인해 일으켜 생기게 할 수 없으며, 원인이 소멸했을 때 결과가 이어져 일어나게 할 수 없기 때문이다. '나머지'라고 말한 것은 표업과 사업을 말하는 것이니, 세 가지는 말하자면 모두 선·악·무기에 통한다.[146]

3. 표·무표의 계·지 분별

그 중 불선업은 욕계에 있고, 나머지에는 있는 것이 아니니, 불선근과 무참·무괴를 이미 끊었기 때문이다. 선 및 무기의 업은 모든 지에 모두 있으니, 게송 중에서 따로 부정하지 않았기 때문이다.[147]

욕계·색계에는 모두 무표업이 있다. 무색계 중에는 대종이 없기 때문(에 없는 것)이다. 그 어떤 처소에서든 신·어의 일어남이 있으면, 오직 이 곳에

3계·9지의 차별은 어떠한가?

145 처음 1구는 3성 분별이고, 뒤의 5구는 계·지 분별이다.

146 제1구를 해석하는 것이다. 무표는 선·불선의 성품에만 통할 뿐, 무기는 없다. 왜냐하면 강력한 마음과 등기하는 것이기 때문이다. 무기의 마음은 세력이 미약해서 능히 강한 무표업을 견인해 일으켜 생기하게 할 수 없으며, 원인이 소멸했을 때 그 후후의 모든 마음의 단계 중 및 무심일 때 결과가 이어져 일어나게 할 수 없기 때문이다. '나머지'는 표업과 사업을 말하는 것인데, 모두 3성에 통한다.

147 제2구를 해석하는 것이다. 그 중 불선의 표·무표의 의도는 오직 욕계에만 있을 뿐, 나머지 2계에는 (있는 것이) 아니니, 불선근과 무참·무괴를 이미 끊었기 때문이다. 그래서 상계에는 불선이 없지만, 선과 무기는 그 상응하는 바에 따라 모든 지에 모두 있으니, 게송에서 부정하지 않았기 때문이다.

서만 신·어의 율의가 있다.[148]

만약 그렇다면 몸이 욕계·색계에 태어나 무색정에 든 경우에도 율의가 있어야 할 것이니, 마치 무루심을 일으키면 무루의 무표가 있는 것과 같을 것이다.[149] 그렇지 않다. 그것은 계界에 떨어지지 않기 때문이다. 무색계에 만약 무표가 있다면, 대종으로부터 생기는 것 아닌 무표가 있어야 할 것이니, 유루의 무표가 다른 계·지의 대종에 의지한다고 말할 수는 없다.[150] 또

148 제3구를 해석하는 것이다. 무표는 색이므로 반드시 대종에 의한다. 욕·색의 2계는 능조의 대종이 있기 때문에 소조인 무표가 모두 있지만, 무색계 중에는 능조의 대종이 없기 때문에 반드시 소조인 무표가 없다. 또 그 어떤 처소에서 든 신·어의 일어남이 있으면, 오직 이 곳에서만 신·어의 율의가 있다. 욕·색의 2계는 신·어의 일어남이 있기 때문에 신·어의 율의도 모두 얻지만, 무색계 중에는 신·어의 일어남이 없기 때문에 거기에는 신·어의 율의도 없다.

149 이는 곧 힐난하는 것이다. 만약 그렇다면 몸이 욕·색의 2계에 태어나 무색정에 든 경우, 비록 무색의 대종이 없더라도 몸의 대종에 따른 무색의 율의가 있어야 할 것이니, 마치 욕·색계에 태어나 무루심을 일으킨 경우, 비록 무루의 대종이 없더라도, 몸의 대종에 따른 무루의 무표가 있는 것과 같을 것이다. 이는 대종에 의거한 힐난이다. 또 해석하자면, 만약 그렇다면 몸이 욕·색의 2계에 태어나 무색정에 든 경우, 비록 무색의 신·어가 없더라도 몸의 대종에 따른 무색의 율의가 있어야 할 것이니, 마치 욕·색계에 태어나 무루심을 일으킨 경우, 비록 무루의 신·어가 없더라도, 몸의 대종에 따른 무루의 무표가 있는 것과 같을 것이다. 이는 신·어에 의거한 힐난이다. 또 해석하자면 통틀어 두 가지로 힐난하는 것이다.

150 이는 곧 해석하는 것이다. 그렇지 않다. 그 무루의 무표는 계界에 떨어지지 않기 때문이니, 비록 무루의 대종이 없더라도 몸에 의지해 일어나기 때문에 몸의 대종에 따라 만들어진다. 또 해석하자면 그렇지 않다. 그 무루의 무표는 계에 떨어지지 않기 때문이니, 비록 무루의 신·어가 없더라도 몸에 의지해 일어나기 때문에 몸의 대종에 따라 만들어진다. 또 해석하자면 통틀어 두 가지에 의해 해석하는 것이다. 이는 곧 수순해서 성립시키는 것이다. 반대로 힐난해 말하자면, 무색계에 만약 무표가 있다면, 대종으로부터 생기는 것 아닌 무표가 있어야 할 것이다. 말하자면 만약 그들이 무색계·지의 유루의 무표는 계·지에 매여 속하는 것이라고 계탁한다면, 이치상 그 계·지의 대종으로부터 생겨야 할 것인데, 무색계에 4대종이 없는데도 만약 무표가 있다면, 대종으로부터 생기는 것 아닌 무표가 있어야 할 것이다. 또한 유루의 무표가 무루계無漏戒와 같이 다른 계·지의 대종에 의지한다고 말할 수는 없다. 그래서 『대비바사론』 제17권(=대27-82하)에서 말하였다. "(문) 마치 비록 무루의 대종이 없다고 해도 무루의 계가 있는 것처럼, 이와 같이 그 계에 비록 대종이 없다고 해도 계가 있는 것을 어찌 방해하겠는가? (답) 무루의 계는 대종의 힘 때문에 무루를 이루는 것이 아니라, 단지 마음의 힘에만 의한 것이니, 무루심에 따라

모든 색을 등지고 무색정에 든 것이기 때문에 그 선정 중에 색을 낳을 수는 없으니, 그 선정에서는 색의 지각에 대한 조복[伏色想]이 있기 때문이다.[151] 비바사 논사들은 이렇게 말한다. "악계惡戒를 대치하기 위해 계[尸羅]를 일으키는 것인데, 욕계 중에만 여러 악계가 있다. 무색계는 욕계에 대해 네 가지 멂[四種遠]을 갖추었으니, 첫째 의지처[所依]의 멂, 둘째 행상의 멂, 셋째 소연의 멂, 넷째 대치對治의 멂이다. 그래서 무색계 중에는 무표색이 없는 것이다."[152]

표색은 사찰 있는 2지[二有伺地]에만 있다. 말하자면 욕계, 초정려, 중간정려에 통하는 것이니, 그 위의 지에는 표색이 있다고 말할 수 있는 것이 아니다.[153]

유부무기의 표업은 욕계에는 결정코 없고, 범천세계 중에만 있다고 말할 수 있다. 대범천에게 속이고 아첨하는 말이 있었다는 것을 일찍이 들은 적이 있으니, 말하자면 자신의 대중들 가운데서 마승馬勝이 따져 묻는 것을 피하기 위해 교란하려고 스스로 찬탄했다는 등이다.[154]

등기하는 것이기 때문이다. 유루의 계는 대종의 힘에 의한 것이므로, 계·지에 매여 속하는 것이다. 따라서 서로 비슷하지 않다."

151 또 해석하는 것인데, 알 수 있을 것이다.

152 또 다른 해석을 서술하는 것이다. 악계惡戒를 없애기 위해 계[尸羅]를 일으키는 것인데, 욕계 중에만 여러 악계가 있기 때문에 욕·색계에서 선계를 일으켜 그것을 대치할 수 있지만, 무색계는 욕계에 대해 네 가지 멂[遠]을 갖추었기 때문에 무색계 중에는 무표색이 없다. 네 가지 멂은 앞의 마음 중(=제7권 중 게송 68a에 관한 논설)에서 자세히 해석한 것과 같다.

153 제4구를 해석하는 것이다. 3성의 표업은 모두 욕계·초정려(=이상 유심유사지), 중간정려(=무심유사지)에 통한다. 만약 유심有尋이라고 말하면 중간정려를 포함하지 않으므로, 중간정려를 포함시키기 위해 '사찰 있는[有伺]'이라고 말한 것이다. # 이유는 본항의 뒤에서 설명된다.

154 제5구를 해석하면서 차별되는 것을 가려내는 것이다. 유부무기의 표업은 욕계에는 결정코 없고(=이 항의 말미 참조), 초정려에만 있다. '대범천에게' 이하는 증거(=앞의 제4권 중 게송 32cd에 관한 논설에서도 인용된 장 16:24 견고경堅固經)를 인용하는 것이니, 속이고 아첨하는 말을 일으켰다는 것(=당시에 한, "나는 이 범천대중들 중에서 대범으로서 자재하며, 만든 자이고, 변화시키는 자이며, 낳은 자이고, 기르는 자이니, 모두의 아버지이다"라는 말은 유부무기에 속하는 악견이 표현된 것이라는 취지)은 어표가 있음을 나타내는 것이고, 대중들 밖으로 나오도록 이끈 것은 신표가 있었음을 나타내는 것이다.

상지에는 이미 말이 없는데, 어떻게 성처聲處가 있을 수 있겠는가?[155] 외부 대종이 있어서 원인이 되어 소리를 일으킨다.[156] 어떤 다른 논사는 말하였다. "위의 3정려에는 무부무기의 표업은 역시 있지만, 선심도 없고, 염오심도 없다. 왜냐하면 상지에 태어나면 하지의 선심 및 염오심을 일으켜 신·어의 표업을 일으킬 수 있는 것이 아니기 때문이니, 열등하기 때문이며, 끊었기 때문이다."[157] 앞의 설이 선설이라고 하겠다.[158]

다시 무슨 이유로 제2정려 이상에는 표업이 전혀 없으며, 욕계 중에는 유부무기의 표업이 없는가?[159] 업을 일으키는 등기심等起心이 없기 때문이다. 심구·사찰하는 마음[尋伺心]이 있어야 표업을 일으킬 수 있는데, 제2정려 이상에는 이런 마음이 전혀 없다. 또 표업을 일으키는 마음은 오직 수소단인데, 견소단의 번뇌는 안의 문[內門]에서 일어나기 때문이니, 욕계 중에는

155 물음(=제2정려지 이상의 지에 표업이 없음을 밝히려고 일으킨 물음)이다. 상지에는 이미 말의 표업이 없는데, 어떻게 소리가 있을 수 있겠는가?

156 답이다. 외부 대종이 있어서 원인이 되어 소리를 일으키기 때문에 소리가 있다. 비록 내부 대종이 있어서 원인이 되어 소리를 일으키기도 하지만, 외부를 드러낸 것은 한쪽만 말한 것이다. 혹은 비추어 나타내는 것[影顯]일 수 있다.

157 다른 학설을 서술하는 것이다. 위의 3정려지에는 무부무기의 표업(=예컨대 초정려의 위의무기심을 빌려 일으키는 경우)은 역시 있지만, 단지 하지의 무부무기의 표업을 일으키는 마음만 일으킬 수 있을 뿐, 선심도 없고, 염오심도 없다. 상지에 태어나면 하지의 선심 및 염오심을 일으켜 신·어의 표업을 일으킬 수 있는 것이 아니니, 하지의 선은 열등하기 때문이고, 하지의 염오는 끊었기 때문에 그래서 일으키지 않는 것이다. 이 논사의 뜻이 말하는 것은, 신·어의 표업은 몸의 지[身地]에 따라 매이는 것이지, 능히 일으키는 마음[能發心]에 따라 매이는 것이 아니라는 것이고, 앞 논사의 뜻이 말하는 것은, 신·어의 표업은 능히 일으키는 마음의 지에 따라 매이는 것이지, 몸의 지에 따라 매이는 것이 아니라는 것이다.

158 논주가 앞 논사의, 마음의 지에 따라 매인다는 주장을 논평해 취하는 것이다. 마음은 직접적이고 강하지만, 몸은 간접적이고 약하기 때문에 모든 색업은 마음에 따라 성품이 판가름된다. 만약 모든 색업이 몸의 지에 따라 매인다면, 이 색업의 성품도 역시 몸에 따라야 할 것이다. '몸'은 명근·중동분 등을 말하는 것이니, 체가 무기이다. 이 모든 색업이 모두 몸에 따라야 한다면 무기의 성품이어서, 선과 염오에 통하지 않을 것이므로 곧 큰 허물을 이룰 것이다. 이 때문에 마음의 지에 따라 매인다고 알아야 할 것이니, 앞의 설이 선설이라고 하겠다.

159 이하 제6구를 해석하는 것인데, 쌍으로 묻는 것은 알 수 있을 것이다.

결정코 유부무기인 수소단의 번뇌가 없다. 이 때문에 표업은 위의 3정려지에는 전혀 없으며, 욕계 중에는 유부무기의 표업이 없다.160

4. 세 가지 성품의 근거

단지 등기等起하는 것에 의해서만 모든 법으로 하여금 선·불선의 성품 등을 이루게 하는가?161 그렇지 않다.162 어떠한가?163 네 가지 원인에 의해 선의 성품 등을 이룬다. 첫째 승의勝義에 의하고, 둘째 자성自性에 의하며, 셋째 상응相應에 의하고, 넷째 등기等起에 의한다.164

어떤 법의 어떤 성품은 어떤 원인에 의해 이루어지는가?165 게송으로 말하겠다.

⑩c 승의선은 해탈이고[勝義善解脫]
　자성선은 참·괴와 선근이다[自性慚愧根]

160 쌍으로 답하는 것이다. 업을 일으키는 등기심이 없기 때문이라는 이것은 곧 전체적인 답이다. 심구·사찰하는 마음이 있어야 표업을 일으킬 수 있는데, 제2정려 이상에는 이런 마음이 전혀 없으니, 이 때문에 표업은 위의 3정려지에는 전혀 없다. (문) 무엇 때문에 상지에는 심구·사찰하는 마음이 없는가? 『대비바사론』(=제152권. 대27-860하)에서 말하였다. "심구·사찰은 거칠게 움직이므로 고요하지 않은데, 상지는 미세하고 고요하기 때문이다." 또 표업을 일으키는 마음은 오직 수소단이니, 밖의 문[外門]에서 일어나기 때문이다. 견소단의 번뇌는 안의 문[內門]에서 일어나기 때문에 업을 일으킬 수 없다. 욕계에는 견소단에 포함되는 유신견·변집견이라는 유부무기가 있지만, 안의 문에서 일어나기 때문에 업을 일으킬 수 없고, 욕계에는 결정코 유부무기인 수소단의 번뇌가 없다. 이 때문에 욕계 중에는 유부무기의 표업이 없다. 이는 곧 개별적으로 나타낸 것이다.

161 이하 둘째 세 가지 성품의 근거를 밝히는데, 그 안에 나아가면 첫째 바로 3성의 근거를 밝히고, 둘째 두 가지 등기를 밝힌다. 이하 첫째 바로 3성의 근거를 밝히려고 묻는 것이다. 단지 인등기因等起하는 마음에 의해서만 모든 법으로 하여금 선·불선의 성품 등을 이루게 하는가?

162 답이다.

163 따지는 것이다.

164 답이다. 네 가지 원인에 의해 선의 성품 등을 이룬다.

165 다시 세 가지를 묻는다. 첫째 모든 법 중 어떤 법을 승의 등의 네 가지라고 이름하는지 묻고, 둘째 이 승의 등은 3성 중 다시 어떤 성품인지 물으며, 셋째 이 승의 등은 어떤 원인에 의하기 때문에 선 등을 이루게 되는지 묻는 것이다.

⑪ 상응선은 그것과 상응하는 것이고[相應彼相應]
등기선은 색업 등이며[等起色業等]
이와 반대되는 것을 불선이라고 이름하고[翻此名不善]
승의무기는 두 가지 항상한 것이다[勝無記二常]166

(1) 선법

166 답이다. 게송 중에 나아가면 처음 4구는 네 가지 선을 밝히는 것이고, 제5구는 불선인 것을 밝히는 것이며, 제6구는 무기에 대해 밝히는 것이다. 앞의 4구에 나아가면 첫 구는 승의선을 밝히는 것이고, 제2구는 자성선을 밝히는 것이며, 제3구는 상응선을 밝히는 것이고, 제4구는 등기선을 밝히는 것이다. 이 4선과 반대되는 불선도 역시 네 가지인데, 무기는 한 가지가 있으니, 소위 승의무기이다. (문) 어째서 선과 불선은 각각 네 가지가 있는데, 무기는 하나뿐인가? (해) 심소 중에는 별도로 자성무기인 심소는 없고, 자성이 없으므로 상응도 세우지 않으며, 자성·상응을 세우지 않으므로 등기도 세우지 않는다. 설령 이 셋을 세운다고 해도 무기법을 포함하는 것을 역시 다하지 못하기 때문이다. 『순정리론』 제36권(=대29-546하)에서 말하였다. "별도로 자성, 상응, 등기인 것은 없다. 오직 무기의 성품일 뿐인 하나의 심소가 무기심과 두루 상응하는 것은 없기 때문이다. 설령 방편으로 자성 등의 세 가지를 세운다고 해도, 역시 다 포함하지 못하니, 무기는 많기 때문이다. 이 때문에 무기는 오직 두 가지뿐이니, 첫째는 승의이고, 둘째는 자성이다. 유위의 무기는 자성에 포함되니, 별도의 원인을 기다리지 않고 무기를 이루기 때문이다. 무위의 무기는 승의에 포함되니, 성품이 항상하여 다른 문[異門]이 없기 때문이다." 이 논서의 뜻도 『순정리론』과 같아서 역시 두 가지가 있는데, 자성을 말하지 않은 것은 생략하고 논하지 않은 것이다. (문) 바른 이치상 유위의 무기는 모두가 자성무기라고 말한다면, 어째서 『대비바사론』 제87권(=대27-450중)에서 욕계 중에는 무기에 다섯 가지가 있으니, 첫째 이숙생법, 둘째 위의로법, 셋째 공교처법, 넷째 통과무기법, 다섯째 자성무기법이라고 말했으며, 또 색계 중에는 무기에 네 가지가 있으니, 공교처를 제외하고 그 나머지는 욕계에 대해 말한 것과 같다고 말했으며, 또 무색계 중에는 무기에 두 가지가 있으니, 첫째는 이숙생이고, 둘째는 자성무기라고 말했는가? (해) 『순정리론』은 유위법 중 체가 무기인 것을 모두 자성이라고 이름함에 의거한 것이고, 『대비바사론』은 유위법 중에 나아가 뜻의 차별에 의거해 다시 다섯 가지로 나눈 것이니, 앞의 네 가지에 포함되지 않는 것을 바로 자성이라고 이름하였다. 무기에 대해서는 여러 논서가 같지 않다고 알아야 한다. 혹은 한 가지를 말하니, 소위 승의이고, 혹은 두 가지를 말하니, 말하자면 승의와 자성이며, 혹은 네 가지를 말하니, 말하자면 이숙·위의·공교·통과이고, 혹은 다섯 가지를 말하니, 또 자성을 더한 것이며, 혹은 여섯 가지를 말하니, 또 승의를 더한 것이다. 이렇게 넓고 간략한 것이 같지 않으며, 나누고 합한 것이 다르기는 해도 역시 무방하다.

논하여 말하겠다. 승의선勝義善이란 말하자면 진실한 해탈[眞解脫]이다. 열반 중에서는 가장 극도로 안온하며 온갖 괴로움이 영원히 고요하니, 마치 병이 없는 것[無病]과 같다.167 자성선自性善이란 말하자면 참慚·괴愧와 선근이다. 유위 중 참과 괴 및 무탐無貪 등의 세 가지 선근만은, 상응 및 다른 법과의 등기를 기다리지 않고 체성이 선이니, 마치 양약良藥과 같다.168 상응선相應善이란 그것과 상응하는 것을 말한다. 심·심소법은 반드시 참·괴·선근과 상응해야 비로소 선의 성품을 이루지, 만약 그 참 등과 상응하지 않는다면 선의 성품이 이루어지지 않으니, 마치 약이 섞인 물[雜藥水]과 같다.169 등기선等起善이란 말하자면 신·어업과 불상응행이다. 이것들은 자성선 및 상응선에 의해 등기된 것[所等起]이기 때문이니, 마치 양약의 즙[良藥汁]에 견인되어 생긴 우유와 같다.170 만약 다른 부류의 마음[異類心]에 의해 일어난 득得 등이라면 어떻게 선을 이루는가? 이 뜻은 생각해 보아야 할 것이다.171

167 제1구를 해석하면서 승의선을 밝히는 것이다. 승의는 열반이니, 이는 열반의 안온함을 선이라고 이름한 것임을 나타낸다. 마치 병 없고 괴로움 없이 안온한 것과 같다.

168 제2구를 해석하면서 자성선을 밝히는 것이다. 자성이 곧 선이므로 자성선이라고 이름하였다. 마치 양약과 같으니, 약이 곧 좋고 선하기 때문에 양약이라고 이름한다. (문) 무엇 때문에 이 다섯 가지(=참·괴·3선근)만을 자성이라고 이름하며, 나머지 선 등의 법은 자성이 아닌가? (해) 이 다섯 가지는 강하고 뛰어나므로 자성이라고 이름하지만, 나머지는 강하고 뛰어난 것이 아니므로 자성이라고 이름하지 않는다. 또 해석하자면 무탐 등의 3법을 뒤집으면 3불선근이고, 참·괴 두 가지를 뒤집으면 대불선지법인데, 그 뒤집힌 법[所翻法]이 강하고 뛰어나기 때문에 뒤집는 주체[能翻]인 5법은 자성선이라고 이름하지만, 나머지 선 등의 법은 그것을 뒤집을 수 있는 것이 아니기 때문에 자성선이라고 이름하지 못한다.

169 제3구를 해석하면서 상응선을 밝히는 것이다. 마치 약이 섞인 물과 같으니, 물이 약과 섞이면 약수藥水라고 이름한다. 나머지 심·심소는 자성선과 상응해야 비로소 선의 성품을 이루기 때문에 상응선이라고 이름한다.

170 제4구를 해석하면서 등기선을 밝히는 것이다. 말하자면 신·어업과 불상응행, 곧 4상·득 및 2선정(=무상정·멸진정)이니, 이것들은 자성선 및 상응선에 의해 등기된 것이기 때문이다. 이 등기선은 마치 양약의 즙에 견인되어 생긴 우유와 같으니, 말하자면 암소가 감초즙을 마시면 이 힘 때문에 견인되어 생긴 우유의 그 맛이 감미로운 것과 같다.

(2) 불선법

선의 성품에서 네 가지 차별을 설한 것처럼 불선의 네 가지는 이와 상반되는 것이다.[172] 어떻게 상반되는가? 승의불선勝義不善은 말하자면 생사의 법[生死法]이다. 생사 중의 모든 법은 모두 괴로움을 자성으로 하는 것이어서 지극히 안온하지 못하니, 마치 고질병[痼疾]과 같다.[173] 자성불선自性不善은 말하자면 무참·무괴와 3불선근이다. 유루 중 오직 무참·무괴 및 탐·진 등의 3불선근만은 상응 및 다른 법과의 등기를 기다리지 않고 체성이 불선이니, 마치 독약毒藥과 같다.[174] 상응불선相應不善은 그것과 상응하는 것을

---

171 등기선에 대해 힐난하는 것이다. 염오심이 선심과 다른 것을 '다른 부류의 마음'이라고 이름하였다. 예컨대 의심하는 마음이 선심을 이었을 때[續善]와 같은 경우, 염오심 후에 능히 선의 득 및 4상을 견인해 일으킨 것이라고 할 것인데, 일으켜진 득 등이 어떻게 선을 이루는가? 이 뜻은 생각해 보아야 할 것이다. 또 『순정리론』 제36권(=대29-546중)에서 말하였다. "다른 부류의 마음으로 인해서도 여러 득을 일으킬 수 있다. 예컨대 정려로 인해 통과심을 획득하거나, 수승한 무기심이 현전했기 때문에 여러 염오법을 획득하거나, 수승한 염오심이 현전했기 때문에 여러 선법을 획득한 경우와 같다. 이런 등의 경우 어떻게 선 등의 성품을 이루는가? 그 (선 등의 성품을 이룬) 법과 함께 생기는 득[法俱生得]에 나아갔기 때문에 은밀하게 이런 말을 한 것인데, 다른 부류의 마음이 연이 되어 일어나지 않은 것은 아니기 때문에 (힐난에는) 허물은 없다. 비록 다른 부류의 마음도 역시 연이 되어서 일어난 것이지만, 선 등을 이룬 것은 그 (다른 부류의) 마음에 의지한 것은 아니다. 혹은 또한 그것으로 인해 여러 득이 등기한 것은 곧 그것에 의지하기 때문에 선 등의 성품을 이룬 것이다. 따라서 득은 등기한 것에 의해서 (다른 부류의 마음과는) 다른 선 등을 이룬 것이다."

172 제5구를 해석하면서 불선 네 가지는 선과 상반된다는 것을 밝히는 것이다.

173 승의불선을 밝히는 것이다. 말하자면 생사의 법은 고제苦諦를 성품으로 하는 것으로서, 지극히 안온하지 못하므로 승의불선이라고 이름하니, 마치 사람이 고질병으로 늘 괴롭고 편안치 못한 것과 같다. 생사를 뒤집으면 열반이니, 열반이 승의선이기 때문에 생사는 승의불선이다.

174 자성불선을 밝히는 것인데, 알 수 있을 것이다. (문) 유루 중 어째서 이 다섯 가지만 자성불선이라고 이름하는가? (해) 뛰어나기 때문에 별도로 세운 것이다. 3불선근은 다섯 가지 뜻을 갖춤이 뛰어나니, 말하자면 5부(=4견도소단+수도소단)에 통하고, 6식에 두루하며, 수면隨眠의 성품이고, 선근을 끊을 때 견고한 가행을 만들며, 능히 추악한 신·어의 2업을 일으키는 것이다. 무참·무괴는 두 가지 뜻이 뛰어나니, 말하자면 오로지 불선인 것 및 불선에 두루한 것이다. 나머지 유루는 (이런 뜻을) 갖춘 것이 아니기 때문에 그래서 세우지 않는다.

말한다. 심·심소법은 반드시 무참·무괴·불선근과 상응해야 비로소 불선의 성품을 이루지, 다르다면 곧 그렇지 않으니, 마치 독이 섞인 물[雜毒水]과 같다. 등기불선等起不善은 말하자면 신·어업과 불상응행이다. 이것들은 자성불선과 상응불선에 의해 등기된 것이기 때문이니, 마치 독약의 즙[毒藥汁]에 견인되어 생긴 우유와 같다.[175]

만약 그렇다면 유루법으로서 무기나 선인 것은 곧 하나도 없을 것이니, 모두 생사에 포함되기 때문이다.[176] 만약 승의불선에 의거한다면 진실로 그 말과 같겠지만, 이에 대해서는 이숙에 의거해 말한다. 유루법들이 만약 성품을 가릴 수 없는 이숙과라면 무기라는 명칭을 세우고, 그 중 만약 사랑할 만한 이숙과라고 가릴 수 있는 것이라면 선이라고 이름한다. 따라서 허물이 없다.[177]

⑶ 무기법

승의무기勝義無記는 말하자면 두 가지 무위이다. 큰 허공[太虛空] 및 비택멸은 오직 무기의 성품일 뿐이니, 더 이상 다른 문[異門]이 없기 때문이다.[178]

⑷ 문답 분별

여기에서 생각해 보아야 할 것이니, 만약 등기等起한 마음의 힘이 신·어업으로 하여금 선·불선을 이루게 하는 것이라면, 곧 대종들도 비례해서 역시 그러해야 하는가?[179] 행위자[作者]의 마음은 본래 4대종이 아니라 업을 일으키고자 한 것이기 때문에 비례를 이루지 않는다.[180]

175 이는 상응불선과 등기불선에 대해 밝히는 것인데, 알 수 있을 것이다.

176 승의불선에 대한 힐난이다. 유루의 생사가 모두 승의불선이라면 그 중에 선 및 무기가 없어야 할 것이다.

177 답이다. 만약 승의불선에 의거한다면 진실로 말한 것처럼 그 두 가지 성품이 없겠지만, 이 유루법 중에서 선과 무기를 세우는 것은 이숙과에 의거해 말한다. 유루법 중 만약 성품을 가릴 수 없는 이숙과라면 무기라는 명칭을 세우고, 그 유루법 중 만약 사랑할 만한 이숙과라고 가릴 수 있는 것이라면 선이라고 이름하기 때문에 허물이 없다.

178 제6구를 해석하는 것인데, 글대로 알 수 있을 것이다.

179 이하에서 문답으로 분별하는데, 이는 물음이다. 만약 등기한 것의 힘이 신·어업으로 하여금 선·불선을 이루게 하는 것이라면, 이 신·어업이 의지하는 대종들도 선·불선을 이루어야 하는가? 같이 하나의 마음으로부터 등기된 것이기 때문이다.

만약 그렇다면 선정의 마음에 따라 일어나는 무표는, 바로 선정에 있을 때의 작의作意에 의해 견인되어 생긴 것이 아니고, 또한 같은 부류가 아니기 때문에 산심散心의 가행에 의해 견인되어 일으켜진 것도 아닌데, 어떻게 선善을 이루는가? 혹은 천안·천이도 선의 성품을 이루어야 할 것이다. 이와 같은 뜻에 대해서도 노고를 베풀어야 할 것이다.[181]

5. 표업을 일으키는 두 가지 등기

위에서 말한 것처럼 견소단의 번뇌는 안의 문에서 일어나는 것이기 때문에 표업을 일으킬 수 없다. 만약 그렇다면 어째서 계경 중에서, 사견邪見으로 말미암아 사사유邪思惟와 사어邪語·사업邪業 및 사명邪命 등을 일으킨다고 설했는가?[182] 이는 상반되지 않는다.[183] 어째서인가?[184] 게송으로 말하겠다.

---

180 답인데, 글대로 알 수 있을 것이다. 여러 득과 4상은 비록 의도적으로 일으킨 것이 아니지만, (등기한) 법에 의해 세우니, 법의 세력에 의해 법에 따라 일어나기 때문에 등기한 것이라고 이름할 수 있는 것이다.

181 논주가 다시 힐난하는 것이다. 만약 그렇다면 선정의 마음에 따라 일어나는 무표는, 바로 선정에 있을 때의 작의에 의해 인생引生된 것이 아니고, 산심의 가행에 의해 인발引發된 것도 아니다. 산심에 따라 일어나는 무표는 같은 부류가 아니기 때문이고, 혹은 정심과 산심은 별개여서 같은 부류가 아니기 때문에, 마치 대종이 의도적인 마음에 의해 생기는 것이 아닌 것과 같아야 할 것인데, 어떻게 선善을 이루는가? 『순정리론』 제36권(=대29-546하)에서 변론하여 말하였다. "선정에 따른 무표는 선정 등의 힘에 의해 생기므로, 이치상 등기선의 성품을 이루어야 한다." 구사론사가 논파해 말한다. "만약 선정의 무표가 선정 등의 힘에 의해 생길 수 있기 때문에 등기선이라고 이름한다면, 대종도 역시 마음의 힘에 의해 생기므로 등기선·불선의 성품이라고 이름해야 할 것이다. 만약 대종은 작의에 의해 생기는 것이 아니라고 말한다면, 이 선정의 무표는 어찌 의도적인 마음에 의해 일어나는 것이겠는가? 혹은 천안·천이도 마치 선의 신·어처럼 선의 성품을 이루어야 할 것이니, 선심에 의해 등기한 것이기 때문이다. 나아가든 물러나든 따지고 책망할 것인데, 이치상 실로 회통하기 어려우니, 노고를 베풀어 다른 해석을 구하려고 생각해야 할 것이다.

182 이하 둘째로 두 가지 등기에 대해 밝히는 것이다. 사견은 곧 견소단의 번뇌인데, 경(=잡 [28]28:749 무명경無明經)에서 능히 사어·사업·사명을 일으킨다고 말하였다. 어째서 앞(=앞의 게송 ⑩ab에 관한 논설)에서는 견소단의 번뇌는 표업을 일으킬 수 없다고 말했는가?

183 답이다.

184 따져 묻는 것이다.

⑫ 등기에는 두 종류가 있으니[等起有二種]
원인 및 그것의 찰나인데[因及彼刹那]
순서대로 알아야 할지니[如次第應知]
전이라고 이름하고, 수전이라고 이름한다고[名轉名隨轉]

⑬ 견소단의 의식은 오직 전이고[見斷識唯轉]
5식은 오직 수전이며[唯隨轉五識]
수소단의 의식은 둘에 통하고[修斷意通二]
무루와 이숙생은 둘이 아니다[無漏異熟非]

⑭ 전이 선 등의 성품일 경우[於轉善等性]
수전은 각각 3성이 될 수 있지만[隨轉各容三]
모니의 경우 선이면 반드시 선이고[牟尼善必同]
무기이면 무기나 선이다[無記隨或善][185]

⑴ 인등기·찰나등기 총설

논하여 말하겠다. 표업·무표업을 등기하는 것에는 둘이 있으니, 인등기因等起와 찰나등기刹那等起를 말한다. 앞에 있으면서 원인이 되기 때문이며, 그것의 찰나에 있기 때문인데, 순서대로 처음 것을 전轉이라고 이름하고, 둘째 것을 수전隨轉이라고 이름한다. 말하자면 인등기는 장차 업을 지으려고 할 때 능히 인발引發하기 때문에 전이라고 이름하고, 찰나등기는 바로 업을 지을 때 서로 여의지 않기 때문에 수전이라고 이름한 것이다.[186]

수전은 업에 대해 어떤 공능이 있는가?[187] 비록 선행하는 원인이 있어 인발할 수 있다고 해도, 만약 수전하는 것이 없다면 마치 죽은 사람처럼 업

185 게송으로 답하는 것이다. 처음 1게송은 두 가지 등기를 전체적으로 밝히는 것이고, 제2게송은 6식에 의거해 차별을 분별하는 것이며, 제3게송은 3성에 의거해 차별을 분별하는 것이다.
186 첫 게송을 해석하는 것인데, 알 수 있을 것이다.
187 물음이다.

은 없어야 할 것이다.[188] 만약 그렇다면 무심無心에서는 어떻게 계戒를 일으키는가?[189] 모든 유심자有心者에게 업이 일어나는 것은 분명하기 때문에 수전의 마음은 업에 대해 작용이 있는 것이다.[190]

(2) 6식에 의거한 차별

견소단의 식識은 표업을 일으키는 데 오직 전轉이 될 수 있을 뿐이니, 능히 표업을 일으키는 심구·사찰이 생기는 데 자량이 되기 때문이다. 수전이 되지는 않으니, 외문外門의 마음이 바로 업을 일으킬 때에는 이것이 없기 때문이다.[191] 또 견소단이 만약 표색表色을 일으킨다면, 이 색은 곧 견소단이어야 할 것이다.[192] 만약 견소단이라고 인정한다면, 여기에 무슨 허물이

188 답이다. 비록 먼저 원인이 있어 능히 업을 인발한다고 해도, 만약 따라 일어나는[隨轉] 심·심소가 없다면 마치 죽은 사람처럼 업은 없어야 할 것이다.
189 힐난이다.
190 회통하는 것이다. 무심에서 계를 일으킬 수 없다고 말하는 것은 아니다. 단지 모든 유심자에게 업이 일어나는 것은 분명하기 때문에 수전심이 업에 대해 작용이 있다고 말할 뿐이다. 『순정리론』 제36권(=대29-547상)에서 말하였다. "만약 수전이 없다면, 비록 선행하는 원인이 있어 인발할 수 있다고 해도, 마치 무심의 단계에서처럼, 혹은 죽은 시체처럼, 표업은 일어나지 않아야 할 것이니, 수전은 표업에 대해 일어나게 하는 공능이 있는 것이다. 무표는 수전에 의하지 않고 일어나니, 무심일 경우에도 무표의 일어남이 있기 때문이다." 구사론사가 힐난하여 말한다. 「무심의 단계에서 별해탈을 얻는 것은, 비록 수전심이 없더라도 표업은 역시 일어나며, 첫찰나에는 반드시 표와 무표를 갖춘다. 따라서 '마치 무심의 단계에서처럼 표업은 일어나지 않아야 할 것'이라는 이 말에는 허물이 있다. 만약 첫찰나에 표업을 얻는 것에 의거한 것이 아니라, 나머지가 무심인 것에 의거해 말한 것이라면, 말을 구별했어야 할 것이다. 이미 구별하지 않았으니, 허물은 마침내 이루어진다.」
191 제5구를 해석하는 것이다. 소견[見]은 표업을 일으키는 데 전이 될 수 있을 뿐이다. 능히 표업를 일으키는 심구·사찰이 생기는 데 능히 자량이 되어 그것이 일으키는 것을 돕기 때문에 먼 인등기[遠因等起]가 된다. 따라서 능히 전은 되지만, 수전은 되지 않는다. 안의 문에서 일어나는 것이라면 그 때문에 업을 일으킬 수 없고, 밖의 문에서 일어나는 마음이어야 비로소 업을 일으킬 수 있다. 외문의 마음이 바로 업을 일으킬 때에는 이 견소단의 식이 없기 때문이다. 그래서 『대비바사론』 제117권(=대27-610하)에서 말하였다. "또한 다음 외문에서 일어나는 마음은 능히 찰나등기가 되어 신·어업을 일으키지만, 이 마음은 내문에서 일어나는 것이기 때문에 일으킬 수 없다." 자세한 것은 거기에서 해석하는 것과 같다.
192 두 번째 해석이다. 또 견소단이 만약 표색을 일으킨다면, 이 색은 견소단이

있는가?[193] 이는 곧 아비달마에 위배될 것이다. 또 명明·무명과 상반되지 않기 때문에 유루업의 색은 견소단이 아니다.[194] 이와 같은 도리는 다시 성립시켜야 할 것이다.[195]

만약 그렇다면 대종도 역시 견소단이어야 할 것이니, 다 같이 견소단의 마음의 힘에 의해 일어난 것이기 때문이다.[196] 그와 같은 허물은 없으니,

어야 할 것이다.

193 경량부 논사의 물음이다. 유루의 색이 견소단에도 통한다고 인정한다면, 여기에 무슨 허물이 있는가? # 표업의 체는 등기한 의도[思]라고 이해하는 경량부에서는 유루의 표색은 견소단에도 통한다는 것을 전제한 질문이다.

194 설일체유부의 답이다. 만약 유루의 표색이 견소단이라고 한다면, 이는 곧 아비달마에 위배될 것이니, 근본논서(=『발지론』 제13권. 대26-981하 등)에서 색은 견소단이 아니라고 설하기 때문이다. 이는 곧 가르침에 어긋난다는 것이다. '명'은 말하자면 지혜이고, '무명'은 말하자면 어리석음이니, 어리석음은 반드시 번뇌와 함께 하므로 이것만 무명이라고 말한 것이다. 명과 무명은 서로 상반되기 때문에 반드시 함께 일어나는 일이 없어서, 품별로 끊는 것이 있을 수 있다. 유루업의 색은 명·무명과 모두 상반되지 않기 때문에 견소단이 아니고, 단지 연에 계박된 것이기 때문에 끊는다고 말할 수 있을 뿐이다. 논증식을 세워 말한다면, 「유루업의 색은 견소단이 아니다. 명·무명과 모두 상반되지 않기 때문이니, 마치 명근 등과 같다」이다. 이는 곧 이치에 어긋난다는 것이다. 그래서 『대비바사론』 제53권(=대27-274중)에서 말하였다. "(문) 무엇 때문에 염오의 심·심소법은 9품으로 점차 끊는데, 색, 유루의 선, 무부무기의 심·심소법은 반드시 제9 무간도의 힘에 의해서만 일시에 끊는가? (답) 명과 무명은 서로 상반되기 때문이다. 말하자면 하하품의 명이 일어나면 상상품의 무명을 끊고, 나아가 상상품의 명이 일어나면 하하품의 무명을 끊지만, 색, 유루의 선, 무부무기는 명·무명과 모두 상반되지 않는 것이다."

195 경량부의 논사가 책망하면서, (논증식의) 이유가 결정적이지 않음[因不定]을 나타내는 것이다. 명근 등과 같은 것은 명·무명과 상반되지 않기 때문에 견소단 아닌 것이 되고, 득·4상과 같은 것은 명·무명과 상반되지 않기 때문에 견소단이 된다면, 이치가 이미 미진하기 때문에 '이와 같은 도리는 다시 성립시켜야 할 것'이라고 말한 것이다. 혹은 '유루업의 색은 견소단이 아니다'는 아래의 책망하는 글에 속한다.(=이에 의할 경우 바로 앞의 글을 중간에서 끊고, 그 뒷 부분을 그 뒤의 책망하는 글에 이어서, "또 명·무명과 상반되지 않기 때문이다. 유루업의 색은 견소단이 아니라는 이와 같은 도리는 다시 성립시켜야 할 것이다"라고 번역되어야 한다는 취지) 혹은 두 곳에 통한다고 해도 뜻은 모두 어긋남이 없다.

196 설일체유부에서 반대로 힐난하는 것이다. 경량부에서 만약 유루업이 견소단이라고 한다면, 그 능조能造의 대종도 역시 견소단이어야 할 것이니, 능·소 두 가지가 다 같이 견소단의 마음의 힘에 의해 일어난 것이기 때문이다.

마치 선·불선이 아닌 것과 같다. 혹은 다시 그렇다고 인정하더라도 이치에는 역시 어긋남이 없다.197 그렇다고 인정해서는 안 될 것이니, 모든 대종은 결정코 견소단 및 비소단이 아니며, 일체 종류의 불염오법은 명·무명과 상반되지 않기 때문이다.198 그 경은 다만 앞의 인등기[前因等起]에 의거해 그런 말을 한 것일 뿐이기 때문에 상반되지 않는다.199

만약 5식의 무리라면 수전이 될 뿐이니, 무분별이기 때문이며, 외문外門에서 일어나기 때문이다.200 수소단의 의식意識은 두 가지에 통하니, 유분별이기 때문이며, 외문에서 일어나기 때문이다.201 일체 무루와 이숙생의 마음은 전·수전이 아니니, 오직 선정에만 있는 것이기 때문이며, 가행에 의하지 않고 저절로 일어나는 것이기 때문이다.202

이와 같은 즉 4구로 차별을 이루어야 할 것이다. 전이지 수전이 아닌 것이 있으니, 말하자면 견소단의 마음이다. 수전이지 전이 아닌 것이 있으니,

197 경량부의 답이다. 그와 같이 견소단이라는 허물은 없다. 4대종이 마음에 의해 견인됨으로써 선·불선을 이루는 것이 아닌 것과 같으니, 의도적인 마음이 대종을 일으키는 것이 아니기 때문이며, 능인能引의 마음과 성품이 같지 않기 때문에 견소단이 아니지만, 유루의 색업은 능인의 마음과 같이 염오이기 때문에 견소단이다. 가지런하지 않다[不齊]는 해석을 하는 것이다. 혹은 4대종은 견소단에 의해 견인된 것이므로 곧 견소단이라고 인정하더라도 이치에는 역시 어긋남이 없다.

198 설일체유부의 힐난이다. 이치로써 말한다면 그렇다고 인정해서는 안 된다. 모든 대종은 결정코 견소단 및 비소단이 아니라 오직 수소단이며, 불염오법은 명·무명과 상반되지 않기 때문에 견소단이 아니다.

199 설일체유부에서 경(=게송 앞에서 인용한 잡 [28]28:749 무명경)의 글에 대해 회통하는 것이다. 인등기는 앞의 인등기[前因等起]라고 이름하고, 찰나등기는 뒤의 등기[後等起]라고 이름한다. 경에서 사견이 사어 등을 일으킨다고 말했는데, 두 가지 등기 중 그 경은 단지 앞의 인등기에 의거한 것일 뿐, 찰나등기에 의거해 이 말을 한 것이 아니다. 따라서 상반되지 않는다.

200 제6구를 해석하는 것이다. 5식은 무분별이기 때문에 전이 될 수 없고, 외문에서 일어나기 때문에 능히 수전이 된다.

201 제7구를 해석하는 것이다. 수소단의 의식은 유분별이기 때문에 능히 전이 되고, 외문에서 일어나기 때문에 능히 수전이 된다.

202 제8구를 해석하는 것이다. 모든 무루의 마음은 전·수전이 아니다. 오직 선정에만 있는 것이기 때문에 내문에서 일어나니, 업에서 바라볼 때 공능이 없다. 이숙생의 마음은 전·수전이 아니다. 가행에 의하지 않고 저절로 일어나는 것이기 때문에 그 성품이 미약하니, 업에서 바라볼 때 공능이 없다.

말하자면 안식 등의 5식이다. 전이면서 수전이기도 한 것이 있으니, 말하자면 수소단의 3성의 의식이다. 전도 아니고 수전도 아닌 것이 있으니, 말하자면 모든 무루와 이숙생의 마음이다.[203]

(3) 3성에 의거한 차별

전의 마음과 수전의 마음은 결정코 같은 성품인가?[204] 이것은 결정적이지 않다.[205] 그 사항은 어떠한가?[206] 말하자면 앞의 전의 마음이 선의 성품이더라도, 뒤의 수전의 식識은 선 등의 3성에 통하며, 불선·무기일 경우에도 수전은 역시 그러하다.

그러나 오직 모니 세존께서는 전과 수전의 식은 대부분 같은 성품이지만, 같지 않은 경우도 조금 있다. 말하자면 전이 만약 선심이면 수전도 역시 선심이며, 전의 마음이 만약 무기이면 수전도 역시 그러하지만, 혹 선심이 무기심에 따라 일어날 때는 있어도, 일찍이 무기심이 선심에 따라 일어날 때는 없었으니, 붓다 세존께서는 설법 등을 하실 때 마음이 혹 증장하기도 하시지만, 시들거나 마르는 일은 없기 때문이다.[207]

어떤 다른 부파에서는 말하였다. "모든 붓다 세존께서는 항상 선정에 계시기 때문에 마음이 오직 선일 뿐, 무기심은 없다. 그래서 계경에서 설하였다. '용은 다닐 때에도 선정에 있고[那伽行在定] 용은 머물 때에도 선정에 있으며[那伽住在定] 용은 앉았을 때에도 선정에 있고[那伽坐在定] 용은 누웠을 때에도 선정에 있네[那伽臥在定]'"[208] 비바사 논사들은 이렇게 해석하였다. "이는 붓다의 마음이 만약 산심을 좋아하지 않으신다면 곧 네 가지 위의威儀에서도 항상 선정에 계실 수 있음을 나타낸 것이다. 그렇지만 다른 단계

203 앞의 뜻에 편승해 곧 4구로 분별하는 것인데, 알 수 있을 것이다.
204 이하에서 뒤의 1게송을 해석하는데, 이는 곧 묻는 것이다.
205 답이다.
206 따지는 것이다.
207 해석하는 글인데, 알 수 있을 것이다. '모니'는 여기 말로 적묵寂默이다.
208 대중부 등의 계탁을 서술하는 것이다. 붓다께서는 항상 선정에 계시므로 마음이 오직 선일 뿐, 무기의 마음은 없다. 경(=중 29:118 용상경龍象經)에서 여래께서는 4위의 중에도 항상 선정에 계신다고 설했기 때문이다. '나가那伽'는 여기 말로 용인데, 세존을 나타내는 것이다.

에서 위의로 및 이숙생과 통과심이 일어나는 일이 없다는 것은 아니다."[209]

【표업의 성품 분별의 근거】 여러 유표업이 선 등의 성품을 이룰 경우, 전심轉心과 같다고 할 것인가, 수전심隨轉心과 같다고 할 것인가?[210] 설령 그렇다고 한다면 무엇이 허물인가?[211] 만약 전심과 같다면, 곧 욕계 중에 유부무기의 표업이 있어야 할 것이니, 유신견과 변집견이 능히 전심이 되기 때문이다. 혹은 일체 종류의 견소단의 마음이 모두 전심이 될 수 있는 것은 아니라고 구별해야 할 것이다. 만약 수전심과 같다면, 악·무기의 마음과 함께 획득되는 별해탈의 표업은 선의 성품이 아니어야 할 것이다. 이렇게 따지고 힐난한 것에 대해 노고를 베풀어야 할 것이다.[212]

응당 전심과 같이 표업은 선 등의 성품을 이룬다고 말해야 할 것이다. 그렇지만 그 견소단의 전심과 같은 것이 아니니, 수소단의 전심에 의해 간격되기 때문이다.[213] 만약 표업이 수전심의 힘에 의하지 않고 선 등을 이룬다

209 비바사 논사들이 그 인용된 게송에 대해 회통하는 것이다. 붓다께서는 산심을 좋아하지 않으셔서 4위의에서 항상 선정에 계시지만, 산심의 단계에서 3무기심이 없는 것은 아니다. 공교처의 마음은 붓다께서 대부분 일으키시지 않기 때문에 생략하고 말하지 않았지만, 전혀 일으키시지 않는 것은 아니다.

210 이하 문답으로 분별하는데, 이는 곧 묻는 것이다.

211 묻는 뜻을 도리어 나무라는 것이다.

212 물음의 뜻을 바로 펴는데, 양쪽으로 관련해 따지고 책망하는 것이다. 만약 전심과 같이 표업이 선 등을 이룬다고 한다면, 곧 욕계 중에 유부무기의 표업이 있어야 할 것이니, 유신견·변집견(=유부무기)이 능히 전심이 되기 때문이다. 그대들이 만약 변론해 말하기를, 욕계의 유신견·변집견은 무기의 성품이기 때문에 전이 될 수 없다고 한다면, 응당 유신견·변집견은 전이 될 수 없고, 나머지 사견 등은 전이 될 수 있으니, 일체 종류의 견소단의 마음이 모두 전이 될 수 있는 것은 아니라고 구별하여 말해야 할 것이다. 만약 수전심과 같이 표업이 선 등의 성품을 이룬다고 한다면, 악·무기심과 함께 획득되는 별해탈의 표업(=예컨대 별해탈계를 받는 최초의 순간은 선심이었으나 제3갈마시에 악·무기의 마음이 일어났을 경우)은 선의 성품이 아니어야 할 것이다. 나아가든 물러나든 따지고 힐난할 것이니, 노고를 베풀어 다른 해석을 구하려고 생각해야 할 것이다.

213 논주가 바르게 해석하는 것이다. 응당 전심과 같이 표업은 선 등의 성품을 이룬다고 말해야 할 것이다. 그렇지만 그 먼 원인으로 등기한[遠因等起] 견소단의 전심과 같은 것이 아니다. 왜냐하면 가까운 원인으로 등기한[近因等起] 수소단의 전심에 의해 간격되기 때문이다. 먼 것을 표업에서 바라보면 간접적이고, 가까운 것을 표업에서 바라보면 직접적이기 때문에, 가까운 전심에 따라 표업

면, 곧 '그 경은 다만 앞의 인등기에 의거한 것일 뿐, 찰나등기에 의거한 것이 아니다. 따라서 욕계에는 결정코 유부무기의 표업이 없다'라고 말해서는 안 될 것이다.214 단지, '그 경은 오직 다른 마음에 의해 간격된 인등기에

이 선 등을 이루지, 먼 전심에 따라 표업이 선 등을 이루는 것은 아니다.

214 논주가 앞에서 비바사 논사들이 경에 대해 회통한 것에는 허물이 있음을 나타내는 것이다. 만약 표업이 수전심의 힘에 의하지 않고 선 등을 이룬다면, 그대들이 앞에서, 사견이 업을 일으킨다고 한 경에 대해 회통할 때, 곧 '그 경은 단지 앞의 인등기에 의거한 것일 뿐, 찰나등기에 의거한 것이 아니다'(=이 논서의 본문에는 '찰나등기에 의거한 것이 아니다'라는 표현이 없고, 기주의 해설에 '찰나등기에 의거한 것이 아니다'라는 표현이 부가되어 있다)라고 말하지 않았어야 한다. 만약 그렇게 회통한다면, 첫째는 곧 명칭에 혼동이 있을 것이며, 둘째는 찰나등기를 인정하는 것과 유사할 것이다. '단지 앞의 인등기에 의거한 것일 뿐'이라고 한 이것은 곧 명칭에 혼동이 있는 것이다. 말하자면 등기에는 두 가지가 있으니, 첫째는 인등기이고, 둘째 찰나등기인데, 인등기를 뒤의 찰나등기에서 바라보면 이것이 앞이기 때문에 앞의 인등기라고 이름하지만, 앞의 인등기에도 다시 두 가지가 있다. 첫째는 가까운 인등기[근인등기近因等起]이고, 둘째 먼 인등기[원인등기遠因等起]로서, 가까운 인등기가 능히 표업을 일으키는 것이지, 먼 인등기는 표업을 일으킬 수 없다. 이미 앞의 인등기는 표업을 일으킬 수 없다고 말했지만, 가깝고 먼 두 가지 인등기를 모두 앞의 인등기라고 이름하므로, 명칭 중에 법을 구별하는 것을 다하지 않는다면 곧 가까운 인등기와 혼동될 것이다. '찰나에 의거한 것이 아니다'라는 이것은 곧 찰나등기에 의해서도 표업이 선 등을 이룬다고 인정하는 것과 유사하다. 그대들이 만약 찰나등기에 의해서 표업이 선 등을 이루는 것을 인정하지 않는다면, 무엇 때문에 '찰나등기에 의거한 것이 아니다'라고 말했는가? 만약 찰나등기에 의거한다면 찰나(등기에 의해 선 등을 이룬다)라고 말하는 것도 인정한다는 것인가? 만약 역시 인정한다고 말한다면 종지에 위배되는 허물이 있을 것이다. 이 논서의 앞의 글에는 비록 찰나등기에 의거한 것이 아니라고 바로 말한 것이 없지만(=이 점은 앞에서 지적하였다), 이제 뒤의 힐난 중의 뜻에 준하면 더해야 할 것이다. 혹은 앞의 글에는 비록 이런 말은 없지만, 다른 논서에서 경에 대해 회통하는 말에 갖추고 있기 때문일 수도 있으니, 그래서 『대비바사론』 제117권(=대27-610하)에서 말하였다. "인등기에 의거해 이런 말을 한 것이고, 찰나등기에 의거한 것이 아니니, 이 때문에 허물은 없다." 그래서 욕계 중에는 결정코 유부무기의 표업은 없다고 그 뜻에 준해서 맺은 것인데, 앞에는 글을 갖춘 것이 없다. 또 해석하자면 만약 표업은 수전심에 의해 선 등을 이루지 않고, 다만 전심에만 의한다면, 욕계 중에도 유부무기의 표업이 있게 해야 할 것이니, 유신견·변집견이 능히 전심이 되기 때문이다. 그렇다면 곧 '그 경은 다만 앞의 인등기에 의거한 것일 뿐, 찰나등기에 의거한 것이 아니다'라고 말해서는 안 되고, 곧 '따라서 욕계 중에는 결정코 유부무기의 표업이 없다'라고 말해서도 안 될 것이다.

의거해 설한 것일 뿐이다. 따라서 견소단의 마음은 비록 전심이 될 수 있지만, 욕계에는 결정코 유부무기의 표업이 없다'라고 말해야 할 뿐이다.[215]

215 논주가 앞에서 경에 대해 회통한 것의 허물을 나타낸 뒤, 이제 다시 그 경문에 대한 바른 해석을 가르치는 것이다. 다만 '그 경은 오직 다른 가까운 인등기의 마음에 의해 간격된 먼 인등기에 의거해 설한 것일 뿐'이라고 말해야 할 것이다. 견소단의 마음은 먼 인등기로서, 다른 수소단의 가까운 인등기의 마음에 의해 간격되기 때문이다. '따라서 견소단의 마음이 비록 전심이 될 수 있지만, 욕계에는 결정코 유부무기의 표업이 없다'라고 말해야 말 것이다. '단지'를 고쳐서 '오직'이라고 하고, '앞'을 고쳐서 '다른 마음에 의해 간격된'이라고 한다면 곧 무방할 것이다.

아비달마구사론
제14권

제4 분별업품分別業品(의 2)

제4절 세 가지 무표와 율의

1. 세 가지 무표

방론을 마쳤으니, 다시 앞의 표·무표의 모습을 분별해야 할 것이다.[1] 게송으로 말하겠다.

15a 무표에는 셋이 있으니, 율의와[無表三律儀]
불율의와 둘 아닌 것이다[不律儀非二]

논하여 말하겠다. 이 중 무표를 간략히 말하면 세 가지가 있다. 첫째는 율의律儀, 둘째는 불율의不律儀, 셋째는 둘 아닌 것[非二]이니, 말하자면 비율의비불율의非律儀非不律儀이다. 악계惡戒의 상속을 능히 막고 능히 소멸시키기 때문에 율의라고 이름한다.[2]

2. 세 가지 율의

이와 같은 율의의 차별에는 몇 가지가 있는가?[3] 게송으로 말하겠다.

---

1 이하 셋째 널리 표·무표에 대해 밝히는데, 그 안에 나아가면 첫째 세 가지 무표를 밝히고, 둘째 세 가지에 의해 개별적으로 해석한다. 이는 곧 세 가지 무표를 밝히는 것인데, 앞을 맺으면서 물음을 일으킨 것이다.

2 답이다. '능히 막는다'는 것은 악계의 상속을 능히 막는 것을 말하고, '능히 소멸시킨다'는 것은 능히 악계의 상속을 소멸시키는 것을 말하니, 그래서 율의라고 이름한다. 또 해석하자면 능히 미래의 견인대상[所引]인 악계의 상속을 막고, 능히 과거의 견인주체[能引]인 악계의 상속을 소멸시킨다는 것이다. 또 해석하자면 별해탈계가 능히 악계의 상속을 막고, 정·도공계가 능히 악계의 상속을 소멸시킨다는 것이니, 그래서 율의라고 이름한다. '율'은 법률을 말하고, '의'는 의식儀式을 말한다. 나머지 글은 알 수 있을 것이다.

3 이하 세 가지에 의해 개별적으로 해석하는데, 그 안에 나아가면 첫째 율의를

⑮c 율의는 별해탈과[律儀別解脫]
정려 및 도에 의해 생긴다[靜慮及道生]

논하여 말하겠다. 율의의 차별에는 간략히 세 가지가 있다. 첫째는 별해탈율의이니, 말하자면 욕계의 계[欲纏戒]이다. 둘째는 정려생靜慮生율의이니, 말하자면 색계의 계[色纏戒]이다. 셋째는 도생道生율의이니, 말하자면 무루계이다.[4]

3. 별해탈율의의 모습

첫 율의의 모습의 차별은 어떠한가?[5] 게송으로 말하겠다.

⑯ 첫 율의는 여덟 가지이지만[初律儀八種]
실제의 체는 넷이 있을 뿐이니[實體唯有四]
형상이 바뀌면 명칭이 달라지기 때문인데[形轉名異故]
각각 달라도, 서로 어긋나지 않는다[各別不相違][6]

개별적으로 해석하고, 둘째 성취에 대해 전체적으로 밝히며, 셋째 획득의 인연에 대해 밝히고, 넷째 버림의 차별에 대해 밝히며, 다섯째 처에 의거해 성취를 분별한다. 첫째 개별적으로 율의를 해석함에 나아가면, 첫째 세 가지 선의 율의를 밝히고, 둘째 첫 율의(=별해탈율의)에 대해 개별적으로 해석한다. 이는 곧 첫째 세 가지 선의 율의를 밝히려고 게송 앞에서 물음을 일으킨 것이다. # 이상 설명된 본장의 셋째, 널리 표·무표를 밝히는 글의 구조를 이 책의 편성과 대비해 도표로 정리해 보이면 다음과 같다.

세 가지 무표		제4절 세 가지 무표와 율의	제14권
개별적 해석	율의의 해석		
	무표의 성취	제5절 세 가지 무표의 성취	
	획득의 인연	제6절 세 가지 무표의 획득 인연	제14~15권
	버림의 차별	제7절 율의·불율의의 버림	제15권
	처에 의거한 성취	제8절 처에 의거한 율의의 성취	

4 답인데, 글은 알 수 있을 것이다.
5 이하 둘째 첫 율의에 대해 개별적으로 밝히는데, 그 안에 나아가면 첫째 첫 율의(=별해탈율의)의 모습에 대해 밝히고, 둘째 네 가지 율의를 안립하며, 셋째 별해탈의 다른 명칭에 대해 밝힌다. 이는 곧 첫째 첫 율의의 모습을 밝히려고 물어서 게송의 글을 일으키는 것이다.
6 답이다. 첫 구는 명칭을 분별하는 것이고, 아래 3구는 체를 분별하는 것이다.

논하여 말하겠다. 별해탈율의의 모습의 차별에는 여덟 가지가 있다. 첫째는 필추苾芻율의, 둘째는 필추니苾芻尼율의, 셋째는 정학正學율의, 넷째는 근책勤策율의, 다섯째는 근책녀勤策女율의, 여섯째는 근사近事율의, 일곱째는 근사녀近事女율의, 여덟째는 근주近住율의인데, 이와 같이 여덟 가지 모습으로 차별되는 율의를 총칭하여 첫째 별해탈율의라고 이름한 것이다.[7]

비록 여덟 가지 명칭이 있지만, 실제의 체는 넷뿐이니, 첫째 필추율의, 둘째 근책율의, 셋째 근사율의, 넷째 근주율의이다. 오직 이 네 가지 별해탈율의만이 모두 체의 실질[體實]이 있으니, 모습이 각각 다르기 때문이다. 까닭

7 제1구를 해석하는 것이다. '필추bhikṣu'는 당나라 말로 걸사乞士이다. 예전에 비구라고 말한 것은 잘못이다. '필추니bhikṣuṇī'의 필추는 앞의 해석과 같고, '니'는 여자라는 말이다. 범어로 '식차마나式叉摩那śikṣamāṇa'는 당나라 말로 정학正學인데, '정'은 6법을 바르게 배우는 것을 말하는 것이다. 6법이라고 말한 것은 음행치 않는 것, 훔치지 않는 것, 살생치 않는 것, 거짓말하지 않는 것, 모든 술을 마시지 않는 것, 때 아닐 때에 먹지 않는 것을 말한다. 범어로 '실라마나락가室羅摩拏洛迦śrāmaṇeraka'는 당나라 말로 '근책勤策'으로서, 필추가 되려고 힘써 책려策勵를 가하는 것을 말하며, '락가'는 남자라는 말이다. 예전에 사미라고 말한 것은 잘못이다. 범어로 '실라마나리가室羅摩拏理迦śrāmaṇerikā'는 당나라 말로 근책녀이니, 이름의 해석은 앞과 같고, '리가'는 여자라는 말이다. 예전에 사미니라고 말한 것은 잘못이다. 범어로 '오파삭가鄔波索迦upāsaka'는 당나라 말로 '근사近事'이고, '삭가'는 남자라는 말이다. 예전에 우바새라고 말한 것은 잘못이다. '근사'란 『대비바사론』 제123권(=대27-644상)에서 말하였다. "(문) 무엇 때문에 오파삭가라고 이름했는가? (답) 모든 선법을 친근하여 닦고 섬기기 때문[親近修事 諸善法故]이니, 말하자면 그의 몸과 마음이 선법을 가까이하여 익히기 때문에 오파삭가라고 이름하였다. 어떤 다른 분은, 모든 선사를 친근하여 받들어 섬기기 때문이라고 말하였다. 다시 어떤 분은, 모든 불법을 친근하여 받들어 섬기기 때문이라고 말하였다." 자세한 것은 거기에서 해석하는 것과 같다. 범어로 '오바사가鄔婆斯迦upāsikā'는 당나라 말로 근사녀이니, 명칭의 해석은 앞과 같고, '사가'는 여자라는 말이다. 예전에 우바이라고 말한 것은 잘못이다. 범어로 '오바바사鄔婆婆沙upavāsa'는 당나라 말로 근주近住인데, 근주라고 말한 것에 대해 『대비바사론』 제124권(=대27-648하)에서 말하였다. "아라한 가까이에 머무니, 이 율의를 받고 그를 따라 배우기 때문이다. 어떤 분은, 이는 진수계盡壽戒(=죽을 때까지 지킬 계) 가까이에 머물기 때문에 근주라고 이름한 것이라고 말하고, 어떤 분은 이 계는 가까운 시간[近時](=하루 밤낮이라는 짧은 시간)에 머물기 때문에 근주라고 이름한 것이라고 말하였다." 이 여덟 가지 중 앞의 다섯은 출가자의 계이고, 뒤의 셋은 재가자의 계이며, 앞의 일곱은 진형계盡形戒(=앞의 '진수계')이고, 뒤의 하나는 1주야의 계이다. 이 여덟 가지는 비록 차별되지만, 총칭하여 별해탈율의라고 이름한다.

이 무엇인가 하면 필추율의를 떠나서 별도의 필추니율의는 없으며, 근책율의를 떠나서 별도의 정학율의나 근책녀율의는 없으며, 근사율의를 떠나서 별도의 근사녀율의는 없기 때문이다.[8]

어떻게 그런지 아는가?[9] 형形이 바뀌면, 체를 비록 버리거나 얻는 것이 없더라도, 명칭에 차이가 있기 때문이다. '형'은 형상形相을 말하는 것이니, 곧 남근·여근이다. 이 2근으로 말미암아 남·여의 형상이 차별되니, 단지 형상이 바뀌기만 하면, 모든 율의의 명칭을 필추·필추니 등으로 만드는 것이다. 말하자면 근이 바뀐 단계에는 본래의 필추율의를 필추니율의라고 이름하게 하거나, 혹은 필추니율의를 필추율의라고 이름하게 하며, 본래의 근책율의를 근책녀율의라고 이름하게 하거나, 혹은 근책녀율의 및 정학율의를 근책율의라고 이름하게 하며, 본래의 근사율의를 근사녀율의라고 이름하게 하거나, 혹은 근사녀율의를 근사율의라고 이름하게 하는데, 근이 바뀐 단계에서 먼저 얻었던 율의를 버리거나 먼저 아직 얻지 못했던 율의를 얻는 인연이 있었던 것이 아니기 때문에 네 가지 율의는 세 가지 율의의 체와 다른 것이 아니다.[10]

8 제2구를 해석하는 것이다. 사람이 같지 않음에 의거해 여덟 가지 명칭이 있지만, 그 실제의 체를 논한다면 네 가지가 있을 뿐이다. 필추율의를 떠나서 별도의 필추니율의는 없고, 근책율의를 떠나서 별도의 정학의 6법의 율의나 근책녀의 10계의 율의는 없다. 근책녀는 먼저 10계를 받고, 뒤에 6법을 수지하는데, 비록 다시 6법을 얻지만, 곧 10계 중의 6계와 같기 때문이니, 그래서 근책녀의 10계 및 정학의 6법은 근책의 10계와 다르지 않다. 또 해석하자면 정학이 될 때 다시 별도로 6법을 얻는 것이 아니고, 단지 거듭 가르침을 받아 행할 뿐이다. 먼저 받은 것을 지키게 함에 의거하기 때문이며, 곧 이것은 10계 중의 여섯이기 때문에 정학과 근책녀의 10계는 근책의 10계와 다르지 않다고 말한 것이다. 근주의 8계는 오직 1주야만으로서 시간이 짧기 때문에 남녀를 나누지 않으니, 그래서 유독 하나인 것이다.

9 이하 제3구를 해석하는데, 이는 곧 묻는 것이다.

10 게송을 들어 바로 답하는 것이다. 근을 바꿀 때와 같은 경우 계를 버리거나 얻는 것 없이 단지 명칭에만 차이가 있을 뿐이다. 말하자면 근을 바꾸는 단계에는, 만약 필추가 근을 바꾸어 여자가 된다면, 본래의 필추율의를 필추니율의라고 이름하게 하고, 만약 필추니가 근을 바꾸어 남자가 된다면, 본래의 필추니율의를 필추율의라고 이름하게 한다. (문) 필추와 필추니는 계에 많고 적음이 다른데, 어떻게 근을 바꾸었다고 해서 명칭만 다르고 체가 같겠는가?

만약 근사율의로부터 근책율의를 받고, 다시 근책율의로부터 필추율의를 받았다면, 이 세 가지 율의는 원리遠離하는 방편을 증가시켜 충족시켰음[增足]에 의해 별도의 명칭을 세운 것인가, 마치 한 푼의 금전이 두 푼이 되고, 또 다섯 푼이 열 푼, 스무 푼이 되는 것처럼 체가 각각 다른 것을 구족함으로써 단박에 생긴 것인가?11 세 가지 율의는 그 체가 서로 뒤섞이지 않으

(해) 남녀가 같지 않아서 열고 막는 것에 차이가 있으며, 연에 따르는 것이 다르기 때문에 250가지라고 설하거나 500가지라고 설하지만, 그 7지를 논한다면 계의 체는 모두 같다. 또 해석하자면, 본래의 7지에 의거한다면 양 승중의 계는 같지만, 만약 막는 계를 논한다면 많고 적음에 차이가 있다. 비록 막는 것에 차이가 있더라도, 먼저 계를 받을 때 양 승중은 상호 얻는다[互得]. 왜냐하면 필추와 필추니는 같이, 모든 악을 모두 끊기로 서원하는 말을 했기 때문이니, 이 서원의 힘에 의해 상호 막는 계를 얻은 것이다. 모두 상호 얻기는 해도 연이 다르기 때문에 지키고 범하는 것이 같지 않고, 억제하는 죄도 각각 다르다. 또 해석하자면 막는 계 자체를 논한다면 많고 적음이 같지 않다. 아직 근을 바꾸지 않았을 때 만약 이 부류의 계를 수지했다면 곧 이 부류의 계를 얻는데, 근을 바꾸는 단계에서 그 부류 중에 이르면 따로 막는 계를 얻는 것은 아니니, 비록 막는 계가 없다고 해도 가르침을 어겼기 때문에 역시 그 죄를 맺는다. 만약 근책이 근을 바꾸어 여자가 된다면 본래의 근책율의를 근책녀율의라고 이름하게 하는데, 아직 6법을 얻지 않았고 아직 6법에 의거한 가르침을 겹쳐서 받지 않았으므로, 그래서 정학율의라고 이름하지는 않았다. 만약 근책녀나 정학이 근을 바꾸어 남자가 된다면 본래의 근책녀율의 및 정학율의를 근책율의라고 이름하게 한다. 그 10계 및 6법은 모두 근책의 열 가지 계와 같기 때문이다. 만약 근사가 근을 바꾸어 여자가 된다면 본래의 근사율의를 근사녀율의라고 이름하게 하고, 만약 근사녀가 근을 바꾸어 남자가 된다면 본래의 근사녀율의를 근사율의라고 이름하게 한다. 근주는 낮이나 밤에 비록 근을 바꾸는 일이 있었다고 해도 남녀 두 가지 명칭을 따로 세우지 않았기 때문에 따로 말하지 않았다. 근이 바뀐 단계에서 먼저 얻었던 율의를 버리는 인연이 있었던 것은 아니니, 네 가지를 버리는 인연이 없었기 때문이며, 근이 바뀐 단계에서 먼저 아직 얻지 못했던 율의를 얻는 인연이 있었던 것은 아니니, 수계受戒의 인연이 없었기 때문이다. 필추니·근책녀·정학·근사녀의 네 가지 율의는 필추·근책·근사의 세 가지 율의의 체와 다른 것이 아니다.

11 이하 제4구를 해석하려고 묻는 것이다. 만약 근사로부터 근책계를 받고, 다시 근책으로부터 필추계를 받았다면, 이 세 가지 율의는 원리를 증가하여 충족시키고 방편을 증가하여 충족시켰음-'원리'는 계의 다른 명칭이니, 악을 원리하기 때문이고, '방편'은 계를 구한[求戒] 방편이니, 뒤의 계를 구했기 때문이다-에 의한 것인가, 다시 증가하여 충족시킨 것이 앞과 차별되는 것에 의해 별도의 명칭을 세운 것인가? 5계 위에 다섯을 늘려 10계가 되면 근책이라고 이름하고, 10계 위에 240을 늘려 250계가 되면 필추라고 이름하는데, 마치 한

며, 그 모습이 각각 다른 것을 구족함으로써 단박에 생긴다. 세 가지 율의 중에는 세 가지 살생 떠남[離殺]을 갖추었고, 나아가 세 가지 음주 떠남[離飮酒]을 구족했으며, 나머지 수가 많고 적은 것도 그 상응하는 바에 따른 것이다.[12]

이미 그렇다면 서로 바라볼 때 같은 부류인데, 어떻게 다른가?[13] 인과 연이 다르므로 서로 바라볼 때 차이가 있다.[14] 그 사항은 어떠한가?[15] 이러저러하게 여러 종류의 학처學處 받기를 구해서, 이와 같고 저와 같이 여러 종류의 교만·방일의 영역[憍逸處]에서 능히 떠날 때, 곧 수많은 살생 등의 연을 떠나서 계를 일으키니, 모든 원리는 인과 연에 의해 일어나기 때문에 인과 연이 다르면 원리에도 차이가 있는 것이다. 만약 이런 점이 없다면, 필추율의를 버릴 경우 그 때 곧 세 가지 율의를 모두 버릴 것이니, 앞의 두 가지는 뒤의 한 가지 중에 포함되어 있기 때문이다. 이미 그렇다고 인정하지 않으니, 따라서 세 가지는 각각 다른 것이다.[16] 그렇지만 이 세 가지는 상

푼의 금전에 한 푼을 더하면 두 푼의 금전이라고 이름하고, 다섯 푼 위에 다섯 푼을 더하면 열 푼이 되며, 열 푼 위에 열 푼을 더하면 스무 푼이 되는 것처럼 세 가지 계의 체는 각각 다른 것을 구족함으로써 단박에 생기는가?

12 답하면서 게송의 '각각 다르다[各別]'고 한 것을 해석하는 것이다. 세 가지 율의는 그 많고 적음에 따라 각각 다른 것이 단박에 생긴다는 것인데, 생각하면 알 수 있을 것이다.

13 물음이다. 세 가지의 불살생 등은 같은 부류인데, 어떻게 다르다는 것인가?

14 답이다. 안의 인과 밖의 연이 다르기 때문에 서로 바라볼 때 차이가 있다.

15 따지는 것이다.

16 해석하는 것이다. 계를 받는 자가 하나가 아닌 것을 '이러저러하게[如如]'라고 이름하였고, 계의 체가 하나가 아닌 것을 '이와 같고 저와 같이[如是如是]'라고 이름하였다. 이러저러하게 그 상응하는 바에 따라 여러 종류의 학처 받기를 구해서-학처學處(=배울 대상인 개별 계목)는 말하자면 계이다-, 이와 같고 저와 같이 그 상응하는 바에 따라, 높고 넓은 상좌床座나 여러 술을 마시는 등 여러 종류의 교만·방일의 영역에서 능히 떠날 때, 곧 수많은 살생·투도 등의 연을 떠나서 능히 이 계를 일으키는데, 여러 원리는 안의 인과 밖의 연에 의해 일어나기 때문에 인과 연이 다르면 원리에도 차이가 있다. 인이 다르다고 말한 것은, 말하자면 계를 구하는 마음이 다른 것이니, 혹은 5계를 구하고, 혹은 10계를 구하며, 혹은 대계大戒(=구족계)를 구하기 때문에 원인이 다르다고 이름한 것이다. 연이 다르다고 말한 것은 말하자면 수계의 연이 다른 것이니, 곧 화상和尙upādhyāna(=수계사授戒師)·아사리阿闍梨ācārya(=궤범사軌範師 내지

호 서로 어긋나지 않아서 하나의 몸 안에 동시에 일어난다. 뒤의 계를 받음에 의해 앞의 율의를 버리는 것이 아니며, 필추계를 버렸다고 해서 곧 근사 등이 아니라고 해서는 안 될 것이다.17

4. 네 가지 율의의 안립

근사·근주·근책·필추의 네 가지 율의는 어떻게 안립되는가? 게송으로 말하겠다.

17 다섯·여덟·열 가지와[受離五八十]
일체 떠나야 할 것에서 떠남을 수지한다면[一切所應離]
근사, 근주와[立近事近住]
근책 및 필추율의를 안립한다[勤策及苾芻]

논하여 말하겠다. 이 게송 중 수의 순서와 같은 네 가지 원리遠離에 의해 네 가지 율의를 안립한 것이라고 알아야 할 것이다. 말하자면 원리해야 할

교수사敎授師) 등이다. 만약 5계를 받는다면 한 사람(=1화상)을 대하고, 만약 10계를 받는다면 두 사람(=1화상과 1아사리)을 대하며, 만약 대계를 받는다면 10인(=화상·아사리·계사의 3사와 7증인)을 대하는 등이기 때문에 연이 다르다고 이름한 것이다. 이 인과 연이 다르기 때문에 그래서 원리에도 차이가 있다. 이치로써 반대로 힐난하건대, 만약 이런 점이 없고, 세 가지 불살생 등이 점점 증가해 충족시킨다고 한다면, 필추율의를 버릴 경우 그 때 곧 근사·근책·필추의 세 가지 율의를 모두 버릴 것이니, 앞의 두 가지 근사·근책율의는 뒤의 한 가지 필추율의 중에 포함되어 있기 때문이다. 이미 그렇다고 인정하지 않으니, 따라서 세 가지는 각각 다른 것이다. 세 가지가 다르기 때문에 필추를 버리더라도 여전히 근책이라고 이름하며, 다시 근책계를 버리더라도 여전히 근사라고 이름한다.

17 (게송 중) '서로 어긋나지 않는다'라고 한 것을 해석하는 것이다. 그렇지만 이 세 가지 불살생 등은 하나의 몸 안에서 상호 서로 어긋나지 않아서 동일찰나에 동시에 일어난다. 뒤의 근책·필추율의를 받음에 의해 앞의 근사·근책율의를 버리는 것이 아니니, 버리는 연이 아니기 때문이다. 필추계를 버렸다고 해서 곧 근책이 아니라고 해서는 안 되고, 근책계를 버렸다고 해서 곧 근사가 아니라고 해서는 안 되니, 뒷 단계를 버리더라도 앞 단계라고 이름할 수 있기 때문이다. 따라서 몸 안에 세 가지 계를 갖추고 있다고 알아야 한 것이니, 비록 하나의 몸이라고 해도 혹은 두 가지 계를 갖추거나 세 가지 계를 갖춘다. 뒷 단계의 계가 뛰어나기 때문에 뛰어난 것에 따라 명칭을 세운 것이다.

다섯 가지에서 떠남을 수지한다면 제1의 근사율의를 안립한다. 어떤 것을 원리해야 할 다섯 가지라고 이름하는가? 첫째 살생殺生, 둘째 주지 않은 것을 취하는 것[不與取], 셋째 욕망의 삿된 행[欲邪行], 넷째 거짓말[虛誑語], 다섯째 모든 술을 마시는 것[飮諸酒]이다.

만약 원리해야 할 여덟 가지에서 떠남을 수지한다면 제2의 근주율의를 안립한다. 어떤 것을 원리해야 할 여덟 가지라고 이름하는가? 첫째 살생, 둘째 주지 않은 것을 취하는 것, 셋째 범행 아닌 행[非梵行], 넷째 거짓말, 다섯째 모든 술을 마시는 것, 여섯째 향을 바르고 화만으로 장식하며 춤추고 노래하거나 그것을 보고 듣는 것[塗飾香鬘舞歌觀聽], 일곱째 높고 넓으며 화려하게 치장한 침상·의자에서 자거나 앉는 것[眠坐高廣嚴麗牀座], 여덟째 먹을 때가 아닐 때 먹는 것[食非時食]이다.

만약 원리해야 할 열 가지에서 떠남을 수지한다면 제3의 근책율의를 건립한다. 어떤 것을 원리해야 할 열 가지라고 이름하는가? 말하자면 앞의 여덟 가지 중 '향을 바르고 화만으로 장식하며 춤추고 노래하거나 그것을 보고 듣는 것'을 나누어 두 가지로 하고, 다시 금·은 등의 보배를 받거나 축적하는 것[受畜金銀等寶]을 더해서 열 번째로 한 것이다.

만약 일체 원리해야 할 신·어업에서 떠남을 수지한다면, 제4의 필추율의를 안립한다.[18]

5. 별해탈의 다른 명칭

별해탈율의의 명칭이 차별됨에 대해서는 게송으로 말하겠다.

18 다 같이 시라[俱得名尸羅]
묘행, 업, 율의라는 명칭을 얻는데[妙行業律儀]
오직 첫찰나의 표·무표만은[唯初表無表]

18 이는 곧 둘째 네 가지 율의의 안립이다. 향을 바르고 화만으로 장식하는 것이 하나가 되고, 춤추는 것을 보고 노래하는 것을 듣는 것이 하나가 된다. 또 해석하자면 (스스로) 춤추어서도 안 되고 노래해서도 안 되며, (남이 하는 것을) 보아서도 안 되고 들어서도 안 되기 때문에, 10계에 이르면 나누어 두 가지로 하는 것이다. 나머지 글은 알 수 있을 것이다.

별해탈, 업도라고 이름한다[名別解業道]

논하여 말하겠다. 험악한 업을 능히 평정하기 때문[能平險業故]에 시라尸羅라고 이름하였다. 이 말을 훈석한다면, 말하자면 청량淸凉하기 때문이니, 저 게송에서, "계를 수지함은 즐거움이니, 몸에 뜨거운 고뇌가 없기 때문에 시라라고 이름한다"라고 말한 것과 같다.[19] 지혜로운 분들이 칭찬하고 찬양하는 것이기 때문에 묘행妙行이라고 이름한다.[20]

지어진 것[소작所作] 자체이기 때문에 업이라고 이름한다.[21] 무표를 어찌 또한 부작不作이라고도 이름하지 않는가? 어째서 지금은 소작 자체라고 말하는가?[22] 부끄러워함과 수치스러워함[慚恥]이 있는 자는 무표의 힘을 수지해서 온갖 악을 짓지 않기 때문에 부작이라고 이름했지만, 표업·사업에 의해 만들어진 것[表思所造]이므로 소작이라는 명칭을 얻은 것이다.[23] 어떤 다른 분은, "이것은 작作의 원인이기 때문이며, 작의 결과이기 때문에 작이라고 이름하더라도 허물이 없다"라고 해석하였다.[24] 능히 몸과 말을 방호하기

19 이하는 곧 셋째 별해탈의 다른 명칭을 밝히는 것이다. 능히 험악한 모든 불선업을 평정하기 때문에 시라śīla(=시원하다는 뜻의 'śī'를 그 어원으로 이해한 것)라고 이름한다. 이는 곧 첫 명칭이다. 계를 수지하면 능히 몸과 마음을 청량하게 해서 안락하게 하기 때문이다. 파계하면 능히 몸과 마음을 뜨겁게 고뇌하게 하니, 회한하기 때문이다. 게송(=출전 미상)을 인용한 것은 알 수 있을 것이다.

20 이는 곧 둘째 명칭이다. 또 『순정리론』(=제36권. 대29-549중)에서도 말하였다. "혹 이를 닦고 행한다면 사랑스러운 결과를 얻기 때문이다."

21 이는 곧 셋째 명칭이다. 곧 계 자체는 그 소작(=지어진 것)이기 때문에 업이라고 이름한다.

22 물음이다. 표를 업이라고 이름한다고 하는 이런 뜻은 그럴 수 있겠지만, 무표는 계경(=출전 미상)에서도 설하기를 부작이라고도 어찌 이름하지 않았는가? 어째서 지금은 소작 자체라고 말하는가?

23 답이다. 경에서 부작이라고 말한 것은, 부끄러워함과 수치스러워함이 있는 자는 무표의 힘을 수지해서 온갖 악을 짓지 않기 때문에 부작이라고 이름했지만, 논서에서 소작이라고 말한 것은, 신·어의 표업 및 의업의 의도에 의해 만들어진 것이기 때문에 소작이라는 명칭을 얻은 것이다.

24 다른 해석을 서술하는 것이다. 무표는 뒤의 만들어지는 결과 가문의 원인[作果家因]이기 때문에 결과에 따라 명칭을 세운 것이며, 앞의 표업·사업으로 만든 원인 가문의 결과[作因家果]이기 때문에 원인에 따라 명칭을 세운 것이니,

때문[防身語故]에 율의라고 이름한다.[25]

이와 같이 알아야 할 것이니, 별해탈계는 처음과 뒤의 단계에 통하는, 차별 없는 명칭이지만, 오직 첫찰나의 표 및 무표만은 별해탈 및 업도業道라는 명칭을 얻는다 라고. 말하자면 계를 수지할 때 첫찰나의 표·무표는 갖가지 악惡을 따로따로 내쳐 버리기 때문에, 최초로 개별적으로 버렸다는 뜻[初別捨義]에 의해 별해탈이라는 명칭을 세우고, 곧 그 때 소작이 완성되므로, 업이 펼쳐졌다는 뜻[業暢義]에 의해 업도라는 명칭을 세운다. 그래서 첫찰나를 별해탈이라고 이름하는데, 또한 별해탈율의라고도 이름할 수 있으며, 또한 근본업도根本業道라고도 이름할 수 있지만, 제2찰나로부터 그것을 아직 버리지 않았을 때까지는 별해탈이라고 이름하지 않고, 별해탈율의라고 이름하며, 업도라고 이름하지 않고, 후기後起라고 이름한다.[26]

작이라고 칭해도 허물이 없다

25 이는 곧 넷째 명칭이다. 능히 몸과 말을 방호해서 허물을 짓지 못하게 하기 때문에 율의라고 이름한다.

26 이는 제5·제6의 명칭을 밝히면서 아래 2구를 해석하는 것이다. 이와 같이 알아야 할지니, 별해탈계는 첫찰나의 단계 및 뒤의 모든 단계에 통하는, 차별 없는 명칭이지만, 오직 첫찰나의 표 및 무표만은 제5의 별해탈이라는 명칭 및 제6의 업도라는 명칭을 얻는다 라고. 까닭이 무엇이겠는가? 말하자면 계를 받을 때 첫찰나의 표·무표는 불살계 등으로써 살생하는 업 등 갖가지 악을 따로따로 내쳐 버리기 때문에, 최초로 개별적으로 버렸다는 뜻에 의해 별해탈이라는 명칭을 세우고, 곧 첫찰나 때 지어야 할 선한 일[所作善事]이 모두 다 완성되므로, 인등기의 의도를 펼친 것이라는 뜻[暢思義]에 의해 업도라는 명칭을 세운다. 인등기의 의도가 만드는 것을 업이라고 이름하는데, 첫찰나의 표·무표는 그 의도가 노닌 길[所遊路]이므로 도라고 이름하니, 업의 도이기 때문에 업도라고 이름한 것이다. 그래서 첫찰나에 최초로 악을 개별적으로 버렸으므로 별해탈이라고 이름하는데, 첫찰나에 개별적으로 악을 막고 방호하므로 또한 별해탈율의라고도 이름할 수 있으며, 의도를 펼쳤다는 뜻의 측면에서 또한 근본업도라고도 이름할 수 있지만, 제2찰나로부터 그것을 아직 버리지 않았을 때까지는 최초로 악을 개별적으로 버린 것이 아니므로 별해탈이라고 이름하지 않고, (그렇지만) 능히 막고 방호하기 때문에 율의라는 이름을 얻는데, 별해탈의 율의이기 때문에 별해탈율의라고 이름하며, 의도를 펼친 것이 아니기 때문에 업도라고 이름하지 않고, 근본(업도) 후에 있는 것이므로 후기後起라고 이름한다.

제5절 세 가지 무표의 성취

제1항 3율의의 성취

1. 3율의의 성취 총설

누가 어떤 율의를 성취하는가?[27] 게송으로 말하겠다.

⑲ 8중이 별해탈율의를 성취하고[八成別解脫]
정려와 성도를 얻은 자가[得靜慮聖者]
정려생율의와 도생율의를 성취하는데[成靜慮道生]
뒤의 두 가지는 수심전이다[後二隨心轉][28]

논하여 말하겠다. 8중八衆은 모두 별해탈율의를 성취하니, 말하자면 필추 내지 근주이다.[29] 외도는 수지하는 계가 없는가?[30] 비록 있더라도 별해탈계라고 이름하지 못한다. 그들이 수지하는 계는 모든 악으로부터 영원히 벗어나게 하는 공능이 없으니, 존재[有]에 의지하고 집착하는 것이기 때문이다.[31]

정려생율의란 말하자면 이 율의는 정려로부터, 혹은 정려에 의지해 생겼

27 이하는 둘째 성취하는 것을 전체적으로 밝히는 것이다. 그 안에 나아가면 3율의의 성취를 전체적으로 밝히고, 둘째 세에 의거해 성취를 밝힌다. 전자에 나아가면 첫째 바로 전체적인 성취를 밝히고, 둘째 편의상 단율의를 밝히며, 셋째 경의 2율의에 대해 회통한다. 이하 곧 첫째 바로 전체적인 성취를 밝히는데, 게송 앞에 물음을 일으킨 것이다.
28 답이다. 제1구는 별해탈의 성취를 밝히는 것이고, 다음 2구는 정공계·도공계를 밝히는 것이며, 제4구는 차별을 나타내는 것이다.
29 제1구를 해석하면서 8중이 별해탈을 성취함을 밝히는 것이다.
30 물음이다.
31 답이다. 외도들은 비록 불살계 등을 수지하는 일이 있더라도, 단지 처중계處中戒(=율의도 아니고 불율의도 아닌, 선·악의 중간에 처한 계라는 취지)라고 이름할 뿐, 별해탈계라고 이름하지 못한다. 그들이 수지하는 계는 모든 악으로부터 영원히 개별적으로 벗어나게 하는 공능이 없기 때문이니, 3유有의 이숙과에 의지하고 집착하는 것이기 때문이다.

다는 것이니, 만약 정려를 얻은 자라면 결정코 이 율의를 성취한다. 모든 정려의 가장자리[邊]도 역시 정려라고 이름하니, 마치 촌읍村邑 근처도 촌읍이라는 명칭을 얻는 것과 같다. 어떤 분은, "이런 촌읍에도 벼밭[稻田] 등이 있다"라고 말했는데, 이것도 역시 그러해야 할 것이다.[32]

도생율의는 성자가 성취하는 율의인데, 이것에는 다시 두 가지가 있으니, 말하자면 유학과 무학이다.[33]

앞에서 구유인을 분별하면서, 두 가지 율의는 수심전隨心轉이라고 논설했는데, 이 세 가지 중 그 두 가지는 무엇인가?[34] 정려생 및 도생의 두 가지 율의를 말하는 것이다. 별해탈은 아니니, 왜냐하면 다른 마음[異心]이나 무심無心일 때에도 역시 항상 일어나기 때문이다.[35]

2. 단율의斷律儀

정려·무루의 두 가지 율의는 또한 단율의라고도 이름하는데, 어떤 단계에 의해 건립한 것인가? 게송으로 말하겠다.

---

32 게송 제2·제3구 중 '정려를 얻은 자가 정려생율의를 성취한다'라고 한 것을 해석하면서 정려생율의(를 성취하는 자)를 밝히는 것이다. 게송 중의 '정려생율의'란, '말하자면 이 율의는 정려로부터 생겼다'라고 말한 것은 생인生因에 의거해 해석한 것이고, '혹은 정려에 의지해 생겼다'는 것은 의인依因에 의거해 밝힌 것인데, 그래서 정려생율의라고 이름한다. 모든 정려의 근분近分(=본문 중의 '가장자리[邊]'='변제')도 역시 정려라고 이름한다. 마치 촌읍 근처에 벼밭 등이 있다면 촌읍이라는 명칭을 얻는 것처럼 이 모든 근분정도 이치상 역시 그러해야 할 것이다.

33 게송 제2·제3구 중 '성도를 얻은 자가 도생율의를 성취한다'라고 한 것을 해석하면서 무루율의(를 성취하는 자)를 밝히는 것이다. '도'는 말하자면 무루의 성도이니, 능히 율의를 낳기 때문에 도생율의라고 이름한다.

34 제4구를 해석하려고 앞(=제6권 중 게송 52ac와 그 논설)을 옮겨와서 물음을 일으킨 것이다.

35 답이다. 정려생·도생의 두 가지 율의는 수심전(=심수전)이지만, 별해탈은 (수심전이) 아니다. 왜냐하면 이 별해탈율의는 악·무기의 다른 마음의 단계 및 무심의 단계에서도 역시 항상 일어나기 때문에 그래서 수심전의 계라고 이름하지 않는다. 이 별해탈율의를 만약 수심전이라고 이름한다면, 선심이 일어나는 단계에서는 따라 일어난다고 이름할 수 있겠지만, 악·무기의 마음이 일어날 때 및 무심의 단계일 때에는 그것이 끊어져야 하기 때문이다.

⑳a 미지정의 제9무간도와[未至九無間]

구생하는 두 가지를 단율의라고 이름한다[俱生二名斷]

논하여 말하겠다. 미지정未至定 중의 제9무간도와 함께 생기는 정려율의·무루율의는, 욕계의 악계[欲纏惡戒] 및 그것을 능히 일으키는 번뇌를 능히 영원히 끊으므로 단율의라고 이름한다.[36]

이 때문에 혹은 정려율의이면서 단율의가 아닌 것이 있으니, 4구로 분별해야 할 것이다. 제1구는 미지정의 제9무간도에 의한 유루율의를 제외한 그 나머지 유루의 정려율의이다. 제2구는 미지정의 제9무간도에 의한 무루율의이다. 제3구는 미지정의 제9무간도에 의한 유루율의이다. 제4구는 미지정의 제9무간도에 의한 무루율의를 제외한 그 나머지 일체 무루율의이다.[37]

이와 같이 혹은 무루율의이면서 단율의가 아닌 것이 있으니, 4구로 분별해야 할 것인데, 앞의 4구에 준하여 상응하는 대로 알아야 할 것이다.[38]

3. 의율의意律儀와 근율의根律儀

만약 그렇다면 세존께서 설하신 간략한 계[略戒](에 관한 게송)에서, "몸의 율의가 훌륭하고[身律儀善哉] 말의 율의가 훌륭하며[善哉語律儀] 마음의 율의가 훌륭하면[意律儀善哉] 모든 율의가 훌륭하리라[善哉遍律儀]"라고 하셨

36 이는 곧 둘째 단율의에 대해 밝히는 것이다. '단'은 단대치斷對治(=번뇌를 바로 끊는 단계인 무간도에 있는 대치)를 말하는 것이니, 그래서 『대비바사론』 제119권(=대27-622상)에서 말하였다. "(문) 무엇 때문에 이것만 단율의라고 이름하는가? (답) 능히 파계 및 파계를 일으키는 번뇌에 대해 단대치가 되기 때문이다. 말하자면 앞의 8무간도 중의 2심수전계(=정려생·도생율의)는 오직 파계를 일으키는 번뇌에 대해서만 단대치가 되지만, 제9무간도 중의 2심수전계는 파계 및 파계를 일으키는 번뇌에 대해 공통으로 단대치가 되는 것이다." 이런 등의 글에 준하면 오직 미지정의 제9무간도의 심수전계만은 욕계의 악계(=파계) 및 그것을 능히 일으키는 번뇌에서 바라볼 때 단대치가 된다.

37 정려율의를 단율의에 상대시킨 4구인데, 알 수 있을 것이다.

38 무루율의를 단율의에 상대시킨 4구이다. 앞에 준하므로 제1구(=무루율의이면서 단율의가 아닌 것)는 미지정의 제9무간도에 의한 무루율의를 제외한 그 나머지 무루율의이고, 제2구는 미지정의 제9무간도에 의한 유루율의이며, 제3구는 미지정의 제9무간도에 의한 무루율의이고, 제4구는 미지정의 제9무간도에 의한 유루율의를 제외한 그 나머지 일체 유루율의이다.

고, 또 계경에서, "안근의 율의[眼根律儀]를 잘 수호해야 하고, 잘 안주해야 한다"라고 설하셨는데, 이 마음의 율의[의율의意律儀]와 근의 율의[근율의根律儀]는 무엇을 자성으로 하는가?[39] 이 두 가지의 자성은 무표색이 아니다.[40] 만약 그렇다면 무엇인가?[41] 게송으로 말하겠다.

⑳c 정지·정념, 그것과 화합하는 것을[正知正念合]
의율의, 근율의라고 이름한다[名意根律儀]

논하여 말하겠다. 이와 같은 두 가지 율의는 모두 정지正知·정념正念을 체로 하는 것임을 나타내기 위해 명칭을 열거한 뒤 다시 '화합[合]'이라는 말씀을 하셨다. 말하자면 의율의는 지혜[慧]와 알아차림[念]을 체로 하며, 곧 그 두 가지와 화합하는 것이 근율의가 된다는 것이다. 따라서 '화합'을 분리해서 말한 것은, 순서대로 배분해서는 안 된다는 것을 나타내는 것이다.[42]

39 이하 셋째 경의 두 가지 율의에 대해 회통하는 것인데, 경에 의해 물음을 일으켰다. 만약 신·어만을 율의라고 이름한다면, 무엇 때문에 세존께서 설하신 간략한 계(=증일 12:21:8경)에서, 신·어·의 셋 모두 율의라고 이름하면서 훌륭하다고 찬탄하셨으며, '모든 율의[遍律儀]'라는 말로써 세 가지를 모두 말씀하셨는가? 또 계경(=잡 [11]11:277 율의불율의경) 중에서 무엇 때문에 다시 안근의 율의라고 설하셨는가? 이 앞의 경에서 설하신 의율의와 이 뒤의 경에서 설하신 안근율의는 무엇을 자성으로 하는가?
40 답이다.
41 따지는 것이다.
42 해석하는 것이다. '의'는 의율의를 말하는 것이고, '근'은 안근의 율의를 말하는 것인데, 이 두 가지는 모두 정지와 정념을 체로 한다는 것을 나타내기 위해 게송 중에서 먼저 정지·정념이라는 명칭을 열거한 뒤 다시 '화합하는 것'이라는 말씀을 하신 것이다. 말하자면 먼저 간략한 계에서 설한 의율의는 지혜와 알아차림을 체로 하고, 곧 지혜·알아차림과 화합하는 것이 뒤의 경 중의 안근의 율의가 된다는 것이다. 따라서 앞과 분리해서 뒤에 '화합하는 것'이라고 말한 것은, 순서대로 두 가지 율의를 배분(=정지는 의율의, 정념은 근율의라고)해서는 안 된다는 것을 나타내는 것이다. 지혜와 알아차림을 율의라고 이름하는 까닭은, 지혜는 능히 간택하고, 알아차림은 능히 억념하니, 이 두 가지 힘의 강함이 마음[意] 및 안근을 방호하고 제어하여 경계에 대해 여러 과환을 일으키지 못하게 하기 때문에 율의라고 이름한 것이지, 무표색이 아니다. 갖춘다면 역시 안근 등의 6근을 말해야 할 것인데도 이근 등을 말하지 않은 것

제2항 세에 의거한 성취

1. 무표의 성취

(1) 세에 의거한 율의·불율의의 성취

이제 표 및 무표는 누가 무엇을 성취하며, 어떤 시간의 분위에 제한되는지[齊何時分] 생각해서 가려야 할 것인데,[43] 우선 무표의 율의·불율의의 성취에 대해 분별하되,[44] 게송으로 말하겠다.

21 별해탈에 머무는 자의 무표는[住別解無表]
아직 버리지 않는 동안은 항상 현재의 것을 성취하고[未捨恒成現]
첫찰나 후에는 과거의 것도 성취하며[刹那後成過]
불율의도 역시 그러하다[不律儀亦然]

22 정려율의를 얻은 자는[得靜慮律儀]
항상 과거·미래의 것도 성취하지만[恒成就過未]
성도의 첫찰나는 과거의 것을 제외하며[聖初除過去]
정려와 도에 머물 때에는 현재의 것을 성취한다[住定道成中][45]

은, 생략해서 말하지 않은 것이다.

43 이하 둘째 세世에 의거해 성취를 밝히는 것이다. 그 안에 나아가면 첫째 묻고, 둘째 답하는데, 이는 곧 묻는 것이다. 이제 표 및 무표는 어떤 사람이 어떤 표·무표를 성취하며, 3세 중 어떤 시간의 분위[時分]에 제한되는지 생각해서 가려야 할 것이다.

44 이하 답인데, 답 안에 나아가면 첫째 무표의 성취에 대해 밝히고, 둘째 표의 성취에 대해 밝히며, 셋째 불율의의 다른 명칭을 밝히고, 넷째 표·무표의 성취 관계를 밝힌다. 첫째 무표의 성취를 밝히는 것에 나아가면 첫째 세에 의거한 선·악(=율의·불율의)의 성취이고, 둘째 세에 의거한 처중處中(=비율의비불율의)의 성취, 셋째 선·악에 머물면서 중간을 성취하는 것인데, 이는 곧 첫째 세에 의거한 선·악의 성취이다. 그 안에 나아가면 첫째 종지를 표방하고, 둘째 바로 해석하는데, 이는 곧 종지를 표방하는 것이다.

45 이는 곧 바로 해석하는 것이다. 게송에 나아가면 처음 3구는 별해탈율의에 대해 밝히는 것이고, 제4구는 불율의에 대해 밝히는 것이며, 제5·6구는 정려율의에 대해 밝히는 것이고, 제7구는 무루율의에 대해 밝히는 것이며, 제8구

논하여 말하겠다. 별해탈에 머무는 유정이 아직 버리지 않는 동안은 항상 현세의 무표를 성취하고, 이 별해탈율의의 무표는 첫찰나 후에는 과거의 것도 역시 성취한다. 앞의 '아직 버리지 않았다면'이라는 말은 두루 흘러서 뒤에까지 이른다. 산지[散]의 무표는 미래의 무표를 성취하는 일이 없으니, 마음에 따르지 않는 색[不隨心色]은 세력이 미약하기 때문이다.46

별해탈율의에 안주하는 유정에 대해 설한 것처럼, 불율의에 머무는 유정도 역시 그러하다고 알아야 할 것이다. 말하자면 아직 악계惡戒를 버리지 않는 동안은 항상 현세의 악계의 무표를 성취하고, 첫찰나 후에는 과거의 것도 역시 성취한다.47

정려율의를 획득한 모든 유정은 아직 그것을 버리지 않은 동안은 항상 과거와 미래의 것도 성취하니, 다른 생에서 상실한 과거의 정려율의도 지금 첫찰나에 반드시 그것을 다시 얻기 때문이다.48

무루율의에 머무는 일체 성자는 과거·미래의 것도 역시 항상 성취하지만, 차별되는 것이 있다. 말하자면 첫찰나에는 반드시 미래의 것도 성취하지만, 과거의 것을 성취하는 것이 아니니, 이런 부류의 성도가 이전에는 아직 일어나지 않았기 때문이다.49

는 정려와 도에 대해 쌍으로 밝히는 것이다.

46 처음 3구를 해석하는 것이다. 별해탈에 머물면서 아직 계를 버리지 않는 동안은 항상 현세의 무표를 성취(=법구득)하고, 첫찰나 후의 제2찰나 이후에는 과거의 것도 역시 성취(=법후득)한다. 제2구 중 '아직 버리지 않았다면'이라는 말은 두루 흘러서 뒤의 '불율의' 등에까지 이른다. 욕계 산지散地의 무표(=별해탈율의)는 미래의 것을 성취하는 일이 없으니, 마음에 따르지 않는 색은, 마음과 결과를 하나로 하는 것이 아니어서[非心一果] 세력이 미약하기 때문이다. 곧 이런 이치로 말미암아 전생前生 중의 계를 성취할 수도 없다.

47 제4구를 해석하는 것이다. 불율의에 머물면서 그 악계를 아직 버리지 않은 동안은 항상 현세의 무표를 성취하고, 첫찰나 후의 제2찰나 이후에는 과거의 것도 역시 성취한다.

48 제5·제6구를 해석하는 것이다. 정려율의를 획득한 모든 유정이 아직 그 계를 버리지 않은 동안은 항상 과거(=법후득)와 미래(=법전득)의 것도 성취하니, 전생에서 상실한 과거의 정려율의도 지금 첫찰나에 반드시 그것을 다시 얻기 때문이다.

49 제7구를 해석하는 것인데, 알 수 있을 것이다.

만약 현재 정려와 그런 도에 머물고 있다면 순서대로 현재의 정려생율의와 도생율의를 성취하지만, 출관出觀할 때에는 현재의 것을 성취함이 있는 것은 아니다.50

(2) 세에 의거한 비율의비불율의의 성취

선·악의 율의에 안주하는 자에 대해 분별했는데, 중간에 머무는 자는 어떠한가? 게송으로 말하겠다.

㉓a 중간에 머물 때 무표가 있다면[住中有無表]
첫찰나에는 현재의 것을, 후찰나에는 2세의 것을 성취한다[初成中後二]

논하여 말하겠다. '중간에 머문다'고 말한 것은 말하자면 율의도 아니고 불율의도 아닌 것이니, 그것이 일으키는 업은 반드시 일체 모두에 무표가 있는 것은 아니지만, 만약 무표가 있다면 곧 선계善戒 혹은 악계惡戒의 종류에 포함되는 것이므로, 그것의 첫찰나에는 현재의 것만 성취할 뿐이다. 그런데 현재세는 과거와 미래의 중간에 처하기 때문에 '중간을 성취한다[成中]'는 말로써 현재의 것을 성취함을 말한 것이다. 첫찰나 후 그것을 아직 버리지 않는 동안은 항상 과거·현재 2세의 무표를 성취한다.51

50 제8구를 해석하는 것이다. 정려생·도생율의 중 만약 현재 정려에 머물고 있다면 현재의 정려율의를 성취하고, 만약 현재 무루도에 머물고 있다면 현재의 도생율의를 성취하지만(=게송 중 '중中'은 현재를 가리킨다), 출관할 때에는 현재의 것을 성취함이 있는 것은 아니다. 정려생·도생율의는 수심전이기 때문에 산심이 현전하면 반드시 그것이 없기 때문이다.

51 이는 곧 둘째 세에 의거한 처중處中의 성취이다. '중간에 머문다'고 말한 것은 말하자면 지극히 선한 율의도 아니고 지극히 악한 불율의도 아니기 때문에 '처중'이라고 이름한다. 그것이 일으키는 업은 반드시 일체 모두에 무표가 있는 것은 아니니, 예컨대 선을 지어도 청정한 것이 아니며 악을 지어도 지극히 괴로울 것이 아닌 것과 같은 경우에는 곧 무표가 없다. 만약 선을 지은 것이 청정하거나 악을 지은 것이 지극히 괴로울 것이라면 곧 무표가 있다. (그 경우) 선의 처중의 무표는 곧 선계의 종류에 포함되고, 악의 처중의 무표는 악계의 종류에 포함된다. 무표의 뜻은 같고, 종류가 서로 비슷하기 때문에 '종류에 포함되는 것'이라고 말한 것이다. 처중의 무표의 경우, 첫찰나에는 현재의 것만 성취하고, 제2찰나 이후 그것을 아직 버리지 않는 동안은 항상 과거·현재 2세의 무표를 성취한다.

(3) 율의·불율의에서의 처중의 성취

만약 누군가가 율의나 불율의에 안주할 때 악이나 선의 무표를 성취하는 일도 있는가? 가령 성취하는 일이 있다면 얼마의 시간을 경과하는가?[52] 게송으로 말하겠다.

23c 율의나 불율의에 머물면서[住律不律儀]
　염·정의 무표를 일으킬 경우[起染淨無表]
24a 첫찰나에는 현재의 것을, 이후에는 2세의 것을 성취하는데[初成中後二]
　염·정의 세력이 끝날 때까지이다[至染淨勢終][53]

논하여 말하겠다. 만약 율의에 머물더라도 뛰어난 번뇌에 의해 살생·속박 등의 여러 불선업을 짓는다면, 이에 의해 곧 불선의 무표을 일으키고, 불율의에 머물더라도 맑고 청정한 믿음에 의해 예불禮佛 등의 여러 수승한 선업을 짓는다면, 이에 의해 여러 선의 무표도 역시 일으키는데, 나아가 이런 두 가지 마음이 아직 끊어지지 않는 동안은 일으켜진 무표가 항상 상속한다. 그리고 그 첫찰나에는 현재의 무표만 성취하지만, 그 이후에는 과거·현재의 무표를 성취하는 것에 통한다.[54]

2. 표업의 성취

무표의 성취에 대해 분별했는데, 표업은 어떠한가? 게송으로 말하겠다.

52 이하 셋째 선·악에 머물면서 중간을 성취하는 것인데, 그것에 대해 묻는 것이다. 율의에 머무는 사람이 처중의 악의 무표를 성취하는 일이 있으며, 불율의에 머무는 사람이 처중의 선의 무표를 일으키는 일이 있는가? 만약 성취한다면 얼마 동안인가?

53 위의 2구는 첫 물음에 대한 답이고, 아래 2구는 뒷 물음에 대한 답이다.

54 예컨대 필추 등 율의에 머무는 사람이 뛰어난 번뇌에 의해 살생 등의 업을 짓는 것과 같은 경우, 불선의 처중의 무표가 있고, 예컨대 양을 도살하는 등 불율의에 머무는 사람이 청정한 믿음에 의해 예불 등의 업을 짓는 것과 같은 경우, 선의 처중의 무표가 있다. 두 가지 마음이 아직 끊어지지 않는 동안은 무표가 항상 상속하는데, 첫찰나에는 현재의 것을 성취하고, 그 후에는 과거와 현재(의 것을 성취하는 것)에 통한다.

㉔c 표업은 바로 지을 때 현재의 것을 성취하고[表正作成中]
그 후에는 과거의 것도 성취하지만, 미래의 것은 아니며[後成過非未]
㉕a 유부무기 및 무부무기의 표업은[有覆及無覆]
오직 현재의 것만을 성취한다[唯成就現在][55]

논하여 말하겠다. 율의·불율의에 안주하는 모든 자 및 중간에 머무는 모든 자들은 나아가 바로 모든 표업을 짓는 동안 항상 현재의 표업을 성취하며, 첫찰나 후 그것을 아직 버리지 않는 동안은 항상 과거의 표업도 성취하지만, 반드시 미래의 표업을 성취함이 없는 것은, 무표에 대해 해석한 것과 같다.[56]

유부무기·무부무기의 표업은 결정코 과거·미래의 것을 능히 성취하는 일이 없다. 법의 힘이 이미 열등하므로 득의 힘도 역시 미약하니, 이 때문에 능히 거슬러서나 뒤쫓아 성취하는 것이 없는 것이다.[57]

이 법의 힘이 열등한 것은 무엇이 만든 것인가?[58] 마음이 만든 것이다.[59] 만약 그렇다면 유부무기의 마음 등도 과거·미래의 것을 성취해서는 안 될 것이다.[60] 이 책망은 이치가 아니다. 표업은 어둡고 무디기 때문이며, 다른

55 이하는 둘째 표업의 성취에 대해 밝히는 것인데, 위의 2구는 선·악의 표업에 대해 밝히는 것이고, 아래 2구는 무기의 표업에 대해 밝히는 것이다.
56 위의 2구를 해석하는 것이다. 율의·불율의 및 처중에 머무는 사람은 바로 표업을 지을 때 항상 현재의 표업을 성취하고, 짓지 않으면 성취하지 않는다. 첫찰나 후 그것을 아직 버리지 않는 동안은 항상 과거의 것도 성취하지만, 만약 버린다면 성취하지 않는다. 미래의 표업을 성취하는 일이 반드시 없는 것은, 산지의 무표에 대해 해석한 것과 같으니, 마음에 따르지 않는 색은 세력이 미약하기 때문이다.
57 아래 2구를 해석하는 것이다. 2무기의 표업은 결정코 과거·미래의 것을 성취하는 일이 없다. 법의 힘이 이미 열등하므로 득의 힘도 역시 미약하니, 이 때문에 능히 거슬러 미래의 것을 성취하거나 뒤쫓아 과거의 것을 성취하는 일이 없는 것이다.
58 물음이다.
59 답이다.
60 힐난이다. 이 무기의 표업이 이미 과거·미래의 것을 능히 성취하지 못한다면, 그 표업을 일으키는 주체[能發]인 2무기의 마음도 역시 그 과거·미래의 것을 능히 성취하지 못할 것이다. '등'은 강한 무기의 마음을 같이 취한 것이니, 곧

것에 의해 일어나기 때문인데, 마음 등은 그렇지 않다. 무기의 표업은 열등한 마음으로부터 일어나니, 그 힘은 그것을 일으킨 마음[能起心]보다 갑절로 열등할 것[倍劣]이다. 따라서 표업과 마음은 그 성취에 차별이 있다.[61]

3. 불율의의 다른 명칭

앞에서 논설한 바 불율의에 머무는 것과 같은 경우 이 불율의도 명칭이 차별되는데, 게송으로 말하겠다.

㉕c 악행, 악계, 악업[惡行惡戒業]
　악업도는 불율의이다[業道不律儀]

논하여 말하겠다. 이런 악행 등 다섯 가지 다른 명칭이 불율의의 명칭의 차별이다. 이것은 지혜로운 분들이 꾸짖고 싫어하는 것이기 때문이며, 결과가 사랑할 만한 것이 아니기 때문에 악행이라는 명칭을 세운다. 청정한 계를 장애하는 것이기 때문에 악계라고 이름하고, 몸과 말로 만들어지는 것이기 때문에 업이라고 이름하며, 근본에 포함되는 것이기 때문에 업도라고 이름하고, 몸과 말을 금지하지 않으므로 불율의라고 이름한다. 그런데 업도라는 명칭은 첫찰나만을 가리키는 것이고, 첫찰나와 그 뒤의 단계에 통하

버릇처럼 계속 익힌 위의·공교·통과의 마음이다.

61 풀이하는 것이다. 표색은 어둡고 무디기 때문이며, 다른 마음(=의도)에 의해 일어나기 때문이지만, 마음 등은 밝고 예리하며, 다른 것에 의하지 않고 일어난다. '등'은 말하자면 여러 심소법을 같이 취한 것이다. 2무기의 마음을 선·불선의 마음에서 바라보면 그것은 열등함을 이루니, 무기의 표업은 열등한 마음으로부터 일어나므로, 그 힘은 그것을 일으키는 주체[能起]인 마음보다 갑절로 열등할 것이다. 그래서 과거·미래의 것을 성취하지 못하는 것이다. 따라서 표업과 마음은 성취에 차별이 있는 것(=무기심 중 천안통·천이통·능변화의 마음 및 공교처·위의로를 지극하게 수습한 마음의 경우, 법구득·법전득·법후득이 모두 있을 수 있음은 앞의 제4권 중 게송 ㊴cd와 그 논설 참조)이므로, 예로 삼을 수 없다. 또 『순정리론』(=제36권. 대29-550하)에서도 말하였다. "이 책망은 이치가 아니다. 일으켜진 것[所起]은 일으킨 주체[能起]인 마음보다 열등하기 때문이다. 그런 까닭은, 마치 무기심은 능히 표업을 일으키지만, 일으켜진 표업은 무표를 낳지 못하는 것과 같다. 따라서 일으켜진 것은 일으킨 주체인 마음보다 열등하다고 알아야 한다."

는 것으로서 나머지 네 가지 명칭을 세운 것이다.62

4. 표·무표의 성취관계

혹은 표업만 성취하고 무표업은 아닌 경우 등에 대해서는 4구로 분별해야 할 것인데,63 그 사항은 어떠한가?64 게송으로 말하겠다.

㉖ 표업만 성취하고 무표업은 아닌 경우는[成表非無表]
중간에 머물면서 미약한 의도로 지을 때이고[住中劣思作]
표업을 버렸거나 아직 낳지 않은 역생의 성자는[捨未生表聖]
무표업만 성취하고 표업은 아니다[成無表非表]65

논하여 말하겠다. 오직 표업만을 성취하고 무표업은 아닌 경우는, 말하자면 비율의비불율의에 머물면서 미약한 의도[微劣思]로써 선업을 짓거나 악업을 지을 때에는 오직 표업만을 일으키므로, 무표는 여전히 없다. 하물며 무기의 의도로 일으켜진 표업이겠는가? 의지처 있는 복[有依福] 및 업도를 이루는 경우는 제외한다.66

오직 무표만을 성취하고 표업은 아닌 경우는, 말하자면 역생易生의 성자인 보특가라에게 표업이 아직 생기지 않았거나, 생겼더라도 이미 버렸을 때이다.67

62 이는 곧 셋째 불율의의 다른 명칭을 밝히는 것이다. 성취에 대해 분별하는 기회에 글의 편의상 겸하여 밝힌 것인데, 이해할 수 있을 것이다.
63 이하는 넷째 표·무표의 성취관계이다. 이는 곧 근본을 표방하는 것이다.
64 물음이다.
65 게송에 의한 답이다.
66 위의 2구를 해석하는 것이다. 말하자면 처중處中의 사람이 미약한 의도로 선업을 짓거나 악업을 짓는 경우는 오직 표업만을 일으키므로 여전히 무표는 없다. 하물며 무기의 의도로 일으켜진 표업이 무표를 일으킬 수 있겠는가? 뛰어난 것을 들어 열등한 것에 견준 것이다. 일곱 가지 의지처 있는 복(=앞의 제13권의 게송 ⑤a에 관한 논설 참조) 및 선·악의 업도를 이루는 경우는 제외한다. 비록 처중의 사람이 미약한 의도로 일으켰더라도 무표도 일으키기 때문에 따로 구별한 것이다.
67 아래 2구를 해석하는 것이니, 곧 제2구인 무표만을 성취하고 표업은 아닌 경우이다. 말하자면 3계의 역생易生의 성자(=성자로서 생을 바꾸어 수행하는

양쪽을 성취하는 경우와 모두 아닌 경우는 상응하는 대로 알아야 할 것이다.[68]

제6절 세 가지 무표의 획득 인연

제1항 3율의의 획득

율의·불율의 등에 머무는 것과 표업·무표업을 성취하는 것에 대해 논설했는데, 이런 모든 율의는 무엇에 의해 획득되는가?[69] 게송으로 말하겠다.

㉗ 정려생율의는 정지에서 획득하고[定生得定地]
그런 성자가 도생율의를 획득하며[彼聖得道生]
별해탈율의는[別解脫律儀]
남의 가르침 등에 의해 획득한다[得由他教等][70]

분)가 만약 욕·색계에 있다면 결정코 도생·정려생의 무표를 성취하고, 만약 무색계에 태어났다면 도생의 무표를 성취하지만, 표업은 성취하지 못하는 일이 있으니, 예컨대 모태에 처한 등의 경우처럼 표업이 아직 생기지 않았거나, 혹은 표업이 생겼더라도 연을 만나 다시 버렸을 때이다.

68 뒤의 2구는 게송에서 따로 밝히지 않았기 때문에 장항에서 논주가 배우기를 권한 것이다. 제3 양쪽을 모두 성취하는 경우는 말하자면 그 표·무표 두 가지를 모두 성취하는 경우이니, 예컨대 별해탈율의 등에 머물 때와 같다. 제4 모두 아닌 경우는 말하자면 그 표·무표 두 가지를 모두 성취하는 것이 아닌 경우이니, 예컨대 (이생이) 알껍질 등(='등'은 태장胎藏을 같이 취하는 취지)에 처했을 때와 같다.

69 이하 큰 글(=세 가지 무표에 의해 개별적으로 해석하는 글)의 셋째 계를 얻는 연의 차별을 밝히는 것이다. 그 안에 나아가면 첫째 3율의의 획득에 대해 밝히고, 둘째 획득하는 시간의 한계를 밝히며, 셋째 근주율의에 대해 밝히고, 넷째 근사율의에 대해 밝히며, 다섯째 3율의의 (획득의) 차별에 대해 밝힌다. 이는 곧 첫째 3율의의 획득에 대해 밝히는 것인데, 앞을 맺으면서 물음을 일으켰다.

70 게송에 의한 답인데, 그 안에 나아가면 첫 구는 정려에 대해 밝히는 것이고, 제2구는 무루에 대해 밝히는 것이며, 아래 2구는 별해탈에 대해 밝히는 것이다.

논하여 말하겠다. 정려율의는 유루의 근본根本·근분近分 정려지의 마음을 획득함으로 말미암아 그 때 곧 획득하니, 마음과 함께 하기 때문이다.[71]

무루율의는 무루의 근본·근분 정려지의 마음을 획득함으로 말미암아 그 때 곧 획득하니, 역시 마음과 함께 하기 때문이다. '그런'이라는 말은 앞의 정려의 마음을 나타내기 위한 것이고, 다시 '성자'라는 말을 한 것은 무루를 구별해 취한 것이다. 여섯 가지 정려지에 무루의 마음이 있으니, 미지정·중간정 및 네 가지 근본정을 말하는 것이다. 세 가지 근분정은 (무루가) 아님에 대해서는 뒤에서 분별하는 것과 같다.[72]

별해탈율의는 남의 가르침 등에 의해 획득한다. 능히 남을 가르치는 자를 '남[他]'이라고 이름하니, 이와 같은 남의 가르치는 힘에 따라 계를 일으키기 때문에 이 계는 '남의 가르침에 의해 획득한다'라고 설한 것이다.[73] 이것에는 다시 두 가지가 있으니, 말하자면 승가僧伽와 보특가라補特伽羅에 따라 차별이 있기 때문이다. 승가에 따라 획득되는 것이란 필추·필추니 및 정학의 계를 말하고, 보특가라에 따라 획득되는 것이란 나머지 다섯 가지 계를 말한다.[74]

비나야毘奈耶의 비바사 논사들은, 구족계를 얻는 방법에는 열 가지가 있다고 설했는데, 그것을 포함하기 위해서 다시 '등'이라는 말을 한 것이다.[75]

71 제1구를 해석하는 것이다. 정려생율의는 선정에 의해 생기기 때문에 게송에서 '정생定生'이라고 설한 것이다. 나머지 글은 알 수 있을 것이다.

72 제2구를 해석하는 것이다, 게송에서 '그런'이라는 말을 한 것은 앞의 정려를 나타내기 위한 것이고, 다시 '성자'라는 말을 한 것은 6지(=미지정·중간정·4근본정)의 모든 무루심을 구별해 취한 것이며, 무루율의는 도에 의해 생기기 때문에 게송에서 '도생'이라고 말한 것이다. # '세 가지 근분정(=제2~4정려의 근분정)이 아님'에 대해서는 뒤의 제28권 중 게송 ㉒cd와 그 논설에서 설명된다.

73 아래 2구를 해석하는 것인데, 알 수 있을 것이다.

74 '두 가지'는 승가와 별인[別]을 밝히는 것이다. 4인 이상을 '승가'라고 이름하는데, 8중 중 필추율의 등의 셋은 이에 따라 획득되기 때문이다. '보특가라'는 개별 사람[別人]이니, 말하자면 나머지 다섯 가지는 이에 따라 획득되기 때문이다. 만약 근책·근책녀율의라면 2인(=화상과 아사리)으로부터 획득되고, 만약 근사·근사녀·근주율의라면 1인으로부터 획득된다.

75 (제4구 중의) '등'이라는 말에 대해 따로 해석하는 것이다. # 열 가지를 설하

무엇이 열 가지인가?[76] 첫째는 자연적인 것[由自然]이니, 붓다와 독각을 말한다.[77] 둘째는 정성이생正性離生에 들어감을 얻음에 의한 것이니, 5필추를 말한다.[78] 셋째는 붓다께서 '잘 왔도다, 필추여[善來苾芻]!'라고 규정하심[命]에 의한 것이니, 야사耶舍 등을 말한다.[79] 넷째는 붓다를 믿어 큰 스승[大師]으로 받아들임에 의한 것이니, 대가섭大迦葉을 말한다.[80] 다섯째는 물음에 대해 선교하게 대답함에 의한 것이니, 소다이蘇陀夷를 말한다.[81] 여섯째는 8존중법尊重法을 공경히 수지함에 의한 것이니, 대생주大生主를 말한다.[82] 일곱째는 사자를 보냄[遣使]에 의한 것이니, 법수니法授尼를 말한다.[83]

는 '비나야'는 『십송률十誦律』 제56권(=대23-410상) 등이다.

76 물음이다.

77 답이다. 첫째는 자연적인 것이니, 말하자면 붓다와 독각은 스승 없이 자연적으로 진지盡智의 마음일 때 구족계를 획득하였다. 그래서 『순정리론』 제37권(=대29-551중)에서 말하였다. "'자연'은 지혜를 말하는 것이니, 스승에 따르지 않고 이 지혜를 증득했을 때 구족계를 획득한 것이다."

78 둘째는 정성이생에 들어감을 얻음에 의한 것이니, 아야교진나阿若憍陳那 등의 5필추(=소위 최초의 5비구)를 말하는 것이다. 또 『순정리론』(=상동)에서도 말하였다. "견도를 증득함에 의해 구족계를 획득한 것이다."

79 셋째는 붓다께서 '잘 왔도다, 필추여!'라고 규정하심(=소위 선래善來비구)에 의해 그 때 곧 계를 획득한다. 말하자면 야사Yaśa 등인데, '야사'는 여기 말로 '예譽'이다. 『순정리론』(=상동)에서 말하였다. "본원의 힘과 붓다 위엄의 가피[佛威加]에 의했기 때문이다."

80 넷째는 붓다를 믿어 큰 스승으로 받아들임에 의해 그 때 계를 획득한 것이니, 대가섭을 말하는 것이다.

81 다섯째는 물음에 대해 선교하게 대답함에 의한 것이니, 소다이Sodāyin를 말하는 것이다. '소다이'는 여기 말로 선시善施인데, 나이 겨우 7살일 때 총명해서 붓다의 질문에 잘 대답하여 붓다의 마음에 들었고, 나이가 아직 스물이 되지 않았는데도 붓다께서 스님들에게 갈마하여 구족계를 받게 하셨다. 총명해서 선교하게 대답함에 의한 것은 따로 하나의 인연을 열었다는 것이지, 대답할 때 곧 계를 일으켰다는 것은 아니다. 대답했다고 말한 것은, 붓다께서 그에게 '너의 집이 어디에 있는가?'라고 물으신 것에 대해, 소다이가 '3계에 집이 없다'라고 대답했다고 한다.

82 여섯째는 8존중법을 공경히 수지함에 의해 그 때 계를 획득한 것이다. 대생주大生主를 말함인데, 예전에 대애도大愛道라고 말한 것은 잘못이다. 범어로 마하파사파제摩訶波闍波提Mahāprajāpati인데, '마하'는 여기 말로 '대'이고, '파사'는 여기 말로 '생'이며, '파제'는 여기 말로 '주'이니, 대범왕의 천 가지 명칭 중의 하나이다. 중생이 많기 때문에 '대생'이라고 이름하였다. 범왕은 능히 일체 중생을 낳았으니, 대생에게 주인이 되므로 대생주라고 이름한 것이다. 걸식하는

여덟째는 지율자가 다섯 번째 사람이 됨[持律爲第五人]에 의한 것이니, 변방의 나라[邊國]에 대해서를 말한다.[84] 아홉째는 10인의 대중[十衆]에 의한 것이니, 중앙의 나라[中國]에 대해서를 말한다.[85] 열째는 불·법·승에 귀의한다고 세 번 말함에 의한 것이니, 육십현부六十賢部가 함께 모여 구족계를 받은 것을 말한다. 이와 같이 획득되는 별해탈율의는 반드시 결정코 표업에 의해 일어난 것은 아니다.[86]

곳의 천신으로부터 이름을 받았기 때문에 대생주라고 이름했는데, 붓다의 이모이다. 붓다께서 아난을 보내 8존중법을 설하게 하셨는데, 그 분이 곧 공경히 수지해서 그 때 계를 획득한 것이다. 이 여덟 가지는 존중해야 할 법(=그 자세한 내용과 인연은 중 28:116 구담미경瞿曇彌經에 있는데, 여기에서는 '8존사법八尊師法'이라고 표현하고 있다)이기 때문에 존중법이라고 이름한 것이니, 필추니대중 중 최초로 출가한 분이다. 자세한 것은 율{=『사분율』 제48권(=대22-922), 『오분율』 제29권(=대22-185) 등}에서 분별하는 것과 같은데, 8존중법은 예전에는 8경법八敬法이라고 말하였다.

83 일곱째는 사자를 보냄에 의해 계를 획득한 것이니, 법수니法授尼[Dharmadinnā]를 말함인데, 비구니의 이름이 법수여서 법수니라고 이름한 것이다. 이 여인은 단정했는데, 승가에 가려고 했지만, 길에 재난이 있을 것을 두려워하자, 구족계를 받을 때 대덕 스님을 마주하지 못하고, 대덕 스님이 비구니 한 분을 보내어 법을 굴려서 받게 하고 수계를 주었기 때문에 사자를 보냄에 의해 구족계를 획득한 것이다. 비구니가 단정해서 세존께서 따로 이 인연을 여신 것이다.

84 여덟째는 지율자가 다섯 번째 사람이 됨에 의한 것이다. 말하자면 변방의 나라에서는 (많은) 스님이 없기 때문에 최소한 5인이 필요하다. 화상은 대중 수에 들어가지 않으므로 나머지 4인으로 승가를 이루고, 부족하면 승가를 이루지 못한다. 5인 중 반드시 지율갈마를 행하는 1인이 필요하기 때문에 '지율자가 다섯 번째'라고 말한 것이다. 다섯보다 적으면 성립되지 못하지만, 그보다 많은 경우는 곧 막지 않는다.

85 아홉째는 10인의 대중에 의한 것이니, 스님들이 많은 곳인 중앙의 나라에 대해 말하는 것이다. 최소한 10인을 필요로 하고, 많은 경우는 곧 막지 않는다.

86 열째는 불·법·승에 귀의한다고 세 번 말함에 의한 것이니, 60현자가 화합한 대중들의 부[六十賢和衆部](=최초의 5비구와 야사 및 야사를 따르는 무리 50여 명이 구족계를 받음으로써 처음 60인의 비구가 생긴 것을 가리킨다)가 함께 모였을 때 붓다께서 아라한을 보내서 그들을 위해 3귀의를 설함으로써 구족계를 받게 한 것을 말하는 것이다. 이렇게 해서 획득된 열 가지 별해탈율의는 반드시 결정코 표업에 의해 일어난 것은 아니니, 말하자면 처음 두 가지는 표업에 따라 생기지 않았고, 뒤의 여덟 가지는 표업에 따라 생긴 것이다.

제2항 획득하는 시간의 한계

1. 별해탈율의의 기한

또 이렇게 설명된 별해탈율의는 얼마의 시간을 기한으로 잡아서 받아야 하는가? 게송으로 말하겠다.

28a 별해탈율의는[別解脫律儀]

수명 다할 때까지, 혹은 하루 낮밤이다[盡壽或晝夜]

논하여 말하겠다. 7중衆이 수지하는 별해탈계는 수명 다할 때까지를 기한으로 잡아서만 수지해야 하고, 근주가 수지하는 별해탈계는 하루 낮밤을 기한으로 잡아서만 수지해야 한다. 이 시간은 결정적으로 그러하다. 까닭이 무엇이겠는가? 계의 시간적 한계[時邊際]에는 두 가지가 있을 뿐이니, 첫째는 수명의 한계[壽命邊際]이며, 둘째는 낮밤의 한계[晝夜邊際]로서, 낮밤을 거듭 말하여 반 달 등이 된 것이다.[87]

'시간[時]'은 어떤 법의 이름인가?[88] 말하자면 제행諸行에 대한 증어增語

87 이하 둘째 시절의 한계[時節分齊]를 밝히는 것이다. 그 안에 나아가면 첫째 별해탈율의의 한계를 밝히고, 둘째 불율의의 한계를 밝힌다. 모두 두 가지가 있는데, 글대로 알 수 있을 것이다. 정려·무루 및 처중 등의 시절은 일정하지 않으니, 별해탈의 두 가지 시간이 일정한 것과 같지 않기 때문에 말하지 않았다. 계의 시간을 밝히는 기회에 시간은 실제가 아님을 나타내었으니, 외도들이 시간은 실재라고 집착하는 것과 같은 것이 아니다. 경의 말씀에 대해 회통하기를, '거듭 낮밤을 말한 것'이니, 그래서 경에서 '반 달 등'을 말한 것이지, 별도로 체가 있는 것은 없다. 진제眞諦 법사가 말하였다. "해석하자면 이는 숨은 힐난에 대해 회통한 것이니, 숨은 힐난으로, 「만약 계의 시간적 한계에는 두 가지가 있을 뿐이라면, 어째서 경 중에서 반 달 등 동안 8계를 수지했다고 설했는가?」라고 말하므로, 이런 힐난에 대해 회통하기 위해 지금 해석해 말한 것이다. 경 중에서 비록 반 달 등의 계를 설했어도 날마다 계를 받아야 하는 것이니, 8계를 받는 것에는 오직 낮밤의 한계만 있을 뿐이기 때문이다. 거듭 낮밤을 말하여 반 달 등이 된 것이지, 한 번에 8계를 받아 반 달 등을 경과하는 것이 아니기 때문에 경에 어긋나지 않는다."

88 물음이다. 시간이라는 표현주체[能詮]인 명칭은 어떤 법인가? 시간에 대해 해석하는 기회에 편의상 표현주체인 명칭에 대해 묻는 것이다.

이니, 4대주 중에서는 광명의 단계[光位]와 어둠의 단계[暗位]에 대해 그 순서대로 낮과 밤이라는 명칭을 세운다.89

두 가지 한계 중 수명 다할 때까지는 그럴 수 있다. 목숨이 끝난 뒤에는 비록 기한을 잡을 수 있다고 해도 별해탈계를 낳을 수 없으니, 소의신이 다르기 때문에 다른 소의신 중에서는 가행이 없었기 때문이며, 기억이 없기 때문이다. 그렇지만 하루 낮밤 후 5일이나 10일의 낮밤 등 동안 근주계를 수지한들, 어떤 법이 장애해서 그 여러 날의 근주율의를 또한 일어나지 못하게 하겠는가?90 반드시 능히 장애하는 법이 응당 있으니, 박가범께서 계경 중에서, "근주율의는 오직 하루 낮밤일 뿐이다"라고 설하셨기 때문이다.91

이와 같은 뜻에 대해 함께 생각해 보아야 할 것이다. 붓다께서 하루 낮밤 후에는 이치상 근주율의를 일으킬 수 없음을 바르게 관찰하셨기 때문에 경 중에서 하루 낮밤이라고 설하신 것인가, 교화될 자들의 근기가 조복되기 어려움을 관찰하셔서 우선 하루 낮밤의 계를 주어야 한다고 하신 것인가?92 어떤 이치와 가르침에 의거해 이런 말을 하는가?93 이를 넘겨서 계

89 답이다. '증어增語'는 명칭[名]을 말하는 것이니, 앞(=제10권의 게송 30d에 관한 논설)에서 제행을 능히 표현하는 증어가 이 명칭이라고 해석한 것과 같다. 광명의 단계에 대해 낮이라는 명칭을 세우고, 어둠의 단계에 대해 밤이라는 명칭을 세운다. 또 해석하자면 시간은 별도의 체가 없고, 제행을 시간이라고 이름한다. 말하자면 증어에 의해 드러나는 제행[增語所顯諸行]을 시간이라고 이름한 것이니, '증어에 의해 드러나는 제행'이라고 말해야 할 것이다.

90 경량부의 질문이다. 두 가지 한계 중 수명 다할 때까지는 그럴 수 있다. 목숨이 끝난 뒤에는 비록 기한을 잡을 수 있다고 해도 계를 일으키지 못하니, 목숨이 끝나서 버렸음에 의해 소의신이 다르게 되었기 때문에 그 계가 생기지 않는 것은, 다른 소의신 중에는 가행하여 수계를 구함이 없었기 때문에 그 계가 생기지 않을 것이다. 무릇 계를 받은 뒤에는 모름지기 기억해 알아야 하는데, 다른 소의신 중에는 기억이 없기 때문에 일으키지 못한다고 말할 수 있다. 이는 진수盡受의 계는 생이 간격되면[隔生] 일어나지 않음을 인정하는 것이다. (그렇지만) 하루 낮밤 후 5일이나 10일의 낮밤 등 동안 근주계를 수지한들, 어떤 법이 장애해서 계를 일어나지 못하게 하겠는가? 경량부에서는 여러 날 동안의 근주계를 받고 얻는 것을 인정하기 때문에 이런 질문을 한 것이다.

91 설일체유부의 답이다. 다음 날 아침에 이르면 해의 광명이 있어 능히 장애가 되어 계를 버리게 하기 때문이다. 가르침(=출전 미상)을 인용하는 것은 알 수 있을 것이다.

92 경량부 논사가 이와 같은 뜻에 대해 함께 생각해 보아야 할 것이라고 말한다.

가 생긴다고 해도 이치에 어긋나지 않기 때문이다.[94] 비바사 논사들은 이렇게 말하였다. "일찍이 계경에서 낮밤을 넘겨서 별도로 근주율의를 수지하고 획득할 수 있다고 설한 적이 없다. 그러므로 우리의 종지에서는 이런 뜻을 인정하지 않는다."[95]

2. 불율의의 기한

어떤 한계에 의해 불율의를 획득하는가? 게송으로 말하겠다.

㉘c 악계에는 낮밤의 기한이 없으니[惡戒無晝夜]

말하자면 선계의 수지와 같은 것이 아니다[謂非如善受]

논하여 말하겠다. 수명 다할 때까지를 기한으로 잡아 여러 악업을 짓겠다고 하면 불율의를 얻고, 근주계처럼 하루 낮밤을 기한으로 하는 것이 아니다. 까닭이 무엇이겠는가? 말하자면 이것은 선계善戒를 받는 것과 같은 것이 아니기 때문이다. 말하자면 근주계처럼 스승을 마주하여 '나는 하루 낮밤 동안 결정코 불율의를 수지하겠습니다'라고 기한을 세우고 불율의를 수지하는 일은 반드시 없으니, 이것은 지혜로운 사람들이 꾸짖고 싫어하는 업이기 때문이다.[96]

만약 그렇다면 스승을 마주하여 기한을 세우고 '나는 목숨 끝날 때까지 결정코 악계를 수지하겠습니다'라고 하는 일도 역시 없으니, 몸과 수명 다

붓다께서 하루 낮밤 후에는 이치상 근주율의를 일으킬 수 없음을 바르게 관찰하신 것이 그대들의 말과 같기 때문에 경 중에서 하루 낮밤이라고 설하신 것인가, 교화될 자들의 근기가 조복되기 어려움을 관찰하셨기에 경 중에서 우선 하루 낮밤의 계에 의거한 것이지, 근기가 만약 조복되기 쉽다면 우리의 말처럼 여러 날의 계를 줄 수도 있다고 할 것인가?

93 설일체유부의 질문이다.

94 경량부의 답이다. 비록 가르침의 말씀은 없지만, 이 낮밤을 넘겨서 그 계가 생길 수 있다고 해도 이치에 어긋나지 않기 때문이다.

95 설일체유부에서 다시 힐난하는 것이다. 무릇 세우려는 뜻은 반드시 성스러운 가르침에 의거해야 한다. 증명할 수 있는 가르침이 없다면 이치가 어찌 홀로 이루어지겠는가? 이 때문에 우리의 종지는 이런 뜻을 인정하지 않는다.

96 이는 곧 둘째 불율의의 기한이다. 오직 진수盡壽만 있을 뿐, 하루 낮밤은 없으니, 스승을 마주하여 악계를 받는 일이 없기 때문이다.

할 때까지 불율의를 획득한다고 해서는 안 될 것이다.[97] 비록 스승을 마주하여 수명 다할 때까지를 기한으로 잡아 여러 악업을 짓겠다고 한 일은 없었더라도, 필경 선을 허물려는 의요意樂를 일으켰으므로 불율의를 획득한다. 잠시 선을 허물려는 의요를 일으키는 것이 아니며, 스승이 그로 하여금 불율의를 얻게 함이 없기 때문에 불율의에는 하루 낮밤이 없는 것이다. 그렇지만 근주계는 현재 스승을 마주하여 기한을 잡음으로써 힘을 받으므로, 비록 궁극적으로 악을 허물려는 의요는 없었지만, 율의를 획득한다. 만약 스승을 마주하여 잠시의 기한을 잡아 불율의를 받는 자가 있다면, 역시 반드시 얻어야 할 것이다. 그렇지만 일찍이 본 적이 없었기 때문에 있다고 세우지 않는 것이다.[98]

경량부의 논사들은 말한다. "선의 율의에 무표라고 이름할 별도의 실물實物이 없는 것처럼, 이 불율의도 역시 실제가 아니어야 할 것이다. 즉 악과 불선을 지으려는 의요가 상속하고 버려지지 않은 것을 불율의라고 이름한다. 이 때문에 그 후에 선심이 비록 일어나더라도 불율의를 성취한 자라고 이름하니, 이런 의요[阿世耶]를 버리지 않았기 때문이다."[99]

97 힐난이다. 몸을 다할 때까지의 악계도 역시 스승을 마주한 것이 아닌데, 어떻게 그것을 얻겠는가?

98 답이다. 몸을 다할 때까지의 악계는 비록 스승을 마주하는 일은 없다고 해도, 선을 허무는 것이 지나치게 무거우므로 불율의를 획득한다. 잠시 선을 허물려는 것이 아니며, 스승을 마주했기 때문에 악계를 획득하게 함은 없었기 때문에 하루 낮밤이 없는 것이다. 그렇지만 근주계는 스승을 마주하는 힘에 의해, 비록 악을 허무는 것이 가볍기는 해도, 율의를 획득한다. 만약 스승을 마주하여 잠시의 불율의를 받는 사람이 있다면, 역시 반드시 얻어야 할 것이다. 그렇지만 일찍이 본 적이 없었기 때문에 있다고 세우지 않는 것이다.

99 경량부의 종지를 서술하는 것이다. 경량부의 논사는 말한다. 마치 선의 율의는 의도의 종자에 임시로 세운 것으로서, 무표라고 이름할 별도의 실물이 없는 것과 같다. '의요'는 의도[思]이거나 의요자가 가진 마음의 취향[意趣]이니, 혹은 의욕[欲]을 체로 하거나, 혹은 승해를 체로 하거나, 혹은 의욕과 승해를 체로 하는 것이다. 이 불율의는 선의 율의에 준하므로 역시 실제가 아니어야 할 것이다. 훈습해 이루어서 곧 악과 불선을 지으려고 하는 의요인 의도의 종자가 상속하고 버려지지 않은 것을 불율의라고 이름한다. 또 해석하자면 그렇게 기한을 잡음에 의해서 곧 악을 지으려고 하는 현행의 의도의 힘이 훈습해 이룬 불선한 의요인 의도의 종자가 상속하고 버려지지 않은 것을 불율의라고

제3항 근주율의

1. 근주계의 수지방법

하루 낮밤[一晝夜]의 근주율의에 대해 논설했는데, 바로 수지하려고 할 때에는 어떻게 수지해야 하는가? 게송으로 말하겠다.

㉙ 근주율의는 이른 아침에[近住於晨旦]
아랫자리에서 스승으로부터 받는데[下座從師受]
가르침에 따라 말하고, 8지를 갖추며[隨教說具支]
치장을 떠나되, 낮밤 동안이다[離嚴飾晝夜][100]

논하여 말하겠다. 근주율의는 이른 아침에 받는다. 말하자면 이 계를 받는 것은 반드시 해가 뜰 때[日出時]여야 하니, 이 계는 반드시 하루 낮밤을 거쳐야 하기 때문이다. 이를 받는 모든 자는 먼저, '저는 항상 달마다 8일 등에는 반드시 이 근주율의를 수지하겠습니다'라는 이런 맹세[要期]를 한다. 만약 아침에 장애하는 인연이 있다면, 아침식사가 끝난 뒤에도 받을 수 있다.

'아랫자리[下座]'라고 말한 것은, 스승 앞에 있되, 낮은 자리에 두 다리를 모으고 앉거나 꿇어 앉아 있다가 몸을 굽혀 합장하는 것을 말하는 것인데,

---

이름한다. 이 앞의 양 해석은, 의요는 의도를 체로 한다는 것이다. 또 해석하자면 훈습해 이루어서 곧 악과 불선을 지으려고 하는 의요와 상응하는 의도의 종자가 상속하고 버려지지 않은 것을 불율의라고 이름한다. 또 해석하자면 그렇게 기한을 잡음에 의해서 곧 악을 지으려고 하는 현행의 의도의 힘이 훈습해 이룬 불선한 의요와 상응하는 의도의 종자가 상속하고 버려지지 않은 것을 불율의라고 이름한다. 이 앞의 양 해석은 의요는 의도가 아니지만 뛰어나기 때문에 별도로 표방한 것이다. 이 의도의 종자 때문에, 그 후에 선심이 비록 다시 현행해서 일어나더라도 불율의를 성취한 사람이라고 이름하니, 이 의요[阿世耶]를 버리지 않았기 때문이다. '아세야āśaya'는 여기 말로 의요이다.

100 이하는 셋째 근주율의에 대해 밝히는 것이다. 그 안에 나아가면 첫째 수지방법을 밝히고, 둘째 8지 갖추는 것을 밝히며, 셋째 계를 수지하는 사람을 밝힌다. 이하에서 곧 첫째 수지방법을 밝힌다.

병이 있는 자만은 제외한다. 만약 공경하지 않는다면 율의를 일으키지 못한다. 이것은 반드시 스승으로부터 받는 것이지, 스스로 수지하는 것은 인정될 수 없다. 그럼으로써 뒤에 계를 범할 여러 연을 만났을 때, 계를 준 스승[戒師]에 대해 부끄러워함에 의해 범하지 않을 수 있는 것이다.

이 계를 받는 자는 스승의 가르침에 따라 받는 자가 (계문戒文을) 뒤에 말해야지, 먼저 말해서는 안 되고 함께 말해서도 안 된다. 이렇게 해야 비로소 스승의 가르침에 따른 수지가 이루어지지, 이와 다르다면 주고 받는 두 가지가 모두 이루어지지 못한다. 8지八支를 갖추어 받아야 비로소 근주를 성취하지, 그 중의 하나라도 결여됨이 있으면 근주는 성취되지 못한다.101

이 율의를 받으면 반드시 치장[嚴飾]을 떠나야 하니, 교만·방일의 의지처[憍逸處]이기 때문이다. 평소의 장신구는 반드시 버릴 필요가 없으니, 그것을 반연해서는 심한 교만·방일을 낳을 수 없지만, 만약 새 것이라면 다르기 때문이다. 이 율의의 수지는 반드시 하루 낮밤을 필요로 하니, 다음 날 아침 해가 처음 뜰 때까지를 말하는 것이다. 만약 이와 같이 법에 의해 수지하지 않는다면, 단지 묘행妙行을 낳을 뿐, 율의를 획득하지 못한다. 또 만약 이와 같이 낮밤이 다하도록 수지한다면, 도살·사냥·간음·도둑질하는 유정들을 모두 억제할 것이니, 근주율의는 유용함을 깊이 성취할 것이다.102

근주近住라고 말한 것은, 이 율의는 아라한 가까이에 머무는 것[近阿羅漢住]을 말함이니, 그를 따라 배우기 때문이다. 어떤 분은, "이는 진수계盡壽戒 가까이에 머문다는 것이다"라고 설하였다.103 이와 같은 율의를 혹은 장양

101 위의 3구를 해석하는 것인데, 글대로 알 수 있을 것이다.

102 제4구를 해석하는 것이다. 치장하기 때문에 널리 온갖 죄를 만드니, 그래서 별도로 막아서 멈추도록 '(교만)방일의 의지처[放逸處]'라고 이름한 것이다. '묘행'은 처중(=율의·불율의가 아닌 것)의 묘행을 말하는 것이다. 낮을 다하기 때문에 능히 도살과 사냥을 억제하고, 밤을 다하기 때문에 능히 간음과 도둑질을 억제한다. 우선 많은 것에 따라 이런 해석을 한 것인데, 이치상 실제로는 낮과 밤에 같이 능히 두 가지를 떠나게 한다. 이 낮밤의 계가 그 거짓말 등도 능히 떠나게 하는데도 말하지 않은 것은 허물이 가벼워서 논하지 않았거나 몸에만 의거한 것이거나 처음을 들어 뒤를 나타낸 것이다.

103 '근주'라는 명칭에 대한 해석이다. 또 『순정리론』(=제37권. 대29-552중)에서 말하였다. "어떤 분은, 이 계는 가까운 시간 동안 머무는 것이라고 말하

長養이라고도 이름하는데, 선근이 희박하고 적은 유정을 장양하여 그의 선근을 점차 증대시키기 때문이니, 어떤 게송에서 말한 것과 같다. "이것에 의해 능히[由此能長養] 자·타의 선하고 청정한 마음을 장양하니[自他善淨心] 이 때문에 박가범께서[是故薄伽梵] 이것을 말하여 장양이라고 이름하셨네[說此名長養]"104

2. 8지를 갖추는 이유

어떤 이유에서 이를 수지할 때에는 반드시 8지를 갖추어야 하는가? 게송으로 말하겠다.

30 계·불방일·금지의 지분이[戒不逸禁支]
순서대로 넷, 하나, 셋이니[四一三如次]
모든 성죄와[爲防諸性罪]
실념 및 교만·방일을 방지하기 위한 것이다[失念及憍逸]105

논하여 말하겠다. 8계 중 앞의 넷은 계의 지분[尸羅支]이다. 말하자면 살생 내지 거짓말에서 떠나는 것이니, 이 네 가지에 의해 성죄性罪에서 떠나기 때문이다. 다음에 있는 한 가지는 불방일의 지분[不放逸支]이다. 말하자면 방일을 낳는 곳인, 모든 술 마시는 것에서 떠나는 것이니, 비록 계를 수지하더라도 술을 마시면 곧 마음이 방일하여 계를 범하기 때문이다. 뒤에 있는 세 가지는 금지하는 지분[禁約支]이다. 말하자면 향을 바르고 화만으로 장식하는 것 내지 먹을 때가 아닐 때 먹는 것에서 떠나는 것이니, 염리厭離하려는 마음에 능히 수순하기 때문이다.106

였다."

104 근주의 다른 명칭을 서술하는 것이다. '포쇄타布灑他upavasatha=uposatha'는 당나라 말로 장양이다. 예전에 포살이라고 말한 것은 잘못이다. 그래서 게송을 인용해 장양이라는 명칭을 증명한 것이다.

105 이는 곧 둘째 8지를 갖추는 것에 대해 밝히는 것인데, 물음 및 게송에 의한 답이다. # 게송 중 '성죄性罪'란 살생·투도·사음·망어 네 가지는 자성이 죄인 '성죄'로서, 그 나머지 계율 위반행위인 차죄遮罪에 상대되는 개념이다.

106 위의 2구를 해석하는 것이다.

어째서 이와 같은 3지분을 갖추어 수지해야 하는가?[107] 만약 지분을 갖추지 않는다면 곧 성죄性罪, 실념失念, 교만·방일의 허물에서 떠날 수 없기 때문이다. 말하자면 처음에 살생 내지 거짓말에서 떠나는 것은 능히 성죄를 방지하니, 탐·진·치에 의해 일으키는 살생 등의 모든 악업에서 떠나기 때문이다. 다음에 음주에서 떠나는 것은 능히 실념를 방지하니, 술을 마실 때에는 해야 하거나 하지 않아야 할 모든 일들을 능히 잊어버리게 하기 때문이다. 뒤에 세 가지에서 떠나는 것은 능히 교만·방일을 방지한다. 만약 갖가지 향, 화만, 높고 넓은 평상·의자를 수용하며 노래와 춤을 익히고 가까이한다면 마음이 곧 교만하고 들떠 이내 곧 계를 허무는데, 그것들을 멀리함으로 말미암아 마음이 곧 교만에서 떠난다. 만약 누군가가 때에 의해 식사하는 것[依時食]을 능히 지킨다면 아무 때나 먹는 것[恒時食]을 막을 수 있기 때문에 곧 스스로 근주율의를 수지한 것을 기억하고, 세간에 대해 깊이 염리하려는 마음을 낳을 수 있겠지만, 만약 때가 아닐 때 식사한다면 두 가지가 모두 없을 것이니, 자주 먹으면 능히 마음을 방종 방일하게 하기 때문이다.[108]

어떤 다른 논사는 말하였다. "비시식非時食에서 떠나는 것을 재계의 체[齋體]라고 이름하고, 나머지 여덟 가지가 있는 것을 재계의 지분[齋支]이라고 이름하니, 향을 바르고 화만으로 장식하며, 춤추고 노래하며 보고 듣는 것[塗飾香鬘舞歌觀聽]을 두 가지로 나누었기 때문이다."[109] 만약 이런 주장을

107 이하 아래 2구를 해석하는 것이다. '세 지분'은 계의 지분, 불방일의 지분 및 금지의 지분을 말하는 것인데, 이는 곧 묻는 것이다.

108 게송을 들어서 답한 것이다. 해야 할 일을 하지 않고, 또 하지 않아야 할 일을 도리어 한다. 때에 의해 먹는다면 아무 때나 먹는 것을 막을 수 있기 때문에 첫째 곧 스스로 근주율의를 수지했다는 것을 기억하고, 둘째 세간에 대해 깊이 염리하려는 마음을 낳을 수 있다. 나머지 글은 알 수 있을 것이다.

109 다른 학설을 서술하는 것이다. 이 논사의 뜻이 말하는 것은, "비시식에서 떠나는 것이 바로 재계의 체이다. 서방 나라의 풍속에 단식斷食하는 것을 재라고 이름하니, 나머지 여덟 가지가 있는 것은 재라고 이름하지 못한다. 재의 뜻이 아니기 때문에 단지 재의 지분이라고 말할 뿐이다"라는 것인데, 두 가지로 나누는 것을 알 수 있을 것이다. 만약 이 해석에 의한다면 곧 9계가 있는데도 8계라고 말한 것은, 체에 의거해 말하지 않고 지분에 의거해 논한 것일 뿐이다. (문) 재와 근주는 범어 명칭이 같은가? (해) 글에서 이미 따로 말했으니,

한다면 곧 계경에 어긋날 것이니, 경에서는 비시식에서 떠나는 것을 설한 뒤 곧 이렇게 설하였다. “이 제8지를 저는 지금 성자이신 아라한을 따라서 배우고 따라서 행하고 따라서 짓겠습니다.”[110] 만약 그렇다면 어떤 별도의 재계의 체[齋體]가 있기에 이 여덟 가지를 재계의 지분이라고 이름했는가?[111] 전체를 재계[齋]라는 명칭으로 표방하고, 개별적인 것을 지분[支]이라고 말한 것이니, 개별이 전체를 이룸으로써 지분이라는 명칭을 얻기 때문이다. 마치 수레[車]의 여러 부품 및 4지支의 군대[軍], 5지支의 가루약[散] 등처럼 재계의 8지분도 역시 그러하다고 알아야 할 것이다.[112]

비바사의 논사들은 이렇게 말하였다. “비시식에서 떠나는 것은 재계이면서 또한 재계의 지분이지만, 나머지 7지분은 재계의 지분이지, 재계가 아니다. 마치 정견正見은 도道이면서 또한 도의 지분[道支]이지만, 나머지 7지분은 도의 지분이지, 도가 아니며, 택법각擇法覺은 각覺이면서 또한 각의 지분[覺支]이지만, 나머지 6지는 각의 지분이지, 각이 아니며, 삼마지三摩地는 정려이면서 또한 정려의 지분이지만, 나머지 지분은 정려의 지분이지, 정려가 아닌 것과 같다.”[113] 이와 같은 말은 바른 이치에 맞지 않으니, 정견 등이

같지 않다는 것을 분명히 알 수 있다. 또 해석하자면 범어 명칭 ‘오파바사鄔波婆娑upavāsa’는 재齋라고 번역하기도 하고, 근주近住라고 번역하기도 하니, 명칭은 달라도 뜻은 같다.

110 경량부에서 경(=중 55:202 지재경持齋經)을 인용해 논파하는 것이다.

111 힐난이다.

112 경량부의 답이다. 재계는 별도의 체가 없고, 여덟 가지를 잡아서[攬八] 이룬 것이니, 전체가 곧 재계이고, 개별을 곧 지분이라고 이름한다. 마치 수레는 여러 부품을 전체적으로 잡아서 이루는 것과 같고, 마치 군대는 상象·마馬·거車·보步의 4지분을 전체적으로 잡아서 이루는 것과 같으며, 또 마치 그 가루약은 5지분의 약을 잡아서 이루는 것과도 같다. 수레·군대·가루약 등이 이미 그 가법인 것처럼 재계의 8지분도 역시 그러하다고 알아야 한다. 여덟 가지를 잡아서 재계를 이루는 것이니, 재계도 역시 가법이다.

113 비바사 논사들의 해석을 서술하는 것이다. 대저 ‘재계’라고 말하는 것은 비시식에서 떠나는 것을 말하는 것이다. 따라서 비시식에서 떠나는 것은 재계인데, 재계는 다시 여덟 중의 하나이기 때문에 재계의 지분이다. 나머지 7지분은 각각 여덟 중의 하나이기 때문에 재계의 지분인데, 비시식에서 떠나는 것이 아니기 때문에 재계라고 이름하지 않는다. 마치 정견과 도는 체가 모두 지혜이기 때문에 정견은 도라고 말할 수 있고, 다시 이것은 여덟 중의 하나이기

곧 정견 등의 지분일 수는 없다. 만약 앞찰나에 생긴 정견 등이 뒷찰나에 생긴 정견 등의 지분이 된다고 말한다면, 곧 첫찰나의 성도 등은 8지분 등을 갖추고 있지 않아야 할 것이다.[114]

3. 근주계를 수지하는 사람

오직 근사만이 근주계를 수지할 수 있는가, 다른 사람도 역시 근주계를 수지할 수 있는가? 게송으로 말하겠다.

㉛a 근주는 다른 사람도 있지만[近住餘亦有]
삼귀의를 받지 않으면 없다[不受三歸無]

논하여 말하겠다. 아직 근사율의를 받지 않은 모든 자들도 하루 낮밤 동안 삼보에 귀의하겠다고 삼귀의를 설하고 나서 근주계를 받으면 그들도 역시 근주율의를 받고 얻는다. 이와 다르다면 곧 없지만, 알지 못한 자는 제외한다.[115]

때문에 도의 지분[道支]이라고 말할 수 있지만, 나머지 7지는 각각 여덟 중의 하나이기 때문에 도의 지분일 뿐, 체가 지혜가 아니기 때문에 도가 아니며, 택법과 각은 체가 모두 지혜이기 때문에 택법은 각이라고 말할 수 있고, 다시 이것은 일곱 중의 하나이기 때문에 각의 지분[覺支]이라고 이름할 수 있지만, 나머지 6지는 각각 일곱 중의 하나이기 때문에 각의 지분일 뿐, 체가 지혜가 아니기 때문에 각이 아닌 것과 같다. 마치 정려지 중의 삼마지와 정려는 체가 모두 선정이기 때문에 삼마지는 정려라고 이름할 수 있고, 다시 다섯 등 중의 하나이기 때문에 정려의 지분이지만, 나머지 심구·사찰 등은 다섯 등 중의 하나이기 때문에 정려의 지분일 뿐, 체가 선정이 아니기 때문에 정려가 아닌 것과 같다.

114 경량부의 힐난이다. 대저 '지支'라는 말은 지분支分이라는 뜻으로서, 다른 것에서 바라보고 그것을 말한 것이니, 정견 등을 곧 정견 등에서 스스로 바라보고 곧 지분이라고 할 수는 없다. '등'은 말하자면 택법각지와 정려지를 같이 취한 것이다. 그대들이 만약 앞찰나에 생긴 정견 등이 뒷찰나에 생긴 정견 등의 지분이 된다고 말한다면, 곧 첫찰나의 고법인의 성도 등은 앞에 정견 등이 없었으니(=동류인인 정견이 없었다는 취지), 8지분 등을 갖추고 있지 않아야 할 것이다. 경량부의 뜻이 말하는 것은, "전체를 도·각·정려라는 명칭으로 표방하고, 개별을 말하여 그 지분이라고 하므로, 전체에 개별 지분이 있는 것은 곧 무방하다"라는 것이다.

115 이는 곧 셋째 계를 수지하는 사람에 대해 밝히는 것이다. 근사계를 받지 않

제4항 근사율의

1. 근사계를 일으키는 시기

예컨대 계경에서, "붓다께서 대명大名에게 이르셨다. 재가의 백의白衣의 남자로서 남근이 성취된 모든 자가 불·법·승에 귀의하고, 간절하며 청정한 마음[殷淨心]을 일으키고 진실한 말[誠諦語]을 일으켜 스스로, '저는 오파색가鄔波索迦입니다. 원하옵건대 존자께서 기억하시어 자비로써 호념護念하소서'라고 일컬으면, 이들은 모두 오파색가라고 이름한다"라고 설하신 것처럼, 단지 삼귀의만 받으면 곧 근사가 되는가?116 외국의 논사들은 말하였다. "이것만으로 곧 근사가 된다."117 가습미라국의 논사들은 말하였다. "근사율의를 떠나서는 곧 근사가 아니다."118 만약 그렇다면 이 경과 상반될

은 사람도 역시 근주계를 받을 수 있지만, 만약 삼귀의를 받지 않는다면 계를 얻지 못하기 때문에 곧 '없다'라고 말한 것이다. 만약 사람이 먼저 삼귀의를 받아야 비로소 계의 획득을 일으킨다는 것을 알지 못했고, 혹 다시 계사戒師가 잊고 주지 않은 채 단지 계만을 설했다면, 이 사람도 역시 계를 얻으니, 의요의 힘에 의해 역시 율의를 일으키는 것이다. 그래서 『대비바사론』 제44권{=제44권에는 이 글이 없고, 제124권(=대27-646하)에 같은 취지의 글이 있다}에서 말하였다. "어떤 분은 역시 얻는다고 말하였다. 말하자면 만약 삼귀의와 율의를 수지하는 전후를 알지 못하고, 혹 다시 잊고 착오로 삼귀의를 주지 않아, (계사를 믿었기 때문에) 단지 율의만을 받았다면 (그는 율의를 얻고) 준 자는 죄를 얻지만, 만약 교만이 있어 삼귀의를 받지 않고 단지 율의만을 받았다면 그는 반드시 얻지 못한다."

116 이하는 넷째 근사율의에 대해 밝히는 것인데, 첫째 계를 일으키는 시기를 밝히고, 둘째 경문을 모아 해석하며, 셋째 3품의 계를 밝히고, 넷째 삼귀의의 체를 밝히며, 다섯째 사행邪行 떠남에 대해 밝히고, 여섯째 취처娶妻 불범不犯에 대해 밝히며, 일곱째 거짓말 떠남에 대해 밝히고, 여덟째 오직 음주만 막는 것을 밝힌다. 이하는 첫째 계를 일으키는 시기에 대해 밝히는 것인데, 경(=잡[33]33:927 우바새경優婆塞經)에 의해 물었다. 단지 삼귀의만 받으면, 아직 5계를 일으키지 않아도 곧 근사가 되는가? # 경문 중 '대명大名'은 '마하나마Mahānāma'의 의역어인데, 그는 아누룻다의 형으로서, 세존의 사촌이다.

117 외국 논사의 답을 서술하는 것이다. '외국'은 가습미라국 밖의 건타라국의 경량부 논사의 말인데, 이 삼귀의만 받으면 곧 삼귀의의 오파색가가 된다는 것이다.

118 가습미라국의 논사의 말을 서술하는 것이다. 5근사율의를 떠나서는 곧 근사가 아니니, 반드시 5계에 의해야 비로소 근사라고 이름한다는 것이다.

것이다.[119] 이와 상반되지 않으니, 이미 계를 일으켰기 때문이다.[120] 언제 계를 일으켰는가?[121] 게송으로 말하겠다.

31c 근사라고 일컬을 때 계를 일으키니[稱近事發戒]
　필추 등과 같다고 말한다[說如苾芻等][122]

논하여 말하겠다. 간절하고 청정한 마음을 일으키고 진실한 말을 일으켜 스스로, '저는 오파색가입니다. 원하옵건대 존자께서 기억하시어 자비로써 호념하소서'라고 스스로 일컬으면, 그 때 곧 근사율의를 일으키니,[123] 근사라는 등의 말을 일컬을 때 곧 율의를 일으키기 때문이다.[124] 경에서 다시, "저는 지금부터 목숨이 끝날 때까지 살생을 버리겠습니다[捨生]"라는 말을 설했기 때문이다. 이 경의 뜻이 말하는 것은, 살생 등을 버리겠다는 것[捨殺生等]인데, '살殺'·'등等'자를 생략해 버려서 '사생捨生'이라고만 말한 것이니,

119 외국 논사의 힐난이다. 만약 반드시 5계의 율의를 일으켜야만 비로소 근사라고 이름한다면, 이는 곧 이 대명경大名經과 상반될 것이다. 그 경에서는 삼귀의 등을 받았다면 이것만으로 오파색가라고 이름한다고 설하였지, 계를 일으켜야 비로소 근사라고 이름한다고 말하지 않았다.

120 가습미라국 논사의 답이다. 나의 지금 말은 이 대명경과 상반되지 않으니, 삼귀의 등을 받았을 때 이미 5계를 일으켰기 때문이다.

121 외국 논사의 질문이다.

122 게송에 의한 답이다.

123 제1구를 해석하는 것이다. 대명경을 인용해 계를 일으키는 시기를 밝히는 것인데, '자비로써 호념하소서'에 이르면 그 때 곧 근사율의를 일으킨다는 것이다. 이는 곧 경의 해석으로 계를 일으키는 시기를 나타낸 것이다.

124 이는 곧 게송의 해석으로 계를 일으키는 시기를 나타낸 것이다. 또 해석하자면 앞은 곧 경을 인용해 전체적으로 나타낸 것이고, 이 뒤는 곧 간략히 맺은 것이다. 또 해석하자면 거듭 그 때 계를 일으킨다고 해석한 것이다. 어떤 이치로써 그 때 계를 일으켰다는 것을 알 수 있는가? 그가 스스로 근사라고 일컫는 등의 말을 했기 때문에 그 때 곧 5계를 일으켰다는 것을 알 수 있다. 만약 계를 일으키지 않았다면 그가 어찌 스스로 근사라고 일컫는 등의 말을 했겠는가? 또 해석하자면 이 글은 아래에 속하는 것이니, 장차 다시 경을 인용해 증명하고자 했기 때문에 먼저 근본을 표방한 것이다. 이 경의 글에 준하면 삼귀의를 받았다고 해도 여전히 아직 계를 일으키지 못하고, 반드시 '자비로써 호념하소서'에 이르러야 비로소 처음 계를 일으킨다.

따라서 그 앞의 시기에 이미 5계를 획득했다는 것이다.[125]

그는 비록 근사율의를 이미 획득했지만, 배워야 할 대상[所應學處]를 알게 하기 위해서 다시 살생 등에서 떠나는 다섯 가지 계상戒相을 말함으로써 견고하게 지킬 것을 인식하게 한 것이니, 마치 필추의 구족계를 획득하고 나면 거듭 학처學處를 설하여 견고하게 지킬 것을 인식하게 하는 것과 같다. 근책도 역시 그러하니, 이것도 역시 그러해야 할 것이다. 그러므로 근사는 반드시 율의를 갖추어야 하는 것이다.[126]

2. 경문의 회통

125 근사라고 일컫는 등의 말을 하면 곧 율의를 일으킨다는 것을 어떻게 알 수 있는가? 그래서 다른 경(=증일 8:17:8경, 20:28:1경, 26:34:10경 등) 중에서 삼귀의를 받고 근사 등을 일컬은 뒤 다시 스스로 맹서해, '저는 지금부터 목숨이 끝날 때까지 살생을 버리겠습니다'라는 말을 하였기 때문이다. 이 경의 뜻이 말하는 것은, 살생 등의 다섯 가지 악업을 버리겠다는 것으로서, '살'·'등'의 2글자를 생략해 버려서 '사생捨生'이라고만 말했다는 것이다. 이미 삼귀의 등을 한 뒤에 다시 스스로 살생 등을 버리겠다고 맹서해 말했기 때문이니, 앞에서 삼귀의 등을 수지할 때 이미 5계를 얻었으므로 근사라고 이름한다. 단지 삼귀의만으로 곧 근사라고 이름한다는 것은 아닌데도, 여기에서는 경문의 인용이 생략되었다.

126 제2구를 해석하는 것이다. 그는 먼저 스스로 맹서했기 때문에 비록 계를 획득했지만, 아직 계상의 차별을 알지 못하므로 5계의 학처를 알게 하기 위해서 다시 살생에서 떠나는 등의 다섯 가지 계상을 설해서 굳게 지킬 것을 인식하게 하는 것이다. 마치 1백3갈마一白三羯磨(=안건을 한 번 고지하는 1백과 그에 대한 찬부를 세 번 확인하는 3갈마. 백사갈마白四羯磨라고도 칭함)로써 그 필추의 구족계를 획득했지만, 다시 그를 위해 네 가지 무거운 학처[四重學處](=살인명·투도·음행·대망어의 4바라이에서 떠나는 것)를 설하여 굳게 지킬 것을 인식하게 하는 것과 같다. 근책도 역시 그러해서 비록 계를 획득했어도 다시 그를 위해 열 가지 계상을 설하여 그로 하여금 굳게 지키게 하니, 이 근사계도 이치상 역시 그러해야 한다. 그러므로 근사도 반드시 5계를 갖추는 것이니, 삼귀의를 받고 아직 5계를 일으키지 않아도 근사라고 이름하는 것이 아니다. (문) 어떤 것을 학처學處라고 이름하는가? (답) 『법온족론』 제1권(=대26-458상)에서 말한 것과 같다. "'학'이라고 말한 것은 5처에서 아직 원만하지 못한 것을 원만하게 하기 위해 항상 힘써서 견고하고 바르게 가행을 닦아 익히기 때문에 '학'이라고 이름하고, '처'라고 말한 것은 곧 살생 등에서 떠나는 것이 학學이 의지할 것[所依]이기 때문에 '학처'라고 이름한 것이다. 또 살생 등에서 떠나는 것을 곧 '학'이라고 이름하고, 또한 곧 '처'라고 이름하기 때문에 '학처'라고 이름한 것이다."

계송으로 말하겠다.

32a 만약 율의를 모두 갖추어야 한다면[若皆具律儀]
어째서 한 부분 등을 말씀하셨는가[何言一分等]
말하자면 능히 지니는 것에 의거해 설한 것이다[謂約能持說][127]

논하여 말하겠다. 만약 모든 근사는 율의를 모두 갖추어야 한다면, 어째서 세존께서, "네 종류가 있다. 첫째 능히 한 부분[一分]을 배우는 자, 둘째 능히 적은 부분[少分]을 배우는 자, 셋째 능히 많은 부분[多分]을 배우는 자, 넷째 능히 모두[滿分]를 배우는 자이다"라고 말씀하셨는가?[128] 말하자면 능히 지니는 것[能持]에 의거했기 때문에 이렇게 설하신 것이다. 먼저 받은 것을 능히 지니기 때문에 '능히 배운다'라는 말씀을 하신 것이니, 그렇지 않다면 한 부분 등을 받은 자라고 말씀하셨어야 할 것이다. 이치상 실제로 받은 것에 의거한다면 동등하게 율의를 갖추었으니, 율의를 갖추었기 때문에 근사라고 이름한 것이다.[129]

127 이하는 곧 둘째 경문을 모아 해석하는 것이다. 위의 2구는 경량부에서 경(=앞의 중일 20:28:1경)을 인용해 힐난하는 것이고, 제3구는 설일체유부에서 회통하는 것이다.

128 위의 2구를 해석하는 것이다. 경량부에서 힐난해 말한다. 만약 모든 근사는 율의를 모두 갖추어야 한다면, 어째서 세존께서, 5계 중 네 종류 우파색가가 있다고 말씀하셨는가? 첫째 능히 한 부분을 배우는 자는 1계를 배우는 것을 말하고, 둘째 능히 적은 부분을 배우는 자는 2계를 배우는 것을 말하며, 셋째 능히 많은 부분을 배우는 자는 3계·4계를 배우는 것을 말하고, 넷째 능히 모두를 배우는 자는 5계를 배우는 것을 말한다.

129 제3구를 해석하는 것인데, 설일체유부에서 경에 대해 회통하는 것이다. '배운다[學]'는 말은 '지닌다[持]'는 것이니, 말하자면 능히 지니는 것에 의거했기 때문에 네 종류를 말씀하셨다. 먼저 비록 5지분의 율의를 갖추어 받았더라도 뒤에 연을 만나 혹 곧 허물어서 결여하기도 하니, 그 중에는 모든 학처 중 한 부분만을 능히 지니는 자가 있고, 나아가 혹은 5지를 모두 갖추어 지니는 자가 있기 때문에 이런 말씀을 하신 것이다. 먼저 받은 것을 능히 지니기 때문에 능히 배운다는 말씀을 하신 것이다. 만약 그렇지 않다면 이 경에서 응당 '한 부분 등을 받은 자'라고 말씀하셨어야 할 것인데, 어째서 '한 부분 등을 배운다'라고 말씀하셨겠는가? 따라서 이 네 가지는 능히 지니는 것에 의거한 것일

이와 같은 주장은 계경에 위배된다.[130] 어떻게 경에 위배되는가?[131] 말하자면 경에서, "스스로 '저는 근사입니다'라고 일컫는 등의 말을 하면 곧 5계를 일으킨다"라고 설한 것은 없으며, 이 경에서도, "저는 지금부터 목숨이 끝날 때까지 살생을 버리겠습니다[捨生]"라는 말을 설하지 않았기 때문이다.[132] 경에서 어떻게 설했는가?[133] 예컨대 대명경大名經과 같으니, 이 경 중에서는 근사의 모습[相]에 대해 설했을 뿐이고, 나머지 경들도 그렇지 않기 때문에 경에 위배되는 것이다.[134]

그리고 다른 경에서도, "저는 지금부터 목숨이 끝날 때까지 생을 버리더라도 청정에 귀의하겠습니다[捨生歸淨]"라고 설하였다. 이는 삼보에 귀의하면서 진실한 믿음[誠信]의 말을 일으킨 것이니, 이 말에서는 진리를 본 자가 증정證淨을 얻었음으로 말미암아 목숨을 걸고 스스로 맹세함으로써 정법에 대한 깊은 사랑과 존중의 마음을 나타내면서, 나아가 그것이 자신의 생명을 구하는 수단이 된다고 해도 끝내 여래의 정법을 버리지 않겠다는 것을 나타내 보인 것이지, 거기에서 근사의 모습을 설하고자 해서 이와 같은 '살생을 버리겠다[捨生]'는 등의 말을 설한 것이 아니다. 설령 그렇게 설했다고 해도 역시 분명하지 않은 이치의 가르침이니, 누가 이런 명료하지 못한 글에 따라 곧 앞에서 이미 5계를 일으켰다고 믿을 수 있겠는가?[135]

뿐이다. 이치상 실제로 삼귀의 등을 받음에 의거한다면 5계를 갖추었기 때문에 근사라고 이름한 것이다.

130 경량부의 힐난이다.

131 설일체유부에서 따지는 것이다.

132 경량부의 답이다. 말하자면 경에서, "스스로 '저는 근사입니다'라고 일컫는 등의 말을 하면 곧 5계를 일으킨다"라고 설한 것은 없으며, 또 이 대명경에서도, "저는 지금부터 목숨이 끝날 때까지 살생을 버리겠습니다[捨生]"라는 이런 말을 하지 않았기 때문이다.

133 설일체유부의 물음이다.

134 경량부의 답인데, 알 수 있을 것이다.

135 경량부에서 앞에서 인용된 다른 경의 글에 대해 회통하는 것이다. '사생捨生'은 (설일체유부의 해석처럼 '살'·'등'의 2글자를 생략해 버린 것이 아니라, 글자 그대로) 말하자면 차라리 자신의 생명을 버리더라도 정법을 버리지 않겠다는 것이다. '귀歸'는 삼보에 귀의함을 말하는 것이고, '정淨'은 삼보에 대한 청정한 믿음을 말하는 것이다. '증정證淨'은 4증정(=삼보와 성스러운 계, 네 가지에

또 계를 지니고 범하는 것에 의거해 '한 부분을 배우는 자' 등이라고 설한 것이라면, 오히려 묻지도 않았어야 할 것인데, 하물며 대답하셨어야 하겠는가? 근사율의는 반드시 5지분을 갖추어야 한다는 것을 이미 이해하면서, 배워야 할 학처에 대해 한 가지만 지니고 나머지는 아닌 자, 내지 갖추어 지닌 자를 '한 부분을 배우는 자' 등이라고 이름한다는 것을 이해할 수 없는 자가 누가 있겠는가?[136] 그는 근사율의를 받는 수량의 다소를 아직 알지 못했기 때문에 "무릇 몇 종류의 오파색가가 있어 능히 학처를 배웁니까?"라고 청해 물었어야 했고, "네 종류 오파색가가 있으니, 말하자면 능히 한 부분을 배우는 자 등이다"라고 대답하셨는데, 여전히 아직 능히 알지 못해서 다시, "무엇을 능히 한 부분을 배우는 자라고 이름합니까? ····"라고 물었던 것이다.[137]

만약 율의를 결여하더라도 근사라고 이름할 수 있다면, 필추와 근책이 결여하더라도 역시 이루어야 하겠지만, 그들은 이미 이루지 못하니, 이것도 역시 그러해야 할 것이다.[138] 어떤 이유에서 근사 내지 필추가 수지하는 율

대한 무너지지 않는 청정한 믿음[四不壞淨])을 말하는 것이다. 지금은 조금 갖추어 인용했기 때문에 '귀정歸淨'을 더한 것이다. 나머지 글은 알 수 있을 것이다.

136 경량부에서 앞의 경에 대한 회통을 논파하는 것이다. 또 계를 지니고 범하는 것에 의거해 '한 부분을 배우는 자' 등을 해석한다면, 그 수계자는 붓다께 오히려 묻지도 않았어야 할 것인데, 하물며 붓다께서 그를 위해 대답하셨어야 하겠는가? 까닭이 무엇이겠는가? 근사율의는 반드시 5지분을 갖추어야 한다는 것을 이미 이해하면서, 뒤에 지니고 범할 때 배워야 할 학처에 대해 한 가지만 지니고 나머지는 아니라면, 한 부분을 배우는 자 등이라고 이름한다는 것을 이해할 수 없는 자가 누가 있겠는가? 먼저 스스로 이해했기 때문에 청하여 묻지 않았어야 할 것이다.

137 경량부에서 스스로 경문에 대해 해석하는 것이다. 그 수계를 받으려는 자는 근사율의를 받는 수량의 다소를 아직 알지 못했기 때문에 "무릇 몇 종류의 오파색가가 있어 능히 학처를 배웁니까?"라고 청해 물었고, 붓다께서 "네 가지 오파색가가 있으니, 말하자면 능히 한 부분을 배우는 자 등이다"라고 대답하셨는데, 그 수계자가 여전히 아직 능히 알지 못해서 다시 세존께, "무엇을 능히 한 부분, 적은 부분 등을 배우는 자라고 이름합니까? ····"라고 물어서, 세존께서 그를 위해 대답하셨던 것이다. 이 경의 뜻이 말하는 것은, 계를 받는 자를 위한 때문에 네 가지를 설명한 것이지, 지니고 범하는 것에 의거해 한 부분 등을 설한 것이 아니라는 것이다.

138 설일체유부의 힐난이다. 필추·근책에 비례시킴으로써 근사에 대해 논파하

의의 지분의 수량은 결정코 그러한가?[139] 붓다의 가르침의 힘[敎力]에 의해 시설되었기 때문에 그러한 것이다.[140] 만약 그렇다면 어째서 붓다의 가르침의 힘에 의해 시설되었으므로, 비록 율의가 결여되었더라도 근사라고 이름하지만, 필추 등은 아니라는 것을 인정하지 않는가?[141] 가습미라국의 비바사 논사들은, 율의가 결여되었더라도 근사를 이룰 수 있다는 점을 인정하지 않는다.[142]

3. 3품의 계

이 근사 등의 일체 율의는 무엇에 의해 하·중·상품을 이루게 되는가? 게송으로 말하겠다.

㉜d 하·중·상품은 마음에 따른다[下中上隨心]

논하여 말하겠다. 8중이 수지하는 별해탈율의에는 모두 수지하는 마음에 따라 하·중·상품이 있으니, 이와 같은 이치에 의해 아라한들이라고 해도 혹 하품의 율의를 성취하는 경우가 있고, 이생들이라고 해도 혹 상품의 율의를 성취하는 경우가 있다.[143]

려는 것이다.

139 경량부에서 반대로 책망하는 것이다.

140 설일체유부의 답이다. 붓다의 가르침의 힘 때문에 모두 지분을 갖춘다.

141 경량부에서 비례해 해석하는 것이다. 우리도 역시 붓다의 가르침의 힘 때문에 비록 율의가 결여되었더라도(=5지분을 갖추어 받지 않고 일부만을 받았더라도) 근사라고 이름하지만, 필추 등은 아니라고 한다.

142 가습미라국의 비바사 논사들이 본래의 종지로 돌아가는 것이다. 반드시 5계를 갖추어(받아)야 근사라고 이름하고, 계가 결여되었더라도 근사를 이룰 수 있다는 것을 인정하지 않는다.

143 이는 곧 셋째 3품의 계에 대해 밝히는 것이다. 마음의 3품에 의해 계에도 3품이 있으니, 그래서 성자가 하품을 성취하는 경우와 범부가 상품을 성취하는 경우가 있다. 그래서 『대비바사론』 제117권(=대27-607하)에서 말하였다. "그래서 이렇게 묻는다. 혹시 새로 배우는 필추가 상품의 율의를 성취하거나 아라한이 하품의 율의를 성취하는 경우가 있는가? (답) 있다. 말하자면 어떤 새로 배우는 필추는 상품의 마음으로 유표업을 일으켜 모든 율의를 받고, 어떤 아라한은 하품의 마음으로 유표업을 일으켜 모든 율의를 받았다면, 이런 새로 배우는 필추는 상품의 율의를 성취하고, 아라한은 하품의 율의를 성취한

4. 삼귀의의 체

단지 근사율의만을 받고 삼귀의를 받지 않았다면 근사를 이룰 수 있는가?[144] 근사를 이루지 못하지만, 알지 못함이 있었던 경우는 제외한다.[145]

불·법·승에 귀의하는 모든 자들은 어떤 것에 귀의하는 것인가? 게송으로 말하겠다.

33 붓다와 승가를 이루는[歸依成佛僧]
무학법과 두 가지 법[無學二種法]
및 열반 택멸에 귀의하면[及涅槃擇滅]
이를 삼귀의를 갖추었다고 말한다[是說具三歸][146]

【귀의불의 체】 논하여 말하겠다. 붓다께 귀의한다는 것은, 말하자면 단지 능히 붓다를 이루는 무학법에 귀의하는 것일 뿐이니, 그것이 수승하기 때문에 소의신이 붓다라는 명칭을 얻은 것이다. 혹은 그런 법을 얻음에 의해 붓다께서 능히 일체를 깨달으신 것이다.[147] 어떤 것을 붓다의 무학법이라

다." 이 글에 준하면 아라한도 저절로 계를 획득하는 것이 아니다.

144 이하 넷째 삼귀의의 체를 밝히는데, 이는 묻는 것이다.

145 답이다. 만약 사람이 삼귀의를 받아야 한다는 것을 알면서 받지 않았다면 근사를 이루지 못하지만, 만약 사람이 먼저 삼귀의를 받아야 한다는 것을 알지 못하고, 그 수계사도 다시 그를 위해 주지 않았다면 근사를 이룰 수 있다. 그래서 『대비바사론』 제124권(=대27-646하)에서 말하였다. "어떤 분은, '얻지 못한다. 삼귀의를 받는 것은 이 율의에 대해 문이 되고 의지처가 되며 가행이 되기 때문이다'라고 말하였다. 어떤 분은, '일정하지 않다. 말하자면 먼저 삼귀의를 받고 뒤에 비로소 계를 받아야 한다는 것을 알지 못하고, 계사戒師를 믿었기 때문에 곧 율의를 받았다면, 그는 율의를 얻고, 계사가 죄를 얻는다. 만약 그가 먼저 삼귀의를 받고 뒤에 율의를 받는 것이 바른 의식인 것을 알았지만, 단지 교만 때문에 삼귀의를 받지 않고, 우선 계를 받아야겠다, 불·법·승을 믿어 귀의하는 것을 무엇에 쓰겠는가 라는 이런 말을 하였다면, 그 교만에 얽힌 마음 때문에 비록 받았더라도 얻지 못한다'라고 말하였다."

146 귀의대상인 삼보의 체성에 대해 밝히는 것이다.

147 '붓다께 귀의한다'는 것은 게송의 '붓다를 이루는 무학법에 귀의'라고 한 것을 해석하면서 불보의 체를 밝히는 것이다. 말하자면 단지 능히 붓다를 이루는 무루의 무학법에 귀의하는 것일 뿐이니, 그 법이 수승하기 때문에 소의신

고 이름하는가?[148] 말하자면 진지盡智 등 및 그 따르는 행[隨行]이다. 색 등의 몸은 아니니, 전후에 같기 때문이다.[149]

한 분의 붓다께 귀의하는 것인가, 일체 붓다들께 귀의하는 것인가?[150] 이치상 실제로 일체 붓다들께 귀의한다고 말해야 할 것이니, 모든 붓다들의 도의 모습에는 차이가 없기 때문이다.[151]

【귀의승의 체】 승가에 귀의한다는 것은, 말하자면 능히 승가를 이루는 모든 유학·무학의 법에 통틀어 귀의하는 것이니, 그것을 얻음에 의해 승가가 여덟 종류의 보특가라를 이루어 파괴할 수 없기 때문이다.[152]

한 분 붓다의 승가에 귀의하는 것인가, 일체 붓다들의 승가에 귀의하는 것인가?[153] 이치상 실제로 일체 붓다들의 승가에 통틀어 귀의하는 것이니, 모든 승가의 도의 모습에는 차이가 없기 때문이다. 그런데 계경에서, "미래에 승가가 있을 것이니, 그대들은 귀의해야 한다"라고 설했는데, 그 경은 단지 미래에 현견될 승보를 나타내 보이기 위한 것이었다.[154]

이 붓다라는 명칭을 얻는다. 혹은 그런 무학법을 얻음에 의해 붓다께서 능히 일체 모든 법을 깨달으셨기 때문에 붓다라고 이름한 것이다.

148 물음이다.

149 답이다. 말하자면 붓다의 몸 중의 진지·무생지 등 및 그 따라 형성된 무루의 5온을 무학이라고 이름한다. 색 등의 몸의 유루의 5온은 아니니, 아직 붓다를 이루기 전과 붓다를 이룬 후에 서로 비슷하기 때문이다.

150 물음이다.

151 답이다. 이치상 실제로 일체 삼세의 모든 붓다들께 귀의한다고 말해야 할 것이니, 모든 붓다들의 무루 성도의 체상에는 차이가 없기 때문에 한 분께 귀의할 때 일체 붓다들께 귀의하는 것이다.

152 게송의 '승가를 이룬 두 가지 법에 귀의'라고 한 것을 해석하면서 승보의 체를 밝히는 것이다. 승가에 귀의한다는 것은, 말하자면 능히 승가를 이룬 모든 유학·무학의 두 가지 무루법에 통틀어 귀의하는 것이니, 그 법을 얻었기 때문에 승가가 4향4과라는 여덟 종류의 보특가라를 이루는 것이다. 증정證淨을 얻음에 의해 이치상 화합한 승가는 파괴할 수 없기 때문이다.

153 물음이다. 다시 한 분 석가모니 붓다의 제자들의 승가에 귀의하는 것인가, 일체 삼세의 모든 붓다들의 제자들의 승가에 귀의하는 것인가? 붓다의 승가[佛之僧]이기 때문에 '붓다의 승가[佛僧]'이라고 이름한 것이다.

154 답이다. 이치상 실제로 일체 삼세의 모든 붓다들의 승가에 통틀어 귀의하는 것이니, 모든 붓다들의 승가의 무루의 성도의 체상에는 차이가 없기 때문이다. 그런데 계경(=『불설태자서응본기경太子瑞應本起經』 하권=대3-479중)에

【귀의법의 체】 법에 귀의한다는 것은, 말하자면 열반에 귀의하는 것인데, 이 열반이라는 말은 택멸擇滅만을 나타내니, 자신과 남에게 상속하는 번뇌와 괴로움의 고요한 소멸[寂滅]은 하나의 모습[一相]이기 때문에 통틀어 귀의하는 것이다.[155]

만약 무학법만이 곧 붓다라고 한다면, 붓다에 대해 나쁜 마음으로 피를 나오게 했을 경우 단지 생신生身을 손상했을 뿐인데, 어떻게 무간죄를 이루겠는가?[156] 비바사들은 이렇게 해석하였다. "그 소의신을 파괴하면 그것도 따라서 파괴되기 때문이다."[157] 그렇지만 근본논서를 찾아보면 '무학법만을 곧 붓다라고 이름한다'라는 말이 있는 것은 보이지 않고, 단지 '무학법이 능히 붓다를 이룬다'라고 말했을 뿐이다. 이미 붓다의 체를 부정하지 않았으니, 소의신도 역시 포함하는 것이다. 따라서 여기에서 앞의 힐난은 허용되지 않는다. 만약 이와 다르다면 붓다와 승가가 세속심에 머물 때에는 승가도 아니고, 붓다도 아니어야 할 것이다. 또 필추를 이루는 계가 곧 필추라고 주장해야 할 뿐이니, 그렇다면 예컨대 만약 누군가가 필추에게 공양하려고 한다면 그는 오직 필추를 이루는 계에 공양해야 할 뿐이며, 이와 같이 누군가가 붓다께 귀의하려고 한다면 역시 다만 붓다를 이루는 무학법에게

서, 붓다께서 처음 도를 이루셨을 때에는 아직 승가가 없었으므로, 상인들이 붓다를 만나 삼귀의를 받았을 때 붓다께서 그들에게, "미래에 승가가 있을 것이니, 그대들은 귀의해야 한다"라고 말씀하셨다고 설했는데, 그 경은 단지 미래에 석가모니의 현견될 승보를 나타내 보이기 위한 것(=승가를 이루는 유학·무학의 법이 없는 것은 아니었다는 취지)이었으니, 곧 아야교진나 등의 5필추이다. (문) 승가에는 여러 종류가 있는데, 이는 어느 승가를 말하는 것인가? 붓다도 역시 그 귀의할 승가인가? (해) 삼귀의 중의 승가는 성문승이다. 붓다께서는 비록 성승聖僧 등이기는 해도, 성문승은 아니(므로 귀의할 승가가 아니)다.

155 제3구를 해석하면서 법보의 체를 밝히는 것이다. 법에 귀의한다는 것은, 말하자면 열반에 귀의하는 것인데, 곧 택멸이다. 자신과 남의 상속신의 번뇌와 괴로움의 과보의 고요한 소멸은 하나의 모습으로서, 선이며 항상한 것이기 때문에 통틀어 귀의하는 것이다.

156 논주의 힐난, 혹은 경량부의 힐난을 서술하는 것이다. 만약 무학법만이 곧 붓다의 체이고, 생신은 아니라고 한다면, 어떻게 붓다에 대해 생신을 손상하는 것만으로 무간죄를 이루겠는가?

157 답이다.

귀의해야 할 뿐이다.[158] 어떤 다른 논사는, "붓다께 귀의한다는 것은 전체적으로 여래의 18불공법에 귀의하는 것이다"라고 말하였다.[159]

【능귀의能歸依의 체와 귀의의 뜻】 이 능히 귀의하는 것[能歸依]은 어떤 법을 체로 하는가?[160] 어표語表를 체로 한다.[161]

158 논주가 또 힐난하는 것이다. 혹은 경량부의 힐난을 펴는 것이다. 그렇지만 근본 6족론 등의 논서를 찾아보면, '무학법만을 곧 붓다라고 이름한다'라는 말이 있는 것은 보이지 않고, 단지 '무학법이 능히 붓다를 이룬다'라고 말했을 뿐이다. 이미 붓다 생신의 체의 성품을 부정하지 않았으니, 의지처인 생신도 역시 포함해서 모두 붓다라고 이름한 것이라고 알아야 할 것이다. 따라서 여기에서 '붓다의 생신을 손상하는 것이 (어떻게) 무간죄를 이루겠는가?'라고 한 앞의 힐난은 허용되지 않을 것이니, 생신도 역시 붓다라고 인정하기 때문이다. 만약 우리의 말과 달리 의지처인 생신은 붓다가 아니라고 한다면, 붓다와 승가의 현재 생신이 세속의 유루심에 머물 때, 그 때에는 현재 무루의 5온이 없으니, 승가도 아니어야 하고, 또한 붓다도 아니어야 할 것이다. 또 필추를 이루는 계만이 곧 필추라고 주장해야 할 것이니, 만약 계가 곧 필추라고 말한다면, 예컨대 누군가가 필추에게 공양하려고 한다면 그는 오직 필추를 이루는 계에만 공양해야 할 것이고, 소의신에 4사四事를 공양하지 않아야 할 것이지만, 이미 현재 계의 소의신에 공양한다. 따라서 소의신도 역시 필추라는 것을 알 수 있다. 만약 그 계의 소의신에 공양하는 것이 아니라고 말한다면, 이는 곧 세간과 상반되는 것이니, 세간에서 현재 그 계의 소의신에게 공양하기 때문이다. 이와 같이 누군가가 붓다께 귀의하려고 한다면 역시 다만 붓다를 이루는 무학법에만 귀의해야 할 것이다. 만약 붓다의 무학법에만 귀의해야 한다고 말한다면, 이는 곧 다시 세간과 상반될 것이니, 현재 붓다의 생신에 귀의해 예배하는 것을 보기 때문이다. 설일체유부에 대해 세간과 상반된다는 허물을 만드는 것이다. 논주의 뜻이 말하는 것은, 불보의 체성은 붓다의 몸 중의 유위의 무루법 및 붓다의 몸의 모든 유루법이 불보의 체가 된다는 것이다.

159 다른 학설을 서술하는 것이다. 이 논사의 뜻이 말하는 것은, 붓다의 몸 중의 유위 무루의 공덕 및 붓다의 몸 중의 유루의 공덕이 불보의 체가 된다는 것으로서, 생신을 취하지 않으니, 공덕이 아니기 때문이다. (생신을 취하지 않는다는 점에서) 논주와 같지 않고, 유루도 겸하여 취한다는 점에서 설일체유부와 같지 않다. 만약 『종륜론』에 의한다면 대중부 등에서는 일체 여래에게 유루법은 없다고 한다. 이상 비록 다른 학설이 있어 같지 않지만, 모두 귀의대상인 삼보의 체성을 밝힌 것이다.

160 귀의주체[能歸]의 체를 묻는 것이다.

161 답이다. 이는 자성에 의거한다면 어표를 체로 하고, 만약 권속을 아우른다면 5온을 체로 한다. 그래서 『순정리론』 제38권(=대29-559중)에서 말하였다. "여기에서 귀의주체는 어표를 체로 한다. 스스로 맹세의 제한[誓限]을 세운 것을 자성으로 하기 때문이다. 만약 권속을 아우른다면 5온을 체로 한다. 귀의주

이와 같은 귀의는 무엇을 뜻[義]으로 삼는가?[162] 구제救濟를 뜻으로 삼는다. 그것이 의지처가 됨에 의해 능히 일체 괴로움에서 영원히 벗어나기 때문이니,[163] 세존께서 말씀하신 것과 같다. "❶ 많은 사람들은 두려움에 핍박되면[衆人怖所逼] 대부분 여러 산과[多歸依諸山] 원림 및 총림[園苑及叢林] 외나무의 신이나 탑묘 등에 귀의하지만[孤樹制多等] ❷ 이런 귀의는 수승한 것 아니고[此歸依非勝] 이런 귀의는 존귀한 것 아니니[此歸依非尊] 이런 귀의로 인해서는[不因此歸依] 온갖 괴로움에서 벗어날 수 없도다[能解脫衆苦] ❸ 붓다께 귀의하고[諸有歸依佛] 아울러 법과 승가에 귀의하는 모든 자들은[及歸依法僧] 4성제에 대해[於四聖諦中] 항상 지혜로써 관찰하니[恒以慧觀察] ❹ 괴로움을 알며, 괴로움의 일어남을 알며[知苦知苦集] 온갖 괴로움에서 영원히 벗어남을 알며[知永超衆苦] 8지의 성도를 알고[知八支聖道] 안온한 열반으로 나아갈 것이다[趣安隱涅槃] ❺ 이런 귀의야말로 가장 수승하고[此歸依最勝] 이런 귀의야말로 가장 존귀하니[此歸依最尊] 반드시 이런 귀의로 인해야[必因此歸依] 온갖 괴로움에서 벗어날 수 있도다[能解脫衆苦]"[164]

체에 있는 언설은 마음과 등기한 것으로서 마음을 떠난 것이 아니기 때문이다."

162 귀의의 뜻을 묻는 것이다.

163 답이다. 구해서 뽑아주고 건네주는 것[救拔濟度]이 귀의의 뜻이니, 그 삼보를 귀의대상[所歸依]으로 삼음에 의해 능히 모든 유정의 부류를 일체 괴로움에서 영원히 벗어나게 하기 때문이다. 또 『순정리론』 제38권(=대29-559중)에서도 말하였다. "남의 몸의 성법聖法 및 선·무위가 어떻게 자신에게 구제가 될 수 있는가? 그에 귀의함으로써 끝없는 생사의 괴로움의 바퀴의 큰 두려움을 종식시킬 수 있기 때문이다."

164 불경(=『설일체유부비나야잡사』 제26권. 대24-333상)을 인용해 증명하면서, 삿됨을 상대해 바름을 나타내는 것이다. 처음 2게송은 삿된 귀의를 나타내는 것이고, 뒤의 3게송은 바른 귀의를 나타내는 것이다. 세간의 많은 사람들은 두려움에 핍박되면 대부분 그 여러 산의 신, 원림의 신, 총림의 신, 외나무의 신 및 제다制多 등에 귀의한다. '제다caitya'는 곧 외도의 탑묘塔廟이다. '등'은 그 상응하는 바에 따른 다른 삿된 귀의를 같이 취한 것이다. 이런 귀의대상은 수승한 것이 아니며, 존귀한 것이 아니다. 불·법·승에 귀의하는 모든 자들은 4성제 등에 대해 늘 지혜로써 관찰하므로, 괴로움-고제를 말한다-을 알며, 괴로움의 일어남-곧 집제이다-을 알며, 온갖 괴로움에서 영원히 벗어남-멸제를 말한다-을 알며, 8성도-도제를 말한다-를 안다. 이런 귀의대상이 가장 수승하고 가장 존귀하다. 반드시 이런 귀의로 인해야 온갖 괴로움에서 완전히 벗어날 수 있다. 그래서 귀의는 구제를 뜻으로 삼으니, 온갖 괴로움

그러므로 귀의는 널리 일체 수지하는 율의처律儀處에 대해 방편의 문[方便門]이 되는 것이다.[165]

5. 욕사행欲邪行에서 떠남

어떤 이유에서 세존께서 다른 율의처에서는 비범행非梵行에서 떠나는 것을 세워 그들의 배울 대상으로 삼으시면서, 근사율의 한 가지에서만 단지 그들로 하여금 욕사행欲邪行에서만 떠나게 제정하셨는가? 게송으로 말하겠다.

㉞a 욕사행은 가장 꾸짖어야 할 것으로서[邪行最可訶]
떠나기 쉽고, (성자는) 부작을 얻었기 때문이다[易離得不作][166]

논하여 말하겠다. 욕사행欲邪行만은 세간에서 지극히 꾸짖고 질책하니, 능히 남의 아내 등을 침해해서 훼손하기 때문이며, 악취를 감득하기 때문인데, 비범행非梵行은 그런 것이 아니다.[167]

또 욕사행은 멀리 떠나기 쉽기 때문이니, 모든 재가자는 욕망에 탐착하

에서 벗어날 수 있다고 말한다.

165 맺는 것이다. 그러므로 귀의는 널리 일체 8중이 수지하는 모든 율의처에 대해, 앞의 방편으로서 인도하는 문이 되는 것이니, 능히 계를 일으키므로 영원히 온갖 괴로움에서 벗어나지만, 만약 귀의하지 않는다면 계가 일어나지 않기 때문이다.

166 이하에서 곧 다섯째 사행邪行에서 떠남을 밝히려고, 묻는 것이다. 8중 중 어떤 이유에서 세존께서 나머지 6중, 혹은 나머지 필추·근책·근주의 율의처에서는 범행 아닌 행[非梵行]에서 떠나는 것을 배울 대상으로 삼으시면서, 오직 근사의 한 가지 율의에서만 욕사행(=뒤의 제16권 중 게송 ㊆a와 그 논설에 의하면 비경非境·비도非道·비처非處·비시非時 네 가지가 있다)에서 떠나는 것을 제정하셨는가? 이치상 근사녀계에 대해서도 물어야 하지만, 우선 근사로써 물은 것이다. 혹은 비추어 나타낸 것일 수 있고, 혹은 근사라는 말이 근사녀계를 포함하는 것일 수도 있으니, 계의 체가 같기 때문이다. 게송에서 세 가지 뜻으로 답하였다.

167 첫째 '가장 꾸짖어야 할 것'을 해석하는 것이다. 욕사행만은 세간에서 지극히 꾸짖고 질책하니, 남의 아내 등을 침해하는 삿된 음행의 업도는 악취를 감득하기 때문이다. '등'은 첩 등을 같이 취한 것인데, 비범행은 아니다. 말하자면 비범행은 음욕을 행할 때 몸의 악행이기는 해도, 세간에서 가장 꾸짖는 것이 아니고, 악취를 감득하는 것이 아니다.

기 때문에 비범행에서 떠나는 것은 수지하기 어려워서, 그들이 긴 시간 동안 닦고 배울 수 없음을 관찰하셨기 때문에, 그들이 비범행에서 떠나야 한다고 제정하지 않으셨다.[168] 또 모든 성자는 욕사행 모두에 대해 결정코 부작율의不作律儀를 얻었고, 경생經生의 성자도 역시 행하지 않기 때문인데, 비범행에서 떠나는 것은 곧 이와 같지 않다. 그래서 근사가 수지하는 율의에서는 단지 욕사행에서 떠나는 것만을 제정해 세운 것이니, 경생의 성자가 근사율의를 범하게 해서는 안 될 것이다. 부작율의란 결정코 짓지 않는 것[定不作]을 말한다.[169]

6. 취처娶妻의 불범不犯

이전에 근사율의를 받은 이들이 후에 처첩妻妾을 취娶할 경우 그런 처첩에 대해 이전에 계를 받을 때 율의를 얻었는가?[170] 이치상 실제로 얻어야 하니, 일부에 대해서만 별해탈율의를 얻게 해서는 안 될 것이다.[171] 만약 그렇다면 어째서 후에 범계한 것이 아닌가?[172] 게송으로 말하겠다.

168 게송의 '떠나기 쉽다'는 것을 해석하는 것이다. 사행은 떠나기 쉽기 때문에 붓다께서 막으셨지만, 비범행에서 떠나는 것은 어렵기 때문에 재가자에 대해 제정하지 않으셨다.

169 '부작을 얻었다'는 것을 해석하는 것이다. 말하자면 모든 성자의 몸 중에는 무루법을 성취했기 때문에 욕사행 일체에 대해 결정코 부작율의를 얻었다. '부작율의'는 결정코 욕사행 등을 짓지 않음을 말하는 것인데, 별도로 체가 있는 것은 아니다. 마치 세상에서 어떤 사람이 성품상 술을 마시지 않는다고 해서, 별도로 체가 있는 것은 아닌 것과 같다. 경생의 성자(=이전의 생에서 견도를 성취하고 다시 태어남으로써 생을 거친 미리욕未離欲의 성자=수다원·사다함)도 역시 이런 욕사행을 행하지 않기 때문이니, 모든 성자는 성품상 그런 근사계를 범하지 않기 때문이다. 그래서 성자는 능히 성계性戒를 지닌다고 말하는 것인데, 비범행에서 떠나는 것은 곧 이와 같지 않다. 미리욕未離欲의 성자에게는 여전히 아내가 있기 때문이다. 그래서 근사계에서는 욕사행에서 떠나는 것을 제정한 것이다. 혹은 다시 비범행에서 떠나는 것을 근사계로 해야 한다고 굳게 주장해서, 경생의 성자로 하여금 근사율의를 범하게 해서는 안 될 것이니, 아내가 있기 때문이다. 그래서 『순정리론』(=제38권. 대28-559하)에서 말하였다. "만약 이와 다르다면 경생의 유학은 근사의 성계를 지킬 수 없어야 할 것이다."

170 이하 여섯째 취처娶妻(=아내를 들임)의 불범不犯인데, 이는 곧 묻는 것이다.

171 답이다. 그것에 대해 받고 얻었다.

172 힐난이다.

34c 맹세한 대로 율의를 얻으니[得律儀如誓]
상속에 대한 모든 것이 아니었다[非總於相續]

논하여 말하겠다. 본래 맹세 수지한 대로[如本受誓] 율의를 얻기 때문이다. 본래 맹세 수지한 것이 어떤 것인가? 말하자면 욕사행에서 떠나겠다는 것이었으니, 일체 유정의 상속에 대해 '저는 비범행에서 모두 떠나겠습니다'라고 말했던 것이 아니다. 이로 말미암아 널리 유정의 상속에 대해, 욕사행에서 떠나는 계만을 얻었을 뿐, 비범행에서 떠나는 율의가 아니었기 때문에, 후에 처첩을 들이더라도 앞의 계를 훼손하거나 범한 것은 아니다.[173]

7. 거짓말에서 떠남

어떤 이유에서 거짓말에서 떠나는 것만을 제정하고, 이간어離間語 등에서 떠나는 것은 근사율의로 하지 않았는가?[174] 역시 앞에서 말한 세 가지 이유 때문이니, 말하자면 거짓말은 가장 꾸짖어야 할 것이기 때문이며, 재가자들도 멀리 떠나기 쉽기 때문이며, 모든 성자는 부작不作을 얻었기 때문이다.[175] 다시 별도의 이유가 있는데, 게송으로 말하겠다.

173 답의 글인데, 알 수 있을 것이다.

174 이하 일곱째 거짓말에서 떠나는 것에 대해 밝히는데, 말에 네 가지 허물이 있는데, 어째서 하나만 제정하셨는지 묻는 것이다.

175 답이다. 앞의 세 가지 이유에 의해 거짓말에서 떠나는 것을 제정하셨다. 첫째 이유는 앞에서 해석한 것과 같다. 또 『대비바사론』 제123권(=대27-645상)에서 둘째 이유를 해석하면서 말하였다. "어떤 분은 이렇게 말하였다. 거짓말에서 떠나는 것은 방호하기 쉽지만, 나머지 세 가지에서 떠나는 것은 그런 것이 아니다. 말하자면 재가에 처해 하인 등을 부릴 때 이간하는 말 등의 세 가지 및 신업 중 매질하는 등은 멀리 떠나기 어려운 일이다." 또 『대비바사론』(=상동)에서 셋째 이유를 해석하면서 말하였다. "어떤 다른 분은 다시 말하였다. 경생의 성자들이 범하지 않는 것을 근사계로 세우는데, 경생의 성자는 반드시 결정코 거짓말하는 업은 멀리 떠났지만, 나머지 어업은 그렇지 않다. 왜냐하면 나머지 어업에는 말하자면 탐·진·치에서 생기는 세 가지가 있는데, 경생의 성자는 비록 어리석음에서 생기는 것은 범하지 않는다고 해도-어리석음[癡]은 견품見品에 포함되기 때문에 성자는 이미 끊었다- 탐욕·성냄에서 생기는 것은 범한다. 이 때문에 세우지 않는 것이다."

㉟a 거짓말을 허용한다면[以開虛誑語]
곧 여러 학처를 어길 것이다[便越諸學處]

논하여 말하겠다. 여러 학처를 어겼는지 검문檢問받을 때 만약 거짓말을 허용한다면 곧 '나는 하지 않았다'라고 말할 것이니, 이로 인해 계를 어기는 일이 많을 것이다. 그래서 붓다께서 그들로 하여금 굳게 지키게 하시려고 일체 율의에서 거짓말에서 떠나는 것을 제정하셨다. (그렇게 하지 않으셨다면) 어떻게 그들로 하여금 계를 범했을 때 곧 스스로 노출케 해서 뒤에 범하는 것을 막을 수 있겠는가?[176]

8. 근사와 차죄遮罪

다시 어째서 차죄遮罪에서 멀리 떠나는 것을 근사율의로 건립하지 않으셨는가?[177] 누가 이 율의 중에서 차죄에서 떠나지 않는다고 말했는가?[178] 어떤 차죄에서 떠나는가?[179] 말하자면 음주飮酒에서 떠나는 것이다.[180] 어째서 모든 차죄 중 나머지 차죄에서 떠나는 것을 제정하지 않으시고, 음주만 막으셨는가?[181] 게송으로 말하겠다.

㉟c 차죄 중 음주만 떠나게 한 것은[遮中唯離酒]
나머지 율의를 수호하기 위해서이다[爲護餘律儀]

논하여 말하겠다. 술을 마시는 자들은 마음이 대부분 방종 방일하여 나머지 율의들을 지킬 수 없기 때문에 나머지 율의들을 지키기 위해 음주에

176 네 번째 이유인데, 8중의 율의를 '일체'라고 이름하였다. 나머지 글은 알 수 있을 것이다.
177 이하 여덟째 음주에서 떠나는 것만 막은 것(에 대해 밝히는 것)인데, 이는 곧 묻는 것이다.
178 답이다.
179 따지는 것이다.
180 해석하는 것이다.
181 힐난이다. 『순정리론』(=제38권. 대29-560중)에서 말하였다. "어째서 일체 성죄에서 떠나는 것 중에서는 네 가지를 근사의 학처로 삼으시면서, 일체 차죄에서 떠나는 것 중에서는 음주에서 떠나는 것만 근사율의로 제정하셨는가?"

서 떠나게 한 것이다.182

【음주의 차죄·성죄 논쟁】 음주가 차죄에 포함된다고 어찌 알겠는가?183 이것에는 성죄性罪의 모습이 없기 때문이다. 모든 성죄는 염오심으로만 행해지는 것인데, 병을 치료하려고 할 때에는 비록 여러 술을 마시더라도 취하거나 어지러워하지 않으므로 염오심이 없을 수 있다.184 술은 능히 취하게 하고 어지럽게 한다는 것을 먼저 알면서 고의로 마시려고 하는 것이 어찌 곧 염오심이지 않겠는가?185 이것은 염오심이 아니다. 스스로 주량을 알고 병을 치료하기 위해 한도를 정해 마심으로써 취하거나 어지럽게 하지 않기 때문에 염오심이 아닌 것이다.186

모든 지율자持律者들은 음주가 성죄라고 말하였다. 예컨대 저 존자 오파리鄔波離가 "제가 병자들에게 어떤 것을 공급해야 합니까"라고 여쭈자, 세존께서 이르시기를, "성죄(에 관한 것)만 제외한다면, 나머지는 그 상응하는 바에 따라 모두 공급할 수 있다"라고 말씀하셨는데, 질병에 걸린 석가족 사람에게 술이 필요한 일이 있었을 때 세존께서 그의 음주를 허락치 않으신 것과 같기 때문이다.187 또 계경에서 설하였다. "나를 스승이라고 칭하는

182 답인데, 글은 알 수 있을 것이다. 차죄 중에는 음주가 지나치게 무겁기 때문에 근사율의에서 이것만 제정하셨다. 나머지 차죄는 그렇지 않다.

183 물음이다.

184 답이다. 음주에는 성죄의 모습이 없다. 모든 성죄는 염오심으로만 행해지는 것이고, 다른 마음에는 통하지 않는데, 병을 치료하려고 술을 마시는 경우 염오심이 없을 수 있기 때문에 성죄가 아니다. 그래서 『순정리론』(=제38권. 대29-560중)에서 말하였다. "이것에는 성죄의 모습이 없기 때문이다. 성죄와 차죄는 그 모습이 어떠한가? 계를 아직 제정하지 않으셨을 때에도 욕망에서 떠난 모든 자들이 결정코 일으키지 않는다면 이것이 성죄의 모습이고, 만약 그들이 여전히 행한다면 이것을 차죄라고 이름한다. 또 만약 오직 염오심에 의탁해서만 행한다면 이것이 성죄의 모습이고, 만약 불염오심에 의탁해서도 행함이 있다면 이것을 차죄라고 이름한다."

185 힐난이다.

186 답이다.

187 지율자들이 음주는 성죄라고 말했음을 서술하는 것이다. 모두 네 가지 증거를 인용하는데, 이는 곧 첫째 음주는 성죄라고 제외하셨다는 증거이다. 붓다께서 성죄만 제외하고, 나머지는 병자에게 따라서 공급하라고 하셨는데(=『근본살바다부율섭』 제8권. 대24-569중), 병자에게 음주를 허락치 않으신 곳

모든 필추들은 술을 마셔서는 안 되니, 나아가 풀 끝에 묻은 한 방울의 술과 같은 지극히 적은 분량이라고 해도 역시 마셔서는 안 된다." 따라서 음주는 성죄에 포함된다는 것을 알 수 있다.[188] 또 모든 성자들은 비록 많은 생을 바꾼다고 해도 역시 범하지 않기 때문이니, 마치 살생 등과 같다.[189] 또 경에서 이것은 몸의 악행[身惡行]이라고 설했기 때문이다.[190]

대법對法의 논사들은 성죄가 아니라고 말하였다. 그래서 병자를 위해서는 차계遮戒도 모두 허락하셨는데, 다시 다른 때 음주를 막은 것은 이로 인해 성죄 범하는 것을 막기 위한 때문이었다.[191] 또 취하거나 어지럽게 하는 분량은 일정한 한도가 없기 때문에 나아가 풀 끝에 묻은 분량을 마시는 것까지 막으셨던 것이다.[192] 또 일체 성자가 모두 마시지 않는 것은 모든 성자는 부끄러움을 갖추었기 때문이며, 술을 마시면 능히 정념正念을 잃게 하기 때문이다. 나아가 조금이라도 역시 마시지 않는 것은 마치 독약처럼 분량

이 있기 때문에 음주는 성죄에 포함된다는 것을 알 수 있다는 것이다. '오파리Upali'는 여기 말로 근취近取이다.

188 둘째 지극히 적은 양도 마시지 못하게 하셨다는 증거(=『우바새오계상경五戒相經』. 대24-944상 등)이다. 지극히 적은 양도 허락지 않으셨으니, 성죄라는 것을 분명히 알 수 있다.

189 셋째 경생의 성자도 범하지 않는다는 증거이다. 이 한 가지는 이치로써 음주가 성죄라는 것을 증명하는 것이다.

190 넷째 몸의 악행이라는 증거이다. 경(=출전 미상)에서 음주는 몸의 악행이라고 설했는데, 만약 염오심 없는 경우가 있다면 어떻게 악행이라고 이름했겠는가? 따라서 음주는 성죄에 포함된다는 것을 알 수 있다.

191 이하 대법의 논사들이 앞의 4증거에 대해 회통하는데, 이는 곧 첫째 음주는 성죄라고 제외하셨다는 증거에 대한 회통이다. 음주는 성죄가 아니라고 말하였다. 그래서 병자를 위해서는 성죄만 제외하고, 차계遮戒도 모두 허락하셨다. 이는 곧 음주를 허락하신 것이니, 성죄가 아닌 것이 분명하다. 만약 성죄라면 응당 붓다께서 허락지 않으셨을 것이다. 다시 다른 때 음주를 막으셨다는 것은 병에 걸린 석가종성 사람에게 마실 수 없게 한 것인데, 이로 인해 성죄 범하는 것을 막기 위한 때문이었으니, 그래서 붓다께서 마시는 것을 막으셨던 것이다.

192 둘째 지극히 적은 양도 마시지 못하게 하셨다는 증거에 대한 회통이다. 취하거나 어지럽게 하는 것은 일정하지 않기 때문에 지극히 적은 분량까지도 막은 것이다. 예컨대 성품상 익숙하지 않은 자는 조금만 마셔도 역시 취하는 것과 같다. 경에서 마시지 못하도록 막으신 것은 뜻이 여기에 있는 것이지, 성죄여서 경에서 막아서 마시지 말라고 말씀하신 것이 아니다.

에 일정함이 없기 때문이다.[193] 또 경에서 이것이 몸의 악행이라고 설한 것은 술이 모든 방일처放逸處이기 때문이다. 이 때문에 유독 방일처라는 명칭을 세우고, 나머지에는 이 명칭을 세우지 않으니, 모두 성죄이기 때문이다.[194] 그런데도 자주 익히면 악취에 떨어진다고 설한 것은, 자주 술을 마시면 능히 몸 안의 모든 불선법으로 하여금 상속하여 일어나게 하기 때문이며, 또 악취를 일으키는 업을 능히 견인하기 때문이며, 혹은 능히 그것을 더욱 증성하게 하기 때문임을 나타낸 것이다.[195]

예컨대 계경에서, 솔라窣羅·미려야迷麗耶의 말다末陀는 방일처라고 설한 것과 같은 것은, 무슨 뜻에 의해 설한 것인가?[196] 밥을 빚어 만든 술을 솔라

193 셋째 경생의 성자는 범하지 않는다는 증거에 대한 회통이다. 모든 성자는 부끄러움을 갖추었기 때문이다. 또 스스로 정념 잃을 것을 두려워하기 때문에, 그래서 모든 성자는 모두 음주하지 않는다. 적은 분량이라도 역시 마시지 않는 것은 마치 독약처럼 분량에 일정함이 없기 때문이지, 성죄여서 성자들이 마시지 않는 것이 아니다.

194 넷째 몸의 악행이라는 증거에 대한 회통이다. 계경에서 음주를 몸의 악행이라고 설한 것은, 술이 일체 방일한 악행의 의지처이기 때문이다. 음주로 인해 몸의 악행을 일으키기 때문이지, 성죄여서 몸의 악행이라고 이름한 것이 아니다. 이 때문에 유독 음주에 대해서만 방일처라는 명칭을 세우고, 나머지 살생 등의 네 가지에는 방일처라는 명칭을 세우지 않으니, 모두 성죄이기 때문이다.

195 이상 지율자의 네 가지 증거에 대해 회통했는데, 이제 또 악취에 떨어진다는 방해[妨]에 대해 회통하는 것이다. 그래서 『순정리론』(=제38권. 대29-561상)에서 말하였다. "어떤 분은 이렇게 말하였다. 계경(=출전 미상)에서, '자주 익히면 악취에 떨어지게 하기 때문이니, 마치 살생 등과 같다'라고 설했기 때문에 술을 마시는 것은 성죄에 포함된다." 그래서 지금 회통해 말하는 것이다. 경에서 "자주 익히면 악취에 떨어진다"라고 설한 것은, 자주 술을 마시면 능히 소의신 중의 모든 불선법으로 하여금 상속하여 일어나게 하기 때문에 여러 악취에 떨어지게 하며, 또 능히 악취를 일으키는 업을 인기하기 때문에 여러 악취에 떨어지게 하며, 혹은 능히 그 이미 일으킨 악취의 업을 더욱 증성하게 하기 때문에 여러 악취에 떨어지게 한다는 것을 나타낸 것이다. 술로 인해 업을 일으켜 여러 악취를 감득하는 것이지, 이치상 실제로 음주가 악취를 초래하는 것은 아니다.

196 음주에 대해 해석하는 기회에 술의 다른 명칭에 대해 해석하는 것이다. 『합음불합음경合飮不合飮經』(=출전 미상)에서 '솔라' 등을 설한 것은 무슨 뜻에 의해 설한 것인지, 경에 의해 물음을 일으킨 것이다. 또 해석하자면 경을 인용해 술은 능히 온갖 악을 만드는 방일처라는 것을 증명하려고, 이 기회에 물음을 일으킨 것이다.

라고 이름하고, 다른 것을 빚어 만든 술을 미려야술이라고 이름하는데, 곧 앞의 두 가지 술이 아직 익지 않았거나 이미 삭아서 취하게 할 수 없다면 말다라고 이름하지 않지만, 만약 취하게 할 때라면 말다술이라고 이름하니, 작용이 없는 단계와 구별해서 거듭 이런 명칭을 세운 것이다. 그런데 빈낭檳榔 및 패자稗子 등도 역시 취하게 할 수는 있으므로, 그것과 구별하기 위해 솔라술이나 미려야술이라고 말할 필요가 있는 것이다. 비록 차죄라고 해도 방일케 하여 널리 온갖 악을 짓게 하므로, 간절하고 엄중히 차단하게 하기 위해 방일처라는 말을 한 것이니, 술은 방일의 의지처이기 때문이다.[197]

197 답이다. 밥을 빚어 만든 술은 곧 쌀·보리 등인데, 솔라surā라고 이름하고, 다른 것을 빚어 만든 것은 곧 뿌리·줄기 등인데, 미려야maireya술이라고 이름한다. 곧 앞의 두 가지 술이 혹 아직 익지 않았을 때이거나 혹은 익었어도 삭아서 취하게 할 수 없다면, 이것은 막을 것[所遮]이 아니어서 말다madya라고 이름하지 않지만, 만약 취하게 할 때라면 말다술이라고 이름하니, 작용이 없는 단계와 구별해서 거듭 이런 명칭을 세운 것이다. 응당 이런 힐난이 있을 것이니, 여기에서 다만 말다술이라고만 이름해야 할 것인데, 어째서 솔라·미려야술을 따로 말했는가? 이런 힐난을 회통하기 위해 이렇게 말한 것이다. 그렇지만 빈낭檳榔(=나무이름) 및 패자稗子(=피) 등은 비록 역시 잠시 미미하게 취하게 할 수 있다고 해도 방일하게 하지 않아 음식으로 인정하기 때문에 범계를 이루지 않으니, 그것과 구별하기 위해 다음으로 솔라·미려야술을 말한 것이다. 지극히 취하게 하기 때문이다. 이런 여러 술을 마신다면, 비록 차죄라고 해도 방일하여 널리 온갖 악을 짓게 하므로, 세존께서 간절하고 엄중히 여러 술 마시는 것을 차단하게 하기 위해 이런 술은 방일처라고 말씀하신 것이다. 모든 불선업을 방일이라고 이름하는데, 술은 방일의 의지처이기 때문에 방일처라고 이름하였다.

아비달마구사론

제15권

제4 분별업품分別業品(의 3)

제5항 3율의의 획득의 차별

1. 획득하는 처소의 같고 다름

이 별해탈·정려·무루의 세 가지 율의는, 거기에서 하나를 얻음에 따라 나머지 둘도 역시 얻는가?[1] 그렇지 않다.[2] 어째서인가?[3] 게송으로 말하겠다.

㊱ 일체, 두 가지, 현재에 따라[從一切二現]
 욕계의 율의를 획득하며[得欲界律儀]
 근본업도, 항시에 따라[從根本恒時]
 정려·무루율의를 획득한다[得靜慮無漏][4]

논하여 말하겠다. 욕계의 율의는 말하자면 별해탈율의인데, 이것은 일체 근본업도에 따라, 아울러 가행과 후기後起에 따라 획득된다.[5] '두 가지에 따

1 이하 큰 글(=제6절 세 가지 무표의 획득 인연)의 다섯째 3율의의 획득의 차별인데, 그 안에 나아가면 첫째 획득하는 처소(=어떤 대상에 대해 획득하는가)의 같고 다름에 대해 밝히고, 둘째 유정·지분·원인에 대해 밝히며, 셋째 악과 처중의 획득에 대해 밝힌다. 이하에서 획득하는 처소의 같고 다름에 대해 밝히려고 묻는 것이다. 이 3율의는 그 처소에서 하나를 얻음에 따라 나머지 둘도 역시 얻는가?
2 답이다.
3 따지는 것이다.
4 답인데, 위의 2구는 별해탈에 대해 밝히는 것이고, 아래 2구는 정려·도에 대해 밝히는 것이다.
5 '일체에 따라 욕계의 별해탈을 획득한다'는 것을 해석하는 것이다. 이는 악을 일으키는 일체 근본·가행·후기의 처소에 따라 획득된다는 것이니, 말하자면 선계를 수지하면 악의 근본·가행·후기에서 떠나기 때문에 악을 일으키는 처소에서 도리어 선계의 획득을 일으킨다는 것이다.

라 획득한다'는 것은, 말하자면 두 가지 부류, 즉 유정과 비유정, 성죄와 차죄에 따른다는 것이다.[6] '현재에 따라 획득한다'는 것은, 말하자면 현세의 온·처·계에 따라 획득되고, 과거·미래의 그것에 따라서는 아니라는 것이다. 이 율의는 유정처有情處에서 일어나는데, 과거·미래는 유정처가 아니기 때문이다.[7]

6 '두 가지에 따라 획득한다'는 것을 해석하는 것이다. 말하자면 두 가지 부류에 따라 획득하는 것이니, 첫째 유정·비유정의 부류의 처소에 따라 획득하고, 둘째 성죄·차죄를 일으키는 부류의 처소의 처소에 따라 획득한다. 또 해석하자면 두 가지 부류라고 말한 것은, 첫째 유정의 부류에 대해 능히 성죄·차죄를 일으키는 것, 둘째 비유정의 부류에 대해 능히 성죄·차죄를 일으키는 것이다. 지금 선계를 수지하면 능히 성죄 및 차죄에서 떠나기 때문에 두 가지 부류의 성죄·차죄를 일으키는 처소에 따라 도리어 선계의 획득을 일으킨다. 그래서 『순정리론』 제39권(=대29-561하)에서 말하였다. "유정에 대한 성죄는 살생 등의 업을 말하고, 차죄는 여인과 같은 방에서 숙박하는 등을 말한다. 비유정에 대한 성죄는 외적 재물을 훔치는 것을 말하고, 차죄는 땅을 파서 살아있는 풀 등을 끊는 등을 말한다."

7 '현재에 따라 획득한다'는 것을 해석하는 것이다. 이 별해탈은 3세 중 말하자면 현세의 온·처·계에 따라 획득을 일으키는 것이니, 과거·미래의 것에 따라서는 아니다. 왜냐하면 이 율의는 현재의 유정에 대해[於現有情] 일어나고, 또 현재의 유정이 의지하거나 머무는 곳[於現有情 所依止處]에서 일어나기 때문이다. '현재의 유정에 대해 일어난다'는 것은 말하자면 (유정이 의지하거나 머무는 곳이 아니라) 유정 쪽에 따라[從有情邊] 계를 일으키는 것이다. 예컨대 삿된 욕망 등은 수호되는 유정에 따라 죄를 얻는데, 만약 삿된 욕망 등에서 떠난다면 수호되는 유정에 따라 계를 일으키는 것처럼, 그 상응하는 바에 따르는 것이다. '현재의 유정이 의지하거나 머무는 곳에서 일어난다'는 것에서, 유정이 의지하는 곳[所依處]은 내적인 몸[內身]을 말하고, 유정이 머무는 곳[所止處]은 외적 기세계[外器]를 말하는 것이다. 현재의 유정이 의지하는 곳에 대해서란, 현재의 유정이 내적으로 의지하는 몸에 대해 이 계의 획득을 일으키는 것이니, 예컨대 살생 등의 행위는 의지하는 곳에 따라 죄를 얻는데, 만약 살생 등에서 떠난다면 의지하는 곳에 따라 계를 일으키는 것처럼, 그 상응하는 바에 따른다. 현재의 유정이 머무는 곳에 대해서란, 현재의 유정이 외적으로 머무는 기세계에서 이 계의 획득을 일으키는 것이니, 예컨대 땅 등을 파면 머무는 곳에 따라 죄를 얻는데, 만약 땅을 파지 않는다면 머무는 곳에 따라 계를 일으키는 것처럼, 그 상응하는 바에 따른다. 과거·미래는 유정이 아니고, 또한 유정이 의지하거나 머무는 곳도 아니기 때문에 별해탈계를 일으킬 수 없다. 그래서 『순정리론』 제39권(=대29-561하)에서 말하였다. "유정처란 모든 유정 및 모든 유정이 의지하거나 머무는 곳을 말한다. 현재의 온·처·계로서 내적인 것은 곧 유정이 의지하는 것[所依]이고, 외적인 것은 유정이 머무는 것[所止]이라고 이름하니, 과거와 미래가 아니기 때

만약 정려율의와 무루율의의 획득이라면, 단지 근본업도에 따를 뿐이라고 알아야 할 것이다. 오히려 그 가행·후기에 따라서도 이 율의를 획득하지 않거늘, 하물며 차죄에 따라 획득하겠는가?[8] '항시에 따라 획득한다'는 것은 말하자면 과거·현재·미래의 온·처·계에 따라 획득한다는 것이다.[9]

【3율의 획득 처소의 4구 분별】 이런 차별 때문에 4구로 분별해야 할 것이니, 온·처·계로서 그것에 따라 오직 별해탈율의만을 획득하고, 나머지 두

문이다." # 이상의 설명에 의하면 본문의 '유정처'는 유정과 (그런 유정의) 처소라는 뜻이다.

8 '근본(업도)에 따라 획득한다'는 것을 해석하는 것이다. 만약 정계定戒·도계道戒의 획득이라면 단지 근본업도의 처소[處]에 따라서 획득할 뿐이라고 알아야 한다. 오히려 그 가행·후기를 일으킬 처소에 따라서도 정계·도계를 획득하지 않거늘, 하물며 차죄를 일으킬 처소에 따라서 이 율의를 획득하겠는가? 이는 곧 무거운 것을 들어서 가벼운 것에 견준 것이다. 또 해석하자면 별해탈율의는 가르침으로 차죄를 제정했기 때문에 차죄의 처소에 따라 차계의 획득을 일으키지만, 정려·도율의는 가르침으로 차죄를 제정한 것이 없기 때문에 별도의 차계가 없고, 별도의 차계가 없으므로 차죄의 처소에 따라 일으키지 않는 것이다. (문) 별해탈율의는 어째서 가행·후기의 처소에 따라서도 역시 획득하는데, 정려·도율의는 아닌가? (해) 별해탈율의는 가르침으로 가행·후기의 죄를 제정했기 때문에 가행·후기의 처소에 따라서도 일으키지만, 정려·도율의는 가르침으로 제정한 것이 없기 때문에 그래서 가행·후기의 처소에서는 획득되지 않는다. 또 해석하자면 산위散位의 율의는 산위 중의 가행·근본·후기의 3단계에서 모두 별해탈율의의 현행이 있을 수 있으니, 예컨대 대계를 수지할 때 가행 등 중에도 근책계 등이 있기 때문에 계를 획득할 때 세 가지(=가행·근본·후기) 악을 일으킬 처소에서 공통으로 획득하는 것과 같다. 정위定位의 율의는 선정의 단계 중 오직 근본에서만 일어남이 있으니, 곧 근본이기 때문에 가행·후기의 단계 중에는 있지 않다. 선정의 전후에는 이 계가 없기 때문이다. 그래서 계를 획득할 때 오직 한 가지(=근본업도) 악을 일으킬 처소에서만 획득하는 것이다.

9 '항시에 따라 획득한다'는 것을 해석하는 것이다. 말하자면 3세의 온·처·계에 따라서 획득하기 때문에 항시에 따라 획득한다고 이름한 것이다. (문) 어째서 별해탈은 오직 현재에 따라서만 획득하는데, 정려·도의 2계는 과거·미래에도 통하는가? (해) 별해탈율의는 가르침에 의해 받고 얻는데, 가르침의 뜻은 오직 현재만을 방호하기 때문에 현재에 따라서만 일으키지만, 정려·도의 2계는 가르침에 의해 받지 않고, 마음에 따라 생기기 때문에 3세 공통으로 일으킨다. 또 해석하자면 수심전의 계는 그 힘이 강해서 3세 공통으로 방호하기 때문에 3세의 온·처·계에 따라 획득하지만, 별해탈계는 그렇지 않기 때문에 현재에 따라서만 획득한다. 또 해석하자면 이 계와 함께 하는 마음은 모두 3세를 성취하기 때문에 마음과 함께 하는 계도 3세의 온·처·계에 따라 공통으로 획득하지만, 별해탈계는 그렇지 않기 때문에 오직 현세에 따라서만 획득하는 것이다.

가지 율의는 아닌 등이 있다. 제1구는 말하자면 현세의 가행·후기 및 모든 차죄에 따르는 것이다. 제2구는 말하자면 과거·미래세의 근본업도에 따르는 것이다. 제3구는 말하자면 현세의 근본업도에 따르는 것이다. 제4구는 말하자면 과거·미래의 가행·후기에 따르는 것이다.[10]

바로 선善의 율의를 획득할 때에는 현세의 악업도 등이 있을 수 있는 것이 아니니, 그러므로 현세의 처소[處]에 따라 획득한다고 말해야 할 것이고, 이치상 다만 미래만을 방호한다고 말해야지, 결정코 과거·현재를 방호한다고 말해서는 안 될 것이다.[11]

2. 유정·지분·원인에 따른 획득의 차이

10 별해탈율의로써 정려·도의 2율의에 상대시키면 일으키는 처소의 차별은 4구로 분별해야 한다. 여기에서 4구는 생각해 보면 알 수 있을 것이다. 제4구 중 차죄를 말하지 않은 것은 생략해서 말하지 않은 것이다.

11 논주가 앞의 제1·제3구에 대해 비판하는 것이다. 바로 선의 율의를 획득할 때에는 현재세의 악업도 및 가행·후기와 아울러 모든 차죄가 있을 수 있는 것이 아닌데, 어째서 제1구 중에서 현재세의 가행·후기 및 모든 차죄에 따르는 것이라고 말하고, 제3구 중에서 현세의 근본업도에 따르는 것이라고 말했는가? 비판을 마치고 바르게 말하기를, 제1구에서는 응당 '현재세의 가행·후기 및 모든 차죄의 처소[處]에 따르는 것'이라고 말해야 하고, 제3구에서는 '현재세의 근본업도의 처소[處]에 따르는 것'이라고 말해야 한다는 것이다.(=여기에서의 논의는, 율의가 획득되는 처소에 의거한 것이지, 제어되는 행위에 의거한 것이 아니라는 취지) 여기에서는 우선 제1·제3구에 대해서만 정정했지만, 이치상 실제로 4구에서 모두 '처소[處]'라는 글자를 더해서, 제2구는 '말하자면 과거·미래의 근본업도의 처소에 따르는 것'이라고 말해야 하고, 제4구는 '말하자면 과거·미래의 가행·후기(및 차죄)의 처소에 따르는 것'이라고 말해야 한다. 정정을 마친 뒤 또 말하였다. 만약 계를 일으키는 것에 의거한다면 3세에 통할 수 있지만, 만약 방호하는 것을 논한다면 이치상 단지 미래만을 방호한다고 말해야지, 결정코 과거·현재를 방호한다고 말해서는 안 되니, 과거는 이미 사라졌고, 현재는 이미 생겼으므로, 방호할 필요가 없기 때문이다. 『순정리론』(=제39권. 대29-562상)에서 변론하여 말하였다. "업도 등의 처소에 대해 업도 등이라는 말을 둔 것이기 때문에 앞의 4구도 뜻에는 역시 허물이 없다. 이와 같은 이치에 의해 과거·현재의 업도 등에 대해 방호하는 것에도 통하고, 오직 미래만을 방호하는 것은 아니니, 업도 등이라는 말로써 그 의지처도 말하기 때문이다. 만약 이와 다르다면 곧 단지 미래를 방호하는 율의라고 말했어야 할 것이니, 단지 능히 미래의 죄만을 방호해 일어나지 못하게 하기 때문이다. 과거·현재에 이미 소멸한 것과 이미 생긴 것을 방호하는 것은 아니니, 율의는 그것에 대해서는 방호하는 작용이 없기 때문이다."

율의·불율의의 모든 획득은 일체 유정, 지분[支], 원인[因]에 따라 차이가 있는가?[12] 이것에는 결정코 차이가 있다.[13] 다른 모습은 어떠한가?[14] 게송으로 말하겠다.

37 율의는 모든 유정에 따르지만[律從諸有情]
지분과 원인은 일정하지 않다고 말하며[支因說不定]
불율의는 일체[不律從一切]
유정과 지분에 따르지만, 원인은 아니다[有情支非因][15]

(1) 율의의 경우

논하여 말하겠다. 율의는 결정코 일체 유정에 따라서 획득되지, 일부만일 이치가 없지만, 지분과 원인은 일정하지 않다고 말한다. '지분이 일정하지 않다'는 것은, 일체에 따라 획득되는 것이 있고-필추율의를 말한다-, 4지분에 따라 획득되는 것이 있다-그 나머지 율의를 말한다-는 것이니, 근본업도만을 율의의 지분이라고 이름하기 때문이다. '원인이 일정하지 않다'는 것은, 말하자면 혹 어떤 뜻에서는 일체 원인에 따르지만, 혹 다른 뜻에 의거하면 하나의 원인에만 따른다고 인정되기도 한다. 일체 원인에 따른다는 것은, 말하자면 무탐·무진·무치에 따르는 것이니, 반드시 함께 일어나기 때문이다. 하나의 원인에만 따른다는 것은, 말하자면 상·중·하의 마음에 따르는 것이니, 함께 일어나지 않기 때문이다. 여기에서는 우선 뒤의 세 가지 원인에 나아가 말한 것이다.[16]

12 이는 곧 둘째 유정·지분·원인에 대해 밝히려고 묻는 것이다. 율의·불율의의 모든 획득은 일체 유정에 따라서, 일체 신·어의 7지분에 따라서, 일체 상·중·하의 원인에 따라서 차이가 있는가? 또 해석하자면 율의와 불율의는 일체 유정에 따라서 일으키는데도, 지분과 원인에는 차이가 있는가?
13 답이다.
14 따지는 것이다.
15 게송에 의한 답에 나아가면 위의 2구는 율의에 대해 밝히는 것이고, 아래 2구는 불율의에 대해 밝히는 것이다.
16 위의 2구를 해석하는 것이다. 별해탈율의는 결정코 일체 모든 유정에 따라서 획득된다. 만약 신·어의 7지분이라면 이는 곧 일정하지 않다. 일체 신·어의

혹은 율의에 머무는 자로서 일체 유정에 대해 율의를 획득하면서, 일체 지분이 아니며, 일체 원인이 아닌 한 부류가 있으니, 말하자면 하품, 혹은 중품, 혹은 상품의 마음으로써 근사계나 근책계를 받은 자이다. 혹은 율의에 머무는 자로서 일체 유정에 대해 율의를 획득하면서, 일체 지분에 의하지만, 일체 원인에 의한 것이 아닌 한 부류가 있으니, 말하자면 하품, 혹은 중품, 혹은 상품의 마음으로써 필추계를 받은 자이다. 혹은 율의에 머무는 자로서 일체 유정에 대해 율의를 획득하면서, 일체 지분 및 일체 원인에 의한 한 부류가 있으니, 말하자면 세 가지 마음[三心]으로써 근사계·근책계·필추계를 받은 자이다. 혹은 율의에 머무는 자로서 일체 유정에 대해 율의를 획득하면서, 일체 원인에 의하지만, 일체 지분에 의한 것이 아닌 한 부류가 있으니, 말하자면 세 가지 마음으로써 근사계·근주계·근책계를 받은 자이다.[17] 두루 모든 유정을 대상으로 하지 않고 율의를 획득하는 자는 없으니, 일체 모든 유정에 대해 선의 의요[善意樂]에 머물러야 비로소 율의를 획득할 수 있다. 다르다면 곧 그렇지 않으니, 악의 의요가 완전히 종식되지 않았기 때문이다.[18]

사람은 다섯 종류 한정[五種定限]을 짓지 않아야 비로소 별해탈율의를 받

7지분에 따라서 획득되는 것이 있으니, 필추율의를 말하는 것이다. 필추니를 말하지 않은 것은 7지가 같기 때문이며, 혹은 비추어 나타내기 때문이다. 몸의 3지분과 말의 1지분(=거짓말)이라는 네 가지 지분에 따라서 획득되는 것이 있으니, 나머지 근책 등의 여섯 가지 율의를 말하는 것이다. 여기에서는 오직 근본7업도에만 의거해서 율의의 지분이라고 이름하기 때문이다. 만약 상·중·하의 원인이라면 이것도 역시 일정하지 않다. 원인에는 비록 두 종류가 있지만, 게송의 글은 우선 뒤의 세 가지 원인(=상·중·하의 원인)에 의거한 것이니, 함께 일어나지 않기 때문에 차별을 분별할 수 있는 것이다.

17 사람에 의거해 바로 나타내는 것인데, 배분해서 해석한 것은 알 수 있을 것이다. # 해석 중 '혹은 율의에 머무는 자로서 일체 유정에 대해 율의를 획득하면서, 일체 지분 및 일체 원인에 의한 한 부류가 있으니, 말하자면 세 가지 마음으로써 근사계·근책계·필추계를 받은 자'라고 한 것은, 세 가지 마음 중 각각 한 가지 마음으로써 근사계와 근책계를 수지했다가 최종적으로 나머지 한 가지 마음으로써 필추계를 수지한 경우 그 최종적인 필추계를 가리키는 것이다. 그 아래의 경우도 이에 준한다.

18 해석하는 것이다. 유정들에 대해 반드시 널리 두루할 것을 필요로 하고, 일부에 대한 것은 없다.

고 획득할 수 있으니, 말하자면 유정, 지분[支], 처소[處], 시간[時], 조건[緣]의 한정이다. 유정의 한정이란 '나는 어떤 부류의 유정에 대해서만 살생 등에서 떠나겠다'라고 생각하는 것이다. 지분의 한정이라는 말은, '나는 어떤 율의지분만을 지키고 범하지 않겠다'라고 생각하는 것이다. 처소의 한정이라는 말은, '나는 어떤 부류의 방위나 지역에 머물 경우에만 살생 등에서 떠나겠다'라고 생각하는 것이다. 시간의 한정이라는 말은, '나는 한 달 등의 시간 동안만 살생 등에서 떠나겠다'라고 생각하는 것이다. 조건의 한정이라는 말은, '나는 전투하는 등의 조건만을 제외하고 살생 등에서 떠나겠다'라고 생각하는 것이다. 이와 같이 수지하는 자는 율의를 획득하지 못하고, 단지 율의와 유사한 묘행妙行만을 얻을 뿐이다.[19]

【가능하지 않은 대상에 대한 율의 획득의 근거】 가능하지 않은 대상[비소능경非所能境]에 대해 어떻게 율의를 획득하는가?[20] 널리 유정에 대해 생명을 손상치 않으려는 증상한 의요를 일으켰기 때문에 율의를 획득한다.[21]

비바사 논사들 중 어떤 분은 이렇게 말하였다. "만약 한결같이 가능한 대상[소능경所能境]에 대해서만 비로소 별해탈율의를 받고 획득한다고 말한다면, 곧 이 율의에는 증감이 있어야 할 것이니, 가능한 대상과 가능하지 않은 대상이라는 두 부류의 유정에 바뀜이 있기 때문이다. 이와 같다면 곧 어떤 별해탈율의에는 획득·버림의 연을 떠나서도 획득되고 버려지는 허물

19 이런 다섯 가지 한정은 두루하지 못하기 때문에 율의를 획득하지 못하고, 단지 서로 비슷한 처중의 묘행만을 얻는다는 것을 나타낸 것이다. '등'은 훔치는 것 등을 같이 취한 것이다. 근주는 비록 시간이 한정되더라도 역시 율의를 얻지만, 이것은 진형계[盡形]에 의거했기 때문에 획득하지 못한다고 말한 것이다. 혹은 '한 달 등'이라는 말은 이미 주야계(=근주계)를 제외한 것이다. 다섯 가지 한정은 생각하면 알 수 있을 것이다. 만약 경량부에 의하면 이런 다섯 가지 한정을 지어도 역시 율의를 획득한다.

20 물음이다. 만약 일체 유정의 처소에서 획득하지, 일부만일 이치가 없다면, 예컨대 타방의 해칠 수 있는 것 아닌 대상에 대해 어떻게 율의를 획득하는가?

21 답이다. 그 수계자는 유정에 대한 선의 의요로 말미암아 널리 율의를 획득한다. 따라서 유정에 두루하고, 일부만일 이치가 없다. 이는 곧 뜻이 유부의 바른 뜻, 즉 모든 유정에 대해 전체적으로 계를 일으킨다는 가문[總發戒家](=소위 총발설總發說 내지 총발가總發家. 이에 상대되는 것을 별발설別發說 내지 별발가別發家라고 한다)에 해당한다.

이 있을 것이다."[22] 그의 설은 그렇지 않다. 마치 먼저 없던 생초生草 등이 뒤에 일어나거나 일어났다가 말라버리더라도, 그 율의에는 증가가 없고 감소가 없는 것처럼, 가능한 대상과 가능하지 않은 대상에 대해 획득되는 율의도 경계가 바뀔 때 비례해서 역시 그러해야 할 것이다.[23] 그 말은 그렇지 않다. 왜냐하면 모든 유정은 전후 성품이 같지만, 풀 등은 전후 성품이 같지 않기 때문이다.[24] 만약 그렇다면 유정이 반열반한 뒤에는 앞의 성품이

22 두 번째 논사의 답이다. 비바사 논사들 중 어떤 분은 이렇게 말하였다. "획득될 율의는 반드시 두루 일으켜야 한다. 만약 한결같이 해칠 수 있는 대상에 대해서만 별해탈율의를 받고 획득하지, 그 가능하지 않은 대상에 대해서는 별해탈율의를 획득하지 않는다고 말한다면, 곧 이 율의에는 증감이 있어야 할 것이다. 가능하지 않은 대상으로부터 가능한 대상이 생겼을 때(=예컨대 상계의 유정이 하계에 태어났을 때)에는 율의가 증가해야 하고, 가능한 대상으로부터 가능하지 않은 대상이 생겼을 때(=위와 반대의 경우)에는 율의가 감소해야 할 것이다. 만약 증감이 있다면 곧 어떤 별해탈율의에는 획득·버림의 연을 떠나서도 획득되고 버려지는 허물이 있을 것이다. 증가할 때에는 획득의 연을 떠나서 획득되는 허물이 있다고 이름하고, 감소할 때에는 버림의 연을 떠나서 버려지는 허물이 있다고 이름한다." 획득의 연은 곧 수계사 등이고, 버림의 연은 곧 4연·5연(=뒤의 게송 39와 그 논설 참조) 등이다. 이는 곧 뜻이, 유부의 바르지 못한 뜻, 즉 모든 유정(=가능하지 않았던 대상 포함)에 대해 개별적으로 계를 일으킨다는 가문(=소위 별발설別發說 내지 별발가別發家)에 해당하는데, 바른 뜻이 아니기 때문에 아래에서 따로 논파한다.

23 논주(=총발가)의 힐난이다. 증가하고 감소한다는 그의 말은 이치상 그렇지 않다. 예컨대 생초生草(=살아있는 풀)가 먼저 없다가 뒤에 일어나더라도 그 계에는 증가가 없고, 혹 일어났다가 말라버리더라도 그 계에는 감소가 없는 것과 같으니, 생초 등에 대해 전체적으로 하나의 차계를 일으키기 때문에 증감이 없는 것이다. 그 가능한 대상 및 가능하지 않은 대상에 대해 획득되는 율의도 경계가 바뀔 때 비례해서 역시 그러해야 할 것이다. 가능한 것에서 가능하지 않은 것이 생겨도 감소가 없어야 하고, 가능하지 않은 것에서 가능한 것이 생겨도 증가가 없어야 한다. 그래서 살아있는 풀 등에 대해 전체적으로 하나의 계를 일으킨다는 것이 바른 뜻이라는 것을 알 수 있다.

24 별발가의 변론인데, 그들은 말한다. "그렇지 않다. 모든 유정은 여기에서 죽어 저기에 태어나더라도 전후 성품이 같으므로, 증가가 있고 감소가 있다. 만약 가능한 것에서 가능하지 않은 것이 생기면 가능한 부류가 감소했다고 말할 수 있으니, 가능한 부류가 적어졌기 때문이고, 가능하지 않은 부류가 증가했(다고 말할 수 있)으니, 가능하지 않은 부류가 많아졌기 때문이다. 만약 가능하지 않은 것에서 가능한 것이 생기면 가능하지 않은 부류가 감소했다고 말할 수 있으니, 가능하지 않은 부류가 적어졌기 때문이고, 가능한 부류가 증가했(다고 말할 수 있)으니, 가능한 부류가 많아졌기 때문이다. 풀 등의 경우에는, 먼

같은 부류는 지금 이미 없는데, 그 율의에 어떻게 감소가 없겠는가? 따라서 이와 같은 해석은 이치상 그렇지 않고, 앞에서 말한 이유가 이치상 훌륭한 것이라고 하겠다.[25]

만약 그렇다면 앞의 붓다 및 제도된 중생들은 이미 열반했으니, 뒤의 붓다는 그들에 대해 이미 별해탈율의의 획득을 일으키지 않았을 것인데, 어떻게 계가 전보다 감소했다는 허물이 없겠는가?[26] 일체 붓다들의 별해탈율의는 모두 일체 유정들의 처소에 따라 획득되는 것이니, 설령 그 유정들이 지금 여전히 있다고 해도 뒤의 붓다는 그들에 따라서도 역시 율의를 획득할 것이기 때문에, 뒤의 계가 전보다 감소했다는 허물은 없다.[27]

⑵ 불율의의 경우

저와 뒤, 생길 때와 말라버릴 때 성품이 다르므로, 전체적으로 계를 일으킬 수 있고, 증감한다는 허물이 없으므로, 예가 될 수 없다."

25 논주가 다시 힐난하는 것이다. 만약 유정에 따라 개별적으로 계의 획득을 일으킨다면, 아직 열반을 얻지 못하고 여기에서 죽어 저기에 태어날 때에는 유정의 전후 성품이 같아서 계에 증감이 없다고 말할 수 있겠지만, 어떤 유정들이 반열반한 뒤라면 앞의 성품 같은 부류는 지금 이미 없다. 유정이 적어졌기 때문에 개별적으로 일으켰던 연이 결여되었는데, 그 율의에 어떻게 감소가 없겠는가? 따라서 개별적으로 율의를 일으킨다는 이 뒤의 해석은 이치상 그렇지 않다. 앞에서 설한 이유, 즉 널리 유정에 대해 선의 의요를 일으켰으므로 전체적으로 율의를 일으킨다는 것이 이치상 훌륭한 것이라고 하겠다. 비록 총발·별발에 대해 바로 물은 것은 아니지만, 첫 가문의 뜻은 총발설에 해당하고, 둘째 가문의 뜻은 별발설에 해당한다.

26 총발가에 대한 힐난이다. 만약 그렇다면 앞의 가섭불 및 제도된 중생들은 이미 열반했으니, 뒤의 석가불 등은 앞의 붓다 등에 대해서는 이미 별해탈율의의 획득을 일으키지 않았을 것인데, 어째서 계가 앞의 붓다보다 감소했다는 허물이 없겠는가?

27 총발가의 답이다. 3세의 붓다들의 별해탈율의는 모두 일체 유정들의 경계의 처소에 따라 전체적으로 계의 획득을 일으킨다. 설령 그 유정들이 지금 여전히 있다고 해도 뒤의 붓다는 그들에 따라서도 역시 전체적으로 별해탈율의의 획득을 일으키기 때문에, 뒤의 계가 전보다 감소했다는 허물은 없다. 경계에는 비록 감소가 있더라도 계의 체는 줄어듦이 없는 것이다. 그래서 『대비바사론』 제120권(=대27-624상)에서 바른 뜻의 가문(=총발가)이 이 물음에 답하여 말하였다. "이렇게 말해야 할 것이다. 율의의 경계에는 비록 많고 적음이 있다고 해도, 율의의 체에는 전후 차이가 없다. 말하자면 일체 유정들의 경계의 처소에 따라서 전체적으로 획득을 일으키기 때문이다."

그 게송에 따라 모든 율의의 획득에 대해 논설했는데, 불율의의 획득은 결정코 일체 유정과 업도에 따르고, 일부 대상에 대한 불율의 및 지분을 갖추지 않은 불율의는 없다. 이것에는 결정코 일체 원인에 의한 것이 없으니, 하품 등의 마음이 함께 일어나는 일은 없기 때문이다. 만약 어떤 한 부류가 하품의 마음에 의해 불율의를 획득하고, 후에 시간을 달리하여 상품의 마음에 의해 중생의 생명을 끊었다면, 그들은 단지 하품의 불율의를 성취하고, 또한 살생이라는 상품의 표업 등을 성취할 뿐이다. 중품과 상품도 이에 비례해서 알아야 할 것이다.[28]

여기에서 무엇을 불율의자不律儀者라고 이름하는가?[29] 양을 잡고[屠羊], 닭을 잡고, 돼지를 잡고, 새를 잡고, 물고기를 잡고, 짐승을 사냥하고, 도둑질을 하고, 사형을 집행하고, 감옥을 지키고, 용을 묶고[縛龍], 개를 삶고, 그리고 그물이나 덫을 놓는 등의 모든 자를 말한다. '등'이라는 말은 왕과 형벌을 담당하는 자 및 나머지 탐문하고 살피는 자, 죄를 처단하는 등의 사람을 유추해 나타내는 것이다. 단지 항상 해치려는 마음을 가졌다면 불율의자라고 이름하니, 그런 한 부류는 불율의에 머물기 때문에, 혹은 불율의

28 아래 2구를 해석하면서, 불율의는 결정코 일체 유정의 처소에 따라서 획득되지, 일부 경계에 따른 것은 없으며, 불율의는 결정코 일체 신3·어4의 7업도에 따라서 획득되지, 지분을 갖추지 않는 것은 없으며, 이것은 결정코 일체 하·중·상품의 3원인에 의한 것은 없다는 것을 밝히는 것이다. 하품 등의 마음은 함께 일어나는 일이 없기 때문에 그래서 3원인에 의한 것을 말하지 않는 것이다. '만약 어떤' 이하는 3품이 함께 하지 않는 것을 해석하는 것이다. 만약 누군가가 하품의 마음으로 불율의를 획득하고, 다시 그 후에 시간을 달리하여 상품의 마음으로 살생했다면, 그는 단지 하품의 불율의를 성취하고, 또한 살생이라는 상품의 표·무표업과 처중(=비율의비불율의)의 업도를 성취할 뿐이니, 불율의를 중복해서 일으키는 일이 없기 때문이다. 중품과 상품의 마음으로 살생한 경우에 대해서도 역시 말해야 할 것이지만, 생략했기 때문에 말하지 않고, 우선 뛰어난 것에 의거해 논한 것이니, 중품과 상품도 이에 비례해서 알아야 할 것이다. (문) 무엇 때문에 율의에는 3품이 있고, 7지분을 갖추지 않은 것이 있는데, 불율의는 3품이 없고, 반드시 7지분을 갖추는가? (답) 율의는 얻기 어려워서 점차 받는 일이 있기 때문에 3품이 있고, 지분을 갖추지 않은 경우가 있지만, 불율의는 얻기 쉬워서 단박에 얻기 때문에 3품 및 지분을 갖추지 않는 것이 없다.

29 불율의의 사람[不律儀人]에 대해 묻는 것이다.

를 가졌기 때문에 불율의자라고 이름하는 것이다. '양을 잡는다[屠羊]'라는 말은 말하자면 생계를 위해서 수명 다할 때까지를 기한으로 잡고 항상 양을 해치려고 하는 것이다. 나머지도 상응하는 바에 따라 역시 그러하다고 알아야 할 것이다.[30]

【일체 유정·지분에 따른 불율의의 획득에 관한 논쟁】 두루 유정계有情界에 대해서 모든 율의를 획득하는 것은 그 이치가 그럴 수 있으니, 널리 이익 안락하게 하려는 뛰어난 의요에 의해 받고 획득하기 때문이다. 양을 잡는 등의 불율의의 사람도 자기의 절친[至親]에게는 손상하거나 해치려는 마음이 있는 것이 아니며, 나아가 자신의 몸과 목숨을 구호한 인연에 대해서까지는 역시 죽이려고 하지 않는데, 어떻게 널리 일체에 대해 불율의를 획득한다고 말할 수 있겠는가?[31] 그 절친이 만약 양 등이 된다면, 그에 대해

30 답이다. '양을 잡는다'는 것은 말하자면 생계를 위해서 수명 다할 때까지를 기한으로 잡고 항상 양을 해치려고 하면 불율의를 획득하지만, 만약 수명 다할 때까지가 아니라 잠시 양을 죽이는 것이라면 처중의 악을 얻을 뿐, 불율의가 아니다. 나머지도 이에 준해서 해석할 것이다. '용을 묶는다'고 말한 것은, 말하자면 주술로써 용이나 뱀을 묶어서 놀리며 즐기는 것으로 재물을 구해서 스스로 연명하는 것이다. '개를 삶는다'고 말한 것은, 말하자면 전다라 등 더럽고 악한 사람들이 여러 악의 부류를 행하는 것이다. 서쪽 나라에서 개를 삶은 사람이라고 부른다고 해서 항상 개를 삶는 것은 아니다. 간혹 개를 삶아서 먹이에 충당할 수는 있지만, 서방에서는 개를 땀흘리게 하기 때문[汗狗故]에 명칭으로 표방한 것이다. 나머지 명칭은 알 수 있을 것이다. '등'이라는 말은 왕 등을 나타내는 것인데, 왕은 말하자면 이치 아니게 살해하는 나쁜 왕[惡王]이다. '형벌을 담당하는 자'는 형을 담당하는 자와 벌을 담당하는 자를 말하고, '탐문하고 살피는 자'는 어사御史 등을 말하며, '죄를 처단하는 사람'은 대리大理(=감옥을 관장하는 관리) 등을 말한다. 큰 수로 말한다면 모두 열둘이 있는데, 나머지 말하지 않은 자는 '등'이라는 문자로 포함한 것이다. 단지 항상 해치려는 마음을 가졌다면 불율의자라고 이름하고, 반드시 자기 손으로 살해를 행해야 하는 것은 아니다. 이는 곧 마음에 의거해 해석하는 것이다. 만약 자애의 마음이 있고 항상 해치려는 마음이 없다면 비록 이런 지위에 있더라도 불율의자가 아니다. 혹은 그런 한 부류는 불율의에 머물므로 불율의자라고 이름한다는 이것은 곧 머묾에 의거해 밝히는 것이고, 혹은 불율의를 성취함이 있으면 불율의자라고 이름한다는 이것은 성취에 의거해 해석하는 것이다.

31 경량부의 물음이다. 두루 유정에 대해 선의 율의를 획득하는 것은 그 이치가 그럴 수 있으니, 널리 뛰어난 의요에 의해 받고 획득하기 때문이다. 양을 잡는 등의 사람도 절친에게는 해치려고 함이 있는 것이 아닌데, 어떻게 널리 일체

서도 역시 손상하거나 해치려는 마음을 가질 수 있기 때문이다.[32] 절친이 현재 양 등이 아니라는 것을 이미 알고 있는데, 어떻게 그에 대해 해치려는 마음을 가질 수 있겠는가? 또 성자는 필시 양 등이 될 리가 없는데, 어떻게 그에 대해 불율의를 획득하겠는가? 만약 현재의 상속을 미래의 양 등 자체라고 보고 불율의를 획득하는 것이라면, 이런 즉 양 등도 미래세에는 역시 절친 및 성자 자체일 수 있을 것이니, 그에 대해 결정코 손상하거나 해치려는 마음이 없어야 할 것이다. 이런 즉 미래의 자체를 보고 현재에 불율의를 획득하지는 않아야 할 것이다.[33]

양 등의 현재의 몸에 대해 이미 해치려는 마음이 있는데, 어떻게 거기에서 불율의를 획득하지 않겠는가?[34] 어머니 등의 현재의 몸에 대해 이미 해치려는 마음이 없는데, 어떻게 그에 대해서도 역시 불율의를 획득하겠는가? 같은 사례에 대한 것이니, 다른 이치를 구해야 할 것이다. 또 양을 잡는 등의 불율의의 사람이 일생 동안 주지 않은 것을 취하지 않고, 자기 처첩에 만족할 줄 아는 마음에 머물며, 벙어리여서 말을 할 수 없어 말의 네 가지 허물이 없다면, 어떻게 지분을 갖춘 불율의를 그가 역시 획득하겠는가?[35]

유정에 대해 불율의를 획득하겠는가?

32 설일체유부의 답이다. 그 절친이 목숨이 끝난 뒤 만약 양 등이 된다면, 그에 대해서도 역시 손상하거나 해치려는 마음을 가질 수 있기 때문에 일체에 두루한 것이다.

33 경량부에서 다시 힐난하는 것이다. 절친이 죽은 뒤에 양이 되면 죽일 수 있겠지만, 현재 양 등이 아닌데, 어떻게 해치려는 마음이 있어서 유정에 두루하다고 이름하겠는가? 무릇 절친이 양이 된다면 해치려는 마음을 가질 수 있겠지만, 성자는 필시 양 등이 될 리가 없는데, 어떻게 그에 대해 불율의를 획득하겠는가? 만약 성자가 되면 양이 되지 않는다고 해도, 그를 미래의 양 등 자체라고 보고, 현재 성자의 상속신에 대해 불율의를 획득하는 것이라고 말한다면, 이는 곧 현재 양 등도 미래세에 역시 절친이나 성자 자체일 수 있을 것이니, 그에 대해 결정코 손상하거나 해치려는 마음이 없어야 할 것이다. 이러하므로 곧 미래의 절친 및 성자 자체라고 보고, 현재의 양·닭·돼지 등에 대해 불율의를 획득하지 않아야 할 것이다.

34 설일체유부에서 이치로써 따져 묻는 것이다.

35 경량부에서 도리어 책망하는 것이다. 같은 일을 만들어 힐난하고, 또 불율의의 사람이 일생 동안 몸의 2지분과 말의 4지분이 없다면, 어떻게 역시 7지분을 갖추고 있을 수 있겠는가 라고 힐난하는 것이다.

그는 선의 의요를 두루 손상했기 때문에 비록 벙어리여서 말하지 못한다고 해도, 말로써 말하려고 하는 뜻을 몸으로 나타내기 때문에 지분 갖춘 것을 획득한다.[36] 만약 그렇다면 그 사람이 혹 어떤 때에 먼저 두세 가지 학처를 수지했다가, 뒤에는 다만 살생만을 받아들이고, 나머지에 대해서는 선의 의요를 손상시키지 않았다면 어떻게 7지의 악계를 갖추어 일으키겠는가?[37]

비바사의 논사들은 이렇게 말한다. "반드시 지분의 결여 및 남은 일부가 없어야 불율의에 머무는 사람이라고 이름할 수 있다."[38] 경량부의 논사들은 이렇게 말한다. "기한한 바에 따라서, 지분을 갖추었든 갖추지 않았든, 그리고 (유정의) 전부이든 일부이든, 모두 불율의를 획득한다. 율의도 역시 그러하니, 그 수량에 따라서 선·악의 계는 성상性相이 상반되어 상호 서로 막기 때문인데, 8계의 경우만은 제외한다."[39]

---

36 설일체유부의 답이다.

37 경량부에서 다시 힐난하는 것이다. 만약 그렇다면 그 사람이 혹은 때로 먼저 불살생 등의 두세 가지 학처－처중의 선업이다. 또 해석하자면 학처는 계이다. 경량부에서는 5계에 대해 지분 갖추지 않는 것을 인정하기 때문에 다시 이런 물음을 만든 것이다－를 수지했으나, 뒤에는 다만 살생만을 받아들이고 나머지에 대해서는 선의 의요를 손상시키지 않았다면, 어떻게 7지의 악계를 갖추어 일으키겠는가?

38 비바사 논사의 해석이다. 반드시 지분의 결여 및 남은 경계 중 일부에 대해 수지한다는 이치가 없어야 불율의에 머무는 사람이라고 이름할 수 있다. 그래서 『순정리론』 제39권(=대29-635중)에서 말하였다. "만약 먼저 기한을 잡고 선의 학처를 수지했다가, 뒤에 완전히 선의 의요를 손상하지는 않고 개별적인 연을 만남으로 말미암아 오직 살생만을 받아들였다면, 처중의 죄를 얻지, 불율의가 아니다. 다만 불율의를 획득했다면, 반드시 선의 의요를 완전히 손상해야 하고, 그래서 7지를 갖추어 획득한다."

39 경량부 논사들은 이렇게 말한다. "악을 만드는 사람의 마음이 기한한 바에 따라서, 혹은 7지분을 갖추기도 하고 혹은 7지분을 갖추지 않기도 하는데, 하나의 지분에 나아가서도, 혹은 경계 전부에 대해서든 혹은 경계 일부에 대해서든 모두 불율의를 획득한다. 세속의 계 중 근사율의도 악(=불율의)에 준해서 역시 그러하지만, 8계만은 제외하니, 시간이 짧기 때문에 지분을 갖추고 경계도 전부이다. 만약 그렇지 않다면 선심이 미약해서 곧 계를 일으키지 못한다. 그 사람이 기약한 마음의 지분의 수량이 적은가 많은가에 따라서 하나의 몸 중 선·악의 계는 성품이 상반되어 상호 서로 막기 때문이다. 말하자면 하나의 몸 중에서 만약 1지분의 선계를 수지하면 바로 1지분의 악계를 막아서 일어나지 못하게 하고, 겸하여 나머지 지분의 악계도 막아서 일어나지 못하게 하

3. 불율의·처중의 획득 방편

그 게송에 따라 불율의의 획득에 대해 논설했는데, 불율의 및 나머지 무표의 획득은 방편이 어떠한지 아직 논설치 않았으므로 논설하겠다.[40] 게송으로 말하겠다.

38 모든 불율의의 획득은[諸得不律儀]
행위 및 맹세하고 수지함에 의하며[由作及誓受]
그 나머지 무표의 획득은[得所餘無表]
밭, 수지, 무거운 행에 의한다[由田受重行][41]

논하여 말하겠다. 모든 불율의는 두 가지 원인에 의해 획득된다. 첫째는 불율의하는 집안에 태어나 있다가 처음으로 살생 등의 가행을 현행시킴에 의한 것이고, 둘째는 비록 다시 다른 집안에 태어나 있었더라도 처음 맹세하고 살생 등의 일을 수지함에 의한 것이니, 말하자면 '나는 이와 같은 사업을 행함으로써 재물을 구하여 자신을 기르고 생활하겠다'라고 하면, 바로 그 때 곧 악계를 일으키는 것이다.[42]

며, 만약 1지분의 악계를 수지하면 바로 1지분의 선계를 막아서 일어나지 못하게 하고, 겸하여 나머지 지분의 선계도 막아서 일어나지 못하게 한다.(=양쪽 '겸하여'는 부수적인 효과를 나타내는 취지) 둘이나 셋 등의 지분을 수지하는 경우도 이에 준해서 해석해야 한다. 한 사람을 불율의라고 이름하면서 또한 율의라고 이름하는 경우는 반드시 없다. 선·악의 계는 상호 상반되기 때문이다. 또 해석하자면 경량부에서는 이미 지분을 갖추지 않는 경우 및 일부에 대한 경우도 있다고 인정하는데, 한 사람을 율의라고 이름하면서 또한 불율의라고 이름하는 것을 어찌 방해하겠는가? 그 수량상 선악의 많고 적음에 따라 성상이 상반되어 상호 서로 막기 때문이다. 진제眞諦법사는 이런 해석을 하면서, 두 가지 해석 중 뜻으로 전자가 낫다고 말하였다.

40 이하는 셋째 악과 처중의 획득(의 인연)에 대해 밝히는 것인데, 앞을 맺으면서 물음을 일으켰다.

41 게송에 의한 답에 나아가면 위의 2구는 불율의에 대해 밝히는 것이고, 아래 2구는 처중에 대해 밝히는 것이다.

42 모든 불율의는 두 가지 원인에 의해 획득된다. 첫째는 불율의하는 집안에 태어나 있다가 처음으로 살생 등의 가행을 현행시켜서 때리고 묶는 등을 행하면 바로 그 때 곧 악계를 일으키고, 둘째는 비록 다시 다른 집안에 태어나 있었더

나머지 무표의 획득은 세 가지 원인에 의한다. 첫째는 밭[田]에 의해서이다. 말하자면 이와 같은 여러 복밭[福田]에 보시한 원림 등에 대한 그의 선의 무표는 처음 보시할 때 곧 생기니, 의지처 있는 여러 복업사福業事에서 설한 것과 같다.[43] 둘째는 수지[受]에 의해서이다. 말하자면 스스로, "아직 붓다께 예배하지 않았다면 먼저 식사하지 않겠다"라는 등으로 맹세해 말하거나, "재일齋日, 반 달, 한 달 및 한 해 동안 항상 음식 등을 보시하겠다"라는 맹세의 제한을 짓는 것이다.[44] 셋째는 무거운 행[중행重行]에 의해서이다. 말하자면

라도 처음 기한을 잡아 맹세하고 살생 등의 일을 수지함에 의한 것이니, 말하자면 '나는 살생 등의 사업을 행함으로써 재물을 구하여 나 자신을 기르고 생활하겠다'라고 하면, 바로 그 때 곧 악계를 일으킨다. (문) 무엇 때문에 불율의하는 집안에 태어나 있는 경우에는 맹세하고 수지하는 것을 말하지 않고, 다른 집안에 태어나 있는 경우에는 일 행하는 것을 말하지 않는가? (해) 불율의하는 집안에 태어나면 어려서부터 장성할 때까지 집안에서 항상 살생 등의 악한 일을 하는 것을 보았으므로 맹세하고 수지할 것을 필요로 하지 않는다. 설령 스스로 맹세하고 수지하더라도 그 마음이 가볍고 거만한 것이므로 악계를 일으키지 않고, 반드시 살생 등을 행해야 비로소 악계를 일으키므로, 맹세하고 수지하는 것을 말하지 않았다. 다른 집안에 태어나 있다가 장차 그 불율의를 행하려고 하는 사람은 반드시 먼저 맹세하고 수지해야 한다. 어려서부터 장성할 때까지 집안에서 살생 등의 악한 일을 하는 것을 보지 못했으므로, 처음 맹세하는 마음이 중하기 때문에 악계를 일으킨다. 뒤에 살생 등을 행하더라도 거듭 일으키지 않기 때문에 일 행하는 것을 말하지 않았다.

43 이하에서 뒤의 2구를 해석한다. 나머지 처중의 무표를 획득하는 것은 세 가지 원인에 의한다. 첫째는 밭에 의해서인데, 밭은 하나가 아니기 때문에 여러 밭이라고 이름하였다. 말하자면 이와 같은 여러 복밭에 보시한 원림 등에 대한 그의 선의 무표는 처음 보시할 때 곧 생기니, 일곱 가지 의지처 있는 여러 복업사(=앞의 제13권의 게송 ⑤a에 관한 논설)에서 설한 것과 같다. 여기에서는 우선 선의 처중에 의거해 말했지만, 이치상 밭에는 불선의 처중도 있으니, 말하자면 밭에 그물 등을 놓는 등의 불선의 무표는 처음 지을 때 곧 생긴다. 또 그런 처중의 선·악의 업도는 비록 마음이 미약하다고 해도 밭의 힘 때문에 역시 무표를 일으킨다고 알아야 한다.

44 둘째는 수지에 의해서이다. 말하자면 스스로, "아직 붓다께 예배하지 않았다면 먼저 식사를 하지 않겠다"라는 등으로 맹세해 말하거나, "재일 등에는 항상 음식 등을 보시하겠다"라는 맹세의 제한을 세우면, 비록 마음이 미약하다고 해도 수지한 힘 때문에 무표가 상속하여 생긴다. '재일'은 6재일을 말한다. 여기에서 수지에 의한 것은 우선 선에 의거해 말한 것이다. 불선의 처중은 생략하고 논하지 않았을 뿐, 이치상 역시 있어야 한다. 말하자면 예컨대 어떤 사람이 원수집안에 대해 "만약 때리거나 욕하지 않았다면 먼저 식사하지 않겠다"

이와 같은 간절하고 무거운 작의[殷重作意]를 일으켜 선을 행하고 악을 행하는 것이다. 이런 세 가지 원인에 의해 나머지 무표를 일으킨다.[45]

제7절 율의·불율의의 버림

1. 별해탈율의의 버림

이와 같이 율의 등의 획득에 대해 논설했는데, 율의 등의 버림[捨]에 대해서는 아직 논설치 않았으므로 논설하겠다.[46] 우선 어떻게 하면 별해탈율의를 버리는가?[47] 게송으로 말하겠다.

㊴ 별해탈의 조복을 버리는 것은[捨別解調伏]
고의로 버림, 목숨이 끝남[由故捨命終]
및 이형이 함께 생김[及二形俱生]
선근을 끊음, 밤이 다함에 의한다[斷善根夜盡]

㊵ 어떤 분은 중죄 범함에 의한다고 말하고[有說由犯重]

....

라는 등으로 맹세해 말하거나, 어느 날 등까지는 반드시 때리거나 욕하겠다고 맹세의 제한을 세운다면, 비록 마음이 미약하다고 해도 수지한 힘 때문에 무표가 상속하여 생긴다.

45 셋째는 중행重行(=무거운 행)에 의한 것이다. 말하자면 이와 같은 간절하고 무거운 작의를 일으켜 선을 행할 때-말하자면 순수 청정한 믿음으로 예불하는 등과 같다-에나 악을 행할 때-말하자면 사납고 날카로운 새끼줄로 채찍질하거나 때리는 등과 같다-에는 마음이 무겁기 때문에 무표가 상속하여 생긴다. (그 아래는) 해석을 마치고 맺어 말한 것이다.

46 이하는 큰 글(=널리 표·무표에 대해 밝히는 글 중의 둘째 세 가지 무표에 의해 개별적으로 해석하는 글)의 넷째 버림의 차별에 대해 밝히는 것이다. 그 안에 나아가면 첫째는 별해탈계의 버림이고, 둘째는 정계·도계의 버림이며, 셋째는 불율의의 버림이고, 넷째는 처중계處中戒의 버림이며, 다섯째는 여러 비색[諸非色]의 버림이다. 이하에서 첫째 별해탈계의 버림에 대해 밝힌다. 그 안에 나아가면 첫째 묻고, 둘째 답하는데, 물음에 나아가면 첫째 전체적으로 묻고, 둘째 개별적으로 묻는다. 이는 곧 전체적으로 묻는 것으로, 앞을 맺으면서 아래를 낳은 것이다.

47 이는 곧 개별적으로 묻는 것이다.

다른 분은 정법의 소멸에 의한다고 말하는데[餘說由法滅]
가습미라에서는 설하였다[迦濕彌羅說]
범하면 빚진 재산가와 같은 두 가지라고[犯二如負財]48

논하여 말하겠다. '조복調伏'이라고 말한 것은 뜻으로 율의를 나타낸 것이니, 이것에 의해 능히 근根을 조복되게 하기 때문이다. 근주율의를 제외한 그 나머지 일곱 가지 별해탈율의는 네 가지 연에 의해서 버려진다.49 첫째 의요意樂에 의해 이해할 수 있는 사람[有解人]에 대해서 유표업을 일으켜 학처를 버리기 때문이다.50 둘째 중동분을 버렸기 때문이며,51 셋째 이형二形이 동시에 생겼기 때문이며,52 넷째 원인된 선근이 끊어졌기 때문이다.53 근주계의 버림은 앞의 네 가지 연에 의함과 아울러 밤이 다함에 의한다. 그

48 이는 곧 답하는 것이다. 답 안에 나아가면 첫 게송은 자기 종지를 서술하는 것이고, 뒤의 게송은 다른 학설을 서술하는 것이다.
49 이하 첫 게송에 대해 해석한다. '조복'은 뜻으로 율의의 다른 명칭임을 나타낸다. 이것에 의해 6근을 능히 조복되게 하기 때문이다. 8율의 중 오직 근주만을 제외한 그 나머지 일곱 가지는 다섯 가지 버림(의 연) 중 네 가지 연에 의해 버려진다.
50 '고의로 버림에 의한다'고 한 것을 해석하는 것이다. 말하자면 고의로 작법作法(=갈마, 곧 의식儀式)하여 율의를 버리기 때문이다. 본래 의도적인 마음[故心]에 의해 받음으로써 획득하였으므로 이제 버리는 것도 다시 의도적인 마음에 의해 그것을 버리는 것이다. 그에 나아가면 셋이 있으니, 첫째는 의요에 의해 계를 좋아하지 않기 때문이고, 둘째 이해 있는 사람에 대해서 그것을 깨닫게 하기 때문이며, 셋째 유표업을 일으켜 수지했던 표색을 어기기 때문이다. 셋을 갖추어야 비로소 학처의 버림을 성취하기 때문에 하나라도 결여된 것이 있으면 버림은 곧 성취되지 못한다.
51 '목숨이 끝남에 의한다'고 한 것을 해석하는 것이다. 계는 중동분의 증상한 힘에 의해 획득되므로, 목숨이 끝남에 의해 의지대상인 중동분을 버린다면 의지주체인 계도 역시 버린다.
52 이에 대해 『순정리론』(=제39권. 대29-564중)에서 말하였다. "셋째는 의지처에 2형이 함께 생김에 의한다. 말하자면 몸이 변할 때 마음도 따라 변하기 때문이고, 또 2형인 자는 증상한 것이 아니기 때문이다."
53 계는 본래 선근에 의해 획득된 것이므로, 이제 선근이 끊어진다면 그 때문에 그 계도 버려진다. 그래서 『순정리론』(=제39권. 대29-564중)에서 말하였다. "넷째는 원인된 선근을 끊어 소멸시킴에 의해서이니, 말하자면 표·무표업과 등기하는 마음이 끊어지기 때문이다."

러므로 별해탈율의는 모두 다섯 가지 연에 의해 버려진다고 말한 것이다.[54]

어떤 이유에서 계의 버림은 이 다섯 가지 연에 의하는가?[55] 받을 때와 상반되는 표업이 생겼기 때문이며, 의지처가 버려졌기 때문이며, 의지처가 변했기 때문이며, 원인된 것이 끊어졌기 때문이며, 기한을 지났기 때문이다.[56]

【범중犯重 등 다른 연에 관한 논쟁】 어떤 다른 부파에서는, "지옥에 떨어질 과보를 감득하는 네 가지 극중極重의 죄 중 어느 하나라도 범하면 근책·필추의 율의도 역시 버린다"라고 말하고,[57] 어떤 다른 부파에서는, "정법의 소멸도 능히 별해탈율의를 버리게 하니, 정법이 소멸할 때 일체 학처·결계結界·갈마도 모두 종식되기 때문이다"라고 말하였다.[58]

가습미라국의 비바사 논사들은 이렇게 말하였다. "근본죄를 범했을 때에도 출가의 계를 버리지 않는다. 왜냐하면 한 쪽을 범했다고 해서 일체 율의가 두루 버려져야 하는 것은 아니기 때문이다. 나머지 죄를 범했다고 해서 계를 끊음이 있는 것도 아니다. 그런데 두 가지 명칭이 있다. 말하자면 '계를 지닌 자[持戒]'와 '계를 범한 자[犯戒]'이니, 마치 재산 있는 자가 남에게 빚을 졌을 때, 부자[富人] 및 빚진 자[負債者]라고 이름하는 것과 같다. 만약 범한 죄를 드러내고 참회하여 제거하면 '계를 갖춘 자[具尸羅]'라고 이름하고 '계를 범한 자'라고 이름하지 않으니, 마치 빚을 갚고 나면 단지 부자라

54 무엇을 밤이 다하였다고 이름하는가? 『순정리론』(=제39권. 대29-564중)에서 말하였다. "밤이 다한다는 것은 밝은 모습이 나올 때를 말하는 것이다."

55 물음이다.

56 답이다. '받을 때와 상반되는 표업이 생겼기 때문'이라는 것은 최초로 고의로 버리는 것이며, '의지처가 버려졌기 때문'이라는 것은 목숨이 끝나서 버리는 것이며, '의지처가 변했기 때문'이라는 것은 2형에 의해 버리는 것이며, '원인된 것이 끊어졌기 때문'이라는 것은 선근을 끊어서 버리는 것이며, '기한을 지났기 때문'이라는 것은 밤이 다해서 버리는 것이다.

57 제5구를 해석하는 것이다. '어떤 다른' 경량부 논사는, 중죄를 범하면 계를 버리니, 지옥에 떨어질 과보를 감득하는 4극중의 죄 중 어느 하나라고 범하면 근책 및 필추의 출가율의도 역시 버린다고 말하였다.

58 제6구를 해석하는 것이다. 어떤 다른 달마국다達磨鞠多Dharmaguptaka부-여기 말로 법밀부法密部이다-에서는, 정법이 소멸도 능히 별해탈율의를 버리게 하니, 정법이 소멸할 때 일체 학처·결계結界(=율의자들이 머무는 지역)·갈마도 모두 종식되기 때문에 그래서 계를 버린다는 것이다.

고만 이름하는 것과 같다."[59]

만약 그렇다면 어째서 박가범께서, "네 가지 중죄를 범한 자는 필추라고 이름하지 않고, 사문이라고 이름하지 않으며, 석가의 아들[釋迦子]이 아니다. 필추의 체를 파괴하고 사문의 성품을 해쳐서 괴멸타락壞滅墮落했으므로 타승他勝이라는 명칭을 세운다"라고 설하셨겠는가?[60] 승의의 필추에 의거

59 뒤의 2구를 해석하면서 경량부 논사를 논파하는 것이다. 그 근본 4중죄를 범했을 때에도 출가계를 버리지 않는다. 왜냐하면 이치로써 말하건대 4중죄 중 한 쪽을 범했다고 해서 일체 율의가 두루 버려져야 하는 것은 아니기 때문이다. 이는 중죄를 범하더라도 계의 체[戒體]를 버리는 것은 아님을 나타내는 것이다. 다른 죄를 범하더라도 계를 버리는 것이 아님을 인용하려고, '그 나머지 승잔죄 등을 범했다고 해서 계의 체를 끊음이 있는 것도 아니다'라고 말하였다. 나머지 죄를 범했더라도 참회하여 제거할 수 있기 때문에 다시 좋은 사람[好人]이 되니, 계의 체가 범계시 버려지지 않는다는 것을 분명히 알 수 있다. 이것도 이미 계를 버리지 않으니, 중죄를 범한 경우에도 역시 그러해야 한다. 같이 계를 범했기 때문에 같이 범계라고 이름하는데, 하나는 곧 계를 잃고, 하나는 계를 잃지 않는다면, 이치가 서로 어긋나기 때문이다. 그런데 중죄를 범한 사람에게 두 가지 명칭이 있으니, 하나는 계를 지닌 자라고 이름하고, 하나는 계를 범한 자라고 이름한다. 비유로써 견준 것은 알 수 있을 것이다. 만약 범한 죄를 드러내고 참회하여 제거했다면 덮어 감추는 마음이 없으니, 마치 선禪난제難提Nandiya가 [드러내고 참회하여 제거해서{=『마하승기율摩訶僧祇律』 제1권(=대22-232상), 『사분율』 제34권(=대22-809상), 『십송율』 제1권(=대23-2하) 등. 늘 선을 닦는다고 해서 이름 앞에 '선'을 붙여서 불렀다고 함}] 계를 지닌 자라고 이름할 뿐인 것과 같다. 이에 대한 비유 역시 알 수 있을 것이다.

60 경량부 논사의 힐난이다. 만약 중죄를 범해도 계를 버리지 않는다고 말한다면, 어째서 붓다께서 "네 가지 중죄를 범한 자는 필추라고 이름하지 않는다"(=『십송율』 제21권. 대23-157상)라고 설하셨겠는가? 필추는 계를 체로 하는데, 필추라고 이름하지 않는다고 하셨으니, 계를 버렸다는 것을 분명히 알 수 있다. 계가 능히 악을 파괴하므로 사문이라고 이름하는데, 사문이라고 이름하지 않는다고 하셨으니, 계를 버렸다는 것을 분명히 알 수 있다. 계는 석가의 금구金口로써 설하신 교법으로부터 생긴 것이므로 석가의 아들이라고 이름하는데, 석가의 아들이 아니라고 하셨으니, 계를 버렸다는 것을 분명히 알 수 있다. 필추의 계체戒體를 파괴했기 때문에 필추라고 이름하지 않고, 사문의 계체를 해쳤기 때문에 사문이라고 이름하지 않는다. 계를 지님[持戒]으로부터 무너진 것이고 사라진 것이며 떨어진 것이고 추락한 것이기 때문에 석가의 아들이 아니다. 4중죄를 범한 것에 의해 타승이라는 명칭을 세운다. 범어로 바라이波羅夷pārājikā라고 이름하는데, 여기 말로는 타승이다. 선법을 자自라고 이름하고, 악법을 타他라고 이름하는데, 만약 선법이 악법을 이기면[勝]

해 밀의密意로써 이런 말씀을 하신 것이다.[61] 이 말은 흉측[兇勃]하다.[62] 흉측한 것이 무엇인가?[63] 말하자면 세존의 요의了義의 말씀을 다른 뜻으로 해석함으로써 불요의로 만들었으니, 번뇌 많은 자에게 중죄를 범하는 연이 될 것이다.[64]

이 말씀이 요의설了義說이라고 어찌 알겠는가?[65] 율에서, "네 종류 필추가 있다. 첫째는 명상名想필추, 둘째는 자칭自稱필추, 셋째는 걸개乞丐필추, 넷째는 파혹破惑필추이다"라고 스스로 해석했으니, 이 뜻 중에서 필추가 아니라고 말한 것은, 말하자면 백사갈마白四羯磨에 의해 구족계를 받은 필추가 아니라는 것이지, 이 필추가 이전에 승의의 필추였으나, 후에 중죄를 범함에 의해 필추 아니게 되었다는 것이 아니다. 따라서 이 말씀은 요의설임을 알 수 있다.[66]

자승自勝이라고 이름하고, 만약 악법이 선법을 이기면 타승이라고 이름한다. 그래서 중죄를 범한 사람은 타승이라고 이름하는 것이다.

61 설일체유부의 답이다. 필추에는 둘이 있다. 첫째는 세속의 필추이니, 모든 범부를 말하고, 둘째는 승의의 필추이니, 모든 성자를 말한다. 또 해석하자면 별해탈계를 가지면 세속의 필추라고 이름하고, 도공계道共戒를 가지면 승의의 필추라고 이름한다. 경에서 중죄를 범하면 필추가 아니라고 말씀하신 것은 승의의 필추에 의거해 밀의로써 이런 말을 한 것이지, 필추가 아니라는 말은 세속에 의거해 필추가 아니라고 말한 것이 아니다. 말하자면 중죄를 범한 사람은 비록 계체가 있기는 해도 필경 모든 성법聖法을 증득할 능력이 없어서 그 승의의 필추를 성취할 수 없으므로 필추가 아니라고 이름한 것이지, 완전히 계를 버렸으므로 필추가 아니라고 이름한 것이 아니다. 필추라는 명칭은 두 가지를 포함하는 것인데, 따로 승의의 필추를 드러내어 말하지 않았기 때문에 '밀의'라고 말한 것이다. 사문이나 석가의 아들도 이에 준해서 알아야 하기 때문에 따로 해석하지 않은 것이다.

62 경량부에서 따지고 책망하는 것이다.

63 설일체유부의 반문이다.

64 경량부의 답이다. 말하자면 세존께서 요의로써 4중죄를 범하면 필추라고 이름하지 않는다고 말씀하신 것에 대해, 다른 승의로써 해석하여 불요의를 만들었다. 만약 중죄를 범하면 계를 버린다고 말한다면, 그는 계를 잃을 것이 두려워 보호해 지니려고 범하지 않을 것인데, 만약 중죄를 범해도 계체를 버리지 않는다고 말한다면, 번뇌 많은 자에게 중죄를 범하는 연이 될 것이니, 그는 버리지 않는다고 들었으므로 자주 중죄를 범할 것이기 때문이다. 그래서 중죄를 범해도 계를 버리지 않는다고 말한다면, 이 말은 흉측한 것이다.

65 설일체유부에서 따지는 것이다.

그리고 그가 설한 바, 한 쪽을 범했다고 해서 일체 율의가 두루 버려져야 하는 것은 아니라는 그 말은 곧 큰 스승을 힐난하는 것이니, 큰 스승께서 이에 대해 이런 비유를 세웠기 때문이다. "마치 다라나무가 밑둥이 잘린다면 반드시 다시 생장하여 광대해질 수 없는 것처럼, 모든 필추 등이 중죄를 범하는 것도 역시 그러하다."[67] 큰 스승께서는 여기에서 비유로써 무슨 뜻

---

66 경량부의 답이다. 몸은 세속 사람인데, 명칭은 필추라고 부르기 때문에 명상필추라고 말한다. 또 해석하자면 백사갈마에 의해 구족계라고 이름하는 것을 획득해야 비로소 이 사람에 대해 필추라는 명칭을 세우기 때문에 명상필추라고 말한다. 명칭[名]이 지각[想]으로부터 생기므로, 혹은 능히 지각을 낳으므로 명상이라고 말한다. 중죄를 범한 사람은 실제로는 필추가 아니지만, 자칭 나는 필추라고 말하기 때문에 자칭필추라고 말한다. 또 해석하자면 법사法事를 행할 때 자칭 필추 아무개라는 말하기 때문에 자칭필추라고 말한다. 앞의 해석이 낫다. 출가한 사람은 구걸로 살아가므로 걸개필추라고 이름한다. 또 해석하자면 출가했든 속인이든 문을 돌며 구걸하면 모두 걸개필추라고 이름한다. 모든 아라한은 번뇌를 모두 파괴했기 때문에 파혹필추라고 이름한다. 또 해석하자면 일체 모든 성자는 무루도를 얻어서 진정으로 번뇌를 파괴했기 때문에 파혹필추라고 이름한다. 곧 승의의 필추이다. 이미 율에서 이미 스스로, (본문과 같은 네 종류 비구가 있다고 해석한 뒤=『십송율』 제1권. 대23-2상) 중죄를 범한 사람은 실제로 필추가 아니라 자칭필추라고 해석했으니, 중죄를 범하면 계체가 없다는 것을 분명히 알 수 있다. 글에서는 네 가지를 인용했지만, 제2의 자칭필추를 바로 취해서 증거로 삼은 것이다. 이는 곧 가르침에 의한 증명이다. 이 경의 뜻 중에서, 혹은 이 중죄를 범했다는 뜻 중에서 필추가 아니라고 말한 것은, 계를 잃었기 때문에 백사갈마에 의해 구족계를 받은 필추가 아니어서, 혹은 백사갈마에 의해 구족계를 받은 명상필추가 아니라는 것이지, 승의에 의거해 필추가 아니라고 말한 것이 아니다. 나머지 해석은 앞과 같다. 만약 중죄를 범한 이런 필추는 먼저는 승의필추였지만, 뒤에 중죄를 범함에 의해 승의필추가 아니게 된 것이라면, 승의필추에 의거해 필추가 아니라고 말할 수 있겠지만, 이 중죄를 범한 필추는 먼저 승의필추였지만, 뒤에 중죄를 범함에 의해 승의필추가 아니게 된 것이 아닌데, 어떻게 승의필추에 의거해 필추가 아니라고 말한 것이라고 해석할 수 있겠는가? 만약 승의필추였다면 결정코 중죄를 범하지 않았을 것이다. 세속필추라면 범했든 범하지 않았든 모두 승의필추가 아닌데, 어떻게 그가 중죄를 범한 뒤 승의가 아니게 되었다고 이름할 수 있겠는가? 이는 곧 이치에 의한 증명이다. 이런 가르침과 이치에 의해, 경에서 필추가 아니라고 말한 것은 요의설임을 알 수 있다.

67 경량부에서 앞의 설일체유부의 계탁을 옮겨와서 따지고 논파하는 것인데, 알 수 있을 것이다. '다라나무'는 형상이 여기에서의 종려나무[棕櫚樹]와 비슷한 것인데, 이 곳에는 없다. # 인용된 비유 역시 『십송율』 제21권(=대23-157상)에 나오는 것이다.

을 나타내신 것인가?[68] 뜻으로 계에 대해 근본되는 중죄의 어떤 한 쪽이라고 범한다면, 나머지 수지한 것도 반드시 다시 생장하여 광대해질 수 없게 한다는 것을 나타낸다. 말하자면 그가 여러 중죄를 훼범毁犯했을 때에는 필추의 근본행을 위배한 것이기 때문에, 지극히 맹리猛利한 무참·무괴와 함께 상응하기 때문에 행의 근본이 이미 끊어졌으니, 이치상 일체 율의를 응당 두루 버린다는 것이다.[69] 또 중죄를 범한 사람에게는 세존께서 승가의 밥[僧祇食]을, 아래로 한 덩어리조차 먹는 것까지도, 승원[毘訶羅]의 땅을, 한 발자국조차 밟는 것도 허용치 않으시고, 일체 필추의 사업으로부터 쫓아내게 하시면서, 큰 스승께서는 그것에 의해 이런 말씀을 하셨다. "나락 가운데 피[稻禾稗莠]는 속히 뽑아 없애야 하고, 썩은 용마루와 들보[腐朽棟梁]는 속히 가려내어 버려야 하며, 씨앗 가운데 겨와 쭉정이[種中糠秕]는 속히 까불러 날려 버려야 하듯이, 이와 같이 대중 가운데 실제로 필추가 아니면서 필추라고 칭하는 자는 속히 쫓아내어야 한다."[70]

그런 필추의 체와 그 모습은 어떠한가?[71] 그 모습이 어떤 것이든 체는 반드시 있어야 하니, 세존께서 준다准陀에게, "네 가지 사문이 있을 뿐, 더 이상 다섯째는 없다고 알아야 한다. 네 가지라고 말한 것은, 첫째 승도勝道사문, 둘째 시도示道사문, 셋째 명도命道사문, 넷째 오도汚道사문이다"라고 설하셨기 때문이다.[72] 비록 이런 말씀이 있지만, 그에게 나머지 사문의 모습

68 설일체유부의 물음이다.
69 경량부의 답인데, 글은 역시 알 수 있을 것이다.
70 경량부에서 또 경(=중 29:122 첨파경瞻波經)을 인용해 중죄를 범하면 계를 버린다는 것을 나타낸 것이다. '승僧'은 승가를 말하니, 여기 말로는 중衆이다. '기祇'는 소유所有를 말하니, 승가의 소유를 '승기'라고 이름한다. 곧 대중들 소유의 음식을 '승기식僧祇食'이라고 이름한다. '비하라毘訶羅vihāra'는 뜻으로 번역하면 사寺이니, 머물 곳이라는 뜻이다. 중죄를 범한 사람은 '실제로는 필추가 아니면서 자칭필추'인 것이니, 이로써 율 중에서의 자칭필추도 중죄를 범한 사람이라는 것을 알 수 있다. 나머지 글은 알 수 있을 것이다.
71 경량부의 물음이다. 그 중죄를 범한 필추의 체와 그 모습은 어떠한가?
72 설일체유부의 답이다. 그 중죄를 범한 사람의 모습이 어떤 것이든 계체는 반드시 있어야 한다. 경(=장 2:3 유행경에서의 표현은 행도수승行道殊勝, 선설도의善說道義, 의도생활依道生活, 위도작예爲道作穢이다) 중에서 이미, "네 가지 사문이 있을 뿐, 더 이상 다섯째는 없다"라고 설했으니, 중죄를 범한 사람의 몸

이 있기 때문에 사문이라고 이름했을 뿐이니, 마치 불에 탄 재목, 가짜 앵무새 부리, 마른 못, 썩은 종자, 불바퀴, 죽은 사람과 같다.73

만약 중죄를 범한 사람은 필추가 아니라고 한다면, 곧 그 필추에게 학처를 주는 일이 없어야 할 것이다.74 중죄를 범한 사람은 모두 타승죄他勝罪를

에도 계가 있다는 것을 분명히 알 수 있다. 곧 오도汚道사문에 포함된다. 만약 네 가지에 포함되지 않는다면 응당 제5로 상사相似사문을 세웠어야 할 것인데, 이미 따로 세우지 않았으니, 곧 오도사문이라고 알아야 한다. 만약 계체가 없다면 사문이라고 이름하지 않을 것인데, 이미 사문이라고 이름했으니, 계체가 있다는 것을 알 수 있다. 뜻으로 제4를 이끌어서 증거로 삼은 것이다. 나머지는 같은 글이기 때문에 온 것이다. '준다Cunda'는 여기 말로 치소稚小이다. 예전에 순다純陀라고 말한 것은 잘못이다.『대비바사론』제66권(=대27-341하)에서 해석해 말하였다. "승도사문이란 말하자면 붓다 세존이시다. 스스로 능히 깨달으셨기 때문인데, 일체 독각도 역시 그러하다고 알아야 한다. 시도사문이란 말하자면 존자 사리자이다. 동등한 짝이 없기 때문이며, 큰 법의 장수이기 때문이며, 항상 능히 붓다를 따라 법륜을 굴리기 때문인데, 일체 무학의 성문도 역시 그러하다고 알아야 한다. 명도사문이란 말하자면 존자 아난다이다. 비록 유학의 지위에 있더라도 무학과 같아서, 많이 듣고 들은 것은 지니며 청정한 계금을 갖추었는데, 일체 유학도 역시 그러하다고 알아야 한다. 오도사문이란 말하자면 막갈낙가莫喝落迦필추이다. 남의 재물 등을 기꺼이 훔친 자이다."

73 경량부에서 경에 대해 회통하는 것이다. 경의 뜻에, 오도사문을 사문이라고 이름한 비록 이런 말씀이 있지만, 그에게 머리를 깎고 물들인 옷과 같은 나머지 사문의 모습이 있기 때문에 사문이라고 이름했을 뿐, 계체가 있어서 사문이라고 이름한 것이 아니다. 비유에 의지해 견준다. 마치 불탄 재목과 같은 것은 실제로는 재목이 아니지만, 재목과 비슷하기에 임시로 재목이라는 명칭을 세운 것이다. 또 나무를 조각해 만든 앵무새의 부리와 같은 것도 실제로는 그 부리가 아니지만, 그 부리와 비슷하기 때문에 임시로 부리라는 명칭을 세운 것이며, 물이 있는 것을 못이라고 이름하는데, 마른 못을 못이라고 이름하는 것은 그 못과 비슷하기 때문에 임시로 못이라는 명칭을 세운 것이며, 싹을 낳는 것을 종자라고 이름하는데, 썩은 종자도 종자라고 이름하는 것은 그 종자와 비슷하기 때문에 임시로 종자라는 명칭을 세운 것이며, 둥글게 도는 것을 바퀴라고 이름하는데, 회전하는 불을 바퀴라고 이름하는 것은 그 바퀴와 비슷하기 때문에 임시로 바퀴라는 명칭을 세운 것이며, 생각하는 것을 사람이라고 이름하는데, 죽었어도 사람이라고 이름하는 것은 그 사람과 비슷하기 때문에 임시로 사람이라는 명칭을 세운 것이다. 오도사문도 역시 그러하다고 알아야 한다. 계를 사문이라고 이름하는데, 중죄를 범한 이후에도 사문이라고 이름하는 것은 사문과 비슷하기 때문에 임시로 사문이라고 이름한 것이다.

74 설일체유부의 힐난이다. 만약 중죄를 범한 사람은 계가 없기 때문에 필추가

성취한다고 말하지 않고, 단지 타승죄를 성취한 자만 결정코 필추가 아니라고 말할 뿐이다. 말하자면 혹 어떤 사람의 상속이 수승하다면, 비록 지극히 무거운 계를 범했더라도 타승죄가 아니니, 그에게는 한 순간의 덮는 마음도 없기 때문이다. 법주法主 세존께서 제정해 세우신 것도 이와 같은 것이다.[75]

만약 타승죄를 범하여 곧 필추가 아니라고 한다면, 어찌 거듭 출가하여 수계하게 하지 않는가?[76] 그의 상속이 이미 지극히 무거운 무참·무괴로 무너져서 출가율의를 일으킬 수 있는 힘이 없으니, 마치 불탄 종자와 같기 때문이다. 그에게는 필추율의가 있을 것이라고 관찰되지 않기 때문에 거듭 출가하여 수계하게 하지 않으신 것이다. 왜냐하면 설령 그가 후일에 필추라고 여긴다고 해도, 다시 배운 것을 버릴 것이며, 또한 그가 거듭 출가하는 것을 허락하지 않을 것이기 때문이다. 이렇게 뜻 없는 자를 애써 구원하여 무얼 하겠는가? 만약 이런 사람에게 여전히 필추의 성품이 있다면, 스스로 이런 부류의 필추에게 귀의하고 예배해야 할 것이다.[77]

아니라고 한다면, 곧 중죄를 범한 필추에게 죽을 때까지 배울 계[盡形學戒]를 주는 일이 없어야 할 것이다. 그렇지만 율(=『마하승기율摩訶僧祇律』 제1권. 대22-232상) 중에서, 선禪난제難提 필추는 비록 또한 중죄를 범하기는 하였어도 덮어 감추는 마음이 없어서, 세존께서 그를 보내어 죽을 때까지 계를 배우게 하셨다고 설하였다. 이미 보내어 계를 배우게 하셨으니, 중죄를 범했다고 해서 계를 버리는 것이 아님을 분명히 알 수 있다.

75 경량부의 답이다. 중죄를 범한 일체 모든 사람은 모두 바라이죄를 성취한다고 말하지 않고, 단지 바라이죄를 성취한 자만 덮어 감추기 때문에 결정코 필추가 아니라고 말한다. 말하자면 혹 어떤 사람의 상속신 중에 수승한 참·괴가 있다면, 비록 중죄를 범했더라도 타승죄가 아니니, 그에게는 한 순간의 덮는 마음도 없는 것이 마치 선난제 등과 같기 때문이다. 법주 세존께서 제정해 세우신 것도 이와 같은 것이다.

76 설일체유부의 힐난이다. 만약 타승죄를 범해서 계가 없기 때문에 곧 필추가 아니라고 한다면, 이미 계가 없는데, 어째서 거듭 출가하여 수계하게 하지 않는가?

77 경량부의 답이다. 몸이 이미 무참·무괴로 무너져서 계를 일으킬 힘이 없는 것이 마치 불탄 종자와 같기 때문에 다시 싹을 낳지 못한다. 설령 중죄를 범한 후 스스로 필추라고 여긴다고 해도 곧 배운 것을 버릴 것이며, 또한 그가 거듭 출가하는 것도 허락하지 않을 것이기 때문이다. 해석을 마친 뒤 조롱하여 말한다. 그 계의 뜻이 없는 자를 애써 구원하여 무얼 하려는가? 만약 중죄를 범

정법이 소멸할 때에는 비록 일체 결계結界·갈마羯磨 및 비나야毘奈耶가 없으므로 아직 획득하지 않은 율의를 새로이 획득할 이치는 없겠지만, 먼저 획득한 것을 버린다는 뜻은 없다.[78]

2. 정려율의·무루율의의 버림

정려·무루의 두 가지 율의 등은 어떻게 버리게 되는가?[79] 게송으로 말하겠다.

41 선정에서 생긴 선법을 버리는 것은[捨定生善法]
지를 바꿈, 물러남 등에 의하고[由易地退等]
성법을 버리는 것은 과의 획득[捨聖由得果]
근의 연마 및 퇴실에 의한다[練根及退失][80]

논하여 말하겠다. 모든 정려지에 매인 선법은 두 가지 연에 의해 버려진다. 첫째는 지를 바꿈[易地]에 의해서이니, 말하자면 하지로부터 상지에 태어날 때, 혹은 상지에서 죽어서 하지로 와 태어날 때이다. 둘째는 획득에서 물러남[得退]에 의해서이니, 말하자면 이미 획득한 뛰어난 선정의 공덕으로부터 다시 퇴실退失할 때이다. '등'이라는 말은 중동분을 버릴 때에도 역시 일부 수승한 선근을 버린다는 것을 나타내기 위한 것이다. 마치 색계에 있는 선법을, 지를 바꿈과 물러남에 의해 버리는 것처럼, 무색계도 역시 그러한데, 율의가 없다는 점만 색계와 다르다.[81]

한 사람에게 여전히 필추율의의 체성이 있다면, 그대들은 스스로 이런 부류의 필추에게 귀의하고 예배해야 할 것이다.

78 이는 법밀부法密部를 논파하는 것이다. '갈마'는 여기 말로 업業이다. 정법이 소멸할 때에는 비록 일체 결계·갈마 및 비나야가 없으므로 아직 획득하지 않은 율의를 새로이 획득할 이치는 없겠지만-별해탈은 남의 가르침에 의하기 때문이다-, 먼저 획득한 계를 그 법이 소멸할 때 버린다는 뜻은 없다.

79 이하는 둘째 정계·도계의 버림이다. '등'은 2율의 외의 다른 유루의 선 및 무루법을 같이 취한 것이다. 여기에서의 글의 세력은 율의를 바로 밝히는 것이지만, 뜻의 편의상 다른 법도 겸하여 밝히는 것이다.

80 위의 2구는 유루의 계 등의 버림에 대해 밝히는 것이고, 아래 2구는 무루의 계 등의 버림에 대해 밝히는 것이다.

무루의 선법은 세 가지 연에 의해 버린다. 첫째는 과의 획득[得果]에 의해서이니, 말하자면 과를 획득할 때 앞의 향도向道 및 과도果道를 버리기 때문이다. 둘째는 근의 연마[練根]에 의해서이니, 말하자면 근을 연마하는 단계에서 이근의 도[利道]를 획득함에 의해 둔근의 도[鈍道]를 버리기 때문이다. 셋째는 퇴실退失에 의해서이니, 말하자면 획득에서 물러날 때 과도果道와 승과도勝果道에서 물러나 상실하기 때문이다.82

---

81 위의 2구를 해석하는 것이다. '수승한 선근'은 난법 등의 4선근이다. 이생은 목숨이 끝나서 중동분을 버리면, 욕계에 태어나든 상지에 태어나든, 결정코 그것을 버리기 때문이다. 나머지 글은 알 수 있을 것이다. 전체적으로 말한다면 선정에서 생긴 계 등은 3연에 의해 버리니, 첫째 지를 바꿈, 둘째 획득에서 물러남, 셋째 목숨의 끝남이다. 수심전의 계는 마음에 따라 획득하니, 마음을 버리기 때문에 계도 역시 따라서 버린다. 따라서 마음을 버리는 것에 3연이 있으므로, 계도 역시 3연에 의해 버리는 것이다. 그래서 『입아비달마론』(=상권. 대28-981중)에서 말하였다. "정려율의는 색계의 선심을 획득함에 의해 얻으니, 색계의 선심을 버림에 의해 버린다. 그 마음에 속하기 때문이다. 무루율의의 획득과 버림도 역시 그러하니, 무루의 마음에 따라서 획득하고 버리기 때문이다." 무색계도 색계처럼 지를 바꿈과 물러남에 의해 버리는데, 단지 계가 없다는 점만 다르다. 『순정리론』 제39권(=대29-566하)에서 비판하여 말하였다. "중동분을 버릴 때 및 이염離染할 때에도 역시 난법 등 및 퇴분정退分定(=능히 번뇌에 수순해서 물러남에 따르는 선정을 가리킴은 뒤의 제28권 중 게송⑰·⑱과 그 논설 참조)을 버린다. 이것을 포함하기 위해 다시 '등'이라는 말을 한 것이다. 경량부 논주의 해석(=세친의 본 논서)에 '이염'을 더해야 한다. 색계의 선법을, 지를 바꿈, 물러남 및 이염 세 가지에 의해 버리는 것처럼 무색계도 역시 그러하다." 구사론사가 변론하여 말한다. 「비록 제9품의 염오를 떠나면 퇴분정을 능히 버린다고 해도, 앞의 8품을 떠나서는 곧 버릴 수 없다. 이염이라는 명칭은 총칭이어서 혼동이 있을 것을 염려해 나는 말하지 않는다. 이생이 만약 난법 등의 선근을 성취했다면 목숨이 끝날 때 결정코 버리므로, 비록 적다고 해도 반드시 말한다.」 또 해석하자면 생략해서 논하지 않은 것이다.

82 아래 2구를 해석하는 것이다. 무루의 선법은 3연에 의해 버린다. '획득에서 물러난다'는 말은, 먼저 이 법을 성취했다가 뒤에 물러나 성취하지 않는 것을 획득에서 물러난다고 이름한다. '과도果道'는 말하자면 과보 중의 도이다. '승과도勝果道'는 말하자면 과보를 얻고 나서 일으키는 다른 무루가 앞의 과보보다 뛰어나기 때문에 승과도라고 이름한다. 혹은 뛰어난 과보로 취향하므로 승과도라고 이름한다. 만약 앞의 과보에서 바라본다면 승과도라고 이름하지만, 만약 뒤의 과보에서 바라본다면 향도向道라고 이름한다. 또 해석하자면 승과도는 넓으니, 과보에 의지해 일으키는 도를 모두 승과도라고 이름한다. 향도는 곧 좁으니, 뒤의 과보로 승진해 나아가는 것을 향도라고 이름하기 때문이

3. 불율의의 버림

이렇게 율의의 버림에 대해 논설했는데, 불율의는 어떻게 버려지는가? 게송으로 말하겠다.

42a 악계를 버리는 것은 죽음과[捨惡戒由死]
계의 획득, 이형의 생김에 의한다[得戒二形生][83]

논하여 말하겠다. 모든 불율의는 세 가지 연에 의해 버린다. 첫째는 죽음에 의해서이니, 의지처를 버렸기 때문이다.[84] 둘째는 계의 획득에 의해서이니, 말하자면 별해탈율의를 받아 획득하거나 정려율의를 획득하면 악계가 곧 버려진다. 인연의 힘에 의해 율의를 획득할 때 모든 불율의는 일체가 모두 끊어지니, 선계와 악계는 그 성품이 상반되는데, 선계는 그 중 세력이 강하기 때문이다.[85] 셋째는 상속에 이형二形이 함께 생김에 의해서이니, 그 때 의지처가 변하기 때문이다.[86]

악계에 머무는 자가, 비록 혹 어떤 때 짓지 않으려는 의도를 일으켜 칼·그물 등을 버렸더라도, 만약 여러 선의 율의를 받아 획득하지 않는다면 모

다. 두 가지 해석 중 앞의 해석이 낫다. # 예컨대 불환과로부터 일래과로 퇴실하면, 과도인 불환과의 도와 그 승과도인 불환향의 도를 버린다는 취지.

83 이하는 셋째 불율의의 버림인데, 맺으면서 묻고 게송으로 답한 것이다.

84 모든 불율의는 3연에 의해 버리는데, 첫째는 죽음에 의해서이니, 의지처를 버렸기 때문이다. 악계는 본래 중동분에 의지해 획득하는데, 의지대상인 중동분이 지금 이미 버려졌으니, 의지주체인 악계도 따라서 버려지기 때문이다.

85 둘째는 계의 획득에 의해서이다. 말하자면 별해탈·정려의 2계를 획득하면 악계가 곧 버려진다. 내적인 인과 외적인 연의 힘에 의해 율의를 획득할 때 악계는 곧 끊어지니, 선계와 악계는 그 성품이 상반되므로 반드시 함께 일어나는 일이 없다. 선계는 그것들 중 처음 일어날 때 증성하여 세력이 강하기 때문에 능히 악계를 버린다. (문) 3율의 중 어째서 무루율의가 능히 악계를 버린다는 것은 말하지 않는가? (해) 견도 전에는 반드시 정계定戒를 획득해서 그 악계를 버리니, 앞에서 이미 버렸기 때문에 그 도계道戒로는 능히 버린다고 말하지 않는 것이다.

86 셋째는 이형二形에 의해서 버린다. 상속신에 2형이 함께 생겼기 때문이며, 의지처인 몸이 변했기 때문에 마음도 역시 따라서 변하는 것이다.

든 불율의는 버려질 수 없으니, 비유하자면 비록 발병發病의 인연을 피했더라도 좋은 약을 복용하지 않으면 병은 끝내 치유되기 어려운 것과 같다.[87]

불율의자가 근주계를 받고 밤이 다하는 단계에 이르러 율의를 버렸을 때 불율의를 얻게 되는가, 처중의 자[處中者]라고 이름하는가?[88] 어떤 다른 논사는, "불율의를 얻는다. 악의 의요를 영원히 버린 것이 아니기 때문이다. 마치 뜨거운 무쇠를 가만히 두면, 붉은색이 사라지고 푸른색이 생기는 것과 같다"라고 말하였다. 어떤 다른 논사는, "만약 더 이상 짓지 않는다면 그로 하여금 불율의를 획득하게 하는 연이 없으니, 불율의는 표업에 의해 획득되기 때문이다"라고 말하였다.[89]

4. 처중의 무표의 버림

처중의 무표의 버림은 다시 어떠한가?[90] 게송으로 말하겠다.

㊷c 처중을 버리는 것은 수지하려는 마음, 세력[捨中由受勢]

87 악계를 얻는 것은 쉬우므로 맹세하고 수지하면 획득이 있지만, 악계를 버리는 것은 어려우므로 일을 버렸다고 해서 버려지지는 않고, 반드시 선계를 획득해야 비로소 그것을 버릴 수 있다는 것을 밝히는 것이다. 비유로써 견주는 것은 알 수 있을 것이다.

88 물음이다.

89 답이다. 앞 논사의 뜻이 말하는 것은, 「불율의를 얻는다. 악의 의요를 영원히 버린 것이 아니기 때문이다. 마치 뜨거운 무쇠를 가만히 두면, 붉은색이 사라지고 푸른색이 생기는 것처럼, 선·악의 2계도 역시 그러하다고 알아야 하니, 선계가 사라지고 악계가 생긴다」라는 것이다. 뒷 논사의 뜻이 말하는 것은, 「만약 다시 짓지 않는다면 (불율의를) 얻게 하는 연이 없으니, 불율의는 표업에 의해 생기기 때문이다. 다만 처중일 뿐이다」라는 것이다. 『대비바사론』 제117권(=대27-608중)에 준하면, 앞의 논사는 건타라健馱邏국의 논사들이고, 뒤의 논사는 가습미라국의 대 논사들인데, 그 논서에 비록 비평하는 분은 없지만, 우선 뒷 논사를 바른 것으로 한다. 그런데 『순정리론』 제39권(=대29-566하)에서는 앞의 논사를 바른 것으로 취하였다. 구사론사가 변론해 말한다. 「모든 논사가 모두 계를 획득하면 (불율의를) 버린다고 말한다. 이것(=근주계)으로 이미 계를 획득했는데, 어찌 버리지 않을 수 있겠는가? 뒤에 다시 짓지 않았는데, 어떻게 다시 일어나겠는가? 따라서 후설이 바르다는 것을 알 수 있다.」

90 이하는 넷째 처중의 무표의 버림이다. 율의도 아니고 비율의도 아니기 때문에 처중이라고 이름한다.

작업, 사물, 수명, 근의 끊어짐에 의한다[作事壽根斷][91]

논하여 말하겠다. 처중의 무표는 여섯 가지 연에 의해 버려진다.[92] 첫째 수지하려는 마음의 단괴[受心斷壞]에 의해 버려진다. 말하자면 수지한 것을 버리려고, '나는 지금부터 먼저 수지했던 것을 버리겠다'라고 이렇게 생각하는 것이다.[93] 둘째 세력의 단괴[勢力斷壞]에 의해 버려진다. 말하자면 청정한 믿음이나 번뇌의 세력에 의해 인기된 무표라면, 그 두 가지 한계 세력[限勢]이 단괴될 때 무표도 곧 버려진다. 마치 시위에 의해 발사된 화살 및 도공의 바퀴는 시위 등의 세력이 다할 때 곧 멈추는 것과 같다.[94] 셋째 작업作業의 단괴에 의해 버려진다. 말하자면 수지했던 것처럼 후에 더 이상 짓지 않는 것이다.[95] 넷째 사물事物의 단괴에 의해 버려진다. 사물이란 무엇

91 처중의 무표는 6연에 의해 버린다. 첫째는 수지하려는 마음[受心]의 끊어짐에 의해 버리고, 둘째 세력勢力의 끊어짐에 의해 버리며, 셋째 작업作業의 끊어짐에 의해 버리고, 넷째 사물事物의 끊어짐에 의해 버리며, 다섯째 수명壽命의 끊어짐에 의해 버리고, 여섯째 의지하는 근[依根]의 끊어짐에 의해 버린다. 앞에 '에 의한다[由]'와 뒤의 '끊어짐[斷]'은 중간의 여섯에 공통되는 것이다.

92 명칭을 표방하고 수를 열거하는 것이다.

93 첫째 수지하려는 마음의 단괴에 의해 버려진다. 이 무표는 수지하려는 마음에 의해 획득되었다. 말하자면 먼저 맹세하고 수지한 선심이나 악심으로, 항상 어느 때에는 선을 짓거나 악을 짓겠다는 이런 원을 지어 말했으므로-선은 예배하고 찬탄하는 등과 같고, 악은 때리는 등과 같다-, 무표도 따라서 일어났던 것이다. 잡은 기한이 아직 만족되지 않았어도 본래 원한 것이 이지러져서, 홀연 중도에 후회하는 마음을 품고 본래 수지했던 선·악 맹세한 마음을 버리려고, '나는 지금부터 먼저 수지했던 것을 버리겠다'라는 이런 생각을 하면 무표도 곧 버려지는 것이다. 본래 수지하려는 마음에 의해 이 무표을 얻었으므로, 이제 수지하려는 마음을 버리면 무표도 또한 버려지는 것이다.

94 둘째 세력이 단괴됨에 의해 버려진다. 말하자면 청정한 믿음이나 맹리한 번뇌라는 두 가지 세력이 무표를 인기했으니, 그런 두 가지 한계 세력[限勢]이 단괴될 때 무표도 곧 버려진다. 비유로 견주는 것은 알 수 있을 것이다.

95 셋째 작업이 단괴됨에 의해 버려진다. 이 무표는 작업에 의해 획득했다. 말하자면 선업을 짓거나 악업을 짓는 것이니, 선은 예배하고 찬탄하는 등과 같고, 악은 때리는 등과 같은 것인데, 무표도 따라서 일어났다. 먼저 선업·악업을 수지했던 것처럼, 이제 (짓지 않겠다는) 이런 생각을 하고 뒤에 더 이상 짓지 않는다면 무표도 곧 버려진다. 본래 작업에 의해 이 무표를 획득했으니, 이제 작업을 버리면 무표도 역시 버려지는 것이다.

인가? 말하자면 보시된 절의 집, 깔개, 탑묘, 원림 및 시설된 덫·그물 등의 사물이다.[96] 다섯째 수명의 단괴에 의해 버려진다. 말하자면 의지처에 바뀜이 있기 때문이다.[97] 여섯째 선근의 단괴에 의해 버려진다. 말하자면 가행을 일으켜 선근을 끊을 때 곧 선근에 의해 인기된 무표를 버리는 것이다.[98]

5. 비색非色의 버림

욕계의 비색非色의 선법 및 나머지 일체 비색의 염오법의 버림은 다시 어떠한가?[99] 게송으로 말하겠다.

43 욕계 비색의 선법을 버리는 것은[捨欲非色善]
근의 끊어짐, 상계에 태어남에 의하고[由根斷上生]
대치도가 생김에 의해[由對治道生]
모든 비색의 염오법을 버린다[捨諸非色染][100]

논하여 말하겠다. 욕계의 일체 비색의 선법은 두 가지 연에 의해 버려지

96 『순정리론』(=제39권. 대29-567상)에서 해석해 말하였다. "본래 그 사물에 의해 무표를 견인해 생기게 했으니, 그 사물이 무너질 때 무표도 곧 끊어진다." 『대비바사론』(=제122권. 대27-635하)에서는 '사물事物'이라고 이름하고, 『잡아비담심론』(=제3권. 대28-892하)에서는 '약사若事'라고 이름했으니, 명칭은 모두 유사하다.

97 다섯째 수명의 단괴에 의해 버려진다. 본래 처중의 선·악의 무표를 획득한 것은 의지처인 몸에 의했던 것인데, 목숨을 버림으로써 그 의지처인 중동분의 몸에 바뀜이 있기 때문에 무표도 곧 끊어지는 것이다.

98 여섯째 선근의 단괴에 의해 버려진다. 말하자면 가행을 일으켜 선근을 끊을 때 가행하는 단계에서 곧 선근에 의해 인기된 처중의 무표를 버리는 것이다.

99 이하는 다섯째 여러 비색의 버림이다. 욕계의 비색의 선법 및 나머지 일체 3계의 비색의 염오법의 버림은 다시 어떠한가 라고 물었다. 위에서 글의 기세는 바로 선·악·처중의 버림을 밝혔으므로, 다시 이렇게 물음으로써 뜻의 편의상 아울러 밝히려는 것이다. 색계·무색계의 비색의 선법에 대해서는 정계定戒의 버림 중에서 뜻의 편의상 이미 밝혔기 때문에 이에 대해서는 묻지 않았다. (문) 무엇 때문에 무기법의 버림은 묻지 않는가? (해) 나머지 선법과 염오법은 선·악의 색과 유사한 부류이기 때문에 따로 물었지만, 나머지 무기법은 유사한 부류가 아니기 때문에 묻지 않은 것이다.

100 위의 2구는 앞의 물음에 대한 답이고, 아래 2구는 뒤의 물음에 대한 답이다.

니, 첫째는 선근을 끊는 것이며, 둘째는 상계에 태어나는 것이다.[101]

3계의 일체 비색의 염오법은 한 가지 연에 의해 버려지니, 말하자면 그것은 대치도의 일어남에만 의한다. 만약 이런 품류의 번뇌를 능히 끊는 도가 생긴다면, 당연히 이런 품류 중에 있는 번뇌 및 그 조반助伴을 버리고, 다른 방편으로는 아니다.[102]

제8절 처에 의거한 율의의 성취

선·악의 율의는 어떤 유정에게 있는가? 게송으로 말하겠다.

44 악계는 인간인데, 북구로주와[惡戒人除北]
2황문과 이형자는 제외하며[二黃門二形]
율의는 천취에도 있지만[律儀亦在天]
인간만이 세 가지를 갖춘다[唯人具三種]

101 위의 2구를 해석하는 것이다. 욕계의 일체 비색의 선법-생득(선)·문·사(2혜의 가행선)와 아울러 그 권속을 말한다-은 두 가지 연에 의해 버려진다. 첫째는 선근을 끊는 것이니, 사견을 일으켜 그 선근을 끊는 것을 말한다. 만약 생득선이라면 바로 선근을 끊을 때 버려지므로 단선사斷善捨라고 이름하고, 만약 가행선이라면 선의 가행을 끊을 때 버려지므로 단선사라고 이름한다. 둘째 상계에 태어나는 것을 역지사易地捨라고 이름한다. 말하자면 지를 바꿀 때 반드시 그 선을 버린다. 『순정리론』(=제39권. 대29-567중)에서 비판하여 말하였다. "일부는 이염에 의해서도 버린다고 말해야 할 것이니, 우근 등의 비색의 선법과 같다." 해석해 말하자면 '등'은 우근과 구생하는 선의 악작惡作 및 그 권속을 같이 취한 것이다. 구사론사가 변론해 말한다. 「선근을 끊음과 상계에 태어남은 전부 버리는 것이므로 따로 말했지만, 이염은 전부가 아니므로 생략하고 논하지 않은 것이다.」

102 아래 2구를 해석하는 것이다. 3계의 일체 견·수소단의 비색의 염오법은 한 가지 연에 의해 버려진다. 말하자면 그것은 다만 능히 대치하는 여러 무간도가 일어남에 의해서만 그 상응하는 바에 따라 버려진다. 만약 이 끊어질 법의 품류를 능히 끊는 무간도가 생기면, 당연히 이 품류 중에 있는 번뇌 및 그 조반助伴을 버린다. 오직 이런 도가 생겨야만 그 염오법을 버릴 수 있지, 다른 방편으로 그 염오법을 버릴 수 있는 것은 아니다.

45 욕계천과 색계에 태어나면[生欲天色界]
정려율의가 있으며[有靜慮律儀]
무루율의는 무색계도 아우르지만[無漏幷無色]
중간정천과 무상천은 제외한다[除中定無想]103

논하여 말하겠다. 오직 인취人趣에만 불율의가 있다. 그렇지만 북구로주를 제외한 3주에만 있으며, 3주 안에서도 다시 선체扇搋 및 반택가半擇迦와 이형二形을 갖춘 자는 제외한다.104

율의도 역시 그러하니, 말하자면 인취 중 앞에서 제외한 것들을 제외하며, 아울러 천취에도 역시 있다. 따라서 2취에 율의가 있을 수 있다.105

다시 어떤 이유에서 선체 등에게 있는 상속은 율의의 의지처가 아님을 아는가?106 경과 율 중에 진실한 증거가 있기 때문이다. 말하자면 계경에서, "붓다께서 대명大名에게 이르시기를, 재가의 백의白衣의 남자로서 남근을 성취한 모든 자가 불·법·승에 귀의하여 간절하고 청정한 마음을 일으키며 진실한 말을 일으켜 스스로, '저는 오파색가입니다. 원컨대 존자께서 기억하시어 자비로써 호념하소서'라고 일컬으면, 모두 오파색가라고 이름한다고 하셨다"라고 설했으며, 율 중에서도 역시, "그대는 이런 형색의 부류

103 이하는 곧 큰 글(=널리 표·무표에 대해 밝히는 글 중의 둘째 세 가지 무표에 의해 개별적으로 해석하는 글)의 다섯째 처에 의거해 성취를 밝히는 것이다. 앞의 2구는 악계에 대해 밝히는 것이고, 뒤의 6구는 선계에 대해 밝히는 것이다. 이 선·악의 계의 처소에는 차별이 있기 때무에 처소에 의거해 성취를 분별하지만, 처중의 경우 처에 차별이 없고, 대부분 모든 처에 통하기 때문에 따로 밝히지 않는다.

104 처음 2구를 해석하는 것이다. 북구로주에는 살생 등 거칠고 무거운 업도가 없으므로 불율의도 없다. 선체와 반택가는 두 가지 황문黃門이라고 이름하니, 앞(=제3권 중 게송 1에 관한 논설)에서 이미 해석한 것과 같다. 나머지 글은 알 수 있을 것이다.

105 제3구를 해석하는 것이다. 율의도 역시 그러하니, 말하자면 인취 중 앞에서 제외한 북구로주와 선체·반택가·2형을 제외하고, 나머지 인취에 있다. 이는 곧 악계와 비례해서 같다는 것이다. 단지 인취의 3주뿐만 아니라, 아울러 천취에도 역시 있다. 따라서 인취·천취에 율의가 있을 수 있다.

106 물음인데, 알 수 있을 것이다. '상속'은 몸[身]을 말하는 것이다.

의 사람을 제외해 버려야 한다"라고 설했기 때문에, 율의가 그런 뷰류에게는 있는 것이 아님을 알 수 있다.[107]

다시 어떤 이치에 의해 그들에게는 율의가 없는가?[108] 두 가지 의지처에서 일어나는 번뇌가 하나의 상속에서 함께 증상하기 때문이며, 바르게 생각해 가림[正思擇]을 감당할 능력이 없기 때문이며, 극히 무거운 참·괴의 마음이 없기 때문이다.[109]

만약 그렇다면 어째서 불율의는 없는가?[110] 그들은 악에 대해서도 마음이 결정적이지 않기 때문이다. 또 만약 이 곳에 선의 율의가 있다면 곧 악의 율의도 거기에 역시 있을 것이니, 이 두 가지는 서로 뒤집어서 세운 것[相翻立]이기 때문이다.[111]

107 답이다. 계경(=앞에 나온 잡 [33]33:927 우바새경) 중에서 '남근의 성취'라고 설하였고, 율(=『십송율』 제21권. 대23-153하 등)에서 "이런 부류의 선체 등의 사람을 제외해 버려야 한다"라고 설했으니, 따라서 율의가 그런 부류에게는 있는 것이 아님을 알 수 있다. 나머지 글은 알 수 있을 것이다.

108 물음이다. 비록 가르침의 말씀이 있지만, 다시 어떤 이치에 의해 그들에게는 율의가 없는 것인가?

109 답이다. 하나의 의지처인 상속에서 두 가지 탐욕을 일으킬 때 선계를 일으킬 수 있는 것이 아니니, 2근(=남근·여근)이 의지하는 몸에서 일으키는 번뇌가 하나의 상속신에서 같이 증상하기 때문에 선계를 일으킬 수 없다. 바르게 생각해 가리는 것을 감당할 능력이 있어야 선계를 일으킬 수 있는데, 선체는 바르게 생각해 가려서 문·사·수 등을 감당할 능력이 없기 때문에 선계를 일으키지 못하고, 참·괴의 마음이 선계를 일으킬 수 있는데, 반택가는 극히 무거운 참·괴의 마음이 없기 때문에 선계를 일으키지 못한다. 또 해석하자면 반택가는 바르게 생각해 가리는 것을 감당할 능력이 없고, 선체는 극히 무거운 참·괴의 마음이 없기 때문이다. 또 해석하자면 모두 두 가지에 통한다. 또 해석하자면 모두 세 가지에 통한다.

110 힐난이다.

111 해석이다. 대저 선·악에 대해 마음이 결정적인 자가 선·악의 계를 얻는데, 그 2근 등은 극악에 대해서도 마음이 결정적이지 않기 때문이다. 또 선·악의 계는 하나의 몸 중에서 서로 뒤집어서 세운 것[相翻而立]인데, 그 몸이 이미 선계를 얻을 수 없기 때문에 그 악계도 역시 얻을 수 없다. (문) 선·악계의 버림에서는 2형만 버린다고 하고, 선체·반택은 아니라고 했는데, 어째서 선·악계의 얻음에서는 세 가지 모두 얻지 못한다고 하는가? (해) 선계는 선 중에서 증승增勝한 것이고, 악계는 악 중에서 증승한 것이므로, 처음 얻을 때에는 어려워서 반드시 뛰어난 의지처의 몸을 기다려 일으키기 때문에 그 세 가지 모두 얻을 수 없지만, 뒤에 일으킬 때에는 조금 쉽다. 선체·반택은 허물이 무거

북구로주의 사람에게는 수계 및 선정이 없고, 아울러 악을 지으려는 뛰어난 의요도 없다. 이 때문에 그들에게는 선계·악계가 없다.[112]

맹리猛利한 참·괴가 악취에는 없기 때문에 율의와 불율의가 거기에는 역시 있는 것이 아니다. 뛰어난 참·괴와 상응하거나 상위해야 비로소 율의나 불율의가 있기 때문이다.[113] 또 선체 등은 마치 짠 갯벌[鹹鹵田]과 같으니, 그래서 선계·악계를 낳을 수 없다. 세간을 현견하면 모든 짠 갯벌에는 곡식도 잡초도 생장할 수 없다.[114]

만약 그렇다면 어째서 계경 중에서, "어떤 난생의 용은 반 달, 8일에 매번 궁전에서 나와 인간세계로 와서 8지支의 근주재계齋戒 받기를 구한다"라고 설했는가?[115] 이것은 묘행妙行을 얻으려는 것이지, 율의를 얻으려는 것이 아니다.

그러므로 율의는 오직 인·천취에만 있다.[116] 그런데 인취에서만 세 가지 율의을 갖추니, 말하자면 별해탈·정려·무루이다.[117]

운 것이 아니어서 그 선계·악계를 능히 버리지 않으니, 계가 그런 몸에도 의지하지만, 2형은 허물이 무거워서 그 선계·악계를 능히 버리니, 계가 그런 몸에는 의지하지 않는다.

112 북구로주에는 선·악계가 없다는 것을 따로 나타내는 것이다. 북구로주의 사람에게는 수계受戒가 없기 때문에 별해탈율의가 없고, 선정에 드는 일이 없기 때문에 정려율의와 무루율의가 없으며, 그리고 악을 지으려는 뛰어난 의요가 없기 때문에 불율의가 없다.

113 이는 악취에는 선·악계가 없다는 것을 나타내는 것이다. 지극히 맹리한 참·괴가 3악취에는 없기 때문에 율의와 불율의가 거기에는 역시 있는 것이 아니다. 뛰어난 참·괴와 상응하여 일어나기 때문에 비로소 율의가 있고, 뛰어난 참·괴와 상반되는 뛰어난 무참·무괴와 상응해야 불율의가 있는 것이다.

114 비유로 견주는 것인데, 알 수 있을 것이다.

115 힐난이다. 만약 율의가 악취에는 없다고 말한다면, 어째서 경(=출전 미상)에서 용이 8계를 수지하려고 했다고 설했겠는가? '반 달'은 15일을 말고, '8일'은 월의 8일을 말한다. 또 해석하자면 '반 달'은 백반의 15일 및 흑반의 15일을 말하고, '8일'은 백반의 8일 및 흑반의 8일을 말한다. 또 해석하자면 '반 달' 중의 '8일'이니, 백반의 8일 및 흑반의 8일을 말한다.

116 답이다. 용은 비록 계를 받는다고 해도 처중의 묘행의 업도만을 얻을 뿐, 율의를 획득하는 것이 아니다. 그러므로 율의는 오직 인·천에만 있지, 3악취에는 아니다. (문) 만약 계를 획득하지 못한다면 무엇 때문에 받으려고 했는가? (해) 묘행을 낳게 하면 뛰어난 과보를 얻기 때문이다.

만약 욕계천에 태어나거나 색계에 태어나면 모두 정려율의의 획득이 있을 수 있지만, 무색계에 태어나면 그것은 반드시 있는 것이 아니다.[118] 무루율의는 무색계에도 역시 있다. 말하자면 욕계천 중에 태어나 있거나 색계 중에 태어나면, 중간정·무상천을 제외하고 모두 무루율의의 획득이 있을 수 있지만, 무색계 중에 태어나면 오직 성취할 수 있을 뿐인데, 색이 없기 때문에 반드시 현행해 일어나지는 않는다.[119]

제2장 경에서 설한 여러 업

제1절 세 가지 성품의 업

모든 업의 성품과 모습이 같지 않음에 대해 분별하는 기회에, 경 중에서 표방한 모든 업에 대해 해석하겠다.[120] 우선 경 중에서 업에는 선·악·무기의 세 가지가 있다고 설했는데, 그 모습은 어떠한가?[121] 게송으로 말하겠다.

117 제4구를 해석하는 것이다.

118 제5·제6구를 해석하는 것이다. 『순정리론』(=제39권. 대29-567하)에서 말하였다. "만약 욕계천에 태어나거나 색계에 태어나면 모두 정려율의의 획득이 있을 수 있지만, 무상천에서는 단지 성취할 수 있을 뿐(=새로이 획득할 수 있는 것은 아니라는 취지)이다. 무색계에 태어나면 그것(=정려율의의 획득과 성취)은 모두 있는 것이 아니다."

119 뒤의 2구를 해석하는 것이다. 무루율의는 단지 욕·색계에 있을 뿐만 아니라, 무색계에도 역시 있다. 말하자면 욕계천에 태어나 있거나 색계천에 태어나면, 중간정의 대범천왕 및 무상천은 제외하고-그 2처는 이생뿐이기 때문이다-나머지 16처에는 모두 무루율의의 획득이 있을 수 있지만, 무색계에 태어나면 오직 아래 6지(=미지정·중간정·4근본정) 중의 무루율의를 성취할 수 있을 뿐인데, 색이 없기 때문에 반드시 현행하지 않는다.

120 이하 당품에 있는 큰 글의 둘째 경의 여러 업을 해석하는데, 그 안에 나아가면 첫째 앞을 옮겨와서 전체적으로 표방하고, 둘째 개별적으로 해석한다. 이는 곧 앞을 옮겨와서 전체적으로 표방하는 것이다.

121 이하는 둘째 개별적으로 해석하는 것인데, 그 안에 나아가면 첫째 3성의 업에 대해 밝히고, 둘째 복업 등의 3업에 대해 밝히며, 셋째 3수업三受業에 대해 밝히고, 넷째 3시업三時業에 대해 밝히며, 다섯째 신·심수업身心受業에 대해 밝히고, 여섯째 곡曲·예穢·탁濁업에 대해 밝히며, 일곱째 흑흑업 등에 대해 밝히고, 여덟째 3모니三牟尼와 3청정에 대해 밝히며, 아홉째 3악행·묘행에 대해 밝

㊻a 안온한, 안온하지 않은, 둘 아닌 업을[安不安非業]
선·악·무기라고 이름한다[名善惡無記][122]

논하여 말하겠다. 이와 같은 것을 선업 등의 모습이라고 이름한다. 말하자면 안온한 업[安隱業]을 말하여 선업이라고 이름한다. 능히 사랑할 만한 이숙·열반을 얻어서 잠시·영원의 두 종류 시간 동안 온갖 괴로움을 건너기 때문이다. 안온하지 않은 업을 불선업이라고 이름한다. 이로 말미암아 능히 사랑할 만한 것 아닌 이숙을 초래하니, 앞의 안온한 업과 그 성품이 상반되기 때문이다. 앞의 두 가지가 아닌 업에 대해 무기업이라는 명칭을 세운다. 선·불선이라고 가릴 수 없기 때문이다.[123]

제2절 복업 등의 3업

또 경 중에서, 업에는 복·비복 등의 세 가지가 있다고 설했는데, 그 모습은 어떠한가? 게송으로 말하겠다.

㊻c 복업·비복업·부동업인데[福非福不動]
욕계의 선업을 복업이라 이름하고[欲善業名福]

히고, 열째 십업도에 대해 밝히며, 열한 번째 3사행三邪行에 대해 밝힌다. 이하는 첫째 3성의 업에 대해 밝히는 것인데, 그 안에 나아가면 첫째 묻고, 둘째 답한다. 이는 곧 경에 의해 물음을 일으킨 것이다.

122 게송에 의한 답이다.

123 이와 같이 안온한 업 등을 선업 등의 모습이라고 이름한다. 말하자면 안온한 업을 말하여 선업이라고 이름하니, 능히 사랑할 만한 이숙과를 얻는다면 잠시 온갖 괴로움을 건너기 때문이고, 능히 사랑할 만한 열반의 과보를 얻는다면 영원히 온갖 괴로움을 건너기 때문이다. 안온하지 않은 업을 불선업이라고 이름하니, 이로 말미암아 능히 사랑할 만한 것 아닌 이숙과를 초래하고, 또 열반으로 취향하는 것을 지극히 막고 멈추게 하므로, 앞의 안온한 업과 그 성품이 상반되기 때문이다. 앞의 두 가지가 아닌 업을 무기라고 이름하니, 따로 뛰어난 공능이 없어 선이나 불선이라고 가릴 수 없기 때문이다.

47 불선업을 비복업이라 이름하며[不善名非福]
상계의 선업을 부동업이라 이름하니[上界善不動]
자지의 처소에 의거한 것이어서[約自地處所]
과보와 업에 이동이 없기 때문이다[果業無動故][124]

논하여 말하겠다. 욕계의 선업을 말하여 복업이라고 이름하니, 사랑할 만한 과보를 초래하여 유정을 이익하기 때문이다. 모든 불선업을 말하여 비복업이라고 이름하니, 사랑할 만한 것 아닌 과보를 초래하여 유정을 손해하기 때문이다. 위의 2계의 선업을 말하여 부동업이라고 이름한다.[125]

어찌 세존께서 아래 3선정은 모두 '동이 있는 것[有動]'이라고 이름한다고 설하시지 않았는가?[126] 이들 중에 심구·사찰 등이 있는 것을 '동動'이라고 이름한다고 성자께서 설하셨기 때문이다. 아래 3선정은 심구·사찰 등이 있어 재난[災患]이 아직 종식되지 않았기 때문에 '동動'이라는 명칭을 세우신 것이고, 부동경不動經 중에서는 부동의 이숙[不動異熟]을 능히 감득한다는 것에 의거해 부동이라고 이름하신 것이다.[127]

어떻게 동 있는[有動] 선정이 동 없는[無動] 이숙을 초래하는가?[128] 비록

---

124 이하는 곧 둘째 복업 등의 3업에 대해 밝히는 것이다. 첫 구는 명칭을 열거하는 것이고, 다음 3구는 개별적으로 해석하는 것이며, 뒤의 2구는 방해되는 것을 해석하는 것이다. # '경'은 중 27:111 달범행경達梵行經이다.

125 이는 곧 간략하게 복업 등의 3업을 해석한 것이다.

126 물음이다. 어찌 세존께서 아래 초·제2·제3정려는 모두 '동이 있는 것'이라고 이름한다고 설하시지 않았는가?(=중 18:75 정부동도경淨不動道經 및 50:192 가루오다이경加樓烏陀夷經 등)

127 답이다. '등'은 희수·낙수를 같이 취한 것이다. 그래서 『순정리론』(=제40권. 대29-568상)에서 말하였다. "성자께서 이 중에 심구·사찰·희수·낙수가 있는 것을 동動(=동요 내지 흔들림)이라고 설하셨기 때문이다. 아래 초정려에는 심구·사찰에 의한 동요가 있고, 아래 제2정려에는 희수에 의한 동요가 있으며, 아래 제3정려에는 낙수에 의한 동요가 있으니, 심구 등이 있어 재난이 아직 종식되지 않았기 때문에 '동'이라는 명칭을 세우신 것이다. 부동경(=앞에 나온 중 27:111 달범행경) 중에서는 그로 인해 능히 부동의 과보를 감득하는 것에 의거했기 때문에 부동이라고 이름한 것이다." 또 해석하자면 희수·낙수와 출·입식을 같이 취한 것이니, 그 상응하는 바에 따라서 '동'이라고 이름한 것이다.

이런 선정 중에 재난에 의한 움직임은 있지만, 업을 과보에 상대시킬 때 이동해 일어남[動轉]이 있는 욕계와 같은 것이 아니기 때문에 부동이라는 명칭을 세운 것이다. 말하자면 욕계 중에서는 다른 취趣·처處의 업이 별도의 연의 힘에 의해서 그와 다른 취·처에서 받기도 하니, 혹 어떤 업이 외적 재산·지위나 내적 형상·크기·안색·힘·즐거움 등을 능히 감득할 것이어서, 천취 등 중에서 이 업이 성숙해야 할 것인데도, 별도의 연의 힘에 의해서 견인되어 일어나기 때문에 인취 등 중에서 이 업이 곧 성숙하기도 한다. 그러나 색계·무색계의 나머지 지·처地處의 업은, 바뀌어 그와 다른 지·처에서 받게 할 수 없고, 그 업의 과보의 처소가 결정적이므로 부동이라는 명칭을 세운 것이다.129

제3절 순락수順樂受 등의 3수업三受業

또 경 중에서, "업에는 순락수順樂受 등의 세 가지가 있다"라고 설했는데, 그 모습은 어떠한가?130 게송으로 말하겠다.

128 이하 뒤의 2구를 해석하는 것인데, 이는 곧 묻는 것이다.

129 답이다. 비록 아래 3정려 중에는 심구·사찰 등의 재난에 의해 움직임은 있지만, 업을 과보에 상대시킬 때 이동해 일어남이 있는 욕계와 같은 것이 아니기 때문에 부동이라는 명칭을 세운다. 말하자면 욕계 중에서는 나머지 다른 취, 다른 처의 만업滿業이 있더라도, 별도의 연의 힘이 그것을 도움에 의해서 그와 다른 취나 다른 처에서 받게 하기도 하니, 혹 어떤 업이 외적 재산·관직·지위, 내적 몸의 형상·크기·안색·힘·즐거움 등을 능히 감득할 만업이어서 천취 등의 4취 중에서 이 업이 성숙해야 할 것인데도, 별도의 연의 힘에 의해서 견인되어 일어나기 때문에 인취 등의 4취 중에서 이 업이 곧 성숙하기도 한다. 지옥만은 제외하니, 사랑할 만한 이숙과가 없기 때문이다. 또 해석하자면 '등'자 중에는 지옥도 포함되니, 사랑할 만한 것 아닌 과보는 5취에 통하기 때문이다. 그러나 색계·무색계에서는 나머지 지, 나머지 처의 업이, 바뀌어 그와 다른 지, 다른 처에서 이숙과를 받게 할 수 없으니, 업을 과보에 상대시키거나 처소에 상대시킬 때 결정적이기 때문에 등인된 지[等引地]에 거두어질 뿐, 이동해 일어남이 없기 때문에 부동이라는 명칭을 세운다.

130 이하는 셋째 3수업에 대해 밝히는 것인데, 경(=출전 미상)에 의해 물음을 일으켰다.

48 순락, 순고, 순불고불락인데[順樂苦非二]
제3정려까지의 선업은 순락이고[善至三順樂]
모든 불선업은 순고이며[諸不善順苦]
그 위의 선업은 순불고불락이다[上善順非二]

49 다른 분은 그 아래에도 있다고 설하니[餘說下亦有]
중간정도 이숙을 초래하며[由中招異熟]
또 이 세 가지 업이[又許此三業]
전후 아니게 성숙하는 것을 인정하기 때문이다[非前後熟故]

50 순수에는 모두 다섯이 있으니[順受總有五]
말하자면 자성, 상응[謂自性相應]
및 소연, 이숙과[及所緣異熟]
현전이 차별되기 때문이다[現前差別故][131]

논하여 말하겠다. 모든 선업 중 욕계로부터 시작하여 제3정려에 이르기까지를 순락수업順樂受業이라고 이름하니, 모든 낙수는 여기까지만 이르기 때문이다. 모든 불선업은 순고수업順苦受業이라고 이름하며, 제3정려를 지난 상지의 모든 선업은 순불고불락수업順不苦不樂受業이라고 이름하니, 이 위에는 전혀 고수·낙수가 없기 때문이다.[132]

이런 모든 업은 오직 느낌[受]이라는 과보만 감득하는 것이 아니라, 그런 느낌의 자량資糧도 역시 감득한다고 알아야 할 것이니, 느낌 및 그 자량을 여기에서 '수受'라고 이름한 것이다.[133]

131 처음 1게송은 바로 3수업을 밝히는 것이고, 제2게송은 증거를 인용하는 것이며, 제3게송은 순수順受에 대해 밝히는 것이다.
132 첫 게송을 해석하는 것인데, 알 수 있을 것이다.
133 이 모든 3수업은 오직 느낌이라는 과보만 감득하는 것이 아니라, 그런 느낌의 자량도 역시 감득한다고 알아야 한다. 수온을 제외한 나머지 4온은 수온을 돕기 때문에 느낌의 자량이라고 이름하니, 느낌 및 자량을 여기에서 총칭하여 '수'라고 이름한 것이다. '수'라고만 말한 것은, 강한 것에 따라 말하기 때문이

어떤 다른 논사는 말하였다. "그 아래의 여러 지 중에도 역시 제3의 순비이업順非二業이 있으니, 중간정의 업도 이숙을 초래하기 때문이다. 만약 이와 다르다고 한다면, 중간정의 업에는 이숙이 없어야 할 것이다. 혹은 업이 없어야 할 것이니, 고·락의 이숙과가 없기 때문이다."[134] 어떤 다른 논사는, "이 업은 능히 근본지 중의 낙근의 이숙을 감득한다"라고 말하였고, 어떤 분은, "이 업은 느낌의 과보를 감득하지 않는다"라고 말하였다.[135] 두 가지 설 모두 근본논서와 상반된다. 그래서 근본논서에서 말하였다. "업으로서 심수心受의 이숙을 감득하면서 신수는 (감득하는 것) 아닌 것이 혹시 있는가? 있다고 말한다. 말하자면 선의 무심無尋의 업이다."[136] 또 근본논서에서 말

고, 상종相從하는 것을 말하기 때문이며, 느낌의 자량이기 때문이다. 또 『순정리론』 제40권(=대29-568하)에서도 말하였다. "이 업은 느낌이라는 이숙만 감득하는 것이 아닌데, 어떻게 모두 순수업이라는 명칭을 얻었는가? 모든 업이 원인이 되어 감득되는 이숙은 모두 느낌과 비슷하므로 '수'라는 명칭을 얻었기 때문이다. 왜냐하면 그것들은 모두 느낌처럼 몸에게 이익·손해 및 평등한 것이 되기 때문이다. 마치 물이나 불 등이 나뭇가지 등에 대해 이익이 되거나 손해가 되거나 평등한 것이 되거나 하는 뜻이 성립되는 것과 같다."

134 제5·제6구를 해석하는 것이다. 어떤 다른 논사는, 다만 상지에만 순사업順捨業이 있는 것이 아니라, 그 아래의 여러 지 중에도 역시 제3의 순비이업(=순불고불락수업=순사업)이 있으니, 중간정의 무심유사업無尋唯伺業이 능히 중간정의 사수의 이숙을 초래하기 때문이다. 중간정에 태어나면 오직 사수만 있기 때문이다. 만약 이와 다르다면, 중간정의 업에는 이숙과가 없어야 할 것이다. 혹은 업이 없어야 할 것이니, 감득되는 고·락의 과보가 없기 때문이다.

135 두 가지 다른 해석을 서술하는 것이다. 앞 논사의 뜻이 말하는 것은, 이 중간정의 무심유사업은 능히 초정려의 근본지 중의 낙근의 이숙을 감득한다는 것이니, 같이 하나로 묶인 것[同一縛]이기 때문이다. 두 번째 논사의 뜻이 말하는 것은, 이 무심유사업은 느낌의 과보를 감득하지 않고, 다른 색법·불상응행법을 감득한다는 것이다.

136 논주가 논파해 말한다. 두 가지 설 모두 근본논서와 상반되는 것이다. 그래서 근본논서{=『발지론』 제11권(=대26-973상). 『대비바사론』 제115권(=대27-598하)도 같다}에서 말하였다. "업으로서 심수心受의 이숙만 감득하고, 신수의 이숙은 (감득하는 것) 아닌 것이 혹시 있는가? 있다. 말하자면 선한 무심無尋의 업이다." 중간정의 선업은 이미 무심無尋에 포함되니, 다만 중간정의 심수만 감득하고, 신수는 감득하지 않는다는 것을 분명히 알 수 있다. 만약 중간정의 선의 무심업이 능히 초정려의 낙근의 이숙을 감득한다고 말한다면, 곧 무심업이 신수를 감득함이 있는 것이므로 근본논서와 상반되니, 근본논서에서 무심업은 심수만을 감득한다고 말했기 때문이다. 또 근본논서에서 선의

하였다. "세 가지 업이 앞도 아니고 뒤도 아니게 이숙을 받는 경우가 혹시 있는가? 있다고 말한다. 말하자면 순락수업이 색을, 순고수업이 심·심소법을, 순불고불락수업이 심불상응행(을 감득하며) ···· 이다." 이에 의해 그 아래의 지에도 순비이업이 역시 있다는 것을 증지할 수 있으니, 욕계를 떠나서는 이 세 가지 업이 동시에 성숙할 수 있는 것이 아니기 때문이다.137

무심업은 능히 심수를 감득한다고 말했으니, 중간정의 선업은 능히 심수의 이숙을 감득한다는 것을 분명히 알 수 있다. 이미 느낌의 과보를 능히 감득하는 것이니, 이 업은 느낌의 과보를 감득하지 않는다는 후설도 역시 근본논서에 어긋나는 것이다.

137 제7·제8구를 해석하는 것이다. 또 『발지론』(=제11권. 대26-974하) 등의 근본논서를 인용해 그 아래의 지에도 사수의 이숙이 있다는 것을 증명하는 것이다. 상계 중에는 고수가 없기 때문에 순3수업이 일시에 과보를 받는다고 말할 수 없다. 여기에서는 『발지론』 중의 제1번만 간략히 열거했지만, 제2번과 제3번에서 자세히 말한 것 중에 드러나는데, 『대비바사론』 제118권(=대27-615중~하)에서 말하는 것과 같다. "혹 순락수 등의 3업으로서 앞도 아니고 뒤도 아니게 이숙과를 받는 것이 있는가? (답) 있다. 여기에서 앞이 아니라는 것은 과거를 부정하는 것이고, 뒤가 아니라는 것은 미래를 부정하는 것이며, 이숙과를 받는다는 것은, 세 가지 업이 같이 일찰나경에[同於一刹那頃] 이숙과를 받는 것을 말하는 것이다. 이에 의해 물음을 세우니, 있다고 답하였다. 말하자면 '순락수업이 색을'이란, 이 업이 능히 인·천의 9처-성처를 제외한다-를 감득하거나, 악취의 4처-색·향·미·촉을 말한다-를 감득하고, '순고수업이 심·심소법을'이란, 이 업이 능히 고수 및 그와 상응하는 이숙을 감득하며, '순불고불락수업이 심불상응행을'이란, 이 업이 능히 인·천의 4부류의 이숙-명근, 중동분, 득, 4상[生住老無常]을 말한다-을 감득하거나, 능히 악취의 2부류의 이숙-득, 4상을 말한다-을 감득하는 경우이다.(=제1번이다) 또 '순락수업이 심불상응행을'이란, 이 업이 능히 인·천의 4부류의 이숙-명근, 중동분, 득, 4상을 말한다-을 감득하거나, 능히 악취의 2부류의 이숙-득, 4상을 말한다-을 감득하고, '순고수업이 색을'이란, 이 업이 악취의 9처-성처를 제외한다-를 감득하거나, 인·천의 4처-색·향·미·촉을 말한다-를 감득하며, '순불고불락수업이 심·심소법을'이란, 이 업이 능히 불고불락수 및 그와 상응하는 이숙을 감득하는 경우이다.(=제2번이다) 또 '순락수업이 심·심소법을'이란, 이 업이 능히 낙수 및 그와 상응하는 이숙을 감득하고, '순고수업이 심불상응행을'이란, 이 업이 능히 악취의 4부류의 이숙-명근, 중동분, 득, 4상을 말한다-을 감득하거나, 인·천의 2부류의 이숙-득, 4상을 말한다-을 감득하며, '순불고불락수업이 색을'이란, 이 업이 능히 인·천의 9처-성처를 제외한다-를 감득하거나, 악취의 4처-색·향·미·촉을 말한다-를 감득하는 경우이다.(=제3번이다)" 여기에서 인용한 뜻은, 제2번 중의 '순불고불락수업이 심·심소법을'을 바로 취해서 증거로 삼은 것(인데, 이 표현은 본문 중에는 나타나

이런 업은 선인가, 불선인가?[138] 선이지만, 열등한 것이다.[139] 만약 그렇다면 곧 앞에서 설한 것과 상반된다. 말하자면 제3정려까지의 선업을 순락수업이라고 이름한다고 하고, 사랑할 만한 과보를 얻는 것을 선업이라고 이름한다고 하였다.[140] 그것은 많은 부분에 의거해 말한 것이라고 알아야 할 것이다.[141]

【명칭의 해석】 이런 업과 느낌은 체성이 이미 다른데, 어떻게 '순락수' 등이라고 말하는가?[142] 업은 낙수와 체성이 비록 다르지만, 능히 원인이 되어 낙수를 이익되게 한다.[143] 혹은 다시 이런 업은 낙에 의해 받아들여진 것

지 않고, '‧‧‧‧'에 포함되어 있다는 취지)이다. 이미 순불고불락수업이 심·심소법을 감득하기 때문에 결정코 사수의 이숙이 있다는 것을 알 수 있다. 반드시 동시이기 때문이니, 욕계를 떠나서는 이런 세 가지 업이 일찰나에 동시에 성숙할 수 있는 것이 아니기 때문에 상계에는 곧 없다. 이에 의해 그 아래의 지에도 결정코 사수의 이숙이 있다는 것을 증지할 수 있다. 비록 순사수업의 색·불상응행이 있다고 해도 결정코 사수를 감득하는 것은 아니기 때문에 증거로 삼지 않았다.

138 물음이다. 사수를 감득하는 업은 선인가, 불선인가?

139 답이다. 하지의 사수는 열등한 선에 의해 감득된 것이다. (문) 상지의 사수는 뛰어난 선으로써 감득할 수 있는데, 어째서 제3정려 이하의 사수는 열등한 선으로써 감득되는가? (해) 상지에는 기뻐할 만한 기쁨과 즐거움이 더 이상 없기 때문에 뛰어난 선으로써 능히 감득하지만, 하지에는 다시 기쁨과 즐거움이라는 두 가지 느낌이 있어 사람들은 대부분 그것을 좋아하고, 대부분 사수를 구하지 않으니, 기쁨과 즐거움을 구하기 위해 뛰어난 선으로써 그것을 감득한다. 만약 따로 기쁨과 즐거움이라는 두 가지 느낌을 좋아하지 않고 단지 괴로움에서 벗어나기만을 원한다면, 곧 열등한 선을 써서 그 사수를 감득한다. 또 『대비바사론』 제115권(=대27-599상)에서 말하였다. "(문) 어째서 사근은 선업으로 감득할 뿐, 불선업으로는 아닌가? (답) 사근은 행상이 미세하고 고요하여 지혜로운 자가 좋아하는 것이기 때문에 선업으로 감득하지만, 모든 불선업은 성품이 거칠게 움직이는 것이기 때문에 사수의 이숙을 감득할 수 없다."

140 힐난이다.

141 답이다. 제3정려 이하에 선업으로서 사수를 감득하는 것이 조금도 없는 것은 아니지만, 선업은 대부분 낙수를 감득하므로, 많은 부분에 따라 선업은 낙수를 감득한다고 말한 것이다. 선업이 사랑할 만한 과보를 감득한다는 것도 역시 그러하다고 알아야 할 것이다.

142 이하 명칭을 해석하는 것이다. 업은 원인이고, 느낌은 결과이므로, 두 가지는 성품이 이미 다른데, 어떻게 순락수 등이라고 말할 수 있는지 묻는 것이다.

143 답인데, 모두 세 가지가 있다. 이는 곧 첫째 해석인데, 이는 이익한다는 뜻에

[樂所受]이다. 그 낙이 어떻게 능히 업을 받아들이는가 하면 낙은 이런 업의 이숙과이기 때문이다.[144] 혹은 다시 그 낙은 업에 의해 받아들여진 것[業所受]이다. 이것이 능히 낙의 이숙을 받아들이기 때문이니, 마치 (목욕할 때 쓰는 가루비누를) 순욕산順浴散(이라고 이름하는 것)처럼 이것도 역시 그러해야 할 것이다. 이 때문에 순락수업이라고 이름한 것이니, 나머지 두 가지 순수업도 역시 그러하다고 알아야 할 것이다.[145]

전체적으로 순수順受를 말한다면 대략 다섯 가지가 있다.[146] 첫째는 자성自性순수이다. 말하자면 일체 느낌[受]이니, 계경에서, "즐거운 느낌을 느낄 때 즐거운 느낌을 느낀다고 여실하게 안다. ····"라고 설한 것과 같다.[147] 둘째는 상응相應순수이다. 말하자면 일체 접촉[觸]이니, 계경에서, "즐거운 느낌에 수순하는 접촉[順樂受觸]····"이라고 설한 것과 같다.[148] 셋째는 소

의거해 '순'이라는 뜻을 해석하는 것이다. 원인이 낙수라는 결과를 이익되게 하기 때문에 '순'이라는 명칭을 세웠다.

144 둘째 해석인데, 받아들여진 것[所受]에 의거해 순을 해석하는 것이다. 낙이라는 결과는 능수能受이고, 업이라는 원인은 소수所受이니, 소수가 능수를 수순하기 때문에 순수라고 이름한 것이다. 그 낙이라는 결과가 어떻게 업이라는 원인을 받아들일 수 있는가? 업에 의해 낙을 감득하니, 낙이라는 결과가 일어날 때 결과가 낙의 원인을 받아들이기 때문에 능수라고 이름한다.

145 셋째 해석인데, 받아들이는 주체[能受]에 의거해 순을 해석하는 것이다. 혹은 그 낙은 업에 의해 받아들여진 것이다. 업에 의해 낙을 감득하니, 낙이라는 결과가 일어날 때 업이라는 원인은 능수이고, 낙이라는 결과는 소수이다. 이는 곧 능수가 소수를 수순하기 때문에 순수라고 이름한 것이다. 마치 순욕산順浴散(=목욕할 때 쓰는 가루비누)과 같다. '욕'은 목욕을 말하고, '산'은 콩가루 부류 등의 가루비누를 말하는데, 목욕에 수순하기 때문에 '순욕산'이라고 이름한다. 이것도 역시 그러해야 하니, 업이 낙수를 수순하기 때문에 순락수업이라고 이름한 것이다. 순락수업에 대해 이미 세 가지 해석을 한 것처럼, 순고수업과 순불고불락수업도 역시 그러하다고 알아야 할 것이다.

146 이하는 뒤의 1게송을 해석하는 것이다. 순수를 해석하는 기회에 순수順受(=느낌에 수순하는 것)에 대해 널리 밝히려고, 모두 다섯 가지가 있다고, 명칭을 표방하고 수를 열거한 것이다.

147 말하자면 일체 느낌 자체에 거스르지 않는 것을 자성순수라고 이름한다. 계경(=잡 [13]12:290 무문경無聞經)에서, "즐거운 느낌을 느낄 때 여실하게 안다"라고 한 등과 같다. # 느낌의 자성은 받아들이는 것[領納]이다.

148 일체 느낌과 상응하는 접촉은, 상응하는 것 중 능히 느낌에 수순하기 때문에 상응순수라고 이름한다. 경(=위와 같은 경)을 인용하는 것은 알 수 있을 것

연所緣순수이다. 말하자면 일체 경계[境]이니, 계경에서, "눈으로 형색을 보고 나면 형색을 받아들일 뿐, 형색에 대한 탐욕을 받아들이지 않는다. ····"라고 설한 것과 같다. 형색 등은 느낌의 소연이기 때문이다.149 넷째는 이숙異熟순수이다. 말하자면 이숙을 감득하는 업[感異熟業]이니, 계경에서, "순현수업順現受業····"이라고 설한 것과 같다.150 다섯째는 현전現前순수이다. 말하자면 바로 현행한 느낌[正現行受]이니, 계경에서, "즐거운 느낌을 느낄 때 두 가지 느낌은 곧 소멸한다. ····"라고 설한 것과 같다. 이 즐거운 느낌이 앞에 나타나 있을 때에는 다른 느낌이 있으면서 이 즐거운 느낌을 받아들일 수 있는 것이 아니라, 단지 즐거운 느낌 자체가 현전함에 의거한 것일 뿐이므로, 곧 설하기를 즐거운 느낌을 느낀다고 이름한 것이다.151

여기에서는 단지 이숙순수만을 말한 것이니, 업이 능히 느낌이라는 이숙을 초래하기 때문이다. 비록 업과 느낌은 체성에 차이가 있다고 해도, 순락수 등이라고 이름할 수 있는 것이다.152

이다.

149 말하자면 일체 경계는 느낌의 소연인데, 이 소연인 경계는 능연인 느낌을 수순하므로 소연순수라고 이름한다. 계경(=잡 [12]13:313 경법경經法經)에서, "눈으로 형색을 보고 나면 의식은 형색을 받아들일 뿐, 형색을 반연하는 탐욕을 받아들이지 않는다"라고 설한 것과 같다. 또 해석하자면 '눈으로 형색을 본다'는 것은 안근을 말하는 것이고, '형색을 보고 나면'은 의식을 말하는 것이다. 나머지는 앞에서 해석한 것과 같다. 나아가 법경에 이르기까지 역시 그러하다고 알아야 하는데, 바로 6경을 취한 것일 뿐, '형색에 대한 탐욕을 받아들이지 않는다'는 것은 같은 글이기 때문에 온 것이다.

150 말하자면 일체 이숙과를 감득하는 업을 이숙순수라고 이름한다. 업을 이숙이라고 이름하는 까닭은, 원인이 결과와 다른 것을 '이'라고 이름하거나, 결과를 감득할 때 앞과 같지 않은 것을 '이'라고 이름한 것이며, 바로 결과를 감득할 때 능히 성숙하기 때문에 '숙'이라고 이름하거나, 결과에 따라 이름으로 삼은 것이다. 경(=중 3:15 사경思經)을 인용한 것은 알 수 있을 것이다.

151 말하자면 현재 바로 현행한 느낌이 나타나 있는 것에 거스르지 않는 것을 현전순수라고 이름한다. 계경(=중 24:97 대인경大因經)에서, "즐거운 느낌을 느낄 때-느낌이 현재 있다는 것을 나타낸다- 두 가지 느낌은 곧 소멸한다 ····"라고 설한 것과 같다. 경에서 '즐거운 느낌을 느낄 때'라고 말한 것은, 이 즐거운 느낌이 나타나 있을 때에는 다른 느낌이 있으면서 이 즐거운 느낌을 받아들일 수 있는 것이 아니라, 단지 즐거운 느낌 자체가 현전함에 의거한 것일 뿐이므로, 경에서 곧 즐거운 느낌을 느낀다고 설한 것이다.

제4절 순현법수順現法受 등의 3시업三時業

1. 네 가지 업

이와 같은 3업에는 정업과 부정업이 있는데, 그 모습은 어떠한가?[153] 게송으로 말하겠다.

51 이들에는 정업과 부정업이 있고[此有定不定]
정업은 순현수 등의 세 가지인데[定三順現等]
혹자는 업에 다섯 가지가 있다고 말하며[或說業有五]
다른 논사는 4구로 말하였다[餘師說四句][154]

논하여 말하겠다. 이 위에서 논설한 순락수업 등에는 각각 정업과 부정업의 차이가 있다고 알아야 할 것이니, 결정된 시기에 받는 것이 아니기 때문에 부정업이라는 명칭을 세운 것이다. 정업에는 다시 세 가지가 있으니, 첫째 순현법수順現法受, 둘째 순차생수順次生受, 셋째 순후차수順後次受이다. 이 세 가지 정업과 아울러 앞의 부정업이 모두 네 가지를 이룬다.[155]

152 이상에서 비록 다섯 가지를 널리 설했지만, 이 순3수업 중에서는 단지 제4의 이숙순수만을 말하는 것이니, 업이 능히 느낌이라는 이숙을 초래하기 때문이다. 비록 업이라는 원인과 느낌이라는 결과는 체성에 차이가 있지만, (이숙순수에 의거할 때) 순락수 등이라고 이름할 수 있다.

153 이하는 넷째 3시업에 대해 밝히는 것이다. 그 안에 나아가면 첫째 네 가지 업을 밝히고, 둘째 네 가지 업의 차별을 밝히며, 셋째 중유의 조업造業을 밝히고, 넷째 정수업定受業의 모습을 밝히며, 다섯째 현법과업現法果業을 밝히고, 여섯째 업이 곧 과보를 받는 것[業卽受果]에 대해 밝힌다. 이는 곧 첫째 네 가지 업을 밝히려고, 앞을 옮겨와서 물음을 일으킨 것이다. 3수업을 밝히는 기회에 곧 네 가지 업을 밝히는 것이기 때문에 경을 인용하지 않았다.

154 위의 2구는 바로 답하는 것이고, 아래 2구는 다른 학설을 서술하는 것이다.

155 위의 2구를 해석하는 것이다. 업에는 네 가지가 있다고 말하는데, 모두 시기가 결정적임과 결정적이지 않음에 의거해 4업을 세운 것이다. 시기가 결정적인 것에 세 가지가 있으니, 현·생·후를 말하는 것이고, 시기가 결정적이지 않은 것은 하나가 된다. '결정적이지 않다'는 뜻에는 여러 가지가 있다고 알아야 한다. 혹은 결정코 과보를 받는 것이 아니기 때문이기도 하고, 혹은 결정코 이 시기에 받는 것이 아니기 때문이기도 하며, 혹은 결정코 이 취에서 받는

혹 어떤 분은 부정수업不定受業에 다시 두 가지가 있게 하려고 한다. 말하자면 이숙에 결정적인 것과 결정적이지 않은 것이 있는 것이니, 정업의 세 가지와 아울러 합치면 다섯 가지를 이룬다.[156]

순현법수란 말하자면 이 생에서 짓고, 곧 이 생에서 익는 것이고, 순차생수란 말하자면 이 생에서 짓고, 제2생에서 익는 것이며, 순후차수란 말하자면 이 생에서 짓고, 제3생 이후에 순차 익는 것[從第三生 後次第熟]이다.[157]

것이 아니기 때문이기도 하고, 혹은 결정코 이 처에서 받는 것이 아니기 때문이기도 하며, 혹은 결정코 이런 부류의 과보를 받는 것이 아니기 때문이기도 하니, 마치 무거울 것을 바꾸어 가벼운 것을 받거나, 가벼울 것을 바꾸어 무거운 것을 받는 등과 같다. 이와 같은 등의 부류를 모두 결정적이지 않다고 이름한다. 시기에 의거해 분별하는 까닭은, 무릇 업 짓는 것을 논할 때 시기를 결정하기 어렵기 때문이다. 만약 시기에서 결정적이라면 이숙도 역시 결정적이고, 만약 시기에서 결정적이지 않다면 이숙도 역시 결정적이지 않다. 시기는 익는 것을 떠나서는 별도의 성품이 없기 때문이며, 시기는 익는 단계[熟位]의 차별이기 때문이다.

156 제3구를 해석하면서 5업의 뜻을 해석하는 것이다. 혹 어떤 분은 부정수업不定受業에 다시 두 가지가 있게 하려고 한다. 첫째는 이숙은 결정적이지만, 시기가 결정적이지 않은 것(=소위 시부정이숙정업時不定異熟定業)이다. 현·생·후의 3시 중에 결정적이지 않은 것에 넷(=현일지, 생일지, 후일지, 셋 모두 부정일지)이 있고, 혹은 2시에 결정적이지 않은 것에는 2시를 합치면 셋(=현일지 생일지, 현일지 후일지, 생일지 후일지 부정)이 있으며, 혹은 3시에 결정적이지 않은 것은 3시를 합쳐서 하나가 된다. 둘째는 이숙 및 시기 모두 결정적이지 않은 것(=소위 시이숙구부정업時異熟俱不定業)인데, 이것도 역시 넷이 있다. 혹은 2시에 이숙 및 시기가 모두 결정적이지 않은 것에는 2시를 합치면 셋이 있고, 혹 3시에 이숙 및 시기가 모두 결정적이지 않은 것은 3시를 합쳐서 하나가 된다. 무릇 시기는 결정하지 어렵지만, 만약 시기가 결정적이라면 이숙도 반드시 결정된다. 따라서 시기는 결정적이면서 이숙이 결정적이지 않은 경우(=말하자면 시정이숙부정업)는 없다. 정업의 셋과 아울러 합치면 다섯 가지가 되는 것이다. (문) 4업설과 5업설은 같은가, 다른가? (해) 같은 점도 있고, 다른 점도 있다. 만약 3정업 및 부정업 중 이숙도 부정不定이고 시기도 부정인 것이라면 양 설이 모두 같지만, 만약 부정업 중 이숙은 결정적이지만, 시기가 부정인 것이라면, 5업설에는 있고, 4업설에는 곧 없으니, 이것이 다른 점이다. 그래서 5업설의 가문은 부정업 중에서 두 가지를 나눈 것이다.

157 3정업의 명칭을 개별적으로 해석하는 것이다. 순현법수라고 함에서 '현법'은 현재의 몸[現身]을 말하고, '수'는 이숙을 말하는 것이니, 말하자면 이 생에서 업을 짓고, 곧 이 생에서 이숙과를 받는 것으로, '생'은 중동분을 말하는 것이다. 순차생수란 말하자면 이 생에서 짓고, 다음 제2생에서 이숙과를 받는 것으로 '생'은 태어나는 곳[生處]을 말하는 것이다. 순후차수란 말하자면 이 생에

어떤 다른 논사는 말하였다. "순현법수업은 다른 생에서 익을 수도 있지만, 처음 익는 단계에 따라서 업의 명칭을 건립하여 순현법수 등이라고 한 것이니, 강력한 업의 이숙과가 적게 해서는 안 될 것이다."158 비바사 논사들은 이런 뜻을 인정하지 않는다. "혹 결과는 가깝지만, 수승한 것 아닌 업이 있으며, 혹 이와 상반되는 것도 있기 때문이다. 비유하자면 외부 종자와 같으니, 1개월 반[三半月]을 지나면 아마는 곧 열매를 맺지만, 반드시 6개월을 지나야 보리는 비로소 열매를 맺는다."159

비유자譬喩者는 업에는 4구가 있다고 설하였다. 첫째 어떤 업은 시기에는 결정적이지만, 이숙에는 결정적이지 않으니, 말하자면 획득할 이숙에 결정적인 것 아닌 순현법수 등의 3업이다. 둘째 어떤 업은 이숙에는 결정적이지만, 시기에서는 결정적이지 않으니, 말하자면 획득할 이숙에 결정적인 부정업이다. 셋째 어떤 업은 두 가지 모두에 결정적이니, 말하자면 획득할 이숙

서 짓고, 제3생 이후 나아가 많은 생에 이르기까지를 모두 '후'라고 이름하니, 제2생 후에 있기 때문이다. 이 '후'의 단계에서는 과보가 단박에 일어나는 것이 아니라, 순차 익는다.

158 어떤 다른 경량부 논사의 설이다. 순현법수업은 나머지 제2생 등에서도 역시 이숙을 받을 수 있다. 그런데도 순현법수라고 이름한 것은 처음 익는 단계[初熟位]에 따라서 업의 명칭을 건립해 '순현'이라고 이름한 것이다. '등'은 생수·후수도 같이 취한 것이니, 생수·후수의 2업도 역시 여러 생을 감득할 수 있지만, 처음에 따라 명칭을 세운 것이라고 알아야 하고, 순현수에 준해서 해석해야 한다. 순현수 등 강하고 뛰어난 힘의 업의 이숙과가 적게 해서는 안 될 것이다. 경량부에 의하면 어떤 하나의 업이 여러 생을 감득할 수 있다고 인정한다. 만약 순현법수업이라면 그 힘이 가장 강하므로 반드시 생수·후수도 받고, 순생수업이라면 그 힘이 조금 열등하므로 현수는 받지 않는다. 이는 곧 순현수업보다 열등하지만, 반드시 후수는 받으니, 이는 곧 순후수업보다는 뛰어난 것이다. 만약 순후차수업이라면 그 힘이 가장 열등하므로, 현수·생수는 받지 않으니, 따라서 앞의 두 가지보다 열등해서 후수만을 받는 것이다.

159 비바사 논사들은 이런 경량부의 뜻을 인정하지 않는다. 어째서 반드시 결과가 가깝다고 해서 그 업도 곧 뛰어나겠는가? 모든 업은 결정적이지 않으니, 혹 어떤 업은 결과는 가까워도 뛰어난 것이 아니기도 하고, 혹 다시 어떤 업은 결과는 멀어도 뛰어나기도 하다. 비유하자면 외부 종자와 같으니, 3개월 반이 지나면 아마는 곧 열매를 맺지만–이는 곧 결과는 가까워도 뛰어난 것이 아닌 것이다. '삼반월三半月'은 1개월 반을 말한다. 혹은 3개월 전부와 반 달이다–, 반드시 6개월을 지나야 보리는 비로소 열매를 맺는다.–이는 곧 결과는 멀어도 뛰어난 것이다–

에 결정적인 순현법수 등의 3업이다. 넷째 어떤 업은 두 가지 모두에 결정적이지 않으니, 말하자면 획득할 이숙에 결정적인 것 아닌 부정업이다. 그는 모든 업은 모두 여덟 가지를 이룬다고 말하는 것이니, 말하자면 순현법수업에도 결정적인 것과 결정적이지 않은 것이 있고, 나아가 부정업에 이르기까지도 역시 두 가지가 있다는 것이다.[160]

2. 네 가지 업의 차별

여기에서 논설한 업의 차별에 대해 게송으로 말하겠다.

52 4업이 선설인데, 함께 지을 수 있지만[四善容俱作]
동분을 인기하는 것은 셋뿐이며[引同分唯三]

160 제4구를 해석하는 것이다. 비유자는 업에는 네 가지 경우[四句]가 있다고 말하였다. 제1구는 어떤 업이 3시에 결정적이지만, 이숙에는 결정적이지 않은 경우이다. 말하자면 순현 등의 3업이 획득할 이숙에는 결정적인 것이 아닌 경우이다. 이것에는 셋이 있으니, 첫째 현수라는 시기에 결정적이면서 이숙에는 결정적이지 않은 것이고, 둘째 생수라는 시기에 결정적이면서 이숙에는 결정적이지 않은 것이며, 셋째 후수라는 시기에 결정적이면서 이숙에는 결정적이지 않은 것이다. 이 가문의 뜻이 말하는 것은, 업이 익는 시기에는 결정적이면서 이숙에는 결정적이지 않으니, 말하자면 세 가지 시기에 결정적이면서 이숙에는 결정적이지 않으므로, 만약 이 시기에 받는다면 곧 받지만, 받지 않는다면 필경 받지 않는다는 것이다. 제2구는 어떤 업이 이숙에는 결정적이지만, 세 시기는 결정적이지 않은 경우이다. 말하자면 부정업이 획득할 이숙에 결정적인 경우이다. 여기에 해당하는 것은 하나뿐이니, 말하자면 이숙에 결정적이면서 시기가 결정적이지 않은 것이다. 제3구는 어떤 업이 시기와 이숙에 모두 결정적인 경우이다. 말하자면 순현수업 등이 획득할 이숙에도 결정적인 경우이다. 여기에 해당하는 것에는 셋이 있으니, 첫째 현수업으로서 시기와 이숙에 모두 결정적인 것, 둘째 생수업으로서 시기와 이숙에 모두 결정적인 것, 후수업으로서 시기와 이숙에 모두 결정적인 것이다. 제4구는 어떤 업이 시기와 이숙에 모두 결정적이지 않은 경우이다. 말하자면 부정업이 획득할 이숙에도 결정적이지 않은 경우이다. 이에 해당하는 것도 하나뿐이니, 말하자면 시기와 이숙에 모두 결정적이지 않은 것이다. 그는 모든 업에는 모두 여덟 가지가 있다고 설하는 것(=소위 8업설)이다. 말하자면 순현·순생·순후·부정업 네 가지에 각각 결정적인 것과 결정적이지 않은 것이 있기 때문에 여덟 가지가 된다. 제1구의 셋은 결정 중의 부정[定中不定]이고, 제2구의 하나는 부정 중의 결정[不定中定]이며, 제3구의 셋은 결정 중의 결정[定中定]이고, 제4구의 하나는 부정 중의 부정[不定中不定]이다.

모든 처소에서 네 가지 짓지만[諸處造四種]
지옥에서는 선의 순현수업이 제외된다[地獄善除現]

53 불퇴종성이라면 이염지에서[堅於離染地]
이생은 순생수업을 짓지 않으며[異生不造生]
성자는 순생수·순후수업을 짓지 않는데[聖不造生後]
욕계·유정처에서 물러난 성자도 같다[幷欲有頂退][161]

논하여 말하겠다. 순현법수 등의 세 가지 업은 오직 정업이고, 부정업을 아우르면 네 가지가 되는데, 이 설이 선설이 된다. 이 설에서는 오직 시기의 결정적임과 결정적이지 않음만을 나타내는데, 경에서 설한 4업의 모습을 해석한 것이기 때문이다.[162]

네 가지 업을 동시에 짓는 경우가 혹시 있는가?[163] 있을 수 있다.[164] 어떤 경우인가?[165] 세 명의 사자를 보내고 나서 스스로 삿된 욕망[邪欲]을 행하면 동시에 완성된다.[166]

몇 가지 업이 능히 중동분을 인기하는가?[167] 능히 인기하는 것은 순현법수업을 제외한 세 가지일 뿐이니, 현재 몸[現身]의 동분은 이전의 업[先業]

161 이하는 곧 둘째 4업의 차별에 대해 밝히는 것이다. 여기에서 설한 4업이 차별되는 뜻 중에서 다시 차별을 분별하는 것이다.
162 이는 곧 종지를 표방하는 것이다. 위에서 설한 업설에는 모두 세 가문이 있어서, 혹은 4업을 설하고, 혹은 5업을 설하며, 혹은 8업을 설하지만, 논주는 4업설을 평가해 취했기 때문에 '이 설이 선설이 된다'라고 말한 것이다. 이 4업설에서는 오직 시기의 결정적임과 결정적이지 않음만을 나타내는데, 경에서 설한 네 가지 업의 모습이 차별되어 같지 않음을 해석한 것이기 때문이다.
163 이하에서 제1구를 해석하려고 물음을 일으킨 것이다.
164 답이다.
165 따지는 것이다.
166 해석하는 것이다. 예컨대 세 명의 사자를 보내어 하나는 살생하게 하고, 하나는 도둑질하게 하며, 하나는 거짓말을 행하게 하고, 자기는 스스로 삿된 욕망을 행한다면, 이런 넷이 동시에 업도를 완성하는 것과 같은 것을 순현수업 등의 넷이라고 이름할 것이다.
167 제2구를 해석하는 것인데, 이는 곧 묻는 것이다.

에 의해 인기된 것이기 때문이다.[168]

어떤 계界, 어떤 취趣에서 몇 가지 업을 지을 수 있는가?[169] 모든 계, 모든 취에서 선이든 악이든 그 상응하는 바에 따라 모두 네 가지를 지을 수 있다. 전체적으로 나타내면 이와 같지만,[170] 만약 개별적으로 부정되는 것에 나아간다면, 지옥 중에서의 선업은 순현법수업을 제외하니, 사랑할 만한 과보가 없기 때문이다. 나머지는 모두 지을 수 있다.[171]

불퇴종성[不退姓]을 '견고하다[堅]'고 이름하는데, 그는 이염지離染地에서, 만약 이생의 부류라면 순생수를 제외한 나머지 3업을 지을 수 있고, 성자라면 순생수·순후수를 쌍으로 제외한 나머지 2업을 지을 수 있다. 불퇴의 이생은 하계에 다음 생에는 다시 태어나는 일이 없고, 그 후에는 다시 태어날 수 있으며, 불퇴의 성자는 하계의 모든 지에 다시 태어나는 일이 반드시 없기 때문인데, 태어난 지에 따라 순현수업을 지을 수는 있다. 부정업을 짓는 것은 일체 처에서 부정될 수 없다.[172] 그런데 모든 성자가 만약 욕계 및 유

168 답인데, 알 수 있을 것이다. 이 글에 준하면 순현업이 동분을 감득하는 것은 아니지만, 수명의 감득을 부정하지는 않는다. 그래서 앞의 수명의 연장[延壽]은 단지 수명의 근[壽根]을 연장하는 것일 뿐, 동분이라고 말하지 않는다. 또 해석하자면 이 글은 통상의 길[常途]에 의거해 순현업은 동분을 감득하는 것이 아니라고 말한 것일 뿐, 만약 수명의 연장에 의거한다면 별도의 연의 힘에 의해 순현업이 동분도 역시 감득한다. 그런데도 수명의 연장에 대해서는 수명을 감득하는 것이라고 말할 뿐, 동분이 아니라고 한 것은, 간략히 한쪽만을 든 것이지, 실제로 말한다면 동분도 역시 감득하는 것이다.

169 제3·제4구를 해석하는 것인데, 이는 곧 묻는 것이다.

170 답이다. 말하자면 3계와 5취에서 선이든 악이든 그 상응하는 바에 따라 모두 네 가지 업을 지을 수 있다. 전체적으로 나타낸다면 이와 같다.

171 이하 논서의 글은 모두 개별적으로 부정되는 것을 나타내는 것이다. 그 중 지옥에서는 선의 현수업을 짓지 않는다. 지옥 중에는 사랑할 만한 과보가 없기 때문이다. 나머지는 모두 지을 수 있다.

172 제5~7구를 해석하는 것이다. 이염지에서 불퇴의 이생(=예컨대 몸이 욕계에 태어나 있으면서 미지정에 의지해 욕계 9품의 수혹을 끊은 불퇴종성의 이생)은 다음 생에 (하계에) 다시 태어나는 일이 없기 때문에 순생수의 업을 짓지 않고, 그 뒤에는 다시 태어날 수 있기 때문에 순후수의 업을 지으며, 불퇴의 성자(=예컨대 불퇴종성의 불환)는 하계의 모든 지에 태어나는 일이 반드시 없기 때문에 순생·순후수의 업을 짓지 않는다. 범부든 성자든 태어난 지에 따라 순현수의 업은 지을 수 있다. 만약 부정업을 짓는 것이라면 일체 처에서

정처有頂處에 대해 이미 이염을 획득했다면, 비록 물러남이 있더라도 역시 순생수·순후수업을 짓지 않는다. 거기에서 물러난 자는 반드시 과보에서도 물러나지만, 그 때문에 과보에서 물러난 모든 분들도 반드시 목숨이 끝나지 않는 것은 뒤에서 분별하는 것과 같다.173

3. 중유의 조업造業

중유에 머무는 단계에서도 역시 업을 짓는가?174 역시 짓는다.175 어떤 것인가?176 게송으로 말하겠다.

54 욕계의 중유는 능히[欲中有能造]
스물두 가지 업을 짓는데[二十二種業]
모두 순현수에 포함되니[皆順現受攝]
부류의 동분이 동일하기 때문이다[類同分一故]

논하여 말하겠다. 욕계 중에서 중유의 단계에 머물면 스물두 가지 업을 지을 수 있으니, 말하자면 중유의 단계 및 태胎 중에 처해서와 출태出胎 이후에 각각 5위가 있어서이다. 태 중의 5위란 첫째 갈랄람羯剌藍, 둘째 알부담頞部曇, 셋째 폐시閉尸, 넷째 건남鍵南, 다섯째 발라사가鉢羅奢佉이며, 태외胎外 5위란 첫째 영아[嬰孩], 둘째 동자童子, 셋째 소년少年, 넷째 중년中年, 다섯째 노년老年이니, 중유의 단계에 머물 때 중유 내지 노년의 정업·부정업을 지을 수 있는 것이다. 이와 같이 중유 단계에서 짓는 열한 가지 정업

부정될 수 없다.

173 제8구를 해석하는 것인데, 차별되는 것을 구별하는 것은 알 수 있을 것이다. # 욕계의 염오를 떠난 불환과의 성자와 유정처의 염오를 떠난 아라한의 경우 설령 불퇴종성이 아니어서 그 과보로부터 물러나는 일이 있더라도 목숨이 끝나기 전에 다시 회복하기 때문(=뒤의 제25권 중 게송 62와 그 논설 참조)에 (각각 하계와 3계의 과보를 받는) 순생수·순후수업을 짓지 않는다는 취지.

174 이하는 셋째 중유가 짓는 업에 대해 밝히는 것이다. 위에서 생유·본유·사유가 짓는 업에 대해 밝혔으므로 이하에서 중유가 짓는 업에 대해 밝히는 것인데, 이는 곧 물음을 일으킨 것이다.

175 답이다.

176 따지는 것이다.

은 모두 순현수업에 포함되는 것이라고 알아야 할 것이니, 부류의 동분[類同分]에 차별이 없기 때문이다. 말하자면 이 중유위와 자류自類의 10위는 하나의 중동분으로서, 동일한 업에 의해 인기된 것이기 때문이다. 이 때문에 순중유수업順中有受業을 별도로 말하지 않는 것이니, (중유는) 곧 순생수 등의 업에 의해 인기된 것이기 때문이다.[177]

4. 정수업定受業의 모습

모든 정수업定受業은 그 모습이 어떠한가? 게송으로 말하겠다.

55 무거운 번뇌, 청정한 마음에 의한 업[由重惑淨心]
아울러 항상 지어지는 업[及是恒所造]
공덕의 복전에 대해 일으키는 업[於功德田起]
부모를 해치는 업은 정수업이다[害父母業定]

177 답이다. 욕계 중에서 중유의 단계에 머물면 스물두 가지 업을 지을 수 있다고 인정된다. 말하자면 중유위 및 태내5위와 태외5위의 총 11위가 있으니, 중유의 단계에 머물면 열한 가지 정업과 열한 가지 부정업을 지을 수 있기 때문에 '스물두 가지'라고 이름한 것이다. 이와 같이 중유 단계에서 짓는 열한 가지 정업은 모두 순현수업에 포함되는 것이라고 알아야 할 것이니, 한 부류의 동분으로서 차별이 없기 때문이다. 말하자면 이 중유위와 자류自類인 생유의 10위는 하나의 중동분으로서, 동일한 업에 의해 인기된 것이기 때문이다. 그래서 모두 순현수업이라고 이름한 것이다. 이 때문에 순중유수업順中有受業을 별도로 말하지 않는 것이니, 곧 이것(=중유)은 저 순생수·순후수·순부정수업에 의해 인기된 것이기 때문이다. 여기에서 '부류의 동분'이라고 말한 것은, 같은 하나의 부류라는 것을 나타낸다. 만약 열한 가지 부정업이라면, 혹은 이 몸의 11위에서 받을 수도 있고, 혹은 다른 몸의 11위에서 받을 수도 있으며, 혹은 전체적으로 받지 않을 수도 있기 때문에 시부정업時不定業이라고 말할 수 있는 것이니, (유부의) 종지에서 시기가 결정적이면서 이숙이 결정적이지 않은 업을 인정하지 않기 때문이다. 따라서 이 열한 가지 부정업은, 오직 이 몸의 11위에서 받는 것(=순현수의 정업)만은 아니다. (문) 3정업 중 어째서 중유 단계에서는 순현수업만 짓고, 순생수·순후수업은 짓지 않는가? (해) 중유는 시간이 짧으며, 또 몸이 약하고 엷다[虛薄]. 현재 몸의 정업은 짓기 쉽기 때문에 순현수의 정업을 짓지만, 다른 몸의 정업은 짓기 어렵기 때문에 순생수·순후수업은 짓지 못한다. (문) 어째서 색계의 중유가 지을 수 있는 업에 대해서는 말하지 않는가? (해) 생략해서 논하지 않은 것이다.

논하여 말하겠다. 만약 지어지는 업이, 무거운 번뇌나 맑고 깨끗한 마음[淳淨心]에 의한 것, 혹은 항상 지어지는 것, 혹은 증상한 공덕의 복전에 대해 일으키는 것-공덕의 복전이란 불·법·승, 혹은 뛰어난 보특가라를 말한다. 말하자면 뛰어난 과보나 뛰어난 선정을 얻은 분이니, 이런 복전에 대해, 비록 무거운 번뇌 및 맑고 깨끗한 마음이 없으며, 또한 항상 행해지는 것이 아니더라도, 선이나 불선으로 일으키는 모든 업이다-, 혹은 부모에 대해 가볍거나 무거운 마음에 따라 손상해 해치는 일을 행하는 것이라면, 이와 같은 일체는 모두 정수업에 포함되고, 나머지는 정수업이 아니다.[178]

5. 현법과업現法果業의 모습

현세에 과보를 받는 업[현법과업現法果業]은 그 모습이 어떠한가? 게송으로 말하겠다.

56 밭이나 뜻의 수승함에 의한 것과[由田意殊勝]
아울러 결정코 이숙을 초래하지만[及定招異熟]
영원한 여읨을 획득한 지에서의 업은[得永離地業]
결정코 현세의 과보를 초래한다[定招現法果][179]

논하여 말하겠다. '밭의 수승함에 의한 것'이란, 어떤 필추가 대중 스님들에 대해 여인이라는 말을 했다가 그가 현세에 바뀌어 여인이 되었다고 들었는데, 이런 등으로 전해 들은 그 부류가 하나가 아니다. '뜻의 수승함에 의한 것'이란, 어떤 황문黃門인 자가 여러 소들이 황문 되는 것에서 구해 벗

178 이는 곧 넷째 정수업의 모습에 대해 밝히는 것이다. '뛰어난 과보'는 말하자면 예류과는 견혹을 모두 끊어서 처음 견도를 나타내기 때문이고, 아라한과는 수혹을 모두 끊어서 처음 수도를 나타내기 때문이다. 일래과와 불환과는 2혹을 모두 끊은 것은 아니고 처음 나타내는 것이 아니므로 뛰어난 과보라고 이름하지 않는다. '뛰어난 선정'은 말하자면 멸진정 등이니, 다음(=뒤의 게송 57과 그 논설)에 설하는 것과 같다. 나머지 글은 알 수 있을 것이다.

179 이는 곧 다섯째 현법과업(=현세에 과보를 받는 업)에 대해 밝히는 것인데, 위의 1구는 순현수업을 나타내는 것이고, 아래 3구는 부정업 중 결정되는 것을 나타내는 것이다.

어나게 했기 때문에 그가 현세에 바뀌어 장부가 되었다고 들었는데, 이런 등의 전해 들은 일도 역시 하나가 아니다.[180]

혹은 이런 지地에 태어나 이런 지의 염오를 영원히 떠났을 때 이런 지 중에서의 모든 선·불선의 업이, 이숙에는 결정적이지만, 단계[位]가 결정적이지 않은 것이라면, 이런 업은 반드시 능히 현세의 과보를 초래한다. 만약 다른 단계의 순정수업順定受業이 있다면, 그에게는 필시 염오를 영원히 떠났다는 뜻이 결정코 없으므로, 반드시 그 다른 단계에서 이숙과를 받는다. 만약 이숙에도 역시 결정적이지 않은 것이라면, 염오를 영원히 떠났기 때문에 이숙을 받지 않는다.[181]

6. 곧 과보를 받는 업

어떤 복전에 대해 일으킨 업이 결정코 곧 (현세에) 과보를 받는가? 게송으로 말하겠다.

57 붓다를 상수로 하는 승가와[於佛上首僧]
아울러 멸진정, 무쟁삼매와[及滅定無諍]
자애삼매, 견도, 수도에서 나오는 분에 대해[慈見修道出]
손익하는 업은 현세에 곧 받는다[損益業卽受][182]

논하여 말하겠다. 이런 부류의 공덕의 복전[功德田]에 대해 행한 선악의

180 제1구를 해석하는 것인데, 알 수 있을 것이다. 처음은 비록 마음은 가벼워도 경계가 무거움에 의한 것이고, 뒤는 경계는 가벼워도 마음이 무거움에 의한 것이다. 나머지 글은 알 수 있을 것이다.

181 아래 3구를 해석하는 것이다. 부정업 중 이숙에는 결정적이지만, 시기가 결정적이지 않은 업이 현세의 과보를 받는 것을 밝히는 것이다. 말하자면 아라한 및 불환과가 태어난 어떤 지에서 이 지의 염오를 영원히 떠났다면, 이 지 중에서 그 상응하는 바에 따라 아직 염오를 여의지 못했을 때 지은 선·불선의 업 및 염오를 떠난 뒤에 지은 모든 선업으로서, 이숙에는 결정적이지만, 시기가 결정적이지 않은 것은, 영원히 염오를 떠났기에 이 지 중에 거듭 태어나지 않기 때문에 이런 업은 반드시 능히 현세의 과보[現法果]를 초래한다. 모두 이 몸에서 받기 때문에 현세의 과보라고 이름한 것이다.

182 이하에서 곧 여섯째 업이 곧 (현세에 과보) 받는 것에 대해 밝히는데, 묻고 게송으로 답한 것이다.

업은 결정코 곧 과보를 받는다.[183]

'공덕의 복전'이란 붓다를 상수上首로 하는 승가를 말하는 것이다.[184] 보특가라에 의거한다면 다섯 가지 차별이 있다. 첫째는 멸진정으로부터 나오는 분이다. 말하자면 이 선정 중에서 마음의 적정寂靜을 얻는데, 이 선정의 적정은 열반과 유사하기 때문이다. 이 선정으로부터 처음 마음을 일으킬 때에는 마치 열반에 들었다가 다시 나온 것과 같다.[185] 둘째는 무쟁삼매[無諍]로부터 나오는 분이다. 말하자면 이 선정 중에서는 한량없는 유정을 경계로 삼아 반연함이 있어, 그들을 이익하려는 증상한 의요가 수반되므로, 이 선정에서 나올 때에는 한량없는 가장 뛰어난 공덕에 의해 훈습되어 닦인 몸이 상속하여 일어남이 있는 것이다.[186] 셋째는 자애삼매[慈定]로부터 나오는 분이다. 말하자면 이 선정 중에서는 한량없는 유정을 경계로 삼아 반연함이 있어, 그들을 안락하려는 증상한 의요가 수반되므로, 이 선정에서 나올 때에는 한량없는 가장 뛰어난 공덕에 의해 훈습되어 닦인 몸이 상속하여 일어남이 있는 것이다.[187] 넷째는 견도로부터 나오는 분이다. 말하자

---

183 게송의 뜻을 전체적으로 표방하면서, 순현수업 중에 나아가 다시 곧 받는 것을 밝히는 것이다.

184 제1구를 해석하는 것이다. 붓다께서는 승가 중 상수가 되니, 곧 이 승가대중을, 붓다를 상수로 한 승가라고 이름한다. 또 해석하자면 승가의 복전 중 붓다께서 가장 뛰어나기 때문에 상수라고 이름한 것이니, 곧 붓다를 상수의 승가라고 이름한다. 붓다는 성문승에 포함되는 분이 아니지만, 성승聖僧 등이다.

185 이하는 제2·제3구를 해석하는 것이다. 다시 개별 사람에 의거해 다섯 가지 차별이 있음을 해석하는 것 중 이는 멸진정에서 나오는 것에 대해 해석하는 것이다. 말하자면 이 멸진정 중에서는 마음을 소멸시키기 때문에 마음의 적정을 얻는데, 이 선정에서의 적정은 열반과 유사하기 때문이다. 같이 모두 마음을 소멸시키기 때문에 서로 유사하다고 말했지만, 여전히 (마음을) 성취하기 때문이며, 뒤에 다시 생기기 때문에 진짜[眞](=열반)라고 말할 수 없다. 이 선정으로부터 처음 마음을 일으킬 때 지극히 적정한 것을 비유에 의지해 견주어서, '마치 열반에 들었다가 다시 나온 것과도 같다'고 하였다.

186 무쟁無諍(=뒤의 제27권 중 게송 42와 그 논설 참조)에서 나오는 것에 대해 해석하는 것이다. 이 선정에 들었을 때에는 남이 번뇌 일으키는 것을 막으므로, 이익하려는 의요가 수반된다고 말하였다. 이 선정으로부터 나올 때에는 또한 한량없는 뛰어난 공덕에 의해 훈습된 몸이 상속하여 일어남이 있다.

187 자애삼매에서 나오는 것에 대해 해석하는 것이다. 이 삼매는 유정을 안락하게 하려고 하는 것인데, 나머지는 무쟁과 같다.

면 이 도 중에서는 일체 견소단의 번뇌를 영원히 끊고 수승한 전의[勝轉依]를 얻으므로, 여기에서 나올 때에는 청정한 몸이 상속하여 일어나는 것이다.[188] 다섯째는 수도로부터 나오는 분이다. 말하자면 이 도 중에서는 일체 수소단의 번뇌를 영원히 끊고 수승한 전의를 얻으므로, 여기에서 나올 때에는 청정한 몸이 상속하여 일어나는 것이다. 그래서 이런 다섯 분을 말하여 공덕의 복전이라고 이름한다.[189]

만약 누군가가 그들에 대해 손익하는 업을 행한다면, 이런 업은 반드시 결정코 능히 곧 과보를 초래한다.[190] 만약 다른 선정이나 다른 과보로부터 나올 때라면, 전에 닦은 것이 결정코 수승한 것이 아니며, 수소단의 번뇌가 아직 완전히 다하지 않았기 때문에, 그 상속은 수승한 복전이 아니다.[191]

188 견도에서 나오는 것에 대해 해석하는 것이다. 말하자면 이 도 중에서 영원히 견혹을 끊고 수승한 전의轉依(=의지처의 전변)를 얻으니, 말하자면 견도에 의한 수승한 소의신[勝所依身]을 얻는 것이다. 또 해석하자면 견혹을 끊어서 예류과의 수승한 소의신을 얻는 것이다. 이 견도로부터 나올 때에는 예류과의 청정한 몸이 상속하여 일어나니, 비록 아직 수소단의 번뇌를 능히 끊지는 못했어도, 필경 견혹에게 의지처가 되지 않는 것을 청정한 몸이라고 이름한 것이다. 초월증의 일래·불환과가 처음 견도에서 나오는 것은 예류과와 같다고 말할 것이다.

189 수도에서 나오는 것에 대해 해석하는 것이다. 말하자면 이 도 중에서 수혹을 영원히 끊으니, 비록 잠시 물러나는 일이 있더라도 반드시 다시 끊기 때문에 영원히 끊었다고 이름한다. 수승한 전의를 얻는 것은 말하자면 수도에 의한 수승한 소의신을 얻는 것이다. 또 해석하자면 수혹을 끊어서 아라한의 수승한 소의신을 얻는 것이다. 이 수도로부터 나올 때에는 아라한의 청정한 몸이 상속하여 일어나니, 그것이 수혹에게 의지처가 되지 않는 것을 청정한 몸이라고 이름한 것이다. 비록 잠시 물러나는 일이 있더라도 반드시 다시 끊기 때문에 청정한 몸이라고 이름한다. 그래서 이런 다섯 분을 말하여 공덕의 복전이라고 이름하는데, 이 다섯 가지는 단지 처음 선정에서 나오는 단계만을 취한다.

190 제4구를 해석하는 것이다. 만약 누군가가 앞의 여섯 가지 복전에 대해 쇠손하는 업을 행하거나 이익하는 업을 행한다면, 이 업은 반드시 결정코 능히 곧 과보를 초래한다.

191 차별되는 것을 가려내는 것이다. '나머지 선정'은 말하자면 앞의 다섯 가지 선정을 제외한 그 나머지 선정이고, '나머지 과보'는 4과 중 처음과 뒤의 과보를 제외한 나머지 차제증의 일래·불환과이다. 만약 나머지 선정으로부터 나올 때라면 전에 닦은 선정이 수승한 것이 아니기 때문이고, 만약 나머지 과보로부터 나올 때라면 견소단의 번뇌는 먼저 이미 끊었기 때문이며, 수소단의 번뇌는 아직 완전히 다하지 않았기 때문에 그 상속은 처음 나오는 단계라고

제5절 신수업과 심수업

1. 신수업과 심수업

이숙과 중에서는 느낌이 가장 뛰어난 것인데, 이제 생각해서 가려야 할 것이다. 모든 업 중 혹시 오직 심수心受의 이숙만을 초래하는 것, 혹은 신수身受만을 초래하고 심수는 아닌 것이 있는가?[192] 역시 있다.[193] 어떤 것인가?[194] 게송으로 말하겠다.

58 심구 없는 모든 선업은[諸善無尋業]
심수만을 감득한다고 인정되고[許唯感心受]
악업은 신수만을 감득하니[惡唯感身受]
이것이 느낌을 감득하는 업의 차이이다[是感受業異]

논하여 말하겠다. '심구 없는 선업[善無尋業]'은 말하자면 중간정 내지 유정처에 있는 선업인데, 거기에서 능히 느낌의 이숙을 초래하는 것은 단지 심수心受만을 감득할 뿐, 신수는 아니라고 알아야 할 것이니, 신수는 반드시 심구·사찰과 함께 하기 때문이다.[195]

모든 불선업으로서 능히 느낌을 감득하는 것은, 단지 신수身受만을 감득

해도 수승한 복전이 아니니, 손상하거나 이익할 때 곧 과보를 받는 것은 아니다. 여기에서 예류과가 중간의 2과보다 뛰어나다고 말한 것은, 처음 나오는 것에 의거해 뛰어난 것이지, 만약 다른 시기에 4과를 서로 바라보는 것에 의거한다면 곧 그 2과가 예류보다 뛰어난 것이다.

192 이하는 다섯째 두 가지 수업[2수업二受業](=신수업과 심수업)에 대해 밝히는 것인데, 그 안에 나아가면 첫째 2수업에 대해 밝히고, 둘째 심광업心狂業에 대해 밝힌다. 이는 곧 첫째 2수업에 대해 밝히려고 묻는 것이다. 이숙인 5온의 과보 중 느낌이 가장 뛰어난 것이니, 이제 생각해서 가려야 한다. 모든 업 중 혹시 오직 심수心受의 이숙만을 초래하고, 신수는 아닌 것, 혹은 신수身受의 이숙만을 초래하고, 심수는 아닌 것이 있는가?

193 답이다.

194 따지는 것이다.

195 신수는 반드시 심구·사찰과 함께 하기 때문이다. 상지에는 심구가 없기 때문에 신수가 없고, 또한 하지의 신수를 감득할 수도 없다.

할 뿐, 심수는 아니라고 알아야 할 것이니, 불선의 원인은 고수苦受를 결과로 하기 때문이다. 마음과 함께 하는 고수는 결정코 우수라고 이름하는데, 우수가 이숙이 아님은 앞에서 이미 분별한 것과 같다.[196]

2. 심광업心狂業

유정의 심광心狂은 어떤 식識, 원인[因], 처處인가?[197] 게송으로 말하겠다.

59 심광은 오직 의식에서만[心狂唯意識]
업의 이숙에 의해 생기고[由業異熟生]
아울러 두려움, 해침, 어긋남, 근심에 의하며[及怖害違憂]
북구로주를 제외한 욕계에 있다[除北洲在欲][198]

⑴ 심광이 있는 식

논하여 말하겠다. 유정의 심광心狂은 오직 의식에만 있다. 5식에는 반드시 심광이 없으니, 5식의 무리는 무분별이기 때문이다.[199]

⑵ 심광의 원인

다섯 가지 원인에 의해 유정의 마음은 미친다. 첫째 유정의 업의 이숙에 의해 일어난다. 말하자면 그가 약물이나 주술을 써서 남의 마음을 미치게 했거나, 혹은 다시 남이 바란 것 아닌 독이나 술을 마시게 했거나, 혹은 위엄을 나타내어 날짐승·길짐승 등을 두렵게 했거나, 혹은 맹렬한 불을 놓아 산하를 태웠거나, 혹은 구덩이를 파서 중생을 빠뜨렸거나, 혹은 그 밖의 일

---

196 모든 불선업은 신수만을 감득하고, 심수를 감득하는 것은 아니니, 글대로 알 수 있을 것이다. 만약 심구 있는 선업이라면 곧 능히 두 가지 느낌(=신수와 심수)을 공통으로 감득하겠지만, 물은 것이 아니기 때문에 여기에서 밝히지 않았다. # 앞에서 '우수가 이숙이 아님'을 분별했다는 것은, 앞의 제3권 중 게송 10b와 그 논설을 가리킨다.

197 이는 곧 둘째 심광업心狂業(=마음을 미치게 하는 업, 즉 심광을 초래하는 업)에 대해 밝히는 것이다. 유정의 심광은 어떤 식에 있는지, 어떤 원인으로 감득하는 것인지, 어떤 처에 의지해 일으키는지 묻는 것이다.

198 첫 구는 첫 물음에 대한 답이고, 다음 2구는 둘째 물음에 대한 답이며, 아래 1구는 셋째 물음에 대한 답이다.

199 첫 구를 해석하는 것인데, 알 수 있을 것이다.

로써 남을 실념失念케 했다면, 이런 업의 원인에 의해 미래세에 별도의 이숙을 감득하여 능히 마음을 미치게 하는 것이다.[200]

둘째 놀라 두려워함[驚怖]에 의해서이니, 말하자면 비인非人 등이 두려워할 만한 형상을 나타내고 와서 핍박하면, 유정이 그것을 본 뒤 마침내 마음이 미치게 되는 것이다.[201] 셋째 상해傷害에 의해서이니, 말하자면 일로 인해 비인 등을 괴롭히면, 그들이 성내어 그의 지절支節을 상해하여 마침내 마음이 미치게 되는 것이다.[202] 넷째 어긋남[乖違]에 의해서이니, 말하자면 몸 안의 풍風·열熱·담痰의 요소가 상호 서로 위반하여 4대종이 적절함을 어기기 때문에 마음이 미치게 되는 것이다.[203] 다섯째 근심[愁憂]에 의해서이니, 말하자면 친애親愛하는 등의 사물을 상실함으로 인해 수심의 독에 얽혀서 마음이 마침내 발광하는 것으로, 예컨대 바사婆私 등과 같다.[204]

만약 의식에 있어서만 비로소 심광이 있으며, 다시 심광은 업의 이숙에 의해 일어나는 것이라고 인정한다면, 어떻게 심수心受가 이숙이 아닌가?[205] 심광은 업의 이숙이라고 말하지 않고, 단지 업의 이숙에 의해 생기는 것이라고 말할 뿐이다. 말하자면 악업의 원인으로 불평등한 이숙의 대종을 감득하면, 이런 대종에 의해 마음이 곧 실념하니, 그래서 미쳤다고 말한다.[206]

200 이하 제2·제3구를 해석하는 것이다. 모두 다섯 가지 원인에 의해 유정의 마음이 미치는데, 이는 곧 첫째 원인이다. 첫째 악업에 의해 악한 이숙을 감득하는데, 이 이숙에 의해서 능히 마음을 미치게 한다. 나머지 글은 알 수 있을 것이다.

201 게송의 '두려움에 의해'를 해석하는 것인데, 알 수 있을 것이다.

202 게송의 '해침에 의해'를 해석하는 것이다.

203 게송의 '어긋남에 의해'를 해석하는 것이다.

204 게송의 '근심에 의해'를 해석하는 것이다. 예컨대 바사Vāsiṣṭhī 등처럼 수심이 마음을 미치게 하기 때문이니, 『대비바사론』 제126권(=대27-658상)에서 말하였다. "저 계경(=잡 [44]44:1178 바사타경婆四吒經)에서, 바사슬체婆私瑟搋라는 바라문여인이 여섯 아들을 잃었기 때문에 마음에 광란을 일으켜 알몸으로 치달리다가 세존을 뵈온 뒤 다시 본래 마음을 얻었다고 설한 것과 같다."

205 물음인데, 뜻은 알 수 있을 것이다.

206 답이다. 말하자면 악업의 원인으로 불평등한 이숙의 대종을 감득하면, 이런 대종의 세력에 의해 마음이 곧 실념하니, 그래서 미쳤다고 말하지만, 체는 이숙이 아니다. 선·악의 마음 등도 모두 미칠 수 있기 때문[善惡心等 皆容狂故]이다.

이와 같은 심광을 심란心亂에 상대시키면 4구로 분별해야 할 것이니, 말하자면 심광이면서 심란 아닌 것 …· 이 있다. 심광이면서 심란 아닌 것은, 말하자면 미친 자의 모든 불염오의 마음이고, 심란이면서 심광 아닌 것은, 말하자면 미치지 않은 자의 모든 염오의 마음이며, 심광이면서 심란이기도 한 것은, 말하자면 미친 자의 모든 염오의 마음이고, 심광도 아니고 심란도 아닌 것은, 말하자면 미치지 않은 자의 불염오의 마음이다.[207]

⑶ 심광이 의지하는 처소

북구로주를 제외한 그 나머지 욕계의 모든 유정의 부류에게 심광이 있을 수 있다. 말하자면 욕계의 천신조차 마음이 오히려 미친 자가 있는데, 하물며 인간이나 악취가 심광에서 벗어날 수 있겠는가? 지옥은 항상 미쳐 있으니, 많은 괴로움이 핍박하기 때문이다. 말하자면 모든 지옥에서는 항상 갖가지 상이한 부류의 괴로움의 도구에 의해 말마末摩를 상해하는 것이 사납고 예리해서 견디기 어렵다. 고수苦受로 핍박받는 것조차 오히려 스스로 인식하지 못하거늘, 하물며 옳고 그름을 알겠는가? 그래서 지옥 중에서는 원한의 마음으로 아파하고 탄식하며 미쳐 날뛰고 치달리며 울부짖는다고, 세상에서 전하는 글이 있다.[208]

모든 붓다들을 제외한 욕계의 성자는 대종이 적절함을 어기면 심광이 있

207 이와 같은 심광을 심란(=그 체가 염오의 등지임은 앞의 제4권 중 게송 ㉗ab에 관한 논설에서 설명되었다)에 상대시키면 4구로 분별해야 한다. 제1구 심광이면서 심란 아닌 것은 말하자면 미친 자의 불염오의 마음이니, 실념했기 때문에 심광이라고 이름하지만, 불염오이기 때문에 심란이 아니라고 이름한다. 제2구 심란이면서 심광 아닌 것은, 말하자면 미치지 않은 자의 모든 염오의 마음이니, 염오이기 때문에 심란이라고 이름하고, 실념하지 않았기 때문에 심광이 아니다. 제3구 심광이면서 심란이기도 한 것은, 말하자면 미친 자의 모든 염오의 마음이니, 실념했기 때문에 심광이라고 이름하고, 염오이기 때문에 심란이라고 이름한다. 제4구 심광도 아니고 심란도 아닌 것은 말하자면 미치지 않은 자의 불염오의 마음이니, 실념하지 않았기 때문에 심광이 아니고, 불염오이기 때문에 심란이 아니다.

208 이하 제4구를 해석하는 것이다. 욕계 중 북구로주를 제외한 나머지 욕계의 유정에게는 심광이 있을 수 있다. 말하자면 욕계의 6천조차 마음이 오히려 미친 자가 있는데, 하물며 인간이나 3악취가 심광에서 벗어날 수 있겠는가? 뛰어난 것을 들어 열등한 것에 견준 것이다. 지옥이 항상 미쳐 있는 것은 글대로 알 수 있을 것이다.

을 수 있다. 이숙에 의해 생기는 것은 없으니, 만약 정업이 있었다면 반드시 먼저 그 과보를 받아야 그 후에 비로소 성과를 획득하며, 만약 정업이 아니었다면 성과를 획득했기 때문에 능히 과보를 없게 한다. 또한 놀라 두려워함에 의한 것도 없으니, 다섯 가지 두려움을 초월했기 때문이다. 또한 상해에 의한 것도 없으니, 모든 성자에게는 비인 등이 증오하거나 혐오할 일이 없기 때문이다. 또한 근심에 의한 것도 없으니, 법의 성품을 증득했기 때문이다.[209]

209 욕계의 성자 중에 나아가면 모든 붓다들만 제외하고-붓다는 저절로 심광이 없다- 나머지 성자에게는 네 번째 것이 있을 수 있으니, 대종이 적절함을 어기면 심광이 있을 수 있다. 앞의 첫째 것은 없다. 이숙에 의해 생기는 것은, 만약 3시의 정업 및 시부정이숙정업이 있었다면 반드시 먼저 그 이숙과를 받아야 그 후에 비로소 성과를 얻고, 만약 시이숙구비정업이 있었다면 성과를 획득했기 때문에 능히 과보를 없게 해서 완전히 받지 않기 때문이다. 또『대비바사론』제126권(=대27-658중)에서도 말하였다. "(문) 이 마음의 광란狂亂은 어느 처에 있는가? (답) 욕계에 있고, 색·무색계는 아니다. 그렇지만 지옥에는 없으니, 마음이 항상 어지럽기 때문이다. 마음의 광란이란 말하자면 그 시간이 항상한 것은 아니다. 아귀 및 방생에게는 마음의 광란이 있으며, 인·천에게도 역시 있지만, 북구로주는 제외된다. 거기에는 죄업의 증상한 과보가 없기 때문이다. (문) 이 마음의 광란은 누구에게 있고, 누구에게 없는가? (답) 성자와 이생에게 모두 있을 수 있다. '성자'는 온갖 성자에게 통하지만, 모든 붓다들만은 제외한다. 붓다께는 심란이 없으며, 음성의 무너짐도 없고, 단말마도 없으며, 점차 목숨을 버리는 일도 없다."『대비바사론』에서 말하는 '광란'의 '란'은 곧 '광'이다. 또한 둘째의 '놀라 두려워함'에 의한 것도 없으니, 모든 성자는 다섯 가지 두려움을 초월했기 때문이다. 다섯 가지 두려움[5포외五怖畏]이란, 첫째는 불활외不活畏이니, 의복·음식 등을 구함에서 살아가지 못할까 두려워하기 때문이다. 둘째는 악명외惡名畏이니, 세간에 악명이 들리는 것을 두려워하기 때문이다. 셋째는 겁중외怯衆畏이니, 대중들 속으로 들어갈 때 대중을 두려워하기 때문이다. 넷째는 명종외命終畏이니, 목숨이 끝남에 임할 때 겁내어 두려워하기 때문이다. 다섯째는 악취외惡趣畏이니, 지옥·방생·아귀에 떨어질 것을 두려워하기 때문이다. 성자는 살아가지 못할까 두려워하지 않으므로 불활외가 없고, 명성을 구하지 않기 때문에 악명외가 없으며, 대중을 겁내지 않기 때문에 겁중외가 없고, 목숨을 그리워하지 않기 때문에 명종외가 없으며, 악취에 떨어지지 않기 때문에 악취외가 없다. 또한 셋째의 상해에 의한 것도 없으니, 모든 성자에게는 비인 등이 증오하거나 혐오할 일이 없기 때문에 상해되지 않는다. 또한 다섯째의 근심에 의한 것도 없으니, 모든 법의 성품인 진실한 이치를 증득했기 때문이다.

제6절 곡업曲業·예업穢業·탁업濁業

또 경 중에서, "업에는 세 가지가 있으니, 곡曲·예穢·탁濁을 말하는 것이다"라고 설했는데, 그 모습은 어떠한가? 게송으로 말하겠다.

60a 곡업·예업·탁업은[說曲穢濁業]
　아첨·성냄·탐욕에 의해 생긴다고 말한다[依諂瞋貪生][210]

논하여 말하겠다. 신·어·의 3업에는 각각 세 가지가 있으니, 말하자면 곡曲·예穢·탁濁인데, 그 순서대로 아첨[諂]·성냄[瞋]·탐욕[貪]에 의해 생기는 것이라고 알아야 한다.[211] 말하자면 아첨에 의해 생긴 신·어·의업을 곡업曲業이라고 이름하니, 아첨은 굽힘[曲]의 부류이기 때문이다.[212] 성냄에 의해 생긴 신·어·의업이라면 예업穢業이라고 이름하니, 성냄은 더러움[穢]의 부류이기 때문이다.[213] 탐욕에 의해 생긴 신·어·의업이라면 탁업濁業이라고 이름하니, 탐욕은 탁함[濁]의 부류이기 때문이다.[214]

210 이는 곧 여섯째 곡업·예업·탁업에 대해 밝히는 것이다. # '경'은 출전 미상이다.

211 업을 신·어·의업에 배속시켜 각각 세 가지가 있다고 표방한 것이다. 말하자면 곡·예·탁인데, 그 순서대로 아첨·성냄·탐욕에 의해 생기는 것이라고 알아야 한다.

212 이하 개별적으로 해석하는 것이다. 말하자면 아첨에 의해 생긴 신·어·의업이기 때문에 계경 중에서 곡업이라고 이름하였다. 아첨과 굽힘은 부류가 서로 비슷하기 때문이며, 안眼·목目과 같은 상이한 명칭이기 때문에 아첨으로써 굽힘을 해석한 것이다. 굽힘은 원인이고, 업은 결과이니, 업이라는 결과가 이 굽힘이라는 원인을 좇아서 이름으로 삼았기 때문에 곡업이라고 이름한 것이다.

213 성냄에 의해 생긴 신·어·의업이기 때문에 계경 중에서 예업이라고 이름하였다. 성내과 더러움은 부류가 서로 비슷하기 때문이며, 안眼·목目과 같은 상이한 명칭이기 때문에 성냄으로써 더러움을 해석한 것이다. 모든 번뇌는 모두 더러움이라고 이름하지만, 성냄이 더러움 중에서 지극히 무거우므로 더러움이라는 명칭을 세운 것이다. 더러움은 원인이고, 업은 결과이니, 업이라는 결과가 그 더러움이라는 원인을 좇아서 이름으로 삼았기 때문에 예업이라고 이름한 것이다.

214 탐욕에 의해 생긴 신·어·의업이기 때문에 계경 중에서 탁업이라고 이름하였

다. 탐욕과 탁함은 부류가 서로 비슷하기 때문이며, 안眼·목目과 같은 상이한 명칭이기 때문에 탐욕으로써 탁함을 해석한 것이다. 탁함은 원인이고, 업은 결과이니, 업이라는 결과가 그 탁함이라는 원인을 좇아서 이름으로 삼았기 때문에 탁업이라고 이름한 것이다.

아비달마구사론
제16권

제4 분별업품分別業品(의 4)

제7절 흑백 등의 4업

1. 흑백 등 4업의 명칭과 체

또 경 중에서, "업에는 네 가지가 있다. 말하자면 혹은 흑의 이숙을 받는 흑업[業黑黑異熟]이 있고, 혹은 다시 백의 이숙을 받는 백업[業白白異熟]이 있으며, 혹은 다시 흑백의 이숙을 받는 흑백업[業黑白黑白異熟]이 있고, 혹은 다시 이숙 없이 능히 모든 업을 다하게 하는 비흑비백업[業非黑非白]이 있다"라고 설했는데, 그 모습은 어떠한가?[1] 게송으로 말하겠다.

60c 흑흑 등의 다름에 의해[依黑黑等殊]
설해진 네 가지 업은[所說四種業]

61 악과 색계·욕계의 선과[惡色欲界善]
그런 것들을 능히 다하게 하는 무루의 업이니[能盡彼無漏]
알아야 하네, 순서대로[應知如次第]
흑·백·흑백·비흑비백업이라 이름한다고[名黑白俱非][2]

---

1 이하는 일곱째 흑흑업 등의 업에 대해 밝히는 것이다. 그 안에 나아가면 첫째 4업의 명칭과 체를 밝히고, 둘째 무루단의 차별을 밝히며, 셋째 다른 학설의 같지 않음을 서술한다. 이는 곧 첫째 4업의 명칭과 체를 밝히려고, 경(=앞에 나온 중 27:111 달범행경)에 의해 물음을 일으킨 것이다.

2 처음 2구는 전체적으로 표방한 것이고, 뒤의 4구는 개별적으로 해석하는 것이다. 악을 '흑'이라고 이름하고, 색계의 선을 '백'이라고 이름하며, 욕계의 선을 '흑백[俱]'이라고 이름하고, 능히 그것을 다하는 무루를 '비흑비백[非]'이라고 이름한 것이니, 그래서 '순서대로'라고 말한 것이다.

논하여 말하겠다. 붓다께서는 업과 과보의 성품의 부류가 같지 않음과 대치대상[所治]·대치주체[能治]의 다름에 의해서 흑흑黑黑 등의 4업을 설하셨다.[3]

【흑업】 모든 불선업은 한결같이 '흑'이라고 이름하니, 염오의 성품이기 때문이며, 그 이숙도 역시 '흑'이니, 마음이 들지 않는 것[不可意]이기 때문이다.[4]

【백업】 색계의 선업은 한결같이 '백'이라고 이름하니, 악과 섞이지 않기 때문이며, 그 이숙도 역시 '백'이니, 마음이 드는 것[可意]이기 때문이다.[5]

어째서 무색계의 선업은 말하지 않는가?[6] 전하는 학설로는, "만약 그 처소에 두 가지 이숙–중유와 생유를 말한다–이 있고, 세 가지 업–신·어·의업을 말한다–을 갖추었다면 곧 말하지만, 나머지는 아니다"라고 하였다. 그렇지만 계경 중에서 역시 설한 곳도 있다.[7]

---

3 처음 2구를 해석하는 것이다. 붓다께서 업의 같지 않음, 과보의 같지 않음, 대치대상의 다름, 대치주체의 다름에 의해 그 상응하는 바에 따라 흑흑 등의 4업을 설하셨다. 또 해석하자면 붓다께서는 이숙인·이숙과의 성품의 부류가 같지 않음에 의해 앞의 3업을 설하시고, 대치대상인 유루와 대치주체인 무루의 다름에 의해 뒤의 1업을 설하셨다. 또 해석하자면 업의 같지 않음에 의해 공통으로 네 가지를 건립하시고, 과보의 같지 않음에 의해 앞의 세 가지를 설하셨으며, 대치대상의 다름에 의해 앞의 세 가지를 설하시고, 대치주체의 다름에 의해 뒤의 한 가지를 설하셨다.

4 악을 흑이라고 이름하고, 불선을 악이라고 이름한 것을 해석하는 것이니, '흑'은 흑흑을 말한 것이다. 모든 불선업은 한결같이 '흑'이라고 이름하니, 염오의 성품이기 때문이며, 그 이숙도 역시 '흑'이니, 마음이 들지 않는 것이기 때문이다. 모든 불선업도 역시 마음에 들지 않는 것이라고 이름해야 할 것인데, 비추어 나타낸 것은 알 수 있을 것이므로, 생략하고 말하지 않은 것이다. 그래서 『대비바사론』 제114권(=대27-590상)에서 말하였다. "흑에는 두 가지가 있으니, 첫째는 염오의 흑이고, 둘째는 마음에 들지 않는 흑이다. 여기에서의 업은 두 가지에 의해 흑이기 때문에 흑이라고 이름한 것이고, 이숙은 다만 마음에 들지 않음에 의해 흑이기 때문에 역시 흑이라고 이름한 것이다."

5 색계의 선을 백이라고 이름한 것을 해석하는 것이니, '백'은 백백을 말한 것이다. 색계의 선업은 한결같이 '백'이라고 이름하니, 불선의 악업·번뇌와 섞이지 않기 때문이다. 그 이숙도 역시 '백'이니, 마음이 드는 것이기 때문이다.

6 물음이다.

7 답이다. 비바사 논사들이 전하는 학설로는, "만약 그 처소에 두 가지 이숙–중유와 생유를 말한다–이 있고, 신·어·의업을 갖추었다면 곧 말하지만, 나머지는 아닌데, 무색계에는 생유는 있어도 중유가 없으며, 의업은 있어도 신·어업

【흑백업】 욕계의 선업은 '흑백'이라고 이름하니, 악이 섞인 것이기 때문이며, 그 이숙도 역시 '흑백'이니, 사랑할 만한 것 아닌 과보가 섞였기 때문이다. 이 흑백이라는 명칭은 상속에 의해 건립된 것이지, 자성에 의거한 것이 아니다. 왜냐하면 하나의 업 및 하나의 이숙도 흑이면서 백이기도 한 것은 없으니, 상호 상반되기 때문이다.[8]

악업과 그 과보도 선업과 그 과보가 섞였기 때문에 이찌 이것도 곧 역시 '백흑'이라고 이름해야 하지 않겠는가?[9] 불선업과 그 과보는 반드시 선업과 그 과보에 의해 응당 섞이는 것이 아니지만, 욕계의 선업과 그 과보는 반드시 결정코 악업과 그 과보에 의해 응당 섞이니, 욕계 중에서는 악이 선보다 뛰어나기 때문이다.[10]

....

이 없으니, 이 때문에 설하지 않았다"라고 하였다. '그렇지만 계경 중에서 역시 설한 곳도 있다'는 것은, 무색계의 선업을 백백이숙업(=백의 이숙을 받는 백업이라는 뜻)이라고 이름한 것인데, 그것은 선업으로서, 마음에 드는 과보(를 받는 것)에 의거했기 때문이다. 그래서 『순정리론』 제41권(=대29-575중)에서 말하였다. "그렇지만 계경(=출전 미상) 중에서 '정려·무량·무색은 모두 백백이숙업이라고 이름한다'라고 설한 것이 있는데, 그것은 순수 청정하며 마음에 드는 이숙에 의거해서 공통으로 백이라는 명칭을 세운 것이다."

8 욕계의 선업을 구俱라고 이름한 것을 해석하는 것인데, '구俱'는 흑백흑백을 말하는 것이다. 욕계의 선업은 '흑백'이라고 이름하니, 선업을 지을 때 악업으로 감득될 것에 의해 침범되어 섞이기 때문이며, 그 이숙도 역시 '흑백'이니, 과보를 받을 때 사랑할 만한 것 아닌 과보가 섞여서 받는 것이 있기 때문이다. 이 흑백이라는 명칭은, 업과 이숙이 전후 상속하여 사이에 일어남에 의해 건립된 것이다. 이치로는 비록 선악의 이숙이 동시에 섞여서 받는 것도 역시 있지만, 우선 전후에 의거해 해석한 것이다. 또 해석하자면 '상속'은 말하자면 몸이니, 하나의 상속신에 의해 건립된 것이다. 또 해석하자면 상속에는 두 가지가 있으니, 첫째는 전후의 상속이고, 둘째는 몸의 상속을 말하는 것인데, 업은 전후 상속에 의거하고, 과보는 몸의 상속에 의거한 것이다. 또 해석하자면 업은 전후의 상속에 의거하고, 과보는 두 가지 상속에 의거한 것이다. 인과의 자성에 의거해 말한 것이 아니다. 왜냐하면 하나의 업 및 하나의 이숙도 흑이면서 백이기도 한 것은 없으니, 선·악의 업·과는 성품의 부류가 같지 않아서 상호 상반되기 때문이다.

9 물음이다. 욕계의 악업 및 그 과보에도 선업 및 그 과보가 사이에 섞여서 상속하여 일어나기 때문에 이것도 어찌 곧 역시 '백흑'이라고 이름해야 하지 않겠는가? 이는 곧 악의 업과를 선의 업과에 비례시키는 것이다.

10 답이다. 욕계 중 불선의 업과는 반드시 선의 업과에 의해 응당 섞이는 것이 아니니, 마치 선근을 끊은 사람이 여러 악을 짓고, 또 지옥 중에서 흑의 이숙

【비흑비백업】 모든 무루업이 능히 앞의 세 가지 업을 영원히 다 끊는 것을 '비흑非黑'이라고 이름하니, 불염오이기 때문이며, 또한 '비백非白'이라고도 이름하니, 능히 백의 이숙을 초래하지 않기 때문이다. 이 '비백'이라는 말은 밀의密意의 설이니, 붓다께서 저 대공경大空經 중에서 아난다에게, "모든 무학의 법은 순선純善 순백純白으로 한결같이 죄 없는 것[無罪]이다"라고 이르셨고, 근본논서에서도 역시, "어떤 것이 백법인가? 말하자면 모든 선법과 무부무기법이다"라고 말했기 때문이다. 이숙이 없는 것은 계界에 떨어지지 않기 때문이니, 유전流轉하는 법과는 성품이 상반되기 때문이다.[11]

2. 무루단無漏斷의 차별

모든 무루업은 모두 앞의 3업을 다하게 할 수 있는가?[12] 그렇지 않다.[13] 어떠한가?[14] 게송으로 말하겠다.

과를 받는 것과 같다. 그렇지만 욕계의 선의 업과는 반드시 결정코 악의 업과에 의해 응당 섞이니, 마치 5취 중에서 선업을 짓고, 또 4취(=지옥 제외) 중에서 이숙을 받는 것과 같다. 욕계 중에서는 악이 선보다 뛰어나기 때문에, 악을 흑흑이라고 이름하고 백흑이라고 이름하지 않으며, 선을 흑백이라고 이름하고 백백이라고 이름하지 않는 것이다. 그래서 『대비바사론』 제114권(=대27-590하)에서 말하였다. "여시설자如是說者가 말하였다. 일체 불선업은 모두 흑흑이숙업이라고 이름한다. 욕계 중에서는 불선이 강성하여 선법에 의해 침범되어 섞이지 않으며, 불선법은 능히 자지의 선을 끊기 때문이다. 선법은 연약해서 불선에 의해 침범되어 섞이며, 욕계의 선은 불선을 끊을 수 없기 때문이다."

11 제4구를 해석하는 것이다. 모든 무루업이 능히 앞의 3업을 끊는 것을 '비흑'이라고 이름하니, 불염오이기 때문이며, 또한 '비백'이라고도 이름하니, 능히 백의 이숙을 초래하지 않기 때문이다. 이 '비백'이라는 말은 능히 백의 이숙과를 초래하지 않는다는 것에 의거해, 우선 하나의 모습에 의거한 것이니, 이는 붓다의 밀의의 설이지, 진실한 요의가 아니다. 만약 현설에 의거해 말한다면 역시 백이라고 이름할 것이니, 경(='대공경'은 중 49:191 대공경을 가리키는 것으로 보이지만, 표현이 다르다)에서 무학의 법을 백이라고 이름한다고 설하고, 논서(=『품류족론』 제6권. 대26-715중)에서도 불염오의 법을 백이라고 이름한다고 설하기 때문이다. 이로써 모든 무루법은 역시 백이라고 이름한다는 것을 알 수 있다. 무루는 이숙이 없다는 것은 3계에 떨어지지 않기 때문이니, 3계에 떨어져 생사에 유전하는 법과는 성품이 상반되기 때문이다.

12 이하는 둘째 무루단(=무루에 의한 끊음)의 차별에 대해 밝히는 것인데, 이는 곧 묻는 것이다.

13 답이다.

62 네 가지 법지인과 욕망을 떠나는[四法忍離欲]
앞의 8무간도와 함께 하는[前八無間俱]
열두 가지 무루의 사업은[十二無漏思]
순흑업만을 다하게 한다[唯盡純黑業]

63 욕계와 4정려를 떠나는[離欲四靜慮]
제9무간도의 사업 중[第九無間思]
한 가지는 흑백업과 순흑업을 다하게 하며[一盡雜純黑]
네 가지는 순백업을 다하게 한다[四令純白盡][15]

논하여 말하겠다. 견도 중의 네 가지 법지인法智忍 및 수도 중 욕계의 염오를 떠나는 단계인 앞의 여덟 가지 무간의 성도聖道와 함께 작용할 때 있는 열두 가지 사업은 순흑업만을 다하게 한다.[16] 욕계의 염오를 떠나는 제9무간의 성도와 함께 작용하는 한 가지 무루의 사업은 흑백업 및 순흑업을 쌍으로 다하게 하니, 이 때에는 욕계의 선업을 전체적으로 끊기 때문이며, 또한 제9품의 불선업도 끊기 때문이다. 4정려 각각의 지의 염오를 떠나는 제9무간도와 함께 작용하는 무루의 사업의 경우 이 네 가지는 순백업만을 다하게 한다.[17]

어떤 이유에서 모든 지의 유루의 선법은 오직 최후의 도로만 끊어질 수

14 따지는 것이다.
15 게송에 의한 답이다.
16 처음 게송을 해석하는 것이다. 법지法智 가문의 인忍은 결과에 따라 이름으로 삼아서 법지인이라고 이름한다. 불선법은 개별적으로 끊기 때문에 견도 넷(=고법지인·집법지인·멸법지인·도법지인)과 수도 여덟(=욕계 8품의 염오를 떠나는 앞의 8무간도)의 열두 가지로 능히 끊는다.
17 두 번째 게송을 해석하는 것이다. 욕계의 불선의 색(=불선업)은 연박단緣縛斷(=그것을 반연하는 번뇌를 끊어야 할 법. 이에 반해 '자성단'은 그 법 자체를 끊어야 할 것이다)이기 때문에 이치상 욕계의 선업과 같다. 그런데 이 시기(='욕계의 염오를 떠나는 제9무간의 성도')에 다시 욕계의 나머지 불선업(=제9품의 불선업)을 끊는다고 한 것은, 나머지 업(=욕계의 선업)과 같이 다하는 곳에 의거해 말한 것이니, 이 때문에 '(욕계의 선업을) 전체적으로', '제9품의 불선업'이라고 이름한 것이다. 나머지 글은 알 수 있을 것이다.

있고, 나머지 도로는 아닌가?[18] 모든 선법은 자성단自性斷이 아니어서, 이미 끊어졌더라도 현전할 수 있기 때문이다. 그러므로 그것을 반연하는 번뇌가 다했을 때라야 비로소 그 선법을 끊었다고 이름하니, 그 때 선법이 이계離繫를 얻기 때문이다. 이 때문에 나아가 그것을 반연하는 번뇌가 1품이라도 남아 있는 한 끊어졌다는 뜻은 성취되지 않으니, 선법은 그 때 아직 계박에서 떠나지 못했기 때문이다.[19]

3. 다른 학설

게송으로 말하겠다.

64 어떤 분은, 지옥의 과보를 받는 업과[有說地獄受]
나머지 욕계의 과보 받는 업을 흑흑업, 흑백업이라고 말하였고[餘欲業黑雜]
어떤 분은, 견도로 소멸하는 욕계의 업과[有說欲見滅]
나머지 욕계의 업은 흑흑업, 흑백업이라고 말하였다[餘欲業黑俱]

논하여 말하겠다. 어떤 다른 논사는 말하였다. "지옥의 과보를 받는 업[順地獄受] 및 욕계 중 나머지 취의 과보를 받는 업을 순서대로 흑흑업[純黑業]과 흑백업[雜業]이라고 이름한다. 말하자면 지옥의 이숙은 오직 불선업으로 감득되기 때문에 그 과보 받는 것에 따르는 업을 '순흑업'이라고 이름하고, 지옥만을 제외하면 나머지 욕계 중의 이숙은 선·악업으로 감득되는 것에 모두 통하기 때문에 그 과보 받는 것에 따르는 업을 '흑백업'이라고 이름한다."

18 물음이다.
19 답이다. 만약 번뇌가 끊어졌다면 이것은 자성단自性斷이니, 끊어지고 나면 현전할 수 없기 때문이다. 유루의 선은 자성단이 아니고 연박단이니(=성자라고 해도 끊을 것이 아니기 때문), 끊어진 뒤에도 현전할 수 있기 때문이다. 선을 끊은 중에, 모두 같이 일어나는 것은 아니기 때문에 '(현전)할 수 있다[容]'라는 말을 한 것이다. 예컨대 선의 우근의 경우, 만약 그것이 끊어졌다면 곧 현행하지 않으니, 욕계를 떠나면 버리기 때문(=앞의 제3권 중 게송 13c와 그 논설에 의하면 색계에는 우근이 없다)이지만, 욕계의 나머지 선의 경우, 끊어진 뒤라고 해도 여전히 현행할 수 있으니, 성취하기 때문(=그것을 반연하는 번뇌만 끊어질 뿐, 그 법 자체는 성취한다는 취지)이다. 연박단에 관한 해석은 글대로 알 수 있을 것이다.

어떤 다른 논사는 말하였다. "욕계의, 견도로 끊어지는 업 및 욕계 중에 있는 나머지 업을 순서대로 순흑업과 흑백업[俱業]이라고 이름한다. 말하자면 견도로 끊어지는 것은 선과의 섞임[善雜]이 없기 때문에 '순흑업'이라고 이름하고, 욕계의, 수도로 끊어지는 것에는 선과 불선이 있기 때문에 흑백업이라고 이름한다."[20]

제8절 3모니三牟尼와 3청정三淸淨

또 경 중에서 세 가지 모니牟尼가 있다고 설하였고, 또 경 중에서 세 가지 청정이 있다고 설했는데, 모두 신·어·의이다. 그 모습은 각각 어떠한가? 게송으로 말하겠다.

65 무학의 신·어업과[無學身語業]
곧 마음이 세 가지 모니이고[卽意三牟尼]
세 가지 청정은[三淸淨應知]
곧 모든 세 가지 묘행이라고 알아야 한다[卽諸三妙行][21]

논하여 말하겠다. 무학의 신·어업을 신·어모니牟尼라고 이름하는데, 의모니는 곧 무학의 마음[意]이고, 의업이 아니다. 왜냐하면 승의의 모니는 오직 마음[心]을 체로 할 뿐인데, 말하자면 신·어의 2업에 의해 추리해 아는 것[比知]이다. 또 신·어업은 원리遠離를 체로 하지만, 의업은 그렇지 않으니, 무표가 없기 때문이다. 원리했다는 뜻에 의해 모니를 건립하는데, 이 때문에 곧 마음은 신·어업에 의해 원리한 바[所離]를 가질 수 있기 때문에 모니

20 이는 곧 셋째 다른 학설을 서술하는 것이다. 앞의 논사는 5취에 의거해 밝히는 것이고, 뒤의 논사는 5단(=4견소단+1수소단)에 의거해 말하는 것이지만, 모두 바른 뜻이 아니다.

21 이하는 곧 여덟째 모니와 청정에 대해 밝히는 것인데, 위의 2구는 3모니(=중 5:21 등심경等心經. 다만 '신·구·의업의 적정[身口意業寂靜]'이라고 표현되어 있다)에 대해 밝히는 것이고, 아래 2구는 3청정(=중 5:25 수유경水喩經)에 대해 밝히는 것이다. '모니牟尼muni'는 여기 말로 적묵寂默이다.

라고 이름한 것이다.[22]

어째서 모니는 무학에만 있는가?[23] 아라한이 진실한 모니이기 때문이니, 모든 번뇌의 말[諸煩惱言]이 영원히 고요하기 때문이다.[24]

신·어·의 세 가지의 모든 묘행妙行을 신·어·의 세 가지의 청정이라고 이름하니, 일체 악행과 번뇌의 때[垢]에서 잠시나 영원히 떠났기 때문에 청정이라고 이름한다.[25]

....

22 위의 2구를 해석하는 것이다. 무학의 신·어업 및 마음[意]을 3모니라고 이름한다. 의업意業은 모니의 체가 되는 것이 아니다. 까닭이 무엇인가? 승의의 모니는 오직 마음을 체로 할 뿐인데, 그 모습은 드러나기 어렵고, 신·어업이 온갖 악을 떠난 것에 의해 추리해 알 수 있다. 이런 작용이 있기 때문에 신·어업을 말하여 역시 모니라고 이름하지만, 마음의 의도(=의업의 체)는 이미 승의가 아닌 데다가 다시 추리하게 하는 작용도 없으므로 모니라고 이름하지 않는다. 그래서 『순정리론』(=제41권. 대29-574중)에서 말하였다. "이 심모니心牟尼(=의모니)는 신·어업이 온갖 악을 떠난 것에 의해 추리해 알 수 있지만, 의업은 그 중에 능히 추리하게 작용[能比用]이 없다. 추리하게 하는 근거[能比]와 추리되는 대상[所比]만을 합쳐서 모니를 건립한다."(=신·어업은 추리근거이므로 모니이고, 마음은 추리대상이어서 모니이지만, 의업은 추리근거도 추리대상도 아니라는 취지) 또 신·어업은 원리遠離하는 계를 체로 하는 것이니, 능히 온갖 악에서 떠나게 하는 계를 원리라고 이름하는데, 의업은 그렇지 않아서, 무표가 없기 때문에 원리의 체가 아니다. 악을 멀리 떠났다는 뜻에 의해 모니를 건립하는데, 따라서 곧 마음은 신·어업에 의해 원리한 바를 가질 수 있기 때문에 모니라고 이름한 것이다.

23 물음이다.

24 답이다. 아라한이 진실한 모니이기 때문이니, 모든 번뇌의 말이 영원히 고요하기 때문이다. 유학 등은 아니다. 번뇌는 마치 말처럼 시끄럽고 번잡하므로 번뇌의 말이라고 이름하였다. 또 해석하자면 번뇌는 마치 말과 같아서 서로 비슷하니, 말은 말의 다툼이라고 말하고, 번뇌는 번뇌의 다툼이라고 말하므로 번뇌의 말이라고 이름하였다. 또 해석하자면 번뇌는 말을 반연해서 일어나기 때문에 번뇌의 말이라고 이름한 것이니, 비록 말을 반연하지 않는 번뇌가 있기는 하지만, 여기에서는 우선 말을 반연해서 일어나는 것에 의거해 말한 것이다.

25 아래 2구를 해석하는 것이다. 세 가지 묘행을 세 가지 청정이라고 이름하는데, 이 선의 청정은 유루·무루에 통한다. 만약 유루의 선이라면 잠시 악행과 번뇌에서 멀리 떠나는 것을 청정이라고 이름하고, 만약 무루의 선이라면 영원히 악과 번뇌에서 멀리 떠남을 얻는 것을 청정이라고 이름한다. 그래서 『순정리론』 제41권(=대29-574중)에서 말하였다. "무루의 묘행은 영원히 악행과 번뇌의 때에서 멀리 떠나기 때문에 청정이라고 이름할 수 있겠지만, 유루의 묘행은 여전히 악행과 번뇌의 때에 의해 오염되는데, 어떻게 청정하겠는가?

이런 두 가지를 설하신 것은, 유정들이 삿된 모니와 삿된 청정을 헤아리는 것을 종식시키기 위해서였다.[26]

제9절 3악행과 3묘행

또 경 중에서 세 가지 악행惡行이 있다고 설하였고, 또 경 중에서 세 가지 묘행妙行이 있다고 설했는데, 모두 신·어·의이다. 그 모습은 각각 어떠한가? 게송으로 말하겠다.

66 악의 신·어·의업을 말하여[惡身語意業]
세 가지 악행이라고 이름하며[說名三惡行]
아울러 탐욕·성냄·사견인데[及貪瞋邪見]
세 가지 묘행은 이와 반대이다[三妙行翻此][27]

논하여 말하겠다. 일체 불선의 신·어·의업을 순서대로 신·어·의의 악행이라고 이름한다. 그런데 의악행에는 다시 세 가지가 있다. 말하자면 의업 아닌 탐욕·성냄·사견이니, 탐욕 등은 의도를 떠나 별도로 체가 있기 때문이다.[28]

비유자譬喩者는 말하였다. "탐욕·성냄·사견은 곧 의업이니, 고사경故思經 중에서 이 세 가지를 의업이라고 설했기 때문이다."[29] 만약 그렇다면 곧 업

이것도 역시 잠시 악행과 번뇌의 때에서 멀리 떠날 수 있기 때문에 청정이라는 명칭을 얻는다."

26 이런 두 가지를 설하신 것은 두 가지 헤아림을 종식시키기 때문이다.

27 이하는 곧 아홉째 악행과 묘행에 대해 밝히는 것이다. 위의 3구는 악행에 대해 밝히는 것이고, 아래 1구는 묘행에 대해 밝히는 것이다. # '경'은 장 8:9 중집경衆集經 등이다.

28 위의 3구를 해석하는 것이다. 탐욕·성냄·사견도 역시 악행이라고 이름한다. 의도를 떠나 별도로 있기 때문에 다시 셋으로 나눈 것이다. 신·어업을 떠나서는 다시 별도의 체가 없기 때문에 신·어에서는 말할 수 없는 것이다. 혹은 이 세 가지는 악행과 상응하는 것이기 때문에 악행이라고 이름한 것이다.

29 경량부의 비유자의 말이다. 탐욕 등의 세 가지는 곧 마음의 의도이니, 의도를

과 번뇌는 합쳐서 하나의 체가 되어야 할 것이다.[30] 어떤 번뇌는 곧 의업이라고 인정했는데, 여기에 무슨 허물이 있겠는가?[31] 비바사 논사들은 말하였다. "그것은 이치가 아니니, 만약 그렇다고 인정한다면 곧 많은 이치·가르침과 상반되어 큰 허물을 이룰 것이다. 그런데 계경에서 이것이 의업이라고 설한 것은, 의도가 그것들을 문門으로 해서 일어난다는 것을 나타내는 것이기 때문이다."[32]

이에 의해 능히 사랑할 만한 것 아닌 과보를 감득하기 때문이며, 총명하고 지혜로운 분들이 꾸짖고 싫어하는 것이기 때문에 이런 행은 곧 악이니, 그래서 악행이라고 이름한 것이다.[33]

세 가지 묘행은 이와 반대라고 알아야 할 것이니, 말하자면 신·어·의의 일체 선업과 의업 아닌 무탐·무진·정견이다.[34]

떠나서는 체가 없다. 증거(='고사경'은 중 3:15 사경思經을 가리킨다)를 인용한 것은 알 수 있을 것이다.

30 설일체유부의 힐난이다. 만약 탐욕 등이 곧 마음의 의도라고 말한다면 이는 곧 어떤 업과 번뇌는 합쳐서 하나의 체를 이루어야 할 것이다.

31 비유자의 답이다. 우리는, 탐욕 등은 곧 의업이라고 인정하는데, 여기에 무슨 허물이 있겠는가?

32 비바사 논사의 전체적인 비판이다. 만약 인정한다면 곧 많은 이치와 가르침에 어긋나는 큰 허물을 이룰 것이다. 그래서 『순정리론』(=제41권. 대29-574중)에서 말하였다. "아급마阿笈摩(=아함) 및 바른 이치 때문이다. '아급마'란, 말하자면 계경에서 탐욕·성냄·사견은 업연의 일어남[業緣集]이라고 설한 것이다. 따라서 탐욕 등은 (업연이지) 곧 업의 성품이 아니라는 것을 알 수 있다. '바른 이치'란 무엇인가? 말하자면 만약 번뇌가 곧 업이라고 한다면, 12연기 및 세 가지 장애[三障](=혹·업·고) 등의 차별이 없어야 할 것이다. 이에 의해 탐욕 등은 업이 아니라는 것을 증지할 수 있다." 그런데 계경에서 탐욕·성냄·사견이 의업이라고 설한 것은, 의도가 그 탐욕·성냄·사견을 문으로 해서 일어난다는 것을 나타내는 것이기 때문이다.

33 악행이라는 명칭을 해석하는 것이다. 사랑할 만한 것 아닌 과보를 감득하며, 지혜로운 분들이 꾸짖고 싫어하는 것이기 때문에 '악'이라고 이름하고, 움직이는 것이 민첩하고 예리하기 때문에 '행'이라고 이름하는데, 이 행이 곧 악이기 때문에 악행이라고 이름한 것이니, 지업석이다.

34 제4구를 해석하는 것이다. 이 3묘행은 3악행과 반대되는 것이므로, 업에도 그 세 가지가 있고, 업 아닌 것도 역시 세 가지이다. '묘행'이라고 말한 것은 바로 사랑할 만한 과보를 감득하기 때문이며, 지혜로운 분들이 칭찬하는 것이기 때문에 '묘'라고 이름하고, 움직이는 것이 민첩하고 예리하기 때문에 '행'이라고

정견과 사견에는 남을 이익하거나 남을 손해하려는 고의[故思]가 이미 없는데, 어떻게 선과 악을 이루겠는가?[35] 능히 손익을 주는 데 근본이 되기 때문이다.[36]

제3장 십업도十業道

제1절 업도의 체성

제1항 업도의 체

또 경 중에서, 선이나 악의 십업도가 있다고 설했는데, 그 모습은 어떠한가? 게송으로 말하겠다.

67 경에서 설한 10업도는[所說十業道]
악행과 묘행 중[攝惡妙行中]
두드러진 품류를 거두어 그 성품으로 한 것으로서[麤品爲其性]
상응하는 대로 선·악을 이룬다[如應成善惡][37]

이름하는데, 이 행이 곧 묘이기 때문에 묘행이라고 이름한 것이다.

35 물음이다. 정견과 사견은 성품이 추구하는 것으로 의식에만 있는 것이다. 이미 고의에 의해 일 가운데서 남을 이익하거나 남을 손해하려고 함이 없는데, 어떻게 선과 악을 이루겠는가?

36 답이다. 정견을 일으킴에 의해 살생 등을 하지 않고, 사견을 일으킴에 의해 살생 등을 하니, 정견과 사견은 비록 바로 일으킬 때에는 남을 손해하거나 이익하는 것이 아니지만, 능히 신·어로써 손익하는 여러 업에게 근본이 되기 때문에 역시 선·악을 이룬다. (문) 마음의 악행 중 거만 등도 역시 악행인데, 어째서 탐욕·성냄 등의 세 가지만 말했으며, 마음의 선행 중 믿음 등도 역시 선행인데, 어째서 무탐 등의 세 가지만 말했는가? (해) 이런 세 가지는 두드러진 품류[麤品]에 포함되기 때문에 십업도에 포함되니, 이 때문에 이것들만 말한 것이다.

37 이하는 열째 십업도에 대해 밝히는 것이다. 그 안에 나아가면 첫째 업도의 체성에 대해 밝히고, 둘째 업도라는 명칭의 뜻을 해석하며, 셋째 뜻의 편의상 단선근[斷善]에 대해 밝히고, 넷째 업도의 함께 일어남[業道俱轉]에 대해 밝히

논하여 말하겠다. 앞에서 설한 악행과 묘행 중 만약 두드러지게 드러나 알기 쉬운 것이라면 거두어서 10업도로 하는데, 상응하는 대로 만약 선의 업도이면 앞의 묘행을 포함하고, 불선의 업도이면 앞의 악행을 포함한다.[38]

어떤 악행과 묘행을 포함하지 않는가?[39] 우선 불선 중 몸의 악업도는 몸의 악행 중 일부를 포함하지 않는다. 말하자면 가행加行, 후기後起, 나머지 불선의 신업, 즉 여러 술을 마시거나 붙잡거나 때리거나 묶는 등이니, 가행 등은 두드러지게 드러나는 것이 아니기 때문이다. 만약 몸의 악행이 다른 유정들로 하여금 목숨을 잃게 하거나 재물을 잃게 하거나 처첩 등을 잃게 하는 것이라면 업도라고 말하니, 멀리 떠나게 해야 하기 때문이다.[40] 말의

며, 다섯째 처에 의거한 업도의 성취에 대해 밝히고, 여섯째 업도의 3과에 대해 밝힌다. 업도의 체성을 밝히는 것에 나아가면 첫째 바로 업도의 체를 밝히고, 둘째 업도의 차별을 밝히는데, 이는 곧 바로 업도의 체를 밝히는 것이다. # 경에서 설한 여러 업 중 이 열째의 십업도를 따로 제3장으로 편성함에 따라, 그 열한 번째의 3사행은 이 제3장의 분절 여섯 다음에 제7절로 편성하였다. 이런 제4편 분별업품의 전체 구성을 도표로 정리해 보이면 다음과 같다.

<table>
<tr><td colspan="2">업의 체성</td><td colspan="2">제1장 업의 체성</td><td>제13~15권</td></tr>
<tr><td rowspan="8">경의 여러 업</td><td>제1~ 제9</td><td>제2장 경의 여러 업</td><td>제1절 3성의 업 ~ 제9절 3악행과 3묘행</td><td>제15~16권</td></tr>
<tr><td rowspan="6">제10</td><td rowspan="7">제3장 십업도</td><td>제1절 업도의 체성</td><td rowspan="7">제16~17권</td></tr>
<tr><td>제2절 업도라는 명칭의 뜻</td></tr>
<tr><td>제3절 단선근과 속선근</td></tr>
<tr><td>제4절 업도의 함께 일어남</td></tr>
<tr><td>제5절 처에 의한 업도 성취</td></tr>
<tr><td>제6절 업도의 3과</td></tr>
<tr><td>제11</td><td>제7절 3사행</td></tr>
<tr><td colspan="2">여러 가지 업</td><td colspan="2">제4장 여러 가지 업</td><td>제17~18권</td></tr>
</table>

38 악행과 묘행 중 두드러지게 드러나서 알기 쉬운 것을 선·악의 업도라고 한다.
39 물음이다.
40 이하 답이다. 우선 불선 중 몸의 악업도의 경우, 몸의 악행 중 가행, 후기 및 나머지 불선의 신업, 즉 술을 마시거나 붙잡거나 때리거나 묶는 등은 포함하지 않는다. 혹은 살생 등을 행했더라도 (가행 등의) 연이 결여되었다면 이루어지지 않는다. 가행 등은 두드러지게 드러나는 것이 아니기 때문에 업도라고 이름하지 않는다. 만약 몸의 악행이 다른 유정들로 하여금 혹은 때로 목숨을 잃게 했다면 살생의 업도를 이루고, 혹은 때로 재물을 잃게 했다면 도둑질의 업도를 이루며, 혹은 처첩을 잃게 했다면 사음의 업도를 이룬다. 목숨을 잃게

악업도는 말의 악행 중 가행, 후기 및 가벼운 것[輕]을 포함하지 않는다.[41] 마음의 악업도는 마음의 악행 중 악한 의도[惡思] 및 가벼운 탐욕 등을 포함하지 않는다.[42]

선업도 중 몸의 선업도는 몸의 묘행 중 일부를 포함하지 않는다. 말하자면 가행, 후기 및 나머지 선의 신업이니, 즉 음주에서 떠나는 것, 공양을 베푸는 것 등이다.[43] 말의 선업도는 말의 묘행 중 일부를 포함하지 않으니, 말하자면 애어愛語 등이다.[44] 마음의 선업도는 마음의 묘행 중 일부를 포함

하는 등은 두드러지게 드러나는 것이기 때문에 업도라고 말한다. 세존께서 멀리 떠나게 하려고 하셨기 때문이다.

41 말의 악업도의 경우, 말의 악행 중 가행과 후기 및 전륜왕(이 출현한 시절)과 북구로주에서의 염오한 마음에 의한 노래 등과 꾸미는 말로서 가벼운 것은 포함하지 않는다. 몸의 세 가지 업도는 남을 손상하는 것이 무거워서, 전륜왕(의 시절)과 북구로주에서는 한결같이 일으키지 않기 때문에 신업 등의 경우 가벼운 것은 말하지 않은 것이다. 혹은 음주 등은 곧 신업으로서 가벼운 것이다. 혹 거짓말 등을 행했더라도 연이 결여되었다면 이루어지지 않으므로 역시 말로서 가벼운 것이라고 이름한다. 가행 등은 두드러지게 드러나는 것이 아니기 때문에 업도라고 이름하지 않는다. 만약 말의 악행이 두드러지게 드러나서 알기 쉬운 것이라면 비로소 업도라고 이름한다.

42 마음의 악업도의 경우 마음의 악행 중 악한 의도를 포함하지 않는다. 의도에 대해 길이 되기 때문에 업도라고 이름하는 것인데, 이 의도는 다시 스스로에게 길이 될 수는 없기 때문에 악한 의도를 제외하는 것이다. 아울러 전륜왕의 시절과 북구로주의 사람 등이 가벼운 탐욕 등을 일으키더라도 두드러지게 드러나는 것이 아니기 때문에 업도라고 이름하지 않는다. (문) 어째서 (마음의 악행에서는) 가행과 후기를 말하지 않았는가? (해) 두드러진 품류가 현전하면 곧 근본을 이루기 때문에 가행과 후기를 따로 말하지 않은 것이다.

43 이하는 선업도에 대해 밝히는 것이다. 선업도 중 몸의 선업도의 경우 몸의 묘행 중 가행과 후기 및 나머지 선의 신업, 즉 음주에서 떠나거나 보시를 행하거나 공양하는 등은 포함하지 않으니, 두드러지게 드러나는 것이 아니기 때문에 업도라고 이름하지 않는다.

44 말의 선업도의 경우 말의 묘행 중 일부를 포함하지 않는다. 말하자면 애어, 화합하게 하는 말, 진실한 말 등이니, 두드러지게 드러나는 것이 아니기 때문에 업도가 아니다. (문) 선의 어업도의 경우 어째서 가행과 후기를 말하지 않았는가? (해) 이치로는 가행과 후기도 말해야 하지만, 말하지 않은 것은 비추어 나타내므로 알 수 있어서이다. 혹은 '등'에서 나타낸 것이다. 혹은 애어 등도 가벼운 것이기 때문에 오히려 업도가 아니거늘, 하물며 앞의 가행 및 후기이겠는가? 이는 곧 무거운 것을 열거하면 가벼운 것도 나타내므로, 생략하고 말하지 않은 것이다.

하지 않으니, 말하자면 여러 선한 의도[善思]이다.[45]

제2항 표·무표에 의거한 업도의 차별

1. 근본업도와 표·무표

십업도 중 앞의 7업도에는 모두 결정코 표·무표가 있는 것인가?[46] 그렇지 않다.[47] 어째서인가?[48] 게송으로 말하겠다.

45 마음의 선업도의 경우 마음의 묘행 중 선한 의도를 포함하지 않는다. 의도에게 길이 되는 것을 업도라고 이름하는데, 이 의도는 의도에게 길이 되는 것이 아니기 때문에 의도를 포함하지 않은 것이다. (문) 어째서 가벼운 무탐 등은 업도가 아니라고 말하지 않았는가? (해) 앞의 악업에 준하면 선업에서도 역시 가벼운 무탐 등을 갖추어 말해야 할 것인데도 말하지 않은 것은, 생략하고 말하지 않은 것이다. 혹은 앞의 악 중에서 가벼운 탐욕 등을 말했으므로 선 중에서 말하지 않아도 비추어 나타내므로 알 수 있기 때문이다. 혹은 선법은 일어나기 어려워서, 일어나면 곧 업도를 이루기 때문에 가벼운 것을 말하지 않았지만, 악업은 일어나기 쉽기 때문에 두 가지로 나눈 것이니, 무거운 것은 업도가 되지만, 가벼운 것은 업도가 아니다. 비록 세 가지 해석이 있지만, 앞의 두 가지가 낫다.

46 이하는 둘째 업도의 차별에 대해 밝히는 것이다. 그 안에 나아가면 첫째 표·무표에 의거해 밝히고, 둘째 3근에 의거해 분별하며, 셋째 업도의 의지처에 대해 밝히고, 넷째 문답으로 분별하며, 다섯째 업도의 모습에 대해 밝힌다. 표·무표에 의거해 밝히는 것에 나아가면, 첫째 근본에 의거해 밝히고, 둘째 전후에 의거해 분별한다. 이하 곧 첫째 근본에 의거해 밝히는데, 이는 곧 물음을 일으킨 것이다. # 제1절 업도의 체성을 밝히는 글 중의 둘째 업도의 차별은 다섯 과목으로 나누어져 있으므로, 이를 제2항~제6항으로 해서 제1절을 다음과 같이 편성하였다.

<table>
<tr><td colspan="2">업도의 체</td><td>제1항 업도의 체</td></tr>
<tr><td rowspan="5">업도의 차별</td><td>표·무표에 의거해 밝힘</td><td>제2항 표·무표에 의거한 업도의 차별</td></tr>
<tr><td>3근에 의거한 분별</td><td>제3항 3근에 의거한 업도의 차별</td></tr>
<tr><td>업도의 의지처</td><td>제4항 업도의 의지처</td></tr>
<tr><td>문답 분별</td><td>제5항 문답 분별</td></tr>
<tr><td>업도의 모습</td><td>제6항 업도의 모습</td></tr>
</table>

47 답이다.

48 따지는 것이다.

68 악 여섯 가지에는 결정코 무표가 있고[惡六定無表]
그 스스로 지은 것과 사음에는 둘이 있으며[彼自作婬二]
선 일곱 가지가 수계에서 생긴 것이면 둘이 있고[善七受生二]
선정에서 생긴 것이면 무표뿐이다[定生唯無表][49]

논하여 말하겠다. 7악업도 중 여섯 가지에는 결정코 무표가 있으니, 살생殺生, 불여취不與取, 허광어虛誑語, 이간어離間語, 추악어麤惡語, 잡예어雜穢語를 말하는 것이다. 이와 같은 여섯 가지는, 만약 남을 보내어 행하게 했다면, 근본업도가 성취될 때 자신의 표업은 없기 때문에, 만약 스스로 그 6업도를 행함이 있었다면, 곧 여섯 가지에 모두 표·무표 두 가지가 있다. 표업을 일으켰을 때 그가 곧 죽는 등의 경우를 말하는 것이니, 후에 비로소 죽는 등의 경우에는 남을 보내어 행하게 한 경우와 같이 근본업도가 성취될 때 무표뿐이기 때문이다.[50] 욕사행欲邪行만은 반드시 두 가지를 갖춘다. 반드시 자신이 완성해야 하는 것이기 때문이니, 남을 보내어 행하게 하는 것은, 스스로 행하는 것처럼 기쁨을 낳는 것이 아니다.[51]

7선업도가 만약 수계로부터 생긴 것이라면 반드시 모두 두 가지-표·무표를 말한다-를 갖추니, 수계에서 생긴 계는 반드시 표업에 의하기 때문이다.[52] 정려와 무루에 포함되는 율의를 '선정에서 생긴 것[定生]'이라고 이름했는데, 이것은 무표뿐이니, 마음의 힘에 의해서만 생길 수 있기 때문이다.[53]

2. 가행·후기와 표·무표

가행과 후기後起도 근본업도와 같은가?[54] 그렇지 않다.[55] 어떠한가?[56] 게

49 위의 2구는 불선업도에 대해 밝히는 것이고, 아래 2구는 선업도에 대해 밝히는 것이다.
50 제1구를 해석하는 것이다. 이 6업도의 경우 무표업은 결정적이지만, 표업은 곧 결정적이지 않으니, 글대로 알 수 있을 것이다.
51 제2구를 해석하는 것이다. 사행邪行(=사음)의 업도는 표·무표가 결정적이다.
52 제3구를 해석하는 것이다. 7선업도가 만약 남으로부터 받아서 생긴 별해탈계라면 반드시 모두, 말하자면 표·무표의 두 가지를 갖추니, 수계에 의해 생기는 계는 반드시 표업에 의하기 때문이다.
53 제4구를 해석하는 것이다. 선정에서 생기는 무표는 표업에 의해 일어나지 않고, 마음에 의해 생기기 때문이다.

송으로 말하겠다.

69a 가행에는 결정코 표업이 있고[加行定有表]
　무표는 있거나 없으며[無表或有無]
　후기는 이와 상반된다[後起此相違][57]

논하여 말하겠다. 업도의 가행에는 반드시 결정코 표업이 있다. 이 단계에 무표는 있기도 하고 없기도 하니, 만약 맹리한 번뇌[猛利纏]나 순수 청정한 마음[淳淨心]이 일으킨 것이라면 곧 무표가 있지만, 이와 다르다면 곧 없다. 후기에는 앞의 가행과는 반대로 결정코 무표가 있지만, 이 단계에 표업은 있기도 하고 없기도 하니, 말하자면 만약 뒤의 시기에 앞의 업도에 따라 업을 일으킨다면 곧 표업이 있지만, 이와 다르다면 곧 없다.[58]

【가행·근본·후기의 단계 건립】 이런 뜻 중 어떻게 가행·근본·후기의 단계[位]를 건립하는가?[59] 우선 불선업 중 가장 처음인 살생업의 경우, 예컨대 양을 도살하는 자는 장차 살생을 행하려고 할 때 먼저 살생하려는 마음을 일으키고, 자리에서 일어나 돈을 들고 양을 파는 점포로 가서 양의 몸을 살피고 만져본 뒤 값을 치르고 붙잡아 끌고 돌아와 사육하다가 도살장에 데리고 들어가 손에 몽둥이나 칼을 들고 한 번이나 재차 때리거나 찌르는데, 목숨이 아직 끝나지 않았을 동안의 이런 것들은 모두 살생의 가행이라고 이름한다. 이런 표업에 따라 그 양의 목숨이 바로 끝난 이 찰나경의 표·무표업, 이것을 살생의 근본업도라고 이름한다. 두 가지 연에 의해서 모든 유

54 이하는 둘째 전후(=가행과 후기)에 의거해 분별하는 것인데, 가행과 후기도 근본업도와 같이 표·무표가 있는지 묻는 것이다.
55 답이다.
56 따지는 것이다.
57 위의 2구는 가행에 대해 밝히고, 아래 1구는 후기에 대해 밝히는 것이다.
58 단지 의지意地를 일으키는 것만으로는 가행을 이루지 못하고, 신·어를 일으킨 뒤라야 비로소 가행을 이루기 때문에 가행에는 반드시 표업이 있다. 나머지 글은 알 수 있을 것이다.
59 이 업도의 뜻 중 어떻게 세 단계의 차별을 건립하는지 묻는 것이다.

정으로 하여금 근본업도인 살생죄에 저촉되게 하는 것이니, 첫째는 가행에 의해서이고, 둘째는 결과의 만족에 의해서이다. 이 찰나 후에 살생의 무표업이 따라서 일어나 끊어지지 않는 것[隨轉不絶]을 살생의 후기後起라고 이름하며, 아울러 그 후에 가죽을 벗기고 자르며 다듬고 씻은 뒤 계량하거나 팔거나 삶거나 먹거나 하면서 그 맛이 좋다고 칭찬해 말하는 표업의 찰나, 이런 것들도 역시 살생의 후기라고 이름한다.[60] 나머지 6업도가 그 상응하는 바에 따라 세 부분이 같지 않은 것도, 위의 예에 준해서 말해야 할 것이다.[61] 탐욕·성냄·사견은 막 현전하면[纔現在前] 곧 말하여 근본업도라고 이름하기 때문에 가행·후기의 차별이 없다.[62]

【업도의 성립시기】 여기에서 '살생 대상이 사유死有에 머물 때 살생한 자의 그 찰나경의 표·무표업이 곧 업도를 이루는지, 죽은 뒤에 이루는지' 말해야 할 것이다.[63] 만약 그렇다면 무엇이 허물인가?[64] 두 가지에 모두 허물이 있다. 만약 살생 대상이 바로 사유에 머무는 순간 살생한 자의 업도가 곧 이루어진다면, 곧 살생한 자가 살생 대상과 동시에 목숨이 끝나더라도

60 답이다. 살생의 3단계를 밝히는데, '가행'은 앞의 가행을 말하는 것이고, '결과의 만족'은 살생의 완성을 말하는 것이다. 나머지 글은 알 수 있을 것이다.
61 이는 곧 유추해서 해석하는 것인데, 자세한 것은 『순정리론』(=제41권. 대29-575중)에서 말하는 것과 같다.
62 가벼운 탐욕 등을 일으키는 것은, 단지 홀로 일어나는[獨頭] 가벼운 탐욕·성냄일 뿐이라면 업도·가행·후기가 아니며, 만약 근본을 일으킨다면 곧 업도이다. 『순정리론』 제41권(=대29-575하)에는 양 설이 있는데, 처음 설은 이 논서와 같고, 다시 1설이 있어 말하였다. "여시설자는 역시 세 부분을 갖춘다고 한다. 불선의 의도가 있어서 탐욕·성냄 등에게 앞·뒤에서 돕는 것이 될 수 있기 때문이다." 해석하자면 불공무명·4견·의심·거만 등과 상응하는 불선의 의도는 탐욕·성냄·사견에게 가행·후기가 된다는 것인데, 『순정리론』의 뜻은 이 설에 있다. 또 『대비바사론』 제113권(=대27-584상)에서도 말하였다. "그 나머지 탐욕·성냄·사견의 마음의 3업도의 경우 일어나면 곧 근본이고, 가행·후기의 차별이 있는 것은 아니다. 어떤 분은 가행·후기가 역시 있다고 말하니, 불선의 의도를 말하는 것이다." 이 논서는 앞의 논사를 바른 것으로 한 것이고, 『순정리론』은 뒤의 논사를 바른 것으로 한 것인데, 『대비바사론』에 논평한 분은 없다.
63 업도가 이루어지는 시기를 묻는 것이다.
64 답이다.

업도를 이루어야 하겠지만, 그러나 종지에서 그 업도의 성립을 인정하지 않는다. 만약 살생 대상의 목숨이 끝난 뒤에 살생한 자의 업도가 비로소 이루어진다면, 곧 앞에서, '이런 표업에 따라 그 양이 바로 목숨이 끝난 이 찰나경의 표·무표업, 이것을 살생의 근본업도라고 이름한다'라는 이런 말을 하지 않았어야 할 것이다.[65] 또 비바사 논사들이 근본논서 중의 '가행이 아직 종식되지 않았다'는 말을 해석한 것과도 어긋난다고 해야 할 것이다. 말하자면 근본논서에서, "살아있는 것을 이미 해쳤는데도 살생이 아직 소멸하지 않은 경우가 혹시 있는가? 있다고 말한다. 예컨대 생명을 이미 끊었어도 그 가행이 아직 종식되지 않은 경우이다"라고 말했는데, 비바사 논사들은 이 글을 해석하면서, "여기에서는 후기에 대해 가행이라는 말을 한 것이다"라고 말하였다. (오히려) 근본에 대해 가행이라는 말을 한 것이라고 말했어야 할 것이니, 목숨이 끝난 뒤에도 근본이 아직 종식되지 않았다고 인정했기 때문이다.[66]

65 양쪽과 관련해 따지며 책망하는 것이다. 만약 살생 대상이 바로 현재 사유에 머물 때 살생한 자의 업도가 그 때 곧 이루어진다면, 곧 살생한 자가 죽을 연을 만났기 때문에 살생 대상과 동시에 목숨이 끝나더라도 업도를 이루어야 하겠지만, 그러나 종지에서 동시에 목숨이 끝났을 때 업도가 이루어질 수 있다는 것을 인정하지 않는다. 그래서 아래 논서(=게송 ⑦③ab와 그 논설)에서, "만약 살생한 자가 살생 대상과 동시에 목숨이 끝나거나 혹은 앞서 죽었다면, 그는 결정코 근본업도를 얻지 못한다"라고 말한 것이다. 만약 살생 대상의 목숨이 막 끝난 뒤의 제1찰나에 살생한 자의 업도가 비로소 이루어진다면, 곧 앞에서 업도를 해석하면서, '이런 표업에 따라 그 양이 바로 목숨이 끝난 이 찰나경의 표·무표업, 이것을 살생의 근본업도라고 이름한다'라는 이런 말을 하지 않았어야 할 것이다.

66 만약 죽은 뒤에 업도를 이룬다고 말한다면, 또 비바사 논사들이 근본논서 중 '가행이 아직 종식되지 않았다'는 말을 해석한 것과도 어긋난다고 해야 할 것이다. 말하자면 근본논서인 『발지론』(=제11권. 대26-975상)에서, "살아있는 것을 이미 해쳤는데도 살생이 아직 소멸하지 않은 경우(=살생이 아직 성립되지 않았다는 취지)가 혹시 있는가? 있다고 말한다. 예컨대 생명을 이미 끊었어도 그 가행이 아직 종식되지 않았을 때이다"라고 설했는데, 비바사 논사들은 이 글을 해석하면서, "여기에서는 그 업도의 후기에 대해 '가행'이라는 말을 한 것이다"라고 말하였다. 예컨대 원수를 죽였는데도 여전히 아직 죽지 않았을 것이라고 의심해서 (거듭) 몽둥이로 때린 것과 같은 경우, 만약 죽은 뒤에 비로소 업도를 이룬다고 말한다면, 비바사 논사들은 무엇 때문에 해석하

허물이 없는 것과 같으니, 여기에서도 말해야 할 것이다.[67] 여기에서 무엇을 말할 것이기에 허물이 없다고 표현하는가?[68] 말하자면 근본에 대해 가행이라는 말을 하였다는 것이다.[69] 만약 그렇다면 그 때 존재하는 표업이 어떻게 근본업도를 이룰 수 있겠는가?[70] 어째서 이루지 못하겠는가?[71] 작용이 없기 때문이다.[72] 무표업은 여기에서 무슨 작용이 있는가? 따라서 업

면서, 후기의 단계에 대해 가행이라는 말을 한 것이라고 말했는가?(=그것이 후기라고 한다면, '가행이 아직 종식되지 않은 경우'라고 말하지 않았어야 할 것이며, '살생이 아직 소멸하지 않은 경우'라고도 말하지 않았어야 할 것이라는 취지) 근본에 대해 가행이라는 말을 한 것이라고 말했어야 할 것이니, 목숨이 끝난 뒤에도 근본이 아직 종식되지 않았다고 인정했기 때문이다.

67 논주가 논평해 말하는 것이다. 허물이 없는 것과 같으니, 여기에서도 근본논서의 글에 대한 해석을 말해야 한다는 것이다.

68 물음이다.

69 논주의 답이다. 말하자면 근본에 대해 가행이라는 말을 한 것이라고 근본논서의 글을 해석한다면 곧 허물이 없다는 것이다. (유부의) 종지에서 목숨이 끝난 뒤 비로소 업도를 이룬다고 인정하기 때문이다. 그런데도 앞의 글에서, '그 양이 바로 목숨이 끝날 때 업도를 이룬다'라고 말한 것은, 과거의 일에 대해 현재의 말을 한 것이다. 혹은 가행의 원인에 대해 임시로 업도라는 결과의 명칭을 세운 것이다. 그래서 『순정리론』(=제41권. 대29-576상)에서 말하였다. "결정코 죽은 뒤에 업도가 비로소 이루어진다. 그런데도 앞에서 '바로 목숨이 끝날 때'라고 말한 것은 이미 지나간 일에 대해 도리어 현재의 말을 한 것이니, 마치 대왕이 멀리서 이미 와서 있는데도, '지금 어디에서 오십니까?'라고 묻는 것과 같다. 혹은 이것은 원인에 대해 임시로 결과라고 말한 것이다." (문) 무엇 때문에 죽은 뒤라야 비로소 업도를 이룬다는 것인가? (해) 무릇 살생을 논하자면 목숨이 이어지지 않게 하는 것이기 때문에 이어지지 않는 것이라야 비로소 업도를 이루는데, 현재는 목숨이 여전히 존속하거늘, 어떻게 업도를 이루겠는가? 『순정리론』의 뜻도 이 해석과 같다. 그렇지만 비바사 논사들이 근본논서를 해석해 말한 것에 대해 해명한다면, 「근본 및 후기가 모두 살해 대상의 사유死有 후에 생긴 것이니, 어찌 모두 살생의 후기라고 이름할 수 없겠는가? 그러므로 비바사 논사의 근본논서에 대한 말은 지극히 훌륭한 해석이라고 믿어야 한다」라고 말할 수 있다. 구사론사는 책망해 말할 것이다. 「만약 이렇게 해명한다면 뜻에 실제로 어긋남은 없겠지만, '후기'라는 말은 분명하지 않기 때문이다.」

70 외인의 힐난이다. 죽은 뒤에 비로소 업도를 이룬다면, 목숨이 없는 그 때 존재하는 표업이 어떻게 근본업도를 이룰 수 있는가?

71 도리어 외인을 책망하는 것이다.

72 외인의 답이다. 무릇 표업이라고 말하는 것은 모름지기 작용이 있어야 하는데, 그 목숨이 이미 없다면 작용이 없기 때문에 업도가 아니어야 할 것이다.

도의 성립은 작용 있음에 의하는 것이 아니라, 단지 가행에 의해 결과가 원만하기만 하면 그 때 이 두 가지가 모두 근본업도를 이루는 것이다.[73]

【업도 상호간의 가행·후기】 또 모든 업도는 번갈아 서로 바라보면 상호 가행과 후기가 되는 경우가 있을 수 있다. 이제 우선 살생업도의 경우 10업도로써 가행을 일으키는 것에 대해 말해야 할 것이다. 말하자면 예컨대 어떤 사람이 원수를 해치고자 여러 계략을 세워 죽일 인연을 강구하는데, 혹은 중생을 죽여서 돕는 힘을 기도해 청하거나, 혹은 남의 재물을 훔쳐서 죽이는 일의 자금으로 하거나, 혹은 그의 부인과 간음하여 그 지아비를 죽이게 하거나, 혹은 그의 친구들로부터 고립시키기 위해 말의 네 가지 허물을 일으켜 의심을 낳게 해서, 설령 세력이 있더라도 구호하려는 마음이 없게 하거나, 혹은 그의 재산에 대해 탐착하는 마음을 낳거나, 혹은 곧 그에 대해 성내는 마음을 일으키거나, 혹은 사견을 일으켜 죽이는 업을 장양하거나 하고, 그런 뒤에 비로소 죽인다면, 이와 같은 것을 10업도를 살생의 가행으로 한 것이라고 이름한다. 원수를 죽이고 나서 다시 그 후에 그와 친했던 자를 죽이거나, 그의 재물을 거두거나, 그가 사랑했던 자와 음행하거나, 나아가 다시 탐욕·성냄·사견을 일으켜 순차 현전시키기에 이른다면, 이런 열 가지를 살생의 후기라고 이름한다. 그 나머지 업도에 대해서도 상응하는 대로 알아야 할 것이다.[74]

탐욕 등은 가행이 될 수 있다고 해서는 안 될 것이다. 마음이 일어나는

73 논주가 도리어 책망하면서 업도를 이룬다는 것을 나타내는 것이다. 무표업은 이 근본이 성취될 때 무슨 작용이 있는가? 따라서 업도의 성립은 작용 있음에 의하는 것이 아니라, 첫째는 가행하여 살해 등의 일을 짓는 것에 의하고, 둘째는 결과가 원만해짐에 의하여 살생이 완성되었을 때, 그 때 인등기의 의도를 능히 펼치므로 이 표·무표가 모두 근본업도를 이루는 것이다. 그래서 『대비바사론』(=제118권. 대27-617상)에서 말하였다. "살생죄는 2연에 의해 획득되니, 첫째는 가행을 일으키는 것, 둘째 결과가 완성되는 것이다. 만약 가행을 일으켰더라도 결과가 완성되지 않거나, 결과가 완성되어도 가행을 일으키지 않았다면 모두 죄를 얻지 않는다. 만약 가행을 일으키고 결과도 역시 완성되었다면 비로소 살생죄를 이룰 수 있다."

74 이는 십업도가 서로서로 가행과 후기가 되는 것을 밝히는 것인데, 글대로 알 수 있을 것이다.

것만으로 가행이 곧 이루어지는 것은 아니니, 마음만 일으켰을 때에는 아직 일을 하지 않았기 때문이다.[75]

제3항 3근에 의거한 업도의 차별

1. 악업의 가행

또 경 중에서, "필추들이여, 알아야 한다. 살생에는 세 가지가 있으니, 첫째 탐욕으로부터 생기는 것, 둘째 성냄으로부터 생기는 것, 셋째 어리석음으로부터 생기는 것이다. 나아가 사견에 이르기까지 세 가지가 있는 것도 역시 그러하다"라고 설했으니,[76] 여기에서 논설해야 할 것이다. 어떤 모습의 살생을 탐욕으로부터 생기는 것이라고 이름하는가? 나머지를 묻는 것도 역시 그러하다.[77] 모든 업도는 일체 모두가 3근三根에 의해 완성되는 것은 아니다. 그렇지만 그 가행은 그것과 같지 않다.[78] 어떻게 같지 않은가?[79]

75 논주가 다른 논사의 계탁을 서술해서 힐난으로 삼는 것이다. 무릇 가행을 논한다면, 그것을 돕는 작용이 있어 칼 등을 들고 죽이는 등의 일을 짓는 것이므로, 탐욕 등은 능히 가행이 된다고 해서는 안 된다. 마음만 일어나고 신·어를 일으키지 않았다면 가행은 곧 이루어지는 것이 아니니, 마음만 일으켰을 때에는 아직 가행의 일을 하지 않았기 때문이다. 따라서 탐욕 등은 가행이 아니라고 말한다. 그래서 『순정리론』 제41권(=대29-576상)에서 말하였다. "어떤 다른 논사는 말하였다. 탐욕 등은 능히 가행이 된다고 해서는 안 된다. 마음이 일어나는 것만으로 가행이 곧 이루어지는 것은 아니니, 아직 일을 짓지 않았기 때문이다. 여시설자는, 탐욕 등은 지어진 업[所作業]의 성품이 아니기는 해도, 그 탐욕 등이 경계를 반연하여 생겼을 때 힘의 작용이 없는 것이 아니라, 힘의 작용이 있으므로 가행이라는 명칭을 얻는다. 방편으로 여러 업도를 견인해 낳기 때문이다." 『순정리론』은 뒤의 설을 바른 것으로 했지만, 이 논서는 앞의 논사로써 힐난하니, 곧 앞의 논사를 바른 것으로 한 것이다. 논을 지은 뜻이 다르니, 가행이 되지 않는다는 것은 직접적으로는 힘이 없음에 의거한 것이고, 능히 가행이 된다는 것은 간접적으로 힘이 있음에 의거한 것이다.

76 이하는 둘째 3근에 의거해 분별하는 것이다. 그 안에 나아가면 첫째 악업의 가행을 밝히고, 둘째 선업을 낳는 3단계를 밝히며, 셋째 업도의 완성에 대해 밝힌다. 이는 곧 악업의 가행을 밝히려고, 경(=잡 [37]37:1049 삼인경三因經)에 의해 물음을 일으키려는 것이다.

77 이는 곧 전체적으로 묻는 것이다.

78 답이다. 모든 업도는 근본이 성취될 때 일체 모두 3근에 의해 완성되는 것은

게송으로 말하겠다.

69d 가행은 3근에서 일어나며[加行三根起]
70a 그것의 무간에 생기기 때문에[彼無間生故]
탐욕 등도 3근에서 생긴다[貪等三根生][80]

논하여 말하겠다. 불선업도의 가행이 생길 때에는 하나하나가 3불선근에 의해 일어난다. 앞서 등기한 것에 의하기 때문[依先等起故]에 이런 말을 한 것이다.[81]

살생의 가행으로서 탐욕에 의해 일어나는 것이란, 예컨대 누군가가 그 몸의 일부를 얻으려고 하거나, 혹은 재물을 얻기 위하거나, 혹은 오락을 위하거나, 혹은 친구나 자신을 구제하기 위한 것과 같은, 탐욕에 따라 살생의 가행을 인기引起하는 것이다. 성냄으로부터 일어나는 것이란, 예컨대 원수를 없애기 위해 분노하고 성내는 마음을 일으켜 살생의 가행을 일으키는 것과 같은 것이다. 어리석음으로부터 일어나는 것이란, 예컨대 누군가가 제사 중에 '이것이 법이다'라고 여기는 마음으로 살생의 가행을 일으키거나, 또 여러 왕 등이 세간의 법률에 의해 원적을 살육하고 나쁜 무리들을 제거하면 큰 복을 이룬다고 여겨서 살생의 가행을 일으키는 것과 같은 것이다. 또 페르시아 사람들[波刺私]은, "부모가 늙고 병들었을 때 목숨이 끝나게 하여 괴로움에서 벗어날 수 있게 한다면 곧 뛰어난 복을 낳는다"라는 이런 말을 하고, 또 외도들 중에는, "뱀·전갈·벌 등은 사람에게 악독한 해를 끼치니, 만약 능히 죽인다면 곧 뛰어난 복을 낳고, 양·사슴·물소 및 나머지 짐승 등은 본래 먹이로 제공되기 마련인 것이기 때문에 죽여도 죄가 없다"라

아니다. 그렇지만 그 앞의 가행은 근본과는 같지 않다.

79 가행의 3근이 같지 않다는 것을 따져 묻는 것으로, 아직 근본에 대해서는 묻지 않는다.

80 게송에 의한 답이다.

81 이는 첫 구를 해석하는 것이다. 7불선업도의 가행이 생길 때에는 하나하나가 3불선근에 의해 일어난다. 앞서 인등기한 것에 의하기 때문에 불경 중에서 '3근으로부터 생긴다'라는 이런 말을 한 것이다.

는 이런 말을 하는 외도도 있으며, 또 사견邪見으로 인해 중생을 살해하기도 하니, 이런 등의 가행은 모두 어리석음으로부터 일어나는 것이다.[82]

투도偸盜의 가행으로서 탐욕으로부터 일어나는 것이란, 말하자면 필요로 하는 바에 따라서 투도의 가행을 일으키니, 혹은 별도의 이익·공경·명예를 위한, 혹은 자신이나 친구를 구제하기 위한 탐욕에 따라 투도의 가행을 인기하는 것이다. 성냄으로부터 일어나는 것이란, 말하자면 원수를 없애기 위해 분노하고 성내는 마음을 일으켜 투도의 가행을 일으키는 것이다. 어리석음으로부터 일어나는 것이란, 말하자면 여러 왕 등은, 세간의 법률에 의해 악인의 재물을 빼앗는 것은 법이 응당 그러해야 하므로 투도의 죄가 없다고 여기고, 또 바라문들은, "세간의 재물은 겁초의 시절에 대범천왕이 바라문들에게 시여했던 것인데, 그 후 바라문의 세력이 미약해지면서 여러 비천한 종족들에 의해 침탈되어 수용되었던 것이니, 이제 바라문들이 세상의 남의 재물을 빼앗거나 훔쳐서 옷에 충당하거나 음식에 충당하거나 다른 용도에 충당하거나, 혹은 옮겨서 남에게 보시해도, 모두 자기 재물을 쓴 것이므로 투도의 죄가 없다"라는 이런 말을 하지만, 그들이 취할 때에는 남의 물건이라는 생각을 가지며, 또 사견으로 인해 남의 재물을 훔치기도 하는데, 모두 어리석음으로부터 일어나는 투도의 가행이라고 이름한다.[83]

---

82 이는 살생의 가행이 3근으로부터 생기는 것에 대해 밝히는 것이다. '파랄사波剌私Pārasa'는 파랄사국(=페르시아국)을 말하는 것이니, 예전에 '파사波斯'라고 말한 것은 잘못이다. 사견은 어리석음과 상응하는 것이므로, 단지 사견으로 인해 중생을 살해한다면 이 살생의 가행은 곧 어리석음으로부터 일어나는 것이라고 이름한다. 나머지 글은 알 수 있을 것이다.

83 이는 투도의 가행이 3근으로부터 일어나는 것에 대해 밝히는 것이다. 말하자면 필요로 하는 바에 따라 투도의 가행을 일으키니, 혹은 별도의 이익을 위해 그 물건을 훔치려고 적은 것을 많은 것이라고 부르거나―또 해석하자면 남의 재물을 받는 것을 별도의 이익이라고 이름한다―, 혹은 남의 공경을 구하거나 ―또 해석하자면 남의 물건을 훔쳐서 다른 사람에게 나누어 주기를 바람으로써 남의 공경을 희망하는 것이다―, 혹은 용맹하다는 명예를 위한―또 해석하자면 남의 물건을 훔쳐서 다른 사람에게 나누어 주기를 바람으로써 남이 나를 칭찬하기를 희망하는 것이다―, 이런 것들을 탐욕으로부터 투도의 가행을 일으키는 것이라고 이름한다. 사견을 어리석음으로부터 생기는 것이라고 이름하는 것은 앞의 살생에 준해서 해석할 것이다. 나머지 글은 알 수 있을 것이다.

사음邪婬의 가행으로서 탐욕으로부터 일어나는 것이란, 말하자면 남의 아내 등에 대해 염착染著하는 마음을 일으키니, 남의 재물, 명성·지위·공경을 구하기 위해서나, 자신이나 남의 몸을 구제하기 위해서, 탐착하는 마음에 따라 사음의 가행을 일으키는 것이다. 성냄으로부터 생기는 것이란, 말하자면 원수를 없애기 위해 분노하고 성내는 마음을 일으켜 사음의 가행을 일으키는 것이다. 어리석음으로부터 생기는 것이란, 예컨대 페르시아 사람들은 어머니 등에 대해 비범행을 행하는 것을 찬양하고, 또 바라문들은 소에 대한 제사 중에 소의 금계[牛禁]를 수지한 여러 남녀가 있어 물을 마시고 풀을 뜯으며 머물거나 가면서 친소에 관계없이 따라서 만나 따라서 교합하는 것을 찬양하며, 또 외도들은, "모든 여인은 마치 절구·꽃·과일, 잘 익은 밥, 섬돌, 도로, 배다리[橋船]와 같으니, 세간의 많은 사람들은 함께 수용해야 하네"라는 이런 말을 하는데, 이런 등의 가행은 어리석음으로부터 생기는 것이다.[84]

허광어虛狂語 등 말의 4업도(의 가행으)로서 탐욕·성냄으로부터 생기는 것은, 앞에 유추하여 말해야 할 것이다. 그런데 허광어에 있는 가행으로서 어리석음으로부터 생기는 것은, 예컨대 외론外論에서, "만약 사람이 농담하며 웃는 기회에[若人因戲笑] 시집가거나 아내를 들일 때, 여인이나 왕에 대해[嫁娶對女王] 그리고 목숨을 구하거나 재물을 구하려고[及救命救財] 거짓말을 했다면 죄가 없다[虛誑語無罪]"라고 말하는 것과 같다. 또 사견으로 인해 일으킨 허광어와 이간어 등에 있는 가행은 모두가 어리석음으로부터 생기는 것이라고 알아야 할 것이다. 또 모든 베다[吠陀] 및 다른 사론邪論은 모두 잡예어雜穢語에 포함되는 것인데, 그 가행도 어리석음으로부터 생기는 것이다.[85]

84 이는 사음의 가행이 3근으로부터 생기는 것에 대해 밝히는 것이다. 재물을 구하기 위해서나 명성을 위해서나 관직을 위해서나 공경을 위해서나 자신을 구제하기 위해서나 남의 몸을 구제하기 위해서, 남이 가진 힘 있고 존귀하며 뛰어난 처자 등에 대해 사음을 행하고자 탐착하는 마음에 따라 사음의 가행을 일으키는 것이다. 나머지 글은 알 수 있을 것이다.

85 이는 말의 4업도의 가행이 3근으로부터 생기는 것에 대해 밝히는 것이다. 또 모든 '베다[吠陀]Veda'는 여기 말로 명明인데, 예전에 위다韋陀라고 말한 것은

탐욕과 성냄 등 세 가지는 이미 가행이 없다고 했는데, 어떻게 탐욕 등으로부터 생기는 것이라고 말할 수 있는가?[86] 3불선근으로부터 무간에 생기기 때문에 탐욕 등도 3불선근으로부터 생긴다고 말할 수 있다. 말하자면 혹 어떤 때에는 탐욕으로부터 무간에 탐욕의 업도가 생기고, 두 가지로부터도 역시 그러하며, 성냄 및 사견이 3불선근으로부터 생기는 것도 역시 그러하다.[87]

2. 선업도의 3단계

불선업도가 3불선근으로부터 생기는 것에 대해 논설했는데, 선업도는 다시 어떠한가? 게송으로 말하겠다.

⑦⓪c 선업도는 세 단계 중에서[善於三位中]
모두 3선근에서 일어난다[皆三善根起]

논하여 말하겠다. 모든 선업도에 있는 가행·근본·후기는 모두 무탐無貪·무진無瞋·무치無癡의 선근으로부터 일어나는 것이니, 선업도의 3단계는 모두 선심에 의해 등기된 것이기 때문이며, 선심은 반드시 세 가지 선근과 함께 상응하기 때문이다.[88]

이 선업도의 3단계는 그 모습이 어떠한가?[89] 말하자면 앞의 불선업도의

잘못이다. 곧 4베다론이다.

86 이하 뒤의 2구를 해석하려고 묻는 것이다. 앞의 7업도는 가행이 있기 때문에 '···에 있는 가행은 3근으로부터 생긴다'라고 말할 수 있지만, 탐욕·성냄·사견에는 이미 가행이 없다고 했는데, 어떻게 3근으로부터 생긴다고 말할 수 있는지 묻는 것이다.

87 답이다. 탐욕·성냄·사견은 3불선근으로부터 무간에 생기기 때문에 가행으로서의 탐욕·성냄·어리석음의 세 가지인 3불선근으로부터 생긴다고 말할 수 있으니, 혹 무간에 생기기도 하고, 혹 상응하여 생기기도 한다. 또 해석하자면 탐욕·성냄·사견의 가행은 3불선근으로부터 생긴다고 말할 수 있으니, 가행은 곧 탐욕·성냄·어리석음의 셋이다. '말하자면 혹' 이하는 3불선근이 3업도를 낳는 것을 따로 해석하는 것인데, 글대로 알 수 있을 것이다.

88 이하는 둘째 선업도의 3단계(=가행·근본·후기)에 대해 밝히는 것이다. 선업도의 3단계는 모두 3선근에 의해 등기된 것이기 때문이며, 선법과 서로 수순하는 것이기 때문에 3법이 함께 생기지만, 악은 대부분 서로 거스르기 때문에 탐욕·성냄이 함께 하지 않음을 밝히는 것이다.

3단계로부터 멀리 떠난 것이니, 악의 가행에서 떠난 것이 곧 선의 가행이고, 악의 근본에서 떠난 것이 곧 선의 근본이며, 악의 후기에서 떠난 것이 곧 선의 후기이다. 우선 예컨대 근책勤策이 구족계를 받을 때 계단戒壇으로 와서 들어가 필추대중들에게 예배하고 지극히 진실하게 말을 일으켜 친교사親教師에게 청함에서 나아가 일백이갈마一白二羯磨하기에 이르는 등을 모두 선업도의 가행이라고 이름하고, 제3갈마가 끝나는 일찰나 중의 표·무표업을 근본업도라고 이름하며, 이후 네 가지 의지처[四依]를 설하기에 이르기까지 및 그 나머지, 앞에 의해 상속하여 따라 일으키는 표·무표업을 모두 후기라고 이름하는 것과 같다.[90]

3. 3근과 업도의 완성

앞에서 설한 것처럼 모든 업도는 일체 모두가 3근에 의해 완성되는 것은 아니라면, 어떤 근이 어떤 업도를 완성하는가?[91] 게송으로 말하겠다.

71 살생, 추악어, 성냄의[殺麤語瞋恚]
　완성은 모두 성냄에 의하고[究竟皆由瞋]
　투도, 사행 및 탐욕은[盜邪行及貪]
　모두 탐욕에 의해 완성되며[皆由貪究竟]

72a 사견은 어리석음에 의해 완성되고[邪見癡究竟]
　그 나머지는 3근에 의한다고 인정된다[許所餘由三][92]

89 물음이다.

90 답이다. 선업도는 멈추게 하는 선[止善]이므로, 앞의 불선업도의 3단계를 떠난 것이 곧 선업도의 3단계이다. '우선 예컨대' 이하는 사례를 가리켜 개별적으로 3단계를 밝히는 것이다. '친교親教'는 범어로 '화상和上'이다. '이후 네 가지 의지처를 설한다'는 것은, 항상 걸식하고[常乞食], 나무 밑에 앉으며[樹下坐], 분소의를 입고[著糞掃衣], 티끌 속에 버려진 약을 먹는 것[食塵棄藥](을 설하는 것)을 말하는 것이며, '및 그 나머지, 앞에 의해'는 근본업도의 제2찰나 이후에, 상속하여 따라 전전하여 짓는 모든 표업과 상속하여 따라 전전하여 일으키는 무표업을 모두 후기라고 이름한다는 것이다. 나머지 글은 알 수 있을 것이다.

91 이하에서 셋째 업도의 완성에 대해 밝히려고 묻는 것이다.

논하여 말하겠다. 악업도 중 살생, 추악어, 성냄의 업도는 성냄에 의해 완성된다. 반드시 되돌아보는 바[所顧] 없이 지극히 거칠고 악한 마음이 현전할 때 이 3업도가 성취되기 때문이다. 모든 불여취, 욕사행, 탐욕의 이 3업도는 탐욕에 의해 완성된다. 반드시 되돌아보는 바 있는, 지극히 염오한 마음이 현전할 때 이 3업도가 성취되기 때문이다. 사견이 완성되는 것은 반드시 어리석음에 의하니, 상품上品의 어리석음이 현전할 때 성취되기 때문이다. 허광어, 이간어, 잡예어의 3업도는 각각 3불선근에 의해 완성된다고 인정되니, 탐욕·성냄 등이 현전할 때 각각 능히 이 3업도를 성취되게 하기 때문이다.[93]

제4항 업도의 의지처

모든 악업도는 어떤 처소에서 일어나는가? 게송으로 말하겠다.

72c 유정, 도구, 명색과[有情具名色]
명신 등의 처소에서 일어난다[名身等處起]

논하여 말하겠다. 앞에서 논설한 것과 같은 4절節의 업도, 셋·셋·하나·셋은 그 순서대로 유정 등의 네 가지 처소에서 생긴다.[94] 말하자면 살생 등의

92 게송의 글에 모두 4절節이 있으니, 처음 2구가 제1절이 되고, 다음 2구가 제2절이 되며, 다음 1구가 제3절이 되고, 뒤의 1구가 제4절이 된다. '그 나머지'라고 말한 것은 말하자면 앞의 7업도의 나머지이니, 곧 허광어·이간어·잡예어이다. '완성[究竟]'이라고 말한 것은 성취된다[成辦]는 뜻이고, 종료終了된다는 뜻이니, 말하자면 악업도가 그 3근에 의해 성취되고 종료되기 때문이다. 가행에 대한 3근과는 같지 않다.

93 게송에 4절이 있는 것처럼 해석하는 글에도 4절이 있는데, 글대로 알 수 있을 것이다.

94 이하는 곧 셋째 업도의 의지처[依處]에 대해 밝히는 것이다. 앞에서 논설한 것과 같은 1행반의 게송에서의 4절의 업도, 셋·셋·하나·셋은 그 순서대로 유정 등의 네 가지 처소에서 생긴다. 이는 곧 게송의 뜻을 전체적으로 표방하는 것이다.

3업도는 유정의 처소에서 일어나고,[95] 투도 등의 3업도는 온갖 도구[衆具]의 처소에서 일어나며,[96] 오직 사견 한 가지는 명색의 처소에서 일어나고,[97] 허광어 등의 3업도는 명신名身 등의 처소에서 일어난다.[98]

제5항 문답 분별

1. 죽였어도 근본업도가 아닌 경우

누군가가 가행을 일으켜 결정코 남을 죽이려고 했지만, 살생 대상과 함께 죽거나 앞서 죽었을 경우, 역시 근본업도의 죄를 얻는가? 게송으로 말하겠다.

---

95 '유정의 처소에서 일어난다'는 것을 해석하는 것으로서, 제1절이다. 말하자면 살생·추악어·성냄의 세 가지는 유정의 처소에서 일어난다. 추악어·성냄은 비록 비정의 처소에서도 일어나지만, 허물이 가볍기 때문에 업도를 이루지 않는다.

96 '온갖 도구의 처소에서 일어난다'는 것을 해석하는 것으로서, 제2절이다. 투도·사행·탐욕은 온갖 도구의 처소에 일어난다. 만약 유정이나 비정이 모두 다른 사람이 수용하는 도구[具]라면, 모두 온갖 도구[衆具]라고 이름한다. 만약 투도라면 유정·비정의 처소에서 일어나는 것에 통하고-가축 등을 훔치는 것과 같은 것은 유정의 처소에서 일어나는 것이고, 금 등을 훔치는 것과 같은 것은 비정의 처소에서 일어나는 것이다-, 만약 사행이라면 오직 유정의 처소에서만 일어나며, 만약 탐욕이라면 유정·비정의 처소에서 일어나는 것에 통하는데, 허물이 같이 무겁기 때문에 모두 업도를 이룬다. 그래서 아래 논서(=게송 78c와 그 논설)에서, 남의 재물에 대한 나쁜 욕망을 탐욕이라고 말한 것은 우선 비정에 의거해 말한 것으로서, 이치의 실제로는 유정에도 통한다. 성냄이 유정에 대해서 일어나는 것만 업도라고 이름하는 것과는 같지 않다.

97 '명색의 처소에서 일어난다'는 것을 해석하는 것으로서 제3절이다. 색온은 '색'이고, 나머지 4온은 '명'이니, 사견은 비록 택멸도 반연할 수 있지만, 여기에서는 우선 유위를 반연하는 것에 의거해 말한 것이다. 또 해석하자면 색온은 '색'이고, 나머지 4온 및 택멸은 '명'이니, 사견은 허공과 비택멸은 반연하지 않으므로, 여기에서는 이를 명에 포함되는 것이라고 말하지 않는다. 색이 아닌 법을 모두 명이라고 이름한다고 말한 것에 대해 『대비바사론』(=제15권. 대27-73중)에서 말하였다. "모든 법에는 두 부분이 있으니, 색과 비색을 말한다. 명은 비색이라는 부분 중에 있기 때문에 비색인 부분을 모두 명이라고 말한 것이다."

98 '명신 등의 처소에서 일어난다'는 것을 해석하는 것으로서, 제4절이다. 말하자면 허광어·이간어·잡예어는 명신·문신·구신의 처소에서 일어나는 것이다.

73a 함께 죽거나 앞서 죽었다면[俱死及前死]

근본업도가 없으니, 의지처가 다르기 때문이다[無根依別故][99]

논하여 말하겠다. 만약 살생한 자가 살생 대상과 동시에 목숨이 끝났거나 앞서 죽었다면, 그는 결정코 근본업도를 얻지 않는다. 그래서 누군가가 물었다. "살생한 자가 살생의 가행을 일으키고 또 결과가 원만하게 되었더라도 그가 살생죄에 저촉되지 않는 경우가 혹시 있는가?" "있다고 말한다." "어떤 경우인가?" "살생한 자가 살생 대상과 함께 죽었거나 앞서 죽은 경우를 말한다."[100]

어떤 인연이 이와 같게 하는가?[101] 살생 대상의 그 목숨이 여전히 존속함으로써 그 살생한 자로 하여금 살생죄를 이루게 할 수 없기 때문이다. 살생한 자는 그 목숨이 이미 끝나서 살생죄를 얻을 수 있는 것이 아니니, 다른 의지처가 생겼기 때문이다. 말하자면 살생의 가행이 의지했던 몸은 지금 이미 단멸했으니, 비록 다른 부류의 몸의 동분이 생겨서 있더라도 죄가 의지했던 것이 아니다. 이 경우 일찍이 살생의 가행을 일으킨 적이 없으니, 살생의 업도를 이룬다는 것은 이치상 그래서는 안 될 것이다.[102]

99 이하는 넷째 문답으로 분별하는 것이다. 그 안에 나아가면 첫째 죽였어도 근본업도가 아닌 경우이고, 둘째 남이 죽였어도 업도를 이루는 경우이다. 이는 곧 죽였어도 근본업도가 아닌 경우인데, 물음 및 게송에 의한 답이다.

100 게송의 윗 구 및 아랫 구 '근본업도가 없다'는 것을 해석하는 것과 아울러 인용해 증명한 것인데, 알 수 있을 것이다.

101 아랫 구의 '의지처가 다르기 때문이다'라는 것을 해석하려고 묻는 것이다.

102 답이다. 살생대상이 현재 목숨이 여전히 존속한다면, 그 함께 죽거나 앞서 죽은, 살생한 자로 하여금 살생죄를 이루게 할 수 없으니, 살생대상의 목숨이 아직 끊어지지 않았기 때문이다. 무릇 업도를 이루는 것은 목숨이 끊어져야 비로소 이룬다. 함께 죽거나 앞서 죽었을 경우, 살생한 자의 그 목숨이 이미 끝나고 제2찰나에 이르렀을 때 살생죄를 얻을 수 있는 것이 아니다. 왜냐하면 제2찰나에 이르렀을 때에는, 비록 살생대상의 그 목숨이 이어지지 않았다고 해도, 그 살생한 자도 후유의 몸을 받아 다른 의지처가 생겼기 때문이다. 말하자면 살생의 가행이 의지했던 몸은 지금 이미 단멸하여 과거로 낙사했으니, 제2찰나에 이르러 비록 다른 부류의 몸의 동분이 생겨서 있더라도, 이는 살생죄가 의지했던 것이 아니다. 이 몸은 일찍이 아직 살생의 가행을 일으킨 적이 없으니, 살생의 업도를 이룬다는 것은 도리가 그래서는 안 될 것이다.

2. 남이 죽였어도 업도를 성취하는 경우

만약 많은 사람이 있어 모여서 군대가 되어 원적을 죽이려고 했거나, 짐승 등을 사냥하려고 했을 때 그 중의 어떤 한 명이 살생했다면, 그 때 어떤 사람이 살생의 업도를 성취하게 되는가? 게송으로 말하겠다.

73c 군대 등이 일을 같이 했다면[軍等若同事]
　행위자와 같이 모두가 성취한다[皆成如作者]

논하여 말하겠다. 군대 등 중에서 만약 어떤 한 사람이 살생의 일을 지었다면, 스스로 지은 자와 같이 일체 모두가 살생의 업도를 성취하니, 그들은 같이 동일한 일을 할 것을 허용했기 때문이다. 예컨대 동일한 일을 하려면 전전하여 서로 교사하기 때문에 한 명이 살생하면 나머지도 모두 죄를 얻는 것이다. 만약 남의 힘에 의한 핍박이 있어서 여기에 들어갔더라도 그로 인해 곧 마음을 같이 했다면, 역시 살생죄를 성취한다. 맹세를 세운 것이 있어서 자신의 목숨 구할 인연만을 스스로 바라면서, 또한 살생을 행하지 않은 자만은 제외하니, 비록 남의 힘에 의해 핍박되어 여기에 있었다고 해도 살생하려는 마음이 없었기 때문에 살생죄가 없는 것이다.[103]

제6항 업도의 모습

1. 살생 업도의 모습

이제 다음으로 업도를 성취하는 모습에 대해 분별해야 할 것이다. 말하자면 어떤 근거까지[齊何量]를 살생이라고 이름하며, ···· 어떤 근거까지를 사견이라고 이름하는가?[104] 우선 먼저 살생의 모습에 대해 분별하는데, 게송으로 말하겠다.

103 이는 곧 둘째 남이 죽였어도 업도를 이루는 경우인데, 글대로 알 수 있을 것이다.

104 이하는 다섯째 악업도의 모습에 대해 밝히는 것이다. 그 안에 나아가면 첫째 묻고, 둘째 답하는데, 이는 곧 묻는 것이다.

74a 살생은 고의와[殺生由故思]

다른 유정이라는 생각, 착오하지 않고 죽임에 의한다[他想不誤殺][105]

논하여 말하겠다. 반드시 죽이려는 고의[故思]를 먼저 일으키고, 다른 유정에 대해 다른 유정이라는 생각을 하고, 살생의 가행을 지어서 착오하지 않고 죽이는 것—그것만을 죽일 뿐, 다른 것을 죽이는 것으로 넘치지 않는 것을 말한다—에 의하니, 이런 것까지[齊此]를 살생의 업도라고 이름한다.[106] 의심[猶豫]을 갖고 죽이더라도 역시 살생을 이룬다. 말하자면 그가 먼저 죽이려는 대상에 대해 마음에, '산 것인가, 산 것이 아닌가? 설령 다시 산 것이라면 그것인가, 그것이 아닌가?'라는 의심을 품었어도 뒤에 결의를 일으켜, '그것이든 아니든 나는 결정코 죽이겠다'라며 마음에 되돌아봄 없이 유정을 죽인다면, 역시 업도를 이룬다.[107]

105 이하 답인데, 그 안에 나아가면 첫째 살생 업도의 모습에 대해 밝히고, 둘째 투도 업도의 모습에 대해 밝히며, 셋째 욕사행의 모습에 대해 밝히고, 넷째 허광어의 모습에 대해 밝히며, 다섯째 이간어 등의 모습에 대해 밝히고, 여섯째 의업도의 모습에 대해 밝힌다. 이는 곧 살생 업도의 모습에 대해 밝히는 것이다.

106 첫째 '반드시 죽이려는 고의를 먼저 일으킨다'는 것은, 죽이려는 마음이 없는 것을 가려내는 것으로, 게송의 '살생은 고의에 의한다'는 것을 해석하는 것이다. 둘째 '다른 유정에 대해'에서 '다른'이라는 말은 '자신'을 가려내고-자살은 업도를 이루지 않는다-, '유정'은 비정을 가려내는 것으로-비정을 죽이는 것도 업도를 이루지 않는다-, 게송의 '다른'이라는 글자를 해석하는 것이다. 셋째 '다른 유정이라는 생각을 한다'는 것은 자신이라는 생각과 유정이 아니라는 생각을 가려내는 것으로-만약 남에 대해 자신이라는 생각을 한다면 업도를 이루지 않으며, 만약 유정에 대해 비정이라는 생각을 한다면 업도를 이루지 않는다-, 게송의 '생각'이라는 글자를 해석하는 것이다. 넷째 '살생의 가행을 지어서'는 가행이 없는 경우를 가려내는 것으로-칼 등을 들고 여기에서 저기로 가는 것을 말한다-, 게송 아랫 구의 '죽인다'는 문자를 해석하는 것이다. 다섯째 '착오하지 않고 죽인다' 중 '착오하지 않는다'는 것은 착오로 죽이는 것을 가려내는 것으로, 결과가 만족된 것을 나타낸다. '그것만을 죽일 뿐, 다른 것을 죽이는 것으로 넘치지 않는 것을 말한다'라고 한 이것은 착오한 경우를 가려내는 것으로-착오로 죽이면 업도를 이루지 않는다-, 게송의 '착오하지 않고 죽임'을 해석하는 것이다. 이 '죽인다'는 글자는 가행과 착오하지 않는 것에 공통되는 것으로, 이런 5연을 갖추면 살생의 업도라고 이름한다.

107 차별되는 것을 가려내는 것이다. 이는 의심하면서 죽여도 업도를 이룬다는

찰나멸의 온蘊에 대해 어떻게 살생을 이루는가?108 호흡[息風]을 '생生'이라고 이름하는데, 몸과 마음에 의지해 일어난다. 만약 누군가가 마치 등불이나 방울소리를 소멸시키듯이, 끊어서 더 이상 '생'에 이어지지 못하게 한다면 '살殺'이라고 이름한다.109 혹은 다시 '생'이란 곧 명근인데, 만약 누군가가 끊어서 이어지지 못하게 한다면 '살'이라고 이름한다. 말하자면 나쁜 마음으로 남의 명근을 분리시켜 끊어서 나아가 한 순간에 이르기까지 생겨야 할 것이 생기지 않게 한다면, 다른 것이 아니라 오직 이것만이 살생죄에 저촉되는 것이다.110

것을 나타낸다. 또 해석하자면 이 의심하면서 죽이는 것은 '착오하지 않고 죽이는 것'에 포함되니, '착오하지 않음' 중에 이런 부류가 있다는 것을 나타내는 것이다.

108 물음이다. 현재세에 찰나멸하는 온은 저절로 머물지 않는 것인데, 어떻게 살생을 이루는가? 또 해석하자면 찰나찰나 소멸하는 온은, 과거의 것은 이미 소멸했고 현재의 것은 머물지 않으며 미래의 것은 아직 이르지 않았는데, 어떻게 살생을 이루는가?

109 답 중에 두 가지 해석이 있는데, 이는 곧 첫 논사이다. 나가고 들어오는 호흡을 '생'이라고 이름하니, 몸과 마음에 의지해 일어나는 것이다. 만약 누군가가 능히 칼이나 몽둥이 등으로써 현재 있는 호흡을 끊어서 세력이 같은 부류의 호흡을 견인해 그 생상에 이르게 함이 없게 함으로써, 이어져서 '생'에 이르지 못하게 한다면, 그 때 '살'이라고 이름한다. 이미 '이어지지 못한다[不續]'라고 말했으니, 미래의 온을 죽이는 것임을 분명히 알 수 있다. 마치 등불을 소멸시키거나 방울소리를 소멸시킬 때, 바람이나 손의 업으로 불거나 붙잡음으로써 현재의 등불·방울소리로 하여금 세력이 뒤의 자신의 부류를 견인해 그 생상에 이르게 함이 없게 함으로써 이어져서 생에 이르지 못하게 한다면, 그 때 소멸이라고 이름하는 것과 같다.

110 두 번째 논사의 답이다. '생'은 명근이니, 만약 누군가가 칼이나 몽둥이 등으로 현재의 명근을 끊어서, 세력이 같은 부류의 명근을 견인해 상속하여 생상에 이르게 함이 없게 함으로써 이어져서 생상에 이르지 못하게 한다면 그 때 '살'이라고 이름한다. 말하자면 나쁜 마음으로 남의 명근을 끊어서 나아가 한 순간에 이르기까지 생상에 이르러야 할 것이 연의 결여에 의해 생기지 않게 한다면, 오직 이것만이 살생죄에 저촉되는 것이라고 알아야 한다. 미래의 명근을 분리시키지 않는 것[不隔當命]을 이름하여 '다른 것이 아니다'라고 말했으니, 곧 살생죄에 저촉되는 것이 아닌 것이다. 여기에서 현재의 온이 저절로 소멸하는 것은 '살'이라고 이름할 수 없고, 단지 '쇠衰'라고 이름할 수 있을 뿐이며, 미래의 온을 이어지지 못하게 해야 '살'이라고 이름할 수 있다고 알아야 한다. 이미 '이어지지 못하게 하는 것을 살이라고 이름한다'라고 말했으니, 미래의 온을 죽이는 것임을 분명히 알 수 있다. 양 설이 '생'을 해석하는 뜻에는

【명근의 소속】 이렇게 끊어진 명근은 누구에게 속하는 것인가?111 말하자면 명근이 만약 없다면 그는 곧 죽은 자이다.112 이미 소유격으로 표방했는데, 자아가 아니라면 누구이겠는가?113 파아론破我論 중에서 자세히 생각해 가릴 것이다. 그래서 박가범께서 설하신 게송에서 말씀하셨다. "수명과 체온 및 의식이라는[壽煖及與識] 세 가지 법이 몸을 버릴 때[三法捨身時] 버려진 몸은 나자빠지니[所捨身僵仆] 마치 생각과 지각 없는 나무와 같도다[如木無思覺]" 따라서 유근신有根身을 명근을 가진 것[有命者]이라고 이름하고, 명근이 없다면 죽었다고 이름하니, 그 이치는 결정코 그러하다.114

【고의 없는 경우의 유죄설 비판】 이계자離繫者는 말하였다. "의도하지 않고 죽이더라도 역시 살생죄를 얻는다. 마치 불에 닿으면 설령 먼저 의도하지 않았더라도 역시 태움의 피해를 입는 것과 같다."115 만약 그렇다면 그

비록 차이가 있어도, 살의 뜻을 논함이라면 모두 미래의 것을 죽인다는 것이다. 또 해석하자면 만약 체의 끊어짐[體斷]에 의거한다면 오직 미래의 것을 죽일 뿐이지만, 만약 쇠퇴의 작용[衰用]에 의거한다면 역시 현재의 것을 죽인다고 해도, 뜻은 모두 무방하다.

111 자아에 집착하는 자[執我者]가 묻는 것이다.

112 답이다. 이렇게 끊어진 명근은 죽은 자에 속하니, 명근이 만약 없다면 그는 곧 죽은 자이다. '죽은 자'는 몸[身]이다. 그래서 『순정리론』(=제42권. 대29-575중)에서 말하였다. "말하자면 명근이 만약 없다면, 그는 죽은 자라고 이름하니, 곧 이 명근이 의지해 붙어있던 몸[所依附身]이다."

113 자아에 집착하는 자가 말한다. 명근이 속한 죽은 자라는 것은, 제6전(=소유격)으로서 소속된 주체라는 말[屬主聲]이기 때문에 지금 힐난해 말하는 것이다. 「이미 소유격으로서 소속된 주체인 죽은 자라는 말로 표방했는데, 자아에 속하는 것이 아니라면 다시 누구에게 속하겠는가?」

114 답이다. 실제의 자아가 있다고 집착하는 것에 대해서는 아래(=뒤의 제9 파집아품)에서 논파하는 것과 같다고 가리켰다. 게송(=앞의 제5권 중 명근을 논설하는 곳에서도 인용된 것이다)을 인용한 뜻은, 몸이 수명을 가진 것[命者]임을 증명하려는 것이다. '세 가지가 몸을 버릴 때'라고 말했기 때문에 명근을 가진 몸을 명근을 가진 것이라고 이름하고, 명근이 없다면 죽었다고 이름한다. 그 이치는 결정코 그러해서, 별도로 자아가 있어 명근이 그것에 속하는 것은 아니다.

115 외도의 계탁을 서술하는 것이다. 이계자는 말하였다. "의도하지 않고 죽이더라도 역시 살생죄를 얻으니, 죽이는 것은 같기 때문이다. 마치 불에 닿으면 설령 먼저 의도하지 않았더라도 역시 태움을 받는 것과 같기 때문이다." 태우는 것은 같기 때문이다. 고의가 없더라도 역시 살생죄를 성취한다는 것을 나

대들은 우연히 남의 아내를 보고 혹은 착오로 몸을 접촉했더라도 역시 죄가 있어야 할 것이다. 또 선심을 가진 자가 이계자의 머리카락을 뽑아 주었거나, 혹은 스승이 자애의 마음으로 권해서 고행을 닦게 했거나, 혹은 시주로 인한 숙식 중 소화되지 않았을 경우, 이런 것들도 모두 남을 괴롭힌 죄를 얻어야 할 것이며, 또 태아와 어머니가 서로 괴로움의 원인이 되었다면, 어머니와 태아에게도 남을 괴롭힌 죄가 있어야 할 것이다. 또 살해된 자도 이미 살해와 화합했으니, 마치 불이 자신의 땔감도 능히 태우는 것과 역시 같아야 하므로, 단지 죽인 자만 죄를 얻게 해서는 안 될 것이다. 또 남을 보내어 살생케 했다면 살생죄가 없어야 할 것이니, 마치 불이 불과 접촉하도록 교사한 자를 태우지 않는 것과 같다. 또 모든 나무 등도 죄에 저촉되어야 할 것이니, 예컨대 집 등이 붕괴될 때에도 살아있는 것을 해치기 때문이다. 또 단지 비유만으로 뜻을 세우는 것이 성립될 수 있는 것은 아니다.116

타내니, 불법佛法과는 같지 않다. '이계'는 범어로 니건타露形外道Nirgrantha인데, 그는 안으로 번뇌의 계박을 떠나려면 밖으로 의복의 계박을 떠나야 한다고 말했으니, 곧 노형외도露形外道이다.

116 논주가 자세히 논파하는 것이다. 만약 죽이는 것이 같다고 해서 역시 살생죄를 얻는다고 말한다면, 그대들 이계자들이 먼저 의도하지 않고 우연히 남의 처를 보고, 혹은 착오로 몸을 접촉했더라도 역시 죄가 있어야 할 것이다. 고의로 보았든 우연히 보았든 처를 보는 것은 같기 때문이고, 고의로 접촉했던 착오로 접촉했든 몸에 접촉한 것은 같기 때문이다. 그렇지만 그들의 종지에서는 고의로 보고 고의로 접촉해야 죄를 이루고, 우연히 보고 착오로 접촉했다면 죄를 이루지 않는다고 한다. 혹은 선심을 가진 자가 복을 구하려고 이계자의 머리카락을 뽑았거나, 혹은 스승이 자애의 마음으로 이계자들에게 권하여 고행을 닦게 했거나, 혹은 시주가 좋은 음식을 베푼 것으로 인해 숙식한 것이 소화되지 않았다면, 이런 등도 모두 남을 괴롭힌 죄를 얻어야 할 것이다. 비록 나쁜 마음으로 고의로 남을 괴롭게 한 것은 없었더라도, 나쁜 마음으로 머리카락을 뽑았거나 성내는 마음으로 고행을 닦게 했거나 나쁜 마음으로 먹을 것을 주어서 괴로움을 받게 한 것과 같기 때문이다. 그렇지만 그들의 종지에서는 선한 마음 등이라면 복을 얻고, 나쁜 마음 등이라야 죄를 얻는다고 한다. 혹은 태 중의 자식과 그 어머니의 몸이 다시 서로 핍박해서 상호 괴로움의 원인이 되었다면, 어머니와 태아에게도 남을 괴롭힌 죄가 있어야 할 것이다. 비록 고의로 남에게 괴로움을 받게 한 것은 없었더라도 고의로 괴로움을 받게 한 것과 같기 때문이다. 그렇지만 그들의 종지에서는 태아와 어머니는 상호 괴롭게 했더라도 모두 죄가 없다고 한다. 또 그대들이 만약 의도했든 의도하지 않았든 모두 살해와 화합한 것은 곧 살생죄를 얻는다고 말한다면, 죽인 자

2. 투도 업도의 모습

살생에 대해 분별했으니, 불여취不與取에 대해 분별하겠다. 게송으로 말하겠다.

74c 남의 물건을 불여취하는 것은[不與取他物]
힘으로나 슬며시 취하여 자기에게 소속시키는 것이다[力竊取屬己]117

논하여 말하겠다. 앞의 '착오하지 않고' 등은 그 상응하는 바대로 흘러서 뒤의 문에도 이르기 때문에 거듭 말하지 않은 것이다. 말하자면 반드시 먼저 훔치려는 고의를 일으키고, 남의 물건에 대해 남의 물건이라는 생각을 일으켜서, 힘으로나 슬며시 투도의 가행을 일으켜 착오하지 않고 취하여 자기 자신에게 소속시키는, 이런 것까지를 불여취의 죄라고 이름한다.118

는 살해와 화합했으므로 죽인 자는 살생죄를 얻고, 살해된 자도 이미 살해와 화합했으므로 살해된 자도 살생죄를 얻을 것이다. 마치 불이 단지 다른 불에 닿은 것들만 능히 태울 뿐만 아니라, 또한 자신이 의지한 땔나무도 능히 태우는 것과 같아야 하므로, 단지 죽인 자만 죄를 얻게 해서는 안 될 것이다. 불은 살해를 비유하고, 태움은 죄를 비유하며, 의지했던 땔나무는 살해된 사람을 비유하고, 나머지 불에 닿은 것은 죽인 사람을 비유하는 것이다. 또 의도했든 의도하지 않았든 단지 살해와 화합하기만 하면 곧 살생죄를 얻는다면, 스스로 살해를 행했을 때에는 살해와 화합했기 때문에 살생죄를 얻을 수 있지만, 만약 남을 보내어 살해했다면 살생죄는 없어야 할 것이니, 교사한 자는 살해와 화합한 것이 아니기 때문이다. 마치 불이 불에 닿도록 교사한 자는 태우지 않는 것과 같다. 또 의도했든 의도하지 않았든 단지 살해와 화합하기만 하면 곧 살생죄를 얻는다면, 나무나 돌 등도 죄에 저촉되어야 할 것이다. 마치 집 등이 붕괴될 때 역시 생명을 해치는 것처럼, 이미 이것도 살해와 화합했으니 살생죄를 얻어야 할 것이다. 또 단지 비유만으로 뜻을 세우는 것이 성립될 수 있는 것은 아니니, 이치와 서로 부합해야 뜻이 비로소 성립될 수 있기 때문이다.

117 이하는 곧 둘째 투도의 업도의 모습에 대해 밝히는 것이다.

118 이는 5연을 갖추면 투도를 이룬다는 것을 밝히는 것이다. 앞에서의 살생의 연 중, 착오하지 않는 것 및 생각과 아울러 그 고의는 그 상응하는 바대로 흘러서 뒤의 문의 업도의 모습에도 이르기 때문에 투도 등의 게송에서는 거듭 드러내어 말하지 않은 것이다. 첫째는 말하자면 반드시 먼저 훔치려는 고의를 일으키고-고의 없는 경우를 가려내는 것은 앞에서 흘러 왔다-, 둘째 남의 물건에 대해-자신의 물건을 가려내는 것인데, 자신의 것을 훔치는 것은 업도를 이루지 않으니, 이는 게송 중 '남의 물건'이다-, 셋째 남의 물건이라는 생각을

만약 누군가가 솔도파窣堵波의 물건을 훔쳐서 취했다면, 그는 여래에 대해 투도의 죄를 얻으니, 붓다께서 열반에 드시려고 하기에 임했을 때 세간을 연민하여 보시된 것을 전체적으로 받으신 것이기 때문이다. 어떤 다른 논사는, 수호하는 자[守護者]에서 바라본 것이라고 말하였다.[119]

만약 누군가가 주인 없이 매장된 것을 발굴하여 취했다면, 나라의 왕에 대해 투도의 죄를 얻는다.[120] 만약 누군가가 회전물迴轉物을 훔쳐서 취했을 경우, 이미 갈마를 지은 자의 것이라면 결계[界] 내의 스님들에 대해, 아직 갈마가 성취되지 못한 자의 것이라면 널리 불제자佛弟子에 대해 투도의 죄를 얻는다. 나머지는 비례해서 생각해야 할 것이다.[121]

3. 욕사행의 업도의 모습

불여취에 대해 분별했으니, 욕사행欲邪行에 대해 분별하겠다. 게송으로 말하겠다.

75a 욕사행은 네 가지인데[欲邪行四種]

일으켜서-자신의 물건이라고 생각하는 것을 가려내는 것이니, 만약 남의 물건에 대해 자신의 물건이라는 생각을 했다면 업도를 이루지 않는다. '남의 물건'은 게송에 있지만, '생각'은 앞에서 흘러서 온 것이다-, 넷째 강한 힘으로 겁탈하거나 사사로이 슬며시 투도의 가행을 일으켜-가행이 없는 경우를 가려내는 것이니, 이는 게송의 '힘으로나 슬며시'이다-, 다섯째 착오하지 않고 취하여 자기 자신에게 소속시키는-'착오하지 않고'는 착오하는 것을 가려내는 것이니, 착오로 취하는 경우는 업도를 이루지 않는다. '취하여'는 처소에서 분리시키는 것을 나타낸다-, 이런 5연을 갖추면 비로소 불여취의 죄라고 이름한다.

119 이하는 투도의 결죄처結罪處(=죄를 맺는 대상)의 차별에 대해 밝히는 것이다. '솔도파stūpa'는 높고 뛰어나다[高勝]는 뜻이다. 예전에 수두파藪斗波라고 말한 것은 잘못이다. 혹은 탑塔이라고도 했지만, 주변국 오랑캐의 말이니, 더욱 다시 잘못된 것이다. 만약 제다制多caitya라고 말한다면 쌓여 모였다[積聚]는 뜻이니, 솔도파와 서로 비슷하다. 이에 대한 양 설은 앞의 설이 바른 것이다. 『순정리론』(=제42권. 대29-578하)에도 양 설이 있는데, 다시 앞의 논사를 바른 것으로 하면서 뒤의 논사를 논파해 말하였다. "곧 그(=수호하는 자)가 스스로 훔친다면 죄가 없어야 할 것이다. 그러므로 앞의 설이 이치상 낫다."

120 대지에 있는 것들은 모두 왕에게 속하기 때문이다.

121 죽은 필추의 물건을 회전물이라고 이름하니, 회전시켜서 다른 필추에게 속하게 할 수 있는 것이기 때문에 회전이라고 이름한 것이다.

행해서는 안 될 것을 행하는 것이다[行所不應行]122

논하여 말하겠다. 행해서는 안 될 것[不應行]을 행하는 것에 모두 네 가지가 있는데, 모두 욕사행欲邪行의 죄라고 이름할 수 있다. 첫째는 대상 아닌 이[非境]에 대해 행해서는 안 될 것을 행하는 것이니, 남에 의해 섭수되는 처첩이나 어머니나 아버지나 부모의 친척 내지 왕에 의해 수호되는 대상에 대해 행하는 것을 말하는 것이다. 둘째는 길 아닌 곳[非道]으로 행해서는 안 될 것을 행하는 것이니, 자신의 처의 입 및 다른 길을 말하는 것이다. 셋째는 처소 아닌 곳[非處]에서 행해서는 안 될 것을 행하는 것이니, 사원 안, 탑묘[制多], 광야[逈處]를 말하는 것이다. 넷째 때 아닌 때[非時]에 행해서는 안 될 것을 행하는 것이다. 때 아닌 때란 무엇인가? 말하자면 태를 품었을 때, 아기에게 수유할 때, 재계齋戒를 수지했을 때에는 설령 자신의 처첩이라고 해도 역시 욕사행을 범하는 것이다. 어떤 분은, "만약 남편이 재계 받는 것을 허락하고도 범함이 있었다면, 널리 때 아닌 때라고 말한다"라고 말하였다.123

122 이하는 곧 셋째 욕사행의 모습에 대해 밝히는 것이다. 사행의 뜻도 준해서 역시 5연이 있다. 첫째 사음의 고의를 일으키는 것이다. 고의가 없는 경우를 가려내는 것이니, 앞에 준해서 있어야 한다. 둘째 행해서는 안 될 것이다. 스스로 행해야 할 것과 다르다고 구별하는 것인데, 게송 중에 이것은 있다. 셋째 행해서는 안 될 것이라고 생각하는 것이다. 행해야 할 것이라고 생각하는 것과 다르다고 구별하는 것이니, 만약 행해서는 안 될 것에 대해 행해야 할 것이라고 생각했다면 업도를 이루지 않는다. 이 생각도 역시 앞에 준해서 반드시 있어야 하기 때문이다. 넷째 사음의 가행을 일으키는 것이다. 가행이 없는 경우를 가려내는 것이니, 앞에 준해서 있어야 한다. 다섯째 착오하지 않고 음행하는 것이다. '착오하지 않고'는 착오하는 경우를 가려내는 것인데, 앞에서 흘러서 온 것이다. 장항에서 설하는 것처럼 '음행'은 일의 완성을 나타내는 것이니, 앞에 준해서 있어야 한다.

123 첫째는 대상이 아닌 것이다. 고의로 침범하는 마음을 품는 것은 남을 괴롭히는 것이 깊기 때문이다. 둘째는 길이 아닌 곳이다. 비록 남을 침범하지 않더라도 방종·일탈이 무겁기 때문이다. 셋째 처소 아닌 곳이다. 비천한 일에 대해 무참이 무겁기 때문이다.(=본문 중 '형처逈處'는 광야를 뜻하는 범본의 'abhyavakāśa'의 번역어이다) 넷째 때 아닐 때이다. 태아 및 아기를 손상하고 아울러 계를 파괴하기 때문이다. 이런 허물이 무겁기 때문에 모두 업도를 이

'착오하지 않고'라는 말은 이미 역시 여기에도 흘러서 이르니, 만약 남의 부인을 자기 처라고 여겼거나, 자기 처를 남의 부인이라고 여겼거나, 길인지 길 아닌지 등에 대해 단지 착오하는 마음이 있었다면, 비록 행함이 있었더라도 업도가 아니다.[124]

만약 이 남의 부인에 대해 다른 남의 부인이라고 생각하고 비범행을 행했다면 업도를 이루는가?[125] 어떤 분은, "역시 이룬다. 남의 부인에 대해 사음의 가행을 일으키고 또 수용했기 때문이다"라고 말하였고, 어떤 분은, "이루지 않는다. 마치 살생의 업도가 이것에 대해 가행을 일으키고, 다른 것에 대해 완성된 것과 같기 때문이다"라고 말하였다.[126]

필추니苾芻尼에 대해 비범행을 행한 경우 누구에 대해 업도를 얻는가?[127] 이는 국왕에 대해 얻으니, 인정하지 않았기 때문이다. 자신의 처첩도 재계를 수지했을 때에는 오히려 행해서는 안 되거늘, 하물며 출가자이겠는가?[128] 만약 동녀童女에 대해 비범행을 행했다면, 누구에 대해 업도를 얻는

룬다. 어떤 분의 말은, 만약 남편이 재계 받는 것을 허락하고도 범함이 있었다면 때 아닐 때라는 것이므로, 만약 받는 것을 허락하지 않았는데도 곧 스스로 받았다면, 남편이 뒤에 범하더라도 업도를 이루지 않는다는 것이다. 그러나 앞의 논사의 뜻이 말하는 것은, 허락했든 허락하지 않았든 범함이 있었다면 모두 업도를 이룬다는 것이다.

124 이하는 헤아려 가리는 것[料簡]이니, 착오하는 마음이 있었다면 업도를 이루지 않는다는 것을 나타내는 것이다.

125 묻는 것인데, 그 뜻은 알 수 있을 것이다.

126 답 중에 양 설이 있는데, 뒤의 설이 낫다. 착오한 경우에 포함되는 것이기 때문이다.

127 필추니는 남에게 속하지 않으므로 무엇에서 바라보고 죄를 맺는지 묻는 것이다.

128 답인데, 두 가지 해석이 있다. 첫째는 이것은 국왕에 대해 죄를 얻는다고 말한다. 비법 행하는 것을 인정하지 않았기 때문이다. 제2설은, 자신의 처첩에 대해서도 재계를 수지할 때에는 오히려 행해서는 안 되거늘, 하물며 출가자이겠는가? 가벼운 것으로 무거운 것에 견준 것이다. 단지 침범만 있었다면 곧 업도를 이룬다. 범한 죄는 같지만, 처 등은 때 아닌 때이고, 필추니는 대상 아닌 것이다. 양 해석이 있지만 뒤의 해석이 낫다. 그래서 『순정리론』(=제42권. 대29-578하)에서 말하였다. "필추니 등은 계를 가진 처와 같아서 만약 침범함이 있다면 역시 업도를 이룬다. 어떤 분은 이 죄는 머무는 곳의 국왕에 대한 것이라고 말한다. 능히 보호해 지키면서 인정하지 않았기 때문이다. 만약 왕

가?[129] 만약 이미 남과의 정혼을 허락했다면 허락받은 대상에 대해, 아직 남과의 정혼을 허락하지 않았다면 능히 보호하는 사람에 대해 업도를 얻는다. 이것과 그 나머지는 모두 왕에 대해서도 얻는다.[130]

4. 허광어의 업도의 모습

(1) 업도의 성립요건

욕사행에 대해 분별했으니, 허광어에 대해 분별하겠다. 게송으로 말하겠다.

75c 염오심에서 다르게 생각해 말을 일으키고[染異想發言]
뜻을 이해하는 것이 허광어이다[解義虛誑語][131]

논하여 말하겠다. 말하는 뜻과 다르게 생각해 말을 일으키고, 그리고 속을 자가 말하는 뜻을 이해함으로써 염오심이 착오되지 않을 때 허광어를 이룬다.[132] 만약 속을 자가 아직 말의 뜻을 이해하지 못했다면, 이런 말은 무엇인가?[133] 이것은 잡예어雜穢語이다.[134]

이 스스로 범한다고 해도 업도가 역시 성취되기 때문에 앞의 설이 이치상 뛰어나다." 또 해석하자면 이 논사 역시 바르다고 할 수 있다. 만약 왕이 스스로 범한다면 감찰하는 등의 쪽에 대해 죄를 얻을 것이니, 그들이 법을 집행하기 때문이다.

129 물음이다.

130 답인데, 글은 알 수 있을 것이다. 이 동녀 및 나머지 여인들에 대해 욕사행을 행하면 모두 왕에 대해 죄를 얻는다. 설령 정리론사가, 「만약 왕이 범했다면 누구쪽에서 바라보고 죄를 맺겠는가?」라는 이런 힐난을 한다고 해도, 앞에서와 같이 회통할 수 있을 것이다.

131 이하는 넷째 허광어의 모습에 대해 밝히는데, 그 안에 나아가면 첫째 바로 허광어에 대해 밝히고, 둘째 견·문 등에 의거해 분별한다. 이는 곧 바로 허광어에 대해 밝히는 것이다.

132 허광어는 4연을 갖추면 업도를 이룬다는 것을 밝히는 것이다. 첫째 말하는 대상에 대해 다르게 생각하여 말을 일으키는 것이니, 본 것을 보지 않았다고 말하는 등이다. 둘째 말하자면 속을 자가 말하는 뜻을 이해하여 그것을 받아들이며, 셋째 염오심을 일으키고, 넷째 착오하지 않는 것이다. 앞의 셋은 게송에 있고, 착오하지 않는 것은 앞에서 흘러서 온 것이다.

133 물음이다.

134 답이다.

이미 허광어는 일으켜진 말[所發言]로서, 다수의 문자가 있어서 말을 이루는데, 어느 때 업도를 이루는가?[135] 최후의 문자와 함께 생기는 표업으로서의 소리 및 무표업이 이 업도를 이룬다. 혹은 그 어떤 때이든 속을 자가 뜻을 이해할 때의 표·무표업이 이 업도를 이루고, 앞의 문자와 함께 작용하는 것은 모두 이것의 가행이다.[136]

말한 바 '뜻을 이해했다'는 것은 결정코 어떤 때에 의거한 것인가? 이미 들은 것을 바로 이해할 때[已聞正解]에 의거해 이해했다고 이름하는가, 바로 들으면서 능히 이해할 때[正聞能解]에 의거해 이해했다고 이름하는가?[137] 만약 그렇다고 한다면 무엇이 허물인가?[138] 만약 이미 들은 것을 바로 이해할 때에 의거해 이해했다고 이름한 것이라면, 말에 의해 표현되는 뜻은 의식으로 아는 것이니, 어표업은 이식과 동시에 소멸했기 때문에 이 업도는 무표업만으로 이루어져야 할 것이다. 만약 바로 들으면서 능히 이해할 때에 의거해 이해했다고 이름한 것이라면, 비록 허물은 없겠지만, 아직 요지하지 못했는데, 어떻게 바로 들으면서 능히 이해했다고 이름할 수 있겠는가?[139] 말의 뜻에 능숙한 자는 미란迷亂의 인연이 없을 경우 이식이 이미

135 업도를 이루는 때에 대해 묻는 것이다.

136 답이다. 비록 허광어는 다수의 문자가 있어서 이루어지는 것이지만, 최후의 문자와 함께 생기는 표업 및 무표업이 이 업도를 이룬다. 혹은 속을 자의 성품이 총명하고 지혜롭기 때문에 조금 속이는 말만 들어도 멀리 뒤의 뜻까지 이해할 경우, 이런 사람에 대해서는 그 어느 때이든(=최후의 문자가 발성되기 전이어도) 속을 자가 뜻을 이해할 때 (속이는 자)의 표·무표업이 곧 이 업도를 이룬다. 앞의 문자와 함께 작용하는 표·무표업은 모두 이것의 가행이고, 뒤의 문자와 함께 작용하는 표·무표업은 모두 이것의 후기이다.

137 따져 묻는 것이다. 그 속을 자가 '뜻을 이해했다'고 말한 것은 결정코 어떤 때에 의거한 것인가? 이미 들은 것을 의식이 바로 이해할 때에 의거해 이해했다고 이름하는가, 이근으로 바로 들으면서 이식이 능히 이해할 때에 의거해 이해했다고 이름하는가?

138 응답이다.

139 다시 따져 묻는 것이다. 만약 속을 자가 이미 들은 것을 의식으로 바로 이해할 때에 의거해 이해했다고 이름한 것이라면, 말에 의해 표현되는 뜻은 의식으로 아는 것이니, 속이는 자의 어표업은 속을 자의 이식과 동시에 낙사해 소멸하였고, 속을 자가 의식으로 바로 이해할 때 그 속이는 자에게 현재 유표는 없으므로, 이 업도는 무표업만으로 이루어져야 할 것이다. 만약 속을 자가 이

생겼다면 능히 이해한다고 이름할 것이다.[140] 만약 허물이 없다면, 취해서 종지로 삼아야 할 것이다.[141]

(2) 견·문·각·지에 의거한 분별

경에서 설하였다. "모든 말에는 대략 열여섯 가지가 있다. 말하자면 보지 않았고, 듣지 않았고, 깨닫지 않았고, 알지 못하는 것에 대해 실제로 보았다는 등으로 말하고, 혹은 본 것, 들은 것, 깨달은 것, 아는 것에 대해 보지 않았다는 등으로 말하는 이런 여덟 가지를 성스럽지 못한 말[非聖言]이라고 이름하고, 보지 않은 것 내지 알지 못하는 것에 대해 보지 않았다는 등으로 말하고, 혹은 본 것 내지 아는 것에 대해 실제로 보았다는 등으로 말하는 이런 여덟 가지를 성스러운 말[聖言]이라고 이름한다." 어떤 것을 '본 것' 등의 모습이라고 이름하는가?[142] 게송으로 말하겠다.

근으로 바로 들으면서 이식이 능히 이해할 때에 의거해 이해했다고 이름한 것이라면, 비록 다시 무표업만으로 업도를 이룬다는 허물은 없겠지만, 아직 요지하지 못했는데, 어떻게 이근으로 바로 들을 때 이식이 능히 이해했다고 이름할 수 있겠는가?

140 답이다. 말의 뜻에 능숙한 자의 이식은 현재 이미 생긴 단계에 이르렀다면 미란迷亂의 인연이 없기 때문에 곧 능히 이해한다고 이름한다. 또 해석하자면 이식은 이해하는 것이 아니지만, 능히 의식의 이해를 낳기 때문에 능히 이해한다고 이름할 수 있다. 양 해석이 있지만, 의미상 앞이 낫다고 말할 것이다.

141 이는 곧 논주가 앞의 두 가지 책망을 인정하면서 허물이 없는 것을 종지로 삼는 것이다. 곧 바로 들으면서 능히 이해하는 것을 이해한다고 이름한 것이라는 해석을 취한 것이니, 그 때 표업 및 무표를 갖추고 있기 때문에 허물이 없는 것이라고 말하면서 곧 이 말을 인정한 것이다. 또 해석하자면 논주가 이치로써 전체적인 모습을 논평해서, 만약 허물이 없다면 취해서 종지로 삼아야 할 것이라고 말한 것인데, 업도 이루는 것을 해석하건대 이것 또한 어떻게 정하겠는가? 만약 이식에게 미란이 없을 연이 있다면 곧 바로 들으면서 능히 이해하는 것에 의거해 이해한다고 이름할 수 있고, 표·무표 두 가지가 모두 업도를 이룰 것이다. 만약 이식에게 미란의 연이 있을 때라면 능히 이해한다고 이름하지 못할 것이고, 뒤에 의식으로 생각해서 살펴야 비로소 바로 이해할 수 있을 것이니, 곧 이미 들은 것을 바로 이해할 때에 의거해 이해한다고 이름할 것이며, 무표업 하나만으로도 역시 업도를 이룰 것이다. 이렇게 일정하지 않기 때문에 논주가 '만약 허물이 없다면 취해서 종지로 삼아야 할 것이다'라고 말한 것이다.

142 이하에서 둘째 본 것[所見] 등을 밝히려고, 경(=장 8:9 중집경衆集經)에 의해 물음을 일으킨 것인데, 경 중의 열여섯 가지는 글대로 알 수 있을 것이다. 만

76 안식·이식·의식과 아울러[由眼耳意識]
나머지 3식에 의해 증득된 것을[幷餘三所證]
순서대로 이름하여[如次第名爲]
본 것, 들은 것, 아는 것, 깨달은 것이라고 한다[所見聞知覺][143]

논하여 말하겠다. 비바사 논사들은 이렇게 말하였다. "만약 대상이 안식에 의해 증득된 것이라면 본 것이라고 이름하고, 만약 대상이 이식에 의해 증득된 것이라면 들은 것이라고 이름하며, 만약 대상이 의식에 의해 증득된 것이라면 아는 것이라고 이름하고, 만약 대상이 비식·설식 및 신식에 의해 증득된 것이라면 깨달은 것이라고 이름한다.[144] 그러한 까닭은 냄새·맛·감촉 세 가지는 무기의 성품이기 때문에 마치 죽어서 감각[覺]이 없는 것과 같으니, 그래서 능히 증득하는 것만 '각覺'이라는 명칭을 세운 것이다."[145] 어떤 증거에 의해 그렇다고 아는가?[146] 경증經證과 이증理證에 의해

약 미세하게 분별한다면, 혹은 보고(=실제로 보았는데, 보지 않았다고 생각하면서도) 보았다고 말하는 등이나, 보지 않고(=실제로 보지 않았는데, 보았다고 생각하면서도) 보지 않았다고 말하는 등이더라도 성스럽지 못한 말이라고 이름할 경우도 있으며, 혹은 보고(=실제로 보았지만, 보지 않았다고 생각하여) 보지 않았다고 말하는 등이나, 보지 않고(=실제로 보지 않았지만, 보았다고 생각하여) 보았다고 말하는 등이더라도 성스러운 말이라고 이름할 경우도 있다. 다만 생각한 것과 어긋나게 말을 일으키면 모두 성스럽지 못한 말이고, 생각한 것에 따라 말을 일으키면 모두 성스러운 말이라고 알아야 한다.

143 게송에 의한 답이다.

144 비바사 논사들의 해석을 서술하는 것이다. 보고 듣고 깨닫고 아는 것은 근이지, 식이 아닌데도, 여기에서 식이라고 말한 것(=본문 중의 '안식' 등은 '안근' 등이라고 말해야 할 것인데도)은 능의인 식을 들어서 소의인 근을 나타낸 것이다. 그래서 『대비바사론』 제121권(=대27-631하)에서 말하였다. "보고 듣고 깨닫고 아는 것은 근이지, 식이 아닌데도, 식이라고 열거한 것은, 눈 등의 근은 반드시 식의 도움에 의해야만 비로소 경계를 취할 수 있다는 것을 나타낸다. 동분의 근은 능히 작용을 갖지만, 피동분은 아니기 때문이다."

145 따로 3경(=냄새·맛·감촉)은 같이 '깨달은 것'이라고 이름하는 까닭을 해석하는 것이다. 3경은 같이 '깨달은 것'이라고 이름한 것은, 이 3경은 같이 무기이기 때문에 그 성품이 어둡고 둔중하여 마치 죽어서 깨달아 아는 것이 없는 것과 같으니, 그래서 능히 증득하는 근에 대해서만 '각覺'이라는 명칭을 세운 것이다. 그래서 『대비바사론』 제121권(=상동)에서 말하였다. "(문) 무엇 때

서이다.[147]

'경증에 의해서'라고 말한 것은 말하자면 계경에서 설하였다. "붓다께서 대모大母에게 말씀하셨다. '그대 생각에는 어떠한가? 존재하는 모든 색으로서 그대가 눈으로 보는 것이 아니고, 그대가 일찍이 본 것도 아니며, 그대가 장차 볼 것도 아니고 보기를 희구하는 것도 아니라면, 그대는 이로 인해 욕망을 일으키거나 탐욕을 일으키거나 친밀함을 일으키거나 사랑을 일으키거나 아뢰야阿賴耶를 일으키거나 니연저尼延底를 일으키거나 탐착을 일으키겠는가?' '아닙니다, 대덕이시여!' '존재하는 모든 소리로서 그대가 귀로 듣는 것이 아니고, …· 존재하는 모든 법으로서 그대가 지금 뜻으로 아는 것이 아니고, …· (이하 같다)' '아닙니다, 대덕이시여!' 다시 대모에게 말씀하셨다. '그대는 여기에서 본 것[所見]에는 오직 본 것만 있을 뿐이라고 알아야 하며, 들은 것[所聞], 깨달은 것[所覺], 아는 것[所知]에는 오직 들은 것, 깨달은 것, 아는 것만 있을 뿐이라고 알아야 한다.'" 이 경에서 이미 색경·성경·법경에 대해서 본 것, 들은 것, 아는 것이라고 설했으니, 이에 준해서 결정코 향경 등 3경에 대해서는 모두 합쳐서 '깨달은 것'이라는 하나의 명칭을 세운 것이다. 만약 그렇다고 인정하지 않는다면 무엇을 '깨달은 것'이라고 이름했겠는가?[148] 또 냄새·맛·감촉은 본 것 등의 밖에 있는 것인데,

---

문에 안식 등의 3식이 받아들이는 것은 각각 한 가지씩 세우고, 비·설·신의 3식이 받아들이는 것은 합쳐서 한 가지를 세워서 '각'이라고 이름했는가? 존자 세우世友는 말하였다. '3식의 소연은 오직 무기일 뿐이니, 경계가 무기이기 때문에 근에 대해 각이라는 명칭을 세운 것이다. 또 3근은 오직 닿는 경계[至境]만을 취할 뿐이니, 경계와 화합하기 때문에 각이라는 명칭을 세운 것이다.' 대덕大德은 말하였다. '오직 이 3근의 경계만은 둔중하고 어두운 것이 마치 시체와 같기 때문에 능히 식을 일으키는 것을 말하여 '각'이라고 이름한 것이다.'" 자세한 것은 거기에서 해석하는 것과 같다.

146 묻는 것이다.

147 전체적인 답이다. 첫째 곧 경증에 의해서이고, 둘째 곧 이증에 의해서이다.

148 이는 경(=잡 [12]13:312 마라가구경摩羅迦舅經)에 의한 것임을 나타내는 것이다. '만鬘'은 말하자면 화만花鬘이다. 딸의 이름이 만鬘이니, 어머니를 딸에 따라 이름했기 때문에 만모鬘母라고 이름한 것이다.(=본문에서 인용된 경의 설법대상인 '대모大母'에 관한 해석인데, 그 출전으로 보이는 위 마라가구경에서의 이름 '마라가구=말룽꺄뿟따Māluṅkyaputta'와도 부합하지 않는 설명이어

그 3경에 대해서는 말을 일으키지 않아야 할 것이다. 이것을 이치라고 이름한다.[149]

이 증명은 성립되지 않는다. 우선 경은 증거가 아니니, 경의 뜻은 다르기 때문이다. 이 경 중에서 세존께서 보는[見] 등으로 언급된 네 가지 모습을 결판決判하시고자 했던 것이 아니다. 그런데 이 경에서 설하신 뜻을 보자면, 말하자면 붓다께서는 그에게, 6경 및 그 보는 등으로 언급된 네 가지 일에서, 단지 본 것 등이라는 말이 있을 뿐이라고 알아야 하고, 사랑스럽거나 사랑스러운 것 아닌 모습을 증익增益해서는 안 된다고 권하신 것이다.[150]

만약 그렇다면 어떤 모습을 '본 것' 등이라고 이름하는가?[151] 어떤 다른 논사는 말하였다. "만약 5근이 직접 증득한 경계라면 '본 것'이라고 이름하

서, 어느 쪽이든 착오가 있는 것으로 보인다) 이 글에서의 '욕망' 등 일곱 가지는 모두 탐욕[貪]의 다른 명칭이다. '아뢰야阿賴耶ālaya'는 여기 말로 집장執藏(=붙잡아 저장함)이고, '니연저尼延底nikānti'는 여기 말로 집취執取, 혹은 취입趣入, 혹은 침체沈滯이다. 앞의 경에서 3경(=색경·성경·법경)을 개별적으로 배속시키고, 뒤의 경에서 다시 네 가지(=보인 것, 들린 것, 감각된 것, 알려진 것)를 갖추어 설하셨으니, 상호 서로 비추어 나타낸 것이다. 따라서 '감각된 것'은 향경 등의 3경이라는 것을 알 수 있다.

149 이는 '이증에 의해서'를 나타내는 것이다. 또 냄새·맛·감촉은 본 것, 들은 것, 아는 것의 밖에 있는 것인데, 그 세 가지 대상(=본 것, 들은 것, 아는 것)에 대해서는 경에서 응당 '깨달은 것'이라는 말을 일으키지 않아야 할 것인데, 그런데도 말을 일으켜 '깨달은 것'이라고 이름했으니, 그 세 가지(=냄새·맛·감촉)는 깨달은 것임을 알 수 있다. 이것을 이치라고 이름한다. 이는 곧 경에 의거해 바른 이치를 나타낸 것이다.

150 경량부에서 총체적으로 비판하면서, 경의 뜻은 다르다고 해석하는 것이다. 이 앞뒤의 양쪽 경문 중에서 세존께서, 보는 등의 네 가지, 즉 본 것이라는 말의 모습[所見言相], 들은 것이라는 말의 모습, 깨달은 것이라는 말의 모습, 아는 것이라는 말의 모습-모습[相]은 체體를 말하는 것이다-을 결판하시고자 했던 것이 아니다. 그런데 내가 이 경에서 설하신 뜻을 본다면, 말하자면 붓다께서는 그에게, 6경 중에서 및 그 보는 등의 네 가지, 즉 본 것이라는 말의 일[所見言事], 들은 것이라는 말의 일, 깨달은 것이라는 말의 일, 아는 것이라는 말의 일-일[事]은 체인 것[體事]을 말하는 것이다-에서, 여섯이든 넷이든 반연하든 반연하지 않든, 단지 본 것 등이라는 말이 있을 뿐이라고 알아야 하고, 그에 대해 사랑스럽거나 사랑스러운 것이 아닌 모습을 증익해서 탐욕·성냄 등을 일으켜서는 안 된다고 권하신 것이다.

151 설일체유부의 물음이다.

고, 만약 남이 전해서 말한 것이라면 '들은 것'이라고 이름하며, 만약 스스로의 마음을 움직여 갖가지 이치로써 추리하고 헤아려 인정한 것이라면 '깨달은 것'이라고 이름하고, 만약 의근이 직접 증득한 것이라면 '아는 것'이라고 이름한다. 5경에 대해서는 각각 보고 듣고 깨닫고 아는 네 가지 언설을 일으킬 수 있으며, 제6경에 대해서는 보는 것을 제외한 세 가지가 있을 수 있다. 이 때문에 '각'이라는 이름도 가리키는 바[所目]가 없는 것이 아니며, 냄새 등의 3경도 언설言說이 없는 것이 아니다. 따라서 그 '이치'의 말 역시 이치가 없는 것이다."152 선대의 궤범사[先軌範師]는 이렇게 말하였다. "안근에 의해 현견된 것을 본 것이라고 이름하고, 남으로부터 전해 들은 것을 들은 것이라고 이름하며, 스스로 자기 마음을 움직여서 생각해 얽은 모든 것[諸所思構]을 깨달은 것이라고 이름하고, 스스로 내적으로 받아들인 것 및 스스로 증득한 것을 아는 것이라고 이름한다."153

152 경량부의 답이다. 어떤 다른 경량부의 논사는 말하였다. "만약 5근이 현량으로 증득한 5경이라면 분명하기 때문에 '본 것'이라고 이름하고, 만약 성교량에 의해 남으로부터 전해 들은 6경이라면 '들은 것'이라고 이름하며, 만약 비량에 의해 자기 마음을 움직여 갖가지 이치로써 추리하고 헤아려 인정한 6경이라면 '깨달은 것'이라고 이름하고, 만약 의식이 현량에 의해 증득한 6경이라면 '아는 것'이라고 이름한다. 만약 의식이라면 직접 5식에 따라 뒤에 일으킴으로써 현량으로 5경을 증득하고, 만약 선정에 있는 의식이라면 현량으로 법경을 증득하며, 혹은 선정에 있는 의식이라면 현량으로 6경을 증득하는 것에 역시 통할 수 있다. 5경에 대해서는 각각 보는 등의 네 가지 언설을 일으킬 수 있고, 제6경에 대해서는 네 가지 중 5근으로 보는 것을 제외한 나머지 들은 것 등의 세 가지가 있을 수 있다. 이 때문에 '각'이라는 이름도 가리키는 바가 없는 것이 아니니, 말하자면 깨달은 바의 6경을 가리키며, 냄새 등의 3경도 이미 네 가지에 통하니, 언설이 없는 것이 아니어서, 혹은 본 것이라고 이름하기도 하고, 혹은 들은 것이라고 이름하기도 하며, 혹은 깨달은 것이라고 이름하기도 하고, 혹은 아는 것이라고 이름하기도 한다. 따라서 그 '이치'(=이증)의 말 역시 이치가 아닌 것이다."

153 유가의 이론[瑜伽論]을 배우는 자를 선대의 궤범사[先軌範師]라고 이름하는데, 이렇게 말하였다. "안근의 현량에 의해 현견되는 색을 본 것이라고 이름한다. 오직 본 것만을 본 것이라고 이름하는 까닭은, 색경의 현현이 가장 분명하기 때문이니, 따라서 눈은 보는 것뿐이다. 만약 성교량에 의해 남으로부터 전해 들은 6경이라면 들은 것이라고 이름한다. 만약 비량에 의해 스스로 자기 마음을 움직여서 생각해 얽은 모든 6경이라면 깨달은 것이라고 이름하고, 또 현량에 의해 귀·코·혀·몸이 스스로 내적으로 받아들인 4경 및 의근의 현량으

이만 방론을 그치고 본론을 펴야 할 것이다. 말을 일으킴에 의하지 않고, 몸으로 생각과 다른 뜻을 나타냄에 의해 허광어를 이루는 경우가 혹시 있는가?154 있다고 말한다. 그래서 논서에서 말하였다. "몸을 움직이지 않고 살생죄에 저촉되는 경우가 혹시 있는가? 있다고 말한다. 말을 일으킨 경우를 말한다. 말을 일으키지 않고 허광어죄에 저촉되는 경우가 혹시 있는가? 있다고 말한다. 몸을 움직인 경우를 말한다. 몸을 움직이지도 않으며 말을 일으키지도 않고 두 가지 죄에 저촉되는 경우가 혹시 있는가? 있다고 말한다. 선인仙人의 마음이 분노했을 때 및 포살[布灑他]할 때를 말한다."155

만약 몸을 움직이지도 않고 말을 일으키지도 않았다면, 욕계에서 표업을 떠난 무표는 생길 수 없는데, 이런 두 가지가 어떻게 업도를 이룰 수 있는가? 이런 힐난에 대해서도 노고를 베풀어야 할 것이다.156

로 스스로 내적으로 증득한 6경이라면 모두 아는 것이라고 이름한다." 만약 이 해석에 의한다면, 보는 것은 오직 눈에만 있고, 들은 것과 깨달은 것은 오직 뜻[意]에만 있으며(=들은 것과 깨달은 것은 현량으로 증득된 것이 아니기 때문), 아는 것은 귀·코·혀·몸·뜻에 있다. 6경 중에서 색경은 네 가지를 일으킬 수 있고, 소리 등의 5경은 들은 것, 깨달은 것, 아는 것 세 가지를 일으킬 수 있다.

154 논주가 논쟁을 그치고 문답으로 분별하는데, 이는 곧 물음이다.

155 『발지론』{=『발지론』에는 보이지 않고, 같은 논서 제11권의 해생납식害生納息편을 해석하는 『대비바사론』 제118권 말미(=대27-617하)에 본문과 같은 취지의 문답이 있다}을 인용해 답하는데, 세 가지 문답이 있지만, 바로 두 번째 답을 취해서 앞의 물음에 답하는 것이고, 앞뒤의 문답은 같은 글이어서 온 것이다. 그래서 『발지론』에서 말하였다. "몸을 움직이지 않고 살생죄에 저촉되는 경우가 혹시 있는가? 있다고 말한다. 말하자면 말을 일으켜 사자를 보내어 죽였을 때이다. 말을 일으키지 않고 허광어죄에 저촉되는 경우가 혹시 있는가? 있다고 말한다. 말하자면 몸을 움직여서 글을 가리켰을 때이다. 몸을 움직이지도 않으며 말을 일으키지도 않고 살생·허광어의 두 가지 죄에 저촉되는 경우가 혹시 있는가? 있다고 말한다. 말하자면 선인이 마음의 분노로써 여러 중생을 죽였을 때에는 몸을 움직이지도 않으며 말을 일으키지도 않고 살생죄를 이루며, 포살할 때 계사戒師가 그에게 묻는 것에 대해 침묵으로 답함으로써 청정을 나타냈을 때에는 몸을 움직이지도 않으며 말을 일으키지도 않고 허광어죄를 이룬다." '포쇄타poṣadha'는 여기 말로 장양長養이니, 말하자면 계를 설하는 것을 들으면 선근을 장양한다는 것이다. 예전에 포살布薩이라고 말한 것은 잘못이다.

156 논주의 힐난이다. 이하에 이 힐난에 대한 『순정리론』 제42권(=대29-580

5. 이간어 등 3어업도의 모습

허광어에 대해 분별했으니, 나머지 세 가지 어업도에 대해 분별하겠다. 게송으로 말하겠다.

77 염오심으로 남을 허물려는 말을[染心壞他語]
이간어라고 이름하고[說名離間語]
사랑스러운 것 아닌 말이 추악어이며[非愛麤惡語]
모든 염오의 말이 잡예어인데[諸染雜穢語]

78a 다른 분은, 세 가지와 다른 염오한[餘說異三染]
아첨·노래·사론 등이라고 말하였다[佞歌邪論等]157

(1) 이간어의 업도

논하여 말하겠다. 만약 염오심으로 남을 허물려는 말을 일으켰다면, 남이 허물어졌든 허물어지지 않았든 모두 이간어離間語를 이룬다. '뜻을 이해하는 것'과 '착오하지 않는 것'은 흘러서 여기에도 이른다.158

(2) 추악어의 업도

만약 염오심으로 사랑스러운 것 아닌 말을 일으켜 남을 헐뜯고 욕했다면 추악어麤惡語라고 이름한다. 앞의 '염오심'이라는 말이 흘러서 여기에 이르

상)에서의 변론과 이에 대한 비판 등이 길게 이어지고 있지만, 생략하였다.

157 이하는 곧 다섯째 나머지 3어업도의 모습에 대해 밝히는 것인데, 처음 2구는 이간어에 대해 밝히는 것이고, 다음 1구는 추악어에 대해 밝히는 것이며, 뒤의 3구는 잡예어에 대해 밝히는 것이다.

158 처음 2구를 해석하면서, 이간어는 네 가지 연을 갖추어야 비로소 업도를 이룬다는 것을 밝히는 것이다. 첫째 염오심으로, 둘째 남을 허물려는 말을 일으키는 것이다. 남이 허물어졌든 허물어지지 않았든 단지 받아들여 이해하기만 했다면 그 때 곧 이간어를 이룬다. 그래서 『순정리론』 제41권(=대29-575하)에서 말하였다. "이간어를 일으켜 남이 받아들이는 찰나의 표·무표업을 근본업도라고 이름한다." 셋째 뜻을 이해하는 것, 넷째 착오하지 않는 것이다. 4연 중 앞의 2연은 게송의 글에 모두 있지만, 뒤의 2연은 앞에서 흘러서 온 것이다.

렀기 때문이며, '뜻을 이해하는 것'과 '착오하지 않는 것'도 역시 앞에서와 같다. 말하자면 본래 기약한 마음으로 욕하려고 했던 상대방이 그 말한 뜻을 이해해야 업도가 비로소 이루어지는 것이다.[159]

(3) 잡예어의 업도

일체 염오심으로 일으켜진 모든 말을 잡예어雜穢語라고 이름한다. 왜냐하면 염오에 의해 일으켜진 말은 모두 더러움과 섞인 말[雜穢語]이기 때문이다. 앞의 '말[語]'이라는 글자만 흘러서 여기에 이른다.[160]

어떤 다른 논사는 말하였다. "허광어 등 앞의 세 가지 말과는 다른, 존재하는 일체 염오심으로 일으켜진 말을 잡예어라고 이름한다. 이것은 말하자면 아첨[佞], 노래 및 사론邪論 등이다. '아첨'은 말하자면 아첨하는 말[諂佞]

159 제3구를 해석하면서, 추악어도 역시 4연을 갖추어야 비로소 업도를 이룬다는 것을 밝히는 것이다. 첫째 염오심으로, 둘째 사랑스러운 것 아닌 말을 일으켜 남을 헐뜯고 욕했다면 추악어라고 이름한다. 앞의 이간어에 관한 제1구 중 '염오심[染心]'과 '말[語]'이라는 3글자가 흘러서 추악어에 관한 제3구 중에 이르렀기 때문에, '염오심으로 사랑스러운 것 아닌 말을 하는 것을 추악어라고 이름한다[染心非愛語 說名麤惡語]'라고 말했어야 한다는 것이다. 셋째 '뜻을 이해하는 것'과 넷째 '착오하지 않는 것'이라는 뒤의 2연도 역시 앞의 이간어와 같이 앞에서 흘러서 온 것이라고 알아야 한다. 말하자면 본래 기약한 마음으로 욕하려고 했던 상대방이 그 말한 뜻을 이해해야 업도가 비로소 이루어지는 것이다. 반드시 괴로움[惱]을 낳아야 하는 것은 아니니, 남이 괴로워하든 괴로워하지 않든 모두 추악어를 이룬다. 그래서 『순정리론』(=제41권. 대29-575하)에서 말하였다. "바로 추악어를 일으켜 남이 받아들여 이해하는 찰나의 표·무표업을 근본업도라고 이름한다."

160 제4구를 해석하는 것이다. 이 글에 준하면 잡예어에는 2연이 있는데, 첫째는 일체 염오심이고, 둘째는 일으켜진 모든 말이다. 왜냐하면 염오에서 일으켜진 말은 모두 더러움과 섞인 말[雜穢語]이기 때문이다. 앞의 제1구 중 오직 '말[語]'이라는 글자만이 흘러서 제4구에 이르렀으니, '모든 염오심의 말을 잡예어라고 이름한다'라고 말했어야 할 것이다. 이 논사의 뜻이 말하는 것은, 비록 홀로 일어나는 잡예어도 있지만, 앞의 세 가지 말이 일어날 때에는 반드시 잡예어를 겸한다는 것이다. 그렇지만 잡예어를 남이 이해하지 못했다면 4어업도에 포함되는 것이 아니다. 그래서 『대비바사론』 제112권(=대27-579상)에서 말하였다. "말하자면 어떤 한 사람이 홀로 공한처에서, '보시도 없고 친애할 것도 없으며 제사도 없다'라는 이런 말을 하는 것과 같은 이런 등의 말의 악행이 세간 유정의 이해를 낳지 않는다면 4어업도에 포함되는 것이 아니다." 그 논서의 글에 준하면 다시 1연을 더해야 할 것이니, 이른바 뜻을 이해하는 것이다.

이니, 예컨대 어떤 필추가 삿된 생계로 살아가려는 생각으로 아첨하는 말을 일으키는 것과 같다. '노래'는 말하자면 노래하고 읊조리는 것[歌詠]이니, 예컨대 세상에서 어떤 사람이 염오심으로 노래를 읊조려 서로 어울리는 것 및 창기倡妓가 남의 마음을 기쁘게 하기 위해 염오심으로 가사와 곡조를 짓는 것과 같다. '사론'이라고 말한 것은 말하자면 모든 바르지 못한 소견에 의해 붙들린 언사를 널리 변설하는 것이다. '등'은 말하자면 염오심으로 일으켜진 비탄 및 모든 세속적 희론戱論의 언사이다. 단지 앞의 세 가지와는 다른, 염오심으로 일으켜진 일체 말은 모두 잡예어에 포함된다는 것이다."[161]

전륜왕이 출현했을 때에도 역시 노래하고 읊조림이 있는데, 어떻게 이것은 잡예어에 포함되지 않는가?[162] 그 말은 출리심出離心으로부터 일으켜진 것으로서 능히 출리를 견인하므로, 염오에 들어가는 마음이 아니다.[163] 어떤 다른 논사는 말하였다. "그 때에도 역시 시집가고 장가드는 등의 일을 이루면서 일으켜진 염오한 말이 있지만, 허물이 가볍기 때문에 업도를 이루지 않는다."[164]

6. 의업도의 모습

세 가지 어업도에 대해 분별했으니, 3의업도에 대해 분별하겠다. 게송으

161 제5·제6구를 해석하는 것이다. 이 논사의 뜻이 말하는 것은, 앞의 세 가지 말과는 다른, 염오심으로 일으켜진 것을 비로소 잡예어라고 이름하니, 모두가 홀로 일어나는 잡예어라는 것이다. 앞의 세 가지 말이 일어날 때에는 잡예어를 겸하지 않으니, 이런 같지 않음이 있기 때문이다. 다른 학설을 서술하는 글은 드러나서 알 수 있을 것이다.

162 물음이다.

163 답이다. 염오심으로 일으켜진 것을 잡예어라고 이름하는데, 그 말은 출리하려는 선심으로부터 일으켜진 것이니, 모든 선을 찬탄하거나 모든 악을 헐뜯음으로써 능히 출리의 선을 견인하기 때문에 염오에 들어가는 마음[預染心]이 아니어서 잡예어라고 이름하지 않는다.

164 다른 학설을 서술하는 것이다. 그 때에도 염오심으로 일으켜진 말이 있지만, 허물이 가볍기 때문에 업도를 이루지 않는다. 그래서 앞의 글(=본절 제1항 업도의 체에 대한 논설)에서, "말의 악업도는 말의 악행 중 가행·후기 및 가벼운 것을 포함하지 않는다"라고 말하였다. 이 논사의 뜻은, 그 전륜왕의 시절에도 가벼운 잡예어가 있어서 비록 이해한다고 해도 업도에 포함되는 것이 아니라는 것이니, 무표를 일으키지 않는다는 것이다.

로 말하겠다.

78c 남의 재물에 대한 나쁜 욕망이 탐욕이고[惡欲他財貪]
유정을 미워하여 성내는 것이 성냄이며[憎有情瞋恚]
79a 선·악 등을 부정하는 소견을[撥善惡等見]
사견의 업도라고 이름한다[名邪見業道]165

(1) 탐욕의 업도

논하여 말하겠다. 남의 재물에 대한 나쁜 욕망을 탐욕[貪]이라고 이름한다. 말하자면 남의 재물에 대해 이치 아니게 욕망을 일으키니, 어떻게든 그것을 남이 아닌 나에게 소속시키려고, 힘이나 훔치려는 마음을 일으켜 남의 재물을 탐내어 구하는, 이와 같은 나쁜 욕망을 탐욕의 업도라고 이름한다.166

어떤 다른 논사는 말하였다. "욕계의 모든 갈애[諸欲界愛]는 모두 탐욕의 업도이다. 왜냐하면 오개경五蓋經 중에서, 탐욕의 덮개[貪欲蓋]에 의거해 붓다께서 이 세간의 탐욕을 끊어야 한다고 설하셨기 때문에, 탐욕이라는 명칭은 욕계의 갈애[欲愛]를 총칭해 말한 것임을 알 수 있다."167 어떤 분은

165 이하는 여섯째 의업도의 모습에 대해 밝히는 것이다.
166 탐욕의 업도에 대해 밝히는 것이다. '남의 재물'은 자신의 것을 가려내는 것이니, 자신의 것에 대한 탐욕은 (업도를) 이루지 않는다. 이치상 유정에 대해 탐욕을 일으키는 것도 말해야 할 것인데도 말하지 않은 것은, 비추어 나타내는 것임을 알 수 있다. 혹은 가벼운 것을 열거해서 무거운 것을 나타내는 것이니, 비정에 대해 탐욕 일으키는 것도 오히려 업도라고 이름하거늘, 하물며 다시 유정에 대한 것이겠는가? 혹은 남이라는 말은 유정도 포함하는 것일 수도 있다. 혹은 비정에 대해 일으키는 탐욕만 무거운 것이어서 탐욕의 업도라고 이름하므로, 논서에서 유정은 말하지 않은 것이다. 앞의 해석이 낫다고 하겠다. 말하자면 남의 물건에 대해 이치 아니게 남이 아닌 자기에게 소속시키려는 나쁜 욕망이다. '힘'은 강한 힘을 말하고, '훔친다'는 것을 사사롭게 훔치는 것을 말하니, 힘이나 훔치려는 마음을 일으켜 남의 재물을 탐내어 구하는, 이와 같은 나쁜 욕망을 탐욕의 업도라고 이름한다. 이 탐욕은 오직 수소단의 탐욕만이고, 수소단 중 자기 물건에 탐착하는 것은 역시 업도가 아니다.
167 이 논사의 뜻이 말하는 것은, 욕계 중 5부(=4견소단+수소단)의 모든 갈애가 모두 탐욕의 업도라는 것이다. 오개경五蓋經(=잡 [29]29:803 안나반나념경)에 의하면, 탐욕의 덮개에 의거해 붓다께서 이 세간의 탐욕을 끊어야 한다

말하였다. “욕계의 갈애는 비록 모두 탐욕이라고 이름할 수 있다고 해도, 모두가 업도를 이룬다고 말할 수는 없으니, 이런 악행 중 두드러진 품류만을 포함하기 때문이다. 전륜왕의 시절 및 북구로주에서 일으킨 욕탐이 탐욕의 업도를 이루게 해서는 안 될 것이다.”[168]

(2) 성냄의 업도

유정의 부류에 대해 미워하여 성내는 것을 성냄이라고 이름한다. 말하자면 다른 유정에 대해 상처입히고 해치는 일을 하려고 하는, 이와 같이 미워하여 성내는 것을, 성냄의 업도라고 이름한다.[169]

(3) 사견의 업도

나쁜 소견으로 선·악 등에 대해 없다고 부정하는 이런 소견을 사견邪見의 업도라고 이름한다.[170] 예컨대 경에서, “보시[施與]도 없고, 애락愛樂도 없고, 제사[祠祀]도 없으며, 묘행도 없고, 악행도 없고, 묘행·악행업의 과보인 이숙도 없으며, 이 세간도 없고, 저 세간도 없으며, 어머니도 없고, 아버지도 없으며, 화생의 유정도 없고, 세간에 아라한인 사문이나 바라문도 없다”라고 설한 것과 같다. 그 경에서는 업을 비방하고 과보를 비방하며 성자를 비방하는 사견도 갖추어 나타내었지만, 이 게송에서는 처음 것만을 들고,

고 설하셨기 때문에 탐욕이라는 명칭은 욕계의 5부의 모든 갈애를 총칭하여 말한 것임을 알 수 있다는 것이다.

168 이 논사의 뜻이 말하는 것은, 욕계의 5부의 모든 갈애는 비록 모두 탐욕이라고 이름할 수 있다고 해도, 모두가 업도인 것은 아니라는 것이니, 이 탐욕의 업도는 악행 중 두드러진 품류만을 포함하기 때문이다. 전륜왕의 시절 및 북구로주와 아울러 자기 물건에 탐착하여 일으킨 욕탐이 탐욕의 업도를 이루게 해서는 안 될 것이니, 허물이 가볍기 때문이다. 그래서 앞의 논서(=본절 제1항 업도의 체에 대한 논설)에서, “마음의 악업도는 마음의 악행 중 악한 의도 및 가벼운 탐욕 등을 포함하지 않는다”라고 말한 것이다. 곧 이것이 이 논사의 뜻이다. 앞의 글이 이미 이 설과 같으니, 2설 중 뒤의 논사가 바른 것이다. 견소단의 탐욕은 재물을 반연하지 않기 때문이다.

169 제2구를 해석하는 것이다. 다른 유정에 대해 상처입히고 해치려고 하는 것은 허물이 무겁기 때문에 성냄의 업도라고 이름한다. 만약 자신 및 비정에 대해 성내는 것이라면, 허물이 가볍기 때문에 성냄의 업도가 아니다.

170 아래 2구를 해석하면서 사견의 업도에 대해 밝히는 것이다. ‘선·악’은 선·악업을 말하고, ‘등’은 말하자면 과보 및 성자 등을 같이 취한 것이다. 이런 선 등을 현견하면서도 없다고 부정하는 이런 소견을 사견의 업도라고 이름한다.

‘등’이라는 말로 뒤의 것들을 포함한 것이다.[171]

171 경(=중 3:15 사경思經 등)을 인용해 그 사견이 없다고 부정하는 것을 나타내는 것이다. 경 중에 모두 열한 가지 같지 않은 것이 있는데, 첫째는 보시 없음, 둘째는 애락 없음, 셋째는 제사 없음을 말한다. 이 세 가지는 모두 원인을 비방하는 사견으로서 견집소단이니, 『대비바사론』 제98권(=대27-505상)에서 이 세 가지에 대해 해석해 말한 것과 같다. “첫째 해석은 (세 가지에) 차별이 없으니, 같이 동일한 뜻을 나타내기 때문이라고 한다. 또 해석하자면 명칭이 곧 차별되는데, 외론자外論者(=불교 외의 이론)는 말한다. 보시가 없다는 것은 말하자면 세 부류(=4종성 중 바라문 외의 3종성)에게 보시하는 복이 없다는 것이고, 애락이 없다는 것은 말하자면 개별 바라문에게 보시하는 복이 없다는 것이며, 제사가 없다는 것은 말하자면 온갖 바라문에세 보시하는 복이 없다는 것이다.” 외론에는 다시 많은 해석이 있는데, 거기에서 널리 말한 것과 같다. “내론자內論者는 말한다. 보시가 없다는 것은 과거의 복이 없음을 말하고, 애락이 없다는 것은 미래의 복이 없음을 말하며, 제사가 없다는 것은 현재의 복이 없음을 말한다. 다시 다음에 보시가 없다는 것은 신업의 복이 없음을 말하고, 애락이 없다는 것은 어업의 복이 없음을 말하며, 제사가 없다는 것은 의업의 복이 없음을 말한다. 다시 다음에 보시가 없다는 것은 보시 성품[施性]의 복이 없음을 말하고, 애락이 없다는 것은 계의 성품[戒性]의 복이 없음을 말하며, 제사가 없다는 것은 수행 성품[修性]의 복이 없음을 말한다. 다시 다음에 보시가 없다는 것은 비전悲田에 보시하는 복이 없음을 말하고, 애락이 없다는 것은 은전恩田에 보시하는 복이 없음을 말하며, 제사가 없다는 것은 복전福田에 보시하는 복이 없음을 말한다.” 다시 많은 해석이 있는데, 거기에서 널리 설한 것과 같다.

넷째 묘행도 없고, 악행도 없다는 이것은 묘행과 악행을 전체적으로 부정하는 것이니, 역시 원인을 비방하는 사견으로서 견집소단이다. 다섯째 묘행·악행의 업에 의해 감득되는 과보인 이숙이 없다는 이것은 업에 의해 감득되는 과보를 전체적으로 부정하는 것이니, 결과를 비방하는 사견으로서 견고소단이다. 여섯째 이 세간도 없고, 일곱째 저 세간도 없다는 이 두 가지는 인과를 통틀어 비방하는 것이니, 원인을 비방하는 것이라면 견집소단이고, 결과를 비방하는 것이라면 견고소단이다. 그래서 『대비바사론』(=제198권. 대27-988상)에서 해석해 말하였다. “(문) 다른 세간은 현견하지 못하므로 없다고 말하는 것은 그럴 수 있겠지만, 이 세간은 현견할 것인데, 어째서 없다고 말하는가? (답) 그 여러 외도들은 무명으로 눈 멀어 현견하는 일도 또한 다시 아니라고 부정하니, 광명이 없는 자나 어리석음으로 눈 먼 자가 구덩이에 떨어지는 것을 책망해서는 안 되기 때문이다. 다시 설하는 분이 있다. 그 여러 외도들은 단지 인과를 비방하는 것일 뿐, 법체를 비방하지는 않으니, 이 세간이 없다는 것은 말하자면 다른 세간의 원인이 되는 이 세간은 없고, 혹은 다른 세간의 결과인 이 세간은 없다는 것이며, 다른 세간이 없다는 것은 말하자면 이 세간의 원인이 된 다른 세간은 없었고, 혹은 이 세간의 결과가 되는 다른 세간은 없다는 것이다.”

여덟째 어머니가 없고, 아홉째 아버지가 없다는 이 두 가지는 원인을 비방하는 사견으로서 견집소단이다. 그래서 『대비바사론』(=제198권. 대27-988중)에서 말하였다. "(문) 세간의 부모는 모두 현견되는 바인데, 그는 무엇을 보고 비방하여 없다고 말하는가? (답) 그 여러 외도들이 무명으로 눈 멀어 …. 어떤 분은, 그 여러 외도들은 부모에게 자식을 감득하는 업이 없다고 비방하는 것이지, 그 체를 비방하지는 않는다고 말하였다. 혹 어떤 분은 그 여러 외도들은 부모의 뜻을 비방하는 것이지, 그 체를 비방하지는 않는다고 말하였다." 자세한 것은 거기에서 말한 것과 같다.

열째 화생의 유정이 없다는 이것은 인과를 통틀어 비방하는 것이니, 만약 원인을 비방하는 것이라면 견집소단이고, 결과를 비방하는 것이라면 견고소단이다. 그래서 『대비바사론』(=제198권. 대27-988상)에서 해석해 말하였다. "어떤 외도들은 이렇게 말한다. 모든 유정이 태어나는 것은 모두 현재의 정혈 등의 체를 원인으로 하는 것이지, 연 없이 홀연 생기는 것은 없으니, 비유하자면 마치 싹이 생기는 것은 반드시 종자·물·불·시절을 원인으로 하지, 연 없이 생길 수 있는 것은 없는 것과 같다. 따라서 결정코 화생의 유정은 없다는 이것은 화생을 감득하는 업이 없다고 부정하는 것이거나 다시 감득되는 바 화생은 없다고 부정하는 것이다. 혹 어떤 분은 말하였다. 화생의 유정은 이른바 중유이니, 이 세간과 다른 세간이 없다는 것은 생유가 없다고 비방하는 것이며, 화생의 유정이 없다는 것은 중유가 없다고 비방하는 것이다. 어떤 외도들이 중유가 없다고 말한다면, 그는 단지 이 세간으로부터 저 세간에 이르러야 할 뿐, 다시 제3의 세간을 얻을 수 없다고 말하는 것이다. 이는 혹은 중유를 감득하는 업이 없다고 부정하는 것이거나 혹은 다시 감득되는 중유가 없다는 부정하는 것이거나 혹은 중유가 생유의 원인이 되는 것을 부정하는 것이거나 혹은 중유가 사유의 결과가 되는 것을 부정하는 것이다." 이는 인과를 비방하는 것에 통하는 것이므로 견고·견집소단이다.

열한 번째 세간에 아라한인 사문이나 바라문이 없다는 이것은 성자를 비방하는 사견으로서 견도소단이다.

그 상응하는 바에 따라 그 경에서는 업을 비방하고 과보를 비방하며 성자를 비방하는 사견을 갖추어 드러내어 설했는데, 이 게송에서는 처음의 선·악업을 부정한 것을 들고, '등'이라는 말로 뒤의, 과보를 비방하며 성자를 비방하는 것을 포함한 것이다. 『대비바사론』(=제198권. 대27-988하) 등의 글에 의하면 다시 멸제를 비방하는 사견도 설한다. 그 논서에서 '바르게 이른 것[正至]'이 없다고 말하는 것과 같으니, 이는 멸제를 비방하는 사견으로서 견멸소단이다. 바르게 이르렀다는 것은 열반 등을 말하는 것이니, 무루의 도에 의해 이르러야 할 곳이기 때문이다. 자세한 것은 거기에서 말한 것과 같다.

아비달마구사론
제17권

제4 분별업품分別業品(의 5)

제2절 업도業道라는 명칭의 뜻

이와 같이 10업도의 모습에 대해 분별했는데, 어떤 뜻에 의해 업도라고 이름한 것인가? 게송으로 말하겠다.

79c 이들 중 세 가지는 오직 도이고[此中三唯道]
　일곱 가지는 업이면서 또한 도이기 때문이다[七業亦道故][1]

논하여 말하겠다. 10업도 중 뒤의 세 가지는 오직 도道이니, 업의 길[道]이기 때문에 업도라는 명칭을 세운 것이다. 그것과 상응하는 의도[思]를 말하여 업이라고 이름한다. 그것이 일어나기 때문에 일어나며, 그것이 작용하기 때문에 작용하니, 그것의 세력대로 만들기 때문이다.[2]

앞의 일곱 가지는 업이니, 신·어의 업이기 때문이다. 또한 업의 길이기도 하니, 의도가 노니는 곳이기 때문이다. 능히 신·어업을 등기等起시키는 의도는 신·어업에 의탁하고 경계로 삼아 일어나기 때문에 업이면서 업의 길[業業之道]이므로 업도라는 명칭을 세운 것이다.[3]

1 이하는 곧 큰 글(=10업도를 밝히는 글)의 둘째 업도라는 명칭(의 뜻)을 해석하는 것인데, 윗 구는 마음의 3업도에 대해 밝히는 것이고, 아랫 구는 신·어의 7업도에 대해 밝히는 것이다.

2 윗 구를 해석하는 것이다. 10불선업도 중 뒤의 탐욕·성냄·사견 세 가지는 오직 도이니, 사업의 길[思業之道]이기 때문에 업도라는 명칭을 세운 것이다. 그 탐욕 등과 상응하는 의도를 말하여 업이라고 이름한다. 그 탐욕 등이 일어나기 때문에 의도가 일어나고, 그 탐욕 등이 작용하기 때문에 의도가 작용하니, 그 탐욕 등의 세력대로 의도에게 만듦[造作]이 있기 때문이며, 탐욕 등은 의도가 의탁하는 곳[思依託處]이기 때문에 업의 길이라고 이름한다.

3 아랫 구를 해석하는 것이다. 10불선업도 중 앞의 일곱 가지는 체가 업이니, 신·

따라서 이들에 대해 업도라고 말한 것은, 업의 길[業道]이라는 뜻과 업이면서 업의 길[業業道]이라는 뜻을 모두 나타내니, 비록 같지 않은 부류라고 해도 하나가 다른 것으로 되는 것은, 세간이나 불전[典] 중에서 모두 공히 인정하기 때문이다.[4] 이살생[離殺] 등의 일곱 가지와 무탐無貪 등의 세 가지에 대해 업도라는 명칭을 세운 것도 이에 유추해서 해석해야 할 것이다.[5]

이것의 가행과 후기는 어째서 업도가 아닌가?[6] 이것을 위해, 이것에 의해 그것이 비로소 일어나기 때문이다. 또 앞에서 설했듯이 이것은 두드러진 품류를 포함하기 때문이다. 또 만약 이것에 감소가 있거나 증가가 있음에 의해 안팎의 사물[內外物]에 증가가 있거나 감소가 있다면 업도로 세우지만,

---

어의 업의 성품이기 때문이다. 또한 업의 길이기도 하니, 그 사업思業에 의해 노닐며 밟히는 곳[所遊履]이기 때문이다. 인등기인 신·어업의 의도는 신·어업에 의탁하고 경계로 삼아 일어나기 때문에 업의 길이라고 이름한다. (본문의 '업업지도業業之道' 중) 위의 업은 신·어업이고, 아래의 업은 사업이니, 업 및 업의 길에 대해 전체적으로 업도라는 명칭을 세운 것이다.

4 이는 명칭은 같아도 여러 다른 부류를 포함한다는 것을 나타내는 것이다. 따라서 이 업도라는 명칭을 해석함에 있어서 업도라는 말은, 뒤의 세 가지가 업의 길[業道]인 뜻과 앞의 일곱 가지가 업이면서 업의 길[業業道]인 뜻을 모두 나타내는 것이다. 만약 '업도'라고 말한다면, 업은 탐욕 등과 상응하는 의도이고, 도는 의도와 상응하는 탐욕 등이며, 만약 '업업도'(=업이면서 업의 길)라고 말한다면, 위의 업은 신·어이고, 아래 업은 인등기한 의도이며, 도는 신·어이다. 여기에서의 뜻이 말하는 것은, 하나의 업(이라는 명칭)이 많은 업을 나타내고, 하나의 도(라는 명칭)가 많은 도를 나타낸다는 것이다. 비록 다시 업과 도의 성품과 부류가 같지 않다고 해도, 업이라는 명칭은 같기 때문에 하나의 업이라는 명칭이 다른 업도 되기 때문이며, 도라는 명칭은 같기 때문에 하나의 도라는 명칭이 다른 도도 되기 때문이다. 이와 같은 부류는 세간 중에서나 전적典籍 중에서 모두 공히 인정하기 때문이다. 세간에서 공히 인정한다는 것은, 예컨대 수레를 끄는 소[車牛]라고 말하면, 비록 성품과 부류가 같지 않은 수레 끄는 소가 많더라도 수레를 끄는 소라는 명칭은 같으므로, 하나의 수레를 끄는 소가 다른 수레를 끄는 소도 이름하는 것과 같다. 전적(=불전佛典)에서 공히 인정한다는 것은, 예컨대 식주識住라고 말하면, 비록 네 가지 식주는 성품과 부류가 같지 않지만, 식주라는 명칭은 같으므로, 하나의 식주가 다른 식주도 이름하는 것과 같기 때문이다.

5 이는 곧 선업도에 대해 유추해서 해석하는 것이다.

6 묻는 것이다. 가행과 후기도 업도라고 이름해야 할 것이니, 의도는 역시 그것도 반연하여 경계로 해서 일어나기 때문이다. 어째서 그것은 업도가 아니라고 말하는가?

이와 다르다면 그렇지 않다.[7]

비유논사譬喩論師는, 탐욕·성냄 등은 곧 의업이라고 주장하는데, 어떤 뜻에 의해 해석하기에 그것을 업도라도 이름하는가?[8] 그 논사에게 물어야 하겠지만, 역시 "그것은 의업으로서 악취의 길이기 때문에 업도라는 명칭을 세운 것이다. 혹은 상호 서로 타는 것[互相乘]은 모두 업도라고 이름한다"라고 말할 수 있을 것이다.[9]

제3절 단선근斷善根과 속선근續善根

7 답 중에 세 가지가 있다. 첫째 이 근본을 위해 그 가행이 비로소 일어나기 때문이고, 이 근본에 의해 그 후기가 비로소 일어나기 때문이다. 따라서 가행과 후기는 근본이 아니다. 둘째 앞에서 설했듯이 이 근본업도는 두드러진 품류를 포함하기 때문이니, 가행과 후기는 두드러진 품류가 아니기 때문에 업도에 포함되는 것이 아니다. 셋째 또 만약 이런 악업도에 감소가 있다면 안팎의 나쁜 사물에 감소가 있게 하고, 악업도에 증가가 있다면 안팎의 나쁜 사물에 증가가 있게 하며, 만약 이런 선업도에 감소가 있다면 안팎의 좋은 사물에 감소가 있게 하고, 선업도에 증가가 있다면 안팎의 좋은 사물에 증가가 있게 하니, 이런 작용이 있다면 업도로 세우지만, 이런 근본과는 달라서 전·후(=가행·후기)는 그렇지 않기 때문에 업도가 아니다. 또 해석하자면 만약 이런 악업도에 감소가 있다면 안팎의 좋은 사물에 증가가 있게 하고, 악업도에 증가가 있다면 안팎의 좋은 사물에 감소가 있게 하며, 만약 이런 선업도에 감소가 있다면 안팎의 나쁜 사물에 증가가 있게 하고, 선업도에 증가가 있다면 안팎의 나쁜 사물에 감소가 있게 하므로, 업도로 세우지만, 이와 다르다면 그렇지 않다. '안팎의 사물'이라고 말한 것에 대해『대비바사론』제113권(=대27-588상)에서 말하였다. "거처[所居]는 밖이라고 이름하고, 수명 등은 안이라고 이름한다."

8 물음이다. 유부의 논사는, 탐욕 등은 의도가 아니고 각각 별도로 체가 있다고 해서 따로 업도를 해석하지만, 비유논사는 탐욕·성냄 등은 곧 마음의 의도로서 별도의 체가 없다고 하는데, 어떤 뜻에 의해 해석하기에 그 탐욕·성냄 등을 업도라고 이름하는가?

9 논주의 답이다. 그 논사에게 물어야 하고, 내가 관여할 일이 아니지만, 만약 그를 위해 해석한다면 역시 그 탐욕·성냄 등은 곧 의업이라고 말할 수 있을 것이다. 별도의 체가 없기 때문이다. 다시 '도'라고 말한 것은 이 탐욕 등에 의해 여러 악취에 떨어지니, 악취에 대해 길이 되기 때문에 업도라는 명칭을 세운 것이다. 혹은 탐욕 등으로 인해 다음에 성냄 등을 일으키고, 혹은 성냄 등으로 인해 다음에 탐욕 등을 일으키니, 앞의 것이 뒤의 것을 능히 낳으며, 뒤의 것이 앞의 것을 타고 생기므로, 뒤의 것에게 길이 되기 때문에 말한 것이다. 혹은 상호 서로 타는 것[互相乘]은 모두 업도라고 이름한다.

이렇게 설한 10악업도는 모두 선법의 현행과는 상반되는 것인데, 모든 선근을 끊는 것은 어떤 업도에 의하는가? 선근을 끊고 잇는 모습의 차별은 어떠한가?[10] 게송으로 말하겠다.

80 오직 사견만이 선근을 끊는데[唯邪見斷善]
끊어지는 것은 욕계의 생득선이며[所斷欲生得]
인과를 부정하는 일체가[撥因果一切]
점차 끊고, (선근과 율의) 둘은 함께 버려진다[漸斷二俱捨]

81 인취의 3주의 남녀로서[人三洲男女]
견행자가 끊으며, 비득이고[見行斷非得]
속선근은 있음에 대한 의심이나 견해에 의하는데[續善疑有見]
단박이며, 현세이나, 역죄 지은 자는 제외한다[頓現除逆者][11]

1. 단선근

(1) 선근을 끊는 업도

논하여 말하겠다. 악업도 중 오직 상품의 원만한 사견[上品圓滿邪見]이 있어야만 선근을 끊을 수 있다.[12]

만약 그렇다면 어째서 근본논서 중에서, "어떤 것이 상품의 불선근인가? 모든 불선근으로서 능히 선근을 끊는 것, 혹은 이욕離欲하는 단계에서 최초로 제거되는 것을 말한다"라고 말했는가?[13] 불선근이 능히 사견을 견인하

10 이하는 큰 글의 셋째 뜻의 편의상 단선근에 대해 밝히는 것이다. 첫째는 악업은 모두 현행하는 선과 상반되는데, 모든 선근을 끊는 것은 어떤 업도에 의한 것인지 묻고, 둘째는 단선근과 속선근의 모습의 차별이 어떠한지 묻는다.
11 제1구는 첫 물음에 대한 답이고, 뒤의 7구는 뒷 물음에 대한 답이다.
12 제1구를 해석하는 것이다. 10악업도 중 오직 상품의 원만한 사견만이 선근을 끊을 수 있다.
13 물음이다. 만약 사견이 능히 선근을 끊는다면, 어째서 근본논서(=『발지론』 제2권. 대26-925상)에서, "능히 선근을 끊는 불선근, 혹은 이욕하는 단계에서 최초로 제거되는 것-역시 상품의 모든 불선근이다-이다"라고 말했는가?

기 때문이니, 사견의 원인[事]이 그 불선근에 있다고 헤아린 것이다. 마치 불이 마을을 태웠더라도 불이 도적에 의해 일어났기 때문에 세간에서 그 도적이 마을을 태웠다고 말하는 것과 같다.[14]

⑵ 끊어지는 선근

어떤 선근이 이에 의해 끊어지는가?[15] 말하자면 오직 욕계의 생득의 선근일 뿐이니, 색·무색계의 선근은 먼저 성취되지 않았기 때문이다.[16]

『시설족론』은 어떻게 회통하겠는가? 예컨대 그 논서에서, "오직 이 근거에 의해서만 이런 사람은 3계의 선근을 끊었다고 한다"라고 말하였다.[17] 상계 선근의 획득이 더욱 멀어진다는 점에 의해 설한 것이니, 이런 상속으로 하여금 그것의 그릇이 아니게 하기 때문이다.[18]

어째서 생득의 선근만을 끊는가?[19] 가행의 선근에서는 먼저 이미 물러났기 때문이다.[20]

⑶ 선근을 끊는 사견의 종류

어떤 사견을 반연하여 능히 선근을 끊는가?[21] 말하자면 결정코 인과가 없다고 부정하는 사견이다. 원인이 없다고 부정하는 것은 결정코 묘행과

---

14 답이다. 불선근이라는 원인이 사견이라는 결과를 견인하기 때문이니, 결과를 만든 것이 그 원인에 있다고 헤아린 것이다. 비유로써 견주는 것은 알 수 있을 것이다.

15 이하에서 제2구를 해석하는데, 이는 곧 묻는 것이다.

16 답이다. 말하자면 오직 욕계의 생득의 선근만이 그 끊어지는 것이다. 색·무색계의 선근은 아직 선근을 끊지 않았을 때에도 먼저 성취되지 않았기 때문에 끊어지는 것이 아니다.

17 힐난이다. 만약 욕계의 선근만 끊는다면 논서에서는 무엇 때문에 3계의 선근을 끊었다고 말했는가?

18 회통하는 것이다. 논서에서 능히 3계의 선을 끊었다고 말한 것은, 상계의 선을 얻는 것이 더욱 멀어진다는 점에 의해 말한 것이니, 점점 욕계의 몸으로 하여금 그 선근의 획득이 의지할 그릇이 아니게 하기 때문이다. 그래서 상계의 선근을 끊었다고 말한 것이니, 이치상 실제로는 욕계의 선근만을 끊는다.

19 따지는 것이다. 어떤 이유에서 생득의 선근만을 끊고, 가행의 선근은 아닌가?

20 해석하는 것이다. 가행의 선근인 문·사의 2혜는 선근을 끊기에 이를 때 먼저 가행하는 단계에서 이미 물러나서 버리기 때문에 바로 선근을 끊기에 이르면 오직 생득만을 끊지, 가행을 끊는 것은 아니다.

21 이하에서 제3구를 해석하는데, 이는 곧 묻는 것이다.

악행이 없다고 부정하는 것을 말하고, 결과가 없다고 부정하는 것은 결정코 그 결과인 이숙이 없다고 부정하는 것을 말한다.[22] 어떤 다른 논사는 말하였다. "이 두 가지 사견은 마치 무간도·해탈도의 차별과 같다."[23]

어떤 다른 논사는, "선근을 끊는 사견은 유루를 반연하는 것만이고, 무루를 반연하는 것은 아니며, 자계自界를 반연하는 것만이고, 타계他界를 반연하지는 않는다. 그것은 오직 상응하는 것에 따라 증장할 뿐, 경계에 따라 증장하지는 않으니, 세력이 열등하기 때문이다"라고 말했는데,[24] 여시설자如是說者는, "일체 연에 통하니, 원인에 따라서도 증장하여 강한 힘을 갖기 때문이다"라고 말하였다.[25]

(4) 선근을 끊는 경과

어떤 다른 논사는, "9품의 선근이 일찰나의 사견에 의해 단박 끊어지니, 마치 견도가 견소단의 번뇌를 끊는 것과 같다"라고 말했는데,[26] 여시설자는,

22 답이다. 말하자면 결정코 4성제의 인과가 없다고 부정하는 사견이다.
23 다른 학설을 서술하는 것이다. 이는, 인과를 부정하는 두 가지 사견 중 원인을 부정하는 사견은 마치 무간도와 같고, 결과를 부정하는 사견은 마치 해탈도와 같다는 것인데, 진정 그 도는 아니기 때문에 '와 같다'라는 말을 한 것이다.
24 이상은 (게송 제3구의) '인과를 부정하는'을 해석한 것이고, 이하에서 '일체가'를 해석하는데, 첫째 다른 학설을 서술하고, 둘째 바른 뜻을 편다. 이는 곧 다른 학설을 서술하는 것이다. 어떤 다른 논사는 말하였다. 선근을 끊는 사견은 고·집제의 유루를 반연하는 것만을 취하고, 멸·도제의 무루를 반연하는 것은 취하지 않으며, 자계自界를 반연하는 것만을 취하고, 타계他界를 반연하는 것은 취하지 않는다. 그 무루를 반연하는 것과 타계를 반연하는 것은 상응수면에 따라 증장할 뿐, 경계에 따라서는 증장하지 않으니, 세력이 열등하기 때문이다.
25 이는 곧 바른 뜻이다. 여시설자는 일체 연을 통틀어 취한다. 유루를 반연하는 것이든 무루를 반연하는 것이든, 자계를 반연하는 것이든 타계를 반연하는 것이든 사견은 모두 능히 선근을 끊는다. 무루연과 타계연의 사견은 비록 경계에 따라서는 증장하지 않지만, 동류인·변행인에 따라서도 역시 증장하여 사견이 강한 힘을 갖기 때문에 역시 능히 끊는다. 또 해석하자면 비록 경계에 따라서는 증장하지 않지만, 상응인·구유인에 따라서도 역시 증장하여 사견이 강한 힘을 갖기 때문에 역시 능히 끊는다.
26 이하에서 (제4구 중) '점차 끊고'를 해석하는데, 첫째 다른 학설을 서술하고, 둘째 바른 뜻을 편다. 이는 곧 다른 학설이니, 9품의 선근은 1찰나의 사견에 의해 단박 끊어지니, 마치 견도가 견소단의 번뇌를 끊는 것처럼 하나의 무간도로 9품을 단박에 끊는다고 한다.

"선근을 점차 끊는다. 말하자면 9품의 선근은 9품의 사견에 의해 역·순으로 상대되어 점차 끊어지니, 마치 수도修道가 수소단의 번뇌를 끊는 것과 같다. 즉 하하품의 사견은 능히 상상품의 선근을 끊으며, 나아가 하하품의 선근은 상상품의 사견에 의해 끊어지는 것이다. 만약 이렇게 말한다면 근본논서의 글과 부합하니, 저 근본논서에서, '어떤 것을 미구행微俱行의 선근이라고 이름하는가? 말하자면 선근을 끊을 때 최후로 버려지는 것이니, 그것을 버리기 때문에 단선근이라고 이름한다'라고 말한 것과 같다"라고 하였다.[27]

만약 그렇다면 그 글에서 어떤 이치에서 다시, "어떤 것이 상품의 불선근인가? 모든 불선근으로서 능히 선근을 끊는 것을 말한다"라고 말했는가?[28] 그것은 완성되는 것[究竟]에 의해 은밀하게 이런 말을 한 것이니, 이것에 의해 선근이 남음 없이 끊어지기 때문이다. 말하자면 만약 일품一品의 선근이라도 여전히 있다면 다른 품의 선근이 이로 인해 일어날 수 있으므로, 아직 그것을 단선근이라고 말할 수 없고, 끊어짐이 완성될 때라야 비로소 단선근이라고 이름하기 때문에, 오직 상품만을 말하여 능히 선근을 끊는 것이라고 이름한 것이다.[29] 어떤 다른 논사는, "9품의 선근을 끊을 때 결코 중

---

27 이는 곧 바른 뜻이니, 점차 선근을 끊는다. 끊어지는 9품의 선근이 거친 것에서 미세한 것에 이르는 것을 '역'이라고 이름하고, 능히 끊는 9품의 사견이 미세한 것에서 거친 것에 이르는 것을 '순'이라고 이름한 것이다. 역순으로 상대되어 점차 끊어지니, 마치 수도가 수소단의 번뇌 9품을 점차 끊는 것과 같다. 만약 이런 해석을 한다면 근본논서(=『발지론』 제2권. 대26-925상)의 글과 부합하니, 그 논서에서 이미, "미구행微俱行(=미세하게 함께 작용하는)의 선근이 최후로 버려지는 것이다"라고 말했으니, 선근은 9품이 점차 끊어진다는 것을 분명히 알 수 있다.

28 근본논서의 글(=본절의 서두에 인용된 『발지론』 제2권의 글)을 인용해 힐난하는 것이다. 근본논서에서 이미, 상품의 불선근이 능히 선근을 끊는다고 말했으니, 단박에 끊어진다는 것을 분명히 알 수 있는데, 어째서 9품이 점차 끊어진다고 말하는가?

29 회통하는 것이다. 근본논서에서, 역·순으로 끊는 것을 말한 것은 앞에서와 같이 알 수 있을 것이니, 앞의 8품을 끊는 것도 비록 역시 끊는다고 이름하겠지만, 끊어짐이 여전히 아직 다하지 못했고, 제9품을 끊는 것에 이르러야 비로소 다 완성하는 것이다. 그것은 완성되는 것에 의해 은밀하게, '상품의 불선근이 능히 선근을 끊는다'라는 이런 말을 한 것이지, 앞의 8품이 능히 선근을 끊지 못한다는 것은 아니다.

간에 나오는 일이 없으니, 마치 견도 중에서와 같다"라고 말했는데, 여시설자는, "나오는 것과 나오지 않는 것에 통한다"라고 하였다.[30]

어떤 다른 논사는, "먼저 율의를 버리고 뒤에 선근을 끊는다. 지말[末]은 버리기 쉽기 때문이다"라고 말했는데,[31] 여시설자는, "만약 그 율의가 이런 품류의 마음에 의해 등기等起된 결과라면 이런 품류의 마음이 끊어질 때 그 율의도 버리니, 결과와 원인의 품류가 같기 때문이다"라고 하였다.[32]

⑸ 단선근의 처소와 의지하는 몸

어떤 처소에 있을 때 능히 선근을 끊는가?[33] 인취人趣의 3주洲이니, 악취에 있는 자는 아니며, 천취에서도 역시 아니다. 왜냐하면 악취 중에서는 염오·불염오의 지혜가 견고하지 못하기 때문이며, 천취 중에서는 선·악의 모든 업의 과보를 현견하기 때문이다. '3주'라고 말한 것은 북구로주를 제외

30 9품의 선근을 끊을 때, 앞의 논사는 결코 중간에 나오는 일이 없는 것이, 마치 견도 중에 8제諦의 번뇌를 끊는 것과 같다고 하는데, 이는 바른 뜻이 아니다. 여시설자는 나오는 것과 나오지 않는 것에 통하는 것이, 마치 수혹을 끊는 것과 같다고 하는데, 이것이 바른 뜻이다.

31 이하 (제4구 중) '둘은 함께 버려진다'고 한 것을 해석하는데, 첫째 다른 학설을 서술하고, 둘째 바른 뜻을 편다. 이는 다른 학설을 서술하는 것이다. 그 선근으로 인해 율의의 획득을 일으켰기 때문에 선근은 근본이고, 율의는 지말인데, 지말은 버리기 쉽기 때문에 그래서 먼저 버리고, 근본은 버리기 어렵기 때문에 그래서 뒤에 끊는다는 것이다.

32 이는 바른 뜻을 펴는 것이다. 9품의 선근은 능히 9품의 율의를 일으킨다. 그 상응하는 바에 따라 그 9품 중, 만약 그 율의가 이 품의 선심에 의해 등기된 결과라면, 이 품의 선심이 끊어질 때 곧 율의를 버리니, 결과인 율의와 원인인 선심의 품류가 같기 때문이다. 만약 가행선이 일으킨 율의라면 선근을 끊으려고 할 때의 가행단계에서 버리니, 선근을 끊으려고 할 때 그 선을 버리기 때문이다. 선근을 끊는 가행에서 버리기 때문에 역시 선근을 끊을 때 버린다고 이름한다. 그래서 『순정리론』(=제42권. 대29-581상)에서 말하였다. "모든 율의라는 결과는, 가행의 선심으로부터 생기는 것이 있고, 생득의 선심으로부터 생기는 것이 있다. 만약 가행의 선심으로부터 생긴 것이라면, 율의가 먼저 버려지고 뒤에 선근을 끊지만, 선근을 끊는 가행과 근본을 모두 단선근이라고 이름하니, 이 때문에 선근을 끊는 단계에서 모든 율의를 버린다고 말한다. 만약 생득의 선심으로부터 생긴 것이라면, 어떤 품류든 능생의 선근을 끊는 것에 따라 소생의 율의도 그 때 곧 버려지니, 등기한 주체[能等起]를 버리면 그에 따라 버려지기 때문이다."

33 이하 (제5구 중) '인취의 3주'를 해석하는데, 이는 곧 묻는 것이다.

한 것이니, 거기에는 극악한 의요가 없기 때문이다.[34] 어떤 다른 논사는, 오직 남섬부주만이라고 말하였다.[35] 만약 그렇다면 곧 근본논서의 설명에 어긋날 것이니, 저 근본논서에서, "남섬부주의 사람은 최소한 8근根을 성취하며, 동주와 서주도 역시 그러하다"라고 말한 것과 같다.[36]

이와 같은 단선근은 어떤 부류의 몸에 의하는가?[37] 오직 남자·여자의 몸만이니, 의지[志意]가 결정적이기 때문이다.[38] 어떤 다른 논사는, "여자의 몸도 역시 아니니, 의욕[欲]·정진[勤]·지혜[慧] 등이 모두 어둡고 무디기 때문이다"라고 말하였다.[39] 만약 그렇다면 곧 근본논서의 설명에 어긋날 것이니, 저 근본논서에서, "만약 여근을 성취하면 결정코 8근根을 성취한다. 남근을 성취하는 경우도 역시 그러하다"라고 설한 것과 같다.[40]

34 답인데, 오직 인취의 3주만이다. 악취에서는 염오의 지혜가 견고하지 못하기 때문에 선근을 끊을 수 없고, 불염오의 지혜가 견고하지 못하기 때문에 성과[聖]에 들어갈 수 없다. 불염오의 지혜를 말한 것은 뜻의 편의인데, 겸하여 천취 중에서는 태어나면서 얻는 지혜가 있어서 선·악의 모든 업의 과보를 현견하기 때문에 인과를 부정할 수 없고, 또한 선근을 끊는 일도 없다고 들었다. 북구로주에는 있지 않으니, 거기에는 극악한 의요가 없기 때문에 선근을 끊을 수 없다.

35 다른 학설을 서술하는 것이다. 이 논사의 뜻이 말하는 것은, 동·서의 2주에도 역시 극악한 의요가 없기 때문에 선근을 끊을 수 없고, 선심이 견고하므로 성과에 들어가는 것을 방해하지 않는다는 것이다.

36 다른 학설을 논파하는 것이다. 근본논서(=『발지론』 제15권. 대26-997상) 중에서, 남섬부주의 사람은 최소한 8근을 성취한다고 말했는데, 곧 선근을 끊은 사람은 최소한 8근을 성취한다는 것이니, 신근·명근·의근 및 5수근을 말하는 것임은 앞의 분별근품(=제3권 중 게송 ㉑ab와 그 논설)에서 설한 것과 같다. (그 논서에서) 이미 동주·서주도 역시 그러하다고 말했으니, 그 2주에서도 역시 선근을 끊을 수 있다는 것을 분명히 알 수 있다.

37 (게송 제5구 중) '남녀'를 해석하는데, 이는 곧 묻는 것이다.

38 답이다.

39 다른 학설을 서술하는 것이다. 여자의 몸도 역시 아니다. 의욕·정진·지혜 등이 모두 어둡고 무디기 때문이니, 사견은 밝고 예리하다고 한다.

40 다른 학설을 논파하는 것이다. 근본논서(=『발지론』 제16권. 대26-1000하) 중에서, "만약 여근을 성취했다면 최소한 결정코 8근을 성취하니, 여근·신근·명근·의근과 우근을 제외한 4수근이다. 남근을 성취한 경우도 역시 그러하니, 여근을 제외하고 남근을 더한 것이다"라고 말하였다. 이미 여근을 성취한 경우에 대해 말하면서 결정코 신근 등의 5근을 성취한다고 말하지 않았으니, 여자의 몸으로도 역시 선근을 끊을 수 있다는 것을 분명히 알 수 있다. 만약 여

(6) 단선근의 근기와 체

어떤 행자行者가 능히 선근을 끊는가?[41] 오직 견행의 사람[見行人]만이지, 애행자愛行者는 아니다. 모든 애행자는 악한 의요가 지극히 조급하게 움직이기[躁動] 때문이니, 모든 견행자는 악한 의요가 지극히 견고하고 깊기[堅深] 때문이다. 이런 이치에 의해 선체扇搋 등도 선근을 끊을 수 있는 것이 아니니, 애행의 부류이기 때문이며, 또 이런 부류의 사람은 마치 악취와 같기 때문이다.[42]

이 선근이 끊어진다는 것은 그 체가 무엇인가?[43] 선근의 끊어짐은 비득非得을 체로 하는 것이라고 알아야 한다. 선근을 끊은 단계에서는 선의 득得이 생기지 않으니, 비득이 이어 생김[非得續生]이 선근의 득과 교체되므로, 비득이 생긴 단계를 단선근이라고 이름한 것이다. 따라서 단선근은 비득을 체로 하는 것이다.[44]

2. 속선근

선근이 끊어졌다면 무엇에 의해 다시 이어지는가?[45] 있음에 대한 의심

자가 선근을 끊을 수 없다면, 어찌 8근만 얻겠는가?

41 (제6구 중) '견행자가 끊으며'를 해석하는데, 이는 곧 묻는 것이다.

42 답이다. 조급하게 움직여서 결정적이지 못하고 굳게 붙잡을 수 없으며 깊이 들어갈 수 없는 자를 애행자(=둔근)라고 이름하고, 견고하고 깊으며 움직이지 않아서 견고하게 붙잡을 수 있고 깊이 들어갈 수 있다면 견행자(=이근)라고 이름한다. 이런 이치에 의해 선체 등도 선근을 끊을 수 있는 자가 아니니, 애행의 부류이기 때문이고, 마치 악취와 같기 때문이다. 그래서 『순정리론』(=제42권. 대29-581상)에서 말하였다. "견행의 사람만이고, 애행자는 아니다. 모든 견행자는 악한 의요가 지극히 견고하고 깊기 때문이다. 그들의 악한 의요는 추구하는 것이 상속하기 때문에 지극히 견고하다고 이름하고, 멀리서 보고 따라 들어가기 때문에 지극히 깊다고 이름한다. 지극히 견고하고 깊기 때문에 선근을 끊을 수 있지만, 모든 애행자는 악한 의요가 지극히 조급하게 움직이기 때문이다."

43 (제6구 중) '비득이다'를 해석하는 것이다. 혹은 게송 중 (셋째 글자) '단斷'이 아래에 속할 뿐(='見行'+'斷非得')이라면 '끊어짐은 비득이다'를 해석하는 것이라고 알아야 할 것이다. 혹은 위와 아래에 통하는 것(='見行斷'+'斷非得')일 수도 있다. 이는 곧 묻는 것이다.

44 답이다. 이 선근의 끊어짐은 불상응행 중의 비득을 체로 하는 것이다. 나머지 글은 알 수 있을 것이다.

45 (게송 제7구의) '속선근은 있음에 대한 의심이나 정견에 의한다'를 해석하는

[疑有]이나 견해[見]에 의한다. 말하자면 인과에 대해 어떤 때에는 '이것은 혹시 있어야 하는가'라는 의심을 낳기도 하고, 혹은 '결정코 있지, 없는 것이 아니다'라는 바른 견해[正見]를 낳기도 하는데, 그럴 때 선근의 득得이 다시 이어져 일어나니, 선근의 득이 일어나기 때문에 속선근續善根이라고 이름한다.[46]

어떤 다른 논사는, "9품이 점차 이어진다"라고 말했는데,[47] 여시설자는, "단박에 선근을 잇고, 그런 뒤 그 후의 시기에 점점 현행해 일어나니, 마치 단박에 병을 없앤 뒤 기력이 점점 증장하는 것과 같다"라고 하였다.[48]

현세의 몸[現身] 중에서도 선근을 이을 수 있는가?[49] 능히 잇는 경우도 역시 있지만, 역죄를 지은 사람은 제외한다. 경에서 그런 사람에 의거해 이렇게 설하였다. "그는 결정코 그 현세에서 선근을 이을 수 없다. 그 사람은 결정코 지옥에서 장차 끝나려고 할 때, 혹은 곧 거기에서 장차 수생하려고 할 때 선근을 이을 수 있고, 나머지 단계에서는 아니기 때문이다."[50] 장차

데, 이는 곧 묻는 것이다.

46 답이다. 있음에 대한 의심이나 견해에 의한다. 말하자면 있음에 대한 의심에는 두 가지가 있으니, 첫째는 있을 것이라고 의심하는 것이고, 둘째는 없을 것이라고 의심하는 것인데, 있을 것이라는 의심은 선근을 이을 수 있지만, 없을 것이라는 의심은 선근을 이을 수 없다. 여기에서는 있을 것이라는 의심에 의거해 말하기 때문에, 말하자면 인과에 대해 어떤 때 '이것은 혹 있어야 하는가'라는 의심이 생긴다면 곧 선근을 잇는다고 말한 것이다. 혹은 '결정코 있지, 없는 것이 아니다'라는 바른 견해가 생긴다면, 이는 능히 선근을 잇는 정견이라는 것이다. 선근의 획득이 처음 일어나는 것을 속선근이라고 이름하는데, 게송에서 '있음에 대한 의심이나 견해'라고 말한 것은, 의심만 있기도 하고, 혹은 견해만 있기도 하며, 혹은 위·아래에 통하기도 한다.

47 게송(중 '단박이며')을 해석하는 것이다. 첫째 다른 학설을 서술하고, 둘째 바른 뜻을 펴는데, 이는 다른 학설을 서술하는 것이다.

48 이는 바른 뜻을 펴는 것이다. 단박에 선근을 잇고, 뒤에 점차 현전한다. 비유로써 견주는 것은 알 수 있을 것이다.

49 (게송 중) '현세이나, 역죄 지은 자는 제외한다'를 해석하는데, 이는 곧 묻는 것이다.

50 답이다. 현세의 몸에서 능히 선근을 잇는 경우도 역시 있지만, 역죄를 지은 사람은 제외한다. 그는 현세에서 잇는 것이 아니니, 경(=중 27:112 아노파경阿奴波經)을 인용해 그 역죄를 지어 선근을 끊은 사람은 현세의 몸에서 잇는 것이 아님을 증명하였다.

수생하려고 하는 단계라고 말한 것은 중유 중을 말하는 것이며, 장차 끝나려고 할 때라는 말은 그가 장차 죽으려고 할 때를 말하는 것이다. 만약 원인의 힘[因力]에 의해 그가 선근을 끊은 것이라면 장차 죽으려고 할 때 잇고, 만약 조건의 힘[緣力]에 의해 그가 선근을 끊은 것이라면 장차 수생하려고 할 때 이으며, 자·타의 힘에 의한 경우에도 역시 그러하다고 알아야 할 것이다.[51]

또 의요는 무너졌어도 가행이 무너진 것은 아닌 단선근자, 이 사람은 현세에 선근을 이을 수 있지만, 만약 의요도 무너지고 가행도 역시 무너진 단선근자라면 반드시 몸이 무너진 뒤에야 비로소 선근을 잇는다. 견見은 무너졌어도 계戒는 무너지지 않은 단선근자와 견도 무너지고 계도 역시 무너진 단선근자의 경우도 역시 그러하다고 알아야 할 것이다.[52]

3. 단선근과 사정취

선근을 끊었어도 사정취에 떨어지지 않는 경우가 있으니, 4구로 분별해야 할 것이다. 제1구는 포랄나布刺拏 등을 말하고, 제2구는 미생원未生怨 등을 말하며, 제3구는 천수天授 등을 말하고, 제4구는 앞에서 말한 자들을 제외한 이들을 말한다.[53]

51 경에서의 선근을 잇는 2단계가 같지 않음을 해석하는 것이다. 만약 과거의 숙생에 익힌 내적 원인인 사견의 힘에 의해 그가 선근을 끊은 것이라면, 장차 (지옥에서) 죽으려고 할 때 이으니, 원인은 강하기 때문이다. 만약 현재의 모든 삿된 가르침 등 외적 조건의 힘에 의해 그가 선근을 끊은 것이라면, 장차 (지옥에) 태어나려고 할 때 이으니, 조건은 약하기 때문이다. 자신이 사량하고 추구한 힘에 의한 경우와 다른 나쁜 친구가 설한 힘에 의한 경우도 역시 그러하다고 알아야 할 것이다.

52 이는 역죄를 지은 사람이 아닌 경우, 현세에서 잇는지 잇지 못하는지 해석하는 것이다. 의요가 무너진 것과 견이 무너진 것은 사견을 일으킨 것을 말하는 것이고, 가행이 무너진 것 아닌 것과 계가 무너지지 않은 것은 상속 중에서 (선근을) 지키는 것[護]이며, 가행도 역시 무너진 것과 계도 역시 무너진 것은 상속 중에서도 역시 지키지 않는 것이다. 그래서 『순정리론』(=제42권. 대29-581중)에서 말하였다. "세간의 어떤 사람이 후세가 없다고 부정하는 것은 의요가 무너졌다고 이름하고, 그러면서도 그 의요에 따르지 않고 행하는 것[而不隨彼意樂所作]은 가행이 무너진 것은 아닌 것이다."

53 여기에서 뜻의 편의상 단선근으로써 사정취(=제10권 중 게송 ㊹cd와 그 논설 참조)에 떨어지는 것을 상대해서 4구로 분별하는 것이다. 사견을 일으킨

제4절 업도의 함께 일어남

뜻의 편의에 따라 단선근에 대해 분별했으니, 이제 다시 근본업도의 뜻에 대해 밝혀야 할 것인데, 앞서 설한 선·악의 2업도 중 몇 가지가 함께 생길 수 있어서 의도와 더불어 함께 일어나는가?[54] 게송으로 말하겠다.

82 의도와 함께 일어나는 업도는[業道思俱轉]
불선업도의 경우, 하나 내지 여덟이고[不善一至八]
선업도의 경우, 전체적으로 열면 열에 이르지만[善總開至十]
개별적으로는 하나·여덟·다섯은 부정된다[別遮一八五][55]

1. 불선업도의 경우

논하여 말하겠다. 의도와 함께 일어나는 업도 중 우선 불선업도가 의도와 함께 일어나는 것은 한 가지로부터 여덟 가지에 이른다.[56]

사람을 단선근이라고 이름하고, 역죄를 지은 사람을 사정취에 떨어졌다고 이름한다. 제1구는 포랄나Pūraṇa를 말하니, 포랄나는 여기 말로 만滿이다. 만가섭(=뿌라나 깟사빠)이니, 예전에 부루나라고 말한 것은 잘못이다. 사견을 일으켰기 때문에 단선근이라고 이름하지만, 역죄를 짓지 않았기 때문에 사정취에 떨어진 것은 아니다. 제2구는 미생원 등을 말하니, '미생원'은 곧 아사세왕이다. 역죄를 지었기 때문에 사정취에 떨어졌지만, 삼보를 믿었기 때문에 단선근은 아니다. 제3구는 천수 등을 말하니, 범어 이름 제바달다提婆達多는 여기 말로 '천수'이다. 사견을 일으켰기 때문에 단선근이라고 이름하고, 역죄를 지었기 때문에 사정취에 떨어졌다. 제4구는 앞에서 말한 것들을 제외한 경우이다.

54 이하에서 큰 글의 넷째 업도가 의도와 함께 일어나는 것[業道思俱轉]에 대해 밝히는데, 앞을 맺고 아래를 낳으면서 물음을 일으킨 것이다.

55 위의 2구는 불선업도가 의도와 함께 일어나는 것에 대해 밝히는 것이고, 아래 2구는 선업도가 의도와 함께 일어나는 것에 대해 밝히는 것이다. 여기에서 '업도가 의도와 함께 일어난다'고 말한 것은, 동일찰나에 동시에 일어나는 것(=소위 찰나등기)에 의거한 것이지, 인등기의 의도의 전·후에 함께 일어나는 것에 의거해 말하는 것이 아니다.

56 위의 2구를 해석하는데, 첫째 전체적으로 표방하고, 둘째 개별적으로 해석한다. 이는 곧 전체적으로 표방한 것이다.

한 가지가 함께 일어나는 것은, 말하자면 그 나머지를 떠난, 탐욕 등 셋 중의 어느 하나가 현기現起할 때, 혹은 먼저 가행으로서 (사자를 보내어) 악한 색업을 짓게 한 뒤의 불염오심의 시기에 어느 하나가 완성될 때이다.[57]

두 가지가 함께 일어나는 것은, 말하자면 성내는 마음일 때 살생의 업을 완성하거나, 혹은 탐욕을 일으킨 단계에서 불여취나 욕사행이나 잡예어를 성취하는 경우이다.[58]

세 가지가 함께 일어나는 것은, 말하자면 성내는 마음으로써 남에게 소속된 생물[生]을 죽임과 동시에 훔치는 것이다.[59] 만약 그렇다면 앞서 설한 바 투도의 업도가 탐욕에 의해 완성된다는 이치는 성립되지 않아야 할 것이다.[60] 다르지 않은 마음[不異心]에 의해 지으려고 한 것[所作]이 완성되었기 때문에 그렇게 결판決判한 것이라고 알아야 할 것이다.[61] 혹은 먼저 가

57 이하 개별적으로 해석하는데, 한 가지 업도가 의도와 함께 일어나는 것에 대해 밝히는 것이다. 한 가지가 함께 일어나는 것은, 말하자면 그 나머지 신·어의 일곱 가지 불선업도를 떠난, 탐욕 등의 셋 중 어느 하나가 현기現起(=현행해 일어남)할 때 상응하는 의도와 동시에 일어나는 것이다. 만약 먼저 가행으로 사자를 보내 살생 등의 여섯 가지(=일곱 가지 중 사음은 가행이 없어 제외) 악한 색업을 짓게 했는데, (자신은) 불염오의 마음일 때 어느 하나가 완성된다면, 역시 한 가지 업도가 의도와 함께 일어난다. 이는 동시에 의도가 함께 일어나는 것[同時思俱轉]에 의거한 것이다.

58 두 가지 업도가 의도와 함께 일어나는 것에 대해 밝히는 것이다. 두 가지가 함께 일어나는 것은, 말하자면 스스로 성내는 마음을 일으켰을 때 살생의 업을 완성하거나-완성한다[究竟]고 말한 것은 말하자면 성내는 마음에 의해 이 살생의 일을 끝내는 것을 완성이라고 이름한다-, 혹은 스스로 탐욕을 일으킨 단계에서 불여취를 성취하거나 욕사행을 성취하거나 잡예어를 성취한다면 모두 두 가지가 함께 일어나는 것이다.

59 세 가지 업도가 의도와 함께 일어나는 것에 대해 밝히는 것이다. 세 가지가 함께 일어나는 것은, 말하자면 성내는 마음으로써 다른 사람에게 소속된 닭·오리 등을, 바로 목숨을 끊은 뒤 또한 본처에서 분리시키기 때문이니, 그 때 성냄·살생·투도 세 가지가 의도와 함께 일어난다.

60 물음이다. 만약 성내는 마음으로 투도도 역시 완성했다고 말한다면, 앞의 글에서 설한 바 투도의 업도가 탐욕에 의해 완성되는 이치는 성립되지 않아야 할 것이다.

61 답이다. 앞의 글에서 투도 업도가 탐욕에 의해 완성된다고 말한 것은, (앞과) 다르지 않은 마음에 의해 지으려고 한 것이 완성되었다는 것이다. 말하자면 이 투도에는 두 가지 탐욕이 있으니, 첫째 인등기한 것이고, 둘째 찰나등기한

행으로서 (사자를 보내어) 악한 색업을 짓게 하고 탐욕 등이 일어났을 때 그 중의 두 가지가 완성된 경우이다.[62]

네 가지가 함께 일어나는 것은, 말하자면 남을 허물려고 허광어나 추악어를 말한 경우 의업도 한 가지와 어업도 세 가지이다. 혹은 먼저 가행으로서 악한 색업을 짓게 하고 탐욕 등이 현전했을 때 그 중의 세 가지가 완성된 경우이다.[63] 이와 같이 다섯·여섯·일곱 가지의 경우도 모두 이치대로 알아야 할 것이다.[64]

것인데, 뒤의 찰나등기한 탐욕이 완성되었을 때 앞의 인등기한 탐욕과 같은 탐욕이기 때문에 '다르지 않은 마음에 의해 지으려고 한 것이 완성되었다'고 이름한 것이다. 뒤의 글에서 성냄으로 투도가 역시 완성되었다고 말한 것은, 별도의 다른 마음에 의해 지으려고 한 것이 완성된 것이다. 말하자면 이 투도는 성냄에 의해 완성된 것이니, 그 투도의 인등기된 탐욕의 경우, 성냄·탐욕은 같지 않으므로, 다른 마음에 의해 지으려고 한 것이 완성된 것이다. 전후 각각 한 가지 뜻에 의거했기 때문에 이와 같이 결판한 것이라고 알아야 할 것이다. 또 해석하자면 뒤의 글 중에서 성냄으로 능히 완성했다고 말한 것은, 살생과 투도 두 가지가 다르지 않은 마음에 의해 지으려고 한 것이 완성되었다는 것이다. 말하자면 살생과 투도 두 가지가 동일한 성내는 마음에 의해 지으려고 한 것이 완성되었기 때문에 '다르지 않은 마음에 의해 지으려고 한 것이 완성되었다'고 말한 것이다.

62 혹은 먼저 가행으로서 사자를 보내어 살생·투도 등의 악한 색업을 짓게 하고 탐욕·성냄·사견 중의 하나가 바로 일어났을 때 그 중의 두 가지(=교사한 색업과 자신이 실행한 악업)가 완성된 경우에도 역시 세 가지 업도가 의도와 함께 일어난다. 세 가지 함께 일어나는 것 중 우선 두 부류를 열거하고, 나머지 아직 말하지 않은 것(=자신이 실행한 악업)은 이치대로 생각해야 할 것이다.

63 네 가지 업도가 의도와 함께 일어나는 것에 대해 밝히는 것이다. 네 가지가 함께 일어난다는 것은, 말하자면 남을 허물려고 하는 것은 이간어이고, 남이 무너지지 않을 것을 염려하여 허광어나 추악어를 말한다면 앞에 보태어 두 가지가 되고, 때가 아니기 때문에 반드시 잡예어를 겸하니, 앞에 보태면 셋이 되니, 어업도 세 가지와 의업도 한 가지(=탐욕·성냄 등 중의 하나)로서 네 가지가 함께 일어난다고 이름한다. 이간어·허광어·추악어 세 가지는 때가 아니기 때문에 반드시 잡예어를 겸하니, 말을 기다리지 않고 성립되기 때문에 따로 말하지 않은 것이다. 혹은 먼저 가행으로서 사자를 보내어 살생 등 악한 색업을 짓게 하고, 탐욕·성냄·사견 중의 한 가지가 바로 현전했을 때 그 중의 세 가지가 완성되면 역시 네 가지가 함께 일어나는 것이다. 네 가지 함께 일어나는 것 중 우선 세 부류를 열거하고, 나머지 아직 말하지 않은 것(=자신에게 현전한 탐욕·성냄 등 중의 하나)은 이치대로 생각해야 할 것이다.

64 이상 세 가지는 말하지 않고 배우기를 권하니, 생각해야 한다는 것이다. 예컨

여덟 가지가 함께 일어나는 것은, 말하자면 먼저 가행으로서 그 나머지 여섯 가지 악한 색업을 짓게 하고, 스스로 욕사행을 행할 때 동시에 완성되는 경우이다. 뒤의 3업도는 자신의 힘으로 현전하며, 반드시 함께 작용하지 않기 때문에 아홉 가지나 열 가지가 함께 일어나는 경우는 없다.[65]

2. 선업도의 경우

이와 같이 불선업도가 의도와 함께 일어나는 수에 같지 않음이 있는 것에 대해 논설했는데, 선업도가 의도와 함께 하는 경우를 전체적으로 열면 열 가지에 이를 수 있지만, 개별적으로 드러난 모습에 의거한다면 하나·여덟·다섯 가지는 부정된다.[66]

두 가지가 함께 일어나는 것은, 말하자면 선의 5식 및 무색정에 의지한 진지·무생지가 현전할 때이니, 산심의 선업도 일곱 가지는 없다.[67] 세 가지가 함께 일어나는 것은, 말하자면 정견과 상응하는 의식이 현전할 때이니, 일곱 가지 색의 선업도는 없다.[68] 네 가지가 함께 일어나는 것은, 말하자면

대 먼저 가행으로서 악한 색업을 짓게 하고 탐욕 등이 일어났을 때 그 중의 네 가지가 완성되면 다섯 가지가 함께 일어난다고 이름하고, 그 중의 다섯 가지가 완성되면 여섯 가지가 함께 일어난다고 이름하며, 그 중의 여섯 가지가 완성되면 일곱 가지가 함께 일어난다고 이름할 것인데, 나머지 아직 말하지 않은 것은 생각해 가려보면 생각할 수 있을 것이다.

65 여덟 가지 업도가 의도와 함께 일어나는 것에 대해 밝히는 것이다. 여덟 가지가 함께 일어나는 것은, 말하자면 먼저 가행으로서 사자를 보내어 나머지 여섯 가지 악한 색업을 짓게 하고, 스스로 욕사행을 행한다면 앞에 보태어 일곱이 되고, 욕사행을 행할 때에는 반드시 결정코 탐욕이 있기 때문에 논서에서 말하지 않은 것이니, 앞에 보태면 여덟 가지가 동시에 완성된다. 뒤의 3업도는 자신의 힘이며, 반드시 함께 작용하지 않기 때문에 아홉 가지 업도나 열 가지 업도가 의도와 함께 일어나는 일은 없다.

66 아래 2구를 해석하면서 선업도가 의도와 함께 일어나는 것에 대해 밝히는데, 앞을 맺으면서 종지를 표방하는 것이다.

67 이하 개별적으로 해석하는 것인데, 이는 두 가지 업도가 의도와 함께 일어나는 것에 대해 밝히는 것이다. 두 가지가 함께 일어나는 것은, 말하자면 선의 5식 및 무색정에 의한 진지·무생지가 현전할 때이니, 이전의 욕계 중의 산심의 선업도 7지支는 없고, 단지 무탐·무진만 있을 뿐이다. 5식은 무분별이기 때문이며, 진지·무생지는 추구를 쉰 것이어서 모두 견이 아니기 때문에 정견이 없고, 무색정에 의해서는 율의가 없기 때문에 수심전의 계(=7지의 선업도)가 없는 것이다.

악이나 무기의 마음이 현전한 단계에서 근주, 근사, 근책의 율의를 획득하는 경우이다.[69]

여섯 가지가 함께 일어나는 것은, 말하자면 선의 5식이 현전할 때 위의 세 가지 계를 획득하는 경우이다.[70] 일곱 가지가 함께 일어나는 것은, 말하자면 수심전의 색이 없는 단계에서 선의 의식이 정견과 상응하여 현전할 때 위의 세 가지 계를 획득하는 경우, 혹은 악이나 무기의 마음이 현전할 때 필추계를 획득하는 경우이다.[71]

아홉 가지가 함께 일어나는 것은, 말하자면 선의 5식이 현전할 때 필추계를 획득하는 경우, 혹은 무색정에 의지한 진지·무생지가 현전할 때 필추계를 획득하는 경우, 혹은 정려율의에 포함되는 진지·무생지와 상응하는 의식이 현전할 때이다.[72] 열 가지가 함께 일어나는 것은, 말하자면 수심전의

68 세 가지 업도가 의도와 함께 일어나는 것에 대해 밝히는 것이다. 세 가지가 함께 일어나는 것은, 말하자면 정심이나 산심에서 정견과 상응하는 의식이 현전할 때이니, 정심·산심의 일곱 가지 색의 선계는 없고(=정심의 계가 없는 것은 무색정에 들었기 때문이고, 산심의 계가 없는 것은 별해탈율의를 받지 않았기 때문), 단지 무탐·무진·정견만 있을 뿐이다.

69 네 가지 업도가 의도와 함께 일어나는 것에 대해 밝히는 것이다. 네 가지가 함께 일어나는 것은, 말하자면 악이나 무기의 마음이 현전한 단계에서 근주 등의 계를 획득하는 경우, 단지 신3·어1의 업도만 함께 일어남이 있다.

70 여섯 가지 업도가 의도와 함께 일어나는 것에 대해 밝히는 것이다. 여섯 가지가 함께 일어나는 것은, 말하자면 선의 5식이 현전할 때 근주, 근사, 근책의 세 가지 계를 획득하는 경우, 5식과 동시이므로 무탐·무진이 있고(=정견은 없음), 그리고 신3·어1이 있으므로 여섯 가지 업도라고 이름한다.

71 일곱 가지 업도가 의도와 함께 일어나는 것에 대해 밝히는 것이다. 일곱 가지가 함께 일어나는 것은, 말하자면 정·도의 수심전의 색이 없는 단계에서 선의 의식이 정견과 상응하여 현전할 때 위의 세 가지 계를 획득하는 경우, 앞의 6업도에 정견을 더한 7업도가 함께 일어나게 되며, 혹은 악이나 무기의 마음이 현전할 때 필추의 7지계를 획득하는 경우, 역시 7업도가 함께 일어난다.

72 아홉 가지 업도가 의도와 함께 일어나는 것에 대해 밝히는 것이다. 아홉 가지가 함께 일어난다고 말한 것에는 세 종류가 있다. 5식과 진지·무생지는 견의 성품이 아니기 때문에 정견이 없다. 만약 (선의) 5식 및 무색정에 의지한 진지·무생지라면 모두 산심의 선의 7색업도가 있을 수 있고, 만약 정려에 의한 진지·무생지라면 결정코 수심전의 계가 있는데, 그 때 만약 필추의 대계를 획득한다면 또한 산심의 선의 색업도를 획득한다. 선의 7색업도는 같기 때문에 따로 분별하지 않았다.

색이 없는 단계에서 선의 의식이 정견과 상응하여 현전할 때 필추계를 획득하는 경우, 혹은 수심전의 색이 있을 때 나머지 일체 정견과 상응하는 마음이 바로 일어나는 단계이다.[73]

개별적으로 드러난 모습에 의거한다면 부정되는 것이 이와 같지만, 은밀한 모습과 드러난 모습에 공통으로 의거한다면 곧 부정되는 것은 없으니, 말하자면 율의를 떠난다면 하나·여덟·다섯 가지도 (함께 일어남이) 있다.[74] 한 가지가 함께 일어나는 것은, 말하자면 악이나 무기의 마음이 현전할 때 1지분의 원리遠離를 획득하는 경우이다.[75] 다섯 가지가 함께 일어나는 것은, 말하자면 수심전의 색이 없는 단계에서 선의 의식이 정견과 상응하여 현전할 때 2지분을 획득하는 등의 경우이다.[76] 여덟 가지가 함께 일어나는 것은,

73 열 가지 업도가 의도와 함께 일어나는 것에 대해 밝히는 것이다. 열 가지가 함께 일어나는 이것에는 두 종류가 있는데, 준해서 해석하면 알 수 있을 것이다.

74 이하는 거듭 분별하는 것이다. 만약 개별적으로 율의의 드러난 모습에 의거한다면 부정되는 것이 위와 같지만, 만약 율의·처중의 은밀한 것(=처중)과 드러난 것(=율의)에 공통으로 의거한다면 곧 부정되는 것은 없다. 처중의 업도는 율의가 아니므로 '율의를 떠난다면'이라고 이름했으니, 이 은밀한 모습에 의거한다면 하나·여덟·다섯 가지 업도의 함께 일어남도 있다. 종지에 의해 바로 분별한다면 5계 등을 받을 때 반드시 구족해야 비로소 율의라고 이름하고, 만약 갖추어 받지 않는다면 율의가 아니라, 단지 처중의 업도일 뿐이다. 예컨대 사람이 5계 등을 갖추어 받을 수 없어서 그 다소에 따라 맹세하고 우선 이살생 등을 수지한 경우, 비록 율의에 포함되는 것이라고 이름하지는 못한다고 해도 역시 처중의 업도라고 이름할 수는 있다. 여기에서 선업도 중에 보태면 모두 열 가지 함께 일어남이 있게 되니, 우선 처중인 것으로 하나·여덟·다섯 가지를 말하지만, 이치의 실제로는 열 가지가 모두 있다. 그래서 『대비바사론』 제113권(=대27-586상)에서 말하였다. "비율의비불율의를 수지했을 때에는 신·어의 7선업도는 맹세한 바의 다소에 따라 일정하지 않고, 선의 3의업도는 있기도 하고 없기도 하며, 많기도 하고 적기도 하다."

75 이하 개별적으로 해석하는 것이다. 말하자면 악이나 무기의 마음이 현전할 때 1지분의 원리하는 처중의 업도를 획득하는 경우이다.

76 말하자면 수심전의 색이 없는 단계에서 선의 의식이 정견과 상응하여 현전할 때 2지분의 원리하는 처중의 업도를 획득한다면, 어업도 세 가지와 아울러 다섯 가지가 함께 일어나는 것이라고 이름한다. '등'은 3지분과 5지분을 같이 취한 것이니, 혹은 선의 5식 등이 현전할 때 3지분의 원리하는 처중의 업도를 획득하는 경우도 역시 다섯 가지가 함께 일어나며(=3지분+무탐·무진), 혹은 악이나 무기의 마음이 현전할 때 5지분의 원리하는 처중의 업도를 획득하는 경우도 역시 다섯 가지가 함께 일어난다.

말하자면 이런 의식이 현전할 때 5지분을 획득하는 등의 경우이다.[77]

제5절 처에 의거한 업도의 성취

선·악의 업도는 어떤 계界·취趣·처處에서 몇 가지가 성취될 뿐이며, 몇 가지가 현행에도 통하는가?[78] 게송으로 말하겠다.

83 불선업도의 경우, 지옥 중에서[不善地獄中]
추악어·잡예어·성냄은 두 가지에 통하고[麤雜瞋通二]
탐욕과 사견은 성취할 뿐이며[貪邪見成就]
북구로주에서는 뒤의 3업도를 성취할 뿐[北洲成後三]

84 잡예어는 현행·성취에 통하고[雜語通現成]
나머지 욕계에서는 10업도가 두 가지에 통하며[餘欲十通二]
선업도의 경우, 일체 처에서[善於一切處]
뒤의 3업도는 현행·성취에 통한다[後三通現成]

85 무색계와 무상천에서[無色無想天]
앞의 7업도는 성취할 뿐이며[前七唯成就]
나머지 처에서는 성취·현행에 통하지만[餘處通成現]
지옥과 북구로주는 제외된다[除地獄北洲][79]

77 말하자면 이 정견과 상응하는 의식이 현전할 때 5지분의 원리하는 처중의 업도를 획득하는 경우(=5지분+3의업도)이며, '등'은 6지분을 같이 취한 것이니, 말하자면 선의 5식이 현전할 때 6지분의 원리하는 처중의 업도를 획득하는 경우(=6지분+무탐·무진)이다. # 이렇게 볼 때 드러난 모습(=율의)에 의거할 경우, 하나·다섯·여덟 가지가 부정되는 것은, 무탐·무진은 반드시 함께 하고, 정견이 있을 경우 반드시 3의업도가 함께 하며, 유색의 율의가 있을 경우 최소한 반드시 네 가지(=신3+어1)가 함께 하고, 필추율의는 일곱 가지가 함께 하므로, 한 가지, 다섯 가지, 여덟 가지가 함께 하는 경우는 없게 된다.
78 이하는 다섯째 처에 의거한 업도의 성취인데, 선악의 업도는 어떤 계, 어떤 취, 어떤 처에서 성취되고 현행하는지 묻는 것이다.

1. 불선업도의 경우

논하여 말하겠다. 우선 불선의 10업도 중 지옥 중에서 3업도는 두 가지에 통하니, 추악어·잡예어·성냄 세 가지는 모두 현행과 성취에 통한다. 서로 욕하기 때문에 추악어가 있으며, 비탄하고 절규하기 때문에 잡예어가 있으며, 몸과 마음이 거칠고 억세며 흉악하고 조복되지 않아 상호 서로 미워하기 때문에 성냄이 있는 것이다. 탐욕과 사견은 성취하지만, 현행하지 않으니, 사랑할 만한 경계가 없기 때문이며, 업의 과보를 현견하기 때문이다. 업이 다해야 죽기 때문에 살생의 업도가 없으며, 재물 및 여인을 섭수하는 일이 없기 때문에 불여취 및 욕사행이 없으며, 소용이 없기 때문에 허광어가 없고, 곧 이 때문이며, 아울러 항상 떠나 있기 때문에 이간어가 없다.[80]

북구로주에서 탐욕·성냄·사견은 모두 결정코 성취하지만, 현행하지 않으

79 앞의 6구는 불선에 대해 밝히는 것이고, 뒤의 6구는 선에 대해 밝히는 것이다.

80 처음 3구를 해석하는 것이다. 지옥 중에서 추악어·잡예어 및 성냄 세 가지는 현행 및 성취에 통한다. 괴로움에 핍박되어 서로 욕하기 때문에 추악어가 있으며, 괴로움에 핍박되어 비탄하고 절규하기 때문에 잡예어가 있으며, 괴로움에 핍박되어 몸과 마음이 거칠고 억세며 흉악하고 조복되지 않아 상호 서로 미워하기 때문에 성냄이 있다. 탐욕과 사견은 성취하지만, 현행하지 않는다. 아직 떠나지 못했기 때문에 그래서 성취하지만, 현행하지 않는 것은 바라고 탐내어 자기 소유로 만들, 사랑할 만한 경계가 없기 때문에 탐욕의 업도가 현행하지 않는다. 비록 시원한 바람이 있어 몸에 닿으면 탐욕을 일으키지만, 가벼워서 업도가 아니니, 마치 전륜왕의 시절과 북구로주에서의 탐욕은 가벼워서 업도가 아닌 것과 같다. 나쁜 욕망으로 남의 재물을 탐내는 것을 비로소 업도라고 이름하기 때문이다. 지옥 중에서는 태어나면서 얻는 지혜가 있어, 전생의 몸으로 지은 업에 의해 여기로 와 태어났다는 것을 아니, 업의 과보를 현견하기 때문에 사견의 업도가 현행하는 일이 없다. 나머지 5업도는 이미, 성취한 것도 아니고 현행하는 것도 아니다. 왜냐하면 업이 다해야 죽기 때문에 살생의 업도가 없으며, 재물을 섭수하는 일이 없기 때문에 불여취가 없으며, 여인을 섭수하는 일이 없기 때문에 욕사행이 없으며, 업의 거울[業鏡]이 현전해서 거부하거나 피할 수 없고 소용이 없기 때문에 허광어가 없다. 그래서 『유가사지론』(=제58권. 대30-621상)에서 말하였다. "염라왕이 죄인을 본래의 몸으로 변화시켜 그가 지은 것들을 증명하기 때문에 거짓말이 없다." 또 해석하자면 무릇 사람이 거짓으로 속이는 것은 구하는 것을 이루기 위한 뜻인데, 그 처소에는 따로 구할 것이 없어서 소용이 없기 때문에 허광어가 없다. 또 곧 이렇게 소용이 없기 때문이며, 아울러 지옥 중에서는 괴로움에 핍박되어 마음이 항상 떠나 있기 때문에 이간어가 없다.

니, 내 것[我所]을 섭수하지 않기 때문이며, 몸과 마음이 부드럽기 때문에 괴롭히고 해칠 일이 없기 때문이며, 악의 의요가 없기 때문이다. 잡예어만은 현행과 성취에 통하니, 거기에서도 염오심으로 노래하고 읊조리는 때가 있기 때문이다. 악의 의요가 없기 때문에 거기에는 살생 등이 없다. 수명의 분량이 결정적이기 때문이며, 재물 및 여인을 섭수하는 일이 없기 때문이며, 몸과 마음이 부드럽기 때문이며, 아울러 소용이 없기 때문이니, 그 상응하는 바에 따른다.[81] 그 사람들은 어떻게 비범행非梵行을 행하는가?[82] 말하자면 그 곳의 남녀는 상호 염오심을 일으킬 때 손을 잡고 서로 이끌어 나무 아래로 가는데, 나뭇가지가 드리워서 덮어 주면 행해야 한다고 알지만, 나무가 가지를 드리우지 않으면 함께 부끄러워하면서 헤어진다.[83]

앞의 지옥과 북구로주를 제외한 나머지 욕계 중에서 10악업도는 모두 두 가지에 통한다. 말하자면 욕계의 천취·아귀·방생 및 인취의 3주에서는 10악업도가 모두 성취와 현행에 통한다. 그렇지만 차별이 있다. 말하자면 천취·아귀·방생에서 앞의 7업도는 처중處中에 포함되는 것만 있고, 불율의는 없지만, 인취의 3주 중에는 두 종류가 모두 있다. 비록 모든 천중天衆이 천신을 살해하는 일은 없지만, 혹 어떤 때에는 다른 취의 유정을 살해하기도

81 제4·제5구를 해석하는 것이다. 북구로주에서 탐욕·성냄·사견의 업도는 모두 결정코 성취하니, 아직 끊어지지 않았기 때문이다. 그렇지만 현행하지 않으니, 내 것을 섭수하지 않기 때문에 탐욕이 현행하지 않는다. 비록 음욕 등을 행할 때 역시 탐욕의 염오심이 있기는 하지만, 가벼워서 업도가 아니다. 몸과 마음이 부드럽기 때문에 괴롭히고 해칠 일이 없기 때문에 성냄의 업도가 현행하지 않으며, 악의 의요가 없기 때문에 사견의 업도가 현행하지 않는다. 잡예어만은 현행과 성취에 통하니, 거기에서도 염오심으로 노래하고 읊조리는 때가 있기 때문에 잡예어가 있다. 나머지 6업도는 모두 성취하는 것도 현행하는 것도 아니다. 악의 의요가 없기 때문에 거기에는 살생 등의 6업도가 없다는 이것은 곧 통틀어 해석한 것이다. 또 개별적으로 해석해 말한다. 수명의 분량이 1천 세로 정해져 있기 때문에 살생의 업도가 없으며, 자타의 재물을 섭수하는 일이 없기 때문에 투도의 업도가 없으며, 여인을 섭수하는 일이 없기 때문에 욕사행의 업도가 없으며, 몸과 마음이 부드럽기 때문에 추악어가 없으며, 소용이 없기 때문에 허광어와 이간어가 없다. 뜻에 따라 배분해 해석해야 하기 때문에 '그 상응하는 바에 따른다'라고 말한 것이다.

82 물음이다.

83 답인데, 알 수 있을 것이다.

한다.[84] 어떤 다른 논사는 말하였다. "천신은 역시 천신을 죽이기도 하는데, 머리를 자르고 허리를 잘라야 그 목숨이 비로소 끊어진다."[85]

2. 선업도의 경우

불선업도에 대해 논설했는데, 선업도의 경우 무탐 등 3업도는 3계 5취에서 모두 두 가지—성취와 현행을 말한다—에 통한다.[86]

신·어의 7지분은 무색계와 무상천에서는 성취만 인정될 뿐, 반드시 현행하지 않는다. 말하자면 성자인 유정이 무색계에 태어나면 과거·미래의 무루율의를 성취하며, 무상천의 유정은 반드시 과거·미래의 제4정려의 정려율의를 성취한다. 그런데 성자는 그 어떤 지에 의지해, 의지했던 몸으로 무루율의를 일찍이 일으키고 일찍이 소멸시켰든 무색계에 태어날 때 그 과거의 것을 성취하며, 만약 미래세라면 5지地의 몸에 의지한 무루율의를 모두 성취할 수 있다.[87]

---

84 제6구를 해석하는 것이다. 욕계 중 지옥과 북구로주를 제외한 나머지 천취·아귀·방생 및 인취의 3주에서는 10악업도가 모두 성취와 현행 두 가지에 통한다. 그렇지만 차별이 있다. 말하자면 천취·아귀·방생에서 앞의 7업도는 처중에 포함되는 것만 있고, 불율의는 없지만, 인취의 3주 중에는 처중과 불율의의 두 종류가 모두 있다. 또 이 글에 준하면 불율의를 업도라고 이름하는데도, 업도가 아니라고 말한 것(=업도 중 '처중에 포함되는 것만 있다'라고 말한 부분)은 글을 세심하게 한 것이 아니다. 비록 모든 천중은 천신을 살해하는 일이 없지만—자신의 부류를 사랑하기 때문이다—, 혹 어떤 때에는 다른 아소락귀취阿素洛鬼趣(=소위 아수라)를 살해하기도 한다.

85 다른 학설을 서술하는 것이다. 천신도 천신을 살해하기도 하니, 과거세를 알고 원수로 삼기 때문이다. 머리를 자르고 허리를 잘라야 그 목숨이 비로소 끊어진다.

86 제7·제8구를 해석하면서 뒤의 세 가지 선업도에 대해 밝히는 것인데, 알 수 있을 것이다.

87 제9·제10구를 해석하는 것이다. 신·어의 7지분은 무색계 및 무상천에 태어나면 성취만 인정될 뿐, 반드시 현행하지 않는다. 말하자면 성자인 유정이 무색계에 태어나면 과거·미래의 무루율의를 성취하며, 무상천에 태어난 유정은 반드시 과거·미래의 제4정려의 정려율의를 성취한다. 그런데 성자인 유정은 과거 생에서 그 어떤 지에 의지해, 의지했던 몸으로 무루율의를 일찍이 일으키고 일찍이 소멸시켰든, 지금 무색계에 태어날 때 그 과거의 무루율의를 성취하며(=무루율의가 지를 바꿈에 의해 버려지지 않음은 제15권 중 게송 ㊶과 그 논설 참조)—만약 일으킨 적이 없다면 과거의 것을 성취하지 않는다—, 만약 미래세의 무루율의라면 지금 무색계에 태어날 때 응당 욕계(의 미지

지옥과 북구로주를 제외한 나머지 계界·취趣·처處에서 7선업도는 모두 현행 및 성취에 통한다. 그렇지만 차별이 있다. 말하자면 아귀와 방생에는 율의를 떠난 처중의 업도만 있고, 만약 색계에서라면 오직 율의만 있으며, 3주와 욕계천에서는 모두 두 가지를 갖춘다.[88]

제6절 업도의 3과

불선·선의 업도에 의해 획득되는 결과는 어떠한가? 게송으로 말하겠다.

86 모두가 능히 이숙과와[皆能招異熟]
등류과, 증상과를 초래하니[等流增上果]
이것이 남으로 하여금 괴로움을 받게 하고[此令他受苦]
목숨을 끊게 하며, 위엄을 허물게 했기 때문이다[斷命壞威故][89]

1. 불선업도의 경우

논하여 말하겠다. 우선 먼저 10악업도가 각각 세 가지 결과를 초래하는

정)·4정려의 5지의 몸에 의지한 무루율의를 모두 성취할 수 있다. 그래서 『순정리론』(=제42권. 대29-583상)에서 말하였다. "2처에서 모두 현행하는 뜻이 없는 것은, 무색계는 오직 4온의 성품만 있을 뿐이기 때문이고, 무상천의 유정은 선정의 마음이 없기 때문이다. 율의는 반드시 대종이나 선정의 마음에 의탁해야 하는데, 2처에는 상호간에[互] 없기 때문에 현행하지 않는 것이다."

88 뒤의 2구를 해석하는 것이다. 나머지 계·취·처에서 지옥과 북구로주를 제외한 것은, 거기에는 7선업도가 없기 때문에 그래서 따로 제외한 것이다. 나머지 계 등에서 7선업도는 모두 현행 및 성취에 통한다. 그렇지만 차별이 있다. 말하자면 아귀와 방생에는 율의를 떠난 처중의 업도만 있으니, 그 몸에 의지한 율의가 없기 때문에 처중만 있다. 만약 색계에서라면 오직 율의만 있고, 처중의 업도는 없다. 초정려에서 일으키는 몸의 표업은 단지 묘행일 뿐, 업도가 아니다. 3주와 욕계천에서는 율의와 처중 두 가지가 모두 있다. 말하자면 3주의 사람에게는 세 가지 율의 및 처중의 선업도가 있으며, 만약 욕계천이라면 도·정의 율의 및 처중의 업도는 있지만, 별해탈은 없다.

89 이하에서 곧 여섯째 업도의 세 가지 결과에 대해 밝히는데, 위의 2구는 3과를 얻는 것에 대해 밝히고, 아래 2구는 3과의 원인을 밝히는 것이다.

것에 대해 분별하겠다.[90] 그 세 가지는 무엇인가?[91] 이숙과, 등류과, 증상과는 다르기 때문이다.[92]

말하자면 열 가지를 익혔거나, 닦았거나, 짓는 바가 많았다면, 이런 힘에 의한 때문에 지옥에 태어나니, 이것이 이숙과이다.[93]

거기에서 나온 뒤 이 세간으로 와서 태어나더라도 인간의 동분 중에서 등류과를 받는다. 말하자면 살생한 자는 수명의 길이가 짧고, 불여취한 자는 살림살이와 재물이 모자라 궁핍하며, 욕사행한 자는 아내가 정숙 선량하지 않고, 허광어한 자는 비방을 많이 만나며, 이간어한 자는 친구와의 화목이 어그러지고, 추악어한 자는 항상 나쁜 소리를 들으며, 잡예어한 자는 말이 엄숙하지 못하고, 탐욕한 자는 탐욕이 치성하며, 성낸 자는 성냄이 증성하고, 사견 가졌던 자는 어리석음을 늘리니, 그 품류는 어리석음이 증성한 것이기 때문이다. 이런 것을 업도의 등류과의 차별이라고 이름한다.[94]

인간 중의 짧은 수명도 역시 선업의 결과인데, 어떻게 이것을 살생업도의 등류과라고 말할 수 있는가?[95] 인간의 수명이 곧 살생업도의 등류과라

---

90 수를 들어서 전체적으로 표방하는 것이다. 뒤에서 갖추어 해석할 것이기 때문에 지금 '우선'이라고 말한 것이다.

91 물음이다.

92 답 중에 첫째는 전체적인 것이고, 둘째는 개별적인 것인데, 이는 곧 전체적인 답이다.

93 이하는 개별적인 답이다. 처음 일으키는 것을 '익힌다'고 이름하고, 다음에 일으키는 것을 '닦는다'고 이름하며, 뒤에 일으키는 것을 '짓는 바가 많다'고 이름하니, 이는 이숙과가 불선업도에 의해 초래된다는 것을 밝히는 것인데, 전체적으로 이숙과는 3악취에 통하지만, 이 글은 무거운 것에 의거해 지옥만을 말한 것이다.

94 이는 등류과에 대해 밝히는 것이다. 그 지옥에서 나온 뒤 과거의 선업을 타고 인간 중에 와서 태어나더라도 등류과를 받는다. '등류'라고 말한 것은 서로 비슷하다는 뜻이니, 예컨대 남의 생명을 끊어 수명을 짧게 했다면 지금 시기의 수명이 다시 짧은 것과 같기 때문이다. 투도 등도 준해서 해석할 것이다. 전생에 사견을 일으켰던 자는 금생에 어리석음이 증성하니, 왜냐하면 그 사견의 품류를 나머지 탐욕·성냄에서 바라보면 어리석음이 증성한 것이기 때문이다. 그래서 과거에 사견을 일으켰다면 능히 지금 어리석음을 늘리니, 사견의 등류과이기 때문이다. 나머지 글은 알 수 있을 것이다.

95 물음이다.

고 말하지 않았다. 다만 살생으로 말미암아 인간의 수명의 길이가 짧다고 말할 뿐이니, 살생업도는 인간의 명근에 대해 장애하는 원인이 되어 오래 머물지 못하게 하는 것이라고 알아야 할 것이다.96

이 10악업도에 의해 획득되는 증상과란, 말하자면 외적으로 소유하는 여러 살림살이들이, 살생했기 때문에 광택이 적고, 불여취했기 때문에 서리와 우박을 많이 만나며, 욕사행했기 때문에 여러 티끌과 먼지가 많고, 허광어했기 때문에 여러 악취의 더러움이 많으며, 이간어했기 때문에 사는 곳이 험난하고, 추악어했기 때문에 밭에 가시덤불·딱딱함·염분이 많아 농사에 알맞지 않으며, 잡예어했기 때문에 시절·기후에 이변이 있고, 탐욕 때문에 열매가 적으며, 성냄 때문에 열매가 맵고, 사견 때문에 결실이 적거나 없다. 이런 것을 악업도의 증상과의 차별이라고 이름한다.97

하나의 살생업이 지옥의 이숙과를 감득하게 한 뒤, 다시 인취의 수명의 길이도 짧게 하며, 다시 나머지도 있게 하는가?98 어떤 다른 논사는, "곧 하나의 살생업이 먼저 그런 이숙과를 감득하게 하고, 뒤에 이런 등류과를 감득하게 한다"라고 말하였고,99 어떤 다른 논사는 다시, "두 가지 결과는 원

96 답이다. 인간의 수명이 곧 살생의 불선업도의 등류과라고 말하지 않는다. 다만 살생으로 말미암아 인간의 수명의 길이가 짧다고 말할 뿐이니, 살생업도는 명근에 대해 장애하는 원인이 되어 오래 머물지 못하게 하는 것이다.

97 이는 증상과에 대해 밝히는 것인데, 글대로 알 수 있을 것이다.

98 두 가지 결과(=이숙과·등류과)의 원인을 묻는 것이다.

99 이 논사의 뜻이 말하는 것은, 하나의 살생의 근본업도가 두 가지 결과를 능히 감득한다는 것이다. 만약 이렇게 말한다면, 무엇 때문에 (아래) 논서에서, '남으로 하여금 괴로움을 받게 했기 때문에 괴로움의 이숙과를 받는다'라고 말했겠는가? 근본업도에 의해 그 목숨이 이미 없어졌으니, '남으로 하여금 괴로움을 받게 한다'라고 말할 수 없을 것이다. 그러니 괴로움을 받게 하는 것은 가행의 단계임을 알 수 있다. 이미 논서의 글과 어긋나니, 이 설은 바른 것이 아님을 알 수 있다. 또 해석하자면 하나의 살생업도라는 말이, 괴로움을 받게 하고, 목숨을 끊으며, 위엄을 허무는 3업을 모두 포함하니, 이 3업이 모두 능히 먼저 이숙을 감득하고, 이 셋이 능히 뒤에 등류를 감득한다. 뒤의 글에서 3업이 따로 결과를 감득한다고 말한 것은, 강한 것에 따라 하나씩 말한 것임은 아래에서 분별하는 것과 같다. 지금 통틀어 감득한다고 말한 것은 강한 것과 약한 것을 전체적으로 논한 것이다. 3업 중 처음과 뒤는 가행이고, 중간의 하나가 근본이다. 가행의 결과도 역시 업도의 결과라고 이름하는 것은, 이 업

인이 다르니, 전자는 말하자면 가행(의 결과)이고, 후자는 말하자면 근본(의 결과)이다. 비록 전체적으로 하나의 살생이라는 말을 했지만, 실제로는 근본과 권속을 통틀어 포함한 것이다"라고 말하였다.[100] 여기에서 말한 등류과라는 말은, 이숙과 및 증상과를 초월한 것이 아니라, 약간 서로 유사함에 의거해 임시로 등류라고 말한 것이다.[101]

이 10악업도는 어떤 이유에서 각각 세 가지 결과를 초래하는가?[102] 우선 처음 살생의 업도는 남을 죽이는 단계에서 남으로 하여금 괴로움을 받게

도의 가행의 결과이기 때문에 역시 업도의 결과라고 이름하는 것이다. 만약 이런 해석을 한다면 다시 논서의 글에 수순하므로 바른 것이라고 말할 수 있다. 여기에서 문답하면서 증상과를 말하지 않은 것은, 반드시 감득하기 때문에 의심하는 바가 있는 것이 아니거나 혹은 생략하고 말하지 않은 것이다.

100 어떤 다른 논사는 다시, 이숙과와 등류과의 원인은 다르다고 말한다. 먼저 이숙과를 감득하는 것은 말하자면 가행업이다. 남으로 하여금 괴로움을 받게 했기 때문에 지옥 중에서 괴로움의 이숙과를 받는 것이다. 뒤에 등류과를 감득하는 것은 말하자면 근본업이다. 그 목숨이 이미 없어졌으니, 남으로 하여금 괴로움을 받게 하는 것은 아니고, 단지 남으로 하여금 목숨을 짧아지게 했기 때문에 인간 중에 태어나서 수명이 짧은 것이다. 경에서 비록 전체적으로 하나의 살생이라는 말을 했지만, 실제로는 근본인 업도와 가행인 권속을 통틀어 포함한 것이다. 가행의 결과도 역시 업도의 결과라고 이름하는 것은, 이 업도의 가행의 결과이기 때문에 역시 업도의 결과라고 이름하는 것이다. 이 논사의 설은 논서의 글에 잘 수순하니, 가행은 남으로 하여금 괴로움을 받게 할 수 있기 때문이고. 근본의 뜻은 남의 목숨을 끊는 것에 해당하기 때문이다. 이미 글과 이치가 서로 부합하니, 가히 바른 것이라고 하겠다. 여기에서 증상과의 원인이 다른 것도 말해야 하겠지만, 묻지 않았기 때문에 따로 답하지 않은 것인데, 이 증상과는 위엄을 허문 업이 감득하는 것임은 다음에 말하는 것과 같다. 하나하나 문답한다면 아래에서 갖추어 밝히는 것과 같다.

101 등류과는 조금 은밀하기 때문에 지금 거듭 해석하는 것이다. 여기에서 말한 등류과라는 말은 이숙과 및 증상과를 초월한 것이 아니다. 인간 중의 짧은 수명을, 만약 선업에서 바라본다면 이숙과이고, 만약 살생업에서 바라본다면 증상과이다. 그 등류과는 이 두 가지를 초월한 것이 아니라, 그 2과 위에 약간 서로 유사함에 의거해 임시로 등류라고 말한 것이다. '서로 유사하다'고 말한 것은, 말하자면 남의 목숨을 끊어 수명을 짧게 한 것에 의해 지옥 중에서 이숙과를 받은 뒤 인간 중에 와 태어나서 수명이 다시 짧다는 것이니, 수명이 짧은 것이 서로 유사하기 때문에 '서로 유사하다'라고 이름한 것이다. 이런 뜻의 측면에 의거해 임시로 등류라고 말한 것이지, 실제로는 등류가 아니다. 만약 실제로 등류라면 자신의 부류가 서로 낳는 것이다.

102 이하에서 아래 2구를 해석하는데, 이는 곧 묻는 것이다.

하고, 목숨을 끊게 하며, 위엄을 잃게 한다. 말하자면 살생할 때 남으로 하여금 괴로움을 받게 했기 때문에 지옥에 떨어져 괴로움의 이숙과를 받고, 남의 목숨을 끊었기 때문에 인간 중에 와 태어나서 짧은 수명을 받는 것이 등류과가 되며, 남의 위엄을 허물었기 때문에 모든 외적 물건의 적은 광택을 감득하는 것이 증상과가 되는 것이다. 다른 악업도에 대해서도 이치대로 생각해야 할 것이다.[103]

2. 선업도의 경우

이에 의해 선업도의 세 가지 결과도 준해서 알아야 할 것이다. 말하자면 살생 떠남 등을 익혔거나, 닦았거나, 짓는 바가 많았다면, 이런 힘에 의한 때문에 하늘 중에 태어나는 이숙과를 받고, 거기에서 죽은 뒤 이 세간으로 와 태어나서 인간의 동분 중에서 등류과를 받으니, 말하자면 살생을 떠난 자는 긴 수명을 얻는다. 나머지도 위와 상반될 것이니, 이치대로 말해야 할

103 답이다. 열 가지 불선업도 중 우선 처음의 살생업은 남을 죽이는 단계에서 남으로 하여금 첫째 괴로움을 받게 하고, 둘째 목숨을 끊게 하며, 셋째 위엄을 허물게 했다. 말하자면 살생할 때 가행단계에서 남으로 하여금 괴로움을 받게 했기 때문에 지옥에 떨어져서 괴로움의 이숙과를 받았다. 바로 죽는 때가 아니니, 바로 죽는 때에는 고수가 없고, 사수뿐이기 때문이다. 근본단계에서 남을 목숨을 끊었기 때문에 지옥에서 나와 인간 중에 와 태어나서 짧은 수명을 받은 것이 등류과가 된다. 장차 살생을 실행하려고 할 때 칼·몽둥이 등을 들고 살생될 남의 위엄을 허물었기 때문에 모든 외적 물건의 적은 광택을 감득하는 것이 증상과가 된다. 위엄을 허무는 것은 먼 가행에 의거한 것이고, 괴로움을 받게 하는 것은 가까운 가행에 의거한 것이다. 혹은 위엄을 허무는 것도 역시 가까운 가행에도 통하는 것이다. 태泰 법사는, '후기가 남으로 하여금 위엄을 잃게 한다'고 말했지만, 그렇지 않다. 오히려 근본에도 통하지 않거늘-목숨이 없기 때문이다-, 하물며 후기이겠는가? 후기의 단계에 이르면 그 목숨이 이미 없는데, 누구로 하여금 위엄을 잃게 하겠는가? 그래서 『순정리론』(=제42권. 대29-583하)에서 말하였다. "이치상 실제로 살생할 때 살생대상으로 하여금 괴로움을 받게 하고, 목숨이 끊어지게 하며, 위엄의 광명을 허물어 잃게 하는데, 남으로 하여금 괴롭게 했기 때문에 지옥에 태어나고, 남의 목숨을 끊었기 때문에 인간 중의 수명이 짧으며-전자는 가행의 결과이고, 후자는 근본의 결과인데, 근본과 근분近分 모두 살생이라고 이름한다-, 위엄의 광명을 허물었음에 의해 나쁜 외적 도구를 감득한다. 그러므로 살생의 업도에 의해 세 가지 결과를 얻는다. 다른 악업도에 대해서도 이치대로 생각해야 할 것이다." 이 논서 및 『순정리론』에 준하면 세 가지 결과는 원인이 다르다.

것이다.[104]

제7절 세 가지 사행邪行

또 계경에서, "8사도의 지분[八邪支] 중 색업을 나누면 세 가지가 되니, 사어邪語·사업邪業·사명邪命을 말한다"라고 설했는데, 사어·사업을 떠난 사명은 무엇인가?[105] 비록 그것을 떠나면 없지만, 별도로 설한 것에 대해 게송으로 말하겠다.

87 탐욕에서 생긴 신·어업이[貪生身語業]
사명이니, 없애기 어렵기 때문인데[邪命難除故]
생계도구에 대한 탐욕에서 생긴 것이라는 주장은[執命資貪生]
경에 어긋나기 때문에 이치가 아니다[違經故非理][106]

논하여 말하겠다. 성냄·어리석음에서 생긴 어업과 신업을 순서대로 사어邪語와 사업邪業이라고 이름하며, 탐욕에서 생긴 신·어의 2업은 없애기 어렵기 때문에 별도로 사명邪命으로 세운 것이다. 말하자면 탐욕은 능히 모든 유정의 마음을 빼앗으니, 그것이 일으키는 업은 금하고 방호하기 어려워서[難可禁護], 정명正命을 몹시 무겁게 닦게[令殷重修] 하기 위해 붓다께서 앞의 것에서 분리해 별도로 한 가지로 설하신 것이다. 마치 어떤 게송에서 말한 것과 같다. "세속에서는 사견을 없애기 어려우니[俗邪見難除] 항상 다른 소견에 집착하기 때문이며[由恒執異見] 출가에서는 사명을 방호하기 어려우니

104 선업도의 세 가지 결과에 대해 해석하는 것인데, 악업도를 뒤집어서 생각해야 한다는 것이다. 나머지 증상과(=외적 도구에 큰 위엄의 광명이 있는 것) 및 다른 선업도도 위와 상반될 것이니, 이치대로 생각해야 한다. 나머지 글은 알 수 있을 것이다.

105 이하는 큰 글(=경의 여러 업을 밝히는 글)의 열한 번째 사명邪命에 대해 따로 밝히는 것인데, 경(=잡 [28]28:749 무명경無明經 등)에 의해 물음을 일으켰다.

106 답인데, 위의 2구는 바로 밝히는 것, 아래 2구는 집착을 논파하는 것이다.

[道邪命難護] 자구가 남에게 속하기 때문이다[由資具屬他]"107

어떤 다른 논사는 주장하였다. "생계도구를 반연하는 탐욕에서 생긴 신·어의 2업이라야 비로소 사명이라고 이름하지, 다른 탐욕에서 생긴 것은 아니다. 왜냐하면 자신의 오락을 위해 노래하고 춤추는 등의 일은 생계를 돕는 것이 아니기 때문이다."108 이는 경에 위배되기 때문에 이치가 결정코 그렇지 않다. 계온경戒蘊經 중에서 코끼리 싸움을 관람하는 등도 세존께서 역시 사명 중의 하나로 세우셨으니, 외적 대상을 삿되이 향수하여 헛되이 연명하는 것이기 때문이다.109

정어正語·정업正業·정명正命은 이와 반대되는 것이라고 알아야 할 것이다.110

제4장 여러 가지 업

제1절 업의 결과

1. 모든 업의 결과

107 다만 성냄과 어리석음으로부터만 생긴 어업이니, 각각 4지분이 있는데, 전체적으로 사어邪語라고 이름한다. 말이 곧 업이기 때문에 '업'은 말하지 않은 것이다. 다만 성냄과 어리석음으로부터만 생긴 신업이니, 각각 세 가지가 있는데, 전체적으로 사업邪業이라고 이름한다. 몸은 업이 아니기 때문에 '몸[身]'은 말하지 않은 것이다. 다만 탐욕으로부터만 생기는 신·어의 2업－몸의 셋과 말의 넷이다－은 없애기 어렵기 때문에 별도로 사명으로 세운 것이다. 말하자면 탐욕은 미세하면서 능히 모든 유정의 마음을 가리고 빼앗으므로, 그것이 일으키는 업은 금하고 방호하기 어려우니, 붓다께서 정명을 몹시 무겁게 닦게 하기 위해 앞의 사어·사업에서 분리하여 별도를 사명을 설하신 것이다. 게송을 인용한 것은 알 수 있을 것이니, 아래 2구를 취해 증거로 삼은 것이고, 위의 2구는 같은 글이기 때문에 온 것이다.

108 다른 학설을 서술하는 것이다.

109 경(=장 13:20 아마주경阿摩晝經 중 졸역 3.2 및 장 14:21 범동경梵動經 중 졸역 2.3 등)을 인용해 주장을 논파하는 것이다. 외적 대상을 삿되이 향수하여 헛되이 목숨을 이끄는 것이기 때문에 단지 탐욕에서 생긴 신·어라면 모두 사명이라고 이름한다.

110 뜻의 편의상 겸하여 밝히는 것이다.

앞에서 설한 것처럼 결과[果]에는 다섯 가지가 있는데, 이들 중 어떤 업에 몇 가지 결과가 있는가?[111] 게송으로 말하겠다.

88 끊는 도인 유루업에는[斷道有漏業]
5과가 구족되어 있고[具足有五果]
무루업에는 4과가 있으니[無漏業有四]
말하자면 이숙과만을 제외한다[謂唯除異熟]

89 나머지 유루의 선·악업에도[餘有漏善惡]
역시 4과가 있으니, 이계과를 제외하고[亦四除離繫]
나머지 무루업과 무기업에는[餘無漏無記]
앞서 제외된 것들을 제외한 3과가 있다[三除前所除][112]

논하여 말하겠다. 도道는 끊어짐을 능히 증득함[能證斷]과 아울러 번뇌를 능히 끊으므로[能斷惑] 끊는 도[斷道]라는 명칭을 얻으니, 곧 무간도無間道이다. 이런 도에는 두 가지가 있으니, 유루도와 무루도를 말하는 것이다.[113]

---

111 이하는 이 품 중 큰 글의 셋째 여러 가지 업을 섞어서 밝히는 것이다. 그 안에 나아가면 첫째 업으로 얻는 결과에 대해 밝히고, 둘째 근본논서의 업을 해석하며, 셋째 인引·만滿의 원인에 대해 밝히고, 넷째 세 가지 무거운 장애[三重障]에 대해 밝히며, 다섯째 3시의 장애[三時障]에 대해 밝히고, 여섯째 보살의 상[菩薩相]에 대해 밝히며, 일곱째 시施·계戒·수修에 대해 밝히고, 여덟째 순삼분順三分의 선에 대해 밝히며, 아홉째 서書 등의 체에 대해 밝히고, 열째 모든 법의 다른 명칭[諸法異名]에 대해 밝힌다. 첫째 업으로 얻는 결과에 대해 밝히는 것에 나아가면 첫째 모든 업의 결과에 대해 밝히고, 둘째 3성 상대의 결과, 셋째 3세 상대의 결과, 넷째 모든 지 상대의 결과, 다섯째 3학 상대의 결과, 여섯째 3단 상대의 결과에 대해 밝힌다. 이는 곧 첫째 모든 업의 결과를 전체적으로 밝히는 것인데, 앞을 옮겨와서 물음을 일으켰다.

112 게송에 의한 답 중에 나아가면 모두 네 부류가 있는데, 처음 2구는 첫째 부류에 대한 것이고, 다음 2구는 둘째 부류에 대한 것이며, 그 다음 2구는 셋째 부류에 대한 것이고, 뒤의 2구는 넷째 부류에 대한 것이다.

113 '끊는 도'라는 명칭에 대해 해석하는 것이다. 도는 무위인 끊어짐을 능히 증득하고, 또 유위인 번뇌를 능히 끊는데, 이런 두 가지 단斷을 갖추므로 '끊는 도'라는 명칭을 얻는다. 곧 무간도이니, 능히 단의 득[斷得]을 견인하여 생상에

유루도의 업에는 5과가 갖추어져 있다. 이숙과란, 끊는 도에 의해 초래되는 자지自地 중의 사랑할 만한 이숙을 말하는 것이다. 등류과란, 자지 중 후 찰나의 동등하거나 증장한, 서로 비슷한 모든 법[諸相似法]을 말하는 것이다. 이계과란, 이 도의 힘에 의해 번뇌를 끊음으로써 증득되는 택멸무위를 말하는 것이다. 사용과란, 도에 의해 견인되는 구유법[俱有], 해탈, 닦이는 것[所修] 및 끊음[斷]을 말하는 것이다. 증상과란, 자신의 성품[自性]를 떠난 나머지 유위법인데, 앞서 생긴 것만은 제외한다.114

곧 끊는 도 중 무루도의 업에는 오직 4과만 있으니, 이숙과를 제외한 것을 말한다.115

나머지 유루의 선업 및 불선업에도 역시 4과가 있으니, 이계과를 제외한 것을 말한다. 앞의 끊는 도와 다르기 때문에 '나머지'라고 말한 것이니, 차

이르게 할 때를 말하여 '능히 증득한다[能證]'라고 이름하고, 능히 번뇌의 득[惑得]을 끊어 생상에 이르지 못하게 하는 것을 말하여 '능히 끊는다[能斷]'라고 이름한다. 이 무간도는 증득하기도 하고 끊기도 하는 것이다. 만약 해탈도라면 증득하는 것이지, 끊는 것이 아니다. 비록 단의 득을 견인하는 공능은 없어도, 단의 득과 함께 하는 것을 말하여 증득한다고 이름하지만, 그 힘에 의해 이 번뇌의 득으로 하여금 생상에 이르지 못하게 하는 것이 아니므로, 능히 끊는다고 이름하지 못하는 것이다. 끊는 도는 같지 않아서 모두 두 가지가 있으니, 말하자면 유루와 무루의 업이 차별되기 때문이다.

114 이숙과·등류과·이계과의 3과는 글대로 알 수 있을 것이다. 사용과의 경우 첫째는 말하자면 도에 의해 견인되는 구유법(=느낌 등의 상응법과 생상 등의 불상응행법)의 사용과이니, 곧 구생사용과이다. 둘째는 말하자면 도에 의해 견인되는 해탈의 사용과이니, 곧 무간사용과이다. 셋째는 말하자면 도에 의해 닦이는 것[道所修], 말하자면 미래에 닦이는 공덕[未來所修功德]이니, 곧 격월사용과이다. 넷째는 말하자면 도에 의해 증득되는 것이니, 곧 불생사용과이다. 그래서 『순정리론』(=제43권. 대29-584중)에서 말하였다. "사용과란 말하자면 도에 의해 견인되는 구유, 해탈, 소수所修 및 단斷이다. '구유'라고 말한 것은 함께 생기는 법을 말하는 것이다. '해탈'이라고 말한 것은 말하자면 무간에 생기는 것, 즉 해탈도이다. '소수'라고 말한 것은 미래에 닦이는 것을 말하고, '단'은 택멸을 말하는 것이니, 도의 힘에 의해 그 득이 비로소 일어나는 것이다." 증상과도 역시 알 수 있을 것이다.(='앞서 생긴 것만은 제외'하는 것은 앞서 생긴 것은 결과가 아니기 때문)

115 제3·제4구를 해석하는 것이다. 이것은 무루이기 때문에 이숙과가 제외되는 것이다. 나머지 4과가 있는 것은 앞의 유루에 준해서 해석하면 알 수 있을 것이다.

후의 '나머지'라는 말도 이에 비례해서 해석해야 할 것이다.[116] 말하자면 나머지 무루업 및 무기업에는 앞에서 제외된 것들을 제외한 3과만 있으니, 말하자면 앞에서 제외된 이숙과 및 이계과를 제외한 것들이다.[117]

2. 3성 상대의 결과

모든 업에 있는 결과에 대해 전체적으로 분별했으니, 다음에는 문門를 달리하여 업에 있는 결과의 모습에 대해 분별할텐데, 그 중 먼저 선업 등의 3업에 대해 분별하겠다.[118] 게송으로 말하겠다.

90 선업 등은 선법 등에 대해[善等於善等]
처음 업에는 넷·둘·셋의 결과가 있고[初有四二三]
중간 업에는 둘·셋·넷의 결과가 있으며[中有二三四]
뒤의 업에는 둘·셋·셋의 결과가 있다[後二三三果][119]

논하여 말하겠다. 최후(의 94d)에 말하는 '모두 순서대로[皆如次]'라는 말은, 상응하는 바에 따라 앞의 문門에도 두루하다는 뜻을 나타낸다.[120] 우선 선·불선·무기의 세 가지 업을 하나하나 원인으로 해서 그 순서대로 선·불선·무기의 세 가지 법을 대할 때 갖는 결과의 수를 분별하면, 후술하는 예例로써 알아야 할 것이다. 말하자면 처음 선업의 경우, 선법은 네 가지 결과가 되니, 이숙과를 제외하며, 불선법은 두 가지 결과가 되니, 사용과 및 증상과를 말하며, 무기법은 세 가지 결과가 되니, 등류과와 이계과를 제외한다.

116 제5·제6구를 해석하는 것이다. 끊는 도가 아니기 때문에 이계과가 제외된다. 나머지 4과가 있는 것은 앞에 준해서 해석해야 할 것이다.
117 뒤의 2구를 해석하는 것이다. 무루이기 때문이며 무기이기 때문에 이숙과가 제외되고, 끊는 도가 아니기 때문에 이계과가 제외된다. 나머지 3과가 있는 것은 역시 앞에 준해서 해석할 것이다.
118 이하는 둘째 3성 상대의 결과이다. 앞을 맺으면서 물음을 일으켰는데, 첫째 전체적으로 물음을 일으키고, 둘째 개별적으로 물음을 일으켰다.
119 게송에 의한 답이다.
120 문을 달리 하는 것들(=첫째 모든 업의 결과 내지 여섯째 3단 상대의 결과) 중 가장 뒤(=뒤의 게송 94d)에 말한 '모두 순서대로'라는 말은, 상응하는 바에 따라 앞의 5문에도 두루 해당된다는 뜻을 나타내는 것이다.

중간의 불선업의 경우, 선법은 두 가지 결과가 되니, 사용과 및 증상과를 말하며, 불선법은 세 가지 결과가 되니, 이숙과와 이계과를 제외하며, 무기법은 네 가지 결과가 되니, 이계과를 제외한다. (불선업에 대한 무기법의) 등류과는 어떤 것인가? 말하자면 변행의 불선업 및 견고소단의 나머지 불선업에는 유신견·변집견 품류의 모든 무기법이 등류과가 되기 때문이다.

뒤의 무기업의 경우, 선법은 두 가지 결과가 되니, 사용과 및 증상과를 말하며, 불선법은 세 가지 결과가 되니, 이숙과 및 이계과를 제외한다. (무기업에 대한 불선법의) 등류과는 어떤 것인가? 말하자면 유신견·변집견 품류의 모든 무기업은 모든 불선법이 등류과가 되기 때문이다. 무기법은 세 가지 결과가 되니, 이숙과 및 이계과를 제외한다.[121]

3. 3세 상대의 결과

3성에 대해 분별했으니, 3세에 대해 분별하겠다. 게송으로 말하겠다.

91 과거의 업은 3세의 법에 각각 4과가 있고[過於三各四]
현재의 업도 미래의 법에 역시 그러하며[現於未亦爾]
현재의 업은 현재의 법에 2과가 있고[現於現二果]
미래의 업은 미래의 법에 3과가 있다[未於未果三]

121 이는 3성의 업으로 각각 따로 3성의 법을 상대해서 결과의 다소에 대해 밝히는 것이다. 만약 3성의 업이라면 좁아서 색온·행온의 일부를 체로 하고, 만약 3성의 법이라면 넓어서 5온 및 무위를 체로 하는 것에 통하니, 넓고 좁음이 같지 않다. 불선업의 경우 무기법이 등류과가 되는 것은, 말하자면 고·집제의 변행불선업 및 견고소단의 나머지 불선업에 대해 유신견·변집견(=고제하의 유부무기) 품류의 모든 무기법이 등류과가 되기 때문이니, 혹은 변행인의 등류과(=고·집제의 변행불선업의 경우)이거나 혹은 동류인의 등류과(=견고소단의 나머지 불선업의 경우)이다. 무기업의 경우 불선법이 등류과가 되는 것은, 말하자면 유신견·변집견 품류의 모든 무기업에 대해 모든 5부의 불선법이 등류과가 되니, 혹은 변행인의 등류과이거나 혹은 동류인의 등류과이다. 나머지 글은 생각해 보면 알 수 있을 것이다. # 이숙과는 무기이기 때문에 선·불선법의 결과에서 제외되고, 원인의 성품과 다를 경우 등류과가 제외되며, 이계과(=택멸무위)는 선이기 때문에 불선·무기법의 결과에서 제외된다. 그리고 '유신견·변집견의 품류'란 유신견·변집견의 상응법인 심소 및 구유법인 득·4상 등을 말하는 것이다.

논하여 말하겠다. 과거·현재·미래의 3업을 하나하나 원인으로 할 때 그 상응하는 바대로 과거의 법 등은 결과로 되는 것이 다르다. 말하자면 과거업의 경우 3세의 법은 각각 4과가 되니, 이계과만을 제외한다. 현재업의 경우 미래의 법이 4과가 되는 것은 앞에서 설한 것과 같으며, 현재의 법은 2과가 되니, 사용과 및 증상과를 말한다. 미래업의 경우 미래의 법은 3과가 되니, 등류과 및 이계과를 제외한다.

뒤의 업에 있는 앞의 결과를 말하지 않는 것은, 앞의 법은 결정코 뒤의 업의 결과가 아니기 때문이다.122

4. 모든 지[諸地] 상대의 결과

3세에 대해 분별했으니, 모든 지에 대해 분별하겠다. 게송으로 말하겠다.

92a 같은 지에는 4과가 있고[同地有四果]
다른 지에는 2과, 혹은 3과가 있다[異地二或三]

논하여 말하겠다. 모든 지 중 그 어떤 지의 업이든 같은 지의 법은 4과가 되니, 이계과를 제외한다. 만약 유루업이라면 다른 지의 법은 2과가 되니, 사용과 및 증상과를 말한다. 만약 무루업이라면 다른 지의 법은 3과가 되니, 이숙과 및 이계과를 제외한다. 계界에 떨어지지 않는 것이기 때문에 등류과를 부정하지 않는다.123

122 이는 곧 셋째 3세 상대의 결과이다. 3세의 업으로 3세의 법을 상대해서 결과의 다소를 밝히는 것인데, 3세의 업은 좁아서 오직 색온·행온의 일부를 체로 하고, 3세의 법은 넓어서 5온을 체로 하는 것에 통한다. 나머지는 생각하면 알 수 있을 것이다. # 이계과는 3세에 떨어지지 않는 무위법이기 때문에 모두 제외되고, 현재업의 경우 현재의 법 중 이숙과는 구생하는 원인이나 무간멸의 원인에 의해 생기지 않기 때문에, 등류과는 선행한 원인에 의해 생기는 것이기 때문에 각각 제외되며, 미래업의 경우 등류과가 제외되는 것은 미래세에는 동류인·변행인이 없기 때문이다. 이상에 대해서는 앞의 제6권의 6인(과 3세)에 관한 설명 참조.

123 이는 곧 넷째 모든 지에 상대한 결과이다. 이 글로써 이계과는 지의 법[地法]에 포함되는 것이 아님이 증명된다. 나머지는 생각하면 알 수 있을 것이다. # 유루업의 경우 이숙과는 자지에 의해 초래되는 결과이기 때문에, 등류과는 원인과 같은 지에 속하는 결과이기 때문에, 다른 지의 법은 이숙과·등류과가

5. 3학 상대의 결과

모든 지에 대해 분별했으니, 유학 등에 대해 분별하겠다. 게송으로 말하겠다.

92c 유학의 업은 세 가지 법에 각각 셋의 결과가[學於三各三]
　무학의 업은 하나·셋·둘의 결과가[無學一三二]
93a 유학도 아니고 무학도 아닌 업은[非學非無學]
　둘·둘·다섯의 결과가 있다[有二二五果]

논하여 말하겠다. 유학, 무학, 유학도 아니고 무학도 아닌 세 가지 업을 하나하나 원인으로 할 때 그 순서대로 각각 세 가지 법은 결과로 되는 것이 다르다. 말하자면 유학의 업의 경우, 유학의 법은 3과가 되니, 이숙과 및 이계과를 제외하고, 무학의 법이 3과가 되는 것도 역시 그러하며, 둘이 아닌 법은 3과가 되니, 이숙과 및 등류과를 제외한다.

무학의 업의 경우, 유학의 법은 1과가 되니, 증상과를 말하고, 무학의 법은 3과가 되니, 이숙과 및 이계과를 제외하며, 둘이 아닌 법은 2과가 되니, 사용과 및 증상과를 말한다.

둘이 아닌 업의 경우, 유학의 법은 2과가 되니, 사용과 및 증상과를 말하고, 무학의 법이 2과가 되는 것도 역시 그러하며, 둘이 아닌 법은 5과가 된다.[124]

되지 않고, 무루업의 경우 이숙과는 유루인에 의해 생기는 것이기 때문에 제외된다. 무루는 3계에 매이지 않으면서 9지의 모든 무루법에 대해 동류인이 되기 때문에 등류과를 부정하지 않은 것이다.

124 이는 곧 다섯째 3학 상대의 결과이다. 3학의 업을 3학의 법에 대하면 결과가 되는 것이 차별된다. 만약 유학의 업이라면 유학 단계의 색온·행온의 일부를 체로 하고, 만약 무학의 업이라면 무학 단계의 색온·행온의 일부를 체로 하며, 만약 유학도 아니고 무학도 아닌 업이라면 유루의 색온·행온의 일부를 체로 한다. 만약 유학의 법이라면 유학 단계의 유위의 무루법을 체로 하고, 만약 무학의 법이라면 무학 단계의 유위의 무루법을 체로 하며, 만약 유학도 아니고 무학도 아닌 법이라면 유위의 무루법을 제외한 나머지 일체법을 체로 한다. 전체적으로 말한다면 3학의 업은 좁고, 3학의 법은 넓은데, 글은 역시 알 수 있을 것이다. # 유학의 업을 원인으로 할 때 유학의 법과 무학의 법은, 무루이기 때문에 이숙과가 되지 않고, 유위이기 때문에 이계과가 되지 않으며,

6. 3단 상대의 결과

유학 등에 대해 분별했으니, 견소단見所斷 등에 대해 분별하겠다. 게송으로 말하겠다.

93c 견소단의 업 등은[見所斷業等]
하나하나가 각각 세 가지 법에 대해[一一各於三]

94 처음 업에는 셋·넷·하나의 결과가 있고[初有三四一]
중간 업에는 둘·넷·셋의 결과가[中二四三果]
뒤의 업에는 하나·둘·넷의 결과가 있다고[後有一二四]
모두 순서대로 알아야 한다[皆如次應知]

논하여 말하겠다. 견소단見所斷·수소단修所斷·비소단非所斷의 세 가지 업을 하나하나 원인으로 할 때 그 순서대로 각각 세 가지 법은 결과로 되는 것이 다르다. 처음 견소단의 업의 경우, 견소단의 법은 3과가 되니, 이숙과 및 이계과를 제외하고, 수소단의 법은 4과가 되니, 이계과를 제외하며, 비소단의 법은 1과가 되니, 증상과를 말한다.

중간의 수소단의 업의 경우, 견소단의 법은 2과가 되니, 사용과 및 증상과를 말하고, 수소단의 법은 4과가 되니, 이계과를 제외하며, 비소단의 법은 3과가 되니, 이숙과 및 등류과를 제외한다.

뒤의 비소단의 업의 경우, 견소단의 법은 1과가 되니, 증상과를 말하고, 수소단의 법은 2과가 되니, 사용과 및 증상과를 말하며, 비소단의 법은 4과가 되니, 이숙과를 제외한다.[125]

비유학비무학의 법은 원인(=유학의 업)이 유루가 아니어서 이숙과가 제외되고, 원인과 성품이 같지 않아서 등류과가 제외된다. 무학의 업을 원인으로 할 때 유학의 법은 열등하기 때문에 등류과·사용과가 제외되며, 나머지는 위에 준한다.

125 이는 곧 여섯째 3단 상대의 결과이다. 3단의 업으로 3단의 법을 상대하면 결과로 되는 것이 차별된다. 만약 견소단의 업이라면 4제 소단의 행온의 일부를 체로 하고, 만약 수소단의 업이라면 수소단의 색온·행온의 일부를 체로 하

'모두 순서대로'라고 한 것은, 그 상응하는 바에 따라 위의 여러 문에도 두루 해당되는 것이니, 생략하는 방법은 그러해야 할 것이다.126

제2절 근본논서의 업

모든 업을 분별하는 기회에 다시 물어야 할 것이다. 근본논서 중에서 설한 세 가지 업, 말하자면 지어야 할 업[應作業], 짓지 않아야 할 업[不應作業] 및 지어야 할 것도 아니고 짓지 않아야 할 것도 아닌 업[非應作非不應作業]은 그 모습이 어떠한가? 게송으로 말하겠다.

95 염오의 업이 짓지 않아야 할 업인데[染業不應作]
혹자는 궤칙을 허무는 것도 말하며[有說亦壞軌]
지어야 할 업은 이와 반대이고[應作業翻此]
양자와 상반되는 것이 세 번째 업이다[俱相違第三]127

논하여 말하겠다. 어떤 분은 말하였다. "염오의 업[染業]을 짓지 않아야 할 업이라고 이름하니, 비리작의非理作意로부터 생기는 것이기 때문이다."

며, 만약 비소단의 업이라면 유위인 무루의 색온·행온의 일부를 체로 한다. 만약 견소단의 법이라면 4제 소단의 수·상·행·식온을 체로 하고, 만약 수소단의 법이라면 수소단의 5온을 체로 하며, 만약 비소단의 법이라면 일체 무루법을 체로 한다. 전체적으로 말한다면 3단의 업은 좁고, 3단의 법은 넓다. 이미 넓고 좁음을 아니, 생각해서 가리면 알 수 있을 것이다. # 견소단의 업의 경우, 견소단의 법은 체가 이숙이 아니므로 이숙과가 제외되고, 견소단·수소단의 법은 무위가 아니므로 이계과가 제외되며, 비소단의 법은 무루이며, 선이므로 이숙과, 등류과가 제외되고, 동시나 무간에 비소단의 법을 낳지 않으므로 사용과가 제외되며, (견소단의 업은) 번뇌를 끊는 도가 아니므로 이계과가 제외되는 등이다.

126 제6구에서 '모두 순서대로'라고 말한 것은 그 상응하는 바에 따라 위의 여러 문에도 두루하다는 것이니, 게송의 뒤에서 모두 '모두 순서대로 알아야 한다'라고 말해야 할 것이지만, 생략하는 방법이 응당 그러해야 한다는 것이다.

127 이는 곧 큰 글의 둘째 근본논서(=출전 미상)의 업에 대해 해석하는 것인데, 물음을 일으키고 게송으로 답하였다.

어떤 다른 논사는 말하였다. "궤칙軌則을 허무는 모든 신업·어업·의업도 역시 짓지 않아야 할 업이다. 말하자면 존재하는 모든 것으로서, 이와 같이 행해야 하고, 이와 같이 머물러야 하며, 이와 같이 말해야 하고, 이와 같이 착의著衣해야 하며, 이와 같이 먹어야 하는 등을, 만약 이와 같이 하지 않는다면 짓지 않아야 할 업이라고 이름하니, 그것들은 세속의 예의에 부합하지 않기 때문이다."

이와 상반되는 것을 지어야 할 업[應作業]이라고 이름한다. 어떤 분은 말하였다. "선업을 지어야 할 업이라고 이름하니, 여리작의如理作意로부터 생기는 것이기 때문이다." 어떤 다른 논사는 말하였다. "궤칙에 부합하는 모든 신업·어업·의업도 역시 지어야 할 업이라고 이름한다."

앞의 두 가지와 모두 반대되는 것을 세 번째 업이라고 이름하니, 그 상응하는 바에 따라 양 설이 차별된다.[128]

제3절 인업引業과 만업滿業

1. 업이 감득하는 과보의 다소

한 가지 업[一業]은 한 번의 생[一生]만 인기하는가, 다수의 생[多生]을 인

128 지어야 할 업 등의 3업에 대해서는 각각 양 설이 있다. 첫 논사의 뜻이 말하는 것은, 염오의 3업을 짓지 않아야 할 업이라고 이름하고, 모든 선의 3업을 지어야 할 업이라고 이름하며, 모든 무부무기의 3업을 제3의 업이라고 이름한다는 것이다. 뒷 논사의 뜻이 말하는 것은, 염오의 3업 및 무부무기 중 모든 궤칙을 허무는, (세속의) 예의에 부합하지 않는 신·어의 2업과 아울러 이 2업을 능히 등기시키는 의도를 모두 짓지 않아야 할 업-말하자면 염오의 전부와 무부무기의 일부이다-이라고 이름하고, 모든 선의 3업 및 무부무기 중 궤칙을 허물지 않는, 세속의 예의에 부합하는 신·어의 2업과 아울러 이 2업을 능히 등기시키는 의도를 모두 지어야 할 업-말하자면 선업의 전부와 무부무기의 일부이다-이라고 이름하며, 무부무기 중 지어야 할 3업과 짓지 않아야 할 3업을 제외한 그 나머지 3업을 제3의 업이라고 이름한다는 것이다. 2논사 중 앞의 논사가 승의에 의거한 것으로서, 이치를 다한 설이고, 뒤의 논사는 세속에 의거한 것으로서, 이치를 다한 것이 아니다. 그래서 『순정리론』(=제43권. 대29-585중)에서 말하였다. "만약 세속에 의한다면 후설도 그럴 수 있겠지만, 승의에 나아간다면 전설이 훌륭한 것이라고 하겠다." 이미 넓고 좁음을 알았으니, 글을 해석하는 것은 알 수 있을 것이다.

기하는가? 또 한 번의 생은 한 가지 업에 의해서만 인기되는가, 다수의 업에 의해 인기되는가?[129] 게송으로 말하겠다.

96a 한 가지 업은 한 번의 생을 인기하고[一業引一生]
다수의 업은 능히 원만하게 한다[多業能圓滿][130]

논하여 말하겠다. 우리의 종지에 의하면, '한 가지 업은 한 번의 생만 인기한다'라고 이렇게 말해야 할 것이다. 이 '한 번의 생'이라는 말은 하나의 동분[一同分]을 나타내니, 동분을 획득해야 비로소 생生이라고 이름하기 때문이다.[131]

만약 그렇다면 어째서 존자 무멸無滅이 스스로 이렇게 말했겠는가? "내가 기억컨대 과거 한 때 수승한 복전에게 한 번 음식을 보시한 것이 이숙異熟하여 곧 일곱 번 삼십삼천으로 되돌아가 태어났고, 일곱 번 인간으로 태어나 전륜성왕이 되었으며, 최후로 위대한 석가 가문에 태어나 있으면서 진귀한 재물이 풍족하고 쾌락을 많이 받을 수 있었다."[132] 그는 한 가지 업에

129 이하에서 셋째 인引·만滿의 원인에 대해 밝히는데, 그 안에 나아가면 첫째 업이 감득하는 과보의 많고 적음에 대해 밝히고, 둘째 인·만의 원인의 체에 대해 밝힌다. 이는 곧 첫째 업이 감득하는 과보의 많고 적음에 대해 밝히는 것인데, 전체적으로 두 가지 물음을 일으켰다.

130 만약 한 가지 업이 한 번의 생을 인기한다고 말한다면, 다수의 생을 인기할 수 없을 것이니, 앞의 물음에 대해 답한 것이고, 만약 한 번의 생이 한 가지 업에 의해 인기된다고 말한다면, 다수의 업에 의해 인기되지 않을 것이니, 뒤의 물음에 답한 것이다. 아랫 구는 방해되는 것을 해석한 것이다.

131 우리가 근본으로 하는 바 설일체유부에 의한다면, 이렇게 말해야 할 것이니, '한 가지 업은'은 다수의 업에 의하지 않는다는 것을 나타내고, '한 번의 생만 인기한다'는 다수의 생을 인기하는 것이 아님을 나타낸다. 만약 한 번의 생이 다수의 업에 의해 인기된다면, 응당 (한 번의 생 중에) 여러 번 죽고 태어나야 할 것이니, 업의 결과가 다르기 때문이다. 만약 한 가지 업이 다수의 생을 인기한다면 시기가 결정된 업[時分定業]이 응당 잡란雜亂하게 될 것이다.

132 힐난하는 것이다. 만약 한 가지 업이 한 번의 생만 인기하고 다수의 생을 인기하지 않는다고 말한다면, 어째서 무멸이, '과거에 독각에게 한 번 음식을 보시한 것이 원인이 되어 감득한 이숙과로서, 일곱 번 반복하여 천신과 인간으로 태어났다거나, 혹은 한 번 음식을 보시한 것이 이숙인이 되어 일곱 번

의해 한 번의 생 중에서 큰 고귀함과 많은 재물 및 전생에 대한 지혜[宿生智]를 감득했고, 이를 타고 다시 다른 생을 감득할 복을 지었으며, 이렇게 계속 나아가 최후의 몸에 이르자 부귀한 가문에 태어나 궁극의 과보를 얻은 것이니, 최초의 힘에 의한 것임을 나타내기 위해 이렇게 말한 것이다. 비유하자면 어떤 사람이 한 푼의 금전을 가지고 계속 무역하여 1천 냥의 금전을 얻자, '나는 본래 한 푼의 금전을 가졌기 때문에 큰 부와 즐거움을 얻었다'라는 이런 말을 외친 것과 같다.[133] 다시 어떤 분은 말하였다. "그는 과거에 한 번 음식을 보시할 때 그것에 의지해 많은 수승한 의도와 서원[思願]을 일으켰기에 천상에 태어남의 감득도 있었고, 인간 중에 태어남의 감득도 있었으니, 찰나가 같지 않아서 이숙에 앞뒤가 있었던 것이다. 따라서 한 가지 업이 능히 다수의 생을 인기하는 것이 아니고, 한 번의 생이 다수의 업에 의해 인기되는 일도 또한 없으니, 중동분을 부분부분으로 차별해서는 안 될 것이다."[134]

비록 한 가지 업은 하나의 동분만을 인기하지만, 그것의 원만은 다수의

천신과 인간으로 태어남을 왕복하기를 감득하였다'(=중 13:66 설본경說本經)라는 이런 말을 했겠는가? 따라서 한 가지 업이 능히 다수의 생을 인기하는 것을 건립한 것이다. '무멸無滅'은 범어로 아니율다阿泥律陀Aniruddha이니, 예전에 아나율이라고 말하거나 아니루두阿尼樓豆라고 말한 것은 모두 잘못이다.

133 회통하는 것 중에 양 해석이 있는데, 이는 곧 처음 해석이다. 그는 한 가지 업에 의해 한 번의 생만을 감득했고, 나머지 6생(의 원인된 업)은 이로 인해 계속 나아가 별도로 지었는데, 최초의 힘에 의한 것임을 나타내기 위해 한 번의 보시라고 말한 것이다.(=『순정리론』 제43권. 대29-585하에서는 '최초가 기초[基]였음을 나타내기 위해'라고 표현) 비유로 견주는 것은 알 수 있을 것이다. 전생에 대한 지혜는 업에 의해 감득되는 것도 있고 업에 의해 감득되는 것 아닌 것도 있는데, 여기에서는 업에 의해 감득되는 것만을 취한 것이다.

134 이는 곧 두 번째 해석이다. 한 번 음식을 보시할 때 많은 의도와 서원을 일으켜서 천·인의 차별을 감득했으니, 찰나가 같지 않아서 이숙에 앞뒤가 있었던 것이다. 보시대상인 음식이라는 의지처에 의거했기 때문에 '한 번'이라는 말을 하였지만, 음식을 보시한 주체의 의도에 의거하면 이치상 실제로는 여럿이다. 따라서 한 가지 업이 능히 다수의 생을 인기한 것이 아니니, 만약 다수의 생을 인기한다면 도리어 잡란됨을 이룰 것이다. 또한 한 번의 생이 다수의 업에 의해 인기되는 일도 없으니, 중동분의 업과는 다르기에 부분부분으로 차별해서 여러 번 죽고 여러 번 태어나게 해서는 안 될 것이다.

업에 의한다고 인정된다. 비유하자면 화가가 먼저 한 가지 색으로써 그 형상을 그린 뒤 온갖 채색을 채우는 것과 같다. 그러므로 비록 같이 사람의 몸을 받음이 있었더라도, 그 중에는 지체, 모든 감관, 형상, 크기, 안색, 힘, 장엄을 갖춘 자도 있고, 혹은 이런 것에 결함이 많은 자도 있는 것이다.[135] 오직 업의 힘만이 능히 생을 인기하고 원만하게 하는 것은 아니다. 일체 불선·선의 유루법에도 이숙이 있기 때문에 모두 인기하고 원만하게 할 수 있지만, 업이 뛰어나기 때문에 업이라는 명칭만을 표방한 것이다. 그렇지만 그것들 중 업과 함께 있는 것[業俱有者]은 능히 인기하고 능히 원만하게 하니, 업의 뛰어남에 따르기 때문이다. 만약 업과 함께 있지 않은 것이라면 능히 원만하게는 해도 인기하는 것은 아니니, 세력이 열등하기 때문이다.[136]

2. 인·만의 원인의 체

이와 같은 두 부류는 그 체가 무엇인가?[137] 게송으로 말하겠다.

96c 두 가지 무심정과 득은[二無心定得]
능히 인기하지 않으며, 나머지는 통한다[不能引餘通]

논하여 말하겠다. 두 가지 무심정은 비록 이숙을 갖기는 하지만, 중동분을 인기할 만한 세력이 없으니, 여러 업과 함께 있는 것이 아니기 때문이다. 득得도 역시 중동분을 인기할 만한 세력이 없으니, 여러 업과 그 결과를 하나로 하는 것이 아니기 때문이다. 그 나머지 일체는 인기[引]·원만[滿]에 통한다.[138]

135 제2구를 해석하는 것이다. 인업은 비록 하나이지만, 만업은 다수를 인정한다. '한 가지 색'은 인업을 비유하고, '온갖 채색'은 만업을 비유하니, 그러므로 아래 부분의 글은 많은 만업을 나타내는 것이다.
136 다시 거듭 헤아려 구별하는 것이다. 인·만의 두 가지 원인은 오직 업만인 것은 아니고, 다른 법에도 역시 통하지만, 뛰어남과 열등함이 같지 않다는 것인데, 글대로 알 수 있을 것이다.
137 이하는 둘째 인·만 두 가지 원인의 체를 밝히는 것인데, 이는 곧 물음이다.
138 답이다. 2무심정은 선이기 때문에 비록 이숙을 갖기는 하지만, 중동분을 인기할 만한 세력이 없으니, 여러 업과 함께 있는 원인이 아니기 때문이다. 득도 역시 중동분을 인기할 만한 세력이 없으니, 여러 업과 그 결과를 같이 하나로

제4절 세 가지 장애[三障]

제1항 세 가지 장애 총설

1. 세 가지 장애의 체

박가범께서, "무거운 장애[重障]에 세 가지가 있으니, 업장業障·번뇌장煩惱障·이숙장異熟障을 말한다"라고 설하셨는데, 이와 같은 세 가지 장애는 그 체가 무엇인가?[139] 게송으로 말하겠다.

97 세 가지 장애는 무간업[三障無間業]
및 자주 현행하는 번뇌와[及數行煩惱]
아울러 일체 악취[幷一切惡趣]

하는 것이 아니기 때문이다. 그 나머지 일체 불선·선의 유루법은 여러 업과 함께 있는 원인이니, 세력이 있기 때문에 인·만에 모두 통한다. 또『대비바사론』제19권(=대27-98상)에서도 역시 말하였다. "중동분은 인업의 결과이고, 나머지는 만업의 결과이다." (문) 2무심정 및 득이 이미 인기의 과보를 감득하지 않는다면 어떤 원만의 과보를 감득하는가? (답)『대비바사론』제19권(=대27-97상)에서 말하되, 논평하면서 이렇게 말해야 한다고 한 것과 같다. "무상이숙은 오직 무상정의 결과인데, 그 명근과 중동분 및 5색근의 이숙은 오직 제4정려의 유심업의 결과이고, 그 나머지 온의 이숙은 공통의 결과이다." (문) 멸진정은 어떤 이숙과를 받는가? (답) 비상비비상처의 4온의 이숙과를 받는데, 명근과 중동분을 제외하니, 그것은 오직 업의 결과이기 때문이다. (문) 모든 득은 어떤 이숙과를 받는가? (답) 모든 득은 색·심·심소법·심불상응행의 이숙과를 받는다. '색'이란 색·향·미·촉을 말하는 것으로, 5색근은 아니니, 그것은 업의 결과이기 때문이다. '심·심소법'이란 고수·낙수·불고불락수 및 그와 상응하는 법을 말하는 것이며, '심불상응행'이란 모든 득과 생·주·이·멸을 말하는 것이다.

139 이하는 넷째 세 가지 장애에 대해 밝히는 것인데, 그 안에 나아가면 세 가지 장애를 전체적으로 밝히고, 둘째 업장에 대해 따로 밝힌다. 세 가지 장애를 전체적으로 밝히는 것에 나아가면 첫째 세 가지 장애의 체를 나타내고, 둘째 처·취에 의거해 분별한다. 이는 곧 첫째 세 가지 장애를 체를 나타내는 것인데, 경(=40권본『대반열반경』제11권. 대12-428하. 초기경전 중의 출전은 미상)에 의해 물음을 일으킨 것이다. 이 품에서 널리 모든 업에 대해 밝히는데, 세 가지 장애 중 업의 뜻과 상관되므로 뜻의 편의상 세 가지 장애를 통틀어 밝히는 것이다.

북구로주, 무상천이다[北洲無想天]140

논하여 말하겠다. 무간업이라고 말한 것은 말하자면 다섯 가지 무간업[五無間業]인데, 그 다섯 가지란 무엇인가? 첫째 어머니를 해치는 것[害母], 둘째 아버지를 해치는 것[害父], 셋째 아라한을 해치는 것[害阿羅漢], 넷째 화합된 승가를 깨뜨리는 것[破和合僧], 다섯째 나쁜 마음으로 붓다의 몸에서 출혈케 하는 것[惡心出佛身血]이니, 이와 같은 다섯 가지를 업장이라고 이름한다.141

번뇌에는 두 가지가 있다. 첫째는 자주 현행하는 것[數行]이니, 항상 일어나는 번뇌를 말하며, 둘째는 맹리猛利한 것이니, 상품의 번뇌를 말한다. 여기에서는 자주 현행하는 것만을 번뇌장이라고 이름한다고 알아야 하니, 예컨대 선체扇搋 등과 같다. 번뇌가 자주 현행한다면 누르고 없애기[伏除] 어렵기 때문에 장애라고 말하는 것이다. 상품의 번뇌는 비록 다시 맹리하다고 해도 항상 일어나는 것이 아니기 때문에 누르고 없애기 쉽지만, 하품 중에서도 자주 현행하는 번뇌는 비록 맹리한 것이 아니라고 해도 누르고 없애기 어려우니, 그것은 항상 현행하므로 방편을 얻기 어렵기 때문이다. 말하자면 하품을 인연으로 해서 중품을 낳고, 중품을 인연으로 해서 다시 상품을 낳으니, 누르고 없애는 도[伏除道]로 하여금 생길 수 있는 방편[便得生]이 없게 하는 것이다. 그래서 번뇌 중 상품이든 하품이든 자주 현행하는 것만을 번뇌장이라고 이름하는 것이다.142

---

140 게송에 의한 답이다.

141 업장의 체를 나타내는 것인데, 알 수 있을 것이다.

142 번뇌장의 체를 나타내는 것이다. 전체적으로 말한다면 번뇌에는 두 가지가 있다. 첫째는 자주 현행하는 것[數行]이니, 항상 일어나는 번뇌를 말하며, 둘째는 맹리猛利한 것이니, 상품의 번뇌를 말한다. 자주 현행하는 것만을 번뇌장이라고 이름한다고 알아야 하니, 예컨대 선체扇搋 등(에게는 상품의 번뇌가 자주 일어나지 않는다고 해도 하품의 번뇌가 자주 일어나는 것)과 같다. 번뇌가 자주 현행한다면 누르고 없애기[伏除] 어렵기 때문에 장애라고 말하는 것이다. 상품의 번뇌는 비록 다시 맹리하다고 해도 항상 일어나는 것이 아니기 때문에 누르고 없애기 쉬워서 장애라고 말하지 않지만, 하품 중에서 자주 현행하는 번뇌는 비록 맹리한 것이 아니라고 해도 누르고 없애기 어려우니, 그것은 항

3악취의 전부, 인취 중의 북구로주 및 무상천을 이숙장이라고 이름한다.143

【장애하는 법】 이것들은 어떤 법을 장애하는가?144 말하자면 성도聖道를 장애하며, 그리고 성도를 가행하는 선근을 장애한다.145

또 업장 중에서 이치상 나머지 결정적인 업도 역시 말해야 할 것이니, 말하자면 악취, 난생·습생 및 여인의 몸, 제8의 존재[第八有] 등을 결정코 감득하는 나머지 일체 업이다. 그렇지만 만약 어떤 업이 다섯 가지 인연에 의해 보기 쉽고 알기 쉽다면, 이 업장 중에서 그것만을 말했으니, 처處·취趣·생生·과보[果] 및 보특가라를 말하는 것이다. 즉 모든 업 중 5무간업만은 이런 다섯 가지 인연을 갖추어서 보기 쉽고 알기 쉽지만, 나머지 업은 그렇지 않기 때문에 여기에서 말하지 않은 것이다.146 다른 장애의 폐립廢立도

상 현행하므로 방편을 얻기 어렵기 때문이다. 말하자면 하품이 중품을 낳고, 중품에서 상품이 생기니, 7가행(=3현+4선근)의 누르는 도[복도伏道]와 고법지인[忍] 등의 없애는 도[제도除道]로 하여금 생길 수 있는 방편이 없게 한다. 그래서 번뇌 중 상품이든 하품이든 자주자주 현행하는 것만을 번뇌장의 체라고 이름한다. 단지 현행하는 번뇌만 그 장애의 체로 하지, 성취에 의하지 않는다. 그래서 『대비바사론』(=제115권. 대27-599하)에서 말하였다. "(문) 이 번뇌장은 어떻게 건립하는가, 성취에 의해서인가, 현행에 의해서인가? (답) 이는 현행에 의하지, 성취에 의하지 않는다. 만약 성취에 의한다면 곧 일체 유정이 차별 없이 동등하게 모든 번뇌를 갖추어 성취하기 때문이다."

143 이숙장의 체를 나타내는 것이다. # 북구로주에서는 무상을 체득할 기회가 없기 때문에, 무상천은 외도가 열반으로 여기는 곳이기 때문에 성도 등을 장애한다.

144 물음이다.

145 답이다. 말하자면 성도를 장애하고, 그리고 성도를 가행하는 선근을 장애하며, 혹은 이생의 이염離染을 능히 장애한다. 그래서 『순정리론』 제43권(=대29-586중)에서 말하였다. "능히 성도 및 도의 자량과 아울러 이염을 장애하기 때문이다." 곧 이 이치에 준하면 이숙장 중에서 대범천을 말하지 않은 것은, 유루도로써 이염할 수 있기 때문이다.

146 먼저 장애의 폐지[廢]·건립[立]에 대해 밝히는 것이다. 이치상 업장 중에서 나머지 결정적인 업도 역시 말해야 할 것이니, 말하자면 악취 등을 결정코 감득하는 나머지 일체 업이다. 성자는 3악취에 태어나지 않기 때문이다. 성자는 난생·습생을 역시 받지 않기 때문이니, 비록 다시 세라世羅(=앞의 제8권의 게송 ⑨a에 관한 논설 참조) 등처럼 난생·습생으로서 성도에 들어갈 수 있는 자가 있기는 해도, 성과를 얻었다면 그 2생을 받는 일은 반드시 없다. 성과를

상응하는 대로 알아야 할 것이다.[147]

【세 가지 장애의 경중】 이 세 가지 장애 중 번뇌장과 업장은 모두 무거우니, 이것이 있는 자는 두 번째 생 중에서도 역시 치료할 수 없기 때문이다.[148] 그러나 비바사 논사들은 이렇게 해석하였다. "전자가 후자를 능히

얻은 이후에는 여인의 몸을 받지 않으니, 비록 여인으로서 능히 성도에 들어가는 분은 있지만, 성과를 얻은 이후라면 반드시 다시 여인의 몸을 받지 않는다. 성과를 얻은 이후에는 욕계 중에서 결정코 제8의 존재의 몸 및 색·무색계 중의 1처에서 2생 등을 받지 않는다.(=수다원은 최대한 일곱 번의 존재를 받고, 사다함은 천신과 인간으로 한 번 왕복할 수 있는 등이다) 아직 말하지 않는 것들은 모두 '등'이라는 말이 거둔다. 이와 같은 등의 여러 결정적인 업이 있다면 역시 능히 장애가 되어 성도에 들어가지 못하게 하니, 역시 업장 중에 포함된다는 말이 있어야 할 것이다. 그렇지만 만약 어떤 업이 다섯 가지 인연에 의해 보기 쉽고 알기 쉽다면, 그것만을 이 업장 중에서 말했으니, 처處 등의 다섯 가지를 말하는 것이다. 모든 업 중 5무간업만은 이런 다섯 가지를 갖추어서 보기 쉽고 알기 쉬우니, 이 때문에 따로 말했지만, 나머지 업은 그렇지 않기 때문에 여기에서 말하지 않은 것이다. 처 등의 다섯 가지에 대해 『순정리론』 제43권(=대29-586중)에서 해석해 말하였다. "처는 말하자면 이 5무간업은 결정코 어머니 등이 일으키는 대상[所起處]이 된다는 것이며, 취는 말하자면 이 5무간업은 결정코 지옥이 나아갈 취[所趣]가 되기 때문이며, 생은 말하자면 이 5무간업은 결정코 무간에 태어나서[無間生] 이숙을 감득하기 때문이며, 과보는 말하자면 이 5무간업은 결정코 능히 사랑할 만한 것 아닌 과보를 초래하기 때문이며, 보특가라는 말하자면 이 5역죄는 무거운 번뇌를 실행한 보특가라에 의한 것이므로, 공히 이 사람이 능히 어머니 등을 해친 자라고 안다는 것이다. 나머지 업은 그렇지 않아서 장애라고 세우지 않았다."

147 다른 번뇌장 및 이숙장의 경우도 뜻에 따라 폐지하고 건립했으니, 상응하는 대로 알아야 한다는 것이다. 우선 한 가지 뜻으로써 번뇌장을 건립했으니, 자주 현행하는 번뇌를 말하는 것으로서, 나머지는 자주 현행하는 것이 아니어서 장애로 건립하지 않았다. 또 한 가지 뜻으로써 이숙장을 건립했으니, 말하자면 이런 처소에 태어나면 결정코 성도에 들어가지 못하지만, 나머지 처소는 일정하지 않으므로 장애로 건립하지 않았다.

148 이하 세 가지 장애의 경중에 대해 밝힌다. 양 논사의 해석이 있는데, 이는 곧 첫 논사의 해석이다. 이 세 가지 장애 중 번뇌와 업의 두 가지 장애는 모두 무거우니, 이것이 있는 자는 두 번째 생 중에서도 역시 치료할 수 없기 때문이다. 무간업을 지은 자는 결정코 지옥에 떨어지고, 번뇌장을 일으킨 자는 악취에 떨어지기 때문에 성도에 들어갈 수 없으니, 그래서 두 번째 생 중에서도 역시 치료할 수 없다고 말한 것이고, 세 번째 생에 이르러야 비로소 건져서 치료할 수 있기 때문에 무겁다고 이름한 것이다. 만약 이숙장이라면 이 생에서 받은 뒤 두 번째 생에 이르면 성도에 들어갈 수 있음이 인정되니, 건져서

견인하기 때문에 후자가 전자보다 가볍다."[149]

【무간의 뜻】 여기에서 '무간'이라는 명칭은 어떤 뜻을 가리키는가?[150] 이숙과가 결정적이어서 더 이상 다른 업이나 다른 생이 간격할 수 없다는 점에 의거한 것이니, 따라서 이것은 오직 간격이 없다[無間隔]는 뜻만을 가리키는 것이다.[151] 혹은 이런 업을 지은 보특가라는 여기에서 목숨이 끝나면 결정코 지옥에 떨어지고, 중간에 간격이 없기 때문에 무간이라고 이름한 것이며, 그는 무간(지옥)에 있을 것이므로 무간이라는 명칭을 얻은 것이며, 무간(지옥)의 법과 화합할 것이기 때문에 무간이라고 이름한 것이니, 마치 사문의 법과 화합하기 때문에 사문이라고 이름하는 것과 같다.[152]

2. 처·취에 의거한 분별

세 가지 장애는 어느 취趣에 있는 것이라고 알아야 하는가? 계송으로 말하겠다.

98 3주에 무간업이 있지만[三洲有無間]
나머지 선체 등에는 아니니[非餘扇搋等]
은혜가 적고 수치심이 적기 때문이며[少恩少羞恥]
나머지 장애는 5취에 통한다[餘障通五趣][153]

치료할 수 있기 때문에 가볍다고 이름한다.

149 이는 곧 두 번째 논사의 해석이다. 앞의 번뇌가 능히 뒤의 업을 견인하기 때문에 뒤의 업장이 앞의 번뇌장보다 가볍고, 앞의 업이 뒤의 이숙을 견인하기 때문에 뒤의 이숙장이 앞의 업장보다 가볍다. 앞이 근본이고, 뒤가 지말이기 때문이다.

150 이하 무간이라는 명칭을 해석하는데, 이는 곧 물음이다.

151 답 중에 2설이 있는데, 이는 곧 제1설이다. 결정코 그 과보를 받고, 다른 업이나 생이 간격하는 일이 없기 때문에 무간이라는 명칭을 세웠다는 것이니, 이는 곧 법에 의거해 밝힌 것이다.

152 이는 곧 제2설인데, 사람에 의거해 분별한 것이다. 이런 업을 지은 사람은 결정코 지옥에 떨어지고 중간에 간격이 없기 때문에 무간이라고 이름했다는 것이다. 혹은 다시 그 사람은 무간(지옥)에 있을 것이기 때문에 무간이라는 이름을 얻은 것이다. 혹은 다시 그 사람은 무간(지옥)의 법과 화합할 것이기 때문에 무간이라고 이름한 것이니, 마치 사람이 그 사문의 법과 화합하기 때문에 사문이라고 이름하는 것과 같다.

논하여 말하겠다. 우선 무간업은 오직 인취의 3주에만 있고, 북구로주, 다른 취, 다른 계는 아니며, 3주 안에서도 여자와 남자만 무간업을 짓지, 선체 등은 아니다. 까닭이 무엇인가? 곧 앞에서 설한 바 그들에게 선근을 끊는 불율의의 인연이 없다고 한 것이 곧 여기에서의 역죄가 없는 까닭이다.[154] 또 그들의 부모 및 그들 자신은 순서대로 은혜가 적고 수치심이 적기 때문이다. 말하자면 그들의 부모는 그들에 대해 은혜가 적으니, 그들의 신체적 결함에 증상연이 되었기 때문이고, 또 그들을 사랑하는 생각도 적기 때문이며, 그들도 부모에 대해 참괴심慚愧心이 미미해서, 현전한 증상한 참괴심이 무너졌기 때문에 무간죄에 저촉된다고 말할 만한 것이 없다.[155] 이런 점에 의해 아귀 및 방생은 비록 그 어미 등을 해친다고 해도 무간죄가 아니라는 것은 이미 해석하였다.[156]

그런데 대덕大德은, "만약 깨달음이 분명하면 역시 무간업을 이루니, 마치 총명한 말과 같다"라고 말하였다.[157] 만약 어떤 사람이 비인非人인 부모를

153 이하는 곧 둘째 처·취에 의거해 분별하는 것이다.

154 처음 2구를 해석하는 것이다. 세 가지 장애 중 우선 무간업은 오직 인취의 3주에만 있고, 북구로주는 아니며, 다른 4취는 아니며, 다른 2계는 아니다. 무간업이 있는 것은 3주 안에서도 여자 및 남자만 무간업을 짓지, 선체 등은 아니다. '등'은 반택가·무형·2형을 같이 취한 것이다. 까닭이 무엇인가? 곧 앞의 글(=앞의 ⑧1b에 관한 논설 중 '애행의 부류이기 때문이며, 마치 악취와 같기 때문'이라고 한 것)에서, 그 선체 등에게는 선근을 끊는 불율의의 인연이 없다고 말했는데, 곧 이것이 여기에서의 역죄가 없는 까닭이다.

155 제3구를 해석하는 것이다. 만약 선천적으로 황문이라면, 말하자면 그들의 부모는 그들에 대해 은혜가 적으니, 그들의 신체적 결함에 증상연이 되었기 때문이고, 또 그들을 사랑하는 생각도 적기 때문이며, 만약 후천적으로 손상당한 황문이라면 신체적 결함 때문에 부모가 그들을 사랑하는 생각이 적기 때문이다. 선체 등은 그 부모에 대해 참괴심이 미미해서, 현전한 증상한 참괴심이 무너졌기 때문에 무간죄에 저촉된다고 말할 만한 것이 없다.

156 이는 곧 유추해석이다. 아귀 및 방생의 경우 그 부모의 그들에 대한 은혜가 적기 때문에 그들은 부모에 대해 참괴심이 미미하니, 비록 그 아비·어미를 해친다고 해도 무간죄가 아니다. 모든 천신과 지옥은 한결같이 화생이어서 부모가 없기 때문에 따로 분간하지 않았다.

157 다른 학설을 서술하는 것이다. 그래서 『대비바사론』(=제119권. 대27-619하)에서 말하였다. "대덕은 말하였다. '방생의 부류가 그 아비·어미를 살해했을 경우 무간죄를 얻는 것과 얻지 않는 것이 있으니, 말하자면 총명한 것은

해쳤다면 역죄逆罪를 이루지 않으니, 마음과 대상이 열등하기 때문이다.[158]

업장은 인취의 3주에만 있다고 분별했는데, 나머지 장애는 5취에 모두 있다고 알아야 하지만, (이숙장은) 인취에서는 북구로주에만, 천취 중에서는 무상처無想處에만 있다.[159]

얻고, 총명하지 못한 것은 얻지 않는다. 총명한 말이 있었는데, 사람이 그 종자를 탐내어 그 어미와 교합하게 하자, 말이 뒤에 깨달아 알고 불알[勢]을 끊고 죽었다는 말을 일찍이 들은 적이 있다.'"

158 차별되는 것을 가려내는 것이다. 만약 어떤 사람이 비인인 부모(=인간 아닌 새나 사자 등이 인간을 낳았을 경우)를 해쳤다면 역죄를 이루지 않는다. 마음이 열등하기 때문이며, 대상이 열등하기 때문이다. 또 『순정리론』(=제43권. 대29-586하)에서 말하였다. "만약 어떤 사람이 비인인 부모를 해쳤다면 역시 역죄를 이루지 않는다. 은혜와 수치심이 적기 때문이니, 말하자면 그들은 자식에 대해 사람의 은혜와 같은 것이 없으며, 자식도 그들에 대해 사람의 참괴심과 같은 것이 없다." 이에 의해 준해서 해석한다면, 만약 어떤 비인이 사람인 부모를 해쳤다면 역시 역죄를 이루지 않는다. 사람이라는 대상은 비록 수승하다고 해도 마음이 열등하기 때문이다. 또 해석하자면 부모의 그들에 대한 은혜가 적고, 그들도 부모에 대해 참괴심이 미미하기 때문이다.

159 제4구를 해석하는 것이다. 업장은 인취의 3주에만 있다고 설했는데, 그 나머지 두 가지 장애는 5취에 통한다. 그렇지만 이숙장은 인취의 북구로주에만, 천취의 무상처에만 있다. 또 『순정리론』(=제43권. 대29-586하)에서 말하였다. "업장은 오직 인취의 3주에만 있다고 분별했는데, 나머지 장애는 5취에 모두 있다고 알아야 한다. 그렇지만 번뇌장은 일체 처에 두루하지만, 만약 이숙장이라면 3악취의 전부와 인취에서는 북구로주만이고, 천취에서는 무상천만이다. (문) 3주의 처소의 경우에도 선체 등의 몸은 성도의 그릇이 아닌데, 어찌 그 때문에 이숙장에 포함되지 않는가? (답) 그와 같은 이치는 없다. 그들의 생에서 인업에 견인된 동분의 상속은 남자 등이 됨으로써 성도의 그릇이 될 수도 있지만, 3악취·무상천·북구로주만은 결정코 성도를 증득할 수 있다는 뜻이 없기 때문에 그것들만을 이숙장으로 건립한 것이다. 어떤 분은, '그 처들은 오직 이생들에게만 속하지만, 나머지 처의 경우 모두 성자와 함께 할 수 있기 때문에 이는 이숙장에 포함된다고 말하지 않는다'라고 말하였다." 대범왕은 비록 성도를 증득할 수는 없지만, 이염을 장애하지 않기 때문에 이숙장에 포함되는 것이 아니다.

아비달마구사론
제18권

제4 분별업품分別業品(의 6)

제2항 업장業障 별설

1. 5무간업의 체

앞에서 분별한 세 가지 무거운 장애 중 5무간업이 업장의 체라고 설했는데, 5무간업은 그 체가 무엇인가?[1] 게송으로 말하겠다.

99 이 다섯 가지 무간업 중[此五無間中]
넷은 신업이고, 하나는 어업이며[四身一語業]
셋은 살생이고, 하나는 허광어이며[三殺一虛誑]
하나는 살생의 가행이다[一殺生加行][2]

논하여 말하겠다. 다섯 가지 무간업 중 네 가지는 신업이고, 한 가지는 어업이다. 세 가지는 살생의 근본업도이고, 한 가지는 허광어의 근본업도이며, 한 가지는 살생업도의 가행이니, 여래의 몸은 살해할 수 없기 때문이다.[3]

1 이하는 둘째 업장에 대해 따로 밝히는 것이다. 그 안에 나아가면 첫째 업장의 체를 나타내고, 둘째 승가를 깨뜨리는 것에 대해 따로 밝히며, 셋째 역죄 성취의 인연에 대해 밝히고, 넷째 가행의 결정성에 대해 밝히며, 다섯째 죄의 무거움과 큰 과보(를 밝히는 것)이고, 여섯째 무간업과 같은 부류(를 밝히는 것)이다. 이는 곧 첫째 업장의 체를 나타내는 것인데, 앞을 옮겨와서 물음을 일으켰다.

2 게송에 의한 답이다.

3 다섯 가지 무간업 중 네 가지는 신업이니, 부를 살해하는 것, 모를 살해하는 것, 아라한을 살해하는 것, 붓다의 몸에서 출혈케 하는 것을 말하고, 한 가지는 어업이니, 승가를 깨뜨리는 것을 말한다. 세 가지는 살생의 근본업도이니, 부를 살해하는 것, 모를 살해하는 것, 아라한을 살해하는 것을 말하고, 한 가지는 허광어의 근본업도이니, 승가를 깨뜨리는 것을 말하며, 한 가지는 살생업도의 가행이니, 붓다의 몸에서 출혈케 하는 것을 말한다. 여래의 몸은 살해할 수 없

승가를 깨뜨리는 무간업이 허광어라면, 이미 허광어인데, 어떤 이유에서 승가를 깨뜨리는 것[破僧]이라고 이름하는가?[4] 원인이 결과의 명칭을 받은 것이다. 혹은 능히 깨뜨리기 때문이다.[5]

2. 승가의 파괴[僧破]

(1) 승가 파괴의 체

만약 그렇다면 승가의 파괴[僧破]는 그 체가 무엇이며, 파괴하는 사람[能破人]과 파괴되는 사람[所破人] 중 누구에 의해 성취되는가?[6] 게송으로 말하겠다.

100 승가의 파괴는 화합하지 않음이니[僧破不和合]
심불상응행과[心不相應行]
무부무기의 성품으로서[無覆無記性]
파괴되는 승중에 의해 성취된다[所破僧所成][7]

논하여 말하겠다. 승가 파괴의 체는 화합하지 않음의 성품[불화합성不和合性]이니, 무부무기로서 심불상응행온에 포함되는 것이다.[8] 어찌 무간업을

기 때문이다.

4 물음이다.

5 답이다. 허광어가 원인이고, 파괴되는 승가가 결과이다. 말하자면 허광어로 인해 승가가 비로소 파괴되기 때문에, 허광어를 말하여 승가를 깨뜨리는 것이라고 이름한 것이니, 원인이 결과의 명칭을 받은 것이다. 혹은 능히 깨뜨리기 때문이니, 말하자면 승가는 파괴대상이고, 허광어는 능히 파괴하는 것이다. 능히 승가를 파괴하기 때문에 승가를 깨뜨리는 것이라고 이름한 것이니, 작용에 따라 명칭을 세운 것이다.

6 이하는 둘째 승가를 깨뜨리는 것에 대해 따로 밝히는 것이다. 그 안에 나아가면 첫째 승가 파괴의 체 및 성취이고, 둘째 능히 파괴하는 자가 성취하는 것과 시기·처소이며, 셋째 조건을 갖추어 승가의 파괴를 성취하는 것이고, 넷째 2승(=법륜승·갈마승) 파괴의 차별을 밝히는 것이며, 다섯째 파법륜승이 없는 때이다. 이는 곧 첫째 승가 파괴의 체 및 성취이니, 첫째 파괴된 승가라는 결과는 그 체가 무엇인지 묻고, 둘째 파괴하는 사람과 파괴되는 사람 중 누구에 의해 성취되는지 묻는 것이다.

7 위의 3구는 첫째 물음에 대한 답이고, 아래 1구는 둘째 물음에 대한 답이다.

8 위의 3구를 해석하면서 승가 파괴의 체를 나타내는 것이다. 불상응행 중 화합

이루겠는가?[9] 이와 같은 승가의 파괴는 허광어로 인해 생기기 때문에 승가를 깨뜨리는 것이 무간업의 결과라고 말한 것이다.[10]

능히 파괴하는 자가 이 승가의 파괴를 성취하는 것이 아니라, 다만 파괴되는 승가대중에 의해 성취되는 것이다.[11]

(2) 파괴하는 자가 성취하는 것과 처소·시기

이 능히 파괴하는 사람은 무엇을 성취하는 것이고, 승가를 깨뜨리는 업의 이숙은 어떤 처소에서 얼마의 시간인가?[12] 게송으로 말하겠다.

101 능히 파괴하는 자는 오직[能破者唯成]
이 허광어의 죄만 성취하는데[此虛誑語罪]
무간지옥에서 1겁의 이숙을 받되[無間一劫熟]
죄의 증가에 따라 괴로움도 증가한다[隨罪增苦增][13]

논하여 말하겠다. 능히 승가를 파괴하는 사람은 파승죄破僧罪를 성취하는

하지 않음[不和合]을 성품으로 한다.(=설일체유부에서는 '화합성'을 하나의 불상응행법으로 세우지만, 경량부에서는 별도의 불상응행으로 세우지 않고, 중동분에 포함된다고 보는 것은 앞의 제4권 중 게송 36d에 관한 논설의 『기』 참조) 화합하지 않음의 성품은 무엇을 체로 하는가 라는 물음에 대해 고덕古德인 공空법사가 해석해 말하였다. 화합하지 않음의 성품은 성법聖法 위의 비득을 체로 하니, 이것이 일어나기 때문에 성법에 들어갈 수 없는 것이다.

9 물음이다. (업의 성품은 선·불선인데) 승가 파괴의 체가 무부무기라면 어찌 무간업을 이루겠는가? 어찌 하여 승가를 깨뜨리는 무간업이라고 말하는가?

10 답이다. 이와 같은 승가의 파괴는 허광어로 인해 생기기 때문에 승가를 깨뜨리는 것이 무간업의 결과라고 말한 것이지, 무간업인 것은 아니다. 원인이 결과의 명칭을 받았기 때문에 무간업을 말하여 승가를 깨뜨리는 것이라고 이름한 것이다.

11 아래 1구를 해석하는 것이다. 천수天授(=제바달다)가 능히 파괴하는 자로서 이 승가 파괴의 체를 성취하는 것이 아니라, 단지 파괴되는 어리석은 승중들에 의해 성취될 뿐이다.

12 이하는 능히 파괴하는 자가 성취하는 것, (받는 이숙의) 시기·처소에 대해 밝히는 것인데, 모두 세 가지를 물었다.

13 앞의 2구는 첫째 물음에 대한 답이고, (제3구 중) '무간지옥에서'는 둘째 물음에 대한 답이며, 그 아래는 셋째 물음에 대한 답이다.

데, 이 파승죄는 허광어를 성품으로 하니, 곧 승가의 파괴와 함께 생기는 말[語]의 표·무표업이다. 이 사람은 반드시 무간無間대지옥 중에서 1중겁을 거치면서 지극히 무거운 괴로움을 받는데, 나머지 역죄로는 반드시 무간지옥에 태어나지는 않는다.14

만약 다수의 역죄를 짓고 모두 다음 생에서 이숙한다면 어떻게 다수의 역죄로 하나의 생을 감득하는가?15 그의 죄가 증가함에 따라 괴로움도 다시 증가하여 극심해지니, 말하자면 다수의 역죄에 의해 지옥 중에서 크고 유연한 몸과 많은 사나운 괴로움의 도구를 감득해서 2·3·4·5배의 무거운 괴로움을 받는 것이다.16

(3) 승가 파괴의 조건

누가 어떤 처소에서 능히 누구를 파괴하며, 파괴는 어느 시기에 있으며, 얼마의 시간을 거쳐 파괴하는가?17 게송으로 말하겠다.

---

14 처음 3구를 해석하는 것이다. 만약 파승죄라면 결정코 무간지옥에 떨어지지만, 만약 나머지 네 가지 역죄를 지었다면 반드시 거기에 태어나지는 않고, 혹은 다른 지옥에 태어나기도 한다. 나머지 글은 알 수 있을 것이다. 욕계의 선은 열등해서 1겁을 받는 것이 아니지만, 욕계의 악은 강해서 1중겁을 받는다.

15 물음이다. 만약 2역죄를 지었다면 능히 2겁을 감득하고, 나아가 5역죄를 지었다면 능히 5겁을 감득하겠지만(=무간에 이숙을 받기 때문), 모두 다음 생에서 이숙할 것인데, 어떻게 다수의 역죄로 같이 하나의 생을 감득하는가?

16 답인데, 바로 제4구를 해석하는 것이다. 역죄를 지은 것이 점차 많아지면, 그 몸도 점점 커지고 점점 다시 부드러워지며, 괴로움의 도구도 점점 더하고 받는 괴로움도 점점 증가한다. 지은 다수의 역죄 중 처음 것은 인업이고, 뒤의 것은 만업이다. 그래서 『순정리론』(=제43권. 대29-578중)에서 말하였다. "다수의 역죄를 지은 사람은 한 가지만 능히 견인하고, 나머지는 도와서 원만케 하기 때문이다." 설일체유부에 의한다면, 지은 역죄의 다소에 불구하고 모두 순생수업이라고 이름하고, 같이 1겁 동안에 받는다고 한다. 만약 『성실론』(=제8권. 대32-300상)에 의한다면, 만약 1역죄를 지었다면 1겁 동안 과보를 받고, 만약 2역죄를 지었다면 2겁 동안 같이 받으며, 이렇게 나아가 만약 5역죄를 지었다면 5겁 동안 같이 받는데, 나머지 뒤의 4겁은 처음에 따라 이름하므로, 같이 생보업이라고 이름한다. 만약 정량부에 의한다면, 만약 1역죄를 지었다면 1겁 동안 과보를 받고, 이렇게 나아가 만약 5역죄를 지었다면 5겁 동안 같이 받는데, 첫 겁은 생보업이고, 나머지 뒤의 4겁은 후보업으로, 각각 따로 감득한다고 한다.

17 이하는 셋째 조건을 갖추어 승가의 파괴를 성취하는 것인데, 첫째 누가 능히 파괴하는지 묻고, 둘째 어떤 처소에서인지 물으며, 셋째 능히 누구를 파괴하

102 견행·청정행의 필추가[苾芻見淨行]

다른 처소에서 어리석은 범부들을 파괴하는데[破異處愚夫]

다른 스승과 도를 인정할 때[忍異師道時]

파괴라고 이름하며, 밤을 경과하지 않는다[名破不經宿][18]

논하여 말하겠다. 능히 승가를 깨뜨리는 자는 반드시 대大 필추이지, 반드시 재가자나 필추니 등은 아니며, 오직 견행자이지, 애행의 사람은 아니며, 청정행[淨行]에 머무는 사람이지, 범계자는 아니니, 범계자는 말에 권위가 없기 때문이다.[19]

반드시 다른 처소에서 파괴하지, 큰 스승을 마주한 곳에서는 아니니[非對大師], 모든 여래는 가벼이 핍박할 수 없으며, 언사가 엄숙하여 마주해서는 반드시 가능할 수 없다.[20] 오직 이생의 승가만을 파괴할 뿐, 성자의 승가를

는지 묻고, 넷째 파괴는 어느 시기에 있는지 물으며, 다섯째 얼마 동안의 시간을 거쳐서 파괴하는지 물었다.

18 제1구는 첫째 물음에 대한 답이고, (제2구 중) '다른 처소에서'는 둘째 물음에 대한 답이며, '어리석은 범부들을'은 셋째 물음에 대한 답이고, 제3구와 제4구 중 '다른 스승과 도를 인정할 때 파괴라고 이름하며'는 넷째 물음에 대한 답이며, '밤을 경과하지 않는다'는 다섯째 물음에 대한 답이다.

19 '견행·청정행의 필추가 파괴한다[苾芻見淨行破]'를 해석하는 것이다. 대 필추가 파괴하니, 붓다와 적대하여 스스로 붓다라고 부르기 때문이다. 재가자 등은 아니니, 그가 의지하는 몸은 위덕이 없기 때문이다. 오직 견행자만이니, 악의 의요가 지극히 견고하고 깊기 때문이다. 애행의 사람은 아니니, 염·정의 품류에서 모두 조급하게 움직이기 때문이다. 청정행에 머무는 사람이지, 범계자는 아니니, 범계자는 말에 권위가 없기 때문이다, 이로써 먼저 승가를 깨뜨리고, 뒤에 선근을 끊는다는 것을 알 수 있다. 반드시 계를 갖추어야 말에 위엄이 있고 엄숙하기 때문이다. 만약 선근을 끊었다면 곧 계를 버리기 때문이다.

20 '다른 처소에서'를 해석하는 것이다. 다른 처소는 말하자면 갈사시리사羯闍尸利沙Gayāśīrṣa산인데, 여기 말로는 상두산象頭山이니, 산꼭대기가 마치 코끼리 머리와 같기 때문에 이름한 것이다. 취봉산 북쪽으로 3~4리 거리의 동일한 결계[界](=교구) 안이니, 천수가 거기에 머물면서 승가를 깨뜨렸기 때문인데, 큰 스승을 마주한 곳에서는 아니다. 예전에 가야산伽耶山이라고 말한 것은 잘못이니, '갈사'와 '가야'는 음이 서로 비슷하기 때문에 잘못 전해져서 그런 것이다. 그렇지만 서방에는 따로 가야산이 있는데, 취봉산으로부터 150여 리의 거리로서, 동일한 결계가 아니므로 승가를 깨뜨릴 처소가 아니다.

파괴하는 것이 아니니, 모든 성자는 법성法性을 증득했기 때문이다. 어떤 분은, "인법[忍]을 얻었어도 역시 파괴할 수 없다"라고 말했는데, 두 가지 뜻을 포함하기 위해 '어리석은 범부[우부愚夫]라는 말을 한 것이다.[21]

반드시 파괴되는 승가는 붓다와는 다른 스승을 인정하고, 붓다의 말씀과 다른 그 밖의 성도가 있다고 인정하는데, 이런 것이 있을 때 승가가 파괴되었다고 말해야 할 것이다.[22] 이날 밤 안에 반드시 화합하고, 밤을 경과하여 머물지 않는다. 이와 같은 것을 파법륜승破法輪僧이라고 이름하니, 능히 성도聖道의 수레바퀴를 장애하여 승가의 화합을 깨뜨리기 때문이다.[23]

21 '어리석은 범부들'을 해석하는 것이다. 전설은 아직 성법을 얻지 못한 자를 어리석은 범부라고 이름했다는 것이고, 후설은 아직 인법[忍]을 얻지 못한 자를 어리석은 범부라고 이름했다는 것인데, 이런 두 가지 뜻을 포함하기 위해 '어리석은 범부'라는 말을 했다는 것(=범부 중 아직 인법도 얻지 못한 자를 어리석은 범부라고 이름한다는 취지)이다.

22 '다른 스승과 도를 인정할 때 파괴라고 이름한다'라고 한 것을 해석하는 것이니, 승가 파괴의 시기를 나타내는 것이다. '그 밖의 성도가 있다'라고 말한 것은, 반드시 파괴되는 승가는 그 삿된 스승 제바달다가 붓다 세존과는 다르다고 인정하고, 또 제바달다에게 붓다께서 말씀하신 8지성도와 다른 그 밖의 성도가 있다고 인정한다는 것이다. 제바달다는 이렇게 말하였다. "나는 큰 스승인데, 사문 교답마喬答摩Gautama가 아니다. 5법이 도이니, 교답마가 말한 8지성도가 아니다." 파괴되는 승가는 다른 스승과 다른 도를 인정하는데, 이와 같은 것이 있을 때 승가가 파괴되었다고 말해야 할 것이다. '5법'이라고 말한 것에서 대해 『순정리론』(=제43권. 대27-588상)에서 말하였다. "사도邪道라고 말한 것은 제바달다가 망령되이 다섯 가지를 출리도라고 말한 것이니, 첫째 우유 등을 수용하지 않아야 하고, 둘째 육식을 끊어야 하며, 셋째 소금을 끊어야 하고, 넷째 재단되지 않은 의복을 입어야 하며, 다섯째 취락 변두리의 절에 머물러야 한다는 것이다." 또 『대비바사론』 제116권(=대27-602하)에서 말하였다. "어떤 것이 5법인가? 첫째 수명이 다하도록 분소의를 입는 것, 둘째 수명이 다하도록 항상 걸식하는 것, 셋째 수명이 다하도록 한 자리에서만 먹는 것, 넷째 수명이 다하도록 항상 한데에서 사는 것, 다섯째 수명이 다하도록 일체 물고기와 육고기의 피맛, 소금, 연유, 우유 등을 먹지 않는 것이다."

23 '밤을 경과하지 않는다'라고 한 것을 해석하는 것이다. 진제眞諦 법사가 말하였다. 해가 저물려고 할 때 승가를 파괴하는데, 밤이 3경에 이르면 다시 화합하기 때문에 '이날 밤 안에 반드시 화합하고, 밤을 경과하여 머물지 않는다'라고 말한 것이다. 이와 같은 것을 파법륜승이라고 이름하니, 능히 성도聖道의 수레바퀴를 장애하여 승가의 화합을 깨뜨리기 때문이다. 성도가 구르지 못하는 것을 파법륜이라고 이름하고, 승가의 화합을 허무는 것을 승가의 파괴라고 이름한다.

⑷ 2승僧 파괴의 차별

어느 주洲에서, 몇 사람이 법륜승法輪僧을 파괴하며, 갈마승羯磨僧의 파괴는 어느 주에서, 몇 사람에 의하는가?[24] 게송으로 말하겠다.

103 섬부주에서 아홉 사람 등이어야[贍部洲九等]
비로소 법륜승을 파괴하며[方破法輪僧]
갈마승의 파괴만은[唯破羯磨僧]
3주에 통하고, 여덟 사람 등이다[通三洲八等][25]

논하여 말하겠다. 오직 섬부주의 사람만이고, 최소한 9명, 혹은 다시 이를 초과해야 법륜승을 파괴할 수 있다. 나머지 주에서는 아니다. 붓다가 없기 때문이니, 세존께서 계시는 곳이라야 비로소 다른 스승이 있을 수 있다. 반드시 8명의 필추여야 2중衆으로 나누어져 파괴대상이 되고, 능히 파괴하는 자가 아홉 번째가 되기 때문에 승중은 최소한 9인을 필요로 한다. '등'이라는 말은 이를 초과할 경우 한정이 없다는 것을 밝히기 위한 것이다.[26]

갈마승의 파괴만은 3주洲에 공통으로 있고, 최소한 8인이지만, 많은 경우는 역시 한정이 없다. 3주에 통한다는 것은, 성스러운 가르침[聖教]이 있기 때문이다. 반드시 동일한 결계[界] 중에서 승가가 두 부파로 나누어져 별도로 갈마羯磨를 지어야 하기 때문에 8인을 필요로 하지만, 이를 초과하는 것은 무방하기 때문에 역시 '등'이라고 말한 것이다.[27]

24 이하는 넷째 2승 파괴의 차별에 대해 밝히는 것이다. 처소 및 사람에 대해 물었는데, 첫째 법륜승에 대해 묻고, 둘째 갈마승에 대해 물었다.
25 앞의 2구는 첫째 물음에 대한 답이고, 뒤의 2구는 둘째 물음에 대한 답이다.
26 위의 2구를 해석하면서 법륜승의 파괴에 대해 밝히는 것인데, 글대로 알 수 있을 것이다.
27 아래 2구를 해석하는 것이다. 3주에 통한다는 것은 성스러운 가르침이 있기 때문이며, 아울러 출가한 제자 대중들이 있기 때문이다. 나머지 글은 알 수 있을 것이다. 또 『대비바사론』 제116권(=대27-602중)에서 말하였다. "(문) 파법륜승과 파갈마승에는 어떤 차별이 있는가? (답) 갈마승의 파괴는 말하자면 동일한 결계 안에 2부파의 승중이 있어 각각 따로 머물면서 포쇄타 갈마를 짓고 계를 설하지만, 법륜승의 파괴는 말하자면 다른 스승과 다른 도를 세우

(5) 파법륜승이 없는 때

어떤 시기에는 법륜승의 파괴가 없는가? 게송으로 말하겠다.

104 처음, 뒤, 부스럼 전, 한 쌍 전[初後皰雙前]
불멸 후, 아직 결계하지 않았을 때[佛滅未結界]
이와 같은 여섯 단계에는[於如是六位]
법륜승의 파괴가 없었다[無破法輪僧][28]

논하여 말하겠다. '처음'은 세존께서 법륜을 굴리신 지 아직 오래되지 않았을 때를 말하고, '뒤'는 선서께서 장차 반열반하시고자 했을 때를 말하니, 이 두 시기 중에는 승가가 일미一味였기 때문이다. 정계正戒·정견正見에 대한 부스럼[皰]이 아직 일어나지 않았을 때이니, 반드시 이 두 가지에 대한 부스럼이 생겨야 비로소 파괴될 수 있기 때문이다. 아직 지止·관觀 제일인 한 쌍雙이 건립되지 않았을 때이니, 저절로 그들에 의해 속히 다시 화합하기 때문이다. 불멸 후의 시기이니, 적대敵對되는 진정한 큰 스승이 없기 때문이다. 아직 결계되지 않았을 때이니, 하나의 결계 안에서 두 부파로 나누어질 수 없기 때문이다. 이런 6단계에는 법륜승의 파괴가 없었다.[29]

는 것이니, 마치 제바달다가, '나는 큰 스승인데, 사문 교답마가 아니다. 5법이 도이니, 교답마가 말한 8지성도가 아니다'라고 말한 것과 같다." # 요컨대 법륜승를 파괴하는 것만 무간업에 해당하고, 그 파괴에는 제9의 다른 스승과 다른 도가 있어야 한다는 취지이다.

28 이하는 곧 다섯째 파법륜승이 없는 때(에 대해 밝히는 것)이다.

29 '부스럼[皰]'은 창포瘡皰(=부스럼)를 말하는 것이니, 사계邪戒와 사견邪見을 두 가지 부스럼이라고 이름한다. '사계'는 말하자면 5법이 도라고 말하는 것이며, '사견'은 말하자면 붓다의 8정도가 도가 아니라고 부정하는 것이다. 나머지 글은 알 수 있을 것이다, 또『대비바사론』제116권(=대27-603상)에서 말하였다. "처음과 뒤가 아닌 것은, 이 두 시기의 모든 필추대중들은 성스러운 가르침 안에서 화합하여 한 맛이어서 파괴할 수 없었던 것이다. 두 가지 부스럼이 아직 나오지 않았을 때에 아닌 것은, 성스러운 가르침 중 계와 견 두 가지에 대한 부스럼이 아직 생기지 않았을 때를 말하는 것이다. 아직 화합하여 함께 결계하지 않았을 때에 아닌 것은, 반드시 하나의 결계 내에 2부파의 승중이 있어 따로 머물면서 다른 것(=다른 스승과 다른 도)을 인정해야 비로소

법륜승의 파괴가 모든 붓다들에게 모두 있었던 것은 아니니, 반드시 숙업에 의해야 이런 일이 있기 때문이다.[30]

3. 역죄 성취의 인연

이제 방론을 그치고 역죄의 인연[逆緣]에 대해 분별해야 할 것이다. 게송으로 말하겠다.

105 은혜와 공덕의 밭을 버리고 파괴했으니[棄壞恩德田]
성을 전환해도 역시 역죄 이루고[轉形亦成逆]
어머니는 말하자면 그 피가 원인이며[母謂因彼血]
착오한 등의 경우에는 없지만, 혹은 있기도 하다[誤等無或有]

106a 때리려는 마음으로 붓다 출혈케 했거나[打心出佛血]
해친 뒤 무학이 된 경우에는 없다[害後無學無][31]

승가의 파괴라고 이름하기 때문이다. 아직 제일인 한 쌍이 건립되지 않았을 때에 아닌 것은, 아직 제일인 한 쌍이 건립되지 않았을 때에는 결정코 법륜승을 파괴시킬 수 없었던 것(=목건련은 지止의 제일이고, 사리불은 관觀의 제일이듯이, 이런 한 쌍이 없다면 파괴된 승가를 다시 화합케 할 수 없으므로 파괴가 없었다는 취지)을 말하는 것이다. 모든 붓다들에게는 저절로 모두 제일인 한 쌍의 현성 제자가 있어서 만약 법륜승의 파괴가 있을 때에는 그 날 밤을 경과하지 않고 이런 제일인 한 쌍이 다시 화합하게 하였다. 큰 스승께서 반열반 하신 뒤에 아닌 것은, 만약 큰 스승께서 반열반하신 뒤, '내가 큰 스승인데, 여래가 아니다'라는 이런 말을 한다면, 모두 함께 나무라며, '큰 스승의 재세 시에는 그대는 어째서 나는 큰 스승이라고 말하지 않다가 이제 반열반하신 뒤에 이런 말을 하는가?'라고 말할 것이다. 그러므로 결정코 이런 여섯 시기에는 법륜승이 파괴되지 않고, 그 나머지 시기에만 법륜승이 파괴될 수 있다.

30 파법륜승은 과거의 업에 의한 것임을 나타내는 것이다. 일찍이 다른 선인의 권속을 파괴한 적이 있었음(=『대비바사론』 제116권. 대27-603중)은 앞에서 말한 것과 같다. 또 『순정리론』 제43권(=대29-588중)에서 말하였다. "이 현겁의 가섭파붓다 시절에 석가모니께서 다른 대중들을 파괴한 적이 있었기 때문이다." 『대비바사론』과 『순정리론』은 각각 한 가지 일을 인용한 까닭에 같지 않다.

31 이하는 곧 역죄 성취의 인연에 대해 밝히는 것이다.

논하여 말하겠다. 어떤 이유에서 어머니 등을 살해하면 무간업을 이루고, 나머지는 아닌가?[32] 은혜의 밭[恩田]을 버렸기 때문이고, 공덕의 밭[德田]을 파괴했기 때문이다.[33] 말하자면 부모를 살해하는 것은 은혜의 밭을 버리는 것이다.[34] 어떻게 은혜가 있는가?[35] 몸이 생긴 근본이기 때문이다.[36] 어떻게 그것을 버리는가?[37] 말하자면 그 은혜를 버리는 것이다.[38] 공덕의 밭은, 그 밖의 아라한 등을 말하는 것이니, 여러 뛰어난 공덕을 갖추고, 아울러 능히 낳기 때문이다. 공덕의 의지처를 파괴하기 때문에 역죄를 이루는 것이다.[39]

부모의 성이 바뀌었을 때[形轉] 살해하면 역죄를 이루는가?[40] 역죄를 역시 이루니, 의지처가 동일하기 때문이다. 이와 같은 뜻 때문에 물음이 있어서 말하였다. "남자로 하여금 명근을 떠나게 했는데, 그가 아버지나 아라한이 아닌데도 무간죄에 저촉되는 경우가 혹시 있는가? 있다고 말한다. 말하자면 어머니가 성을 바꾼 경우이다. 여자로 하여금 명근을 떠나게 했는데, 그가 어머니나 아라한이 아닌데도 무간죄에 저촉되는 경우가 혹시 있는가? 있다고 말한다. 말하자면 아버지가 성을 바꾼 경우이다."[41]

만약 어떤 여인의 갈랄람羯剌藍이 낙태되었을 때 다른 여인이 거두어 취해 자신의 자궁[産門] 안에 두어서 자식을 낳았다면, 누구를 죽여야 어머니를 살해한 역죄를 이루는가?[42] 그의 피를 원인으로 하는 것이니, 몸이 생긴

32 제1구를 해석하려고 묻는 것이다.
33 전체적인 답이다.
34 개별적으로 '은혜의 밭'을 해석하는 것이다.
35 따지는 것이다.
36 답이다.
37 물음이다.
38 답이다.
39 개별적으로 '공덕의 밭'을 해석하는 것이다. 공덕의 밭은 그 밖의 아라한인 스님 및 여래를 말하는 것이니, 여러 뛰어난 공덕을 갖추고, 아울러 남의 뛰어난 공덕을 능히 낳기 때문인데, 그런 뛰어난 공덕이 의지하는 몸을 파괴했기 때문에 역죄를 이루는 것이다.
40 제2구를 해석하는 것인데, 이는 곧 물음이다.
41 답이다. 역죄를 역시 이루니, 의지처인 몸[所依止身]이 전후 동일하기 때문이다.
42 제3구를 해석하는 것인데, 이는 곧 물음이다.

근본이기 때문이다. 해야 할 모든 일은 뒤의 어머니에게 물어야 할 것이니, 능히 마시게 하고 능히 길러주고 능히 성장시켰기 때문이다.[43]

만약 부모에 대해 살생의 가행을 일으켰어도 착오로 다른 사람을 죽였다면 무간죄가 없다. 부모 아닌 사람에 대해 살생의 가행을 일으켰는데, 착오로 부모를 죽였다면, 역시 역죄를 이루지 않으니, 예컨대 아들이 몽둥이를 들고 아버지 몸의 모기를 타격했거나 평상에 숨어있는 어머니를 다른 자로 여기고 죽인 경우와 같다.[44] 만약 하나의 가행으로 어머니 및 다른 자를 살해했다면 두 가지 무표가 생기지만, 표업은 오직 역죄만이니, 무간업의 세력이 강하기 때문이다. 그러나 존자 묘음妙音은 말하였다. "두 가지 표업이 있으니, 표업은 극미의 적집으로 이루어지기 때문이다."[45]

만약 아라한을 살해하면서 아라한이라는 생각이 없었더라도 그 의지처에 대해 결정코 살해하려는 마음을 일으켰다면, 구별함[簡別]이 없었기 때문에 역시 역죄를 이룬다.[46] 만약 누군가가 아버지를 살해했는데, 아버지가 아라

43 답이다. 그의 핏방울로 인해 몸을 이루는 것이니, 이는 생모로서, 그를 죽여야 역죄를 이룬다. 몸이 생긴 근본이기 때문이다. 두 번째 여인은 기른 어머니일 뿐이다. 그래서 『순정리론』(=제43권. 대29-588중)에서 말하였다. "그 피로 인해 낳은 자여야 의식이 의탁해 비로소 증장하기 때문이다. 두 번째 여인은 단지 기른 어머니일 뿐이니, 비록 해야 할 모든 일은 모두 물어서 결정해야 하겠지만, 살해할 경우 무간죄와 같은 부류를 이룰 뿐이다."

44 이하는 (제4구 중) '착오한 등의 경우에는 없다[誤等無]'라고 한 것을 해석하는 것이다. 이는 착오로 살해했다면 역죄가 없다는 것을 바로 밝히는 것인데, 글대로 알 수 있을 것이다. 그래서 『대비바사론』(=제119권. 대27-619상)에서 말하였다. "두 가지 인연에 의해 무간죄를 얻는다. 첫째는 가행을 일으키는 것, 둘째는 결과가 완성되는 것이다. 비록 가행을 일으켰더라도 결과가 완성되지 못했다면 그는 무간죄를 얻지 않고, 비록 결과가 완성되었어도 가행을 일으키지 않았다면 역시 무간죄를 얻지 않는다."

45 이는 곧 '등' 안에 포함되는 것이다. 앞 논사의 뜻이 말하는 것은, 강한 것에 따라서 표업은 하나라는 것이다. 만약 두 가지가 모두 강하다면, 예컨대 하나의 가행으로 아버지를 살해하고 어머니를 살해한 경우, 표업 및 무표업이 각각 둘이 함께 생기고, 만약 두 가지가 모두 약하다면, 예컨대 양친 아닌 자를 살해한 경우, 역시 두 가지 표업과 두 가지 무표업의 생김이 있다. 뒷 논사의 뜻이 말하는 것은, 모두 두 가지 표업과 두 가지 무표업의 생김이 있으니, 표업의 극미가 각각 다르다는 것이다. 표업이 있음에 의해 남의 목숨을 끊을 수 있는 것인데, 표업이 만약 없다면 남의 목숨이 어찌 끊어지겠는가?

한이었다면, 하나의 역죄를 얻으니, 의지처가 하나이기 때문이다.[47] 만약 그렇다면 이런 비유경의 말씀은 어떻게 회통하겠는가? "붓다께서 시흠지始欠持에게 이르셨다. '그대는 이미 두 가지 역죄를 지었으니, 이른바 아버지를 살해한 것과 아라한을 살해한 것이다.'"[48] 그것은 하나의 역죄가 두 가지 인연에 의해 성취되었음을 나타내신 것이다. 혹은 2문門으로써 그의 죄를 꾸짖으신 것이다.[49]

만약 붓다에 대해 나쁜 마음으로써 출혈케 했다면 일체 모두가 무간죄를 얻는가?[50] 반드시 살해하려는 마음[殺心]이었어야 비로소 역죄를 이루고, 때리려는 마음으로써 출혈케 했다면 무간죄는 곧 없다.[51]

46 (제4구 중) '혹은 있기도 하다'라고 한 것을 해석하는 것인데, 알 수 있을 것이다. # '구별함이 없었다'는 것은, '결정코 살해하려는 마음을 일으켰으니' 만약 아라한이라면 죽이지 않겠다고 구별하는 마음이 없었다는 것이다.
47 이것도 역시 '등'이라는 글자가 포함하는 것인데, 알 수 있을 것이다.
48 경(=『근본설일체유부비나야』 제46권. 대23-879하)을 인용해 힐난하는 것이다. 만약 그렇다면 비유경의 말씀은 어떻게 회통하겠는가? "붓다께서 시흠지始欠持Sikhaddhi에게 이르셨다. '그대는 이미 두 가지 역죄를 지었으니, 이른바 아버지를 살해한 것과 아라한을 살해한 것이다.'" 과거 붓다 재세시 남인도국에 한 나라의 왕이 있었는데, 나라를 태자 시흠지에게 맡기고 실라벌로 가서 붓다께 귀의하고 출가해 아라한과를 얻었다. 태자는 무도해서 오로지 비법만을 행하고 백성을 억압하니, 예전의 어떤 노신하가 부왕의 처소로 와서 그 일을 모두 진술하고 왕에게 나라로 돌아와 태자에게 가르침을 보이기를 청하자, 부왕이 허락하고 마침내 본국으로 돌아오는데, 태자의 간신이 살육 당할 것을 두려워해 태자에게 간사하게, "부왕이 와서 태자의 지위를 빼앗으려고 하니, 사자를 하나 보내어 길에서 죽입시다"라고 청하자, 태자가 이 간사한 말을 받아들여 마침내 사자를 보내어 죽이려고 하였다. 부왕은 업의 인연인 것을 알고 아들의 살해에 응하여 감수하는 마음으로 죽음을 받아들였다. 붓다께서 이 일을 아시고 제자를 보내어 그 태자 시흠지에게 이르게 하신 것이다. 시흠지는 여기 말로 정계頂髻이다.
49 답인데, 그 경의 말씀에 대해 회통하는 것이다. 그 경은 하나의 역죄가 아버지 및 아라한이라는 2인연에 의해 성취되었음을 나타내신 것이다. '2역죄를 지었다'는 말은 혹은 은전·덕전의 2문門으로써 시흠지의 죄를 꾸짖으신 것이다.
50 이하 제5구 및 제6구를 해석하는 것이니, 아래의 '없다[無]'라는 글자가 양쪽에 통하기 때문이다. 이는 곧 물음이다.
51 답이다. 반드시 살해하려는 마음으로 붓다의 몸에서 출혈케 했어야 비로소 역죄를 이루고, 때리려는 마음으로써 출혈케 했다면 죄가 가볍기 때문에 무간죄는 곧 없다.

만약 살생의 가행시에는 그가 아라한이 아니었지만, 죽으려고 할 때 비로소 아라한과를 얻었다면, 그를 살해한 자에게 역죄가 있는가?[52] 없다. 무학의 몸에 대해 살생의 가행이 없었기 때문이다.[53]

4. 가행의 결정성

만약 무간업을 만드는 가행이 바뀔 수 없는 것이라면, 염오를 떠나고 또 성과聖果를 얻는 경우가 있는가? 게송으로 말하겠다.

106c 역죄를 만드는 가행이 결정되면[造逆定加行]
염오를 떠나 성과 얻음은 없다[無離染得果]

논하여 말하겠다. 무간업의 가행이 만약 반드시 결정코 성취되었다면 중간에, 염오를 떠나서 성과를 얻는 일은 결코 없다. 다른 악업도의 가행으로는, 중간에 만약 성도가 생겼다면 업도는 일어나지 않으니, 의지처가 그것과는 결정코 상반되기 때문이다.[54]

52 제6구를 해석하는 것인데, 이는 곧 물음이다.
53 답인데, 알 수 있을 것이다.
54 이는 곧 가행의 결정성[加行定]에 대해 밝히는 것이다. 무간업의 가행이 만약 반드시 결정코 성취되었다면 중간에, 염오를 떠나서 성과를 얻는 일은 결코 없으니, 그 업이 강하므로 다음 생에 반드시 받는다. 이 이염의 도 및 득과의 도는 그 업도로 하여금 일어나지 못하게 할 수 없기 때문에 염오를 떠나서 성과를 얻는 일은 결정코 없다. 무간죄의 가행에는 첫째 바뀔 수 있는 것[可轉], 둘째 바뀔 수 없는 것[不可轉]의 두 가지가 있다고 알아야 할 것이다. 여기에서는 바뀔 수 없는 것에 의거해 물은 것이다. 그래서 『현종론』 제23권(=대29-887하)에서 말하였다. "그런데 우리의 종지에 의하면 무간업의 가행에는 모두 두 가지가 있다고 말하니, 첫째는 가까운 가행[近]이고, 둘째는 먼 가행[遠]이다. 가까운 것은 바뀔 수 없지만, 먼 것은 바뀐다는 뜻이 있다." 무간업을 제외하고, 만약 다른 악업도의 가행을 지었는데, 중간에 만약 성도가 생겼다면 업도는 일어나지 않으니, 전환되어 성자의 과위에 도달함으로써 의지하는 몸이 그 악업도와는 결정코 상반되기 때문이다. 그 업도는 열등한데, 성도의 힘은 강해서 능히 이 업으로 하여금 현행할 수 없게 하기 때문에 성과에 들어갈 수 있는 것이다. 이염의 도는 열등해서 그 악업으로 하여금 일어나지 못하게 할 수 없다. 또 해석하자면 이염을 말하지 않은 것은, 생략하고 논하지 않은 것이다.

5. 죄의 무거움과 큰 과보

악행의 무간업 중 어떤 죄가 가장 무거우며, 묘행의 세간 선업 중 어떤 것이 가장 큰 과보를 감득하는가? 게송으로 말하겠다.

107 승가를 파괴하는 허광어가[破僧虛誑語]
죄 중에서 가장 크고[於罪中最大]
제일유를 감득하는 사업이[感第一有思]
세간 선업 중 과보가 크다[世善中大果]55

논하여 말하겠다. 비록 법과 비법을 알더라도, 승가를 파괴하려고 허광어를 일으켜 전도顚倒되게 나타내 보인다면, 이것이 무간죄 중 가장 큰 죄이니, 이에 의해 붓다의 법신을 훼손하기 때문이며, 세간의 생천生天과 해탈의 도를 장애하기 때문이다. 말하자면 승가가 이미 파괴되어 아직 화합하지 않은 동안은 일체 세간의 입성入聖, 득과得果, 이염離染, 누진漏盡은 모두 다 차단되고, 선정을 익히거나 경전을 독송하거나 사유하는 등의 업이 쉬며, 대천세계에 법륜이 구르지 않아 천신·인간·용 등의 신심身心이 흔들려 어지럽기 때문에 무간지옥에서의 1겁의 이숙을 초래하니, 이 때문에 승가를 깨뜨리는 죄가 가장 무거운 것이 된다. 나머지 무간죄는 그 순서대로 다섯째, 셋째, 첫째가 뒤의 것일수록 점차 가볍고, 둘째가 가장 가벼우니, 은혜 등이 적기 때문이다.56

55 이하는 다섯째 죄의 무거움과 큰 과보에 대해 밝히는 것인데, 위의 2구는 죄의 무거움에 대해 밝히는 것이고, 아래 2구는 큰 과보에 대해 밝히는 것이다.
56 위의 2구를 해석하는 것이다. 천수는 비록 8정도가 법이고, 5법은 비법인 것을 알았지만, 승가를 파괴하려고 허광어를 일으켜, 5법이 법이고 8정도가 비법이라고 전도되게 나타내 보였으니, 이것이 무간죄 중 가장 큰 죄이다. 이에 의해 붓다의 법신을 훼손하기 때문이며, 세간의 생천의 도 및 열반의 도를 장애하기 때문이다. 말하자면 승가가 아직 화합하지 않은 동안은 일체 세간의 입성해야 하며, 득과해야 하며, 이염해야 하고, 누진해야 할 것이 모두 다 차단되고, 모든 선정의 수습, 경전의 독송, 듣고 사유하는 등의 업이 모두 다 그치고 쉬며, 법륜이 구르지 않아 모두 신심이 요란擾亂하기 때문에 무간지옥에서의 1겁의 이숙을 초래하니, 이 때문에 승가를 깨뜨리는 것이 5무간죄 중 가

만약 그렇다면 무엇 때문에 붓다께서 세 가지 벌업罰業 중 의벌意罰이 가장 큰 죄라고 말씀하셨으며, 또 죄 중에서는 사견이 가장 큰 죄라고 말씀하셨는가?[57] 5무간업에 의거해서는 승가를 깨뜨리는 것이 무겁다고 설하시고, 3벌업에 의거해서는 의벌의 죄가 크다고 설하시며, 5벽견僻見에 나아가서는 사견이 무겁다고 설하신 것이다. 혹은 큰 과보, 많은 유정을 해친다는 점, 모든 선근을 끊는다는 점에 의해서 순서대로 무겁다고 설하신 것이다.[58]

제일유第一有의 이숙과를 감득하는 사업이 세간의 선업 중 가장 큰 과보가 되니, 8만 대겁의 지극히 적정한 이숙[極靜異熟]을 감득하기 때문이다.

장 무거운 것이 된다. 나머지 4무간죄는 그 순서대로 다섯째 붓다의 몸에서 출혈케 하는 것, 셋째 아라한을 살해하는 것, 첫째 어머니를 살해하는 것의 이 세 가지가 순서대로 뒤의 것일수록 점차 가볍고, 둘째 아버지를 살해하는 것이 가장 가벼우니, 은혜 등이 적기 때문이다. '등'은 말하자면 공덕을 같이 취한 것이다. 은혜·공덕의 두 가지 밭 중에서는 공덕의 밭이 은혜의 밭보다 뛰어나니, 그 공덕의 밭은 능히 유정의 생사의 괴로움을 뽑아주기 때문이다. 그래서 공덕의 밭에 대한 죄가 은혜의 밭에 대한 죄보다 무겁다. 공덕의 밭 셋 중에 나아가면 승가를 깨뜨리는 것이 가장 무거우니, 법신을 해치기 때문이다. 모든 붓다들께서 스승으로 하는 바는 이른바 법인 것이다. 다음 붓다의 몸에서 출혈케 하는 것이 무거우니, 붓다의 공덕은 아라한보다 뛰어나기 때문이며, 또 스승이시기 때문이다. 다음에 아라한을 살해하는 것은 가볍기 때문이다. 공덕의 밭 중에서는 뒤의 공덕이 적기 때문에 그래서 죄도 가볍고, 앞의 공덕은 많기 때문에 죄도 무겁다. 은혜의 밭 두 가지 중에 나아가면 아버지의 은혜가 어머니보다 적으니, 어머니는 품어서 길렀고, 자애하신 은혜가 많기 때문이다.

57 힐난이다. 만약 허광어의 업이 가장 무거운 죄라면 어째서 신·어·의의 3벌업 중 붓다께서 의벌이 가장 큰 죄라고 말씀하셨겠는가? '벌'은 악업을 지은 자를 다스리는 벌이니, 벌로 지옥에 들어가게 하기 때문에 업을 벌이라고 이름한 것이다. 또 경에서 죄 중 사견이 가장 크다고도 설하셨다.

58 답이다. 여러 법문法門 중에서 각각 한 가지를 무거운 것으로 하신 것이다. 만약 5무간업 중에 의거한다면 승가를 깨뜨리는 것이 무겁다고 말씀하시고, 만약 3벌업 중에 의거한다면 의벌의 죄가 크다고 말씀하시며, 5벽견 중에 나아간다면 사견이 무겁다고 말씀하신 것이다. 만약 큰 과보라는 뜻에 의한다면, 승가를 깨뜨리는 죄가 무겁다고 말씀하셨으니, 무간지옥에서 1겁 동안 받기 때문이고, 많은 유정을 해친다는 뜻에 의해서 의업의 죄가 무겁다고 말씀하셨으니, 예컨대 선인은 마음의 분노로 많은 유정을 해치기 때문이며, 선근을 끊는다는 뜻에 의해서 사견의 죄가 무겁다고 말씀하셨다. 그래서 '순서대로 무겁다고 말씀하신 것이다'라고 말하였다.

이숙과에 의거하기 때문에 이런 말을 한 것이고, 이계과에 의거한다면 곧 금강유정金剛喩定과 상응하는 사업이 능히 큰 과보를 얻으니, 모든 결박[結]이 영원히 끊어지는 것은 이것의 결과이기 때문이다. 이것과 구별하기 위해 '세간 선업[世善]'이라는 말을 한 것이다.[59]

6. 무간업과 같은 부류

오직 무간죄에 의해서만 결정코 지옥에 태어나는가?[60] 무간죄와 같은 부류의 모든 업에 의해서도 역시 결정코 거기에 태어난다. 어떤 다른 논사는, 무간에 태어나는 것이 아니라고 말하였다.[61] 같은 부류란 무엇인가?[62] 게송으로 말하겠다.

108 어머니인 무학니를 더럽히는 것[汚母無學尼]
결정에 머무는 보살[殺住定菩薩]
및 유학의 성자를 살해하는 것[及有學聖者]
승가 화합의 인연을 빼앗는 것과[奪僧和合緣]

109a 불탑을 파괴하는 것이[破壞窣堵婆]

59 아래 2구를 해석하는 것이다. 유정처(='제일유')가 선의 사업이 감득하는 가장 큰 과보라는 것은, 이숙과에 의거했기 때문에 이런 말을 한 것이고, 만약 5과 중 이계과에 의거한다면 곧 금강유정과 상응하는 사업이 큰 과보를 얻을 수 있으니, 모든 결박이 영원히 끊어지는 것은 이 사업의 결과이기 때문이다. 비록 모든 무루의 무간도의 의도는 모두 이계를 획득하기는 하지만, 이것과 같은 것이 아니기 때문이다. 이런 무루의 의도와 구별하기 위해 '세간 선업'이라는 말을 한 것이다.
60 이하는 여섯째 무간죄와 같은 부류를 밝히는 것인데, 이는 곧 물음이다.
61 답이다. 무간죄와 같은 부류의 모든 업에 의해서도 역시 결정코 지옥에 태어난다. 어떤 다른 논사는, 무간죄와 같은 부류에 의해서 비록 결정코 지옥에 태어나기는 하지만, 반드시 무간에 곧 지옥에 태어나는 것은 아니라고 말하였다. 순후 및 부정에도 통하기 때문이다. 그래서 『순정리론』(=제43권. 대29-590상)에서 말하였다. "무간죄와 같은 부류의 모든 업에 의해서도 역시 결정코 거기에 태어나지만, 결정코 무간에 태어나는 것은 아니니, 무간업이 아니기 때문이다."
62 묻는 것이다.

무간죄와 같은 부류이다[是無間同類]

논하여 말하겠다. 이와 같은 다섯 가지는 그 순서에 따라 5무간업과 같은 부류의 업의 체이다. 말하자면 누군가가 어머니인 아라한니阿羅漢尼에 대해 지극히 더러움에 물든 행-비범행을 말한다-을 행하거나, 혹은 누군가가 결정에 머무는 보살[住定菩薩]을 살해하거나, 혹은 유학의 성자를 살해하거나, 혹은 승가 화합의 인연을 빼앗거나, 혹은 불탑[窣堵波]을 파괴한다면 5역죄와 같은 부류이다.63

제5절 3시의 장애

이숙업에는 세 시기에 지극히 능히 장애함이 있는데, 세 시기라고 말한 것에 대해 게송으로 말하겠다.

63 같은 부류라고 말한 것은 서로 유사하다는 뜻이다. 말하자면 누군가가 어머니인 아라한니에 대해, 혹은 어머니 및 아라한니에 대해 극히 더러움에 물든 행-비범행을 말한다-을 행했다면, 이는 어머니를 살해한 것과 같은 부류의 업의 체라고 이름하니, 같이 어머니에 대해 죄업을 지었기 때문에 같은 부류의 업이라고 이름한 것이다. 혹은 누군가가 백 대겁 동안 결정에 머무는 보살[주정보살住定菩薩](=뒤의 게송 110과 그 논설 참조)을 살해했다면 이를 아버지를 살해한 것과 같은 부류의 업의 체라고 이름하니, 보살의 은혜가 깊은 것이 마치 아버지와 같기 때문에 그에 대해 지은 업을 같은 부류의 업이라고 이름한 것이다. 혹은 유학의 성자를 살해했다면 아라한을 살해한 것과 같은 부류의 업의 체라고 이름하니, 유학과 무학은 같은 성스러운 복전이기 때문에 그에 대해 지은 업을 같은 부류의 업이라고 이름한 것이다. '승가 화합의 인연'은 자구 등을 말하는 것인데, 만약 누군가가 승가 화합의 인연을 침탈해서 승가로 하여금 이산離散케 했다면, 이를 승가를 깨뜨리는 것과 같은 부류의 업의 체라고 이름하니, 화합케 하는 자구의 인연은 승가의 뜻과 같으므로, 그에 대해 지은 업을 같은 부류의 업이라고 이름한 것이다. 혹은 누군가가 붓다의 솔도파窣睹波stūpa(=불탑)를 파괴했다면 이를 붓다의 몸에서 출혈케 한 것과 같은 부류의 업의 체라고 이름하니, 여러 사람들이 이 탑을 붓다와 서로 유사하게 공경하므로, 그에 대해 지은 업을 같은 부류의 업이라고 이름한 것이다. 이와 같은 것을 5역죄와 같은 부류라고 이름한다.

109c 장차 인법, 불환과[將忍不還得]
무학을 얻으려고 할 때 업은 장애가 된다[無學業爲障]

논하여 말하겠다. 만약 정법의 단계[頂位]로부터 장차 인법[忍]을 얻으려고 할 때 악취를 감득하는 업은 모두 지극히 장애가 된다. 인법은 그 이숙의 지地를 초월하기 때문이니, 마치 사람이 장차 본래 살던 나라를 떠나고자 할 때 일체 채권자들이 모두 지극히 장애가 되는 것과 같다. 만약 누군가가 장차 불환과를 얻으려고 한다면 그 때 욕계에 매인 업은 모두 지극히 장애가 되는데, 순현법수업만은 제외된다. 만약 누군가가 장차 무학과를 얻으려고 한다면 그 때 색·무색계의 업은 모두 지극히 장애가 되는데, 역시 순현법수업은 제외된다. 두 가지에 대한 비유도 앞에서와 같다.[64]

제6절 보살의 모습

1. 보살의 주정위住定位

위에서 말한 것과 같은, 결정에 머무는 보살[주정보살住定菩薩]은 어떤 단계로부터 '결정에 머문다[住定]'는 명칭을 얻으며, 그것은 다시 무엇을 말하여 '결정[定]'이라고 이름한 것인가?[65] 게송으로 말하겠다.

64 이는 곧 큰 글(=여러 가지 업을 섞어서 밝히는 글)의 다섯째 3시의 장애[三時障]에 대해 밝히는 것이다. 부정업 중에서도 일부는 역시 제외해야 하니, 절반은 장애가 되고, 절반은 장애하지 않기 때문이다. 그래서 말하지 않은 것이니, 그래서 『순정리론』 제43권(=대29-590중)에서 말하였다. "그렇지만 이 중 순현수업 및 순부정수업 중 이숙부정업(=소위 시이숙구비정時異熟俱非定업)과 아울러 이숙정업(=시부정이숙정時不定異熟定업) 중 다른 처에서 이숙할 것 아닌 것은 제외해야 한다." 이에 준해서, 순생수업, 순후수업 및 순부정수업 중 이숙정업으로서 다른 처에서 이숙할 것은 모두 능히 장애가 된다고 알아야 한다. 나머지 글은 알 수 있을 것이다. # 요컨대 인법을 얻으면 3악취에 태어나지 않고(=뒤의 제23권 중 게송 24c와 그 논설 참조), 불환과를 얻으면 욕계에 태어나지 않으며, 무학과를 얻으면 색·무색계에 태어나지 않기 때문에 각각 장애가 된다는 것이다.

65 이하 큰 글의 여섯째 보살의 모습에 대해 밝히는데, 그 안에 나아가면 첫째 주정위住定位에 대해 밝히고, 둘째 수상修相의 업에 대해 밝히며, 셋째 붓다를

110 묘상의 업을 닦을 때부터[從修妙相業]
보살은 결정이란 명칭을 얻으니[菩薩得定名]
선취의 고귀한 가문에[生善趣貴家]
감관 갖추고 남자로 태어나되, 기억하며 견고하기 때문이다[具男念堅故][66]

논하여 말하겠다. 묘한 서른두 가지 대장부상大丈夫相의 이숙과를 능히 감득하는 업을 닦을 때부터 보살에 대해 비로소 결정에 머문다는 명칭을 세울 수 있으니, 이 때부터 성불할 때까지 항상 선취 및 고귀한 가문 등에 태어나기 때문이다.[67]

'선취에 태어난다'는 것은 말하자면 인취·천취에 태어나는 것이니, 취의 묘함[趣妙]이 칭찬할 만하기 때문에 선취라고 이름한다. 선취 중에서도 항상 고귀한 가문[貴家]에 태어나니, 말하자면 바라문이나 끄샤뜨리야나 크게 부유한 장자長者나 큰 호족[大婆羅]의 가문이다. 고귀한 가문 중에는 감관[根]에 갖춤과 결여가 있지만, 그 보살은 항상 수승한 감관을 갖추고, 항상 남자의 몸을 받는다. 오히려 여자로도 되지 않거늘, 어찌 하물며 선체 등의 몸이겠는가? 태어날 때마다 항상 전생을 기억하며, 지어야 할 선한 일에서 항상 물러남[退屈]이 없다.[68] 말하자면 유정을 이익하고 안락하는 일 중에

공양함에 대해 밝히고, 넷째 6도六度의 원만에 대해 밝힌다. 이는 곧 첫째 주정위에 대해 밝히는 것인데, 앞의 물음은 보살의 단계[位]를 묻는 것이고, 뒤의 물음은 '결정'이라는 명칭에 대해 묻는 것이다.

66 위의 2구는 앞의 물음에 대한 답이고, 아래 2구는 뒤의 물음에 대한 답이다. 여기에서 '결정[定]'이라는 말은, 말하자면 그가 결정코 선취 등에 태어나는 것을 '결정'이라고 이름한 것이지, 선정을 얻었다는 것이 아니니, 보살이 여기에 머무는 것을 '결정에 머문다'고 이름한 것이다.

67 간략히 게송의 본문을 해석한 것인데, 글대로 알 수 있을 것이다. 32상은 『대비바사론』 제177권(=대27-877상~889중)에서 갖추어 해석하는 것과 같다.

68 이는 곧 아래 반 게송을 따로 해석하는 것이다. 첫째 선취를 해석하고, 둘째 고귀한 가문을 해석한다. 혹은 바라문의 가문에 태어나거나 혹은 끄샤뜨리야의 가문에 태어나거나 혹은 크게 부유한 장자의 가문에 태어나거나 혹은 대사라大婆羅의 가문에 태어난다. '사라śāla'는 여기 말로 호족豪族이다. 혹은 '대사라'는 위의 세 곳에 통하는 것이다. 셋째 '(감관을) 갖춤'을 해석하고, 넷째 '남자'를 해석하며, 다섯째 '기억하고'를 해석하고, 여섯째 '견고하다'를 해석하는

온갖 괴로움이 몸을 핍박하더라도 모두 능히 감내하며, 비록 남이 갖가지 악행으로 어기고 거스르더라도 그 보살에게는 싫어하거나 고달파하는 마음이 없으니, 예컨대 세간에서 무가無價의 종[馱娑]이 있다고 전하는데, 이 말은 그 보살을 가리키는 것이라고 알아야 할 것이다. 그 대사大士는 비록 일체 수승하고 원만한 공덕을 이미 성취했어도, 오랫동안 무연無緣의 대비大悲를 익혔기에 저절로 항시 남에게 매여 속하기 때문에 널리 일체 유정의 무리에 대해 거만함 없는 마음으로써 모두 섭수하여 자기와 같다고 여긴다. 혹은 항상 자기를 그들의 하인과 같다고 보기 때문에 일체 구하기 어려운 일[難求事]도 모두 능히 감내하며, 아울러 일체 수고로움이 닥치는 일[勞迫事]도 모두 능히 짊어지는 것이다.69

2. 보살의 수상修相의 업

묘상妙相을 닦는 업은 그 모습이 어떠한가? 게송으로 말하겠다.

111 섬부주에서 남자가 붓다 대했을 때[贍部男對佛]
붓다를 생각하니, 사소성인데[佛思思所成]

데, 곧 물러남이 없는 것을 견고하다고 이름한 것이다.

69 '물러남이 없다'는 것을 따로 해석하는 것이다. '타사馱娑dāsa'는 여기 말로 종[奴]이다. 돈을 써서 살 수 없으므로 '무가無價'라고 이름하니, 말하자면 그 보살은 남의 핍박과 사역을 받으면서 유정을 이익케 하는 것이, 마치 돈을 써서 살 수 없는 종과 서로 비슷하다는 것이다. 무연의 대비란 말하자면 그 보살이 이 대비를 일으키는 것은, 중생이 보살에 대해 은혜가 있어야 비로소 일으키지 않고, 은혜가 없어도 역시 일으키기 때문에 무연의 대비라고 말하는 것이다. 저절로 항시 남에게 매여 속하기 때문에 거만함 없는 마음으로써 모두 다 섭수하는 것이, 자기 몸과 같다고 하는 것과 유사하다. 눈 등을 필요로 할 때에는 곧 베풀어 주는 것을 '구하기 어려운 일'이라고 이름하고, 능히 중생을 대신해 갖가지 괴로움을 받는 것을 '수고로움이 닥치는 일'이라고 이름하니, 물러남이 없음을 나타내는 것이다. 나머지 글은 알 수 있을 것이다. 또『순정리론』(=제44권. 대29-590하)에서 말하였다. "어째서 반드시 묘상의 업을 닦는 단계의 보살이라야 비로소 결정에 머무는 단계라는 명칭을 받는가? 그 때 인·천이 비로소 함께 알기 때문이니, 먼저는 단지 천신들만이 아는 바였다. 혹은 그 때 등각으로 나아갈 것이 결정되니, 먼저는 등각의 지위만 결정되었고, 나머지는 아니었다." 해석하자면 묘상의 업을 닦을 때 보리로 나아갈 때가 결정되니, 이전에는 보리는 결정되었지만, 도달 시기가 결정된 것은 아니었다.

나머지 백 겁 동안 닦으므로[餘百劫方修]
각각 백복으로 엄식된다[各百福嚴飾]70

논하여 말하겠다. 보살은 반드시 섬부주 안에 있어야 비로소 묘상을 견인하는 업을 짓고 닦을 수 있으니, 이 주에서 각혜覺慧가 가장 밝고 예리하기 때문이다. 오직 남자만이고, 여자 등의 몸은 아니니, 그 때는 이미 여자 등의 단계를 초과했기 때문이다. 오직 현재 붓다 대했을 때에만, 붓다를 반연해 생각[思]을 일으키니, 사소성思所成이지, 문聞·수修의 부류가 아니다.71

오직 나머지 1백 겁 동안만 짓고 닦을 뿐, 그 이상은 아니다. 모든 붓다들의 인위[因] 중의 법은 응당 이와 같지만, 박가범 석가모니께서만은 정진이 맹렬하셔서 능히 9겁을 건너뛰어 91겁만에 묘상의 업이 성취되었다. 이 때문에 여래께서 촌장[聚落主]에게, "내가 91겁 이래를 기억컨대 나에게 음식을 보시함으로 인해 조금이라고 손상이 있었던 집은 하나도 보지 못했고, 큰 이익을 이루었을 뿐이니, 이 때부터는 제 성품으로 항상 전생을 기억하였다"라고 이르셨으니, 이 때문에 단지 91겁이라고 말씀하신 것이다.72 그

70 이는 곧 둘째 수상修相의 업에 대해 밝히는 것이다.
71 위의 2구를 해석하는데, 첫째 '섬부주에서'를 해석하고, 둘째 '남자가'를 해석하며, 셋째 '붓다에 대해'를 해석하고, 넷째 '붓다 생각한다'를 해석하며, 다섯째 '사소성'을 해석한다. 또 『대비바사론』 제177권(=대27-887중)에서 말하였다. "(문) 상의 이숙을 감득하는 업은 문소성인가, 사소성인가, 수소성인가? (답) 오직 사소성일 뿐, 문소성도 아니고, 수소성도 아니다. 왜냐하면 이 업은 수승하기 때문에 문소성이 아니며, 욕계에 매인 것이기 때문에 수소성이 아니다. 어떤 분은, '이 업은 문소성과 사소성에 통하고, 단지 수소성만은 아니다' 라고 말하였다. 어떤 곳에서 일으키는가 하면 욕계의 인취에 있어야 일으키는데, 섬부주만이고, 다른 주는 아니다. 어떤 몸에 의지해 일으키는가 하면 남자의 몸에 의지해 일으키지, 여자의 몸 등은 아니다. 어떤 시기에 일으키는가 하면 붓다께서 출세하셨을 때이지, 붓다의 출세가 없는 때는 아니다. 어떤 경계를 반연해 일으키는가 하면 현전에 붓다를 반연하여 뛰어난 생각과 원을 일으키는 것이지, 다른 경계를 반연하지 않는다."
72 제3구를 해석하는 것이다. 말하자면 3무수겁 외의 나머지 1백 겁 동안만 짓고 닦을 뿐, 그 이상은 아니다. 모든 붓다들의 인위 중의 법은 응당 이와 같아서 모두 1백 대겁 동안 상의 이숙을 감득하는 업을 닦으신다. '박가범' 이하는 차별되는 것을 구별하는 것이다. '촌장[聚落主]'은 곧 성주城主나 읍주邑主이다.

런데 숙구의 논사[宿舊師]는, "보살은 첫 무수겁에서 나오면서부터 네 가지 허물을 떠나고 두 가지 공덕을 얻는다"라고 말하였다.73

앞에서 분별한 바와 같은 하나하나의 묘상은 백복百福으로 장엄된다.74

나머지 글은 알 수 있을 것이다. 설일체유부에 의하면 3무수겁에서 나와서 묘상의 업을 닦은 이후부터 비로소 네 가지 허물[四過失]을 떠나고 두 가지 공덕[二功德]을 얻는다고 한다. 네 가지 허물을 떠난다는 것은 말하자면 악취를 떠나는 것, 가난한 집안을 떠나는 것, 지체의 결함을 떠나는 것, 여자 등의 몸을 떠나는 것이고, 두 가지 공덕을 얻는다는 것은 말하자면 전생을 기억하는 지혜를 얻는 것과 물러나지 않음을 얻는 것이다. # 본문의 인용문은 잡[32]32:914 도사씨경刀師氏經에 나오는 것이다.

73 다른 학설을 서술하는 것이다. 경량부의 숙구宿舊(=법랍이 많고 덕이 있는 분)의 논사는, "보살은 첫 무수겁에서 나오면서부터 곧 네 가지 허물을 떠나고 두 가지 공덕을 얻는다"라고 말하였다.

74 제4구를 해석하는 것이다. 앞에서 분별한 바와 같은 32상의 하나하나의 묘상은 각각 백복百福으로 장엄되는데, 무엇을 백복이라고 말하는가? 이에 대한 백 가지 생각[百思]을 백복이라고 이름한 것이라고 답한다. 그래서 『대비바사론』 제177권(=대27-889하)에서 말하였다. "(문) 예컨대 계경에서, '붓다의 하나하나의 상은 백복으로 장엄되었다'라고 설하는데, 무엇을 백복이라고 말하는가? (답) 이에 대한 백 가지 생각을 백복이라고 이름한 것이다. 무엇을 백 가지 생각이라고 말하는가? 말하자면 예컨대 발 아래가 잘 안주하는 상[足下善住相]의 업을 보살이 짓고 증장할 때와 같은 경우, 먼저 쉰 가지 생각을 일으켜 몸의 그릇을 닦고 다스려 청정하고 부드럽게 하며, 다음에 한 가지 생각을 일으켜 그것을 바로 견인하고, 뒤에 다시 쉰 가지 생각을 일으켜 그것을 원만하게 한다. 비유하자면 마치 농부가 먼저 밭두둑을 다스리고, 다음에 종자를 뿌리며, 뒤에 거름을 주고 덮어서 물을 대는 것처럼, 그것도 또한 이와 같다. 발 아래가 잘 안주하는 상의 업에 이와 같은 백 가지 생각의 장엄이 있는 것처럼 나아가 정수리 위의 오슬니사烏瑟膩沙uṣṇīṣa(=상투[髻])상의 업도 역시 이와 같으니, 이 때문에 붓다의 하나하나의 상은 백복으로 장엄되었다고 말하는 것이다. (문) 무엇이 쉰 가지 생각인가? (답) 10업도에 의해 각각 다섯 가지 생각이 있다. 말하자면 이살업도離殺業道에 의해 다섯 가지 생각이 있으니, 첫째는 살생을 떠나려는 생각, 둘째는 권하여 인도하려는 생각, 셋째는 찬미하려는 생각, 넷째는 따라 기뻐하는 생각, 다섯째는 회향하는 생각이다. 나아가 정견에 이르기까지도 역시 그러하니, 이를 쉰 가지 생각이라고 이름한다. 어떤 분은, 10업도에 의해 각각 하·중·상·상승上勝·상극上極의 5품의 선한 생각을 일으키니, 마치 잡수정려雜修靜慮와 같다고 말하였다. 어떤 분은, 10업도에 의해 각각 다섯 가지 생각을 일으키니, 첫째 가행의 청정, 둘째 근본의 청정, 셋째 후기의 청정, 넷째 심구의 해침을 받을 것 아님[非尋所害], 다섯째 기억해 섭수하는 것이라고 하였다. 어떤 분은, 붓다의 하나하나의 상을 반연하여 50찰나의 아직 일찍이 익히지 못했던 생각을 일으켜 상속하여 구르게

어떤 것을 하나하나의 복의 분량[福量]이라고 이름하는가?[75] 어떤 분은, "오직 붓다에 가까운 보살[近佛菩薩]을 제외한 그 나머지 일체 유정들이 닦은, 부귀 안락의 과보의 업을 1복의 분량이라고 이름한다"라고 말하였고, 어떤 분은, "세계가 장차 이루어지려고 할 때 일체 유정들이 대천세계의 국토를 감득하는 업의 증상한 힘이 1복의 분량이 된다"라고 말했으며, 어떤 분은, "이것의 분량은 오직 붓다께서만 아신다"라고 말하였다.[76]

3. 석가모니의 붓다 공양

(1) 공양한 붓다의 수

지금 우리 큰 스승께서 과거에 보살이셨을 때 3무수겁 동안 몇 분의 붓다들께 공양했는가? 게송으로 말하겠다.

112 3무수겁 동안[於三無數劫]
각각 7만 붓다들께 공양했으며[各供養七萬]
또 순서대로[又如次供養]
5천·6천·7천 붓다들께 공양하였다[五六七千佛]

논하여 말하겠다. 최초의 무수겁 중에는 7만5천 붓다들께 공양하였고, 다음 무수겁 중에는 7만6천 붓다들께 공양했으며, 최후의 무수겁 중에는 7만7천 붓다들께 공양하였다.[77]

(2) 만난 붓다의 명호

3무수겁 중 하나하나가 만족했을 때 및 처음 발심했을 때 각각 어느 붓

하는 것이라고 말하였다."

75 하나하나의 복의 분량에 대해 묻는 것이다.

76 붓다에 가까운 보살은 곧 1백 겁 동안 복업을 닦은 사람인 까닭에 제외해야 한다. 여기에 3설이 있는데, 글대로 알 수 있을 것이다. 우선 뒤의 논사가 바른 것이라고 하겠다.

77 이하에서 셋째 (공양한) 붓다의 수에 대해 밝히는데, 그 안에 나아가면 첫째 공양한 붓다의 수를 밝히고, 둘째 만나셨던 붓다의 명호를 밝힌다. 이는 곧 첫째 붓다의 수를 밝히는 것이다. 3무수겁 중 뒤의 단계일수록 점점 뛰어나기 때문에 공양했던 붓다들도 많고, 앞의 단계일수록 뒤보다 열등하기 때문에 공양했던 붓다들도 적다. 나머지 글은 알 수 있을 것이다.

다를 만났는가? 게송으로 말하겠다.

[113] 3무수겁이 만족했을 때에는[三無數劫滿]
역순으로 승관불[逆次逢勝觀]
연등불, 보계불을 만나셨고[燃燈寶髻佛]
초발심시에는 석가모니불을 만나셨다[初釋迦牟尼]

논하여 말하겠다. '역순으로'라는 말은 뒤로부터 앞을 향한다는 것이니, 말하자면 세 번째 무수겁이 만족했을 때 만나서 섬겼던 붓다의 명호는 승관勝觀이고, 두 번째 무수겁이 만족했을 때 만나서 섬겼던 붓다의 명호는 연등燃燈이며, 첫 번째 무수겁이 만족했을 때 만나서 섬겼던 붓다의 명호는 보계寶髻이다.

최초로 발심한 단계에는 석가모니붓다를 만나셨다. 말하자면 우리 세존께서는 과거 보살의 단계에서 최초로 석가모니라는 명호의 붓다 한 분을 만나셨고, 마침내 대면하여 그 앞에서 '원컨대 나는 장차 지금 세존과 똑같은 붓다가 되리라'라는 큰 서원을 일으키셨다. 그 붓다께서도 역시 말겁末劫에 세간에 출현하셨으며, 멸도 후에 정법도 역시 1천 년 동안 머물렀기 때문에 지금의 여래께서도 하나하나의 행적이 그 분과 같은 것이다.[78]

4. 석가모니의 6도 원만

우리 석가보살께서는 어떤 단계에서 어떤 바라밀다波羅蜜多를 닦고 익혀서 원만케 하셨는가? 게송으로 말하겠다.

[114] 다만 연민에 의해 널리 보시하셨고[但由悲普施]
몸이 갈라져도 분노 없으셨으며[被折身無忿]
저사불을 찬탄하셨고[讚歎底沙佛]
다음에 무상보리 증득하셨다[次無上菩提]

78 이는 곧 둘째 만나셨던 붓다의 명호를 밝히는 것인데, 글대로 알 수 있을 것이다.

115 6바라밀다를[六波羅蜜多]

이와 같은 네 단계에서[於如是四位]

하나와 둘, 또 하나와 둘을[一二又一二]

순서대로 닦아 원만케 하셨다[如次修圓滿]79

논하여 말하겠다. 이 때 보살께서는 널리 모두에게 나아가 눈과 골수에 이르기까지 모든 것을 능히 베푸셨는데, 그렇게 행한 보시[惠捨]는 연민하는 마음[悲心]에 의한 것이었을 뿐, 스스로 수승한 생의 차별을 희구해서가 아니었으니, 이와 같이 보시바라밀다를 닦고 익혀서 원만케 하셨다.80

이 때 보살께서는 몸의 지체가 갈라지셨는데, 비록 아직 욕탐을 떠나지 않았어도 마음에 조금의 분노도 없으셨으니, 이와 같이 지계[戒]·인욕[忍] 바라밀다를 닦고 익혀서 원만케 하셨다.81

이 때 보살께서는 용맹정진하는 인행 중에 우연히, 저사底沙여래께서 보감寶龕 안에 앉아 화계정火界定에 드셨는데, 위광의 혁혁함이 평소와는 특히 다른 것을 보자, 한마음으로 우러러보며 한 발을 내리는 것도 잊고 7일 낮밤이 지나도록 게으름이 없었으며, 청정한 마음으로 오묘한 게송으로써 그 붓다를 이렇게 찬탄하셨다. "하늘에도 땅에도 이 세계에도 다문천에도[天地此界多聞室] 범천궁에도 하늘의 처소에도 시방에도 없으니[逝宮天處十方無] 장부요 우왕이신 대사문은[丈夫牛王大沙門] 땅, 산, 숲에서 두루 찾아도 같은 분이 없도다[尋地山林遍無等]" 이렇게 찬탄하시자 곧 9겁을 뛰어 넘었으니, 이와 같이 정진바라밀다를 닦고 익혀서 원만케 하셨다.82

79 이하는 곧 넷째 6도의 원만에 대해 밝히는 것이다. 첫 게송의 4구는 1구마다 1단계씩을 나타내고, 뒷 게송은 6도를 4단계에 배분한 것이다.

80 이는 첫째 단계를 해석하면서, 보시 하나를 닦고 익혀서 원만케 하신 것을 나타내는 것이다. '수승한 생의 차별'은 인·천의 생을 말하는 것이다. 나머지 글은 알 수 있을 것이다.

81 이는 둘째 단계를 해석하면서 지계·인욕의 둘을 닦고 익혀서 원만케 하신 것을 나타내는 것이다. 몸이 갈라져도 되갚지 않아야 청정한 지계가 원만해지고, 마음에 분노가 없기 때문에 인욕이 원만해진다.

82 셋째 단계를 해석하면서 정진 하나를 닦고 익혀서 원만케 하신 것을 나타내는 것이다. '저사Tiṣya'는 여기 말로 원만인데, 별의 명칭이니, 별에 따라 이름한

이 때 보살께서는 금강좌金剛座에 처해 장차 무상정등보리無上正等菩提에 오르시려고 다음의 무상각無上覺 전에 금강유정金剛喩定에 머무셨으니, 이와 같이 선정[定]·지혜[慧]바라밀다를 닦고 익혀서 원만케 하셨다.[83]

스스로 가야 할 원만한 공덕의 피안에 능히 도달하기 때문에 이런 여섯 가지를 바라밀다波羅蜜多라고 이름하는 것이다.[84]

것이다. 찬탄한 게송을 해석하자면, '하늘에도 땅에도'는 전체적으로 열거한 것이니, 천상과 땅속을 말하는 것이고, '이 세계'는 이 삼천대천세계를 말하는 것이며, '다문실多聞室'은 비사문천궁을 말하는 것이니, 이 천왕(=비사문천왕)의 공경·믿음의 명성이 시방에 흐르기 때문에 다문이라고 말한 것이다. '서궁逝宮'은 범천궁을 말하는 것이다. 그 범천왕은 그가 항상하다고 헤아리므로, 붓다께서 그 항상하다는 계탁을 대치하기 위해 '서궁'이라고 이름하셨으니, '서'는 무상하다는 뜻이다. 또 해석하자면 서궁은 소위 사람의 궁전[人宮]이니, 사람의 궁전은 속히 닳아 사라짐으로 돌아가기 때문에 서궁이라고 말한 것이다. '하늘의 처소'는 다문실 및 서궁을 제외한 그 나머지 하늘의 처소이다. '시방에도 없다'는 것은 말하자면 이 삼천대천세계 중에 없을 뿐만 아니라 다른 시방세계 중에도 역시 없다는 것이다. 두루 구해도 같은 분이 없다는 것은 '장부요 우왕이신 대사문'을 말하는 것이니, 내가 지금 땅에서 찾고 산에서 찾고 숲에서 찾아도 우리 세존과 같은 분은 두루 없다는 것이다. 또 해석하자면 '다문실'은 욕계의 천중이니, 첫 하늘(=사천왕천) 중의 하나를 들어 나머지 세 하늘 및 그 위의 다섯 하늘, 즉 6욕천을 나타낸 것이고, '서궁'은 색계의 천중이니, 처음 하늘(=초선천) 중의 하나를 들어 나머지 두 하늘을 나타내고, 아울러 나머지 그 위의 모든 하늘을 나타낸 것이며, '하늘의 처소'는 무색계의 하늘의 처소이다. 나머지 해석은 앞과 같다.

83 이는 넷째 단계를 해석하면서, 선정과 지혜 둘을 닦고 익혀서 원만케 하신 것을 나타내는 것이다. '진지盡智' 이후를 무상각이라고 이름하므로, '다음의 무상각 전'은 곧 금강유정이니, 이 시기에 선정과 지혜를 닦고 익혀서 원만케 한다. 이는 보살행의 인위 중에 의거해 6도의 원만을 말한 것이지, 과위에 의거한 것이 아니다. 만약 과위에 의거해 6도의 원만을 말한다면, 진지를 얻을 때이다. 그래서 『대비바사론』 제178권(=대27-892중)에서 말하였는데, 모두 3설이 있지만, 셋째로 논평한 분이 말하였다. "여시설자는, 여기에서 말한 것은 모두 한 시기에 한 가지 행이 증상한 것에 의해 원만하다고 말한 것인데, 여실한 뜻이라면 진지를 얻을 때 이 네 가지 바라밀다가 비로소 원만함을 얻는다고 하였다." 해석하자면 지계가 인욕을 포함하고, 지혜가 선정을 포함하기 때문에 '네 가지'라고 말했을 뿐이다.

84 제5구의 '6바라밀다'를 해석하는 것이다. '바라pāra'는 여기 말로 '피안彼岸'이고, '밀다mitā'는 여기말로 '도到'이다. 보살은 스스로 타고 가야 할 원만한 공덕의 피안의 처소에 도달할 수 있기 때문이니, 그래서 이 여섯 가지를 바라밀다라고 이름하는 것이다.

제7절 세 가지 복업사福業事

제1항 복업사와 그 체

계경에서, "세 가지 복업사福業事가 있으니, 첫째 시류施類 복업사, 둘째 계류戒類 복업사, 셋째 수류修類 복업사이다"라고 설했는데, 여기에서 어떤 것에 대해 복업사라는 명칭을 세웠는가? 게송으로 말하겠다.

116 보시·지계·수도 세 부류는[施戒修三類]
각각 그 상응하는 바에 따라[各隨其所應]
복·업·사라는 명칭을 받는데[受福業事名]
그 차별은 업도와 같다[差別如業道][85]

논하여 말하겠다. 세 부류는 모두 복인데, 혹은 업이기도 하며, 혹은 사이기도 하니, 업도에 대해 말한 것처럼 그 상응하는 바에 따른다. 말하자면 10업도 중에 업이면서 또한 도인 것이 있고, 도이고 업이 아닌 것이 있다고 분별한 것처럼, 이들 중에도 복이면서 또한 업이고 또한 사인 것이 있고, 복과 업이면서 사가 아닌 것이 있으며, 복과 사이면서 업이 아닌 것이 있고, 오직 복일 뿐, 업도 아니고 사도 아닌 것이 있다.[86]

85 이하는 큰 글의 일곱째 보시·지계·수도에 대해 밝히는 것이다. 그 안에 나아가면 첫째 보시·지계·수도에 대해 간략하게 밝히고, 둘째 보시·지계·수도에 대해 자세하게 밝히는데, 이는 곧 간략하게 밝히는 것이다. # '계경'은 잡[2]10:264 소토단경, 증일 14:24:4경, 중 11:61 우분유경牛糞喩經, 장 4:2 유행경 등인데, 표현은 조금씩 상이하다.

86 이는 곧 게송의 글을 간략하게 해석하는 것이다. 선이기 때문에 복[puṇya]이라고 이름하고, 만드는 것[造作]을 업[kriyā]이라고 이름하니, 곧 신·어 및 마음의 의도이며, 의도가 의탁하는 것[思所依託]을 사[vastu]라고 이름한다. '류類'는 성품의 부류[性類]를 말하는 것이다. 그래서 『대비바사론』 제126권(=대27-656하)에서 보시·지계·수도의 성품[性]이라고 말한 것이다. 따라서 부류[類]와 성품[性]은 명칭만 다르고, 뜻은 같다고 알아야 한다. 보시·지계·수도의 3부류는 선이기 때문에 모두 복인데, 3부류 중에서는 업이기도 하고 사이기도 하니, 업도에 대해 말한 것처럼 그 상응하는 바에 따른다. 말하자면 10업도

우선 시류施類 중 신·어의 2업은 복·업·사 세 가지의 뜻과 명칭을 갖추지만, 그것과 등기하는 의도는 복과 업이라고 이름할 뿐이며, 의도와 함께 있는 법은 복이라는 명칭을 받을 뿐이다.[87] 계류戒類는 이미 오직 신·어업의 성품이기 때문에, 모두 복·업·사라는 명칭을 갖추어 받는다.[88] 수류修類 중 자애[慈]는 복과 사라고 이름할 뿐이니, 업의 사事이기 때문이다. 자애와 상응하는 의도가 자애를 문門으로 해서 만들기 때문이다. 자애와 함께 하는 의도와 계戒는 복과 업이라고 이름할 뿐이고, 나머지 함께 있는 법은 복이라는 명칭을 받을 뿐이다.[89]

중 업이면서 도이기도 한 것이 있으니, 앞의 일곱 가지를 말하는 것이고, 도이고 업이 아닌 것이 있으니, 뒤의 세 가지를 말하는 것이라고 분별한 것과 같다. 도라는 명칭은 열 가지에 공통되지만, 업은 앞의 일곱 가지뿐이다. 이들 중 복·업·사 셋이 공통되고 국한되는 것도 역시 그러하다고 알아야 하니, 복은 곧 공통되는 것이고, 업과 사는 일정하지 않으므로, 모두 네 가지를 이룬다.

87 이하 보시·지계·수도에 의거해 복·업·사를 밝히는데, 이는 시류에 의거해 밝히는 것이다. 우선 시류 중 신·어의 2업은 복·업·사 세 가지의 뜻과 명칭을 갖추니, 선이기 때문에 복이라고 이름하고, 만드는 것이기 때문에 업이라고 이름하며, 의도가 의탁하는 것이므로 사라고 이름한다. 그래서 『순정리론』(=제44권. 대29-592상)에서 말하였다. "우선 시류 중 신·어의 2업은 복·업·사 세 가지의 뜻과 명칭을 갖추니, 선이기 때문에 복이라고 이름하고, 만드는 것이기 때문에 업이라고 이름하며, 능히 신·어업을 등기等起하는 의도의 일어남이 의지하는 문[所依門]이기 때문에 또한 사라고 이름한다." 그 인등기因等起인 의도는 복과 업이라고 이름할 뿐이니, 선이기 때문에 복이라고 이름하고, 만드는 것이기 때문에 업이라고 이름하지만, 의도는 자신에게 의탁하는 것이 아니기 때문에 사라고 이름하지 않는다. 의도와 함께 있는 법은 복이라는 명칭을 받을 뿐이니, 선이기 때문에 복이라고 이름하지만, 만드는 것이 아니기 때문에 업이라고 이름하지 않고, 의도가 바로 의탁하는 것이 아니기 때문에 사라고 이름하지 않는다. 의도는 바로 신·어에 의탁해서 일어나기 때문이니, 따라서 함께 있는 법은 사라고 이름하지 않는 것이다.

88 이는 계류에 의거해 밝히는 것이다. 계류는 이미 오직 신·어업의 성품이기 때문에, 모두 복·업·사라는 명칭을 갖추어 받으니, 선이기 때문에 복이라고 이름하고, 만드는 것이기 때문에 업이라고 이름하며, 의도가 의탁하는 것이기 때문에 사라고 이름한다.

89 이는 수류에 의거해 밝히는 것이다. 수류 중 자애는 무진無瞋을 성품으로 하는 것이므로 복과 사라고 이름할 뿐이니, 선이기 때문에 복이라고 이름하고, 의도가 의탁하는 것이기 때문에 사라고 이름한다. 자애를 사라고 이름하는 것은 업의 사事(=의탁하는 것)이기 때문이니, 자애와 상응하는 사업思業은 자애를 문門으로 해서 만들기 때문에 그래서 자애를 사라고 이름하는 것이다. 자애와

혹은 '복업福業'이라는 명칭은 복을 짓는다[作福]는 뜻을 나타내니, 말하자면 복의 가행이고, 사事는 의지처[所依]를 나타내니, 말하자면 보시·지계·수도는 복업의 사이다. 그 세 가지를 이루기 위해 복의 가행을 일으키기 때문이다.[90] 어떤 분은, "오직 의도[思]만이 진정한 복업이고, 복업의 사는 보시·지계·수도를 말하니, 세 가지를 문으로 해서 복업이 일어나기 때문이다"라고 말하였다.[91]

함께 작용하는 의도[思]와 자애와 함께 작용하는 계戒는 복과 업이라고 이름할 뿐이니, 선이기 때문에 복이라고 이름하고, 만드는 것이기 때문에 업이라고 이름한다. 의도는 자신에게 의탁하지 않으므로 사라고 이름하지 않는데, 자애와 함께 있는 의도와 계는 의도가 바로 의탁해 일어나는 것이 아니기 때문에 사라고 이름하지 않으니, 의도는 바로 자애의 문에 의탁해 일어나기 때문이다. 그래서 자애는 사라고 이름할 뿐이다. 자애와 함께 작용하는, 나머지 함께 있는 법은 복이라는 명칭을 받을 뿐이다. 선이기 때문에 복이라고 이름하지만, 만드는 것이 아니기 때문에 업이라고 이름하지 않고, 의도가 바로 의탁해 일어나는 것이 아니기 때문에 사라고 이름하지 않는다. (문) 어째서 계류 중의 계는 사라고 이름하는데, 수류 중의 계는 사라고 이름하지 않는가? (해) 계류 중의 계는 별해탈계에 의거한 것인데, 이것은 의도가 의탁하는 것이기 때문에 사라는 명칭을 얻지만, 수류 중의 계는 수심전의 계로서, 의도가 바로 의탁해 일어나는 것이 아니기 때문에 사라고 이름하지 않는다.

90 두 번째 해석이다. 혹은 '복업'이라는 명칭은 복을 짓는다는 뜻을 나타낸다. 말하자면 복의 가행이니, 보시·지계·수도 전의 가행이다. 가행이 곧 복이므로 복의 가행이라고 이름하니, 말하자면 이 가행은 선이기 때문에 복이라고 이름하고, 만드는 것이므로 업이라고 이름한다. 혹은 복의 가행이니, 복은 보시·지계·수도이고, 업은 복 전의 가행이기 때문에 복의 가행이라고 이름한 것이다. '사'는 의지처[所依]를 나타낸다. 말하자면 보시·지계·수도는 그 복업이 의지처인 사이다. 그 세 가지 보시·지계·수도의 사를 이루기 위한 까닭에 그 전에 복의 가행을 일으키는 것이다. 또 해석하자면 혹은 '복업'이라는 명칭은 복을 짓는다는 뜻을 나타내니, 말하자면 복의 가행인데, 이것은 의지주체[能依]임을 나타내고, '사'는 의지대상[所依]임을 나타내니, 말하자면 보시·지계·수도이다. 의지주체와 의지대상을 합쳐서 말했기 때문에 복업사라고 이름한 것이다.

91 세 번째 해석인데, 혹은 경량부의 어떤 분의 말이다. 오직 의도만이 진정한 복업이니, 선이기 때문에 복이라고 이름하고, 만드는 것이기 때문에 업이라고 이름하며, 의탁대상인 사가 아니기 때문에 사라고 이름하지 않는다. 복업의 사는 보시·지계·수도를 말하니, 이 세 가지를 의지대상인 문으로 해서 복업이 일어나기 때문이다. 의탁대상[所託]이기 때문에 이 세 가지를 사라고 이름하고, 진정한 복업이 아니기 때문에 복업이라고 이름하지 않는다. 또 해석하자면 의도가 진정한 복업이라는 이것은 의지주체를 나타내고, 복업의 사는 보시·지계·수도를 말한다는 이것은 의지대상을 나타내니, 의지주체와 의지대상

제2항 시류施類 복업사

1. 보시의 체와 그 과보

어떤 법을 보시[施]라고 이름하며, 보시는 어떤 과보를 초래하는가?[92] 게송으로 말하겠다.

117 이것에 의한 희사를 보시라고 이름하니[由此捨名施]
말하자면 공양하기 위하거나 이익하기 위한[謂爲供爲益]
신·어 및 능히 일으키는 것인데[身語及能發]
이는 큰 부의 과보를 초래한다[此招大富果][93]

논하여 말하겠다. 비록 희사되는 물건도 역시 보시라는 명칭을 얻지만, 여기에서는 희사의 도구[捨具]를 보시라고 이름한다. 말하자면 이 도구에 의해 희사하는 일[捨事]이 이루어질 수 있기 때문에 희사가 연유하는 바[捨所由]가 진정한 보시의 체인 것이다.[94] 혹은 두려움이나 희구에 대한 탐욕

을 합쳐서 말했기 때문에 복업사라고 이름한 것이다.

92 이하 둘째 보시·지계·수도에 대해 자세하게 밝히는데, 그 안에 나아가면 첫째 보시에 대해 밝히고, 둘째 지계·수도에 대해 밝히며, 셋째 법시에 대해 밝힌다. 첫째 보시에 대해 밝히는 것에 나아가면 첫째 보시의 체 및 과보를 밝히고, 둘째 보시하는 이익의 차별에 대해 밝히며, 셋째 보시의 과보가 차별되는 이유를 밝히고, 넷째 보시 중 복이 가장 뛰어난 것을 밝히며, 다섯째 보시 과보의 한량없음을 밝히고, 여섯째 업의 경중의 모습에 대해 밝히며, 일곱째 만드는 업과 증장하는 업에 대해 밝히고, 여덟째 제다制多에 보시하는 이익에 대해 밝히며, 아홉째 과보는 내심內心에 의한 것임을 밝힌다. 이는 곧 첫째 보시의 체 및 과보에 대해 밝히는 것인데, 첫째 어떤 법을 보시라고 이름하는지 묻고, 둘째 보시는 어떤 과보를 초래하는지 물었다.

93 위의 3구는 처음 물음에 대한 답이고, 아래 1구는 뒤의 물음에 대한 답이다.

94 첫 구를 해석하는 것이다. 비록 희사되는 재물도 역시 보시라는 명칭을 얻지만, 이 보시의 성품 중에서는 재물을 희사하는 도구를 보시라고 이름한다. 말하자면 이 신·어업 및 능히 일으키는 도구에 의해 물건의 희사가 이루어질 수 있기 때문에 물건의 희사가 연유하는 바 신·어 및 능히 일으키는 것이 진정한 보시의 체인 것이다. '희사[捨]'는 희사해 주는 것[捨與]을 말하고, '도구[具]'는 원인[因]이라는 뜻이다.

등에 의해서도 희사하는 일이 이루어지지만, 이런 뜻으로 말한 것이 아니니, 그런 것과 구별하려고 공양하거나 이익하기 위한다는 말을 한 것이다. 말하자면 남을 공양하거나 요익하기 위해 희사되는 것[所捨]이 있는, 이런 도구를 보시라고 이름하는 것이다.[95]

'도구[具]'라는 명칭은 무엇을 말하는 것인가?[96] 말하자면 신·어업 및 이것을 능히 일으키는 것[能發]이다.[97] '능히 일으키는 것'은 무엇을 말하는 것인가?[98] 말하자면 무탐無貪과 함께 해서 능히 이것을 일으키는 무리[聚]이니, 어떤 게송에서 말한 것과 같다. "만약 사람이 청정한 마음으로[若人以淨心] 자기를 제쳐두고 보시 행한다면[輟己而行施] 이 찰나의 선한 온에[此刹那善蘊] 전체적으로 보시라는 명칭을 세우네[總立以施名]"[99]

이와 같은 시류의 복업사는 능히 미래와 현재의 큰 재부財富 초래하는 것을 과보로 한다고 알아야 할 것이다. '시류의 복[施類福]'이라고 말한 것은 보

95 제2구를 해석하는 것이다. 혹은 여덟 가지 보시(=아래 4.항) 중 포외시怖畏施나 희구시希求施에 의하기도 한다. '희구시'는 곧 구보시나 희천시이다. 혹은 '희'는 희천시를 말하고, '구'는 구보시를 말한다. 이런 것을 탐내기 때문에 탐욕이라고 이름한 것이다. '등'은 나머지 아직 말하지 않은 것들을 같이 취한 것인데, 여덟째(=마음을 장엄하기 위한 등의 혜시)만을 제외하고 앞의 일곱 가지 보시를 취한 것이다. 이런 앞의 일곱 가지 보시에 의해서도 물건을 희사하는 일이 이루어지지만, 이런 뜻으로 말한 것이 아니니, 그런 일곱 가지 보시와 구별하려고 공양(하거나 이익)하기 위한다는 말을 한 것이다. 말하자면 남이 존중하는 분에 대해 공양하거나 궁핍한 자를 요익하기 위해 희사되는 것이 있는, 이런 희사의 도구를 보시라고 이름하니, 이것이 곧 그 여덟 가지 보시 중 여덟째 보시에 해당하는 것이다.

96 이하에서 제3구를 해석하는데, 이는 곧 묻는 것이다.

97 답이다.

98 따지는 것이다.

99 답이다. 말하자면 무탐과 동시에 능히 이 신·어업을 일으키는 심·심소법의 무리를 능히 일으키는 것이라고 이름한다. 게송을 인용하여 증명하는 뜻은, 찰나의 선한 5온에 대해 전체적으로 보시라는 명칭을 세운다는 것인데, 여기에서 말한 '찰나'는 1찰나가 아니라 달찰나(=앞의 제12권 중 게송 87ab에 의할 때 120찰나이다)에 의거한 것이다. 능히 일으키는 인등기의 심·심소법의 4온 및 일으켜진 신·어의 색온을 취한 것이니, 전후의 선한 5온을 전체적으로 찰나라고 이름한 것이다. 또 해석하자면 이 게송은 찰나등기에 의했기 때문에 이 찰나의 선한 5온에 대해 전체적으로 보시라는 명칭을 세운다는 것이다.

시를 체로 한다는 뜻을 나타내니, 마치 엽류葉類의 그릇이나 초류草類의 집 등과 같다. 계류戒類·수류修類라는 말도 이에 준해서 해석해야 할 것이다.[100]

2. 보시하는 이익의 차별

어느 쪽을 이익하기 위해 보시를 행하는가? 게송으로 말하겠다.

118a 자신, 남, 양쪽을 이익하기 위해서나[爲益自他俱]
양쪽을 위하지 않고 보시를 행한다[不爲二行施][101]

논하여 말하겠다. 이 중 아직 욕탐을 떠나지 못한 모든 자 및 이미 욕탐을 떠난 모든 이생의 부류가 자기의 소유물을 갖고 탑묘[制多]에 받들어 보시했다면, 이런 보시는 자신의 이익을 위한 것일 뿐이라고 이름하지, 남의 이익을 위한 것이 아니니, 이에 의해 이익의 획득이 있기 때문이다.

만약 이미 욕탐을 떠난 모든 성자가 유정들에게 보시했다면, 순현법수업을 제외하면, 이런 보시는 오직 남을 이익하기 위한 것이라고 이름하니, 남이 이에 의해 요익을 획득하기 때문이다. 자신을 이익하기 위한 것이 아니니, 과지果地를 초월했기 때문이다.

만약 아직 욕탐을 떠나지 못한 그 모든 자 및 이미 욕탐을 떠난 모든 이생의 부류가 자기의 소유물을 갖고 유정들에게 보시했다면, 이런 보시는 양쪽 모두를 이익하기 위한 것이라고 이름한다.

만약 이미 욕탐을 떠난 그런 성자가 탑묘에 받들어 보시했다면, 순현업수업을 제외하면, 이런 보시는 양쪽을 위하지 않은 것이라고 이름하니, 이는 오직 공경과 보은을 위한 것일 뿐이기 때문이다.[102]

100 제4구를 해석하는 것이다. 이와 같은 시류의 복업사는 능히 미래와 현재의 큰 재부를 초래하는 것을 과보로 한다고 알아야 한다. '시류의 복'이라고 말한 것에서 '류'는 체를 말하는 것이니, 복이 보시를 체로 한다는 뜻을 나타낸다. 마치 엽류의 그릇과 같다는 것은, 그릇이 나뭇잎을 체로 한 것이라는 뜻을 나타내고, 마치 초류의 집과 같다는 것은, 집이 풀을 체로 한 것이라는 뜻을 나타낸다. 계류·수류라는 말도 이에 준해서 해석해야 할 것이다.

101 이는 곧 둘째 보시하는 이익의 차별에 대해 밝히는 것이다.

102 '과지를 초월했기 때문'은 말하자면 욕탐을 떠난 성자는 욕계에 대한 이숙과

3. 보시의 과보가 차별되는 이유

(1) 차별 이유 총설

앞에서 보시가 큰 부를 초래한다는 것을 전체적으로 밝혔으니, 이제 다음으로 보시의 과보가 차별되는 이유를 분별하겠다. 게송으로 말하겠다.

118c 시주·재물·복전이 다르기[由主財田異]
때문에 보시의 과보가 차별된다[故施果差別]

논하여 말하겠다. 보시에 차별이 있는 것은 세 가지 원인 때문이다. 말하자면 시주[主]·재물[財]·복전[田]에 차별이 있기 때문인데, 보시가 차별되기 때문에 과보에도 차별이 있는 것이다.[103]

의 지를 초월했다는 것이다. 나머지 글은 알 수 있을 것이다. # 이 게송에 대해 『현종론』 제24권(=대29-889하)은 다음과 같이 설명한다. "시주가 보시할 때 두 가지 이익을 관찰하니, 첫째는 과보를 감득할 자신의 선근을 이익하는 것이고, 둘째는 남의 여러 근의 대종을 이익하는 것이다. 시주에는 둘이 있으니, 첫째는 번뇌 있는 자이고, 둘째는 번뇌 없는 자이다. 번뇌 있는 자에는 다시 두 가지가 있으니, 첫째는 아직 욕탐을 떠나지 못한 자이고, 둘째 이미 욕탐을 떠난 자이다. 이 두 가지 중에는 각각 두 가지가 있으니, 첫째는 성자들이고, 둘째는 이생들이다. 이들 중 아직 욕탐을 떠나지 못한 성자 및 이미 욕탐을 떠난 이생이 탑묘에 받들어 보시한 경우 오직 자신의 이익을 위한 것이니, 말하자면 자신의 두 가지 선근을 증장하는 것이다. 첫째는 능히 큰 부를 초래하는 것이 과보가 되고, 둘째는 위에서 말한 뜻의 자량을 얻기 위한 것이다. 이미 욕탐을 떠난 모든 성자가 탑묘에 받들어 보시하는 경우, 순현수업을 제외하면 큰 부를 초래하지 않으니, 그는 이미 필경 그 이숙의 지를 능히 초월했기 때문이다. 그렇지만 위와 같은 뜻의 자량을 얻는 것이 될 수 있으니, 이 때문에 역시 오직 자신의 이익을 위한 것이라고 이름하는 것이다. 이는 남의 근의 대종을 이익할 수 있는 것이 아니기 때문에 남을 이익하지 않는 것이다. 번뇌 없는 자가 다른 유정에게 보시하는 경우 오직 남을 이익하기 위한 것이니, 말하자면 능히 남의 여러 근의 대종을 이익하는 것이다. 자신의 두 가지 선근을 증장하는 것이 아니니, 순현수업은 제외한다. 번뇌 있는 자가 다른 유정에게 보시하는 경우 양쪽 모두를 이익하는 것이다. 번뇌 없는 자가 탑묘에 받들어 보시하는 경우 순현수업을 제외하면 둘의 이익을 위하지 않은 것이다.

103 이하는 셋째 보시의 과보가 차별되는 이유를 밝히는 것인데, 그 안에 나아가면 첫째 시주 등의 차이를 전체적으로 밝히고, 둘째 시주·재물·복전을 개별적

(2) 시주에 의한 차별

우선 시주에 의한 차별은 어떠한가? 게송으로 말하겠다.

119 시주의 차이는 믿음 등에 의하니[主異由信等]
공경하고 존중하는 등의 보시 행하면[行敬重等施]
존중받고, 광대하게 애락하며[得尊重廣愛]
때에 맞는, 빼앗기기 어려운 과보를 얻는다[應時難奪果]104

논하여 말하겠다. 시주가 믿음[信]·계戒·들음[聞] 등의 차별되는 공덕을 성취했기 때문에 시주의 차이라고 이름한다. 시주의 차이 때문에 보시도 차별을 이루고, 보시의 차별로 말미암아 여과與果에도 차이가 있는 것이다.105

존재하는 모든 시주가 이와 같은 공덕을 갖추고 능히 여법하게 공경하고 존중하는 보시 등의 네 가지 보시를 행하면, 순서대로 곧 존중받는 등의 네

으로 밝힌다. 이는 곧 첫째 시주 등의 차이를 전체적으로 밝히는 것인데, 앞을 맺으면서 물음을 일으켰다. 앞에서 보시가 큰 부를 초래한다는 것을 전체적으로 밝혔으니, 이제 다음으로 보시 과보의 차별 가문의 이유[施果別家因], 혹은 보시의 과보 가문의 차별 이유[施果家別因]를 분별하겠다는 것이다. 혹은 이 '차별'이라는 글자는 과보 및 이유에 통한다. 나머지 글은 알 수 있을 것이다.

104 이하는 둘째 시주·재물·복전에 대해 개별적으로 밝히는 것인데, 그 안에 나아가면 첫째 시주의 차이를 밝히고, 둘째 재물의 차이를 밝히며, 셋째 복전의 차이를 밝히니, 이는 곧 첫째 시주의 차이를 밝히는 것이다.

105 제1구를 해석하는 것이다. 시주가 믿음·계戒·들음 등 일곱 가지 성재聖財라는 차별되는 공덕을 성취했기 때문에 시주의 차이라고 이름한다. 시주의 차이 때문에 보시라는 원인도 차별을 이루고, 보시라는 원인의 차별 때문에 그래서 보시라는 원인의 여과與果에도 차이가 있다. 여기에서 '등'이라는 말은, 말하자면 지혜[慧]·희사[捨]·참·괴를 같이 취한 것이다. 7성재라고 말한 것은, 첫째 믿음이니, 깊은 믿음을 말하고, 둘째 계이니, 청정한 계를 말하며, 셋째 들음이니, 많이 듣는 것을 말하고, 넷째 지혜[慧]이니, 지혜智慧를 말하며, 다섯째 희사이니, 희사하는 보시를 말하고, 여섯째 참, 일곱째 괴인데, 참·괴 두 가지는 앞에서 해석한 것과 같다. 그래서 『집이문족론』 제16권(=대26-436상)에서 말하였다. "7재七財란, 첫째 믿음의 재산[信財], 둘째 계의 재산[戒財], 셋째 참의 재산[慚財], 넷째 괴의 재산[愧財], 다섯째 들음의 재산[聞財], 여섯째 희사의 재산[捨財], 일곱째 지혜의 재산[慧財]이다." 자세한 것은 거기에서 해석하는 것과 같다.

가지 과보를 얻는다. 말하자면 만약 시주가 공경하고 존중하는 보시[敬重施]를 행하면 곧 항상 남의 존중 받음[他所尊重]을 감득하고, 만약 제 손으로 보시하면[自手施] 곧 능히 광대한 재물을 애락하며 수용함[於廣大財 愛樂受用]을 감득하며, 만약 때에 맞게 보시하면[應時施] 때에 맞는 재물을 감득하니, 필요로 하는 때에 맞추고 때를 경과하지 않기 때문이다. 만약 손상 없이 보시하면[無損施] 곧 남에 의해 침탈되지 않고 아울러 불 등의 의해 손괴되지 않는 자재資財를 감득한다.[106]

(3) 보시된 재물에 의한 차별

보시된 재물에 의한 차별은 어떠한가? 게송으로 말하겠다.

[120] 재물의 차이는 형색 등에 의하니[財異由色等]
오묘한 형색, 좋은 명성[得妙色好名]
대중들의 사랑, 유연한 몸과[衆愛柔軟身]
때에 따른 낙촉 있음을 얻는다[有隨時樂觸]

논하여 말하겠다. 보시된 재물이 형색·냄새·맛·감촉을 결여하거나 갖추었음에 의해 순서대로 곧 오묘한 형색 등을 결여하거나 갖춘 과보를 얻는다.[107]

말하자면 보시된 재물에 형색이 구족되었기 때문에 곧 오묘한 형색을 감득하고, 냄새가 구족되었기 때문에 곧 좋은 명성을 감득하니, 마치 향기의 분분함이 모든 방위에 두루한 것과 같기 때문이다. 맛이 구족되었기 때문에 곧 대중들의 사랑을 감득하니, 마치 아름다운 맛이 대중들로부터 사랑받는 것과 같기 때문이다. 감촉이 구족되었기 때문에 유연한 몸과 아울러 때에 따라 낙수를 낳는 감촉 있음을 감득하니, 마치 여인보배[女寶] 등과 같다.

---

106 아래 3구를 해석하는 것이다. 존재하는 모든 시주가 이와 같은 믿음 등의 공덕을 갖추고 여법하게 공경하고 존중하는 등의 네 가지 보시를 행한다면, 순서대로 곧 존중받는 등의 네 가지 과보를 얻는데, 원인으로 결과에 배대하는 것은 글대로 알 수 있을 것이다. 손상 없는 보시란 말하자면 보시를 행할 때 남을 손상하거나 괴롭히지 않아야 보시의 일이 성취될 수 있는 것이다.

107 이하는 곧 둘째 재물의 차이를 밝히는 것인데, 이는 곧 전체적으로 해석하는 것이다.

과보에 감소가 있다면 원인이 결여되었기 때문이며, 이와 같은 것도 역시 형색·냄새 등을 갖추었는가에 의한 것이기 때문에 재물의 차이라고 이름하는데, 재물의 차이 때문에 보시의 체 및 과보에 모두 차별이 있는 것이다.[108]

(4) 복전에 의한 차별

보시 받는 복전에 의한 차별은 어떠한가? 게송으로 말하겠다.

121a 복전의 차이는 취, 괴로움[田異由趣苦]
은혜, 공덕에 차별이 있기 때문이다[恩德有差別][109]

논하여 말하겠다. 보시 받는 복전에는 취趣·괴로움[苦]·은혜[恩]·공덕[德]에 각각 차별이 있기 때문에 복전의 차이라고 이름하니, 복전의 차이 때문에 보시의 과보에도 차이가 있는 것이다.[110]

취의 차별에 의한다는 것은, 예컨대 세존께서, 만약 방생에게 보시하면 백 배의 과보를 받고, 범계한 사람에게 보시하면 천 배의 과보를 받는다고

108 '말하자면'부터 '여인보배 등과 같다'까지는 형색·냄새·맛·감촉을 갖춘 경우 곧 오묘한 형색 등의 과보를 갖춘 과보를 얻는 것에 대해 해석하는 것이고, '과보에 감소가 있다면 원인이 결여되었기 때문'은 형색·냄새·맛·감촉을 결여한 경우 곧 오묘한 형색 등을 결여한 과보를 얻는 것에 대해 해석하는 것이다. 이 중 갖춘 것에는 두 가지가 있다고 알아야 하니, 혹은 오묘한 형색·냄새·맛·감촉을 모두 갖춘 것을 갖추었다고 이름하고, 혹은 그 중 세 가지, 두 가지, 한 가지를 갖춘 것에 따라서도 역시 갖추었다고 이름한다. 결여에도 역시 두 가지가 있으니, 혹은 형색·냄새·맛·감촉을 모두 결여하기도 하고, 혹은 그 중 세 가지, 두 가지, 한 가지를 결여한 것에 따라서도 역시 결여하였다고 이름한다. '때에 따른 낙촉이 있다'는 것은 추울 때에는 따뜻한 감촉이 있고, 더울 때에는 시원한 감촉이 있기 때문에 '때에 따른'이라고 말한 것이다. 이와 같이 감득하는 과보에 갖춤과 결여가 있는 것은 단지 그 신·어와 능히 일으키는 것[能發]에 의할 뿐만 아니라, 또한 형색·냄새 등을 갖추었는가에 의하기도 하기 때문에 재물의 차이라고 이름하니, 재물의 차이 때문에 진정한 보시의 체 및 감득되는 과보에 모두 차별이 있게 한다.

109 이는 곧 셋째 복전의 차이를 밝히는 것이다.

110 이는 곧 전체적인 해석이다. 보시 받는 복전에는 모두 네 가지가 있다. 첫째 취, 둘째 괴로움, 셋째 은혜, 넷째 공덕이다. 각각 차별이 있기 때문에 복전의 차이라고 이름하는데, 복전의 차이 때문에 그 보시의 체 및 과보에 차이가 있게 한다.

말씀하신 것과 같다.111

괴로움의 차별에 의한다는 것은, 예컨대 일곱 가지 의지처 있는 복업사[七有依福業事]에 대해, 앞에서 나그네, 길 가는 사람, 병든 사람, 간병하는 사람, 원림, 일상의 음식[常食] 및 추위·바람·더위의 때에 따라 음식 등을 보시해야 한다고 설했으며, 만약 청정한 믿음을 구족한 남자와 여인으로서 여기에서 설한 일곱 가지 의지처 있는 복업사를 성취함이 있다면, 획득하는 복덕은 그 분량을 파악할 수 없다고 다시 설한 것과 같다.112

은혜의 차별에 의한다는 것은, 예컨대 부모·스승 및 다른 은혜 있는 분과 같으니, 예컨대 웅熊·녹鹿보살 등 본생경本生經에서 설한 여러 은혜 있는 부류와 같다.113

111 이하 개별적으로 해석하는 것이대. 이는 곧 취가 같지 않음에 의해 보시의 과보가 차별되는 것인데, 글대로 알 수 있을 것이다.

112 이는 둘째 괴로움의 차별에 대해 해석하는 것이다. 괴로움이 같지 않음에 의해 보시의 과보도 차별된다. 이 일곱 가지가 남을 괴로움에서 건지기 때문인데, 이 일곱 가지에 의지해 공덕이 증장하기 때문에 '의지처 있는 것[有依]'이라고 이름하고, 복업사 세 가지는 앞에서 해석한 것과 같다. 일곱 가지라고 말한 것은, 첫째 나그네에게 보시하는 것이니, 타향살이하는 사람을 말하고, 둘째 행인에게 보시하는 것이니, 길을 가고 있는 사람을 말하며, 셋째 병자에게 보시하는 것이니, 병을 앓는 자를 말하고, 넷째 병 시중 드는 사람에게 보시하는 것이니, 간병하는 사람을 말하며, 다섯째 원림을 보시하는 것이니, 원림을 사찰 등에 보시하는 것을 말하고, 여섯째 일상의 음식[常食]을 보시하는 것이니, 말하자면 어떤 시주가 돈이나 재물 혹은 사유지[莊田] 등을 보시하면서 대중스님들에게, "지금부터 날마다 따로 저를 위해 7승재七僧齋(=일곱 분의 스님을 한정해 항상 재식을 공양하는 것)를 베풀어 주십시오"라고 말한다면 이를 일상의 음식이라고 이름한다. 서방의 여러 사찰에는 현재도 이런 법이 있다. 또 해석하자면 서방 나라의 풍속에, 복을 믿는 사람들이 먼 길, 마을에서 떨어진 곳에서 여행하는 사람 중에 도중에 굶주리거나 목마를 것을 염려해 길 가, 원림 가까운 곳에 집을 지어서 재물을 두고 음식을 많이 저축해 두어 오가는 사람들에게 필요로 하는 것을 시여한다고 한다. 혹은 일체 행인들에게 전체적으로 보시하는 경우도 있고, 혹은 단지 모든 출가자들만 표시한 경우도 있다고 하는데, 일상적으로 음식을 보시하는 것[常施食]이기 때문에 일상의 음식[常食]이라고 이름한다. 일곱째 때에 따라 보시하는 것[隨時施]이니, 말하자면 혹은 추위, 혹은 바람, 혹은 더위가 있을 때 그 상응하는 바에 따라 그 때에 따른 음식·옷 등을 보시하는 것을 모두 일곱째 때에 따른 보시라고 이름한다. 만약 청정한 믿음을 구족한 남자나 여자로서 일곱 가지 의지처 있는 복업사를 성취함이 있다면 그가 획득하는 복덕은 분량을 파악할 수 없다.

공덕의 차별에 의한다는 것은, 예컨대 계경에서 계를 지키는 사람에게 보시하면 억 배의 과보를 받는다고 말씀하신 등과 같다.114

4. 보시 중 복이 가장 뛰어난 것

모든 보시 중 복이 가장 뛰어난 것은 무엇인가? 게송으로 말하겠다.

121c 해탈한 분의 해탈한 분에 대한 보시와 보살의 보시와[脫於脫菩薩]
제8의 보시가 가장 뛰어나다[第八施最勝]115

논하여 말하겠다. 박가범께서, "만약 염오를 떠난 분이 염오를 떠난 분에

113 이는 곧 셋째 은혜의 차별을 해석하는 것이다. 부·모·스승·스님에게 있는 은혜는 알 수 있을 것이다. 예컨대 웅보살이 사람의 목숨을 구제한 것은, 과거에 어떤 한 사람이 산에 들어가 땔나무를 채취하다가 눈·굶주림·추위를 만났을 때 곰이 거두어 양생하여 남은 목숨을 보존하게 해 주었는데, 하늘이 개고 길이 통하여 그 사람이 하산하다가 우연히 사냥꾼을 만나자 그 곰의 처소를 보이고 함께 와서 가해하여 그 고기를 나누어 취했을 때 몸이 큰 병에 걸리는 현보를 받았다는 것으로, 『대비바사론』 제114권(=대27-592중)에서 경을 인용해 말한 것과 같다. 예컨대 녹보살은 뿔이 눈처럼 하얗고 그 털이 아홉 가지 색이었는데, 역시 사람의 목숨을 구했으니, 과거에 어떤 한 사람이 물에 표류하여 나왔다가 빠졌다가 할 때 사슴이 강에 들어가 구출해 사람의 목숨을 보존하게 해 주었는데, 왕이 이 사슴을 찾으면서 아는 자에게 큰 상을 주겠다고 하자 그 사람이 처소를 보여서 사슴을 죽이려고 할 때 그 사람이 나병에 걸리는 현보를 역시 받았다는 것으로, 구색록경九色鹿經(=『보살본연경』 하권. 대3-66하)에서 설한 것과 같다. 은혜의 차별 때문에 과보를 차별되게 하니, 그래서 『순정리론』(=제44권. 대29-593상)에서 말하였다. "은혜 있는 곳에 대해 일으키는 모든 악업의 과보가 나타나는 것은 알 수 있을 것이다. 이에 의해 은혜를 갚는 선을 행하면 그 과보가 반드시 결정적인 것도 미루어 알 수 있을 것이다."

114 이는 곧 넷째 공덕의 차별을 해석하는 것이다. 공덕이 차별되기 때문에 보시의 과보도 차별되니, 그래서 『순정리론』(=제44권. 대29-593상)에서 말하였다. "공덕의 차별에 의한다는 것은 계경에서, '계를 지키는 사람에게 보시하면 과보가 백천 배이고, 나아가 붓다께 보시하면 과보가 가장 한량없다'라고 설한 것과 같다."

115 이하는 곧 넷째 보시 중 복이 가장 뛰어난 것을 밝히는 것이다. 복이 가장 뛰어난 세 가지 복이 있으니, 첫째는 해탈한 분이 해탈한 분에게 하는 보시[脫於脫施]가 가장 뛰어나고, 둘째 보살의 보시가 가장 뛰어나며, 셋째 제8의 보시가 가장 뛰어나다.

게 여러 자재資財를 보시한다면, 재시財施 중에서는 이것이 가장 뛰어나다"라고 말씀하셨다.116 만약 모든 보살이 행한 혜시惠施가 모든 유정을 널리 이익하고 안락하게 하는 원인이라면, 비록 해탈한 분이 해탈한 분에게 보시한 것이라고 이름하지는 못하지만, 보시의 복 중에서 역시 가장 뛰어나다.117

이런 것을 제외하고 다시 여덟 가지 보시가 있는데, 그 중에서는 제8의 보시[第八施]의 복이 역시 가장 뛰어나다. 여덟 가지 보시[八施]란 무엇인가? 첫째는 수지시隨至施이고, 둘째는 포외시怖畏施이며, 셋째는 보은시報恩施이고, 넷째는 구보시求報施이며, 다섯째는 습선시習先施이고, 여섯째는 희천시希天施이며, 일곱째는 요명시要名施이고, 여덟째는 마음을 장엄하기 위해, 마음을 자조資助하기 위해, 유가瑜伽를 자조하기 위해, 최상의 뜻[上義]을 얻기 위해 행하는 혜시惠施이다.118

수지시隨至施에 대해 숙구의 논사는, "자기 근처에 이른 것에 따라 비로소 능히 시여하는 것이다"라고 말하였다. 포외시怖畏施란 말하자면 이런 재물에 무너지는 모습이 현전한 것을 보고 차라리 보시하여 잃지 않으려는 것

116 해탈한 분이 해탈한 분에게 하는 보시가 가장 뛰어난 것을 해석하는 것이니, 무학인 분이 무학인 분에게 보시하는 것과 같다.

117 보살의 보시가 가장 뛰어난 것을 해석하는 것이다.

118 제8의 보시가 가장 뛰어난 것을 해석하는 것이다. 해탈한 분의 해탈한 분에 대한 보시 및 보살의 보시를 제외하고, 다시 있는 여덟 가지 보시 중에서는 제8의 보시가 가장 뛰어나다. 수지시·포외시·습선시의 3보시는 글에서 따로 해석하는 것과 같다. 과거에 남의 재물을 얻고, 이제 그에게 다시 보시하는 것을 보은시라고 이름하고, 지금 그에게 재물을 보시하면서 남이 되돌려 갚기를 희망하는 것을 구보시라고 이름하며, 그 하늘에 태어나기를 희망하면서 행하는 혜시를 희천시라고 이름하고, 아름다운 명성을 구하기를 바라면서 행하는 혜시를 요명시라고 이름한다. 제8의 보시라고 이름한 것에 대해 『순정리론』 제44권(=대29-593중)에서 말하였다. "마음을 장엄하기 위해서란 말하자면 믿음 등의 성재聖財를 인발하기 위해 혜시를 행하는 것이고, 마음을 자조한다는 것은 말하자면 모든 아낌과 인색의 때[慳吝垢]를 소멸시키려고 혜시를 행하는 것이며, 유가를 자조한다는 것은 말하자면 선정의 즐거움이 전전하여 생기는 원인을 구하여 혜시를 행하는 것이니, 말하자면 보시에 의해 곧 후회 없음을 얻고, 전전하여 나아가 심일경성에 이르는 것이다. 최상의 뜻을 얻는 것은 열반을 얻는 것을 말하니, 처음에 재물을 희사하면 나아가 전전하여 일체 생사가 모두 능히 버려지기 때문이다. 혹은 혜시를 행하는 것이 뛰어난 생인生因이니, 이에 의해 능히 열반의 법을 인발해 증득하기 때문이다."

이고, 습선시習先施란 선인先人, 아버지·할아버지의 가법家法을 익혀서 행하는 혜시이다. 나머지 보시는 알기 쉽기 때문에 따로 해석하지 않겠다.119

5. 보시 과보의 한량없음

예컨대 계경에서, "예류향에게 보시하면 그 과보가 한량없고, 예류과에게 보시하면 과보의 양이 더욱 증가하며, ····"라고 설했는데, 성과聖果가 아닌 분에게 보시해도 역시 한량없는 경우가 혹시 있는가? 계송으로 말하겠다.

122 부, 모, 병자, 법사와[父母病法師]
최후생 보살의 경우[最後生菩薩]
성과 증득한 분이 아니더라도[設非證聖者]
보시하면 과보가 역시 한량 없다[施果亦無量]

논하여 말하겠다. 이와 같은 다섯 종류는 설령 이생이더라도, 보시하기만 하면 역시 한량없는 과보를 능히 초래한다. 최후의 존재에 머무는 분을 '최후생'이라고 이름하였다.120

법사는 네 가지 복전 중 어느 복전에 포함되는가?121 은혜의 복전에 포

············

119 숙구의 논사란 말하자면 자부(=경량부)의 숙구의 논사들이다. 또 『순정리론』(=제44권. 대29-593중)에서 포외시에 대해 해석해 말하였다. "재난을 보고 고요히 종식되게 하기 위해 행하는 혜시이다." 나머지 글은 알 수 있을 것이다.

120 이는 곧 다섯째 보시의 과보의 한량없음에 대해 밝히는 것이다. 이와 같은 다섯 종류는 비록 성자도 있을 수 있지만, 설령 이생이더라도 보시하기만 하면 역시 한량없는 과보를 능히 초래한다. 최후의 존재에 머무는 분을 최후생이라고 이름했으니, 곧 왕궁에서 태어난 몸이다. 또 『잡아비담심론』 제8권(=대28-932하)에서도 말하였다. "이 다섯 종류의 사람에게 보시하면 큰 과보를 얻는다. 왜냐하면 부와 모는 몸을 낳아서 길러준 은혜 때문에 보시하면 큰 과보를 얻고, 병자는 의지할 곳이 없어서 연민의 마음을 늘리기 때문에 보시하면 큰 과보를 얻으며, 설법하는 분은 법신을 증장하기 때문이며, 사람에게 선·악을 보이기 때문에 보시하면 큰 과보를 얻고, 불지佛地에 가까운 분은 공덕을 적집해서 널리 중생을 섭수하기 때문에 보시하면 큰 과보를 얻는다." # 물음 중의 '계경'은 중 47:180 구담미경瞿曇彌經 등이다.

121 물음이다. 부, 모, 보살은 은혜의 복전이며, 병자가 괴로움의 복전인 것은 앞에 준해서 알 수 있지만, 법사는 취·괴로움·은혜·공덕의 네 가지 복전 중 어

함된다. 왜냐하면 모든 세간의 큰 선우善友가 되기 때문이니, 무명에 눈먼 자에게 능히 혜안慧眼을 베풀어 주기 때문이며, 세간의 안위安危의 일을 열어 보이기 때문이며, 유정들로 하여금 무루의 법신을 생기하게 하기 때문이다. 요점을 말하자면 좋은 설법사는 나아가 붓다께서 하시는 일까지 능히 행하기 때문에 그에게 보시를 행하면 곧 한량없는 과보를 초래하는 것이다.122

6. 업의 경중의 모습

모든 업의 경중의 모습[輕重相]을 알고자 한다면, 그 경중은 대략 여섯 가지 원인에 의한다고 알아야 할 것이다.123 그 여섯 가지란 무엇인가?124 게송으로 말하겠다.

123 후기, 밭, 근본과[後起田根本]
가행, 의도, 의요[加行思意樂]
이런 것들의 하·상 때문에[由此下上故]
업도 하·상품을 이룬다[業成下上品]125

논하여 말하겠다. '후기'란 (근본업도를) 짓고 나서 따라서 짓는 것[隨作]을 말한다. '밭[田]'은 손해를 짓거나 이익을 짓는 그 밭을 말한다. '근본'이란 근본업도를 말하며, '가행'이란 그것을 견인하는 신·어업을 말한다. '의도[思]'는 그것에 의해 업도가 완성되는 것을 말하며, '의요'란 말하자면 '나는 응당 이러이러한 것을 지어야 한다'라거나 '나는 장차 이러이러한 것을 지을 것이다'라고 가진 마음의 취향[意趣]이다.126

는 복전에 포함되는지 아직 알지 못하겠다는 것이다.

122 답인데, 글은 알 수 있을 것이다.

123 이하는 여섯째 업의 경중의 모습에 대해 밝히는 것인데, 이는 근본을 표방하는 것이다.

124 물음이다.

125 게송에 의한 답이다.

126 위의 2구를 해석하면서, 여섯 가지 원인을 간략히 해석하는 것이다. 첫째 후기란 말하자면 업을 지은 뒤 따라서 짓고 단절되지 않은 것[作業已隨作不絕]이

혹 어떤 업들은 오직 후기에 섭수됨에 의해서만 무거운 품류[重品]를 이룰 수 있으니, 결정코 그 이숙과를 안립하기 때문이다. 혹 어떤 업들은 밭에 의해서 무거운 품류를 이루며, 혹 어떤 것은 밭에 대한 근본업도의 힘에 의해서 무거운 품류를 이루고, 나머지에 의해서는 아니니, 예컨대 부모의 밭에 대해 살생을 행하면 죄가 무겁지만, 투도 등의 업도는 아닌 것과 같다. 나머지에 의해 무거운 품류를 이루는 것도 이에 비례해서 생각해야 할 것이다.127

만약 여섯 가지 원인이 있으면서 모두가 상품이라면, 이 업이 가장 무겁다. 이와 반대되는 경우라면 가장 가볍고, 이들을 제외한 중간의 경우라면

다. 둘째 밭이란 말하자면 네 가지 복전에 대해 손해를 짓거나 이익을 짓는 것이다. 셋째 근본이란 근본업도를 말하는 것이다. 넷째 가행이란 말하자면 그 근본업도를 견인하는 신·어업 등이다. 다섯째 의도란 말하자면 그 의도에 의해 업도가 완성되는 것이다. 여섯째 의요란 말하자면 가진 마음의 취향 등이다. 이미 '응당'·'장차'라고 말했으니, 아직 곧 업을 일으키지 않은, 먼 가행에 의거한 것임을 분명히 알 수 있는데, 의도는 능히 일으키는 것에 의거하기 때문에 두 가지는 같지 않다. 의요를 일으킴에 의해 비로소 의도를 일으키기 시작하고, 의도를 일으켰음에 의해 비로소 가행을 일으키며, 가행을 일으켰음에 의해 비로소 근본을 일으키고, 이 근본의 일어남은 반드시 밭을 대하며, 이 밭에 대해 근본을 일으켰어야 비로소 반드시 후기한다. 지금 뜻의 순서에 의해 뒤로부터 앞을 향한 것이다. 이 중 후기 등의 여섯에는 모두 여러 종류의 경·중의 같지 않음에 있기 때문에 그 여섯 가지에 의거해 업의 경중을 분별하는 것이라고 알아야 할 것이다.

127 이하에서 뒤의 반 게송을 해석하는데, 이는 곧 지은 업이 무거운 것을 따로 나타내는 것이다. 혹 어떤 업들은 오직 후기에 섭수됨에 의해서만 무거운 품류[중품重品]를 이룰 수 있으니, 결정코 그 이숙과를 안립하기 때문이다. 후기 중 후기가 무거운 것으로서, 나머지 가벼운 품류[경품輕品]는 아니다.(=예컨대 불상을 훔쳐서 녹이면 중품이 되지만, 예배대상으로 삼으면 경품인 것과 같다) 혹 어떤 업들은 밭에 의해서 중품을 이루니, 예컨대 은혜와 공덕의 밭 등에 대해 손상하거나 이익하는 것과 같은데, 나머지 사람 등에 대한 경우는 아니다. 혹 어떤 것은 밭에 대한 근본업도의 힘에 의해서 중품을 이루고, 나머지에 의해서는 아니다. 곧 사례를 가리켜 말하기를, 예컨대 부모의 밭에 대해 살생을 행하면 죄가 무거워 무간업을 이루지만, 부모에 대해 투도 등의 업을 지으면 무간죄를 이루는 것이 아닌 것과 같다고 하였다. 이는 곧 밭에 의거해 근본이 무거운 경우를 나타낸 것이다. 간략히 세 가지를 해석했는데, 나머지 가행 및 의도와 의요에 의해 업이 중품을 이루는 것도 이에 비례해서 생각해야 할 것이다.

가장 가벼운 것도 무거운 것도 아니다.[128]

7. 만드는 업과 증장하는 업

예컨대 계경에서, "두 가지 업이 있으니, 첫째는 만드는 업[造作業]이고, 둘째는 증장하는 업[增長業]이다"라고 설했는데, 어떤 원인에서 업을 말하여 증장하는 업이라고 이름했는가?[129] 다섯 가지 원인에 의한다.[130] 어떤 것이 다섯 가지인가?[131] 게송으로 말하겠다.

124 살펴 생각함, 원만함[由審思圓滿]
악작과 대치 없음[無惡作對治]
조반 있음, 이숙 때문에[有伴異熟故]
이런 업을 증장하는 업이라고 이름한다[此業名增長][132]

논하여 말하겠다. '살펴 생각함[審思] 때문'이란, 말하자면 그가 지은 업이, 먼저 전혀 생각하지 않고 지은 것이 아니며, 경솔히 생각하여 지은 것도 아니라는 것이다.[133]

'원만함 때문'이란, 말하자면 모든 유정 중에는 혹은 한 가지 악행에 의해

128 만약 여섯 가지 원인이 있으면서 모두가 상품이라면, 이 업이 가장 무거우며, 이 여섯 가지와 반대되는 나머지 업이라면 가장 가볍고, 이 무겁고 가벼운 것을 제외한 중간의 모든 업이라면 가장 가벼운 것도 무거운 것도 아니다.

129 이하는 일곱째 만드는 업과 증장하는 업(=뒤의 설명에 의하면 '증장'은 이숙과를 받는 조건을 채운다는 취지로 이해된다)에 대해 밝히는 것인데, 경(=출전 미상)에 의해 물음을 일으켰다. 만드는 업은 답 중에서 저절로 드러나기 때문에 따로 묻지 않았다.

130 답이다.

131 따지는 것이다.

132 처음의 '유由'자와 뒤의 '고故'자는 중간의 여섯 가지에 공통되는 것이다. 나머지는 장항에서 해석하는 것과 같다.

133 '살펴 생각함 때문'을 해석하는 것이다. 말하자면 그가 지은 업이 먼저 전혀 생각하지 않고 지은 것이 아니며, 경솔히 생각하여 지은 것도 아니므로, 이것을 만드는 것이라고 이름하고, 또한 증장하는 것이라고도 이름한다. 만약 살펴 생각하지 않았다면 단지 만드는 것이라고 이름할 뿐, 증장하는 것이라고 이름하지 않는다.

곧 악취에 떨어지기도 하고, 혹은 나아가 세 가지에 의하기도 하며, 혹은 한 가지 업도에 의해 곧 악취에 떨어지기도 하고, 혹은 나아가 열 가지에 의하기도 하는데, 이 중에 만약 이와 같은 분량의 업이 있을 때 악취에 떨어져야 한다면, 이것이 아직 원만하지 않을 때에는 다만 만드는 업이라고 이름할 뿐, 증장하는 업이라고 이름하지 않으며, 이것이 이미 원만하다면 증장하는 업이라는 명칭도 역시 얻는다.[134]

'악작과 대치 없음 때문'이란, 말하자면 후회함도 없고 대치하는 업도 없는 것이다.[135] '조반 있음 때문'이란, 말하자면 불선업을 지을 때 불선이 조반의 법이 되는 것이다.[136] '이숙 때문'이란, 말하자면 결정코 이숙과를 부

---

134 '원만함 때문'을 해석하는 것이다. 말하자면 모든 유정 중에는 세 가지 악행 중 혹은 한 가지 악행에 의해 곧 악취에 떨어지기도 하고, 혹은 나아가 세 가지에 이르기도 하며, 10불선업도 중 혹은 한 가지 업도에 의해 곧 악취에 떨어지기도 하고, 혹은 나아가 열 가지에 이르기도 하는데, 이 중에 만약 이와 같은 분량의 업이 있을 때 악취에 떨어져야 한다면, 이것이 아직 원만하지 않을 때에는 다만 만드는 업이라고 이름할 뿐, 증장하는 업이라고 이름하지 않으며, 이것이 이미 원만해서 악취의 업이 성취되었다면 증장하는 업이라는 명칭도 역시 얻는다. 그래서 『대비바사론』 제119권(=대27-618중)에서 말하였다. "혹은 한 가지 악행에 의해 악취에 떨어지는 자도 있고, 혹은 세 가지에 의하는 자도 있다. 만약 한 가지 악행에 의해 악취에 떨어진 자라면, 그가 가행할 때에는 단지 만든다고 이름할 뿐, 증장한다고 이름하지 않으며, 만약 완성에 이른다면 만든다고 이름하면서 또한 증장한다고도 이름한다. 만약 모두 세 가지에 의해 악취에 떨어진 자라면, 하나나 둘을 만들 때에는 단지 만든다고 이름할 뿐, 증장한다고 이름하지 않으며, 만약 세 가지를 갖추어 만든다면 만든다고 이름하면서 또한 증장한다고도 이름한다." 또 말하였다. "혹은 한 가지 불선업도에 의해 악취에 떨어지기도 하고, 혹은 모두 열 가지에 의하기도 한다. 만약 한 가지에 의한 자라면, 그가 가행하는 단계에는 단지 만든다고 이름할 뿐, 증장한다고 이름하지 않으며, 만약 완성에 이른다면 만든다고 이름하면서 또한 증장한다고도 이름한다. 만약 모두 열 가지에 의한 자라면, 하나 내지 아홉을 만들 때에는 단지 만든다고 이름할 뿐, 증장한다고 이름하지 않으며, 만약 열 가지를 갖추어 만들면, 만든다고 이름하면서 또한 증장한다고도 이름한다."

135 '악작과 대치 없음 때문'을 해석하는 것이다. '악작 없기 때문'이란 악업을 짓고 나서 말하자면 후회함[追悔]이 없는 것이다. '대치 없기 때문'이란 악업을 지은 자가 악업을 짓고 나서 말하자면 참회하여 드러내는 등 선한 능대치能對治의 업이 없는 것이다.

136 '조반 있음 때문'을 해석하는 것이다. 말하자면 불선업을 지을 때 불선이 조

여하는 것[定與異熟]이다.137

선업은 이와 반대라고 알아야 할 것이다. 이와 다르다면 모든 업은 오직 만드는 업이라고 이름할 뿐이다.138

8. 탑묘에 보시하는 복

앞에서 밝힌 것처럼 아직 욕탐을 떠나지 못한 자 등이 자기 소유물을 갖고 탑묘[制多]에 받들어 보시하는 이런 보시는 오직 자신의 이익을 위한 것이라고 이름했지만, 이미 수용하는 자가 없는데, 복이 어떻게 성취되는가? 게송으로 말하겠다.

125a 탑묘에 대한 보시는 희사 부류의 복으로서[制多捨類福]
자애 등에 수용하는 자가 없는 것과 같다[如慈等無受]139

논하여 말하겠다. 복에는 두 부류가 있으니, 첫째는 희사[捨]의 부류이고, 둘째는 수용[受]의 부류이다. 희사 부류의 복이란 말하자면 선심에 의해 자재資財를 희사하기만 하면 보시의 복이 곧 일어나는 것이고, 수용 부류의 복이란 말하자면 보시 받는 복전이 시물施物을 수용해야 보시의 복이 비로소 일어나는 것이다. 탑묘에 대해 받들어 보시된 공양구[供具]는, 비록 수용 부류의 복은 없다고 해도 희사 부류의 복은 있는 것이다.140

반의 법이 되는 것이다. 말하자면 불선업도를 지었을 때 다시 불선업도가 그 조반의 법이 되는 것이다. 그래서 『순정리론』(=제44권. 대29-593하)에서 말하였다. "예컨대 남의 재물을 훔치고, 다시 남의 부인을 더럽히며, 남의 자식을 죽이는 등과 같다."

137 '이숙 때문'을 해석하는 것이다. 말하자면 이 업을 지으면 결정코 이숙과를 부여하는 것이다.

138 이상에서 말한 모든 불선업은 모두 만드는 업이라고 이름하면서 또한 증장하는 업이라고도 이름하는데, 만약 모든 선업으로서 만드는 것과 증장하는 것이라면 다섯 가지 원인에 의거하는 것은 위와 반대라고 알아야 한다. 앞에서 말한 것과 다른 모든 선·악의 업은 다섯 가지 원인이 없으므로 오직 만드는 것이라고 이름할 뿐, 증장하는 것이라고 이름하지 않는다.

139 이하는 곧 여덟째 탑묘에 보시하는 복에 대해 밝히는 것인데, 앞을 옮겨와서 물음을 일으킴과 아울러 게송으로 답한 것이다.

140 이는 윗 구를 해석하는 것인데, 글대로 알 수 있을 것이다.

그것은 이미 수용되지 않았는데, 복은 무엇에 의해 생기는가?[141] 다시 어떤 근거에서, 복이 생기는 것은 반드시 그것이 수용됨에 의하고, 수용되지 않으면 생기지 않는다고 아는가?[142] 수용되지 않으면 남에 대해 섭수해 이익함[攝益]이 없기 때문이다.[143] 이는 결정적인 증거가 아니다. 만약 복은 반드시 남을 섭수해 이익함에 의해서 이루어진다면, 곧 자애 등 및 정견 등을 닦더라도 복을 낳지 않아야 할 것이다. 그러므로 탑묘에 공양하면 많은 복의 생기가 있다고 인정해야 할 것이니, 자애 등을 닦는 것과 같다. 말하자면 마치 누군가가 한 번이라도 자애 등의 삼매를 닦는다면, 비록 수용하는 자 및 남을 섭수해 이익함이 없다고 해도 자신의 마음으로부터 한량없는 복이 생기는 것처럼, 이와 같이 공덕 있는 분[有德者]이 비록 이미 과거로 사라졌다고 해도 뒤쫓아 공경과 공양을 편다면 복이 자신의 마음에 의해 생기는 것이다.[144]

어찌 이런 보시와 공경의 업을 허비하지 않겠는가?[145] 그렇지 않다. 업을 일으킴에 의해 마음이 비로소 수승해지기 때문이다. 말하자면 마치 어떤 한 사람이 원수를 해치고자 했는데, 그의 목숨이 비록 끝났어도 여전히 원한의 생각을 품고 갖가지 악한 신·어업을 일으킨다면 많은 비복非福을 낳

141 물음이다. 그 탑묘에 보시되었어도 이미 수용되지 않았는데, 복이 무엇을 원인으로 해서 생기는가?
142 논주가 반대로 외인에게 나무라는 것이다.
143 외인의 답이다.
144 논주가 전체적으로 비판하면서 아랫 구를 바로 해석하는 것이다. 그대는 이런 주장을 하지만, 이것은 결정적인 증거가 아니다. 만약 복은 반드시 남을 섭수해 이익함에 의해서 이루어진다면, 곧 자애 등 및 정견 등을 닦더라도 복을 낳지 않아야 할 것이니, 자애·정견 등은 남을 이익함이 없기 때문이다. 그러므로 탑묘에 공양하면 많은 복이 생긴다고 인정해야 할 것이니, 자애 등을 닦는 것과 같다. 말하자면 마치 누군가가 한 번이라도 자애삼매를 닦으면 그때 모든 유정들에 대해 평등하게 즐거움을 주려는 의요를 일으키므로, 비록 수용하는 자 및 남을 섭수해 이익함이 없다고 해도 자신의 선한 마음으로부터 한량없는 복이 생기며, 연민 등의 삼매를 닦아서 복을 얻는 것도 역시 그러한 것처럼, 이와 같이 공덕 있는 분들이 비록 이미 과거로 사라졌다고 해도 지금 뒤쫓아 공경과 공양을 편다면 복이 자신의 마음에 의해 생긴다.
145 외인의 힐난이다. 만약 복이 단지 자신의 마음에 의해 생길 뿐이라면, 어찌 이런 보시된 물건 및 신·어로써 공경 공양하는 업을 허비하지 않겠는가?

고, 단지 마음을 일으키는 것만으로는 아닌 것처럼, 이와 같이 큰 스승이 비록 과거로 사라졌다고 해도 뒤쫓아 공경과 공양을 펴서 신·어업을 일으켜야 비로소 많은 복을 낳고, 단지 마음을 일으키는 것만으로는 아니다.[146]

9. 과보는 내심에 의함

만약 선한 복전에 보시하는 업의 종자를 심었다면 사랑할 만한 과보를 초래할 수 있겠지만, 만약 악한 밭에라면 비록 보시했더라도 단지 사랑할 만한 것 아닌 과보만을 초래해야 할 것이다.[147] 이것은 그러하지 않아야 한다.[148] 까닭이 무엇인가?[149] 게송으로 말하겠다.

125c 악한 밭이더라도 사랑할 만한 과보가 있으니[惡田有愛果]
열매와 종자는 뒤바뀜이 없기 때문이다[果種無倒故][150]

논하여 말하겠다. 현재 밭을 보면 종자와 열매에 뒤바뀜이 없다. 말도가末度迦 종자로부터는 말도가 열매가 생기는데, 그 맛은 지극히 달고, 임바賃婆 종자로부터는 임바 열매가 생기는데, 그 맛은 지극히 쓰다. 밭의 힘에 의해 종자와 열매에 뒤바뀜이 있는 것은 아니다.[151] 이와 같이 시주가 비록 나쁜 밭에라고 해도 남을 이익하려는 마음으로 여러 보시의 종자를 심었다면 다만 사랑할 만한 과보를 초래할 뿐, 사랑할 만한 것 아닌 과보를 초래

146 논주의 해석이다. 그렇지 않다. 반드시 신·어업을 일으켜 공경·공양하는 보시를 함에 의해서 마음이 비로소 수승해지기 때문이다. '말하자면 마치' 이하의 비유를 이끌어 견준 법은 글대로 알 수 있을 것이다.
147 이하는 아홉째 과보는 내심에 의한 것임을 밝히는 것이다. 이는 물음을 일으킨 것이다.
148 답이다.
149 따지는 것이다.
150 게송에 의한 답이다.
151 먼저 제2구를 해석하는 것이다. 종자가 같지 않음에 의해 열매에 달고 씀이 있으니, 단 종자로부터는 단 열매의 생기가 있고, 쓴 종자로부터는 쓴 열매의 생기가 있기 때문에 종자와 열매에 뒤바뀜이 없다고 말한 것이다. 밭의 힘에 의해 종자와 열매에 뒤바뀜이 있는 것은 아니다. '말도가mṛdvīkā'는 열매 이름인데, 그 형상이 마치 대추[棗]와 같고, 나무는 조협수皂莢樹와 비슷하다. '임바nīmbā'는 아주 작은 것이 마치 고련자苦楝子와 같다,

하지 않는다. 그렇지만 밭의 허물로 말미암아 심겨진 종자로 하여금 낳는 열매가 적게 하기도 하며, 혹은 열매가 전혀 없게 하기도 한다.[152]

제3항 계류·수류 복업사

1. 계류戒類 복업사

시류 복업사에 관한 방론이 끝났으니, 이제 다음으로 계류戒類 복업사에 대해 분별해야 할 것이다. 게송으로 말하겠다.

126 범계 및 차죄에서 떠나는 것을[離犯戒及遮]
계라고 이름하는데, 각각 둘이 있고[名戒各有二]
범계와 그 원인에 의해 무너지는 것 아니며[非犯戒因壞]
대치와 소멸에 의지하는 것이 청정계인 등이다[依治滅淨等][153]

논하여 말하겠다. 모든 불선의 색을 범계犯戒라고 이름하지만, 여기에서는 성죄性罪에 대해 범계라는 명칭을 세운 것이다. 차죄[遮]는 말하자면 금지된 바[所遮] 때 아닌 때에 먹는 것[非時食] 등이니, 비록 성죄는 아니지만, 붓다께서 법과 유정을 지키기 위해 별도의 뜻으로 금지하신 것이다. 계를 수지한 자가 범하면 역시 범계라고 이름하지만, 성죄와 구별되기 때문에 차죄라는 명칭을 세웠을 뿐이다. 성죄 및 차죄에서 떠나는 것을 모두 말하

152 제1구를 해석하는 것이다. '이와 같이 시주가 비록 나쁜 밭에라고 해도 남을 이익하려는 마음으로 여러 보시의 종자를 심었다면 다만 사랑할 만한 과보를 초래할 뿐, 사랑할 만한 것 아닌 과보를 초래하지 않는다'는 이것은 보시의 종자는 능히 사랑할 만한 과보를 초래하고, 나쁜 밭에 의해 종자와 열매에 뒤바뀜이 있는 것은 아님을 나타내는 것이다. 그렇지만 밭의 허물로 말미암아 심겨진 종자로 하여금 생기는 열매가 적게 하기도 하니, 마치 범부인 사람 등에게 보시한 경우와 같고, 혹은 열매가 전혀 없게 하기도 하니, 마치 지극히 열등한 외도 등에게 보시한 경우와 같다.

153 이하는 큰 글의 둘째 계류·수류(의 복업사)에 대해 밝히는 것이다. 그 안에 나아가면 첫째 계류에 대해 밝히고, 둘째 수류에 대해 밝히며, 셋째 계류·수류의 과보에 대해 밝히니, 이는 곧 첫째 계류에 대해 밝히는 것이다.

여 계戒라고 이름하는데, 이것에는 각각 두 가지가 있다. 말하자면 표업과 무표업이니, 신·어업을 자성으로 하기 때문이다. 계의 자성과 차별에 대해서는 이미 간략히 분별하였다.[154]

만약 네 가지 덕을 갖춘다면 청정淸淨이라는 명칭을 얻지만, 이와 상반된다면 불청정不淸淨이라고 이름한다. 네 가지 덕이라고 말한 것은, 첫째 범계에 의해 무너지지 않는 것이니, '범계'는 앞의 모든 불선의 색을 말한다. 둘째 그 원인에 의해 무너지지 않는 것이니, '그 원인'은 탐욕 등의 번뇌와 수번뇌를 말한다. 셋째 대치[治]에 의지하는 것이니, 염주念住 등에 의지하는 것을 말한다. 이것이 범계 및 그 원인을 능히 대치하기 때문이다. 넷째 소멸[滅]에 의지하는 것이니, 열반에 의지하는 것을 말한다. 열반으로 회향하려는 것이지, 수승한 생 때문이 아니다.[155]

154 위의 2구를 해석하는 것이다. 모든 불선의 색인 신·어의 7지분을 범계라고 이름하지만, 여기에서는 성죄(=자체의 성품이 죄인 것)에 대해 범계라는 명칭을 세운 것이다. 차죄[遮]는 말하자면 금지된 바 때 아닌 때에 먹는 것 등이니, 비록 성죄는 아니지만, 붓다께서 법과 유정을 지키기 위해 별도의 뜻으로 금지한 것이다. '법을 지키기 위해서'에서 '법'은 정법을 말하는 것이다. 차죄를 범한 사람이 남을 위해 설법한다면 남이 믿어 받아들이지 않을 것이니, 사람으로 인해 법이 부정될 것이므로 붓다께서 법을 지키기 위해 별도의 뜻으로 금지하신 것이다. '유정을 지키기 위해서'란 모든 유정을 지키는 것을 말하는 것이니, 만약 출가한 사람이 이런 차죄를 범한다면 첫째는 곧 남이 보고 나무라고 싫어함으로써 죄를 얻는 것이 무거울 것이고, 둘째는 곧 남이 보고 업신여기며 공경하지 않을 것이다. 붓다의 마음은 그런 유정들을 지키기 위해 별도의 뜻으로 금지하신 것이다. 계를 수지한 자가 범하면 역시 범계라고 이름하지만, 성죄와 구별되므로 차죄를 세운 것이다. 이 성죄 및 차죄는 모두 계라고 이름하는데, 이 성죄 및 차죄에는 각각 두 가지가 있다. 말하자면 표업과 무표업이니, 신·어업을 자성으로 하기 때문이다. 이 글로써 성죄·차죄에 관한 두 가지 계에는 각각 따로 그 표업과 무표업이 있다는 것이 증명된다.

155 아래 2구를 해석하는 것이다. '만약 네 가지 덕을 갖춘다면 청정이라는 명칭을 얻는다'는 이것은 '정淨'이라는 글자를 해석한 것이다. 만약 덕을 갖추지 못한다면 불청정이라고 이름한다. 네 가지 덕이라고 말한 것은, 첫째 범계에 의해 무너지지 않는 것이니, '범계'는 앞의 모든 불선의 색을 말한다. 이는 '비범계괴非犯戒壞'를 해석한 것이다. 둘째 그 범계의 원인에 의해 무너지지 않는 것이니, '그 원인'은 탐욕 등을 말한다. 이는 '비인괴非因壞'를 해석한 것이다. 셋째 대치에 의지하는 것이니, 4염주·4정단 등에 의지하는 것을 말한다. 이 염주 등이 그 범계 및 원인을 능히 대치하기 때문이다. 이는 '의치依治'를 해석한

‘등’이라는 말은 다시 다른 학설이 있음을 나타내기 위한 것이다. 어떤 분은 말하였다. “계의 청정은 다섯 가지 원인에 의하니, 첫째 근본의 청정[根本淨], 둘째 권속의 청정[眷屬淨], 셋째 사유에 의해 침해되는 것 아닐 것[非尋害], 넷째 알아차림으로 섭수될 것[念攝受], 다섯째는 적멸로 회향할 것[廻向寂]이다.”156 어떤 다른 논사는 말하였다. “계에는 네 가지가 있다. 첫째는 포외계怖畏戒이니, 생활하지 못할 것[不活], 악명惡名, 처벌[治罰], 악취의 무서움[惡趣畏]을 두려워하기 때문에 계를 받아 지키는 것을 말한다. 둘째는 희망계希望戒이니, 모든 존재, 수승한 지위, 많은 재산, 공경, 명예를 탐내어 청정계[淨戒]를 수지하는 것을 말한다. 셋째는 순각지계順覺支戒이니, 해탈 및 정견 등을 구하기 위해 청정계를 수지하는 것을 말한다. 넷째는 청정계淸淨戒이니, 무루계를 말한다. 그것으로 업과 번뇌의 때[垢]를 영원히 떠날 수 있기 때문이다.”157

것이다. 넷째 소멸에 의지하는 것이니, 열반에 의지하는 것을 말한다. 지계로 생긴 공덕으로써 열반으로 회향하기를 원하는 것이지, 인·천의 두 가지 수승한 생을 구하는 것이 아니기 때문이다. 이는 ‘의멸依滅’을 해석한 것이다.

156 게송에서 ‘등’이라는 말을 한 것은 두 가지 다른 학설을 나타내는 것인데, 이는 곧 첫 논사이다. 어떤 분은 계의 청정은 다섯 가지 원인에 의한다고 말하였다. 그래서 『잡아비담심론』 제8권(=대28-933중)에서 말하였다. “‘근본의 청정’이란 근본업도 일으키는 것에서 떠나는 것이고, ‘권속의 청정’이란 살생 등의 방편을 떠나는 것이며, ‘사유에 의해 무너지지 않는다[不爲覺所壞]’는 것은 욕망·성냄·해침의 세 가지 사유에 의해 뇌란惱亂됨을 떠나는 것이고, ‘바른 알아차림을 섭수한다’는 것은 불·법·승에 대한 알아차림을 섭수하는 것이니, 이 때문에 모든 무기의 마음에서도 역시 떠나기 때문이며, ‘바로 해탈로 회향한다’는 것은 해탈을 위해 계를 수지하는 것이지, 몸·재물 및 다른 할 일을 위하지 않는 것이다. 이 때문에 각지에 수순한다[隨順覺支]라고도 말하니, 이런 다섯 가지 인연이 계를 청정하게 한다.

157 이는 곧 두 번째 논사의 설인데, 계에는 네 가지가 있다고 한다. 첫째는 포외계인데, 그 중에 넷이 있다. 첫째 의복·음식에 대한 불활외를 두려워하기 때문에, 둘째는 세간에서의 악명외를 두려워하기 때문에, 셋째는 대중치벌외를 두려워하기 때문에, 넷째 미래의 악취외를 두려워하기 때문에 계를 받아서 지키는 것이다. 둘째는 희망계인데, 그 중에 다섯이 있다. 첫째 모든 존재를 탐내고, 둘째 수승한 지위를 탐내며, 셋째 많은 재산을 탐내고, 넷째 공경을 탐내며, 다섯째 명예를 탐내어 청정계를 받아서 지키는 것이다. 셋째는 순각지계順覺支戒이니, 이 계는 능히 7각지를 수순하기 때문에 순각지계라고 이름하였다. 말하자면 해탈·열반 및 정견 등의 8정도의 지분을 구하기 위해 청정계를 수지

2. 수류修類 복업사

계류戒類에 대해 분별했으니, 수류修類에 대해 분별하겠다. 게송으로 말하겠다.

127a 등인의 선을 수라고 이름하니[等引善名修]
　지극히 마음을 훈습할 수 있기 때문이다[極能熏心故][158]

논하여 말하겠다. 등인의 선[等引善]이라고 말한 것은 그 체가 무엇인가?[159] 삼마지三摩地의 자성과 함께 있는 것[俱有]을 말한다.[160] 수修는 무슨 뜻을 이름한 것인가?[161] 마음을 훈습하는 것[熏習心]을 말하니, 정지定地의 선법은 마음의 상속을 지극히 능히 훈습하여 공덕의 부류[德類]를 이루게 하는 것이, 마치 꽃이 참깨를 훈습하는 것과 같다. 이 때문에 유독 수修라고 이름한다.[162]

3. 계류·수류의 과보

(1) 계류·수류의 과보

앞에서 보시의 복은 능히 큰 부를 초래하는 것이라고 분별했는데, 계류·수류가 감득하는 과보는 어떠한가? 게송으로 말하겠다.

127c 계류와 수류는 뛰어나서, 순서대로[戒修勝如次]

하는 것이다. 넷째는 청정계清淨戒이니, 무루계를 말하는 것으로, 그것으로 업과 번뇌의 때[垢]를 영원히 떠날 수 있기 때문에 청정계라고 이름한다.

158 이는 곧 둘째 수류에 대해 밝히는 것이다.

159 물음이다.

160 답이다. 말하자면 삼마지의 자성 및 함께 있는 5온을 체로 한다.

161 '수'의 뜻을 묻는 것이다.

162 답이다. '수'는 훈습한다는 뜻인데, 마음을 훈습하는 것을 말한다. 정지의 선법은 마음의 상속에 대해 지극히 능히 훈습함을 일으켜 공덕의 체의 부류를 이루게 하기 때문에 유독 수라고 이름한다. 비유로써 견주는 것은 알 수 있을 것이다. # '등인'은 선정에 의해 몸과 마음이 혼침·도거를 떠나 평등하게 견인된 상태를 뜻함은, 앞의 제6권 중 게송 55cd에 관한 논설을 설명하는 『기』의 글(=각주 128) 참조.

생천과 해탈을 감득한다[感生天解脫]

논하여 말하겠다. 계류는 생천을 감득하고, 수류는 해탈을 감득한다. '뛰어나서'라는 말은, 뛰어난 것에 나아가 말한 것임을 나타내기 위한 것이니, 말하자면 보시도 생천의 과보를 감득할 수 있지만, 뛰어난 것에 나아가 계戒를 말했고, 지계도 이계離繫의 과보를 감득할 수 있지만, 뛰어난 것에 나아가 수修를 말했다는 것이다.163

⑵ 범복梵福의 분량

경에서, "네 사람은 능히 범복梵福을 낳는다"라고 설하였다. 첫째는 여래의 타도馱都에 공양하기 위해 탑[窣堵波]이 아직 세워진 적 없는 곳에 세우는 자, 둘째는 사방승가四方僧伽에 공양하기 위해 절을 짓고 원림을 보시하며 사사四事를 공급하는 자, 셋째는 불제자들이 파괴된 뒤 능히 화합시키는 자, 넷째는 유정에 대해 널리 자애[慈] 등을 닦는 자인데, 이와 같은 범복은 그 분량이 어떠한가? 게송으로 말하겠다.

128a 1겁 동안 생천을 감득하는 등이[感劫生天等]
1범복의 분량이 된다[爲一梵福量]164

논하여 말하겠다. 선대의 궤범사는 이렇게 말하였다. "복업에 따라 능히

163 이하는 셋째 계류·수류의 과보에 대해 밝히는 것인데, 그 안에 나아가면 첫째 계류·수류의 과보를 바로 밝히고, 둘째 범복의 양의 과보를 밝힌다. 이는 곧 첫째 계류·수류의 과보를 바로 밝히는 것이다. 계는 이계를 사용과로 하니, 말하자면 지계에 의할 때 비로소 이계를 증득하기 때문에 이계가 사용과가 되는 것이다. 나머지 글은 알 수 있을 것이다. 또 『순정리론』(=제44권. 대29-594하)에서 말하였다. "이와 같이 지계도 역시 큰 부를 감득하지만, 뛰어난 것에 나아가 보시를 말한 것이니, 예에 준해서 알아야 할 것이다."

164 이하는 곧 둘째 범복의 분량의 과보를 밝히는 것인데, 경(=증일 21:29:3경)에 의해 물음을 일으켰다. '타도dhātu'는 여기 말로 성품[性]이니, 여래의 체성이다.{=본문의 뜻이나 『대비바사론』 제82권(=대27-426중)에서의 설명과 대조할 때 여기에서는 붓다의 사리를 가리키는 것으로 보인다} '사사四事'는 의복·음식·와구·의약품을 말하는 것이다. 예컨대 사리자 등이 승가가 파괴된 뒤 다시 화합케 한 것과 같다. 나머지 글은 알 수 있을 것이다.

1겁 동안 하늘에 태어나 모든 쾌락 향수함을 감득하는 것이 1범복의 분량이니, 그가 감득하여 쾌락을 향수하는 시간이 범보천梵輔天의 1겁의 수명과 같기 때문이다. 다른 부파의 어떤 게송에서 말하였다. '믿음과 정견을 가진 사람이[有信正見人] 열 가지 뛰어난 행을 닦는다면[修十勝行者] 곧 범복을 낳게 될 것이니[便爲生梵福] 1겁 동안 하늘의 쾌락을 감득하기 때문이다[感劫天樂故]'"165

비바사 논사들은 이렇게 말하였다. "즉 묘상업妙相業을 분별하면서 분별한 복의 분량, 이것이 곧 그것과 같다." '등'이라는 말은 이와 같은 다른 학설을 나타내기 위한 것이다.166

제4항 법시法施 별설

재시財施에 대해 논설했는데, 법시法施는 어떤 것인가? 게송으로 말하겠다.

165 두 논사의 설이 있다. 이는 곧 첫 논사인데, 경량부 혹은 대중부의 논사, 혹은 설일체유부의 다른 논사이다. 이 논사의 뜻이 말하는 것은, 1범복의 분량은 범보천이 40중겁을 1겁의 분량으로 삼는 것(=앞의 제11권 중 게송 79cd와 그 논설 참조)과 같은 것을 1범복의 분량이라고 이름한다는 것이다. 다시 다른 부파의 게송을 인용해 증명하는데, 게송을 인용한 뜻은 범보천과 같다는 것을 증명하려는 것이니, 1겁 동안 하늘 중에 태어나서 1겁 동안 쾌락을 향수하는 것이 범보천과 같다는 것이다. '열 가지 뛰어난 행'은 곧 네 가지 범복을 닦는 중의 10선의 뛰어난 행이다. 또 해석하자면 십선업으로 이미 하늘 중에서 1겁 동안 쾌락을 향수함을 감득하는 것과 같이, 네 가지 범복도 역시 하늘에서 1겁 동안 태어나 쾌락을 감득할 수 있다는 것이다. 또 진제 법사는 해석해 말하기를, 열 가지 뛰어난 행이란 말하자면 앞의 네 가지 범복 위에 다시 여섯 가지를 더한 것이니, 첫째 어머니 목숨을 구하기 위해 자신의 신명身命을 버리는 것, 둘째 아버지 목숨을 구하기 위해 자신의 신명을 버리는 것, 셋째 여래의 목숨을 구하기 위해 자신의 신명을 버리는 것, 넷째 정법 안으로 출가하는 것, 다섯째 남에게 출가하도록 가르치는 것, 여섯째 아직 법륜을 굴리지 않은 곳에 법륜을 굴리도록 능히 청하는 것이다.

166 이는 곧 두 번째 논사의 설이다. 범복의 분량에 대한 설명은 앞에서 해석한 것(=게송 111에서 말한, 묘상을 장엄하는 '백복' 중 1복의 분량)과 같다고 가리켰다. '등'이라는 말은 이와 같은 다른 학설을 나타내기 위한 것이다.

128c 법시란 말하자면 여실하게[法施謂如實]
염오 없이 경 등을 분별하는 것이다[無染辯經等]

논하여 말하겠다. 만약 모든 유정들을 위해 염오 없는 마음으로 능히 여실하게 계경 등을 분별하여 바른 이해를 낳게 한다면 법시라고 이름한다. 따라서 전도되거나 염오한 마음으로 이익·명예·공경을 구하여 분별하는 자가 있다면, 이런 사람은 곧 자신과 남의 큰 복을 손상하는 것이다.[167]

제8절 순삼분順三分의 선

앞에서 세 가지 복업사에 대해 개별적으로 해석했으니, 이제 경 중의 순삼분順三分의 선에 대해 해석하겠다. 게송으로 말하겠다.

129 순복분, 순해탈분과[順福順解脫]
순결택분 세 가지는[順決擇分三]
순서대로 사랑할 만한 과보, 열반과[感愛果涅槃]
성도를 감득하는 선이다[聖道善如次][168]

167 이는 곧 셋째(=큰 글의 일곱째 보시·지계·수도에 대해 밝히는 글 중의 둘째 보시·지계·수도에 대해 자세하게 밝히는 글의 셋째) 법시에 대해 밝히는 것이다. 그 체성을 말한다면 『대비바사론』 제29권(=대27-152중)에서 법공양의 체를 나타내면서 말한 것과 같다. "논평해 말한다면, '설법하는 자의 말이든 능히 말을 일으키는 심·심소법이든 받아들이는 자가 들은 뒤에 낳은, 일찍이 있은 적 없던 선교한 각혜이든 모두 이것(=법공양)의 자성이니, 이와 같은 법공양은 5온을 모두 써서 자성으로 한다'라고 말해야 할 것이다." '계경 등'이란 율과 논을 같이 취한 것이다. 또 해석하자면 12부경 중 처음의 계경을 들어 나머지 열한 가지를 같이 취한 것이다. '12부'라고 말한 것은 계경契經, 응송應頌, 기별記別, 풍송諷頌, 자설自說, 인연因緣, 비유譬喩, 본사本事, 본생本生, 방광方廣, 희유법[希法]과 아울러 논의論義이다. 그래서 『순정리론』 제44권(=대29-595상)에서, "계경 등이란 나머지 11부를 같이 취한 것이다"라고 말하고, 곧 계경 내지 논의를 나타내었다.(=이하에 12부경을 설명한 같은 논서의 글이 이어지는데, 생략하였다.)

168 이하는 곧 큰 글의 여덟째 순삼분의 선에 대해 밝히는 것이다.

논하여 말하겠다. 순복분順福分이라고 말한 것은, 세간의 사랑할 만한 과보를 감득하는 선을 말한다.

순해탈분順解脫分이란, 결정코 능히 열반의 과보를 감득하는 선을 말하니, 이 선이 생기고 나면 그 유정들로 하여금 몸 안에 열반의 법이 있다고 이름하게 한다. 만약 누군가가 '생사에는 허물이 있고, 모든 법은 무아이며, 열반에는 공덕이 있다'라고 설하는 것을 듣고, 몸의 털이 곤두서고 슬퍼하여 눈물을 흘린다면, 그는 이미 순해탈분의 선을 심었다고 알아야 할 것이니, 마치 비가 내린 마당에 싹이 생겨서 있는 것을 보면 그 구멍 안에 먼저 종자가 있었음을 아는 것과 같다.

순결택분順決擇分이란, 능히 성도聖道라는 결과를 감득하는 것에 가까운 선을 말하는 것이다. 곧 난법 등의 4법이니, 뒤에 자세히 논설할 것이다.[169]

제9절 서書 등의 체

세간에서 말하는 서書·인印·산算·문文·수數, 이 다섯 가지는 자체가 어떠하다고 알아야 하는가? 게송으로 말하겠다.

130 이치대로 일어나는 모든[諸如理所起]
세 가지 업과 아울러 능히 일으키는 것이[三業幷能發]
순서대로 서, 인[如次爲書印]
산, 문, 수의 자체가 된다[算文數自體][170]

169 순삼분의 선에 대해 해석하는 것인데, '분'은 개별[別]이라는 뜻이니, 곧 복 등을 '분'이라고 이름한다. 이는 곧 수순대상[所順]인 3분이 같지 않기 때문에 '분'이라고 이름한 것이다. 혹은 복 등을 수순하는 선을 곧 '분'이라고 이름한 것이니, 이는 곧 수순주체[能順]인 3분이 같지 않다는 것이다. 혹은 '분'이라는 말은 수순대상과 수순주체에 통하는 것일 수도 있다. 나머지 글은 알 수 있을 것이다. # 순해탈분과 순결택분의 선은 현성을 분별하는 뒤의 제23권에서 자세히 논설된다.

170 이하는 곧 큰 글의 아홉째 서書 등의 체를 밝히는 것이다.

논하여 말하겠다. '이치대로 일어난다'는 것[如理起]은 바른 가행에 의해 생긴다는 것[正加行生]이고, '세 가지 업'은 곧 신·어·의업이라고 알아야 하며, '능히 일으키는 것'은 곧 이 3업을 능히 일으키는 것이니, 그 상응하는 바와 같은 수受·상想 등의 법이다.[171]

이들 중 서書와 인印은 앞의 신업 및 그것을 능히 일으키는 5온을 체로 한다.[172] 다음 산算과 문文은 앞의 어업 및 그것을 능히 일으키는 5온을 체로 한다.[173] 뒤의 수數는 앞의 의업 및 그것을 능히 일으키는 4온은 체로

---

171 위의 2구를 해석하는 것인데, '등'은 행·식을 같이 취한 것이다. 나머지 글은 알 수 있을 것이다.

172 이하는 뒤의 2구를 해석하는 것이다. '서'는 말하자면 손으로 글을 쓰는 것[手書]이고, '인'은 말하자면 손으로 도장 찍는 것[手印]과 아울러 몸의 공교함[身工巧]인데, 앞의 신업을 자성으로 함과 아울러 그것을 능히 일으키는 심·심소법이므로, 전체적으로 그것을 말하여 5온을 체로 한다고 한 것이다. 서와 인은 능히 쓰고 찍는[能書印] 신업을 체로 하는 것이지, 쓰인 것과 찍힌 것[所書印]이 아니라고 알아야 한다. 그래서 『대비바사론』 제126권(=대27-660중)에서 말하였다. "이들 중 '서'란 만들어진 글자[所造字]가 아니라, 단지 능히 글자를 만드는 것에 있는 법[所有能造字法]일 뿐이니, 이것이 능히 글자를 이루기 때문에 서라고 말한 것이다." 또 말하였다.(=대27-660하) "이들 중 '인'이란 만들어진 인장이나 인영[所造印]이 아니라, 단지 능히 인을 만드는 것에 있는 법[所有能造印法]일 뿐이니, 이것이 인을 이루기 때문에 인이라고 말한 것이다." 또 『순정리론』(=제44권. 대29-593하)에서도 말하였다. "모든 글자의 모습을 곧 서라고 하거나 조각된 인장의 무늬[所雕印文]를 곧 인이라고 이름한 것이 아니다. 그렇지만 업에 의해 글자의 모습과 인영의 무늬[印文]를 만드는 것을 이들 중 서와 인이라고 이름한 것이라고 알아야 한다." # '인'에는 인장을 새기는 것과 인장을 찍어 인영을 나타내는 것의 두 가지 의미가 있을 수 있는데, 그 어느 글에 의하더라도 어떤 것을 가리키는지 분명치 않아 보이지만, 어느 쪽이든 새겨진 인장이나 찍힌 인영을 말하는 것은 아니라는 취지이다.

173 '산'은 말하자면 말로 계산하는 것[語算]이니, 예컨대 9×9는 81이라고 말하는 것 등과 같다. '문'은 말하자면 문장文章이니, 예컨대 사람의 말, 노래, 시부詩賦와 같으며, 아울러 말의 공교함이다. 앞의 어업을 자성으로 하고, 아울러 그것을 능히 일으키는 심·심소법이므로, 전체적으로 그것을 말하여 5온을 체로 한다고 한 것이다. 산과 문은 능히 계산하고 글 짓는[能算文] 어업을 체로 하는 것이지, 계산되고 글 지어진 것[所算文]이 아니다. 그래서 『대비바사론』(=제126권. 대27-660하)에서 말하였다. "이들 중 '산'이란 계산된 일, 십, 백, 천, 만, 억 등의 법을 말하는 것이 아니라, 단지 능히 계산하는 것에 있는 법일 뿐이니, 이것이 능히 법을 계산하기 때문에 산이라고 말한 것이다. 이들 중 '시詩'란 지어지고 읊어지는 것[所述詠]이 아니라, 단지 능히 읊는 것을 이루

한다고 알아야 할 것이니, 마음의 의도[意思]에 의해서만 법을 헤아릴 수 있기 때문이다.174

제10절 모든 법의 다른 명칭

이제 모든 법의 다른 명칭에 대해 간략히 분별해야 할 것인데, 게송으로 말하겠다.

131 선의 무루를 묘라고 이름하고[善無漏名妙]
염오를 유죄·유부·열이라고 하며[染有罪覆劣]
선의 유위를 응습이라고 하고[善有爲應習]
해탈을 무상이라고 이름한다[解脫名無上]175

논하여 말하겠다. 선의 무루법은 또한 묘妙라고도 이름한다.176 모든 염

....

는 것에 있는 법일 뿐이니, 이것이 능히 읊는 법을 이루기 때문에 시라고 말한 것이다." 해석하자면 '시'와 '문'은 명칭이 다를 뿐, 뜻은 같다.

174 '수'는 말하자면 마음의 의도가 모든 법을 헤아리는 것인데, 일, 십 등의 수는 의업의 공교함이다. 앞의 의업을 자성으로 하고, 아울러 그 의업의 의도와 동시의, 능히 일으키는 심·심소법이므로, 전체적으로 그것을 말하여 4온을 체로 한다고 한 것이다. 단지 마음의 의도에 의해서만 법을 헤아릴 수 있기 때문에 내적 의도가 헤아려 비교하는 것[計校]을 '수'라고 이름하고, 말이 나온 이후는 '산'이라고 이름하기 때문에 둘은 같지 않다. 이 수는 능히 수를 헤아리는 것[能計數]을 체로 하는 것이지, 헤아려진 수[所計數]가 아니라고 알아야 한다. 그래서 『대비바사론』(=제126권. 대27-660하)에서 말하였다. "이들 중 '수'란 헤아려진 벼, 삼 등의 물건의 백, 천 등을 말하는 것이 아니라, 단지 능히 헤아리는 것에 있는 법일 뿐이니, 이것이 능히 법을 헤아리기 때문에 수라고 말한 것이다."

175 이하는 곧 큰 글의 열째 법의 다른 명칭에 대해 밝히는 것이다.

176 제1구를 해석하는 것이다. '선의 무루법'은 유위의 무루 및 택멸을 체로 하는데, 이 선의 무루법은 또한 묘라고도 이름한다. 그래서 『품류족론』 제6권(=대26-716하)에서 말하였다. "묘법은 어떤 것인가? 말하자면 무루의 유위법 및 택멸이다." 또 『순정리론』(=제44권. 대29-595하)에서 다른 명칭을 해석하면서 말하였다. "염오·무기 및 유루법보다 뛰어나기 때문에 오직 이 법만이 유독 묘라는 명칭을 받았다."

오법은 또한 유죄有罪, 유부有覆 및 열劣이라고도 이름한다.[177] 이 묘와 열에 준하면 나머지 중간은 이미 이루어졌기 때문에 게송에서 분별하지 않은 것이다.[178]

모든 유위의 선법은 또한 응습應習이라고도 이름하니, 나머지의 익혀야 할 것이 아닌 것은 그 뜻이 준해서 이미 이루어졌다.[179] 어째서 무위법은 응습이라고 이름하지 않는가?[180] 자주 익혀서 증장하게 할 수 없기 때문이며, 또 익히는 것은 결과를 위한 것인데, 이것에는 결과가 없기 때문이다.[181]

해탈과 열반은 또한 무상無上이라고도 이름하니, 능히 열반보다 뛰어난 법은 하나도 없고, 선이며, 항상한 것이고, 온갖 법을 뛰어넘기 때문이다. 나머지 법이 유상有上인 것은 그 뜻이 준해서 이미 이루어졌다.[182]

177 제2구를 해석하는 것이다. '모든 염오법'은 불선과 유부무기법을 체로 한다. 이 모든 염오법은 또한 유죄라고도 이름하고, 또한 유부라고도 이름하며, 또한 열이라고도 이름한다. 그래서 『품류족론』 제6권(=대26-716하)에서 말하였다. "열법은 어떤 것인가? 말하자면 불선 및 유부무기법이다." 또 『순정리론』(=제44권. 대29-595하)에서 다른 명칭을 해석하면서 말하였다. "또한 유죄라고도 이름하니, 모든 지혜로운 분들이 꾸짖고 싫어하는 것이기 때문이다. 또한 유부라고도 이름하니, 능히 해탈의 도를 덮어서 장애하기 때문이다. 또한 열이라고도 이름하니, 지극히 비천하고 더럽기 때문이며, 응당 내쳐 버려야 하기 때문이다."

178 이는 중간의 법을 해석한 것이다. 앞의 묘와 열에 준하면 나머지 중간은 이미 이루어졌으니, 곧 선의 유루법 및 무부무기의 유위·무위법이다.

179 제3구를 해석하면서 유위의 선법의 다른 명칭을 밝히는 것이다. 모든 유위의 선은 또한 응습(=익혀야 할 것)이라고도 이름하니, 이 선은 몸에 있으면서 자주자주 현전하므로 점점 증진하도록 닦고 익힐 수 있기 때문이고, 또 결과를 낳기 때문이다. 나머지 선과 무기 및 무위법이 응당 닦고 익혀야 할 것이 아닌 것은 그 뜻이 준해서 이미 이루어졌다. (문) 어째서 불선과 무기는 닦고 익힐 것이 아닌가? (답) 『순정리론』(=제44권. 대29-595하)에서 말하였다. "불선과 무기가 익혀야 할 것이 아닌 것은, 그 체가 승진하는 법[昇進法]이 아니기 때문이다."

180 물음이다.

181 답이다. 말하자면 이 무위는 자주 익혀서 증장하게 할 수 없기 때문에 익혀야 할 것이라고 이름하지 않으며, 또 익히는 것은 결과를 위한 것인데, 이 무위법에는 결과가 없기 때문에 익혀야 할 것이라고 이름하지 않는다.

182 제4구를 해석하면서 해탈의 다른 명칭을 밝히는 것이다. 해탈과 열반은 또한 무상無上이라고도 이름하니, 능히 열반보다 뛰어난 법은 하나도 없고, 선이며, 항상한 것이고, 온갖 법을 뛰어넘기 때문이다. 오히려 열반과 동등한 법조

차 없거늘, 하물며 위가 있는 것[有上]이겠는가? 나머지 법이 유상有上인 것은 그 뜻이 준해서 이미 이루어졌으니, 곧 일체 유위·허공·비택멸은 앞의 선이며 항상함을 갖춘 모습이 아니기 때문에 그 상응하는 바에 따라 모두 위가 있는 것[有上]이라고 이름한다.

阿毘達磨俱舍論
아비달마구사론

第五 分別隨眠品
제5 분별수면품

尊者世親 造
존자세친 조

三藏法師玄奘 奉詔譯
삼장법사현장 봉조역

아비달마구사론
제19권

제5 분별수면품分別隨眠品[1](의 1)

제1장 근본번뇌 분별

제1절 수면의 수의 증가

제1항 6수면

앞에서 세간의 차별은 모두 업에 의해 생기는 것이라고 말했는데, 업은 수면隨眠에 의해 비로소 생장할 수 있으며, 수면을 떠난 업은 존재를 감득하는 공능이 없다.[2] 까닭이 무엇이며, 수면에는 몇 가지가 있는가?[3] 게송으

1 '분별수면품'이란 유정을 따라 쫓는 것[隨逐]을 '수[隨]'라고 이름하고, 행상이 미세한 것을 '면眠'이라고 이름하니, 마치 사람의 잠자는[睡眠] 행상은 알기 어려운 것과 같으며, 이 품에서 자세히 밝히기 때문에 '분별'이라고 이름하였다. 이 품에서 비록 전纏·구垢 등에 대해서도 밝히지만, 수면이 강하고 뛰어나기 때문에 명칭으로 표방한 것이다. 또 해석하자면 이 품의 처음에 수면을 밝히니, 처음에 따라 호칭을 세우기 때문에 명칭으로 표방한 것이다. 업 뒤의 다음에 수면에 대해 밝히는 까닭은. 업이라는 원인이 결과를 감득하는 것은 홀로 일어날 수 없고, 반드시 번뇌라는 연에 의지하는데, 번뇌는 결과에서 바라보면 소원하기 때문에 수면을 뒤에 설하는 것이다.

2 이 품 안에 나아가면 첫째 번뇌의 체를 밝히고, 둘째 번뇌의 단멸에 대해 밝힌다. 첫째 번뇌의 체를 밝히는 가운데 나아가면 첫째 바로 근본번뇌를 밝히고, 둘째 여러 번뇌를 섞어서 밝힌다. 바로 근본번뇌를 밝히는 가운데 나아가면 첫째 근본번뇌를 분별하고, 둘째 여러 문으로 분별한다. 근본번뇌를 밝히는 가운데 나아가면 첫째 수를 증가시켜 밝히고, 둘째 견·수소단에 대해 밝히며, 셋째 5견에 대해 따로 밝히고, 넷째 편의상 4전도에 대해 밝히며, 다섯째 7만과 9만을 밝힌다. 첫째 수를 증가시켜 밝히는 가운데 나아가면, 첫째 6수면을 밝히고, 둘째 7수면을 밝히며, 셋째 10수면을 밝히고, 넷째 98수면을 밝힌다. 이하는 첫째 6수면을 밝히는 것이다. 앞 품의 처음(=제13권의 서두)에서 세간의 차별은 모두 업에 의해 생기는 것이라고 말했는데, 이 업은 다시 수면에 의해 비로소 생장할 수 있으며, 수면을 떠난 업은 존재라는 결과를 감득하는 공능이 없

로 말하겠다.

1 수면은 모든 존재의 근본인데[隨眠諸有本]
이것의 차별에는 여섯이 있으니[此差別有六]
말하자면 탐욕, 성냄, 또한 거만과[謂貪瞋亦慢]
무명, 소견 및 의심이다[無明見及疑][4]

논하여 말하겠다. 이 수면은 모든 존재의 근본이기 때문에 업도 이것을 떠나서는 존재를 감득하는 공능이 없다.[5]

무엇 때문에 수면이 능히 존재의 근본이 되는가?[6] 모든 번뇌가 현행해 일어나면 능히 열 가지 일[事]을 하기 때문이다. 첫째 근본을 견고하게 하고[堅根本], 둘째 상속을 세우며[立相續], 셋째 자신의 밭을 다스리고[治自田], 넷째 등류를 견인하며[引等流], 다섯째 업유를 일으키고[發業有], 여섯째 자신의 도구를 섭수하며[攝自具], 일곱째 소연에 미혹하게 하고[迷所緣], 여덟째 식의 흐름을 인도하며[導識流], 아홉째 선품을 벗어나고[越善品], 열째

다. 이는 곧 앞을 옮겨와서 일으키는 것이다. # 이상 설명된 이 품의 구성에 따라 이 품의 편성을 요약해 보이면 다음 도표와 같다.

<table>
<tr><td rowspan="7">번뇌의 체</td><td rowspan="6">근본 번뇌</td><td rowspan="5">근본 번뇌 분별</td><td>수면의 수의 증가</td><td>제1장 제1절</td><td rowspan="5">제19권</td></tr>
<tr><td>견·수소단</td><td>제2절</td></tr>
<tr><td>5견</td><td>제3절</td></tr>
<tr><td>4전도</td><td>제4절</td></tr>
<tr><td>7만과 9만</td><td>제5절</td></tr>
<tr><td colspan="2">여러 문 분별</td><td>제2장</td><td>제19~20권</td></tr>
<tr><td colspan="3">여러 번뇌를 섞어서 밝힘</td><td>제3장</td><td>제20~21권</td></tr>
<tr><td colspan="4">번뇌의 단멸</td><td>제4장</td><td>제21권</td></tr>
</table>

3 첫째 까닭이 무엇인지 묻고, 둘째 수면에는 몇 가지가 있는지 묻는다.
4 위의 1구는 첫째 물음에 대한 답이고, 아래 3구는 둘째 물음에 대한 답이다.
5 제1구를 해석하는 것이다. 세 가지 존재(=욕유·색유·무색유)는 하나가 아니므로 '모든 존재'라고 이름한 것이다. 말하자면 수면이 능히 모든 업을 일으키고, 다시 모든 업이 능히 존재라는 결과를 감득하니, 이 때문에 수면이 모든 세 가지 존재의 근본이다. 따라서 업은 이 수면을 떠나면 존재라는 결과를 감득하는 공능이 없기 때문에 12지분의 처음에 수면을 설한 것이다.
6 물음이다.

널리 계박하는 뜻[廣縛義]이니, 자신의 계·지를 초월할 수 없게 하기 때문이다. 이로 말미암아 수면이 능히 존재의 근본이 되기 때문에, 업이 이로 인해 존재를 감득하는 공능을 갖는 것이다.[7]

7 답이다. 모든 번뇌가 현행해 일어나면 능히 열 가지 일을 하기 때문이다. 첫째 근본을 견고하게 하니, 『순정리론』 제45권(=대29-596상)에서 말하였다. "첫째 근본을 견고하게 하니, 획득[得]을 견고하게 해서 대치를 멀게 하기 때문이다. 번뇌의 근본은 번뇌의 획득을 말하는 것이다." 해석하자면 번뇌가 일어나기 때문에 대치도가 생기지 않고, 번뇌의 획득이 더욱 강해지므로 견고하게 한다고 이름한다. 반드시 번뇌를 이루어야 번뇌가 비로소 현전하기 때문에 번뇌의 획득이 번뇌의 근본인 것이다. 둘째 상속을 세우니, 『순정리론』(=상동)에서 말하였다. "상속을 건립하니, 능히 자주 다른 것으로 하여금 연속하여 일어나게 하기 때문이다." 해석하자면 능히 자주 다른 뒷찰나의 여러 번뇌들이 연속하여 일어나게 하기 때문이다. 혹은 뒤의 다른 것들을 견인하여 낳아서 연속하여 일어나게 하기 때문이다. 셋째 자신의 밭을 다스리니, 『순정리론』(=상동)에서 말하였다. "자신의 밭을 닦고 다스리니, 의지처로 하여금 그것에 따라 머물게 하기 때문이다." 해석하자면 '자신의 밭'은 번뇌의 현행이 의지하는 몸을 말하는데, 이 의지하는 몸으로 하여금 번뇌를 수순해 낳게 하는 것이다. 말하자면 번뇌가 자주 현행을 일으키면 자신의 몸과 마음으로 하여금 선을 일으키는 것을 막고 껄끄럽게 하며, 이 번뇌를 일으키는 것을 저절로 매끄럽고 통하게 하기 때문에 자신의 밭을 닦고 다스린다고 이름한 것이다. 넷째 등류를 견인하니, 『순정리론』(=상동)에서 말하였다. "독한 등류를 견인하는 것이니, 자신의 수번뇌와 같은 것을 능히 견인하기 때문이다." 해석하자면 마치 자신의 여러 수번뇌와 같은 등류과를 능히 견인하기 때문이다. 다섯째 업유를 일으키니, 『순정리론』(=상동)에서 말하였다. "능히 업유를 일으키니, 능히 후유를 초래하는 업을 일으키기 때문이다." 해석하자면 업이 곧 유有이기 때문이다. 혹은 업 및 유이니, 업 및 과보를 모두 유라고 이름하기 때문이다. 여섯째 자신의 도구를 섭수하니, 『순정리론』(=상동)에서 말하였다. "자신의 자량을 섭수하니, 능히 자주자주 비리작의를 섭수하여 일으키기 때문이다." 해석하자면 자신의 도구와 자량은 명칭이 다를 뿐, 뜻은 같다. 또 해석하자면 이 논서에서 자신의 도구라고 말한 것은 번뇌와 동시의 심·심소 등을 말하는 것이다. 일곱째 소연에 미혹하게 하니, 『순정리론』(=제45권. 대29-596중)에서 말하였다. "소연에 미혹하게 해서 능히 자신의 바른 깨달음의 지혜를 해치기 때문이다." 해석하자면 경계를 요지하지 못하게 하기 때문에 바른 지혜를 손상하기 때문이다. 여덟째 식의 흐름을 인도하니, 『순정리론』(=상동)에서 말하였다. "식의 흐름을 거느리고 인도해서 후유의 소연에 대해 능히 식을 견인해 일으키기 때문이다." 해석하자면 번뇌가 일어날 때 염오의 식을 거느리고 인도함으로써 후유에 대해 능히 의식지분[識支]을 견인하고 소연에 대해 능히 염오의 식을 일으키기 때문에 식의 흐름을 인도한다고 이름한 것이다. 아홉째 선품을 벗어나니, 『순정리론』(=상동)에서 말하였다. "선품을 어기고 벗어나서 모든 선법으로 하

이것은 간략히 그 차별에 여섯 가지가 있다고 알아야 하니, 탐욕[貪]·성냄[瞋]·거만[慢]·무명無明·소견[見]·의심[疑]을 말하는 것이다. 게송에서 '또한'이라는 말을 한 것은, 뜻으로 '거만' 등도 역시 탐욕의 힘에 의해 경계에서 따라 증장하는 것[隨增]을 나타내는데, 탐욕에 의해 따라 증장한다는 뜻은 뒤에서 분별하는 것과 같다. '및'이라는 말은 여섯 가지의 체가 각각 같지 않다는 것을 나타낸다.[8]

제2항 7수면

만약 모든 수면의 체에 오직 여섯만 있다면, 어째서 경에서는 일곱 가지 수면이 있다고 설했는가?[9] 게송으로 말하겠다.

2 여섯이 탐욕의 차이에 의해 일곱이 되니[六由貪異七]
유탐은 위의 2계에 있는 것으로서[有貪上二界]

....

여금 모두 퇴실케 하기 때문이다." '열째 널리 계박하는 뜻'에 대해 『순정리론』(=상동)에서 말하였다. "널리 계박하는 뜻이니, 자신의 계와 자신의 지를 초월할 수 없게 하고, 능히 염오의 계[染汚界]를 장양하기 때문이다." 해석하자면 '염오의 계'는 모든 번뇌를 말하는 것이니, 계에 포함되기 때문이다. 염오의 계가 증장하여 계박함이 더욱 많아지기 때문에 능히 널리 유정을 계박하여 계·지를 초월하지 못하게 하는 것이다. 이로 말미암아 수면이 능히 존재의 근본이 되기 때문에, 업이 이로 인해 존재를 감득하는 공능을 갖는 것이다. '존재'는 후유를 말하는 것이다.

8 아래 3구를 해석하는 것이다. 수면에는 여섯 가지가 있으니, 글대로 알 수 있을 것이다. 게송에서 '또한'이라는 말을 한 것은, 단지 성냄만 탐욕의 힘에 의해 경계에서 따라 증장하는 것이 아니라, 뜻으로 '거만' 등도 역시 탐욕의 힘에 의해 경계에서 따라 증장한다는 것을 나타낸다. '탐욕에 의해 따라 증장한다'는 뜻은 뒤에서 분별하는 것과 같다고, 아래의 글(=뒤의 제2장 제3절)과 같다고 가리켰다. '애愛'(=탐애=탐욕)는 일체 모든 번뇌의 발[足]이다. 그러므로 나머지를 견인하여 일으킬 때 나머지는 이에 의해 생기니, 완전히 갖춘다면 탐욕의 성냄[貪瞋], 탐욕의 거만[貪慢], 탐욕의 무명[貪無明] 등이라고 말해야 할 것이다. 이는 탐욕의 힘에 의한다는 뜻의 편의상 겸하여 밝힌 것이다. '및'이라는 말은 여섯 가지의 체가 각각 같지 않다는 것을 나타낸다.

9 이하 둘째 7수면에 대해 밝히는데, 이는 곧 물음이다. # '경'은 잡[18]18:490 염부차경閻浮車經 중 졸역 [17]경, 장 9:10 십상경十上經 등이다.

내문에서 일어나기 때문이며[於內門轉故]
해탈이란 생각을 막기 위한 것이다[爲遮解脫想][10]

논하여 말하겠다. 곧 앞에서 설한 6수면 중 탐욕을 둘로 나누었기 때문에 경에서 7수면이라고 설한 것이다.[11] 어떤 것이 7수면인가?[12] 첫째 욕탐欲貪수면, 둘째 성냄[瞋]수면, 셋째 유탐有貪수면, 넷째 거만[慢]수면, 다섯째 무명無明수면, 여섯째 소견[見]수면, 일곱째 의심[疑]수면이다.[13]

【수면의 체】 욕탐수면은 어떤 뜻에 의해 해석할 것인가? 욕탐의 체가 곧 수면[欲貪體卽隨眠]이라고 할 것인가, 욕탐의 수면[欲貪之隨眠]이라는 뜻이라고 할 것인가? 나머지 6수면의 뜻에 대해서 따져 묻는 것도 역시 그러하다.[14] 만약 그렇다고 한다면 무엇이 허물인가?[15] 둘 모두 허물이 있다. 만약 욕탐의 체가 곧 수면이라면 곧 계경에 위배될 것이니, 예컨대 계경에서, "만약 어떤 한 부류가 많은 시간 동안 욕탐의 전纏에 의해 마음이 얽혀서 머문 것이 아니라면, 설령 마음이 잠시 그렇게 욕탐의 전을 일으키더라도 이내 출리出離의 방편을 여실하고 알 것이니, 그는 이 때문에 욕탐의 전을 능히 바로 제거하고 아울러 수면도 끊을 것이다"라고 설한 것과 같다. 만약

10 위의 1구는 바로 답하는 것이고, 아래 3구는 유탐을 건립한 까닭이다. 아래 3구 가운데 나아가면 제1구 '유탐은 위의 2계에 대한 것'은 경량부 등과 다르다는 것이니, 경량부 등에서는 유탐이 욕계에도 통한다고 말한다. 또 해석하자면 유탐이라는 명칭이 다른 것을 따로 나타내려고 별도로 표방한 것이다. 욕계에 대한 것을 욕탐이라고 이름하는 것은, 그 뜻을 준해서 이해할 수 있기 때문에 따로 말하지 않은 것이다. 혹은 스스로 이름에서 드러나기 때문에 따로 말하지 않은 것이다. 제2구 '내문에서 일어나기 때문'은 욕탐이라고 이름하지 않는 까닭이고, 제3구 '해탈이란 생각을 막기 위한 것'은 유탐이라고 이름하는 까닭이다.
11 제1구를 해석하는 것이다.
12 물음이다.
13 답이다.
14 양쪽에 관해 따져서 결정하려는 것이다. '욕탐의 체가 곧 수면'이라는 것은 지업석에 의거한 것이고, '욕탐의 수면이라는 뜻'은 의주석에 의거한 것이다. 나머지 6수면의 뜻을 따져 묻는 것도 역시 그러하다.
15 의심하는 뜻을 도리어 책망하는 것이다.

욕탐의 수면이라는 뜻이라면, 수면은 응당 심불상응행이어야 할 것이므로 곧 대법에 위배될 것이니, 예컨대 근본논서에서, "욕탐수면은 3수근과 상응한다"라고 말한 것과 같다.[16]

비바사 논사들은 이렇게 말하였다. "욕탐 등은 체가 곧 수면이다."[17] 어찌 경에 위배되지 않겠는가?[18] 경에 위배되는 허물이 없으니, '아울러 수면'이라고 한 것은 따라 계박하는 것[隨縛]을 아우른 것이기 때문이다. 혹은 경에서 그 획득을 임시로 수면이라고 설한 것이니, 마치 불[火] 등에 대해 괴로움 등의 상想을 세운 것과 같다. 아비달마에서는 실상實相에 의하여 말하므로 곧 모든 번뇌를 말하여 수면이라고 이름한 것이니, 이 때문에 수면은 상응법이다.[19]

16 거듭 의심하는 뜻을 나타내는 것이다. 지업석이든 의주석이든 둘 모두 허물이 있다. 만약 욕탐의 체가 곧 수면이라고 해서 지업석에 의거한다면 곧 계경(=출전 미상)에 위배될 것이다. 계경에서, "만약 어떤 한 부류의 유정이 많은 시간 동안 … 아울러 수면도 끊을 것이다"라고 말한 것과 같다. (계경에서) '욕탐의 전을 제거한다'고 한 것은 현행을 끊는다는 것을 나타내고, '아울러 수면도 끊는다'고 한 것은 종자를 끊는다는 것을 나타낸다. 경 중에서 이미 욕탐의 전을 능히 바로 제거한다고 설한 것 외에 따로 '아울러 수면도 끊는다'라고 설했으니, 욕탐의 체는 곧 수면이 아님을 분명히 알 수 있다. 경을 인용한 것은, 바로 '아울러 수면도 끊는다'라는 1구를 취해서 힐난하는 것이고, 나머지는 같은 글이기 때문에 온 것이다. 만약 욕탐의 수면이라는 뜻이라고 해서 의주석에 의거한다면, 수면은 응당 심불상응행이어야 하므로 대중부 등과 같을 것이니, 그들은 수면이 심불상응행이라고 계탁한다. 말하자면 모든 번뇌는 바로 일어나는 단계에 자신의 상속에서 심불상응행온에 포함되는 별도의 법을 인기하는데, 수면이라고 이름한다. 『이부종륜론』에 준하면, 대중부 등에서는 수면은 마음과 상응하지 않는다고 설한다고 한다. 상응하지 않는다고 말한다면, 단지 대중부 등과 같을 뿐만 아니라, 또한 대법에도 위배될 것이니, 근본논서(=『발지론』 제3권. 대26-931중)에서 욕탐수면은 희·락·사의 3근과 상응한다고 말한 것과 같다. 논서에서 이미 욕탐수면은 3근과 상응한다고 말했으니, 욕탐은 곧 수면으로서 현행과 상응하는 것이므로, 욕탐 외에 불상응법이라고 이름할 수면이 있는 것이 아님을 분명히 알 수 있다.

17 비바사 논사들은 욕탐 등의 체는 곧 수면이라고 지업석에 의거하고, 심상응법이지, 불상응법이 아니라고 말한다.

18 대중부 등에서 따지는 것이다.

19 비바사 논사들이 경에 대해 회통하는 것이다. 경에서 '아울러 수면도 끊는다'라고 말한 것은, 단지 욕탐의 체를 끊을 뿐만 아니라, 아울러 탐욕과 상응하는 소연이 따라 계박하는 것[隨縛]도 역시 끊는다는 것이다. 그래서 『순정리론』

어떤 이치가 증거가 되기에 결정코 상응법이라고 알겠는가?[20] 모든 수면은 마음을 오염시키고 괴롭히기 때문이며, 마음을 덮고 가리기 때문이며, 능히 선을 어기기 때문이다. 말하자면 수면의 힘은 능히 마음을 오염시키고 괴롭히며, 아직 생기지 않은 선은 생기지 않게 하고, 이미 생긴 선은 퇴실하게 하기 때문에 수면의 체는 불상응법이 아니다. 만약 불상응법이 능히 이런 일을 한다면 곧 모든 선법은 일어날 때가 없어야 할 것이니, 불상응법은 항상 현전하기 때문이다. 그렇지만 모든 선법은 일어날 때가 있음이 이미 인정되기 때문에 수면은 상응법임을 알 수 있다.[21] 이는 모두 증거

제45권(=대29-598하)에서 말하였다. "또 곧 그 경에서 '아울러 수면도 끊는다'라고 말한 것은, 욕탐의 전을 남음 없이 끊는다는 것을 나타내기 때문이다. 말하자면 8품의 수소단을 끊었을 때 1품(=제9품)의 수면이 여전히 능히 따라 계박하므로, 체가 끊어졌다는 것을 나타내기 위해 '바로 제거한다'고 말하고, '아울러 수면도 끊는다'는 말은 따라 계박하는 것도 모두 다한다는 것을 나타낸 것이다." 혹은 경에서 그 획득을 임시로 수면이라고 말한 것이니, 단지 탐욕을 끊었을 뿐만 아니라, 아울러 탐욕의 획득도 역시 끊었다는 것이다. 획득은 수면이 아니지만, 수면을 낳기 때문에 임시로 수면이라고 말한 것이니, 마치 불[火] 등이 능히 괴로움 등을 낳기 때문에 불 등에 대해 괴로움 등의 명칭을 세운 것과 같다. (본문 중 명칭을) '상想'이라고 말한 것은, 상이 능히 명칭을 낳기 때문에, 혹은 명칭이 상을 낳기 때문에 명칭을 말하여 상이라고 한 것이다. 아비달마에서는 실상實相에 의하여 말하므로 곧 모든 번뇌를 말하여 수면이라고 이름한 것이니, 곧 지업석에 의거한 것이다. 이 수면이 현행해 일어나서 상응하는 것이니, 상응법이지, 불상응법이 아니다.

20 대중부 등에서 나무라는 것이다.

21 비바사 논사 중 법승法勝Dharmottara 논사의 해석(=『아비담심론』 제2권. 대28-817하)이다. 수면이 상응법임을 알 수 있는 까닭은, 첫째 모든 수면이 마음을 오염시키고 괴롭히기 때문이며, 둘째 마음을 덮고 가리기 때문이며, 셋째 능히 선을 어기기 때문이다. 말하자면 수면의 힘이 마음을 오염시키고 괴롭히기 때문에 능히 마음을 오염시키고 괴롭힌다는 것, 마음을 덮어 가리기 때문에 아직 생기지 않은 선이 생기지 않게 한다는 것, 능히 선을 어기기 때문에 이미 생긴 선을 퇴실하게 하는 것이 그 순서와 같다는 것이다. 또 해석하자면 '말하자면' 이하는 공통으로 앞의 세 가지를 해석한 것이다. 또 해석하자면 '말하자면' 이하는 우선 처음 한 가지를 해석한 것이고, 뒤의 두 가지는 생략하고 논하지 않은 것이다. 이 수면은 능히 세 가지 일을 하기 때문에 수면의 체는 불상응법이 아니라면서 대중부 등의 말을 도리어 힐난하였다. 만약 불상응법이 능히 이런 세 가지 일을 한다면 곧 모든 선법은 일어날 때가 없어야 할 것이니, 그대가 세운 불상응법이 순간순간 항상 현전할 것이기 때문이다. 그렇지만 모든 선법은 일어날 때가 있음이 이미 인정되기 때문에 수면은 상응

가 아니다. 왜냐하면 만약 수면이 상응법이 아니라고 인정하는 자라면, 위의 세 가지 일은 수면이 하는 일이라고 인정하지 않기 때문이다.[22]

그렇지만 경량부의 말이 가장 훌륭하다.[23] 경량부에서 이에 대해 말하는 바는 어떠한가?[24] 그들은 욕탐의 수면이라는 뜻이지만, 수면의 체는 심상응법도 아니고 불상응법도 아니라고 말한다. 별도의 물건이 없기 때문이다. 번뇌가 잠자고 있는 단계[睡位]를 말하여 수면이라고 이름하고, 깨어 있는 단계[覺位]에 대해 곧 전纏이라고 이름하기 때문이다.[25]

무엇을 잠자고 있다[睡]고 이름하는가?[26] 말하자면 현행하지 않고, 종자로서 따라 쫓는 것[種子隨逐]이다.[27] 무엇을 깨어 있다[覺]고 이름하는가?[28] 말하자면 여러 번뇌가 현행해 일어나 마음을 얽는 것[纏心]이다.[29]

어떤 것을 번뇌의 종자[煩惱種子]라고 이름하는가?[30] 말하자면 번뇌로부터 생겨서 능히 번뇌를 낳는, 자체 위의 차별되는 공능[自體上差別功能]이다.

법이지, 불상응법이 아님을 알 수 있다.

22 대중부 등의 비판이다. 이는 모두 증거가 아니다. 까닭이 무엇이겠는가? 우리의 종지처럼 만약 그 수면의 체가 상응법이 아니라고 인정한다면, 위의 세 가지 일은 수면이 하는 일이라고 인정하지 않고, 모두 현행한 번뇌가 하는 일이라고 하기 때문이다. 대중부 등에서는 현행한 번뇌를 전纏이라고 이름하고, 훈습해 이룬[熏成] 종자는 수면이라고 이름하는데, 이는 불상응법이다.

23 논주가 경량부를 평가해 취하는 것이다.

24 물음이다.

25 경량부의 종지를 서술하는 것이다. 그들은 욕탐의 수면이라는 뜻이라고 말하므로 의주석에 의거한다. 그렇지만 수면의 체는 마음과 상응하는 것이 아니라고 하기 때문에 설일체유부와 같지 않고, 불상응법이 아니라고 하므로 대중부 등과도 같지 않다. 이 수면은 색과 심을 떠난 밖에, 마음과 상응한다거나 상응하지 않는다고 이름할 만한 별도의 물건이 없기 때문에 그래서 두 가지(=상응·불상응)가 모두 아니다. 번뇌가 잠자고 있는 단계로서 훈습되어 이루어진 종자를 말하여 수면이라고 이름하고, 깨어 있는 단계로서 현행하여 대상을 각찰하면[覺境] 곧 전이라고 이름하기 때문이다.

26 물음이다.

27 경량부의 답이다. 번뇌가 현행하지 않는 것이 마치 잠자고 있는 것과 서로 비슷하기 때문에 잠자고 있다고 이름한 것이다.

28 물음이다.

29 경량부의 답이다. 번뇌가 현행할 때 앞의 대상을 각찰覺察하기 때문에 깨어 있다고 이름한 것이다.

30 물음이다.

마치 기억[念]의 종자가 증득된 지혜[證智]로부터 생겨서 능히 현재의 기억[當念]을 낳는 공능의 차별인 것과 같고, 또 마치 싹 등에는 앞의 결실로부터 생겨서 능히 후의 결실을 낳는 공능의 차별이 있는 것과도 같다. 만약 번뇌와 별도로 수면이라는 심불상응법이 있어 번뇌의 종자라고 이름한다고 주장한다면, 응당 기억의 종자도 단지 공능일 뿐만 아니라 별도로 불상응법이 있어 능히 후찰나의 기억을 견인해 낳는다고 인정해야 하겠지만, 이것이 이미 그렇지 않은데, 그것이 어떻게 그렇겠는가? 차별될 인연을 얻을 수 없기 때문이다.[31]

31 경량부의 답이다. 말하자면 색심 자체 위의 번뇌의 종자인데, 다른 것의 종자와 다르기 때문에 차별되는 공능이라고 이름한 것이다. 즉 이 공능은 이전의 현행한 번뇌로부터 생겨서 능히 이후의 현행의 번뇌를 낳는 것이다. '증득된 지혜[證智]'라고 말한 것은, 다음 5식 후의 의식과 상응하는 지혜이다. 또 해석하자면 정심定心과 상응하는 지혜도 역시 취한다. 또 해석하자면 5식과 상응하는 지혜도 역시 취하니, 모두 현량으로 증득하는 것이기 때문이다. 마치 기억의 종자와 같다는 것은, 이것이 앞의 증득된 지혜와 함께 일어난 알아차림[念]으로부터 생겨서 능히 현재의 기억이라는 결과를 낳는 공능의 차별을 종자라고 이름한 것이다. 이 글에서 기억의 종자는 '알아차림(=또는 기억)으로부터 생겨서'라고 말해야 할 것인데도 '증득된 지혜로부터 생겨서'라고 말한 것은, 이전 단계는 지혜가 강하기 때문에 지혜라는 명칭으로 표방하고, 이후 단계는 기억이 뛰어나기 때문에 기억이라는 호칭으로 칭한 것이다. 또 해석하자면 이전의 마음의 무리[心聚] 중에서는 지혜가 강하기 때문에 모두 증득된 지혜라고 이름하고, 이후의 마음의 무리 중에서는 기억이 강하기 때문에 모두 기억이라고 이름한 것이다. 만약 이런 해석을 한다면 강한 것에 따라 명칭을 세운 것이겠지만, 실제로 말한다면 각각 종자를 훈습해 이룬다. 또 해석하자면 심·심소법이 능히 앞의 경계를 기억하는 것을 통틀어 기억이라고 이름하고, 능히 앞의 경계를 증득하는 것을 통틀어 지혜라고 이름한 것이다. 그래서 마치 기억의 종자와 같다고 말한 것이니, 이것은 증득된 지혜로부터 생겨서 능히 현재의 기억을 낳는 공능의 차별이다. 또 마치 싹 등 중에, 앞의 보리라는 결과 등으로부터 생겨서 능히 뒤의 줄기 등이라는 결과는 낳는 공능의 차별이 있는 것을 말하여 종자라고 이름하는 것과도 같다.

그대들 대중부 등에서, 만약 현행한 번뇌 외에 심불상응법인 수면이 별도로 있어 번뇌의 종자라고 이름한다고 주장한다면, 응당 기억의 종자는 단지 공능만이 현행의 기억을 낳는 것이 아니라, 또한 별도로 기억의 종자라고 이름하는 불상응법의 체가 있어 능히 후찰나의 기억을 견인해 낳는다고 인정해야 하겠지만, 이 기억이 이미 그렇지 않은데, 그 번뇌가 어떻게 그렇겠는가? 기억과 번뇌는 부류가 서로 비슷해서 차별될 인연을 얻을 수 없기 때문이다.

만약 그렇다면 육육계경六六契經과 상위할 것이니, 경에서 낙수樂受에 대해 탐욕수면이 있다고 설했기 때문이다.[32] 경에서는 단지 있다[有]고 설했을 뿐, '그 때 곧 수면이 있다'라고 설하지 않았는데, 무엇이 어긋나는 것이겠는가?[33] 어느 시기에 있다는 것인가?[34] 그것이 잠자고 있을 때이다. 혹은 임시로 원인에 대해 수면이라는 명칭[想]을 세운 것이다.[35]

【욕탐과 유탐】 방론은 이만 그치고 본론을 분별해야 할 것이다.[36] 탐욕을 둘로 나눈다고 말한 것은, 욕탐欲貪과 유탐有貪을 말하는 것인데, 여기에서 유탐은 무엇을 체로 하는가?[37] 말하자면 색·무색의 2계 중의 탐욕이다.[38] 이 명칭을 어떤 이유에서 그것에 대해서만 세웠는가?[39] 그 탐욕은 대부분 내문內門에 의탁해 일어나기 때문이니, 말하자면 그 2계에서는 대부분 선정에 대한 탐욕[定貪]을 일으키는데, 일체 선정에 대한 탐욕은 내문에서 일어나기 때문에 그것에 대해서만 유탐이라는 명칭을 세운 것이다. 또 위의 2계에 대해 해탈이라는 생각[解脫想]을 일으키는 사람이 있으므로, 그것을 막기 위한 때문이다. 말하자면 상계에 대해 유탐이라는 명칭을 세워서, 그 소연이 진정한 해탈이 아님을 나타낸 것이다. 여기에서는 자체自體에 대해 존재[有]라는 명칭을 세웠으니, 그 모든 유정들은 대부분 등지等至 및 그 의지처

32 설일체유부의 힐난이다. 경(=잡 [17]17:468 삼수경三受經인데, 여기에서 탐욕수면은 '탐욕의 부림[貪使]'이라고 번역되었다) 중에서 이미 그 낙수에 대해 탐욕수면이 있다고 설했으니, 수면이 곧 현행이라는 것을 분명히 알 수 있는데, 어째서 수면을 종자라고 이름한다고 말하는가?

33 경량부에서 경에 대해 회통하는 것이다. 경에서는 단지 '탐욕수면이 있다'라고 설했을 뿐, '낙수가 현행할 때 곧 수면이 있다'라고 설하지 않았는데, 무엇이 어긋나는 것이겠는가?

34 설일체유부의 물음이다.

35 경량부의 답이다. 그 낙수에 대해 훈습된 종자가 잠자고 있을 때 탐욕수면이 있다고 이름한 것이다. 혹은 임시로 탐욕이라는 원인 위에 수면이라는 결과의 명칭을 세운 것이다. 명칭[名]을 말하여 '상想'이라고 이름한 것에 대해서는 앞에서 이미 해석한 것과 같다.

36 이하는 뒤의 3구를 해석하는 것이다.

37 앞을 옮겨와서 물음을 일으킨 것이다.

38 제2구를 들어서 답한 것이다.

39 물음이다. 이 유탐이라는 명칭은 어떤 이유에서 오직 그 상계의 것에 대해서만 세웠는가?

[所依止]에 깊이 미착味著을 낳는다. 그래서 그들은 오직 자체에 대해 미착할 뿐, 경계에 미착하는 것이 아니라고 말하니, 욕탐을 떠났기 때문이다. 이 때문에 그것에 대해서만 유탐이라는 명칭을 세운 것이다. 이미 유탐은 위의 2계에 있는 것이라고 설했으니, 그 뜻에 준하면 욕계에서의 탐욕은 욕탐이라고 이름할 것이기 때문에 게송 중에서 별도로 나타내어 보이지 않았다.40

제3항 10수면

곧 위에서 설한 여섯 가지 수면을 근본논서 중에서 다시 열 가지로 나누었는데, 어떻게 해서 열 가지가 되었는가? 게송으로 말하겠다.

③ 6수면이 소견의 차이에 의해 10수면이 되니[六由見異十]
차이는 말하자면 유신견[異謂有身見]
변집견과 사견[邊執見邪見]

40 아래 2구를 들어 답하는 것이다. 그 상계에서의 탐욕은 비록 밖도 반연하기는 하지만, 대부분 내문에 의탁해 일어나기 때문이다. 말하자면 그 2계에서는 대부분 선정에 대한 탐욕을 일으키는데, 일체 선정에 대한 탐욕은 내문에서 일어나기 때문에 그것에 대해서만 유탐이라는 명칭을 세운 것이다. 또 위의 2계에 의지하는 몸에서 해탈했다는 생각을 일으키는 사람이 있으므로, 그것을 막기 위한 때문이다. 말하자면 상계에 대해 유탐이라는 명칭을 세워서 탐욕의 소연은 진정한 해탈이 아님을 나타내기 위한 것이다. 만약 널리 존재[有]를 논한다면, 존재는 3계에 통하므로, 안에도 통하고 밖에도 통하지만, 여기에서는 단지 상계의 유루의 안의 자체自體 위에 존재라는 명칭을 세웠을 뿐이니, 그래서 '유'라고 이름한 것이다. 그 계의 모든 유정들은 대부분 등지等至의 선정 및 그 의지하는 몸이라는 두 가지의 자체 위에서 깊이 미착味著을 낳는다. 그래서 그들은 오직 안의 자체에 대해 미착할 뿐, 밖의 경계에 미착하는 것이 아니라고 말하니, 욕계의 탐욕을 떠났기 때문이다. 선정의 몸은 뛰어나기 때문에 치우쳐 미착한다. 이 때문에 그 계에 대해서만 유탐이라는 명칭을 세운 것이다. 이미 유탐은 위의 2계에 있는 것이라고 설했으니, 그 뜻에 준하면 욕계에서의 탐욕은 5욕의 경계에 대한 탐욕이라고 이름할 것이기 때문에 게송 중에서 별도로 나타내어 보이지 않았다. 욕계에서의 탐욕은 비록 안의 몸도 반연하기는 하지만, 대부분 밖의 경계를 반연하므로, 많은 부분에 따라 욕탐이라고 이름한 것이다.

견취와 계금취이다[見取戒禁取]

논하여 말하겠다. 6수면 중 소견[見]은 행상[行]이 달라 다섯 가지가 되고, 나머지는 소견 아닌[非見] 다섯 가지이니, 수를 합하면 모두 열 가지가 되기 때문이다. 열 가지 중 다섯 가지는 소견의 성품[見性]이니, 첫째 유신견有身見, 둘째 변집견邊執見, 셋째 사견邪見, 넷째 견취見取, 다섯째 계금취戒禁取이며, 다섯 가지는 소견 아닌 성품[非見性]이니, 첫째 탐욕, 둘째 성냄, 셋째 거만, 넷째 무명, 다섯째 의심이다.41

제4항 98수면

또 곧 앞에서 설한 여섯 가지 수면을 근본논서 중에서 98수면이라고 말했는데, 어떤 뜻에 의해 98수면이라고 말했는가? 게송으로 말하겠다.

④ 6수면은 행상·부·계가 다르기[六行部界異]
때문에 아흔여덟이 되니[故成九十八]
욕계 견고 등에 의해 끊어지는[欲見苦等斷]
열·일곱·일곱·여덟·넷이다[十七七八四]

⑤ 말하자면 순서대로 갖춘 것과[謂如次具離]
3견, 2견, 소견·의심을 배제한 것이며[三二見見疑]
색계·무색계는 성냄을 제외하고[色無色除瞋]
나머지는 욕계에 대해 설한 것과 같다[餘等如欲說]42

논하여 말하겠다. 여섯 가지 수면은 행상[行]·부部·계界에 차별이 있기

41 이는 곧 셋째 10수면에 대해 밝히는 것인데, 글대로 알 수 있을 것이다.
42 이하는 곧 넷째 98수면에 대해 밝히는 것인데, 물음 및 게송에 의한 답이다.
물음 중 '근본논서'는 『발지론』 제3권(=대26-929하) 등이다.

때문에 아흔여덟 가지가 된다. 말하자면 6수면이 소견의 행상의 차이에 의해 열 가지로 분별되는 것은 앞에서 분별한 것과 같은데, 곧 이렇게 분별되는 열 가지 수면은 부·계가 같지 않음에 의해 아흔여덟 가지가 된다. '부'는 4제를 보는 것과 수도에 의해 끊어지는 다섯 가지 부[5부五部]를 말하고, '계'는 욕·색·무색의 3계를 말한다.[43]

우선 욕계의 경우, 5부의 같지 않음이 10수면에 올라타면[乘十隨眠] 서른여섯 가지가 된다. 말하자면 견고제見苦諦소단으로부터 수소단에 이르기까지 순서대로 열, 일곱, 일곱, 여덟, 넷이 있으니, 곧 위의 5부 중 1부(견고제소단), 2부(견집제·견멸제소단), 1부(견도제소단), 1부(수소단)가 그 순서대로 10수면을 갖춘 것과, 3소견, 2소견, 소견·의심을 배제한 것이다. 말하자면 견고제소단은 10수면을 갖추었고, 견집제·견멸제소단은 각각 유신견·변집견·계금취를 배제한 7수면이며, 견도제소단은 유신견 및 변집견을 배제한 8수면이고, 수소단은 소견 및 의심을 배제한 4수면이다. 이와 같은 수면을 합하면 서른여섯 가지가 되는데, 앞의 서른두 가지는 견소단이라고 이름하니, 막 진리를 볼 때[纔見諦時] 그것들은 곧 끊어지기 때문이고, 최후에 있는 네 가지는 수소단이라고 이름하니, 4제를 본 뒤 후후의 시간에 자주자주 도를 익혀야 그것들은 비로소 끊어지기 때문이다.[44]

이와 같이 10수면 중 유신견[살가야견薩伽耶見]은 오직 1부–견고소단을 말한다–에만 있는데, 변집견도 역시 그러하며, 계금취는 2부–견고소단과 견도소단을 말한다–에 공통으로 있으며, 사견은 4부–견고·견집·견멸·견도소단을 말한다–에 통하는데, 견취와 의심도 역시 그러하며, 나머지 탐욕

43 이는 처음 2구를 해석하는 것이다. '부部'는 무리[衆]이라는 뜻이니, 그래서 『대비바사론』(=제63권. 대27-327중)에서 말하였다. "(문) 이 중 '부'라는 말은 어떤 뜻을 나타내려는 것인가? (답) 무리라는 뜻을 나타내려는 것이다." 나머지 글은 알 수 있을 것이다.

44 다음 4구를 해석하는 것이다. 10수면에 올라타면 36수면이 된다. 말하자면 견고소단에는 10수면이 있으니, 이것이 10수면을 갖춘 1부이다. 견집·견멸소단은 각각 7수면이니, 이것이 3소견을 배제한 2부이다. 견도소단에는 8수면이 있으니, 이것이 2소견을 배제한 1부이다. 수도소단에는 4수면이 있으니, 이것이 소견(=5견)과 의심을 배제한 1부이다. '익힌다[習]'는 것은 말하자면 닦는 것[修]이니, 자주자주 도를 닦아야 그것들은 비로소 끊어지기 때문이다.

등의 네 가지는 각각 5부–견4제소단 및 수소단을 말한다–에 통한다는 점이 이미 드러났다.[45]

이들 중 어떤 모습이 견고소단이며, 나아가 어떤 모습이 수소단인가?[46] 만약 이 진리를 봄으로써 끊어지는 것을 반연하여 경계로 삼는 것이라면[若緣見此所斷爲境] 견차소단見此所斷이라고 이름하고, 나머지는 수소단이라고 이름한다.[47]

45 유신견·변집견은 두드러진 과보의 처소에서 일어나는 것이므로 오직 1부에만 있다. 계금취 중 과보의 처소에서 일어나는 것은 견고소단이고, 과보의 처소에서 일어나는 것이 아닌 것은 단지 총상만을 반연할 뿐, 인과를 헤아리지 않으므로 견도소단이다. 따라서 2부에 통한다.(=계금취의 견소단 구분에 대해서는 뒤의 게송 ⑧에 관한 논설 참조) 사견·견취·의심 중 앞의 하나와 뒤의 하나는 4제를 반연하기 때문(에 견4제소단)이며, 중간의 하나인 견취는 만약 과보와 원인의 처소에서 일어나는 것이라면 견고·견집소단이고, 만약 총상을 반연하고 인과를 헤아리지 않는 것이라면 견멸·견도소단인데, 이 3수면은 모두 현상[事]에 미혹해 일어나는 것이 아니므로 수도소단이 아니다. 탐욕·성냄·거만의 3수면은 만약 4제소단을 반연해 일어나는 것이라면 견4제소단에 통하고, 만약 현상에 미혹에 일어나는 것이라면 수도소단이니, 이 탐욕 등은 행상이 거칠어서 미세한 것이 아니며, 이치를 헤아리지 않기 때문에 직접 이치에 미혹한 것이 아니다. 무명은 만약 5견·의심과 상응하는 것 및 그 4제소단을 반연하는 탐욕 등과 상응하는 무명과 아울러 독두獨頭무명(=불공무명)이라면 견4제소단이고, 만약 현상에 미혹한 탐욕 등과 상응하는 것이라면 수도소단이다. 그래서 탐욕 등의 4수면은 각각 5부에 통한다는 것이다.

46 다섯 가지 소단의 모습에 대해 전체적으로 묻는 것이다.

47 답이다. 예컨대 고·집제 하의 5견·의심 및 그 상응·불공무명과 멸·도제 하의 무루연의 번뇌와 같은 경우, 그 상응하는 바에 따라 혹은 이 진리를 보는 것[見此諦]을 반연하여 경계로 삼는 것이므로 견차제소단見此諦所斷이라고 이름하고, 예컨대 고·집제 하의 탐욕·성냄·거만 및 그 상응무명과 멸·도제 하의 유루연의 번뇌와 같은 경우, 혹은 이 진리를 봄으로써 끊어지는 것[見此諦所斷]을 반연하여 경계로 삼는 것이므로 견차제소단이라고 이름한다. 나머지 탐욕·성냄·거만 및 그 상응무명은 이 진리를 보는 것을 반연하여 경계로 삼지 않고, 또 이 진리를 봄으로써 끊어지는 것을 반연하여 경계로 삼지도 않으며, 단지 현상[事]에 미혹해서 생기는 것일 뿐이므로 수소단이라고 이름한다. # 요컨대 본문의 '이 진리를 봄으로써 끊어지는 것을 반연하여 경계로 삼는 것[若緣見此所斷爲境]'에는 이 진리를 보는 것을 반연하여 경계로 삼는 수면과 이 진리를 봄으로써 끊어지는 것을 반연하여 경계로 삼는 수면의 2종류가 있는데, 양쪽 모두 '이 진리를 봄으로써 끊어지는 것을 반연하여 경계로 삼는 것'에 해당한다는 취지로 이해된다.

이와 같이 6수면 중 소견은 열두 가지로 나누어지고, 의심은 네 가지로 나누어지며, 나머지 4수면은 각각 다섯 가지이기 때문에 욕계 중에는 36수면이 있다.[48] 색계·무색계의 5부에는 각각 성냄이 제외되고, 나머지는 욕계와 같기 때문에 각각 31수면이다.[49] 이 때문에 근본논서에서, 6수면은 행상·부·계가 달라서 98수면이라고 말한 것이다.[50]

제2절 견소단과 수소단

여기에서 분별된 98수면 중 88수면은 견소단이니, 인忍에 의해 해쳐지기 때문[忍所害故]이며, 10수면은 수소단이니, 지智에 의해 해쳐지기 때문[智所害故]이다.[51] 이와 같이 논설된 견소단·수소단은 결정적으로 그러한가?[52]

48 개별적으로 6수면을 헤아리면 나누어져 36수면이 된다.

49 제7·제8구를 해석하는 것인데, 알 수 있을 것이다. (문) 어째서 상계에는 성냄수면이 없는가? (답) 『현종론』(=제25권. 대29-893중)에서 말하였다. "거기에는 성냄수면의 소연이 있지 않기 때문이다. 말하자면 고수에서 성냄수면이 있는 것인데, 고수가 거기에는 없기 때문에 성냄이 있지 않다. 또 거기에서의 상속은 선정에 의해 윤택되기 때문이며, 또 거기에서는 성냄의 이숙인이 없기 때문이다."

50 근본논서의 글을 인용해 총결하면서 글을 증명하는 것이다. 계에서의 탐욕[界貪]을 떠나는 것에 의해 변지遍知를 건립하기 때문(=뒤의 제21권 중 게송 63~67과 그 논설 참조)에 지地 아닌 계에 의거해 98수면을 세운 것이다. # 이상 설명에 의해 98수면의 소재를 정리해 보이면 다음 도표와 같다.

5부	욕계	색계	무색계	
견고소단	탐욕·성냄·거만·무명·의심· 유신견·변집견·계금취·사견·견취(10)	성냄 제외(9)	좌동 (9)	28
견집소단	탐욕·성냄·거만·무명·의심· 사견·견취(7)	성냄 제외(6)	좌동 (6)	19
견멸소단	탐욕·성냄·거만·무명·의심· 사견·견취(7)	성냄 제외(6)	좌동 (6)	19
견도소단	탐욕·성냄·거만·무명·의심· 계금취·사견·견취(8)	성냄 제외(7)	좌동 (7)	22
수도소단	탐욕·성냄·거만·무명(4)	성냄 제외(3)	좌동 (3)	10
	36수면	31수면	31수면	98

51 이하는 둘째 견·수소단에 대해 밝히는 것인데, 이는 곧 전체적으로 표방하는

그렇지 않다.53 어떠한가?54 게송으로 말하겠다.

⑥ 인에 의해 해쳐지는 수면의 경우에도[忍所害隨眠]
  유정지는 오직 견소단이지만[有頂唯見斷]
  나머지는 견·수소단에 통하며[餘通見修斷]
  지에 의해 해쳐지는 것은 오직 수소단이다[智所害唯修]55

논하여 말하겠다. '인忍'이라는 말은 법지法智·유지類智의 인忍을 통틀어 말한 것이다. 인忍에 의해 해쳐지는 모든 수면 중 유정지有頂地에 포함되는 것은 오직 견소단이니, 오직 유지인類智忍에 의해야만 비로소 끊어질 수 있기 때문이다.56 나머지 8지地에 포함되는 것은 견·수소단에 통한다. 말하자면 성자가 끊는 것은 견소단일 뿐, 수소단이 아니니, 법지인法智忍·유지인에 의해 상응하는 대로 끊어지기 때문이다. 만약 이생의 끊음이라면 수소단일 뿐, 견소단이 아니니, 세속지世俗智를 자주 익힘에 의해 끊어지는 것이기 때문이다.57

지智에 의해 해쳐지는 모든 수면의 경우, 일체 지地에 포함되는 것이 오

것이다.
52 물음이다.
53 답이다.
54 따지는 것이다.
55 게송에 의한 답이다.
56 처음 2구를 해석하는 것이다. '인忍'이라는 말은 법지인과 유지인을 통틀어 말한 것이다. 인忍에 의해 해쳐지는 모든 수면 중 유정지(=비상비비상처)에 포함되는 것은 오직 견소단이니, 오직 유지인類智忍에 의해야만 비로소 끊어질 수 있기 때문(=유루도의 세속지로 끊어질 수 없음은 뒤의 제24권 중 게송 ㊼ab와 그 논설 참조) 이다. # 인과 지, 법지와 유지 등은 뒤의 제23권 중 게송 ㉗~㉘과 그 논설에서 설명된다.
57 제3구를 해석하는 것이다. 나머지 욕계·4정려·3무색의 8지에 포함되는, 인으로 끊어지는 것[忍所斷]은 견·수소단에 통한다. 말하자면 성자가 끊는 것은 견소단일 뿐, 수소단이 아니니, 욕계의 것이라면 법지인에 의해 끊어지고, 그 위의 7지의 것이라면 유지인에 의해 끊어지며, 만약 이생이 끊는 것이라라면 수소단일 뿐, 견소단이 아니니, 세속지(=유루의 6행관)를 자주 익힘에 의해 끊어지는 것이기 때문이다.

직 수소단이니, 모든 성자 및 모든 이생이 그 상응하는 바대로 모두 무루지·세속지를 자주 익힘에 의해 끊어지는 것이기 때문이다.[58]

어떤 다른 논사는 말하였다. "외도의 모든 선인은 견소단의 번뇌를 누르고 끊을 수 없으니[不能伏斷], 예컨대 대분별제업계경大分別諸業契經에서, 욕탐을 떠난 모든 외도의 부류에게 욕계를 반연하는 사견이 현행할 수 있음을 설하였고, 그리고 범망경梵網經에서도 역시, 그런 부류들에게 욕계를 반연하는 모든 소견이 현행할 수 있음을 설한 것과 같다. 말하자면 전제前際에 대해 분별하는 논자로서 전부 상주[全常]를 주장하는 자가 있고, 일부 상주를 주장하는 자가 있으며, 모든 법은 원인 없이 생긴다고 주장하는 자가 있는 등이다. 색계의 번뇌는 욕계를 반연하여 생기는 것이 아니며, 욕계의 경계에 대해서는 이미 탐욕을 떠났기 때문에, 결정코 이는 욕계의 모든 소견이 아직 끊어지지 않은 것이다."[59] 비바사 논사들은 그 경의 뜻에 대해,

58 제4구를 해석하는 것이다. 지智에 의해 해쳐지는 모든 수면의 경우, 일체 9지地에 포함되는 것이 오직 수소단이니, 모든 성자 및 모든 이생이 그 상응하는 바대로, 성자는 무루지와 세속지를 자주 익힘에 의해 끊는 것이며, 이생은 세속지를 자주 익힘에 의해 끊는 것이기 때문이다.

59 다른 학설을 서술하는 것이다. 외도의 선인들은 견소단의 번뇌를 누를 수 없고, 수소단의 번뇌는 단지 잠시 누를 수 있을 뿐이어서 상계에 태어날 수 있다는 것이다. 그래서 『대비바사론』 제51권(=대27-264중)에서 말하였다. "말하자면 비유자는, '이생은 모든 번뇌를 끊을 수 없다'는 이런 말을 하였다." 또 『대비바사론』 제90권(=대27-465상)에서도 말하였다. "혹 다시 어떤 분은, '이생은 견소단의 수면을 끊을 수 없다'라고 주장하고, 어떤 다른 분은 다시, '이생은 모든 수면을 끊을 수 없고, 오직 제복할 수 있을 뿐이다'라고 주장하였다." 해석하자면 견소단의 번뇌는 누를 수도 없고 끊을 수도 없으며, 만약 수소단의 번뇌라면 누르기는 해도 끊은 것이 아니라는 것이다. 마치 대분별제업계경(=중 44:171 분별대업경)에서, 욕계의 수소단의 탐욕을 떠난 외도의 부류들에게 욕계를 반연하는 사견이 현행할 수 있다고 설한 것과 같으니, 그래서 견혹을 누를 수 없고 끊을 수 없다는 것을 알 수 있다. 나머지 견소단의 번뇌도 이 사견에 준하면 모두 끊을 수 없을 것이다. 그리고 범망경(=장 14:21 범동경梵動經)에서도 역시, 욕망을 떠난 모든 외도의 부류들에게도 욕계를 반연하는 모든 소견이 현행할 수 있다고 설하였다. 말하자면 전제(=과거)에 대해 분별하는 논자 중에는, 네 종류의 전부 상주를 주장하는 자가 있고, 네 종류의 일부 상주를 주장하는 자가 있으며, 모든 법은 원인 없이 생긴다고 주장하는 자가 두 종류 있는 등인데, 그 경에서 모두 62견을 설하였다. 이로써 견소단의 번뇌를 누를 수 없고 끊을 수 없다는 것을 알 수 있다. 색계

"소견을 일으킬 때 마치 제바달다처럼 잠시 물러났던 것이다"라고 해석하였다.60

제3절 5견

행상에 다름이 있음에 의해 소견을 다섯 가지로 나누는데, 명칭은 먼저

의 번뇌는 욕계를 반연하여 생기는 것이 아니며, 욕계의 경계에 대해서는 이미 탐욕을 떠났기 때문에 결정코 이는 욕계의 모든 소견이 아직 끊어지지 않은 것이다.

(문) 62견의 명칭과 체는 어떠한가? (해) 『대비바사론』 제199권 및 200권(=대27-996중 이하)에서 자세히 밝히는 것과 같은데, 이제 간략히 뜻을 취해 표방하고 드러내겠다. 그 논서에서의 62견이라는 것과 또 범망경에서도 설한 62악견은 모두 유신견을 근본으로 해서 일어난다. 62견이 일어나는 것은 말하자면, 전제를 분별하는 소견에 18견이 있고, 후제를 분별하는 소견에 44견이 있다. 전제를 분별하는 18견은 말하자면 4변상론遍常論, 4일분상론一分常論, 2무인생론無因生論, 4유변등론有邊等論, 4불사교란론不死矯亂論이고, 후제는 분별하는 소견에 44견이 있는 것은 말하자면, 16유상론有想論, 8무상론無想論, 8비유상비무상론非有想非無想論, 7단멸론斷滅論, 5현법열반론現法涅槃論이다. 이들 중 과거에 의지해 분별을 일으키는 소견을 전제를 분별하는 소견[前際分別見]이라고 이름하고, 미래에 의지해 분별을 일으키는 소견을 후제를 분별하는 소견[後際分別見]이라고 이름한다. 만약 현재에 의해 분별을 일으키는 소견이라면 이는 곧 일정하지 않아서, 혹은 전제를 분별하는 소견이라고 이름하기도 하고, 혹은 후제를 분별하는 소견이라고 이름하기도 하니, 현재세는 미래의 전, 과거의 후이기 때문이며, 혹은 미래의 원인이면서 과거의 결과이기 때문이다. # 이하 그 각각에 대한 자세한 설명이 이어지고 있는데, 요지는 장 14:21 범동경梵動經에서의 설명과 같다.

60 비바사 논사들의 뜻은, 이생도 아래 8지 중의 견·수소단의 번뇌를 끊을 수 있다고 하면서, 그 경에 대해서는, 이미 욕탐에서 떠났는데도 욕계의 소견을 일으키는 것은 소견을 일으킬 때 마치 제바달다처럼 잠시 물러났던 것이라고 해석하였다. 그래서 『대비바사론』 제85권(=대27-442상)에서 말하였다. "마치 제바달다가 먼저 정려를 얻어서 신족통의 힘으로써 어린아이로 변화해서 황금영락의 옷을 입고, 정수리에 다섯 송이 꽃을 만들어 미생원태자의 무릎 위에서 뒹굴면서 재롱을 떨어 태자로 하여금 존자 제바달다라는 것을 알게 했는데, 그 때 미생원이 가엾게 여겨서 안고 어르며 울리다가 뒤에 그 침[唾]을 입 속에 넣자, 제바달다가 이익을 탐내었기 때문에 그 침을 삼키니, 그 때문에 붓다께서 '너는 시체인데, 사람의 침을 먹는가?'라고 꾸짖으신 것과 같다. 그가 침을 삼킬 때 곧 정려에서 물러났다가 속히 다시 얻고 변화시킨 몸으로 하여금 태자의 무릎 위에서 본래대로 재롱을 떨었다."

이미 열거하였다. 자체는 어떠한가? 게송으로 말하겠다.

⑦ 나와 나의 소유, 단멸과 상주[我我所斷常]
없다고 부정하고, 열등한 것을 뛰어난 것이라고 여기며[撥無劣謂勝]
원인·도 아닌 것을 망령되이 그것이라고 여기는[非因道妄謂]
이런 것이 5견의 자체이다[是五見自體][61]

1. 5견의 체

(1) 유신견[살가야견薩伽耶見]

논하여 말하겠다. 나[我] 및 나의 소유[我所]라고 집착하는 것이 살가야견薩伽耶見이다.[62] 무너지기 때문에 '살sat'라고 이름하고, 무리[聚]가 말하자면 '가야kāya'이니, 곧 무상한 것이 화합한 온[無常和合蘊]이라는 뜻이다. '가야'가 곧 '살'이므로 살가야라고 이름한 것이다. 이 살가야는 곧 5취온인데, 항상하며 하나라는 생각[常一想]을 막기 위해 이 명칭을 세운 것이다. 반드시 이런 생각이 선행해야 비로소 나[我]라고 집착하기 때문이다.[63]

비바사 논사들은 이렇게 해석하였다. 있는 것[有]이기 때문에 '살'이라고 이름하고, 무리[身]의 뜻은 앞과 같다. 소연 없이 나와 나의 소유를 헤아린다고 해서는 안 될 것이니, 그래서 이 소견은 있는 무리[유신有身]를 반연한다고 말하는 것이다. 살가야를 반연하여 이 소견을 일으키기 때문에 이

61 이하는 셋째 5견의 체를 개별적으로 밝히는 것이다. 그 안에 나아가면 바로 5견의 체를 밝히고, 둘째 계금취에 대해 따로 해석한다. 이하는 곧 바로 5견의 체를 밝히는 것인데, 명칭을 옮겨와서 체를 묻고 아울러 게송으로 답한 것이다.

62 (제1구 중) '나와 나의 소유'에 대해 해석하면서 유신견에 대해 밝히는 것이다. 나 및 나의 소유라고 집착하는 것이 살가야견이다.

63 경량부의 해석이다. 무너지기 때문에 '살'이라고 이름하고, 무리[身]가 말하자면 '가야'이니, '가야'는 무리라고 이름한다. 무너진다는 것은 곧 항상한 것이 아니라는 뜻[非常義]이고, 무리는 곧 화합한 온[和合蘊]이라는 뜻이다. '가야'가 곧 '살'이므로 '살가야'라고 이름한 것이니, 지업석이다. 이 살가야는 곧 5취온인데, 항상하다는 생각을 막기 위해 '살'이라는 명칭을 세우고, 하나라는 생각을 막기 위해 '가야'라는 명칭을 세운 것이다. 반드시 이런 항상하며 하나라는 생각이 선행해야 그 뒤에 비로소 나[我]라고 집착하기 때문이다. '살가야의 견'이므로 살가야견이라고 이름한 것이니, 의주석이다.

소견을 살가야라는 명칭으로 표방한 것이다. 모든 소견이 다만 유루법을 반연하기만 한다면 모두 살가야라는 명칭으로 표방해야 하겠지만, 붓다께서 단지 나와 나의 소유에 대한 집착에 대해서만 이 명칭을 표방하신 것은, 이 소견은 나와 나의 소유가 아닌 살가야를 반연하는 것임을 알게 하기 위한 것이었으니, 나와 나의 소유는 필경 없기 때문이다. 마치 계경에서, "필추들이여, 세간의 사문과 바라문 등이, 나라고 집착하는 모든 것들에 대해 바르게 따라 관찰해 보면, 일체가 오직 5취온에서 일어나는 것일 뿐이라고 알아야 한다"라고 말씀하신 것과 같다.64

⑵ 변집견邊執見

곧 그 집착된 나와 나의 소유라는 것에 대해 단멸[斷]한다고 주장하거나 상주[常]한다고 주장하는 것을 변집견邊執見이라고 이름하니, 망령되이 단멸·상주의 극단[斷常邊]을 붙잡아 취하기[執取] 때문이다.65

64 둘째 비바사 논사의 해석이다. 있는 것이기 때문에 살이라고 이름하고, 무리의 뜻은 앞과 같다. 그래서 『순정리론』(=제47권. 대29-605하)에서 말하였다. "있는 것이기 때문에 '살'이라고 이름하고, 무리가 말하자면 '가야'이니, 곧 화합하여 쌓인 무리[和合積聚]를 뜻으로 하는 것이다. 가야가 곧 살이므로 살가야라고 이름한 것이니, 곧 실제로 있으면서 하나가 아닌 것[實有非一]을 뜻으로 하는 것이다." 소연 없이 나와 나의 소유를 헤아린다고 해서는 안 되니, 경량부에서 없는 것[無]을 반연하여 마음을 낳는다고 하는 것과 같지 않다. 그래서 이 소견은 있는 무리[유신有身]를 반연하는 것이지, 없는 법[無法]을 반연하지 않는다고 말하는 것이다. 살가야를 반연하여 이 소견을 일으키므로 경계에 따라 이름한 것이기 때문에 이 소견을 표방하여 살가야라고 이름한 것이다. 무리[身]가 곧 있는 것[有]이기 때문에 유신有身이라고 이름했으니, 지업석이고, 유신有身의 소견이므로 유신견이라고 이름했으니, 의주석이다. 다만 유루법을 반연하는 모든 소견은 모두 살가야라는 명칭으로 표방해야 할 것이니, 그것은 모두 있는 무리를 반연하여 일어나는 것이기 때문이다. 그렇지만 붓다께서 단지 나와 나의 소유에 대한 집착에 대해서만 이 명칭을 표방하신 것은, 이 소견은 나와 나의 소유 아닌, 있는 무리를 반연해 일어나는 것임을 알게 하기 위한 것이었으니, 나와 나의 소유는 필경 없기 때문이다. 마치 계경(=잡[4]2:45 각경覺經)에서, "나라고 집착하는 모든 것들에 대해 붓다가 바르게 따라 관찰해 보면 일체가 오직 5취온에서 일어나는 것일 뿐, 다른 법에서가 아니다"라고 말씀하신 것과 같다. 이로써 나와 나의 소유가 아닌, 유신有身을 반연할 뿐이라는 것을 알 수 있다.

65 (제1구 중) '단멸과 상주'를 해석하면서 변집견에 대해 밝히는 것이다. 곧 그 집착된 나와 나의 소유라는 것에 대해 단멸한다고 주장하거나 상주한다고 주

⑶ 사견邪見

실제로 체가 있는[實有體] 고제 등의 진리[諦]에 대해 소견을 일으켜 없다고 부정하는 것을 사견邪見이라고 이름한다. 일체 망견妄見은 모두 전도되어 일어나므로 모두 사견이라고 이름해야 할 것인데도, 단지 없다고 부정하는 것만을 사견이라고 이름하는 것은 허물이 심하기 때문이니, 마치 취소臭蘇나 악집악惡執惡 등이라고 말하는 것과 같다. 이것은 감손減損하기만 하지만, 나머지는 증익하는 것이기 때문이다.[66]

⑷ 견취見取

열등한 것에 대해 뛰어난 것이라고 말하는 것을 견취見取라고 이름한다. 유루를 열등한 것이라고 이름하니, 성도에 의해 끊어지는 것이기 때문이다. 열등한 것을 뛰어난 것이라고 집착하는 것을 모두 견취라고 이름하므로, 이치의 실제로는 견등취見等取라는 명칭을 세워야 하겠지만, '등'이라는 말을 생략해 버리고 견취라고만 이름한 것이다.[67]

장하는 것이다. 단멸·상주가 아니라는 중도의 이치를 어기고, 망령되이 단멸·상주의 극단을 붙잡아 취하기 때문에 변집견이라고 이름한다. 극단을 반연하여 집착을 일으키므로 극단의 집착이기 때문에 변집이라고 이름한 것이니, 의주석이며, 변집이 곧 견이므로 변집견이라고 이름한 것이니, 지업석이다.

66 (제2구 중) '없다고 부정하고'를 해석하면서 사견에 대해 밝히는 것이다. 실제로 체가 있는 고·집·멸·도의 4성제에 대해 소견을 일으켜 없다고 부정하는 것을 사견이라고 이름한다. 일체 5견은 모두 전도되어 일어나므로 모두 사견이라고 이름해야 할 것인데도, 단지 없다고 부정하는 것만을 사견이라고 이름한 것은 허물이 무겁기 때문에 이것만 사견이라는 명칭을 세운 것이다. 마치 취소臭蘇라고 말하는 것과 같으니, 무릇 소蘇(=풀 이름)는 모두 냄새나지만, 냄새나는 것 중 극심한 것을 취소臭蘇라고 이름한다. 모든 전다라들은 모두 집악執惡이라고 이름하지만, 그 중 악을 지은 허물이 극심한 자를 악집악惡執惡이라고 이름한다. '등'은 열거한 법이 아직 미진함을 나타내는 것이다. 말하자면 이 사견은 오직 감손減損하기만 하기 때문이니, 나머지 4견에는 증익하는 것이 있기 때문이다. 말하자면 유신견·견취·계금취는 오직 증익하는 것이고, 변집견 중 일부 상주를 주장하는 소견은 역시 증익도 하기 때문이니, 비록 역시 손감하는 것인 단견이 있지만, 오직 이것만인 것은 아니기 때문이다. '사'가 곧 '견'이므로 사견이라고 이름한 것이니, 지업석이다.

67 (제2구 중) '열등한 것을 뛰어난 것이라고 여기며'를 해석하면서 견취에 대해 밝히는 것이다. 모든 유루법은 모두 열등한 것이라고 이름하니, 성도에 의해 끊어지는 것이기 때문이다. 이런 열등한 법을 가장 뛰어난 것이라고 집착하는

(5) 계금취戒禁取

원인[因]과 도道가 아닌 것을 원인과 도라고 여기는 소견은 일체 모두 계금취戒禁取라고 이름한다. 예컨대 대자재천[大自在]이나 생주生主 혹은 다른 것은 세간의 원인이 아닌데도 망령되이 원인이라는 집착을 일으키는 것, 물이나 불에 뛰어드는 등의 갖가지 삿된 행은 하늘에 태어나는 원인이 아닌데도 망령되이 원인이라는 집착을 일으켜서 계금戒禁을 수지할 뿐인 것, 수數와 상응하는 지혜 등은 해탈의 도가 아닌데도 망령되이 도라는 집착을 일으키는 것과 같다. 이치상 실제로는 계금등취戒禁等取라는 명칭을 세워야 하겠지만, '등'이라는 말을 생략해 버리고 단지 계금취라고만 이름한 것이다.[68]

....

것은 모두 견취하고 이름하므로, 이치상 단지 소견[見]을 뛰어난 법이라고 집착하는 것뿐만 아니라, 또한 소견 아닌 것[非見]을 뛰어난 법이라고 집착하는 것이기도 하니, 이치의 실제로는 '견등취'라는 명칭을 세워야 하겠지만, '등'이라는 말을 생략해 버리고 견취라고만 이름한 것이다. 또 『순정리론』(=제47권. 대29-606상)에서도 말하였다. "혹은 소견이 뛰어나기 때문에 '견'이라는 명칭만 열거했을 뿐, 견을 처음으로 해서 나머지 법도 취하기 때문이다." 견취라고 말한 것은, 견을 반연하여 취착[取]을 일으키므로 견의 취이기 때문에 견취라고 이름한 것이니, 의주석이다.

68 제3구의 '원인과 도 아닌 것을 망령되이 그것이라고 여긴다'를 해석하면서 계금취에 대해 해석하는 것이다. 원인 아닌 것과 도 아닌 것을 망령되이 원인과 도라고 여긴다면 이런 소견 일체는 모두 계금취라고 이름한다. 예컨대 여러 외도들이 대자재천이 원인이라고 계탁하거나 생주가 원인이라고 계탁하는 것과 같다. 생주는 곧 범천왕인데, 능히 일체 세간을 낳으므로 세간주世間主(=세간의 주인)라고 한다. 혹은 '주'는 천주天主이다. 혹은 다른 외도들은 시간·방위·자아 등이 원인이라고 계탁한다. 이와 같은 등의, 세간의 원인 아닌 것을 계탁하여 망령되이 원인이라는 집착을 일으키거나 혹은 여러 외도들이 물이나 불에 뛰어드는 등의 갖가지 삿된 행은 하늘에 태어나는 원인이 아닌데도 망령되이 원인이라는 집착을 일으켜서 계금을 수지할 뿐이다. '계'는 내도의 계를 말함이니, 곧 5계 등이고, '금禁'은 외도의 금禁(=금계)을 말함이니, 곧 개·소 등의 금이다. 혹은 이 계금은 같이 내·외도에 통한다. 외도 니건자는 모든 법을 헤아리는 것이 해탈의 도라고 항상 계탁하는데, 지혜가 수와 상응하는 것을 '수와 상응하는 지혜'라고 이름하였다. '등'은 말하자면 다른 여러 외도 등을 같이 취한 것이다. 이들이 집착하는 것은 진정한 해탈의 도가 아닌데도 망령되이 진정한 도라는 집착을 일으키니, 모두 계금취라고 이름한다. 이런 계금취는 단지 계금을 원인이라거나 도라고 집착하는 것뿐만 아니라, 또한 계금 아닌 것을 원인이라거나 도라도 집착하는 것이기도 하므로, 이치상 실제로는 계금등취라는 명칭을 세워야 하겠지만, 등이라는 말을 생략해 버리

이런 것이 말하자면 5견의 자체라고 알아야 할 것이다.[69]

2. 특히 계금취에 대하여

만약 원인 아닌 것에 대해 원인이라는 소견을 일으킨 것이라면, 이 소견은 어째서 견집소단이 아닌가?[70] 게송으로 말하겠다.

⑧ 대자재천 등의[於大自在等]

원인 아닌 것에 대해 망령되이 원인이라고 집착하는 것은[非因妄執因]

상도·아도로부터 생기는 것이기[從常我倒生]

때문에 오직 견고소단이다[故唯見苦斷][71]

논하여 말하겠다. 대자재천이나 생주, 혹은 다른 것이 세간의 원인이 되어 세간을 낳았다고 집착하는 자는 반드시 먼저 그 체가 항상하고[常], 하나이며[一], 자아이고[我], 작자作者라고 계탁해야 비로소 원인이라는 집착을 일으키니, 막 고제를 보면 바로 그 때 자재천 등에 대해 항상하다는 집

고 계금취라고만 이름한 것이다. 또 『순정리론』(=제47권. 대29-606상)에서 말하였다. "계금취가 뛰어나니, 이 때문에 단지 계금취라는 명칭만 세운 것이다." 계금취라고 말한 것은 계금을 반연하여 취착을 일으키므로 계금의 취를 계금취라고 이름한 것이니, 의주석이다.

69 제4구를 해석하는 것인데, 이는 곧 맺는 것이다. 5견 중 셋에 대해서는 '견'이라는 명칭을 세우고, 둘에 대해서는 '취'라는 명칭을 세운 것은 『대비바사론』 제49권(=대27-256중)에서 말한 것과 같다. "(문) 무엇 때문에 2견은 단지 취라고만 이름했는가? (답) 이 2견에서는 취착[取]의 행상이 일어나기 때문에 단지 취라고만 이름한 것이다. 말하자면 유신견은 나와 나의 소유라고 집착하고, 변집견은 단멸과 상주에 대해 집착하며, 사견은 없다고 집착하는데, 이런 여러 소견을 가장 뛰어난 것이라고 취하기 때문에 견취라고 이름하고, 모든 계금을 능히 청정을 얻게 하는 것이라고 취하기 때문에 계금취라고 이름한 것이다. 또한 다음 앞의 3견은 소연에 대해 미루어 헤아리는[推度所緣] 세력의 작용이 맹리하기 때문에 견이라고 이름하고, 뒤의 2견은 능연을 붙잡아 받아들이는[執受能緣] 세력의 작용이 맹리하기 때문에 취라고 이름한 것이다."

70 이하는 둘째 계금취에 대해 따로 해석하는 것이다. 만약 원인 아닌 것에 대해 원인이라는 소견을 일으킨 것이라면, 이 소견은 어째서 견집소단이 아니기에 견고소단이라고 말하는가?

71 게송에 의한 답이다.

착[常執]과 자아라는 집착[我執]이 영원히 남음 없이 끊어지기 때문에 그것이 생긴 것의 원인이라는 집착[所生因執]도 역시 끊어지는 것이다.72

만약 그렇다면 누군가가 물이나 불에 뛰어드는 등의 갖가지 삿된 행이 하늘에 태어나는 원인이라고 집착하거나, 혹은 단지 계금 등을 수지하는 것에 의해 곧 청정을 얻는다고 집착하는 것은 견고소단이 아니어야 할 것이다. 그렇지만 근본논서에서, "어떤 외도들은 이와 같은 소견을 일으키고 이와 같은 이론을 세운다. '만약 어떤 사람인 보특가라가 소의 계[牛戒], 사슴의 계[鹿戒], 개의 계[狗戒]를 수지한다면, 곧 청정·해탈·출리를 얻어 온갖 고락을 영원히 초월해 고락을 초월한 처소에 이른다.' 이와 같은 등의, 원인 아닌 것을 원인이라고 집착하는 부류는 일체가 계금취로서 견고소단이라고 알아야 한다"라고 설했으며, 거기에서 자세히 설한 것과 같은데, 이런 것들은 다시 어떤 이유에서 견고소단인가?73 고제에 미혹한 것이기 때

72 여러 외도 등이, 대자재천·범왕·생주 혹은 다른 시간 등이 세간의 원인이 되어 세간을 낳았다고 집착하는 것은, 자재천 등의 두드러진 고과[麤苦果]의 뜻에 대해, 반드시 먼저 그 체가 항상하고-'항상하다'는 것은 말하자면 상견常見이다-, 하나이며, 자아이고-'자아'라는 것을 말하자면 아견我見이다-, 작자라고 계탁해야-곧 이런 이치에 의해 유신견·변집견은 견고소단일 뿐이다-, 자아이며 상주하는 것이라고 계탁한 뒤에 비로소 그 자아이며 항상한 것에 대해 세간의 원인이라는 집착을 일으킨다. '원인이라는 집착'이 말하자면 계금취이다. 그러므로 막 고제를 보면 바로 그 때 자재천 등에 대해 항상하다는 집착과 자아라는 집착이 영원히 남음 없이 끊어지기 때문에 그 자아이며 항상하다는 것에 의해 생긴, 계금의 원인에 대한 집착도 역시 끊어지는 것이다. 이는 원인 아닌 것을 원인이라고 계탁하는 계금은 항상하며 자아라고 함으로부터 생기는 것으로서, 두드러진 과보의 처소[麤果處]에서 일어나는 것이기 때문에 견고소단이고, 일어남이라는 원인[集因]에 대해 망령되이 자아이며 항상하다고 계탁하여 비로소 원인이라는 집착을 일으키는 것이 아님을 나타내는 것이다. 따라서 원인 아닌 것을 원인이라고 계탁하는 것은 견집소단이 아니다.

73 논주의 힐난이다. 만약 그렇다면 혹자는 물이나 불에 뛰어드는 등의 갖가지 삿된 행이 하늘에 태어나는 원인이라고 집착하거나, 혹은 단지 계금 등을 수지하는 것만으로 곧 청정·해탈·열반을 얻는다고 집착하는데, 이 물이나 불에 뛰어드는 것은 이미 그 상주·자아의 전도로부터 생기지 않았으니, 견고소단이 아니어야 할 것이다. 그렇지만 근본논서(=『발지론』 제20권. 대26-1029상)에서 견고소단이라고 말했으니, 그래서 그 논서에서 말하였다. "어떤 외도들은 소의 계[牛戒] 등을 수지하면 곧 청정·해탈·열반을 얻어 생사에서 출리하므로 세간의 온갖 고락을 영원히 초월하여 세간의 고락을 초월한 처소에 이

문이다.74

【유부의 소단 구분에 대한 반론】 큰 허물이 있으니, 유루를 반연하는 번

....

른다고 한다. '처소'는 곧 열반이니, 이와 같은 등의, 원인 아닌 것을 원인이라고 집착하는 부류는 일체가 계금취로서 견고소단이라고 알아야 한다." 그 근본논서에서 자세히 말한 것과 같다. 모두 상주·자아의 전도[常我倒]에서 생긴 것이 아니라고 알아야 할 것인데, 이들은 다시 어떤 이유에서 견고소단인가?

74 비바사 논사의 답이다. 비록 상주·자아의 전도[常我倒]로부터 생긴 것은 아니지만, 고제에 미혹한 것이기 때문에 견고소단이다. 게송의 글은 우선 계금이 상주·자아(의 전도)로부터 생기므로 견고소단임에 의거한 것일 뿐, 실제로는 상주·자아(의 전도)에 의하지 않고 생기는 것도 있다고 말한다. 『대비바사론』 제199권(=대27-993하)에서 말하였다. "이상 말한 모든 계금취가 모두 견고소단인 것은, 자아·상주의 전도에 의해 생긴 것으로서 과보의 처소에서 일어나기 때문이다. 비록 원인 아닌 것을 원인이라고 계탁하는 것인데도 견고소단이라고 말하는 것은, 말하자면 계금취에는 모두 두 부류가 있으니, 첫째 원인 아닌 것을 원인이라고 계탁하는 것[비인계인非因計因]과 둘째 도 아닌 것을 도라고 계탁하는 것[비도계도非道計道]이다. 원인 아닌 것을 원인이라고 계탁하는 것에도 다시 두 부류가 있으니, 첫째 집착하는 자아·상주의 법에 미혹하여 일어나는 것과 둘째 전생에 지은 것[宿作]과 고행苦行 등에 미혹해 일어나는 것이다. 전자는 자아·상주의 전도에 의해 일어나며, 또한 과보의 처소에서 일어나는 것이기 때문에 2전도에 따르는 견고소단이다. 후자는 오직 과보의 처소에서만 일어나는 것으로서 과보의 모습이 두드러지게 드러나 쉽게 볼 수 있기 때문이며, 괴로움의 원인을 헤아려서 원인이라고 헤아리는 것은 완전한 사견이 아니기 때문이며, 이미 과보의 모습에 미혹한 것이기 때문에 역시 견고소단이다. 도 아닌 것을 도라고 계탁하는 것에도 역시 두 부류가 있으니, 첫째 유루의 계 등을 도라고 집착하는 것이니, 이는 두드러지게 드러나는 과보의 모습에 미혹해 일어나는 것이기 때문에 고제를 볼 때 곧 영원히 끊어진다.(=견고소단) 둘째 도제를 비방하는 사견 등을 도라고 집착하는 것이니, 이는 직접 도에 어긋나는 것으로서, 인과의 모습에 대해 따로 미혹해 집착하지 않기 때문에 도제를 볼 때라야 비로소 영원히 끊어질 수 있다.(=견도소단) 집제·멸제를 비방할 때에는 이미, 끊어질 법[所斷法]과 증득될 법[所證法]의 모습을 부정하는 것이므로, 만약 도라고 집착한다고 해도 곧 소용 없는 것이 될 것이니, 결정코 끊어질 법 및 증득될 법에 의해서 도를 세우기 때문이다. 또 그것에 의해 부정된 것은 도와 서로 다르므로 반드시 그것의 무간에 그것을 도라고 집착하는 것은 없을 것이고, 만약 그 뒤의 시기에 그것을 도라고 집착한다면 결정코 과보의 처소에서 도라는 집착을 일으키는 것이므로, 고제를 볼 때 이런 소견은 곧 끊어질 것이다. 따라서 계금취로서 견집제·멸제소단인 것은 없다." # 요컨대 비인계인非因計因의 계금취는 모두 견고소단이고, 비도계도非道計道의 계금취에는 견고소단과 견도소단이 있으며, 견집·견멸소단은 없다는 취지이다.

뇌는 모두 고제에 미혹한 것이기 때문이다.[75] 다시 어떤 모습의 차별이 있는 계금취라야 그것을 견도소단이라고 말할 수 있는가? 모든 견도소단의 법을 반연하여 생긴 그것도 역시 고제에 미혹한 것이라고 이름해야 할 것이기 때문이다.[76]

또 도제를 반연하는 사견 및 의심은, 부정하든 의심하든 해탈의 도가 없다는 것인데, 어떻게 곧 이것이 능히 영원한 청정을 얻는 도라고 집착하는 것

75 이하 논주가 네 가지 힐난을 한다. 첫째 큰 허물이라는 힐난[太過失難], 둘째 별도의 모습이 없다는 힐난[無別相難], 셋째 곧 소견·의심을 집착한다는 힐난[卽執見疑難], 넷째 집·멸의 사견에 의한 힐난[集滅邪見難]인데, 이는 곧 첫째 큰 허물이라는 힐난이다. 고제에 미혹한 것이기 때문에 곧 견고소단이라면 큰 허물이 있을 것이니, 5부소단의 유루를 반연하는 번뇌는 모두 고제에 미혹한 것이기 때문에 응당 모두 견고소단이어야 할 것이다. 『순정리론』(=제47권. 대29-607중)에서 변론해 말하였다. "오직 견고에서 끊을 바 소의 계[牛戒] 등을 반연하는 것이기 때문이며, 단지 두드러진 과보[麤果]가 그것의 원인이라고 계탁하는 것이기 때문이다." 이에 의해 경주經主(=경량부의 종지를 주장하는 세친을 가리킴)의 힐난을 부정하고, '고제에 미혹한 것이기 때문에 큰 허물이 있으니, 유루를 반연하는 번뇌는 모두 고제에 미혹한 것이기 때문이다'라는 것에 대해서는, "일체 유루를 반연하는 번뇌가 모두 과보의 괴로움을 소연으로 하는 것은 아니기 때문이다. 어떻게 큰 과실이 있을 수 있겠는가?"라고 하였다. 구사론사가 논파해 말한다. 「고제 하의 계금이 유루를 반연하는 것은 곧 과보의 처소에서 생기는 것이라면, 나머지 유루의 번뇌도 역시 유루를 반연하는데, 어찌 과보의 처소에서 일어나는 것이 아니겠는가?」

76 이는 곧 둘째 별도의 모습이 없다는 힐난이다. 그대들의 종지에서 계금이 견고·견도소단에 통한다고 한다면, 다시 어떤 모습의 차별이 있는 계금취라야 그것을 견도소단이라고 말할 수 있는가? 모든 견도소단의 법을 반연하여 생긴 그것도 역시 고제에 미혹한 것이라고 이름해야 하기 때문에 견고소단이어야 할 것이다. 『순정리론』(=제47권. 대29-607중)에서 변론해 말하였다. "그러나 도 아닌 것을 도라고 계탁하는 것 중에서 견도에 어긋남이 강한 것이라면 곧 견도소단이다." 해석해 말하자면 그 논서에서의 뜻이 말하는 것은, 도 아닌 것을 도라도 계탁하는 계금취에는 두 부류가 있기 때문인데, 만약 과보의 처소에서 일어나는 것이라면 견고소단이지만, 만약 과보의 처소 아닌 것에서 일어나는 것으로서 직접 도에 미혹한 것을 반연해 소연으로 하는 것이라면 견도에 어긋남이 강하므로 곧 견도소단이라는 것이다. 구사론사가 논파해 말한다. 「두 종류 계금은 모두 유루를 반연하면서 모두 도 아닌 것을 도라고 계탁하는 것인데, 어째서 하나는 과보의 처소에서 일어나는 것이고, 하나는 과보의 처소 아닌 것에서 일어나는 것이겠는가? 뜻이 이미 가지런하니, 모두 과보에서 일어나는 것이어야 할 것이고, 만약 모두 과보에서 일어나는 것이라면 모습에 다시 차별이 없을 것이다.」

이겠는가? 만약 그것이 진정한 해탈의 도가 없다고 부정하면서, 망령되이 별도로 다른 청정의 원인이 있다고 집착하는 것이라면, 이는 곧 다른 것이 능히 청정을 얻는 도라고 집착하는 것이므로 사견 등이 아닐 것이며, 이것이 견도소단의 모든 법을 반연한다는 이치도 역시 성립되지 않을 것이다.[77]

또 만약 견집제·견멸제소단의 사견 등을 반연하는 계금취가 있어 청정의 원인이라고 집착하는 것이라면, 이것은 다시 어떤 이유에서 그것을 봄으로

77 이는 곧 셋째 곧 소견·의심을 집착한다는 힐난이다. 또 도제를 반연하는 사견 및 의심은 해탈의 도가 없다고 부정하거나 해탈의 도가 없다고 의심하는 것인데, 어떻게 곧 이 사견 및 의심이 능히 영원한 청정을 얻는 도라고 집착하는 것이겠는가? 만약 그것이 여래께서 말씀하신 진정한 해탈의 도가 없다고 부정하면서, 별도로 무상정 등 다른 청정의 원인이 있다고 망령되이 집착하는 것이라면, 이는 곧 다른 무상정 등이 능히 청정을 얻는 도라고 집착하는 것이므로 사견 등이 아닐 것이며, 이 계금취가 견도소단법을 반연한다는 이치도 역시 성립되지 않을 것이다. 『순정리론』(=제47권. 대29-606하)에서 변론해 말하였다. "이런 계금취의 체가 성립되지 않는 것은 아니다. 도제를 비방하는 사견에는 능히 영원한 청정을 증득하는 도가 된다고 집착하는 것도 있다고 계탁하는데, 그것을 이치대로의 이해[如理解]라고 계탁하기 때문이다. 말하자면 그는 먼저 다른 해탈의 도를 마음 속에 쌓아 두었다가, 뒤에 진정한 도를 비방하는 사견에 집착하여 이치대로의 깨달음[如理覺]으로 삼는 것이다. '이치대로'라는 말은, 그가 말하자면 진정한 해탈의 도를 부정하거나 의심하면서, 이것(=사견·의심)은 전도되지 않은 것으로서 이치와 같기 때문에 청정의 원인이라고 집착한다는 것이다. 이 때문에 계금취의 체가 성립될 수 있다. 그가 마음에 쌓아 두었던 다른 해탈의 도는 견도소단의 계금취의 소연이 아니니, 그것은 오직 자부自部의 법만을 반연하기 때문이다. 도에는 여러 부류가 있으므로, 이치상 허물이 없다." 해석해 말한다면 다른 해탈의 도는 말하자면 무상정 등이다. 『순정리론』에서 변론하는 뜻이 말하는 것은, 이미 남이 말한 도제를 부정하거나 의심하면서, 다시 부정하거나 의심한 것을 집착해서 이치대로의 깨달음으로 삼기 때문이라는 것이다. 곧 그것을 집착해서 청정의 원인이라고 하는데, 시간은 신속하므로 인과가 아닌 처소에서 일어난 것이기 때문에 견고·견집소단이 아니라 견도소단이며, 다시 마음에 쌓아 둔 다른 무상정 등이 해탈의 도라고 계탁하는 것은, 과보의 처소에서 일어나는 것이기 때문에 견고소단이라는 것이다. 도에는 여러 부류가 있다고 알아야 할 것이니, 혹은 견도소단이며, 혹은 견고소단이라 한들 이치상 무엇이 허물이겠는가? 구사론사가 논파해 말한다. 「계금으로서 곧 청정의 원인이라고 집착하므로 견고소단인 것도 있다고 한다면, 이것(=견도소단의 계금취)도 역시 곧 집착하는 것인데, 어째서 견고소단이 아닌가? 만약 곧 그것을 집착하지 않고 다른 것을 집착하여 청정의 원인으로 삼는 것이라고 한다면, 이런 즉 견도소단은 없어야 할 것이다.」

써 끊어지는 것이 아닌가?[78] 따라서 주장한 뜻은 다시 생각해서 가려야 할 것이다.[79]

제4절 4전도

1. 전도의 체

앞에서 설한 것처럼 상도常倒·아도我倒로부터 생긴다면, 단지 이런 두 가지 전도만 있는가?[80] 전도에는 모두 네 가지가 있다고 알아야 할 것이다. 첫째 무상한 것에 대해 항상하다[常]고 집착하는 전도, 둘째 모든 괴로운 것에 대해 즐거움[樂]이라고 집착하는 전도, 셋째 부정不淨한 것에 대해 청정한 것[淨]이라고 집착하는 전도, 넷째 무아인 것에 대해 자아[我]라고 집착하는 전도이다.[81] 이와 같은 네 가지 전도는 그 체가 어떠한가?[82] 게송으로 말하겠다.

78 이는 곧 넷째 집·멸의 사견에 의한 힐난이다. 또 만약 견집제·견멸제소단의 사견 등을 반연하면서 청정의 원인이라고 집착하는 것이 있다면, 이 계금취는 다시 어떤 이유에서 그 일어남·소멸을 봄으로써 끊어지는 것이 아닌가? 『순정리론』(=제47권. 대29-606하)에서 변론해 말하였다. "만약 누군가가 그 집제를 비방하는 사견을 능히 청정을 얻는 것이라고 계탁한다면, 어찌 이런 소견으로는 집을 끊는 작용도 없지 않겠는가? 만약 누군가가 그 멸제를 비방하는 사견을 능히 청정을 얻는 것이라고 계탁한다면, 어찌 이런 소견으로는 멸을 증득하는 작용도 없지 않겠는가?" 그 논서의 뜻이 말하는 것을 해석해 말하자면, 만약 집제가 없다고 부정한다면 곧 끊을 것이 없을 것이니, 도를 계탁하는 것도 소용 없을 것이고, 만약 멸제가 없다고 부정한다면 증득할 것이 없을 것이니, 도를 계탁하는 것도 소용 없을 것이라는 것이다. 구사론사가 논파해 말한다. 「만약 도가 없다고 부정한다면 능히 증득하는 것[能證]도 없어야 할 것인데, 비록 도가 없다고 부정했어도 능히 증득하는 다른 도가 있다고 계탁했으니, 비록 일어남·소멸이 없다고 부정했어도 다른 일어남·소멸이 있어서 끊을 바와 증득할 바가 된다고 계탁하는 것을 어찌 방해하겠는가?」

79 논주가 힐난을 마치고 다시 생각해야 한다고 권하는 것이다.

80 이하는 넷째 4전도에 대해 밝히는 것이다. 물음이다. 앞에서 설한 바와 같은 계금취가 상주·자아의 전도로부터 생기는 것이라면, 단지 이런 두 가지 전도만 있는가?

81 답이다. 모두 네 가지가 있다.

82 묻는 것이다. 이름이 이미 그렇다면, 그 체는 어떠한가?

⑨ 네 가지 전도 자체는[四顚倒自體]
말하자면 세 가지 소견을 좇되[謂從於三見]
오직 전도되고 헤아리며 증익하기 때문인데[唯倒推增故]
지각·마음의 전도는 소견의 힘에 따른다[想心隨見力][83]

논하여 말하겠다. 세 가지 소견에 따라 4전도의 체를 세운다. 말하자면 변집견 중 상견常見만을 취해서 상주의 전도[常倒]라고 하고, 모든 견취 중 즐거운 것, 청정한 것이라고 계탁하는 것을 취해서 즐거움의 전도[樂倒]와 청정의 전도[淨倒]라고 하며, 유신견 중 아견我見만을 취해서 자아의 전도[我倒]라고 한다.[84]

어떤 분은, 자아의 전도는 유신견 전부를 포함한다고 말하였다.[85] 자아의 전도가 어떻게 아소견我所見을 포함하겠는가?[86] 어떻게 포함되지 않겠는가?[87] 도경倒經에 의한 때문이니, 계탁되는 모든 자아는 그것의 일[事]에 대해 자재한 힘을 가진다는 것이 아소견이다.[88] 이는 곧 아견이 자아[我]와 자

83 위의 2구는 전도의 체를 나타내는 것이고, 제3구는 폐립하는 것이며, 제4구는 경에 대해 회통하는 것이다.
84 처음 2구를 해석하는 것이다. 모두 2설이 있는데, 이는 첫 논사이다. 5견 중 3견에 따라 4전도의 체를 세운다. 말하자면 변집견 중 상견常見만을 취해서 상주의 전도라고 하고, 단견을 취하지 않는다. 모든 견취 중 고제 하의, 즐거운 것, 청정한 것이라고 계탁하는 것을 취해서 즐거움의 전도와 청정의 전도라고 하고, 나머지 견취는 취하지 않으니, 유루법 중 진정한 즐거움과 청정이 아닌 것을 망령되이 즐거움과 청정이라고 계탁하기 때문에 뛰어난 것이 아닌 것을 뛰어난 것이라고 계탁한다고 말할 수 있다. 유신견 중 아견만을 취해서 자아의 전도라고 하고, 아소견은 아니다. 4전도는 오직 유루의 두드러진 과보의 처소에서 일어나는 것으로서 견고소단이라고 알아야 하는데, 견취는 비록 나머지 3제에도 통하지만, 증승增勝한 것이 아니기 때문에 전도라고 세우지 않는다.
85 이는 두 번째 논사의 설이다. 상·낙·정의 전도는 앞 설과 같고, 자아의 전도는 달리 말하기 때문에 별도로 서술하는 것이다.
86 이는 곧 물음이다.
87 어떤 분(=두 번째 논사)이 도리어 책망하는 것이다.
88 답이다. 4도경四倒經(=출전 미상)에서 이렇게 설했기 때문이니, "계탁되는 모든 자아[諸有計我]는 그것의 일[事](=자아라고 계탁되는 온 외의 4온=소위 나의 소유[我所])에 대해 자재한 힘을 가진다는 것이 아소견이다." 이 자아 외에

아에 속한 것[屬我]이라는 2문門에 의해 일어나는 것인데, 만약 별도의 소견이라면, 유아由我의 소견과 위아爲我의 소견도 역시 별개여야 할 것이다.[89]

2. 전도의 조건과 폐립

무엇 때문에 나머지 번뇌는 전도의 체가 아닌가?[90] 반드시 세 가지 원인을 갖추되, 뛰어난 것이라야 전도를 이룬다. 세 가지 원인이라고 말한 것은, 한결같이 전도되기 때문이며, 미루어 헤아리는 성품[推度性]이기 때문이며, 망령되이 증익增益하기 때문이다. 말하자면 계금취는 한결같이 전도된 것은 아니니, 조금의 청정[少淨]을 반연하기 때문이며, 단견과 사견은 망령되이 증익하는 것이 아니니, 없음의 문[無門]에서 일어나기 때문이며, 그 나머지 번뇌는 능히 미루어 헤아리지 않으니, 견見의 성품이 아니기 때문이다. 세 가지 원인을 갖추되, 뛰어난 것이라야 전도를 이루니, 이 때문에 나머지 번뇌는 전도의 체가 아니다.[91]

별도로 아소我所를 말했으니, 아소견은 자아의 전도에 포함되는 것이 아님을 분명히 알 수 있다. 또 해석하자면 이 글은 '어떤 분[有]'이 경을 인용해 아소견을 포함한다는 것을 증명하는 것이니, 자아가 그것의 일에 대해 자재하다는 뜻의 측면이 아소견이므로, 별도의 체가 없다.

89 '어떤 분'이 경을 해석하는 것이다. 이 아소견은 곧 아견이니, 아·아소의 2문에서 일어나기 때문에 그래서 따로 말한 것이다. '이것이 나이다[是我]'라는 것은 아견이니, 제1전(=체격體格)의 말이다. '나에 속한다[屬我]'는 것은 아소견이니, 제6전(=소유격)의 말이다. '나에 의한다[由我]'는 것은 말하자면 나로 말미암아 이와 같다는 것이니, 제3전(=구격具格)의 말이다. '나를 위한다[爲我]'는 것은 말하자면 나를 위해 이와 같다는 것이니, 제4전(=위격爲格)의 말이다. 8전성 중 제1과 제6이 만약 별도의 소견이라면 제3·제4의 소견도 역시 별개여야 할 것이지만, 제3·제4의 소견은 이미 다르지 않은 것인데, 제1과 제6의 소견이 어찌 차이가 있겠는가?

90 이하 제3구를 해석하는데, 이는 곧 물음이다.

91 답이다. 말하자면 반드시 세 가지 원인을 갖추되, 뛰어난 것이라야 전도를 이룬다. 세 가지 원인이라고 말한 것은, 한결같이 전도되기 때문이며, 미루어 헤아리는 성품이기 때문이며, 망령되이 증익하기 때문이다. 5견 중에서 말하자면 계금취는 비록 미루어 헤아리는 성품이며, 또 망령되이 증익하는 것이지만, 일부 법을 반연하여 청정을 얻기 때문이다. 예컨대 유루도가 청정한 열반을 얻는 것이라고 계탁하는 계금취와 같다. 비록 궁극적으로 번뇌를 끊고 적멸을 증득하는 것은 아니지만, 잠시 아래 8지의 염오를 떠나 그 소멸을 증득할 수 있는 것이다. 단견과 사견은 비록 한결같이 전도되고, 또 미루어 헤아리는 성품이기는 하지만, 망령되이 증익하는 것이 아니니, 없음의 문에서 일어

만약 그렇다면 어째서 계경 중에서, "무상한 것을 항상하다고 계탁하는 것에는 지각[想]·마음[心]·소견[見]의 전도가 있으며, 괴로운 것, 청정하지 못한 것, 자아 없는 것[無我]에서도 역시 그러하다"라고 설했는가?[92] 이치상 실제로는 오직 소견만이 전도라고 알아야 할 것이지만, 지각과 마음은 소견에 따르기 때문에 역시 전도라는 명칭을 세운 것이니, 소견과 상응하며, 행상이 같기 때문이다.[93]

만약 그렇다면 어째서 느낌[受] 등은 설하지 않았는가?[94] 그것은 세간에서 공히 인정하지 않기 때문이니, 말하자면 마음의 전도와 지각의 전도는 세간에서 공히 인정하지만, 느낌 등의 전도는 그렇지 않기 때문에 경에서 설하지 않은 것이다.[95]

3. 전도에 대한 소단所斷의 논의

이와 같은 모든 전도는 예류預流에서 이미 끊어졌으니, 소견 및 상응하는 것은 견소단이기 때문이다.[96]

나기 때문에 그래서 전도가 아니다. 그 나머지 탐욕·성냄·거만·의심 등은 능히 미루어 헤아리지 않으니, 견見의 성품이 아니기 때문에 그래서 전도가 아니다. 세 가지 원인을 갖추되, 뛰어난 것이라야 전도를 이루니, 이 때문에 나머지 번뇌는 전도의 체가 아니다. 집제·멸제·도제 하의 견취도 역시 따로 구별해야 할 것이지만, 생략하고 논하지 않은 것이다. 그래서 『순정리론』(=제47권. 대29-607하)에서 말하였다. "나머지 부(=견집·멸·도단)의 견취는 증승한 것이 아니기 때문이다."

92 이하는 제4구를 해석하는 것이다. 만약 소견만을 말하여 전도라고 이름한다면, 어째서 경(=『대집법문경大集法門經』 권상. 대1-229하 등) 중에서 모든 전도에는 모두 열두 가지가 있다고 설했으며, 또한 지각과 마음의 전도도 설했는가 라고 힐난하는 것이다.

93 답이다. 이치로는 소견만이 전도이지만, 지각과 마음은 소견을 따르므로 또한 전도라는 명칭을 세운 것이니, 소견과 상응하며 행상이 같기 때문이다. 행상이 따르므로 전도라고 말했지만, 체가 미루어 헤아리는 것이 아니므로 4전도에 포함되는 것이 아니다.

94 힐난이다. 만약 그렇다면 느낌 등도 소견을 따르니, 역시 느낌 등에 대해서도 전도라고 이름해야 할 것이다.

95 답이다. 느낌 등은 세간에서 공히 인정하지 않기 때문이다. 말하자면 마음의 전도와 지각의 전도는 세간에서 공히 인정하니, 예컨대 이 일이 나의 마음과 지각을 괴롭힌다고 말하는 것과 같다. 그렇지만 나의 느낌 등을 괴롭힌다고 말하지 않으니, 그래서 설하지 않은 것이다.

어떤 다른 부파에서 말하였다. “전도에는 열두 가지가 있다. 말하자면 무상한 것에 대해 항상하다고 계탁하는 전도 중에 지각·마음·소견의 세 가지 전도가 있고, 나아가 무아인 것에 대해 자아라고 계탁하는 전도에 이르기까지도 역시 그러하다. 그 중 여덟 가지는 오직 견소단이지만, 네 가지는 견소단·수소단에 통하니, 말하자면 즐거움·청정이라고 계탁하는 지각·마음의 전도이다. 만약 그렇지 않다고 말한다면, 아직 욕탐을 떠나지 못한 성자는 즐거운 것과 청정한 것이라는 지각을 떠났음에도 어찌 욕탐을 일으키겠는가?”97 비바사 논사들은 이런 뜻을 인정하지 않는다. “만약 즐거운 것과 청정한 것이라는 지각·마음이 현행할 수 있으므로 곧 성자에게 즐거움·청정의 전도가 있다고 인정한다면, 성자는 유정이라는 지각·마음도 역시 일으키므로, 이로써 곧 자아의 전도도 있다고 역시 인정해야 할 것이니, 여자 등 및 자신에 대해 유정이라는 지각·마음을 떠나서 욕탐을 일으킬 수 있는 것이 아니기 때문이다. 계경에서, ‘만약 많이 들은 성스러운 제자들이 있어 고성제를 여실하게 보고 알며, 집·멸·도성제를 여실하게 보고 안다면, 그 때 그 성스러운 제자에게 무상한 것을 항상하다고 계탁하는 지각·마음·소견의 전도가 모두 영원히 끊어졌다. ····’라고 설했으니, 따라서 지각과 마음은, 소견의 전도와 상응하는 힘을 취해서 일어나는 것만이 전도이고, 나머지는 아님을 알 수 있다. 그렇지만 성자도 잠시 미란迷亂하기 때문에 갑자기 경계에 대해 욕탐이 현전하는 때가 있으니, 마치 돌아가는 불바퀴[旋火輪]나 그려진 약차[畫藥叉]에 대해 미란하는 것과 같다.”98

---

96 오직 견소단일 뿐임을 나타내는 것이다. 이와 같은 모든 전도는 예류에서 이미 끊어졌으니, 소견 및 상응하는 지각·마음 등의 법은 견소단이기 때문이다.

97 다른 학설을 서술하는 것이다. 『대비바사론』(=제104권. 대27-536하)과 『순정리론』(=제47권. 대29-609상)에 준하면 이는 분별론자이다. 12전도 중 8전도는 오직 견소단이니, 상주·자아의 전도에 말하자면 지각·마음·소견의 각각 세 가지가 있으며, 즐거움·청정의 전도에 소위 소견의 전도 각각 한 가지가 있다. 4전도는 견소단·수소단에 통하니, 즐거움·청정의 전도에 소위 지각·마음의 각각 두 가지가 있다. 만약 그렇지 않다고 말한다면, 아직 욕탐을 떠나지 못한 성자는 즐거운 것과 청정한 것이라는 지각·마음을 떠났음에도 어찌 욕탐을 일으키겠는가? 이로써 즐거운 것과 청정한 것이라는 지각·마음의 전도는 수소단에도 통한다는 것을 알 수 있다.

만약 그렇다면 어째서 존자 경희慶喜가 저 존자 변자재辯自在에게 이렇게 말했겠는가? "지각에 어지러운 전도가 있기[由有想亂倒] 때문에 그대 마음이 그을려 뜨거운 것이니[故汝心燋熱] 그런 지각을 멀리 떠나고 나면[遠離彼想已] 탐욕 종식되어 마음이 곧 청정하리라[貪息心便淨]"[99] 그래서 어떤 다른

98 비바사 논사들은 이런 뜻을 인정하지 않는다. 만약 즐거운 것과 청정한 것이라는 지각·마음이 현행할 수 있으므로 곧 성자에게 즐거움·청정의 전도가 있다고 인정한다면, 성자는 유정이라는 지각·마음도 역시 일으키므로, 이로써 곧 아견의 전도도 있다고 역시 인정해야 할 것이니, 부녀 등 및 자신에 대해 유정이라는 지각·마음을 떠나서 욕탐을 일으킬 수 있는 것은 아니기 때문이다. 이미 유정이라는 지각·마음을 일으켰으니, 아견의 전도도 일으켜야 할 것이다. 다시 경(=출전 미상)을 인용해서 수소단에는 통하지 않는다는 것을 증명한다. 경에서, "성스러운 제자들이 있어 고성제를 무간도에서 여실하게 보고 해탈도에서 여실하게 알며, 이와 같이 집·멸·도성제를 여실하게 보고 안다면, 바로 그 때 그 성스러운 제자에게 무상한 것을 항상하다고 계탁하는 지각·마음·소견의 전도가 모두 영원히 끊어졌고, 나아가 괴로운 것, 청정하지 못한 것, 나 아닌 것의 세 가지를 즐거운 것이고, 청정한 것이며, 나인 것이라고 계탁하는 지각·마음·소견의 전도가 모두 영원히 끊어졌다"라고 설했으니, 따라서 지각·마음은 소견의 전도와 상응하는 힘을 취해서 일어나는 것만이 전도이고, 나머지 지각·마음은 아니라는 것을 알 수 있다. 이치상 실제로 4전도는 견고소단이다. 그런데도 이 경에서, 여실하게 집제 등의 진리를 보고 알 때 모두 영원히 끊어졌다고 설한 것은, 4성제를 모두 봄으로써 끊어졌다고 설한 것이기 때문이다. 성자는 비록 경계에 대해 괴로운 것이며 청정하지 못한 것이라고 알기는 해도, 성자도 어떤 때에는 탐욕에 핍박되어 잠시 미란迷亂하기 때문에 갑자기 경계에 대해 욕탐이 현전하여 즐거운 것이라거나 청정한 것이라는 지각을 일으키지만, 깨닫고 나서 곧 그치니, 미루어 헤아리는 등이 아니기 때문에 전도를 이루지 않는다. 마치 돌아가는 불바퀴에 대해 미란하기 때문에 실제로 바퀴가 아닌데도 홀연 보고 바퀴라고 여겨서 바퀴라는 마음이나 지각을 일으키지만, 깨닫고 나면 곧 없어지는 것과 같고, 마치 그려진 약차에 대해 미란하기 때문에 실제로는 약차가 아닌데도 홀연 보고 약차라고 여겨서 그런 마음이나 지각을 일으켜 두려움을 낳지만, 깨닫고 나면 곧 없어지는 것과 같다. 이런 것은 이미 전도가 아닌데, 성자도 역시 그러하다.

99 비바사 논사에 대해 힐난하는 것이다. '경희'는 범어로 아난다이고, '변자재辨自在'(=비구 바기사Vāgīśa의 의역명)는 초과初果의 사람이다. 만약 지각·마음의 전도가 오직 견소단일 뿐, 수소단에 통하지 않는다면, 어째서 경희가 변자재에게, 지각에 어지러운 전도가 있기 때문에 그대 마음이 그을려 뜨겁다고 말하고, 뒤에 무학과를 얻어 그런 지각을 멀리 떠나고 나면 탐욕이 종식되어 마음이 곧 청정할 것이라고 말했겠는가?(=잡 [45]45:1214 탐욕경貪欲經) 유학의 단계에서도 여전히 지각·마음의 2전도를 일으키기 때문에 지각·마음의 전도는 수소단에도 통한다는 것을 알 수 있다.

논사는 다시 이렇게 말하였다. "여덟 가지 지각·마음의 전도는 유학에게 아직 완전히 끊어지지 않는다. 이와 같은 여덟 가지는 종국적으로[終] 여실하게 성제聖諦를 보고 앎에 의해 비로소 영원히 끊어질 수 있고, 이를 떠나서는 달리 영원히 끊을 방편이 없다. 따라서 여기에서 말한 것은 그 경에 위배되지 않는다."[100]

제5절 7만과 9만

1. 거만의 종류

소견[見]수면에만 많은 차별이 있는가, 다른 수면에도 역시 차별이 있는가?[101] 거만[慢]에도 역시 차별이 있다.[102] 어떠한가?[103] 게송으로 말하겠다.

⑩ 거만은 일곱 가지이니, 9만은 3만으로부터 나온 것으로서[慢七九從三]
　모두 견소단·수소단에 통하지만[皆通見修斷]

....

100 어떤 다른 경량부 논사는 다시 이렇게 말하였다. "여덟 가지 지각·마음의 전도는 유학에게 아직 완전히 끊어지지 않는다." 그 종지의 뜻이 말하는 것은, 소견은 오직 이치에 미혹한 것이기 때문에 견소단이지만, 지각·마음은 이치와 현상에 미혹해서 일어나는 것이기 때문에 견소단·수소단에 통한다고 하면서, 다시 앞의 경에 대해 회통한다. 앞의 경에서, 4성제를 여실하게 보고 안다면 지각·마음·소견의 전도가 모두 영원히 끊어진다고 말했는데, 이 경은 오직 견소단이라고만 말한 것이 아니라, 수소단에도 통한다는 것이니, 이와 같은 여덟 가지는 수도 단계 중에서 종국적으로[終](=견도 제16심은 수도이다) 여실하게 성제聖諦를 보고 앎에 의해 비로소 영원히 끊어질 수 있고, 이런 진리의 관찰을 떠나서는 달리 영원히 여덟 가지를 끊을 방편이 없다는 것이다. 따라서 이 경량부에서 말하는 8전도는 수소단에도 통하므로, 그 경에 위배되지 않는다. 논주의 마음은 경량부의 벗인 까닭에 이에 대해 변론을 끊었다.

101 이하는 다섯째 7만·9만에 대해 밝히는 것이다. 그 가운데 나아가면 첫째 바로 7만·9만에 대해 밝히고, 둘째 아직 끊어지지 않았어도 일어나지 않는 것에 대해 해석하는데, 이는 곧 첫째 바로 7만·9만에 대해 밝히려고 묻는 것이다. 소견수면에만 행상의 같지 않음에 의거해 많은 차별이 있는가, 다른 수면에도 역시 차별이 있는가?

102 답이다.

103 따지는 것이다.

성자에게는 마치 살생의 전 등처럼[聖如殺纏等]
수소단도 현행하지 않는 것이 있다[有修斷不行]104

논하여 말하겠다. 우선 거만[慢]수면의 차별에는 일곱 가지가 있으니, 첫째 만慢, 둘째 과만過慢, 셋째 만과만慢過慢, 넷째 아만我慢, 다섯째 증상만增上慢, 여섯째 비만卑慢, 일곱째 사만邪慢이다. 마음을 높이 들게 하는 것[令心高擧]에 대해 전체적으로 만慢이라는 명칭을 세우는데, 행상의 일어남이 같지 않기 때문에 일곱 가지로 나눈 것이다.105

열등한 자와 동등한 자에 대해 그 순서대로 자기가 뛰어나다고 여기고 자기가 동등하다고 여겨서 마음을 높이 들게 하는 것을 모두 만慢이라고 말한다.106 동등한 자와 뛰어난 자에 대해 그 순서대로 (자기가) 뛰어나다고 여기고 동등하다고 여기는 것을 모두 과만過慢이라고 이름한다.107 뛰어난

104 윗 구는 바로 답하는 것이고, 제2구는 견소단·수소단에 대해 밝히는 것이며, 아래 2구는 아직 끊어지지 않은 것이 현행하지 않는 것을 나타내는 것이다.
105 이하에서 7만을 해석하는데, 이는 곧 전체적인 해석이다.
106 이하 7만을 개별적으로 해석하므로 글이 곧 일곱이 되는데, 이는 첫째 거만을 해석하는 것이다. 열등한 자에 대해 뛰어나다고 여기고, 동등한 자에 대해 동등하다고 여겨서 마음을 높이 들게 하는 것을 모두 만이라고 말한다. 동등한 자에 대한 것은 어떤 것인가? 예컨대 어떤 두 사람의 정신이 가지런하게 동등해서, 한 사람이 먼저 아급마경을 암송해 얻자, 한 사람이 뒤에 암송해 얻고서 마음이 곧 높이 드는 것과 같은 것이다. 그래서 『순정리론』 제47권(=대29-609하)에서 말하였다. "남이 열등하거나 동등한 무리의 벗들 중에서 자기가 뛰어나거나 동등하다고 여겨서 높이 드는 것을 만이라고 이름한다. (문) 이 두 가지는 다 같이 경계 중에서 사실대로 구르는 것이므로, 어찌 만을 이루지 않아야 할 것이 아니겠는가? 견주어 열등하므로 뛰어나다고 말하고, 견주어 동등하므로 동등하다고 말하는 것은 저울질해서 아는 것인데, 무엇이 허물이기에 만이라고 이름하는가? 사랑할 만한 일에 대해 마음이 애염愛染을 낳았어도 여실하게 구르는 것인데, 어떻게 탐욕을 이루겠는가? 이것은 이미 마음에 드는 일들을 탐내어 구했지만, 전도가 없으니 번뇌가 아니어야 할 것이다. (해) 그렇지만 이것으로 말미암아 능히 마음을 오염시키고 괴롭힘을 일으켰고, 이미 탐욕을 이룬다고 인정했으니, 번뇌의 성품이다. 이와 같이 비록 실제로 뛰어나거나 열등한 곳에서 생긴다고 해도, 능히 마음을 높이 들게 해서 오염시키고 괴롭게 하는 것을 거만의 번뇌라고 이름하므로, 이치상 무엇이 허물이겠는가?" 해석하자면 무리는 종족을 말하는 것이고, 벗은 총명한 벗들을 말하는 것이며, '등'이라는 말은 곧 색·힘·재산 등을 나타내는 것이다.

자에 대해 (자기가) 뛰어나다고 여기는 것을 만과만慢過慢이라고 이름한다.[108] 오취온에 대해 나[我]라거나 나의 소유[我所]라고 집착해서 마음을 높이 들게 하는 것을 아만我慢이라고 이름한다.[109] 아직 증득하지 못한 수승한 공덕을 이미 증득했다고 여기는 것을 증상만增上慢이라고 이름한다.[110] 많이 뛰어난 자에 대해 자기가 조금 열등하다고 여기는 것을 비만卑慢이라고 이름한다.[111] 공덕이 없으면서 자기에게 공덕이 있다고 여기는 것을 사만邪慢이라고 이름한다.[112]

---

107 둘째 거만을 해석하는 것이다. 동등한 자에 대해 뛰어나다고 여기거나 뛰어난 자에 대해 동등하다고 여기는 것을 모두 과만이라고 이름한다. 거만이 큰 허물[太過]이기 때문에 망령됨이 한 단계 나아간 것이다. 혹은 앞의 만보다 지나친 것이므로, 혹은 거만의 허물이 앞의 것보다 무겁기 때문에 과만이라고 이름한 것이다.

108 셋째 거만을 해석하는 것이다. 뛰어난 자에 대해 뛰어나다고 여기는 뛰어남은 자기를 초과하는 것[過已]의 이름인데, 남의 초과함에 대한 거만이기 때문에 만과만이라고 이름한다. 혹은 거만은 말하자면 높이 드는 것인데, 앞의 과만보다 높은 것을 만과만이라고 이름한다. # 요컨대 기본 사실과 나의 인식 사이에, '만'은 서로 격차가 없는 것이고, '과만'은 한 단계 격차가 있는 것이며, '만과만'은 두 단계 격차가 있는 것이다.

109 넷째 거만을 해석하는 것이다. 오취온에 대해 나[我]라거나 나의 소유[我所]라고 집착하는 이것이 아견인데, 혹 나를 반연해서[緣我] 거만을 일으키거나 혹은 나를 믿어서[恃我] 거만을 일으키거나 혹은 나로 말미암아[由我] 거만을 일으키기 때문에 아만이라고 이름한다.

110 다섯째 거만을 해석하는 것이다. 아직 증득하지 못한 수승한 공덕을 이미 증득했다고 여기는 것을 증상만이라고 이름한다. 『순정리론』(=제47권. 대29-610상)에서 말하였다. "어떤 다른 논사는 말하였다. 조금의 공덕을 증득하고 자기가 많이 증득했다고 여겨서 마음이 높이 듦을 낳는 것을 증상만이라고 이름한다."

111 여섯째 거만을 해석하는 것이다. 『순정리론』(=제47권. 대29-609하)에서 말하였다. "여기에서 자기에 대해 마음이 높이 든다는 것은, 남의 많이 뛰어남에 대해 자기가 조금 열등하다고 여긴다면 자기를 늘리는 것[增已]이 있기 때문에 역시 높이 올린다고 말하는 것이다."

112 일곱째 거만을 해석하는 것이다. 『순정리론』(=제47권. 대29-610상)에서 말하였다. "공덕이 없는 가운데 자기에게 공덕이 있다고 여기는 것을 사만이라고 이름한다. '공덕이 없다'고 말한 것은, 모든 악행을 말하는 것이다. 공덕에 위배되기 때문에 공덕이 없다는 명칭을 세운 것이니, 마치 불선과 같다. 그는 이런 공덕이 없는 법을 성취한 가운데, 자기에게 이런 수승한 공덕이 있다고 여기며 악을 믿어 높이 들기 때문에 사만이라고 이름한 것이다. 만약 '공

그런데 근본논서에서는, "거만의 부류에 아홉 가지가 있다. 첫째 나가 뛰어나다는 거만의 부류[我勝慢類], 둘째 나가 동등하다는 거만의 부류[我等慢類], 셋째 나가 열등하다는 거만의 부류[我劣慢類], 넷째 나보다 뛰어남이 있다는 거만의 부류[有勝我慢類], 다섯째 나와 동등함이 있다는 거만의 부류[有等我慢類], 여섯째 나보다 열등함이 있다는 거만의 부류[有劣我慢類], 일곱째 나보다 뛰어남이 없다는 거만의 부류[無勝我慢類], 여덟째 나와 동등함이 없다는 거만의 부류[無等我慢類], 아홉째 나보다 열등함이 없다는 거만의 부류[無劣我慢類]이다"라고 말하였다. 이와 같은 아홉 가지는 앞의 7만 중 세 가지로부터 분리되어 나온 것이다.[113] 세 가지로부터란 무엇인가?[114] 앞의 만·과만·비만으로부터임을 말하는 것이니, 이와 같은 세 가지 거만이 만약 소견에 의지해 행해[行]를 낳으면, 순차 차이가 있어서 세 가지 거만의 세 부류를 이룬다. 처음 세 가지는 순서대로 곧 과만·만·비만이며, 중간의 세 가지는 순서대로 곧 비만·만·과만이며, 뒤의 세 가지는 순서대로 곧 만·과만·비만이다.[115]

덕이 없다는 것은 공덕이 있는 것을 부정하는 말이다'라고 말한다면, 실제로 공덕이 없는 가운데 있다고 여기는 것을 사만이라고 이름하는 것인데, 그것은 증상만과 사만의 차별을 분별함 중에서 종자가 없는 것을 말하여 증상만이라고 이름하고, 종자가 있는 것은 사만이라고 이름하는 것이거나, 혹은 완전히 증익하는 것을 증상만이라고 이름하고, 조금 증익하는 것을 사만이라고 이름한다는 것이겠지만, 이와 같은 차별은 이치상 성립되지 않아야 한다. 그러므로 앞의 설이 나은 것이라고 알아야 할 것이다."

113 이하 (게송 제1구 중) '9만은 3만으로부터 나온 것'을 해석하면서 근본논서를 회통해 해석하는 것이다. 그런데 『발지론』(=제20권. 대26-1028중)에서, 거만의 부류에 아홉 가지가 있다고 설했는데, 이 아홉 가지는 앞의 7만 중의 세 가지로부터 분리되어 나온 것이다.

114 물음이다.

115 답이다. 말하자면 앞의 7만 중 첫째 만, 둘째 과만, 여섯째 비만으로부터이다. 이와 같은 세 가지 거만이 만약 아견에 의해 행해를 낳으면 순차 차이가 있어 3×3=9만의 부류를 이룬다. 9만 중 처음 셋의 경우 그 순서대로, '나가 뛰어나다는 거만의 부류'는 말하자면 나가 그보다 뛰어나다는 것이니, 동등한 자에 대해 자기가 뛰어나다고 여기는 것이므로 곧 과만이고, '나가 동등하다는 거만의 부류'는 말하자면 나가 그와 동등하다는 것이니, 동등한 자에 대해 자기가 동등하다고 여기는 것이므로 곧 만이며, '나가 열등하다는 거만의 부류'는 말하자면 나가 그보다 열등하다는 것이니, 뛰어난 자에 대해 자기가 열

많이 뛰어난 자에 대해 자기가 조금 열등하다고 여긴다면 비만이 이루어질 수 있으니, 높이는 곳[高處]이 있기 때문이다. 나보다 열등함이 없다는 거만은 높이는 곳이 무엇인가?[116] 말하자면 이와 같이 자신이 애락愛樂하는 뛰어난 유정의 무리에 대해, 비록 자기 자신은 지극히 하열하다는 것을 알면서도, 스스로 존중하는 경우이다.[117] 이와 같이 우선 『발지론』에 의해 해석했는데,[118] 『품류족론』에 의해 거만의 부류를 해석하자면, 우선 나가 뛰어나다는 거만[我勝慢]은 세 가지 거만으로부터 나온 것이다. 말하자면 만·과만·만과만의 세 가지이니, 열등하거나 동등하거나 뛰어난 경계를 보는 것이 차별되기 때문이다.[119]

등하다고 여기는 것이므로 곧 비만이다. 9만 중 중간의 셋의 경우 그 순서대로, '나보다 뛰어남이 있다는 거만의 부류'는 말하자면 남에게 나보다 뛰어남이 있다는 것이니, 뛰어난 자에 대해 자기가 열등하다고 여기는 것이므로 곧 비만이고, '나와 동등함이 있다는 거만의 부류'는 말하자면 남에게 나와 동등함이 있다는 것이니, 동등한 자에 대해 자기가 동등하다고 여기는 것이므로 곧 만이며, '나보다 열등함이 있다는 거만의 부류'는 말하자면 남에게 나보다 열등함이 있다는 것이니, 동등한 자에 대해 자기가 뛰어나다고 여기는 것이므로 곧 과만이다. 9만 중 뒤의 셋의 경우 그 순서대로, '나보다 뛰어남이 없다는 거만의 부류'는 말하자면 남에게 나보다 뛰어남이 없다는 것이니, (동등한 자에 대해 동등하다고 여기는 것이므로 곧 만이고, '나와 동등함이 없다는 거만의 부류'는 말하자면 남에게 나와 동등함이 없다는 것이니), 동등한 자에 대해 자기가 뛰어나다고 여기는 것이므로 곧 과만이며, '나보다 열등함이 없다는 거만의 부류'는 말하자면 남에게 나보다 열등함이 없다는 것이니, 뛰어난 자에 대해 자기가 열등하다고 여기는 것이므로 곧 비만이다.

116 물음이다. 다른 사람의 많이 뛰어난 법에 대해 자기가 조금 열등하다고 여긴다면 비만이 이루어질 수 있으니, 높이는 곳이 있기 때문인데, 나보다 열등함이 없다는 거만의 부류는 높이는 곳이 무엇이기에 거만을 일으키는가?

117 답이다. 나보다 열등함이 없다는 거만은 비록 높이는 곳은 없지만, 자신이 애락하는 뛰어난 유정의 무리에서 자기 자신을 되돌아보고, 비록 지극히 열등하다는 것을 알면서도, 스스로를 존중하기 때문에 나보다 열등함이 없다는 그런 거만을 일으킬 수 있다.

118 맺는 것이다.

119 다시 『품류족론』(=현존 한역본에는 9만에 관한 설명이 없다)에 의해 거만의 부류를 해석하자면, 우선 나가 뛰어나다는 거만의 부류는 세 가지 거만으로부터 나온 것이다. 열등한 경계를 보고 자기가 뛰어나다고 여긴다면 곧 만에 포함되고, 동등한 경계를 보고 자기가 뛰어나다고 여긴다면 곧 과만이며, 뛰어난 경계를 보고 자기가 뛰어나다고 여긴다면 곧 만과만이다. 나머지 여덟

2. 거만의 소단所斷 분별

이와 같은 7만은 무엇에 의해 끊어지는 것인가?[120] 일체 거만은 모두 견소단·수소단에 통한다.[121]

모든 수소단의 거만은 성자가 아직 끊지 못했을 때 현행할 수 있는가?[122] 이는 결정적이지 않다. 말하자면 수소단의 거만이더라도 성자에게 결정코 현행하지 않는 것이 있으니, 마치 살생의 전纏은 수소단이지만, 모든 성자에게 반드시 현행하지 않는 것과 같다. '살생의 전'이란 이 번뇌가 고의[故思]를 일으켜 중생의 목숨을 끊는 것을 나타낸다. (게송 중) '등'이라는 말은 투도·음행·허광어의 전纏, 무유애無有愛의 전부, 유애有愛의 일부를 나타내기 위한 것이다. '무유無有'는 어떤 법을 이름한 것인가? 말하자면 3계의 무상無常이니, 이를 탐하여 구하는 것을 무유애라고 이름한다. 유애의 일부는 말하자면 장차 애라벌나藹羅伐拏 대용왕 등이 되기를 원하는 것이다. 이 모든 전纏과 애愛는 일체 모두가 수소단의 법을 반연하는 것이기 때문에 오직 수소단이다.[123]

가지 거만의 부류은 이치대로 말해야 할 것이다.

120 제2구를 해석하는 것인데, 이는 곧 물음이다.

121 답이다. 이와 같은 7만은 일체 모두가 견소단·수소단에 통한다. 그 상응하는 바에 따라, 만약 견소단법을 반연하는 것이라면 견소단이고, 만약 현상[事]을 반연하는 것이라면 수소단이다. 7만은 모두 3계에 통한다고 알아야 한다.

122 물음이다.

123 답이다. 이는 결정적이지 않다. 7만 중 수소단으로서 아직 끊지 못한 단계의 성자에게 현행할 수 있는 것이 있으니, 말하자면 만의 부류(=9만) 및 아만을 제외한 그 나머지 모든 거만이다. 이 거만 중에는 수소단으로서 아직 끊지 못한 단계라고 해도 성자에게 결정코 현행하지 않는 것이 있으니, 말하자면 만의 부류와 아만인데, 이것이 현행하지 않는 원인은 다음 뒤에서 분별할 것이다. 비유에 의지해 견주기를, 마치 살생의 전纏은 수소단이지만, 모든 성자에게 반드시 현행하지 않는 것과 같다고 하였다. '살생의 전'이란 이 번뇌가 고의를 일으켜 중생의 목숨을 끊는 것을 나타낸다. 게송에서 '등'이라는 말을 한 것은, 투도·음행·허광어의 전纏, 무유애無有愛의 전부가 일어나지 않으며, 유애有愛의 일부가 일어나지 않음을 나타내기 위한 것이다. (문) '무유'는 어떤 법을 이름한 것인가? (답) 말하자면 3계의 무상하게 소멸한 모습을 무유라고 이름한다. 이런 무상을 탐하여 구하는 것을 무유애라고 이름한다. 만약 널리 3계의 무상을 말한 것이라면 모든 무유애는 견소단·수소단에 통하지만, 여기에서의 뜻이 말하는 것은 3계 중에서 중동분 위의 무상하게 소멸한 모습을

3. 미단未斷의 거만이 일어나지 않는 이유

거만의 부류 등에 수소단이 있음을 논설했는데, 어떤 이유에서 성자가 아직 끊지 못했어도 일어나지 않는가? 게송으로 말하겠다.

11 만의 부류 등과 아만[慢類等我慢]
악작 중 불선은[惡作中不善]
성자에게는 일어나지 않으니[聖有而不起]
소견·의심에 의해 증장된 것이기 때문이다[見疑所增故]124

논하여 말하겠다. '등'이라는 말은 살생 등의 모든 전纏, 무유애의 전부, 유애의 일부를 나타내기 위한 것이다. 이 만의 부류 등, 아만, 불선의 악작[惡悔]은 소견[見] 및 의심[疑]에 의해 직접적으로 증장된 것이므로, 비록 수소단이라고 해도 소견·의심이라는 배후가 이미 꺾였기 때문[背已折故]에 성자는 능히 일으키지 않는다. 말하자면 만의 부류와 아만은 유신견에 의

무유라고 이름한 것이니, 내가 죽은 뒤에 끊어지고 무너져 없기[斷壞無有]를 원하여 그런 무유를 탐내는 것을 무유애라고 이름한 것이다. 성자에게는 이런 갈애가 전혀 일어나기 않기 때문이다. 오직 수소단이기 때문에 그래서 다만 중동분의 무상을 반연하는 탐애만을 취하여 무유애라고 이름한 것이다. 장차 있을 몸에 대해 갈애를 일으키기 때문에 유애라고 이름하는데, 일부라고 말한 것은 말하자면 이생일 때 장차 애라벌나 대용왕 등이 되기를 발원하는 것이다. 『순정리론』(=제47권. 대29-510중)에서, "'등'이라는 말은 아수라왕, 북구로주, 무상천 등을 나타내기 위한 것이다"라고 말하였다. '애라벌나'는 물의 이름으로서, 물 안의 용상龍象을 물에 따라 이름한 것이니, 곧 제석이 타는 용상의 왕이다. 그래서 『순정리론』 제75권(=대29-748중)에서, "애라벌나 대상왕은 삼십삼천이 타는 코끼리왕이다"라고 말하였다. 성자는 비록 선취의 유신有身에 대해서는 갈애를 일으키더라도, 악취의 용왕 등에 대해서는, 유애의 일부를 아직 끊지 못했어도 일으키지 않으니, 성자는 악취의 몸을 사랑하지 않기 때문이다. 그래서 유애의 일부라고 표현한 것이다. 이 살생·투도·음행·허광어의 모든 전, 이런 모든 유애와 무유애는 일체가 모두 오직 수소단의 법을 반연하는 것이기 때문에 오직 수소단이다. 살생·투도·음행의 전은 수소단의 신업을 반연하여 일어나고, 허광어의 전은 수소단의 어업을 반연하여 일어나며, 무유애는 수소단의 중동분 위의 무상의 법을 반연하여 일어나고, 유애의 일부는 수소단의 장차 있을 몸을 반연하여 일어나는 것이다.

124 이는 곧 둘째 아직 끊어지지 않았어도 일어나지 않는 것을 해석하는 것이다.

해 증장된 것이며, 살생 등의 전은 사견에 의해 증장된 것이며, 모든 무유애는 단견에 의해 증장된 것이며, 유애의 일부는 상견에 의해 증장된 것이며, 불선의 악작은 의심에 의해 증장된 것이기 때문에 성자의 몸 중에서는 모두 결정코 일어나지 않는다.125

제2장 근본번뇌의 여러 문 분별

제1절 변행과 비변행

1. 변행·비변행의 분류

98수면 중 몇 가지가 변행遍行이며, 몇 가지가 변행 아닌 것인가? 게송으로 말하겠다.

12 견고소단·견집소단의[見苦集所斷]

125 '등'이라는 말은 살생·투도·음행·허광어의 모든 전纏, 무유애의 전부, 유애의 일부를 나타내기 위한 것이다. 이 만의 부류 등과 아만, 불선의 악작[惡悔]은 소견 및 의심에 의해 직접적으로 증장된 것이다. '직접적으로 증장되었다'는 말은, 직접 인도되어 연속하여 현전한 것[親導引連續現前]을 말한다. 비록 수소단이라고 해도 소견·의심이라는 배후가 이미 꺾였기 때문에 성자는 비록 아직 끊지 못했어도 결정코 능히 일으키지 않는다. 소견·의심이 가진 힘이 만 등을 부지하는데, (소견·의심이) 끊어졌다면 마치 배후가 꺾인 것처럼 있더라도 현행하지 않는다. 말하자면 9만의 부류 및 7만 중 아만은 유신견에 의해 증장된 것이니, 나에 의해 일어나기 때문이다. 9만의 부류는, 만약 『발지론』에 의한다면 만·과만·비만으로부터 나온 것이니, 곧 이 3만의 일부는 현행하지 않으며, 만약 『품류족론』에 의한다면 만과만도 또한 있으니, 곧 4만의 일부는 현행하지 않는다고 알아야 할 것이다. 살생·투도·음행·허광어의 전은 사견에 의해 증장된 것이니, 사견에 의한 때문에 살생 등의 일을 행하는 것이다. 모든 무유애는 단견에 의해 증장된 것이니, 미래의 존재의 단멸을 반연하여 갈애를 일으킨 것이다. 유애의 일부는 상견에 의해 증장된 것이니, 미래에 존재할 대용왕 등의 몸이 많은 시간 머물기를 탐내는 것이기 때문이다. 악작 중 불선의 악작은 의심에 의해 증장된 것이니, 뒤쫓아 후회하는 것은 의심과 조금 서로 비슷하기 때문이다. 그래서 성자의 몸 중에서는 비록 아직 끊어지지 않음이 있더라도, 배후가 꺾여서 모두 결정코 일어나지 않는다.

모든 소견·의심과 그 상응무명[諸見疑相應]
및 불공무명은[及不共無明]
자계·자지에 두루 작용한다[遍行自界地]

⑬ 그 중 두 가지 소견을 제외한[於中除二見]
나머지 아홉 가지는 능히 위를 반연하며[餘九能上緣]
득을 제외한, 나머지 따라 작용하는 것들도[除得餘隨行]
역시 변행에 포함된다[亦是遍行攝]126

논하여 말하겠다. 오직 견고소단·견집소단의 소견·의심 및 그 상응무명과 불공무명만은 그 힘이 능히 자계·자지의 5부部에 두루 작용[遍行]하기 때문에 이 열한 가지는 모두 변행이라는 명칭을 얻는다. 말하자면 일곱 가지 소견, 두 가지 의심, 두 가지 무명의 열한 가지인데, 이와 같은 열한 가지는 자계·자지의 5부의 모든 법을 두루 반연하고, 따라 잠자며[隨眠], 원인이 되어 두루 5부의 염오법을 낳으니, 이런 세 가지 뜻에 의해 변행이라는 명칭을 세운 것이다.127

126 이하는 큰 글의 둘째 여러 문 분별이다. 그 가운데 나아가면 첫째 변행과 비변행, 둘째 유루연과 무루연, 셋째 두 가지 수증隨增, 넷째 두 가지 성품 분별, 다섯째 근과 근 아님을 밝히는 것, 여섯째 수면이 능히 계박하는 것[惑能繫]을 밝히는 것, 일곱째 수면의 수증을 밝히는 것, 여덟째 순차적인 일어남[次第起]에 대해 밝히는 것인데, 이는 곧 변행과 비변행을 밝히는 것이다.

127 첫 게송을 해석하는 것이다. 오직 견고·견집소단의 11수면(=견고소단의 5견, 견집소단의 2견=사견·견취, 2의심, 2무명)만은 그 힘이 능히 자계·자지의 5부에 능히 두루 작용하기 때문에 이 11수면은 모두 변행이라는 명칭을 얻지만, 이 11수면을 제외한 나머지 5부의 번뇌는 능히 자계·자지의 5부에 두루 작용하는 힘이 없기 때문에 모두 변행이라는 명칭을 세우지 않는다. 이와 같은 11수면은 자계·자지의 5부의 모든 법에 대해, 첫째 두루 반연하니, 5부를 두루 반연해 경계로 삼기 때문이고, 둘째 두루 따라 잠자니, 두루 5부에서 따라 증장하면서 잠자기 때문[遍於五部隨增眠故]이며, 셋째 원인이 되어 두루 5부의 염오법을 낳는다. 이 세 가지 뜻에 의해 변행수면이라는 명칭을 세운 것이다. 이 11수면을 제외한 나머지 5부의 번뇌 및 그것과 상응하거나 함께 있는 모든 법은 세 가지 뜻이 모두 결여되며, 11변행의 모든 상응법은, 처음과 뒤의 뜻은 있어도 중간의 한 가지 뜻이 결여되고, 11변행의 모든 구유법

2. 5부를 두루 반연한다는 뜻

여기에서 '5부를 두루 반연한다'고 말한 것은 점차 반연함에 의거한 것인가, 단박 반연함에 의거한 것인가? 만약 점차 반연한다면 다른 법도 역시 변행이어야 할 것이며, 만약 단박에 반연한다면 누가 다시 널리 욕계의 모든 법에 대해 뛰어난 것이라거나, 능히 청정을 얻는 것, 혹은 세간의 원인이라고 단박에 계탁하겠는가?[128] 자계·자지의 일체법을 단박에 반연한다고 말하지 않는다. 그렇지만 단박에 5부를 반연할 수 있는 힘이 있다고 말한다.[129] 비록 그렇다고 해도 변행은 역시 이것들만이 아닐 것이다. 이 곳에서 아견의 현행이 있다면, 이 곳에서 반드시 아애·아만을 일으켜야 할 것이며, 만약 이 곳에서 청정한 것이나 뛰어난 것이라는 소견이 현행한다면, 이 곳에서 반드시 희구하며[希求] 높이 들어야 할 것[高擧]이니, 이런 즉 갈애와 거만도 역시 변행이어야 할 것이다.[130]

만약 그렇다면 견소단·수소단의 법을 단박에 반연하기 때문에 이 두 가지는 무엇으로 끊어지는 것이라고 말해야 하는가?[131] 수소단이라고 말해야

은, 뒤의 한 가지 뜻은 있어도 앞의 두 가지 뜻이 결여되기 때문에 모두 변행수면으로 세우지 않는다.

128 물음이다. 여기에서 '5부를 두루 반연한다'고 말한 것은 점차인가, 단박인가? 만약 점차 반연한다면 나머지 탐욕 등의 번뇌도 역시 변행이어야 할 것이니, 탐욕 등의 번뇌도 5부를 반연하기 때문이다. 만약 단박에 반연한다면 누가 다시 널리 욕계의 일체 모든 유루법에 대해 단박에 계탁하여, 뛰어난 것이라고 해서 견취를 일으키겠으며, 능히 청정한 열반을 얻는 것이라거나 세간·생천의 원인이라고 해서 계금취를 일으키겠는가?

129 답이다. 자계·자지 중의 일체 유루법을 단박에 반연하여, 모두 가장 뛰어난 것이라고 하거나, 능히 청정을 얻는 것이나 세간의 원인이라고 한다고 말하지 않는다. 그렇지만 단박에 5부의 각각 일부의 법을 반연할 수 있는 힘이 있기에 변행이라고 이름한다고 말한다.

130 경량부의 힐난이다. 비록 그렇다고 해도 변행은 역시 이 11수면만인 것은 아닐 것이다. 이치로써 말하건대, 만약 이 곳에서 아견의 현행이 있다면 이 곳에서 반드시 아애·아만을 일으켜야 할 것이며, 만약 이 곳에서 청정을 얻는다고 해서 혹은 계금취라는 소견이 현행하거나, 뛰어난 것 아닌 것을 뛰어난 것이라고 계탁하는 견취라는 소견이 현행한다면, 이 곳에서 반드시 희구하는 갈애를 일으키며 높이 드는 거만을 일으켜야 할 것이니, 이런 즉 갈애(=탐욕)와 거만도 역시 변행이어야 할 것이다.

131 비바사 논사가 도리어 경량부를 나무라는 것이다. 만약 갈애와 거만도 견소

할 것이니, 경계를 뒤섞어 반연하기 때문[雜緣境故]이다. 혹은 견소단이어야 할 것이니, 소견의 힘에 의해 견인된 것이기 때문이다.[132] 비바사 논사들은 이렇게 말하였다. "이 두 가지 번뇌는 자상혹이지 공상혹이 아니어서 단박에 반연하는 힘이 없기 때문에 변행이 아니다. 그러므로 변행은 오직 이 열한 가지뿐이고, 나머지가 아니라는 것은, 이에 준해서 굳이 말하지 않더라도 저절로 이루어진다."[133]

3. 9상연혹上緣惑

그 열한 가지 중 유신견·변집견을 제외한 그 나머지 아홉 가지는 위[上]도 역시 반연할 수 있다. '위'라는 말은 바로 상계·상지를 밝히는 것인데, 하지의 수면을 반연함은 없다는 것을 아울러 나타낸다.[134]

단·수소단의 법을 단박에 반연하여 일어난다고 말한다면, 그 때문에 갈애·거만은 무엇으로 끊어지는 것이라고 말해야 하는가?

132 경량부의 답이다. 수소단이라고 말해야 할 것이니, 경계를 뒤섞어 반연하기 때문이다. 견소단의 갈애·거만이 부部를 분별하여 반연한다면 혹은 견소단이기도 해야 할 것이니, 소견의 힘에 의해 견인된 것이기 때문이다. 경량부의 뜻은 갈애와 거만 두 가지도 역시 변행이라고 인정하는 것이니, 두루 5부의 법을 반연할 수 있기 때문이다.

133 자신의 종지를 서술하는 것이다. 비바사 논사들은 이렇게 말하였다. "이 갈애·거만 두 가지는 자상혹이지, 공상혹이 아니어서(=자상혹은 개별적인 법을 반연하여 생기는 것, 공상혹은 여러 법을 반연하는 생기는 것임은 뒤의 제20권의 서두 참조) 단박에 반연하는 힘이 없기 때문에 변행이 아니다. 그러므로 변행은 오직 이 열한 가지뿐이고, 나머지 성냄 등의 번뇌가 변행이 아님은 이 갈애·거만에 준해서 굳이 말하지 않더라도 저절로 이루어진다."

134 이하는 제5·제6구를 해석하는 것이다. 위의 뛰어난 경계를 반연하더라도 따라 증장하지 않기 때문에 허물이 없어서 반연할 수 있지만, 아래의 열등한 경계를 반연한다면 곧 따라 증장하기 때문에 허물이 있어서 반연하지 못한다. 그래서 『대비바사론』(=제18권. 대27-93상)에서 말하였다. "(문) 어째서 욕계의 번뇌는 색·무색계를 반연할 수 있는데, 그 2계의 번뇌는 욕계를 반연할 수 없는가? (하나의 '또한 다음'으로 말한 것이 있고) 또한 다음 만약 색·무색계의 번뇌가 욕계를 반연한다면 곧 따라 증장해야 할 것이고, 만약 따라 증장한다면 곧 계가 잡란되어야 하기 때문(=욕계의 염오법을 떠난 자만 상계의 번뇌를 일으킨다)에 욕계를 반연하지 않는다. (문) 욕계의 번뇌가 상계를 반연하더라도 따라 증장하지 않는 것과 같아야 할 것인데, 상계의 번뇌는 어째서 그렇지 않은가? (답) 상계의 온은 뛰어나므로 욕계의 번뇌가 그것을 반연해 일어나더라도 따라 증장하지 않지만, 욕계의 온은 열등하므로 상계의 번뇌가 이것을 반연한다면 곧 따라서 증장하니, 마치 하열한 사람이 존귀하고 뛰

이 아홉 가지는 비록 자自·상上을 공통으로 반연할 수 있지만, 이치상 자·상을 단박에 반연하는 일은 없다. 위를 반연하는 것 중 우선 계界에 의거해 말한다면, 혹은 1계만을 반연하기도 하고, 혹은 2계를 합쳐 반연하기도 한다. 그래서 근본논서에서, "욕계계繫의 여러 수면으로서 색계계를 반연하는 것이 있고, 욕계계의 여러 수면으로서 무색계계를 반연하는 것이 있으며, 욕계계의 여러 수면으로서 색계계·무색계계를 반연하는 것이 있고, 색계계의 여러 수면으로서 무색계계를 반연하는 것이 있다"라고 말한 것이다. 지地에 의거해 분별하는 것도 계界에 준해서 생각해야 할 것이다.[135]

욕계에 태어나 있으면서 대범천을 반연하여 유정이라는 소견을 일으키거나 상견을 일으키기도 하는데, 어째서 유신견과 변집견은 상계·상지를 반연하지 않는가?[136] 그것이 나나 나의 소유라고 집착하지 않기 때문이며, 변집견은 반드시 유신견에 의해 일어나기 때문이다.[137]

만약 그렇다면 그것을 유정이라고 하거나 항상하다고 계탁하는 것은 어떤 소견에 포함되는가?[138] 대법자對法者는, 이 두 가지는 소견이 아니라, 사지邪智에 포함되는 것이라고 말하였다.[139] 어째서 그것을 반연하는 그 나머

어난 분을 현견하더라도 손해가 되지 않지만, 존귀하고 높은 분이 하열한 사람을 본다면 곧 손해될 수 있는 것처럼, 이것도 또한 그러하다."

135 이 아홉 가지는 비록 자·상을 공통으로 반연할 수 있지만, 이치상 자·상을 단박에 반연하는 일은 없다. 위를 반연하는 것 중 우선 계界에 의거해 말한다면, 혹은 1계만을 반연하기도 하고, 혹은 2계를 합쳐 반연하기도 한다. 인용해 증명하는 것(=『품류족론』 제5권. 대26-72상)은 알 수 있을 것이다. 지地에 의거해 분별하는 것도 계界에 준해서 생각해야 할 것이다. 또 『대비바사론』 제19권(=대27-93하)에서 말하였다. "(문) 어째서 1찰나경에 3계의 고와 집을 단박에 반연하지 않는가? (답) 그것이 욕계를 반연할 때에는 역시 따라 증장하지만, 색계·무색계를 반연할 때에는 따라 증장하지 않기 때문이다."

136 물음인데, 뜻은 알 수 있을 것이다.

137 답이다. 몸이 하계에 태어나 있으면 반드시 그 상계의 모든 법이 나나 나의 소유라고 집착하지 않으며, 변집견은 반드시 유신견에 의해 일어나기 때문이니, 유신견이 이미 일어나지 않았다면 변집견도 역시 생기지 않는다.

138 힐난이다. 만약 그렇다면 그 상계의 범천왕을 유정이라고 하거나 항상한 것이라고 계탁하는 것은 어느 소견에 포함되는가?

139 답이다. 대법자는, 이 유정이라고 하거나 항상한 것이라고 하는 것은 유신견·변집견이 아니라, 사지邪智에 포함되는 것이라고 말하였다. '사지'라고 말

지는 소견인데, 이것은 역시 그것을 반연하는 것임에도 소견이 아닌가?[140] 그 종지를 근거로 했기 때문에 이렇게 말한 것이다.[141]

4. 따라 작용하는 것[隨行]과 변행

변행의 체는 오직 이 수면뿐인가?[142] 그렇지 않다.[143] 어떠한가?[144] 따라 작용하는 법[隨行法]도 아우른다. 말하자면 위에서 설한 11수면과 아울러 그 따라 작용하는 법은 모두 변행에 포함되지만, 그것의 득得은 제외되니, 결과를 하나로 하는 것이 아니기 때문[非一果故]이다.[145]

이 때문에 누군가가 이런 질문을 하였다. "모든 변행수면은 모두 변행인遍行因인가?" 답하여 말하자면, 이에 대해서는 4구로 분별해야 할 것이다. 제1구는 말하자면 미래세의 변행수면이고, 제2구는 말하자면 과거·현재세의 그 구유법이며, 제3구와 제4구는 이치대로 분별해야 할 것이다.[146]

한 것은 말하자면 무명과 상응하는 삿된 지혜라는 것이다. 욕계 중에서 먼저 나라고 집착하며 항상하다고 집착하는 2견을 일으킨 다음 뒤에 곧 독두무명을 일으켜 그 대범왕을 반연해 자아이며 상주한다고 여기지만, 행상이 몽매해서 결정적으로 집착할 수 없는 까닭에 소견이 아니다. 그래서 『순정리론』(=제48권. 대29-612하)에서 말하였다. "이치상 실제로는 이 두 가지는 소견이 아니라, 유신견·변집견에 의해 견인된 사지라고 말해야 한다. 현견하는 온에 대해 나이며 항상한 것이라고 집착하고 나서, 현견하지 않는 것에 대해 추리해서 이와 같을 것이라고 여기는 것이다." 또 해석하자면 의심과 상응하는 지혜를 사지라고 한다. 말하자면 유신견·변집견에 따라서 다음에 다시 의심을 일으켜 그 대범을 반연하여, 상주하는가 무상한가, 자아인가 자아 아닌 것인가 라고 하는 것이니, 결정적으로 집착하지 않기 때문에 역시 소견이 아니다.

140 힐난이다. 어떤 이유에서 그 나머지 2취와 사견이 그것(=대범왕)을 반연하는 것은 소견인데, 이 사지는 역시 그것을 반연하는 것임에도 소견이 아닌가?

141 비바사 논사의 답이다. (그들의) 종지를 근거로 했기 때문에 이렇게 말한 것이다.

142 뒤의 2구를 해석하려고 묻는 것이다. 변행인의 체는 오직 이 수면뿐인가?

143 답이다.

144 따지는 것이다.

145 해석하는 것이다. 따라 작용하는 법도 아우른다. 말하자면 위에서 설한 11수면과 아울러 그것에 따라 작용하는 상응법·구유법은 모두 변행인에 포함되지만, 그것의 득得은 제외되니, 득과 소득법은 그 결과를 하나로 하는 것이 아니기 때문에 변행인이 아니다.

146 이 때문에 누군가가 이런 질문을 하였다. "모든 변행수면은 모두 변행인인가?" 답하여 말하자면 이에 대해서는 4구로 분별해야 할 것이다. 제1구는 말

제2절 유루연·무루연 분별

98수면 중 몇 가지가 유루를 반연하며, 몇 가지가 무루를 반연하는가? 게송으로 말하겠다.

14 견멸소단·견도소단의[見滅道所斷]
사견·의심과 그 상응무명[邪見疑相應]
및 불공무명의[及不共無明]
6수면은 능히 무루를 반연한다[六能緣無漏]

15 그 중 멸제를 반연하는 것은[於中緣滅者]
오직 자지의 멸제만을 반연하며[唯緣自地滅]
도제를 반연하는 것은 6지·9지의 도제를 반연하니[緣道六九地]
따로 대치하되, 서로 원인하기 때문이다[由別治相因]

16 탐욕·성냄·거만과 2취는[貪瞋慢二取]
모두 무루를 반연하는 것 아니니[並非無漏緣]
떠나야 하고, 경계가 원수 아니며[應離境非怨]
고요하고, 청정하며, 뛰어난 성품이기 때문이다[靜淨勝性故][147]

논하여 말하겠다. 오직 견멸·견도소단의 사견, 의심, 그 상응무명·불공무명이라는 각각 3수면이 이루는 6수면만은 능히 무루를 반연한다. 그 나머

하자면 미래세의 변행수면이니, 열한 가지에 포함되기 때문에 변행수면이지만, 앞뒤가 없는 것이기 때문에 변행인이 아니다. 제2구는 말하자면 과거·현재세의 그 구유법이니, 앞뒤가 있는 것이기 때문에 변행인이지만, 열한 가지가 아니기 때문에 변행수면이 아니다. 제3구는 과거·현재세의 변행수면이니, 열한 가지에 포함되기 때문에 변행수면이며, 앞뒤가 있는 것이기 때문에 변행인이다. 제4구는 앞에서 말한 것들을 제외한 것이다.

147 이는 곧 유루연과 무루연이다. 첫 게송은 전체적으로 밝히는 것이고, 둘째 게송은 개별적으로 해석하는 것이며, 셋째 게송은 법을 구별하는 것이다.

지가 유루를 반연하는 것은 이에 준해서 저절로 이루어진다.[148]

이 6수면 중 멸제를 반연하는 것은 각각 자지의 멸제를 소연으로 하니, 멸제는 상호 서로 바라볼 때 원인·결과가 아니기 때문이다. 말하자면 욕계에 계속되는[欲界繫] 세 가지 수면은 오직 욕계 제행諸行의 택멸만을 반연하고, 내지 유정지[有頂]의 세 가지 수면은 오직 유정지 제행의 택멸만을 반연한다.[149]

도제를 반연하는 것은 6지·9지의 도제를 반연한다. 말하자면 욕계에 계속되는 세 가지 수면은 오직 6지의 법지품法智品의 도제만을 반연한다. 욕계를 대치하는 것이든 나머지를 능히 대치하는 것이든 모두 그것의 소연이니, 부류가 같기 때문이다. 색계·무색계의 8지에 각각 있는 세 가지 수면은 하나하나가 오직 공통으로 9지의 유지품類智品의 도제만을 능히 반연한다. 자지를 대치하는 것이든 나머지를 능히 대치하는 것이든 모두 그것의 소연이니, 부류가 같기 때문이다.[150]

148 이는 첫 게송을 해석하는 것이다. 멸제·도제 하의 6수면, 이것들은 무루를 반연한다. 이 여섯 가지를 제외한 나머지 5부의 번뇌가 모두 유루를 반연하는 것은 이에 준해서 저절로 이루어지므로 게송에서 따로 나타내지 않았다.

149 제5·제6구를 해석하는 것이다. 6수면 중 멸제를 반연하는 것은 각각 자지의 제행 위의 택멸을 그 소연으로 하니, 모든 지의 택멸은 상호 서로 바라볼 때 원인·결과(의 관계)가 아니기 때문에 다른 지의 택멸을 반연하지 않는다. 선근(=난법 등의 선근)의 지혜[善智]가 경계를 깨닫는 경우 공통으로 여러 지를 반연하는 것은 염오법과는 같지 않다. 그래서 『현종론』(=제25권. 대29-897하)에서 말하였다. "그런데 모든 선근의 지혜가 경계를 깨달을 때에는 이치상 공통으로 여러 지의 택멸을 단박 반연할 수 있다고 인정되지만, 모든 사견이 일어나 경계에 미혹해 그릇된다면[於境迷謬], 굳게 집착함에 간격되어서[固執所隔] 전체적으로 반연할 수 없는 것이다."

150 제7구를 해석하는 것이다. 말하자면 욕계계의 사견·의심·무명은 오직 6지(=미지정+중간정+4근본정)의 법지품의 도제만을 반연할 뿐, 유지품의 도제를 반연하지는 않는다. 욕계를 대치하는 것이든-미지정 중의 법지품의 도가 능히 욕계를 대치하는 것을 말한다- 나머지를 능히 대치하는 것이든-6지 중의 멸·도의 법지품이 수도 단계에서 능히 나머지 색계·무색계를 대치하는 것(=뒤의 제26권 중 게송 ⑨와 그 논설)을 말한다- 모두가 그 사견·의심·무명의 소연이니, 법지품으로서의 부류가 같기 때문이다. 위의 8지(=4정려지+4무색지)의 각각 세 가지 수면이라면 하나하나가 오직 능히 공통으로 9지(=미지정+중간정+4근본정+아래3무색정)의 유지품의 도제만을 반연할 뿐, 법지

무엇 때문에 멸제를 반연하는 것은 자지만을 반연하고, 다른 지는 아닌데, 도제를 반연하는 것은 곧 6지·9지의 같은 부류에 통하는가?[151] 모든 지의 도는 상호 서로 원인하기 때문이다. 비록 법지품과 유지품도 역시 상호 서로 원인하기는 하지만, 유지품은 욕계를 대치하지 않기 때문에 유지품의 도제는 욕계의 3수면의 소연이 아닌 것이다.[152]

법지품도 이미 색계·무색계를 대치할 수 있으므로 그 8지의 각각 3수면의 소연이 되어야 할 것이다.[153] 이것들 모두가 색계·무색계를 대치할 수 있는 것은 아니니, 고제·집제의 법지품은 그것을 대치하는 것이 아니기 때문이다. 또한 완전히 색계·무색계를 대치할 수 있는 것도 아니니, 그 견소단을 대치할 수 없기 때문이다. 두 가지에서 처음 것이 없기 때문에 그 소연이 아닌 것이다. 곧 이런 이유에 의한다는 것은, 변행수면으로서 고제·집제를 반연함이 있는 것은 모든 지에 제한이 없음[無遮]을 나타내니, 경계가 상호 연인緣因이 되며, 능히 대치하는 것[能對治]이 아니기 때문이다.[154]

품의 도제를 반연하지는 않는다. 자지를 대치하는 것이든–9지 중의 유지품의 도가 능히 자지를 대치하는 것을 말한다– 나머지를 능히 대치하는 것이든–9지 중의 유지품의 도가 능히 나머지 7지(='위의 8지' 중 '자지'를 제외한 7지)를 대치하는 것을 말한다– 모두가 그 사견·의심·무명의 소연이니, 이는 유지품으로서의 부류가 같기 때문이다. # 법지는 오직 욕계의 몸과 6지의 도에만 의지하고, 유지는 3계의 몸과 9지의 도에 공통으로 의지하는 것은, 뒤의 제26권 중 게송 ⑮cd와 그 논설 참조.

151 제8구를 해석하는 것인데, 이는 곧 물음이다.

152 답이다. 모든 지 중의 법지품의 도와 유지품의 도는 각각 상호 서로 바라볼 때 동류인이기 때문이니, 서로 원인하기 때문에 만약 법지를 반연한다면 곧 6지를 반연하며, 만약 유지를 반연한다면 곧 9지를 반연하는 것이다. 비록 법지품과 유지품도 역시 상호 서로 바라볼 때 동류인이 되기는 하지만, 유지품은 욕계를 대치하지 않으니(=뒤의 제26권 중 게송 ⑨d와 그 논설 참조), 따로 대치하기 때문이다. 그래서 유지품의 도제는 욕계의 세 가지 수면의 소연이 아닌 것이다.

153 힐난이다. 욕계의 수도 단계의 멸·도의 법지품은 이미 위의 색계·무색계를 대치할 수 있으므로, 그 8지의 각각 3수면의 소연이 되어야 할 것이다.

154 회통하는 것이다. 이 법지의 모두가 그 색계·무색계를 대치할 수 있는 것은 아니니, 고·집의 법지품은 그 상계의 대치도가 아니기 때문이다. 9지의 고·집 중 하지는 거칠고, 상지는 미세한데, 거친 것을 반연하는 것은 미세한 것을 끊을 수 없기 때문에 욕계의 고·집을 반연하는 법지는 위의 8지를 대치할 수

어떤 이유에서 탐욕·성냄·거만과 계금취·견취의 소견은 무루단無漏斷인데도 무루를 반연하는 것이 아닌가?155 탐욕수면은 버리고 떠나야 할 것이기 때문이니, 만약 무루를 반연한다면 마치 선법에 대한 의욕[善法欲]이 버리고 떠나지 않아야 할 것이듯이 곧 허물이 아닐 것이다. 원한으로 해칠 것[怨害事]을 반연하여 성냄수면을 일으키는데, 멸제·도제는 원수가 아니기 때문에 성냄의 경계가 아니다. 거칠게 움직일 것[麤動事]을 반연하여 거만수면을 일으키는데, 멸제·도제는 고요한 것[寂靜]이기 때문에 거만의 경계가 아니다. 청정케 하는 법이 아닌 것을 청정의 원인이라고 집착하는 것을 계금취라고 이름하는데, 멸제·도제는 진정한 청정이기 때문에 계금취의 경

....

없다. 혹은 미세한 것을 반연하는 것은 거친 것을 끊을 수 있기 때문에 욕계의 멸·도를 반연하는 법지는 상계의 번뇌를 대치할 수 있지만, 멸·도의 법지도 또한 완전히 색계·무색계를 대치할 수 있는 것은 아니니, 오직 수혹만을 끊을 뿐, 그 견소단을 대치할 수는 없기 때문이다. 견소단의 번뇌는 대치하는 것이 결정적이고, 또 견도의 단계는 빠르고 급속하기 때문에 견도 중의 멸·도의 법지품은 상계의 견혹을 대치할 수 있는 것이 아니다. 수소단의 번뇌는 대치하는 것이 결정적이지 않고, 또 수도 단계에서는 조금 참여를 용납하기 때문[容預故]에, 그래서 수도 중의 멸·도의 법지품은 상계의 수혹을 대치할 수 있는 것이다. 그 법지품을, 4제로 분별할 때 고·집이라는 처음 것이 결여되고, 견도·수도로 분별할 때 견도라는 처음 것이 결여되기 때문에 '두 가지에서 처음 것이 없기 때문'이라고 말한 것이니, 그 8지의 3수면의 소연이 아닌 것이다.

또 유추해석하자면, 곧 이 앞에서 멸제를 반연하는 것은 오직 1지(=자지)이고, 도제를 반연하는 것은 6지·9지인 것이 여러 인연에 의한 때문이라는 것은, 변행수면 중 고·집제를 반연함이 있는 것(=9상연혹)은 9지(=욕계와 위의 8지)에 제한(=무루를 반연하는 견멸·견도소단의 수면에 있는 것과 같은, 지地의 제한)이 없음을 나타내니, (첫째) 경계가 상호 연인緣因이 되기 때문이다. 혹은 2지가 합쳐 소연이 되며, 내지 8지가 합쳐 소연이 되는 것이, 멸제와 같지 않으니, 택멸은 상호 서로 바라볼 때 연인이 아니기 때문이다. '연인'이라고 말한 것은 소원한 간접적 원인[疏緣因]이라는 것으로서, 직접적인 인연[親因緣]과 구별하는 것이니, 곧 능작인, 혹은 증상연을 연인이라고 이름한다. 또 해석하자면 '연'은 증상연이나 등무간연이나 소연연이고, 혹은 앞의 두 가지에 통하거나, 세 가지에 모두 통하며, '인'은 말하자면 능작인이다. (둘째) 능히 대치하는 무루가 아니기 때문에 1지를 반연하고, 6지·9지를 반연하는 것 아님이 있는 것은 도제와 같지 않으니, 도제를 반연할 때에는 6지·9지를 반연하기 때문이다.

155 이하 뒤의 1게송을 해석하는 것인데, 이는 곧 물음이다. # '무루단'이란 무루도에 의해 끊어지는 것이라는 뜻이다.

계가 되지 않아야 할 것이다. 뛰어난 법이 아닌 것을 가장 뛰어난 것이라고 집착하는 것을 견취라고 이름하는데, 멸제·도제는 진실로 뛰어나기 때문에 견취의 경계가 되지 않아야 할 것이다. 그러므로 탐욕 등은 무루를 반연하지 않는 것이다.[156]

제3절 수면의 상응수증과 소연수증

98수면 중 몇 가지가 소연에 의해서 수증隨增하고, 몇 가지가 상응에 의해서 수증하는가? 게송으로 말하겠다.

17 아직 끊어지지 않은 변행수면은[未斷遍隨眠]
자지의 일체 소연 때문에[於自地一切]
비변행의 수면은 자부의[非遍於自部]
소연 때문에 수증한다[所緣故隨增]

18 무루연과 상연의 수면은 아니니[非無漏上緣]
섭수됨이 없고, 어긋남이 있기 때문이며[無攝有違故]
그 상응법에 따라서는[隨於相應法]
상응하기 때문에 수증한다[相應故隨增][157]

1. 소연수증所緣隨增

논하여 말하겠다. 변행수면은 널리 자지自地의 5부의 모든 법의 소연에서 수증하니, 능히 자지의 법을 두루 반연하기 때문이다. 그 나머지 5부의 비변행의 수면이 소연에 의해 수증하는 것은 오직 자부自部의 법에서만이니,

156 답이다. (멸제·도제 하의) 탐욕·성냄·거만 및 2취가 무루를 반연하지 않는 이유인데, 글대로 알 수 있을 것이다.
157 이하는 곧 셋째 두 가지 수증에 대해 밝히는 것이다. 앞의 6행은 소연수증을 밝히고, 뒤의 2구는 상응수증을 밝히는 것인데, 앞의 6구 중 처음 4구는 바로 소연수증을 밝히고, 뒤의 2구는 차별되는 것을 가려내는 것이다.

오직 자부만을 소연으로 하기 때문이다.[158]

이는 전체적인 것에 의거해 설한 것이고, 개별적으로 분별한다면 6무루연혹과 9상연혹上緣惑은 소연의 경계에서 수증하는 뜻이 없다. 왜냐하면 무루와 상지의 경계는 섭수되는 것이 아니며, 아울러 서로 어긋나기 때문이다.[159] 말하자면 만약 어떤 법이 이런 지地 중의 유신견 및 갈애에 섭수되어 자기가 있다[己有]고 하는 것이라면, 이런 유신견·갈애의 지 중에 존재하는 수면은 소연에 의해 수증하는 이치가 있을 수 있으니, 마치 옷이 축축하면 먼지가 따라 머무는 것과 같지만, 모든 무루법 및 상지의 법은 모든 하지의 유신견·갈애에 섭수되어 자기가 있다고 할 것이 아니기 때문에 그것을 반연하는 하지의 번뇌도 소연에 의해 수증하는 것이 아니다.[160] 하지에 머무는 마음이 상지 등을 희구하는 것은 선법의 의욕[善法欲]이므로 수면이라고 말할 것이 아니다.[161] 성도와 열반 및 상지의 법은 능히 그것을

158 이는 첫 게송을 해석하는 것인데, 글대로 알 수 있을 것이다. 『순정리론』(=제49권. 대29-616중)에서, "수증한다는 말은 말하자면 모든 수면이 이 법 중에서 따라 머물며 증장하는 것[隨住增長]이니, 곧 따라 속박하면서 혼미·막힘을 늘린다[隨縛增惛滯]는 뜻이다"라고 말하였다.

159 이하는 제5·제6구를 해석하는 것이다. 소연수증에 대해 이것은 전체적인 것에 의거해 말한 것인데, 만약 개별적으로 분별한다면 멸제·도제 하의 여섯 가지 무루연혹 및 고제·집제 하의 아홉 가지 상연혹은 소연의 경계에서 수증하는 뜻이 없다. 왜냐하면 멸제·도제의 무루 및 상지의 경계는, 첫째 소견·갈애에 의해 섭수되는 것이 아니기 때문이며, 둘째 능연의 수면과 서로 어긋나기 때문이다. 이는 글을 곧 표방한 것이다.

160 이는 첫째 이유를 해석하는 것이다. 말하자면 만약 어떤 법이 이런 지地 중의 유신견 및 갈애에 섭수되어 '자기가 있다'라고 하는 것이라면, 이런 유신견·갈애의 지 중에 존재하는 수면은 소연에 의해 수증하는 이치가 있을 수 있으니, 마치 옷이 축축하면 먼지가 따라 머무는 것과 같다. '옷'은 곧 법을 비유하고, '축축하다'는 것은 유신견·갈애를 비유하며, '먼지가 따라 머문다'는 것은 번뇌가 수증하는 것을 비유한다. 모든 무루법은 모든 유신견·갈애에 섭수되어 자기가 있다고 할 것이 아니며, 모든 상지의 법은 모든 하지의 유신견·갈애에 섭수되어 자기가 있다고 할 것이 아니기 때문에, 그 무루를 반연하는 번뇌나 그 상지를 반연하는 하지의 번뇌는 소연에 의해 수증하는 것이 아니다.

161 숨은 힐난에 대해 회통하는 것이다. 숨은 힐난의 뜻이, 「상지를 탐내어 구하는, 곧 이 하지의 탐욕은 상지를 반연할 수 있을 것이다」(=따라서 탐욕이 소연에 의해 수증한다)라고 말한다면, 이런 숨은 힐난에 대해 회통하기 위해 이렇게 말할 것이다. 「하지에 머무는 마음이 상지 등을 희구하는 것은 선법의

반연하는 하지의 번뇌와 서로 어긋나기 때문에 그 두 가지도 역시 소연에 의해 수증하는 이치가 없으니, 마치 뜨거운 돌에는 발이 계속 머물지 않는 것과 같다.[162]

어떤 분은 말하였다. "수면이란 수순隨順한다는 뜻인데, 무루와 상지의 경계는 모든 하지의 수면에 수순하는 것이 아니기 때문에, 비록 소연이라고 하더라도 수증할 이치가 없으니, 마치 풍병風病을 앓는 자가 땀을 마르게 하는 약[乾澁藥]을 복용하더라도 환자가 그 약에서 수증할 것[所隨增]이 아닌 것과 같다."[163]

2. 상응수증相應隨增

소연에 의거해 수증하는 뜻을 분별했으니, 이제 다음에는 상응수증에 대해 분별해야 할 것이다. 말하자면 그 어떤 수면이든 자신과 상응하는 법에서는 상응하기 때문에 그것에서 수증한다.[164] 수증한다고 말한 모든 것은 아직 끊어지지 않았을 때까지를 말하는 것이기 때문에 첫 게송의 첫머리에서 '아직 끊어지지 않은'이라는 말을 표방한 것이다.[165]

의욕이므로 수면이라고 말할 것이 아니다」라고.

162 이는 둘째 이유를 해석하는 것이다. 성도의 도제와 열반의 멸제라면 능히 그것을 반연하는 번뇌와 서로 어긋나며, 상지의 법이라면 능히 그것을 반연하는 하지의 번뇌와 서로 어긋나기 때문에 그 무루연혹과 9상연혹 두 가지는 역시 소연에 의해 수증하는 이치가 없으니, 마치 뜨거운 돌에 발이 계속 머물지 않는 것과 같다. '뜨거운 돌'은 경계를 비유하고, '발이 계속 머물지 않는다'는 것은 능연인 번뇌를 비유한다.

163 다른 학설을 서술하는 것인데, 이는 수순에 의거해 수증을 해석하는 것이다. 어떤 분은 말하였다. "수면이란 수순한다는 뜻인데, 무루의 경계는 모든 수면에 수순하는 것이 아니며, 상지의 경계는 모든 하지의 수면에 수순하는 것이 아니기 때문에, 비록 소연이라고 하더라도 수증하는 이치가 없으니, 마치 풍병을 앓는 사람이 땀을 마르게 하는 약을 복용하더라도 환자가 그 약에 서로 수순하지 않으므로 수증대상[所隨增]이 아니며, 약도 환자에게 세력이 없으므로 수증주체[能隨增]가 아닌 것과 같다." 병자는 경계를 비유하고, 약은 능연인 번뇌를 비유한다.(=문맥 및 본문과 대조할 때 병자는 능연인 수면을 비유하고, 약은 소연인 경계를 비유하는 것이 아닐까 생각된다)

164 뒤의 2구를 해석하는 것이다. 말하자면 두루 반연하는 것과 두루 반연하지 않는 것, 유루를 반연하는 것과 무루를 반연하는 것, 자계를 반연하는 것과 타계를 반연하는 것의 그 어떤 것에 따르더라도, 수면은 일체 모두가 자신과 상응하는 법에서는, 상응하기 때문에 그것에서 수증한다.

수면으로서 무루를 반연하지도 않고, 상계를 반연하지도 않으면서, 다만 소연이 아닌 상응법에서만 그것에 수증하는 것이 혹시 있는가?[166] 있다. 상지를 반연하는 모든 변행수면을 말하는 것이다.[167]

제4절 98수면의 두 가지 성품 분별

98수면 중 몇 가지가 불선이고, 몇 가지가 무기인가? 게송으로 말하겠다.

⑲ 위의 2계의 수면[上二界隨眠]
　및 욕계의 유신견·변집견과[及欲身邊見]
　그와 함께 하는 무명은 무기이고[彼俱癡無記]
　그 나머지는 모두 불선이다[所餘皆不善][168]

논하여 말하겠다. 색계·무색계의 일체 수면은 오직 무기의 성품이니, 염오법이 만약 불선이라면 괴로움의 이숙이 있지만, 괴로움의 이숙과가 위의 2계에는 없으며, 남이 핍박하거나 괴롭히는 원인이 거기에는 결정코 없기 때문이다.[169]

165 위에서 말한 바 모든 수증하는 것은, 아직 끊어지지 않았을 때까지의 모든 수면을 말하는 것이니, 그래서 첫 게송의 첫머리에서 '아직 끊어지지 않은'이라는 말을 표방한 것이다.
166 물음인데, 뜻은 알 수 있을 것이다.
167 답이다. 있다고 말한 것은 말하자면 상지를 반연하는 모든 변행수면이다. 예컨대 초정려의 변행수면이 그 위의 3지를 반연하는 것과 같은 것과, 또한 공무변처의 변행수면이 그 위의 3지를 반연하는 것과 같은 것이, 상계를 반연하는 것이 아닌데도(=같은 계이기 때문) 그것에 수증하는 것은, 상응법에서만이고, 소연에서가 아니다.(=상지를 반연하는 것은 소연수증하지 않기 때문)
168 이하는 곧 넷째 두 가지 성품 분별이다.
169 제1구를 해석하는 것이다. 상계의 모든 번뇌는 모두 오직 무기이다. 염오법 중 만약 이것이 불선이라면 괴로움의 이숙과가 있지만, 위의 2계에는 없으며, 남이 핍박하거나 괴롭히는 원인이 거기에는 결정코 없기 때문에 거기에는 결과가 없다고 말하니, 원인도 역시 없다는 것을 나타낸다. 또 『순정리론』(=제49권. 대29-617상)에서도 말하였다. "색계·무색계의 일체 수면은 4지분·5

유신견·변집견 및 상응하는 무명으로서 욕계에 계속되는 것도 역시 무기의 성품이다. 까닭이 무엇이겠는가? 이것들은 보시 등과 서로 어긋나지 않기 때문이니, 나의 미래의 즐거움을 위해 현재 보시·지계 등을 힘써 닦기 때문이다. 단멸에 집착하는 변집견은 해탈에 수순할 수 있으니, 그래서 세존께서 설하셨다. "모든 외도들의 소견의 취향[趣] 중, 말하자면 '나는 있지 않고, 나의 소유도 역시 있지 않다'라거나, '나는 장차 있지 않을 것이고, 나의 소유도 장차 있지 않을 것이다'라는 이런 소견이 가장 뛰어나다." 또 이런 두 가지 소견은 자신의 일[自事]에 미혹한 것이기 때문으로서, 다른 유정을 핍박하거나 해치려는 것이 아니기 때문이다.[170]

만약 그렇다면 천상의 쾌락을 탐내어 구하는 것 및 아만을 일으키는 것도 비례해서 역시 그러해야 할 것이다.[171] 선대의 궤범사는 이렇게 말하였

지분의 선정(=초선·제3선은 5지분이고 제2선·제4선은 4지분임은 뒤의 제28권 중 게송 ⑦·⑧과 그 논설 참조)에 의해 조복되기 때문에 이숙과를 초래할 세력이 없으니, 그래서 그것들은 모두 무기의 성품에 포함된다." 또 『대비바사론』(=제50권. 대27-260중)에서도 말하였다. "만약 법이 무참·무괴의 자성이거나 무참·무괴와 상응하거나 무참·무괴와 등기하거나 그 등류과라면 불선이지만, 색계·무색계의 번뇌는 그렇지 않기 때문에 무기이다."

170 제2·제3구를 해석하는 것이다. 욕계의 유신견·변집견 및 상응하는 어리석음도 역시 무기의 성품이다. 왜냐하면 선과 상반되는 것을 불선이라고 이름하는데, 이 아견·상견은 그 보시 등과 상반되지 않기 때문이다. 자아·상주를 집착하는 자는 이런 상주하는 자아가 장차 괴로움 받을 것을 두려워하고, 이런 상주하는 자아가 미래세에 인·천의 즐거움을 받게 하기 위해, 현재 보시·지계 및 정려 등을 힘써 닦는다. 단멸에 집착하는 변집견은 열반에 수순하니, 능히 단멸시키기 때문이다. 그래서 세존께서 설하셨다.(=중 54:200 아리타경阿梨吒經) "모든 외도들의 소견의 취향[趣] 중 이런 단견이 가장 뛰어나다." '취趣'는 취향해 구하는 것[趣求]을 말하는 것이다. 말하자면 '나는 있지 않고 나의 소유도 역시 있지 않다'는 것은 나나 나의 소유가 현재 이미 없다고 집착해서, 그 몸 중에서 구해도 얻을 수 없으므로 이미 단멸했다고 여기는 것이다. '나는 장차 있지 않을 것이고 나의 소유도 장차 있지 않을 것이다'라는 것은 나나 나의 소유는 죽은 뒤에 비로소 없을 것이라고 집착하는 것이다. 또 해석하자면 앞의 2구는 나나 나의 소유가 현재의 몸과 더불어 죽을 때 함께 단멸한다고 집착하는 것이고, 뒤의 2구는 나나 나의 소유가 미래세에 필경 생기지 않는다고 집착하는 것이다. 열반에 수순하기 때문에 불선이 아니다. 또 유신견·변집견은 자신의 일에 미혹한 것이기 때문으로서, 다른 유정을 핍박하거나 해치려는 것이 아니기 때문이니, 그 허물이 가볍기 때문에 무기이다.

다. "구생俱生의 유신견은 무기의 성품이니, 마치 금수禽獸 등에게도 유신견이 현행하는 것과 같다. 만약 분별생分別生이라면 불선의 성품이다."[172]

그 나머지 욕계에 계속되는 일체 수면은 위와 서로 어긋나므로 모두 불선의 성품이다.[173]

제5절 근根과 근 아닌 것[非根]

1. 불선근

위에서 설한 불선의 번뇌 중 몇 가지가 불선근이고, 몇 가지가 불선근이 아닌 것인가? 게송으로 말하겠다.

⑳a 불선근은 욕계의[不善根欲界]
탐욕·성냄과 불선의 무명이다[貪瞋不善癡][174]

....

171 힐난이다. 만약 그렇다면 천상의 쾌락을 탐내어 구하는 것 및 아만을 일으키는 이런 것도 보시 등과 역시 상반되지 않으니, 탐욕과 거만 두 가지는 역시 무기여야 할 것이다. 혹은 천상의 쾌락을 탐내는 것 및 아만을 일으키는 것도 역시 자신의 일에 미혹한 것으로서 유정을 해치는 것이 아니니, 무기라고 이름해야 할 것이다.

172 다른 학설을 서술하는 것이다. 경량부의 선대의 궤범사들은 이렇게 말하였다. "구생俱生의 유신견은 무기의 성품이니, 마치 금수 등에게도 유신견이 현행하는 것과 같다. 몸과 함께 생기기[與身俱生] 때문에 구생이라고 이름하는데, 수도소단이다. 만약 분별생으로서, 가르침에 의해 일어나는 것이라면 이것은 불선이며, 견도소단이다." 두 가지 유신견을 세우는 것은 대승경전의 설과 같다. 만약 설일체유부에 의한다면 유신견은 오직 분별생으로서, 오직 견소단이고, 구생(의 유신견)은 없다. '금수 등'의 계탁은 모두 단지 수도소단으로서, 불염오무기(=무부무기)인 사지邪智에 포함되는 것(=뒤의 게송 ⑳cd와 그 논설 참조)일 뿐이라고 알아야 할 것이다.

173 제4구를 해석하는 것이다. 3계 중 앞에서 말한 것들을 제외한 그 나머지 욕계계의 일체 수면은 위와 서로 어긋나므로 모두 불선의 성품이다.

174 이하는 다섯째 근과 근 아닌 것에 대해 밝히는 것이다. 그 안에 나아가면 첫째 불선근에 대해 밝히고, 둘째 무기근에 대해 밝히니, 이는 곧 첫째 불선근에 대해 밝히는 것이다.

논하여 말하겠다. 오직 욕계에 계속되는 일체 탐욕·성냄 및 불선의 무명만은 불선근에 포함된다. 그 순서대로 세존께서 '탐·진·치의 세 가지 불선근'이라고 말씀하셨는데, 그 성품은 오직 불선인 번뇌로서, 불선법의 근본[根]이 되므로 불선근이라고 세우신 것이다. 나머지는 곧 그렇지 않으니, 그 나머지 번뇌가 불선근이 아닌 뜻은 준해서 이미 이루어졌기 때문에 게송에서 설하지 않은 것이다.[175]

2. 무기근

위에서 설한 무기의 번뇌 중 몇 가지가 무기근이고, 몇 가지가 무기근이 아닌 것인가? 게송으로 말하겠다.

⑳c 무기근에는 셋이 있으니[無記根有三]
무기의 갈애·무명·지혜이다[無記愛癡慧]

㉑ 나머지는 두 갈래와 높임 때문에 아니며[非餘二高故]
외방에서는 네 가지를 세웠으니[外方立四種]
중간의 갈애·소견·거만·무명인데[中愛見慢癡]
셋은 선정에 대한 것으로, 모두 어리석음이기 때문이다[三定皆癡故][176]

175 오직 욕계에 계속되는 일체 5부의 탐욕·성냄 및 불선의 어리석음(=유신견·변집견과 상응하는 무명은 불선이 아니라 유부무기임)만이 불선근에 포함된다. 인용해 증명하는 것(=잡 [14]14:344 구치라경拘絺羅經 등)은 알 수 있을 것이다. 불선근이라고 말한 것은 오직 불선인 번뇌로서, 불선법의 근본이 되므로 불선근이라고 세운 것이다. 『대비바사론』 제112권(=대27-580상)에서 폐립하면서 말하였다. "또 이 세 가지는 다섯 가지 뜻을 완전히 갖춘다. 말하자면 5부에 통하고, 6식에 두루 있으며, 수면의 성품으로서, 능히 거칠고 악한 신업·어업을 일으키고, 선근을 끊는 견고하고 강한 가행을 만드는 것이니, 이 때문에 유독 불선근으로 세운 것이다. 5부에 통한다는 것은 5견과 의심(=5견과 의심은 수소단이 아니다)을 차단하고, 6식에 두루하다는 것은 그 모든 거만을 차단하며(=거만은 전5식과 상응하지 않음은 뒤의 제21권 중 게송 53과 그 논설 참조), 수면의 성품이라는 것은 전纏·구垢 등을 차단하고, 능히 거칠고 악한 신업·어업을 일으키고, 선근을 끊는 견고하고 강한 가행을 만든다는 것은 근의 뜻을 보여 나타내는 것이다."
176 이하는 둘째 무기근에 대해 밝히는 것이다. 그 안에 나아가면 첫째 바로 무기근에 대해 밝히고, 둘째 논의하는 기회에 4기記에 대해 밝히니, 이는 곧 첫

논하여 말하겠다. 가습미라국의 비바사 논사들은 무기근에도 역시 세 가지가 있다고 말한다. 말하자면 모든 무기의 갈애[愛]·무명[癡]·지혜[慧]의 셋이니, 아래로 이숙생에 이르기까지 역시 무기근에 포함된다.[177]

어째서 의심과 거만은 무기근이 아닌가?[178] 의심은 두 갈래[二趣]에서 일어나며, 거만은 높임[高]에서 일어나기 때문이다. 그 논사들은 말하였다. "의심은 두 갈래 모습에서 일어나니, 성품이 동요하는 것이기 때문에 근으로 세우지 않아야 하며, 거만은 소연에서 높이 드는 모습에서 일어나니, 근본이라는 법과는 다르기 때문에 역시 근으로 세우지 않는다. 근은 반드시 견고하게 머물며 뿌리내려야[應堅住下] 일어나는 것이라고 세간에서 공히 알기 때문에 그것들은 근이 아니다."[179]

외방外方의 논사들은 이것에 네 가지가 있다고 세웠으니, 말하자면 모든 무기의 갈애[愛]·소견[見]·거만[慢]·무명[癡]이다. 무기를 '중간[中]'이라고

째 바로 무기근에 대해 밝히는 것이다. 처음 3구는 이 나라 논사에 대해 서술하는 것이고, 뒤의 3구는 외방의 논사에 대해 서술하는 것이다.

177 처음 2구를 해석하는 것이다. 이 나라의 논사들은 무기근에도 역시 세 가지가 있다고 설한다. (본문 중) '모든 무기'라는 말은 유부와 무부에 통한다는 것이다. 말하자면 모든 유부의 갈애·무명 및 모든 유부·무부의 지혜이니, 무부 중 아래로 이숙생에 이르기까지 역시 무기근에 포함된다. 그래서 『대비바사론』 제156권(=대27-795상)에서 말하였다. "가습미라국의 비바사 논사들은 말하였다. 무기근에는 셋이 있으니, 말하자면 무기의 갈애·지혜·무명이다. 무기의 갈애란 말하자면 색·무색계의 5부의 갈애이다. 무기의 지혜란 말하자면 유부무기의 지혜와 무부무기의 지혜인데, 유부무기의 지혜는 말하자면 욕계의 유신견·변집견 및 색·무색계의 5부의 염오의 지혜이고, 무부무기의 지혜는 말하자면 위의로·공교처·이숙생·변화심과 함께 생기는 지혜이다. 무기의 무명이란 말하자면 욕계의 유신견·변집견과 상응하는 무명 및 색·무색계의 5부의 무명이다." (문) 무기 중 무엇 때문에 이 세 가지만 따로 근으로 세웠는가? (해) 근은 원인이라는 뜻이니, 이 세 가지가 원인이 되어 모든 법을 낳는 것이 뛰어나기 때문에 근이라고 세운 것이다. 갈애는 모든 번뇌의 발이고, 무명은 곧 두루 모든 번뇌와 상응하며, 지혜는 간택할 수 있어 온갖 것을 인도하는 우두머리[導首]가 되는 것이다.

178 제3구를 해석하려고 묻는 것이다. 10수면 중 성냄이 무기가 아닌 것은 이치상 말이 끊어진 곳[絶言]에 있지만, 어째서 의심과 거만이 무기근이 아닌가?

179 답인데, 글은 알 수 있을 것이다. 나머지 수면(이 근)이 아닌 것은 혹은 뛰어난 작용이 없기 때문에 근으로 세우지 않은 것이다. # '두 갈래'란 이것일까 저것일까 의심한다는 취지이다.

이름한 것은 선·악을 막기 때문이다.[180] 어떤 이유에서 이 네 가지를 무기근으로 세웠는가?[181] 어리석은 범부들이 상계의 선정[上定]을 닦는 것은 갈애·소견·거만 세 가지에 의탁하는 것에 지나지 않는데, 이 세 가지는 모두 무명의 힘에 의해 일어나기 때문에 이 네 가지를 무기근으로 세운 것이다.[182]

180 제4·제5구를 해석하는 것이다. '외방'은 곧 서방의 논사들인데, 무기근에 모두 네 가지가 있다고 건립한다. 말하자면 모든 유부무기의 갈애·소견·거만·무명의 네 가지이다. 게송 중 '중간'이라는 말은 무기를 중간이라고 이름한 것이니, 선·악을 막기 때문이다. 이것은 오직 유부뿐이고, 무부에는 통하지 않는다. 그래서 『대비바사론』(=제156권. 대27-795중)에서 말하였다. "서방의 논사들은 무기근에 네 가지가 있다고 말했으니, 말하자면 무기의 갈애·소견·거만·무명이다. 무기의 갈애란 말하자면 색·무색계의 5부의 갈애이고, 무기의 소견이란 말하자면 욕계의 유신견·변집견 및 색·무색계의 5견이며, 무기의 거만이란 말하자면 색·무색계의 5부의 거만이고, 무기의 무명이란 말하자면 욕계의 유신견·변집견과 상응하는 무명 및 색·무색계의 5부의 무명이다."

181 제6구를 해석하는 것인데, 이는 곧 묻는 것이다.

182 답이다. 어리석은 범부들이 상계의 선정을 닦는 것은 갈애·소견·거만 세 가지에 의탁하는 것에 지나지 않는다. 말하자면 상계의 선정을 사랑하는 자는 상계의 선정을 보는 자로서 상계의 선정에 거만한 자이니, 갈애의 힘에 의해 있으며, 소견의 힘에 의해 있으며, 거만의 힘에 의해 있는 것인데, 이 세 가지는 모두 무명에 의해 일어나기 때문에 이런 뛰어난 작용이 있는 것이다. 그래서 이 네 가지를 무기근으로 세운 것이니, 나머지는 뛰어난 것이 아니기 때문에 근으로 세우지 않은 것이다. (문) 이 나라와 외방은 어째서 같지 않으며, 2설 중 무엇이 바른 것인가? (해) 의거하는 뜻이 각각 다르기 때문에 설도 같지 않은 것인데, 2설 중에서 앞의 설이 바른 것이다. 그래서 『대비바사론』(=제156권. 대27-795중)에서 말하였다. "(문) 무엇 때문에 서방의 논사들은 거만을 무기근으로 세우는가? (답) 그들은 힘이 견고하고 강한 뜻이 근의 뜻이라고 말하는데, 거만은 힘이 견고하고 강하기 때문에 근으로 세운 것이다. 말하자면 유가사가 백천百千의 선품에서 퇴실하는 까닭은 모두 거만의 힘에 의한 것이다. (문) 어째서 이 나라의 논사들은 근으로 세우지 않는가? (답) 이들은 뿌리내린다는 뜻이 근의 뜻이라고 말하는데, 거만은 마음을 들게 하는 것이어서 뿌리내리는 것에 수순하기 않기 때문에 근으로 세우지 않은 것이다. (문) 무엇 때문에 이 나라의 논사들은 무부무기의 지혜를 무기근으로 세우는가? (답) 이들은 의지하는 원인[依因]이 되는 뜻이 근의 뜻이라고 말하는데, 무부무기의 지혜는 의지하는 원인이 되는 것이 뛰어나기 때문에 근으로 세운 것이다. (문) 어째서 서방의 논사들은 근으로 세우지 않는가? (답) 그들은 힘이 견고하고 강한 뜻이 근의 뜻이라고 말하는데, 무부무기의 지혜는 세력이 연약하기 때문에 근으로 세우지 않은 것이다. (문) 무엇 때문에 이 나라와 저 나라의 논사들은 의심을 무기근으로 세우지 않는가? (답) 다 같이 결정적으

3. 14무기와 4기記

여러 계경 중에서 14무기의 일[無記事]을 설했는데, 그것도 역시 이 무기에 포함되는 것인가?[183] 그렇지 않다.[184] 무엇을 말하는 것인가?[185] 그 경에서는 단지 내버려 두어야 할 물음[應捨置問]에 의거해 무기無記라는 명칭을 세웠을 뿐이다.[186] 말하자면 물음에 대해 가려 답하는 문[問記門]에는 모두 네 가지가 있다.[187] 어떤 것이 네 가지인가?[188] 게송으로 말하겠다.

22 응당 한결같이, 분별하여[應一向分別]
 도리어 물어, 내버려 두어 답해야 할 것이니[反詰捨置記]
 예컨대 죽는가, 태어나는가, 수승한가[如死生殊勝]
 나와 온은 하나인가 다른가 등에 대한 것과 같다[我蘊一異等][189]

(1) 비바사 논사의 해석

논하여 말하겠다. 우선 물음의 네 가지란, 첫째 한결같이 답해야 할 것[응일향기應一向記], 둘째 분별하여 답해야 할 것[응분별기應分別記], 셋째 도리어 물어 답해야 할 것[응반힐기應反詰記], 넷째 내버려 두어 답해야 할 것[응사치기應捨置記]이다. 이 네 가지는 순서대로 예컨대 묻는 자가 있어, 죽는가,

로 머무는 뜻이 근의 뜻이라고 말하는데, 의심은 결정적으로 머물지 못하고, 2문門에서 구르기 때문에 근으로 세우지 않은 것이다."

183 이하는 둘째 논의하는 기회에 4기에 대해 밝히는 것이다. 여러 계경(=잡[7]7:168 세간상경世間常經 등) 중에서 14무기의 일을 설했는데, 그것도 역시 이 3성 중의 무기에 포함되는 것인가?

184 답이다.

185 따지는 것이다.

186 답이다. 그 경들 중에서 열네 가지는 4기 중 제4의 내버려 두어야 할 물음에 의거해 무기라는 명칭을 세운 것일 뿐이다. '기記'(=가려서 답한다는 뜻)라는 말은 답하는 것이다.

187 논주가 이 물음에 대해 답하는 기회에 네 가지를 모두 밝히는 것이다. '기'라는 것은 답하는 것을 말하는 것이니, 아래는 모두 이에 준한다. 말하자면 물음에 대해 답하는 문[問答門]에는 모두 네 가지가 있다는 것이다.

188 물음이다.

189 위의 2구는 바로 답하는 것이고, 아래 2구는 일을 가리켜 말하는 것이다.

태어나는가, 수승한가, 나와 (온은) 하나인가 다른가 라고 묻는 등에 대한 것과 같다. 가려 답함[記]에 네 가지가 있는 것은, 말하자면 네 가지 물음에 대해 답하려는 것이다.[190]

만약 '일체 유정은 모두 장차 죽는가?'라고 이렇게 묻는다면, '일체 유정은 모두 결정코 장차 죽는다'라고 한결같이 답해야 할 것[應一向記]이다. 만약 '일체 죽는 자는 모두 장차 태어나는가?'라고 이렇게 묻는다면, '번뇌 있는 자는 장차 태어나지만, 나머지는 아니다'라고 분별하여 답해야 할 것[應分別記]이다. 만약 '사람은 수승한가, 열등한가?'라고 이렇게 묻는다면, '어떤 것과 비교한 것인가?'라고 도리어 물어 답해야 할 것[應反詰記]이다. 만약 천신과 비교해서라고 말한다면 사람이 열등하다고 답해야 하고, 만약 하계와 비교해서라고 말한다면 사람이 수승하다고 답해야 할 것이다. 만약 '온과 유정은 하나인가 다른가?'라고 이렇게 묻는다면, 내버려 두어 답해야 할 것[應捨置記]이다. 유정은 실체가 없기 때문[無實故]에 하나와 다름의 성품이 성립되지 않으니[一異性不成], 마치 석녀의 아이[石女兒]의 흑백 등의 성품과 같다.[191]

....

190 장항 가운데 나아가면 첫째 비바사 논사가 4기에 대해 해석하고, 둘째 근본 논서의 논사가 4기에 대해 해석한다.(=뒤의 (3)에 의하면 셋째 계경에 의한 해석이 따로 있다) (게송 제4구의) '등'은 대법의 여러 논사 등을 같이 취한 것이다. 그래서 『순정리론』(=제49권. 대29-618하)에서, "등이라는 말은 다른 문에 의거한 것이 있는 것을 포함하기 위한 것이다"라고 말하였다. '우선 물음의 네 가지란'은 전체적으로 수를 열거한 것이다. 첫째 물음에 대해서는 한결같이 답해야 하고, 둘째 물음에 대해서는 분별하여 답해야 하며, 셋째 물음에 대해서는 도리어 물어 답해야 하고, 넷째 물음에 대해서는 내버려 두어 답해야 하니, 이 4기는 그 순서대로 그 네 가지 물음에 답하는 것이다. 이상은 곧 위의 반 게송을 해석한 것이다. 예컨대 묻는 자가 있어, 첫째 죽는가 묻고, 둘째 태어나는가 물으며, 셋째 수승한가 묻고, 넷째 나와 하나인가 다른가 묻는 등이라는 이것은 곧 일을 가리켜 개별적으로 네 가지를 나타내는 것이다. 가려 답하는 것에 네 가지가 있는 까닭은 말하자면 이런 네 가지 물음에 답하려는 것이다. 이는 곧 아래 반 게송을 해석한 것이다.

191 이하 개별적으로 해석하는데, 앞의 세 가지 물음에 대해 가려 답하는 것은 글대로 알 수 있을 것이다. 네 번째 물음에 대해 가려 답하는 것은, 만약 '온과 유정은 하나인가 다른가?'라고 이렇게 묻는다면, 이런 물음을 얻었을 때에는 그 하나인가 다른가에 대한 가려 답하는 것[記]을 내버려 두고, 단지 '이는 가

어떻게 내버려 두면서도 '가려 답한다[記]'는 명칭을 세우는가?[192] 그 물음에 대해 가려 답할 때에는 '이것은 가려 답하지 않아야 할 것이다[不應記]'라고 말하기 때문이다.[193]

【다른 학설】 어떤 분은 이렇게 말하였다. "그 두 번째 물음에 대해서도 역시, '모두가 장차 태어나는 것은 아니다'라고 한결같이 답해야 할 것이다."[194] 그렇지만 묻는 자가, '일체 죽는 자는 모두 장차 태어나는가'라고 말했으니, 이치상 그가 물은 바에 대해 분별하여 답해야 할 것이지, 전체적인 대답[總答]은 성립되지 않는다. 비록 전체적으로는 알게 하더라도, 여전히 아직 이해하지 못할 것이기 때문이다.[195]

려 답하지 않아야 할 것이다[此不應記]'라는 이런 말을 해야 할 뿐이라는 것이다. 그 유정은 실제로 있는 것[實有]이 없기 때문에 하나와 다름의 성품이 모두 성립되지 않으니, 그래서 내버려 두는 답을 해야 할 것이다. 또 마치 석녀가 낳은 아이는 흰가 검은가 등의 성품을 묻는 것과 같으니, 만약 이런 물음을 얻었다면 내버려 두어 답해야 할 것이다. 석녀는 본래 자신에게 아이가 없는데, 어찌 흰가 검은가를 논하겠는가? 자식을 낳지 못하는 여자를 석녀라고 이름한다.

192 물음이다. 어떻게 하나인가 다른가 등의 물음에 대해 내버려 두고, 하나인지 다른지 등이라고 가려 답하지 않으면서, '가려 답한다'는 명칭을 세우는가?

193 답이다. 그 하나인가 다른가 라는 등의 물음에 대해 답할 때 '이것은 가려 답하지 않아야 할 것이다'라고 말하기 때문이다. 이에 준하면 곧 말을 일으켜 물음에 대해 가려 답하는 것[記]이지, 침묵하고 답하지 않는 것을 '내버려 두어 답하는 것[捨置記]'이라고 이름한 것이 아니다. 고래의 여러 대덕들은 모두 네 번째를, 침묵으로 답하는 것[黙答]이라고 이름한다고 말했지만, 이 해석은 그렇지 않다. 또 『대비바사론』 제15권(=대27-76상)에서도 말하였다. "예컨대 외도들이 세존께 '세계는 항상합니까?'라고 물었을 때 붓다께서, '이는 답하지 않아야 할 것입니다'라고 말씀하신 것과 같다." 이에 준하면 말을 일으킨 것을 답이라고 이름한 것임을 알 수 있다.

194 처음 물음에 대해서는 다른 학설이 없지만, 뒤의 세 가지 물음에 대해서는 다른 학설이 있다. 이는 곧 외인이 시설한 힐난이다. 어떤 분은 이렇게 말하였다. "그 두 번째 물음, '일체 죽는 자는 모두 장차 태어나는가'에 대해 분별하여 답해야 한다고 했지만, 역시 '모두가 장차 태어나는 것은 아니다'라고 한결같이 답해야 할 것이다."

195 이는 곧 논주가 해석해 회통하는 것이다. 그렇지만 묻는 자가, '일체 죽는 자는 모두 장차 태어나는가'라고 말했으니, 이치상 그가 물은 바에 대해 '번뇌 있는 자는 죽은 뒤 장차 태어나지만, 번뇌 없는 자는 죽은 뒤 태어나지 않는다'라고 분별하여 답해야 할 것이다. '모두가 장차 태어나는 것은 아니다'라고

또 이렇게 말하였다. "그 세 번째 물음에 대해서도 역시, '사람은 수승하기도 하고 열등하기도 하다. 상대되는 것[所待]이 다르기 때문이니, 마치 식識이 결과이면서 원인인 것과 같다'라고 한결같이 답해야 할 것이다."196 그렇지만 그 묻는 자가 한결같이 물었는데, 한결같이 답할 것이 아니기 때문에 분별하는 답을 이루어야 할 것이지만, 다만 여기에서는 묻는 의미상 비교하는 바를 물어야 하기 때문에 이것은 도리어 물어 답해야 할 것이라고 이름한 것이다.197

또 이렇게 말하였다. "그 네 번째 물음에 대해 온과 유정이 다르다거나 하나라고 이미 전혀 가려 답하지 않았는데, 어떻게 가려 답했다[記]고 이름하겠는가?"198 그렇지만 그가 물은 바는 이치상 내버려 두어야 할 것이므로, 내버려 두어야 할 것이라고 가려 답하여 말한 것인데, 어떻게 가려 답한 것이라고 이름하지 못하겠는가?199

이렇게 바로 말하는 것은 전체적인 말이어서 가려 말하는 것이 성립되지 않는다. 비록 '모두가 장차 태어나는 것은 아니다'라고 전체적으로는 알게 하더라도, 어떤 자는 장차 태어나고 어떤 자는 태어나지 않는지 여전히 아직 분명히 이해하지 못할 것이기 때문이다.

196 이는 곧 외인이 시설한 힐난이다. 또 이렇게 말하였다. "그 세 번째, '사람은 수승한가 열등한가'라는 물음에 대해서 도리어 물어 답해야 한다고 하였지만, 역시 '사람은 수승하기도 하고 열등하기도 하다. 상대되는 것이 다르기 때문이니, 마치 하나의 식識이 앞의 의근으로부터 생기므로 결과라고 이름하면서 능히 뒤의 식을 낳으므로 원인이라고 이름하는 것과 같다'라고 한결같이 답해야 할 것이다."

197 이는 논주가 해석해서 회통하는 것이다. 그렇지만 그 묻는 자는, '사람은 수승한가, 열등한가'라고 한결같이 물었다. 그대가 '수승하기도 하고 열등하기도 하다'라고 말한다면 한결같이 답하는 것이 아니기 때문에 분별하는 답을 이루어야 할 것이다. 어찌 한결같이 답하는 것이라고 이름하겠는가? 이미 앞의 사람이 묻는 의미를 자세히 알지 못하므로, 다만 여기에서는 묻는 의미상 비교하는 바를 물어야 할 것이다. 만약 천신과 비교하는 것이라고 말한다면, 사람이 열등하다고 답해야 할 것이고, 만약 아래의 악취와 비교하는 것이라고 말한다면 사람이 수승하다고 답해야 할 것이다. 그래서 이것은 도리어 물어 답해야 할 것이라고 이름한 것이다.

198 이는 곧 외인이 시설한 힐난이다. 또 이렇게 말하였다. "그 네 번째, '온과 유정은 하나인가, 다른가'라는 물음에 대해, 온과 유정이 다르다거나 하나라고 이미 전혀 가려 답하지 않았는데, 어떻게 가려 답했다[記]고 이름하겠는가?"

199 이는 곧 논주가 해석해서 회통하는 것이다. 그렇지만 그가 물은 바, '온과

⑵ 근본논서 논사의 해석

대법對法의 논사들은 이렇게 말하였다. "한결같이 답한다[일향기一向記]는 것은, 만약 누군가가 '세존은 여래·응·정등각인가? 말씀하신 법요法要는 잘 설해진 것[善說]인가? 모든 제자대중들은 묘행을 행하는가? 색 내지 식은 모두 무상한 것인가? 고苦 내지 도道는 잘 시설된 것인가?'라고 묻는다면, 한결같이 답해야 할 것이니, 진실한 뜻에 계합하기 때문이다.[200] 분별하여 답한다[분별기分別記]는 것은, 만약 누군가가 곧은 마음[直心]으로, '원컨대 존자께서 저를 위해 법을 설해 주소서'라고 청하여 말한다면, '법에는 말하자면 과거·미래·현재의 여러 가지가 있는데, 어떤 것을 설하기를 바라는가?'라고 분별해야 하고, 만약 '저를 위해 과거의 법을 설해 주소서'라고 말한다면, '과거의 법에도 역시 여러 가지가 있으니, 색 내지 식이다'라고 다시 분별해야 하며, 만약 색에 대해 설하기를 청한다면, '색에도 세 가지가 있으니, 선·악·무기이다'라고 분별해야 하고, 만약 선에 대해 설하기를 청한다면, '선에는 일곱 가지가 있으니, 말하자면 살생을 떠나는 것 내지 잡예어를 떠나는 것이다'라고 분별해야 하며, 만약 그가 다시 살생을 떠나는 것에 대해 설하기를 청한다면, '이것에는 세 가지가 있으니, 말하자면 무탐·무진·무치의 3선근에 의해 일으켜진 것이다'라고 분별해야 하고, 만약 그가 무탐에 의해 일으켜진 것에 대해 설하기를 청한다면, '이것에는 다시 두 가지가 있으니, 말하자면 표업과 무표업이데, 무엇을 설하기를 원하는가?'라

유정은 하나인가 다른가'는 이치상 내버려 두어야 할 것이므로, '하나인가 다른가의 물음은 가려 답하지 않아야 할 것이다'라고 해서, 내버려 두어야 할 것이라고 가려 답하여 말한 것인데, 어떻게 가려 답한 것이라고 이름하지 못하겠는가? 이미 말을 일으켜 가려 답한 까닭에 가려 답한 것이라고 이름한다.

200 이하는 둘째 근본논서의 논사들이 네 가지 물음에 대해 가려 답하는 것을 해석하는 것이니, 곧 6족론(=『집이문족론』 제8권. 대26-401중 등)과 『발지론』의 논사들이다. 여기에서는 첫째 한결같이 답하는 것에 대해 해석하기를, 「만약 누군가가, '세존은 여래·응·정등각인가?'-이는 불보에 대한 물음이다-, '말씀하신 법요는 잘 설해진 것인가?'-가르침의 법보에 대한 물음이다-, '모든 제자대중들은 묘행을 행하는가?'-이는 승보에 대한 물음이다-, 그리고 '5온은 모두 무상한 것인가? 4성제는 잘 시설된 것인가?'라고 묻는다면, 모두 한결같이 답해야 할 것이니, 모두 진실한 뜻에 계합하기 때문이다.」라고 하였다.

고 분별해야 할 것이다.[201] 도리어 물어 답한다[반힐기反詰記]는 것은, 만약 누군가가 아첨하는 마음[諂心]으로, '원컨대 존자께서 저를 위해 법을 설해 주소서'라고 청하여 말한다면, 도리어 그에게, '법에는 여러 가지가 있는데, 무엇을 설하기를 바라는가?'라고 물어야 하고, 분별하지 않아야 하며, 나아가 그로 하여금 침묵한 채 머물게 하거나, 혹은 스스로 가리게 함으로써 곧 그름[非]을 구할 수 없게 할 것이다."[202]

어찌 두 가지 중에는 전혀 물음이 없고, 오직 설하기를 청하는 것만 있지 않으며, 또한 가려 답함은 없고, 오직 '무엇을 설하기를 바라는가'라고 반문하는 말뿐이지 않는가? 어떻게 이 두 가지가 물음에 대한 답[問記]을 이루겠는가?[203] 마치 누군가가 '저를 위해 도를 설해 주소서'라고 청해 말하는 것과 같은데, 어찌 도를 묻는 것이 아니겠는가? 즉 도리어 물음에 의해 그가 물은 바에 답한 것인데, 어찌 도에 답한 것이 아니겠는가?[204] 만약 그렇다면 양쪽 모두 도리어 물어 답한 것이어야 할 것이다.[205] 그렇지 않다. 묻

---

201 이는 둘째 분별하여 답하는 것에 대한 해석인데, 알 수 있을 것이다.
202 이는 셋째에 대한 해석이다. 도리어 물어 답한다는 것은, 만약 사람이 아첨하는 마음이나 허물을 구하려고, '원컨대 존자께서 저를 위해 법을 설해 주소서'라고 청하여 말한다면, 도리어 그에게, '법에는 여러 가지가 있는데, 무엇을 설하기를 바라는가?'라고 물어야 하고, 3세 등의 법을 분별하지 않아야 할 것이다. 만약 아는 것이 없는 자라면 나아가 그로 하여금 침묵한 채 머물게 하고, 만약 아는 것이 있다면 그로 하여금 스스로 가리게 함으로써 곧 그름을 구할 수 없게 해야 한다는 것이다.
203 물음이다. 어찌 분별하는 것과 도리어 묻는 것의 두 가지 중에는 전혀 물음이 없고, 오직 설하기를 청하는 것만 있지 않으며, 또한 답은 없고, 오직 '무엇을 설하기를 바라는가'라는 반문하는 것뿐이지 않는가? 어떻게 분별과 반문의 두 가지가 물음에 대한 답[問記]을 이루겠는가?
204 답이다. 말하자면 마치 어떤 사람이 '저를 위해 그 도로를 말해 주소서'라고 청해 말하는 것과 같은데, 어찌 도를 물은 것이 아니겠는가? 즉 도리어 물음에 의해 그가 물은 바, 길에는 여러 가지가 있으니, 말하자면 낙양으로 가는 길이나 익주로 가는 길인데, 무엇을 말하기를 바라는가 라고 답한 것인데, 어찌 도에 대해 답한 것이 아니겠는가? 혹은 도리어 물음에 의해 그가 물은 바, 도에는 여러 가지가 있는데, 무엇을 설하기를 바라는가 라고 답한 것인데, 어찌 도에 대해 답한 것이 아니겠는가?
205 힐난이다. 만약 그렇다면 그가 물은 바에 대해 도리어 물어 답한 것이니, 이 둘은 모두 도리어 물어 답한 것이어야 할 것이다.

는 마음에 곧음과 아첨의 차이가 있으며, 답에도 분별함과 분별 없음이 있기 때문이다.[206]

"내버려 두어 답한다[사치기捨置記]는 것은, 만약 누군가가, '세간은 끝이 있는가, 끝이 없는가'라는 등으로 묻는다면, 이는 내버려 두어야 하고, 그를 위해 말하지 않아야 할 것이다."[207]

(3) 계경에 의한 해석

이제 계경에 의해 물음에 대해 가려 답하는 모습을 분별한다면, 대중부大衆部의 계경에서 말하는 것과 같다. "필추들이여, 물음에 대해 가려 답하는 것[問記]에는 네 가지가 있다고 알아야 한다.[208] 어떤 것이 네 가지이겠는가?[209] 말하자면 혹은 누군가가 물을 때 한결같이 답해야 할 것, 내지 누군가가 물을 때 내버려 두어야 할 뿐인 것이다.[210] 어떤 것이 누군가가 물을 때 한결같이 답해야 할 것인가?[211] 말하자면 '형성된 모든 것은 모두 무상한가?'라고 묻는다면, 이런 물음은 한결같이 답해야 할 것이라고 이름한다.[212] 어떤 것이 누군가가 물을 때 분별하여 답해야 할 것인가?[213] 말하자면 만약 누군가가 '고의로 업을 지은 모든 자는 어떤 과보를 받게 되는가?'라고 묻는다면, 이런 물음은 분별하여 답해야 할 것이라고 이름한다.[214] 어

206 답이다. 그렇지 않다. 묻는 마음에 곧음과 아첨의 차이가 있다. 이는 곧 묻는 마음이 같지 않은 것이다. 만약 곧은 마음으로 물었다면 답에 분별이 있기 때문이며, 만약 아첨하고 굽은 마음으로 물었다면 답에 분별이 없는 까닭에 전자는 분별하여 답한다고 이름하고, 후자는 도리어 물어 답한다고 이름한다.

207 이는 넷째 내버려 두어 답하는 것을 해석하는 것이다. 외도들은 세간을 자아라고 말한다. 만약 누군가가, '세간은 끝이 있는가'라고 묻는 등, 모두 열네 가지가 있는데, 이는 내버려 두어야 하고, 그를 위해 말하지 않아야 할 것이다.

208 이하는 셋째 경(=출전 미상)에 의해 분별해 해석하는 것이다. 이제 계경에 의해 물음에 대해 가려 답하는 모습을 분별한다면, 대중부의 경에, 물음에 대해 가려 답하는 것에는 네 가지가 있다.

209 이는 곧 전체적인 물음이다.

210 이는 곧 전체적인 답이다.

211 개별적으로 첫째에 대해 묻는 것이다.

212 답인데, 글은 알 수 있을 것이다.

213 개별적으로 둘째에 대해 묻는 것이다.

214 답이다. 말하자면 만약 누군가가 '고의로 업을 지은 모든 자는 어떤 과보를 받게 되는가?'라고 묻는다면, 이런 물음은 분별하여 답해야 할 것이라고 이름

떤 것이 누군가가 물을 때 도리어 물어 답해야 할 것인가?215 말하자면 만약 누군가가 '사람이라는 지각[士夫想]과 나[我]는 하나인가 다른가?'라고 묻는다면, '그대는 어떤 나에 의거해 이렇게 묻는가?'라고 도리어 물어 말해야 할 것이다. 만약 거친 나[麤我]에 의거해 말한 것이라면, 지각과 다르다고 가려 답해야 할 것이니, 이런 물음은 도리어 물어 답해야 할 것이라고 이름한다.216 어떤 것이 누군가가 물을 때 단지 내버려 두어야 할 뿐인 것인가?217 말하자면 만약 누군가가, '세간은 항상한가, 무상한가, 항상하기도 하고 무상하기도 한가, 항상한 것도 아니고 무상한 것도 아닌가? 세간은 끝이 있는가, 끝이 없는가, 끝이 있기도 하고 끝이 없기도 한가, 끝이 있는 것도 아니고 끝이 없는 것도 아닌가? 여래는 사후에 있는가, 있는 것이 아닌가, 있기도 하고 있는 것이 아니기도 한가, 있는 것도 아니고 있는 것 아닌 것도 아닌가? 영혼[命者]이 곧 몸인가, 영혼은 몸과 다른가?'라고 묻는다

한다. 만약 선업을 지었다면 인·천의 과보를 받고, 악업을 지었다면 3악도의 과보를 받는다 라고.

215 개별적으로 셋째에 대해 묻는 것이다.

216 답이다. '지각[想]'은 상온을 말한다. 또 해석하자면 '지각'이란 명칭을 말하는 것이니, 명칭이 지각에서 생기며, 혹은 능히 지각을 낳으므로 지각에 따라 이름한 것으로, 행온에 포함되는 것이다. 만약 누군가가 '사람이라는 지각과 나는 하나인가 다른가?'라고 묻는다면, '그대는 어떤 나에 의거해 이렇게 물었는가?'라고 도리어 물어 말해야 한다. 만약 거친 5온의 가아假我에 의거해 말한 것이라면 지각과 다르다고 답해야 하고, 만약 그대가 별도로 있다고 집착하는 진실하고 미세한 나[眞實細我]에 의한 것이라면, 하나나 다르다고 말할 수 없을 것이다. (문) 지각은 곧 5온에 포함되는데, 어찌 다르다고 말할 수 있는가? (해) 사람이라는 지각을 제외하고 나머지 5온이 나라고 계탁하기 때문에 지각과 다르다고 말한 것이다. 또 해석하자면 나에는 두 가지가 있으니, 첫째는 거친 것, 둘째는 미세한 것이다. 만약 거친 색온의 가아에 의해 말한 것이라면 지각과 다르다고 답해야 하니, 지각은 색이 아니기 때문이다. 만약 미세한 4온의 가아에 의해 말한 것이라면, 다시 도리어 '어떤 미세한 나에 의한 것인가?'라고 물어야 한다. 만약 나머지 3온에 의해 말한 것이라고 한다면, 지각과 다르다고 답해야 하고, 만약 지각에 의해 말한 것이라고 한다면, 하나라고 답해야 할 것이다. 거친 나와 지각은 결정코 다르기 때문에 논서의 글에서는 이것만 열거하고, 미세한 나와 지각은 일정하지 않으므로 생략하고 논하지 않은 것이다. 이런 물음은 도리어 물어 답해야 할 것이라고 이름한다.

217 개별적으로 넷째에 대해 묻는 것이다.

면, 이런 물음은 단지 내버려 두어야 할 뿐인 것이라고 이름한다."[218]

218 답이다. 세간 및 여래의 사후와 영혼은 모두 자아의 다른 명칭으로서, 외도들은 이것이 곧 자아라고 집착하기 때문이다. 세간은 항상한가 등에 네 가지, 끝이 있는가 등에 네 가지, 그리고 (여래는 사후에) 있는가 등에 네 가지여서 셋의 네 가지는 열두 가지이고, 아울러 영혼이 곧 몸인가와 영혼은 몸과 다른가를 앞에 더하면 열네 가지(=소위 14무기無記)이다. 말하자면 만약 누군가가 세간은 항상한가 등을 묻는다면, 이런 물음은 단지 내버려 두어야 할 뿐인 것이라고 이름한다.

아비달마구사론
제20권

제5 분별수면품(의 2)

제6절 수면이 능히 계박하는 것[能繫]

제1항 3세에 의거한 계박

1. 3세에 의거한 계박

모든 유정의 부류가 이런 사事 중에서 수면이 따라 증장한다면 이런 사를 계박한다[繫此事]고 이름하는데, 과거·현재·미래의 어떤 수면이 어떤 사를 능히 계박하는지 설해야 할 것이다.[1] 게송으로 말하겠다.

㉓ 만약 이 사에 대해서[若於此事中]
아직 끊어지지 않은 탐욕·성냄·거만으로서[未斷貪瞋慢]
과거의 것과 현재 이미 일어난 것과[過現若已起]
미래의 의식과 상응하는 것이라면 두루 작용하며[未來意遍行]

㉔ 5식 상응으로서 생길 수 있는 것이라면 자신의 세를 계박하고[五可生自世]
생기지 않을 것이라면 역시 두루 작용하며[不生亦遍行]
나머지 수면이라면 과거·미래의 것은 두루 작용하지만[餘過未遍行]

1 이하는 여섯째 수면이 능히 계박하는 것에 밝히는데, 그 안에 나아가면 첫째 세世에 의거해 계박하는 것을 밝히고, 둘째 단斷에 의거해 계박하는 것을 밝힌다. 세에 의거해 계박하는 것을 밝히는 것에 나아가면 첫째 바로 세에 의거해 계박하는 것을 밝히고, 둘째 3세의 유무에 대해 밝힌다. 이하에서 첫째 바로 세에 의거해 계박하는 것을 밝히려고 종지를 표방하면서 물음을 일으켰다. '모든 유정의 부류가 이런 사事 중에서 수면이 따라 증장한다면 이런 사를 계박한다고 이름한다'는 이것은 종지를 표방한 것이다. 3세의 어떤 수면이 능히 어떤 세의 사를 계박하는지 설해야 할 것이라는 이것은 물음을 일으킨 것이다.

현재의 것은 바로 반연할 때 능히 계박한다[現正緣能繫][2]

논하여 말하겠다. 우선 모든 수면은 전체적으로 두 가지가 있다. 첫째는 자상혹[自相]이니, 탐욕·성냄·거만을 말하며, 둘째는 공상혹[共相]이니, 소견·의심·무명을 말한다. '사事'에는 비록 여럿이 있지만, 여기에서는 계박대상[所繫]을 말하며, 상응하는 대로 '아직 끊어지지 않은[未斷]'이라는 말은 흘러서 뒤의 문門에도 이른다.[3]

만약 이 사에 대해 있는 탐욕·성냄·거만이, 과거세에 이미 생겨서 아직 끊어지지 않았거나 현재 이미 생긴 것이라면 능히 이 사를 계박한다. 탐욕·성냄·거만은 자상혹이어서, 모든 유정이 결정코 두루 일으키는 것이 아니기 때문이다.[4] 미래세의 의식과 상응하는 탐욕·성냄·거만 세 가지는 삼세

2 답이다. 첫 구는 계박대상인 사[所繫事]를 밝히는 것이고, 뒤의 7구는 능히 계박하는 것[能繫]을 밝히는 것인데, 제2구 중 '아직 끊어지지 않은'과 제8구 중의 '능히 계박한다'는 말은 그 상응하는 바에 따라 중간 구句에도 통한다. 두루 작용하는 것[遍行]에는 둘이 있으니, 첫째 3세의 것을 두루 계박하는 것(=소위 세世변행)이고, 둘째 자신의 경계를 두루 계박하는 것(=소위 사事변행)이다. 미래의 생기거나 생기지 않을 의식과 상응하는 탐욕·성냄·거만 세 가지, 미래의 생기지 않을 5식과 상응하는 탐욕·성냄 및 나머지 과거·미래의 소견·의심·무명은 그 상응하는 바에 따라 모두 두 가지 두루함을 갖추므로 변행이라는 명칭을 세운다. 과거의 의식과 상응하는 탐욕·성냄·거만 세 가지는 비록 3세의 것을 역시 두루 계박하기는 하지만, 자신의 경계를 두루 계박하는 것은 아니기 때문에 여기에서는 변행이라고 말하지 않는다. 5식과 화합한다고 말하는 현연現緣의 공상혹도 비록 역시 두 가지 변행을 갖추는 경우가 있지만, 갖추지 않는 경우도 있어서 일정하기 않기 때문에 변행이라고 말하지 않는다. # 그런데 게송의 '두루 작용한다[遍行]'는 말은 세변행에만 의거한 표현으로 보인다.

3 이는 간략히 해석할 것을 표방하는 것이다. 개별적인 법[別法]을 반연하여 생기는 것을 '자상'이라고 이름하고, 여러 법[多法]을 반연하여 생기는 것을 '공상'이라고 이름한다. 자상혹 중 상응무명은 반드시 있는 것이기 때문에 생략하고 논하지 않았다. '사'에는 비록 여러 가지가 있지만, 간략하게는 다섯 가지가 있으니, 첫째 자성의 사, 둘째 소연의 사, 셋째 소계所繫(=계박대상)의 사, 넷째 소인所因의 사, 다섯째 소섭所攝의 사인데(=앞의 제6권 중 게송 56cd에 관한 논설 말미에서 자세히 설명되었다), 여기에서는 셋째인 소계의 사이다. 제2구 중 '아직 끊어지지 않은'은 그 상응하는 대로 흘러서 뒤의 문에도 이른다.

4 처음 3구를 해석하는 것이다. 만약 이 사에 대해 탐욕·성냄·거만이 있는데, 과거세에 이미 생겨서 아직 끊어지지 않았거나 현재 이미 생긴 것이라면 능히 이

에 두루하므로, 나아가 아직 끊어지지 않은 동안은 모두 능히 계박한다. 미래세의 5식과 상응하는 탐욕·성냄은, 만약 아직 끊어지지 않은 것으로서 생길 수 있는 것이라면, 오직 미래세만을 계박하며, 미래세의 5식과 상응하는 탐욕·성냄은, 만약 끊어지지 않았어도 생기지 않을 것이라면, 역시 3세를 능히 계박한다.[5]

그 나머지 일체 소견·의심·무명은, 과거·미래의 것으로서 아직 끊어지지 않은 것은 두루 3세를 계박하니, 이 세 가지는 공상혹이어서, 일체 유정이 모두 두루 계박되기 때문이다. 만약 현재세의 것이라면 바로 경계를 반연할 때 그 상응하는 바에 따라 능히 이 사를 계박한다.[6]

사를 계박한다.(='모두 계박한다'라고 표현하지 않고, '이 사를 계박한다'라고 표현한 것은, 세변행할 뿐, 사변행하는 것이 아니라는 취지) 탐욕·성냄·거만은 자상혹으로서 개별적인 사를 반연하여 생기고, 모든 유정이 결정코 두루 3세의 모든 사에서 일으키는 것이 아니기 때문이다. 체가 현재 앞에 나타나 있다면 반드시 끊어졌다는 뜻이 없기 때문에 현재에 대해서는 '아직 끊어지지 않은'이라는 말을 하지 않고, 과거세에 대해서만 '아직 끊어지지 않은'이라는 말을 표방한 것이다.

5 다음 3구를 해석하는 것이다. 만약 미래세의 의식과 상응하는 탐욕·성냄·거만 세 가지라면, 두루 3세를 계박하므로, 비록 이 사에 대해 수면[惑]이 생겼든 생기지 않았든, 나아가 아직 끊어지지 않은 동안은 모두 능히 계박한다.(=세변행 및 사변행한다는 취지) 미래의 5식과 상응하는 탐욕·성냄(=거만은 5식과 상응하는 것이 없어서 제외)은, 아직 끊어지지 않은 것으로서 생길 수 있는 것이라면, 경계와 반드시 함께 하기 때문(=5식은 반드시 경계와 함께 한다)에 오직 미래만을 계박한다. 그래서 『순정리론』(=제50권. 대29-621중)에서 말하였다. "이에 의해 5식과 상응하는 것으로서 생길 수 있는 수면은, 만약 과거에 이르렀다면 오직 과거만을 계박하고, 현재에 이른 것도 역시 그렇다는 것을 이미 나타내었으니, 뜻은 준해서 알 수 있을 것이다. 만약 의식과 상응하는 것으로서 생길 수 있는 수면은, 만약 과거·현재에 이르렀어도 아직 끊어지지 않은 것이라면 자신의 세의 법이 아닌 것[非自世法]도 계박함이 인정된다." 미래의 5식과 상응하는 탐욕·성냄은, 만약 끊어지지 않았어도 생기지 않을 것이라면, 종류가 많기 때문에 역시 3세를 능히 계박하니, 소연의 경계가 혹 미래에 있기도 하고, 혹은 흘러서 현재에 이르기도 하며, 혹은 과거로 들어가기도 하는 것이다. 능연能緣은, 비록 다시 연이 결여되어 생기지 않는다고 해도, 아직 끊어지지 않았기 때문에 성품상 3세를 계박한다는 것이다.

6 뒤의 2구를 해석하는 것이다. 앞의 세 가지를 제외한 그 나머지 일체 소견·의심·무명은, 과거·미래의 것으로서 아직 끊어지지 않은 것은 두루 3세의 모든 사를 계박하니, 이 세 가지 소견·의심·무명은 공상혹이어서, 일체 유정이 모두 두루

2. 3세법의 유무

(1) 3세실유의 근거

모든 사가 과거·미래에도 실제로 있는지 없는지 분별해야 비로소 계박에 대해 말할 수 있을 것이다. 만약 실제로 있는 것이라면 곧 일체 형성된 것[行]은 항시恒時 있기 때문에 항상하다[常]고 말해야 할 것이고, 만약 실제로 없는 것이라면 어떻게 능계能繫·소계所繫 및 계박에서 떠남[離繫]이 있다고 말할 수 있겠는가?[7]

비바사 논사들은 결정코 실재[實有]라고 세운다. 그렇지만 형성된 모든 것[諸行]은 항상한 것[常]이라고 이름하지 않으니, 유위의 모든 상과 화합하기 때문이다. 이들이 세우는 바를 결정하고 더욱 분명히 하기 위해 그 종지를 간략히 표방하고 그 이취理趣를 드러내어야 할 것이다. 게송으로 말하겠다.

㉕ 3세의 실유는 말씀과[三世有由說]
　두 가지, 대상·과보가 있기 때문이니[二有境果故]
　3세의 실유를 설하기 때문에[說三世有故]
　설일체유부라고 인정된다[許說一切有][8]

그 3세의 사에 계박되기 때문이다. 만약 현재세의 소견·의심·무명이라면 바로 3세의 경계를 반연할 때 그 상응하는 바에 따라 능히 이 사를 계박한다.

7 이하 둘째 삼세의 유무에 대해 밝히는데, 그 안에 나아가면 첫째 종지를 서술하고, 둘째 바로 논파한다. 종지의 서술에 나아가면 첫째 가르침과 이치로써 있음을 증명하고, 둘째 설을 서술해서 종지를 결정한다. 이하는 가르침과 이치로써 있음을 증명하는 것이다. 경량부 논사가 묻는다. 과거·미래의 모든 사는 실제로 있는지, 실제로 없는지 분별해야 비로소 계박에 대해 말할 수 있을 것이다. 만약 과거·미래세의 것이 실제로 있는 것이라면 곧 일체 형성된 것은 항시 있기 때문에 항상하다고 말해야 할 것이고, 만약 과거·미래세의 것이 실제로 없는 것이라면 어떻게 능계·소계 및 계박에서 떠남[離繫]이 있다고 말할 수 있겠는가?

8 답이다. 비바사 논사들은 결정코 과거·미래 2세의 법이 실재[實有]라고 세운다. 그렇지만 형성된 것은 항상한 것이 아니라고 하니, (유위의) 4상과 화합하기 때문이다. 이들이 세우는 바 과거·미래의 법이 실제로 있음을 결정하고 더욱 분명히 하기 위해 그 종지를 간략히 표방하고 그 이취(=이치의 취지)를 드러내어야 할 것이다. 3세 실유는 붓다께서 말씀하셨기 때문에, 두 가지 연으로 생기기 때문에, 식은 경계가 있기 때문에, 업에는 과보가 있기 때문이다. 아래 2구는 맺는 것이다.

논하여 말하겠다. 3세는 실제로 있다[實有].[9] 까닭이 무엇인가?[10] 계경 중에서 세존께서 설하셨기 때문이다. 말하자면 세존께서 이렇게 설하셨다. "필추들이여, 알아야 할지니, 만약 과거의 색이 있는 것이 아니라면, 많이 들은 성스러운 제자들이 과거의 색에 대해 싫어해 버리기[厭捨]를 힘써 닦지 않아야 할 것이지만, 과거의 색이 있는 것이기 때문에 많이 들은 성스러운 제자들이 과거의 색에 대해 싫어해 버리기를 힘써 닦아야 하는 것이며, 만약 미래의 색이 있는 것이 아니라면, 많이 들은 성스러운 제자들이 미래의 색에 대해 기뻐해 구하기[欣求]를 힘써 끊지 않아야 할 것이지만, 미래의 색이 있는 것이기 때문에 많이 들은 성스러운 제자들이 미래의 색에 대해 기뻐해 구하기를 힘써 닦아야 하는 것이라고."[11]

또 두 가지 연을 갖추어야 식이 비로소 생기기 때문이다. 말하자면 계경에서, "식은 두 가지 연에 의해 생긴다"라고 설하셨다.[12] 그 두 가지란 무엇인가?[13] 눈 및 형색, 내지 뜻[意] 및 모든 법을 말하는 것이다. 만약 과거·미래세가 실제로 있는 것이 아니라면, 능히 그것을 반연하는 식은 두 가지 연을 결여해야 할 것이다.[14]

이미 성스러운 가르침에 의해 과거·미래의 실유를 증명했으니, 바른 이치에 의해 과거·미래의 실유를 증명하겠다. 식이 일어날 때에는 반드시 대상[境]이 있기 때문이다. 말하자면 반드시 대상이 있어야 식이 생길 수 있

---

9 (제1구 중) '삼세의 실유'를 해석하는 것이다.

10 이하는 (제1~2구의) '말씀 때문'을 해석하는 것인데, 이는 곧 따지는 것이다.

11 답이다. 경(=잡 [3]3:79 생경生經) 중에서 이미, 과거의 색이 있어서 싫어해 버리기를 힘써 닦는 것, 미래의 색이 있어서 기뻐해 구하기를 힘써 끊는 것을 설하셨으니, 과거·미래가 실제로 있다는 것을 분명히 알 수 있다.

12 (제2구 중) '두 가지 때문'을 해석하는 것이다. 경(=잡 [8]8:214 이법경二法經 등)에서 두 가지 연이 능히 식을 낳는다고 설했으니, 과거·미래의 2세가 실제로 있다는 것을 분명히 알 수 있다.

13 묻는 것이다.

14 답이다. 6근과 6경이 각각 자신의 식을 낳는 것을 '두 가지 연'이라고 이름한 것이다. 만약 과거·미래세가 실제로 있는 것이 아니라면, 능히 과거·미래를 반연하는 의식은 두 가지 연을 결여해야 할 것이다. 과거가 없기 때문에 의지처라는 연[依緣](=의근은 무간에 소멸한 6식이다)을 결여해야 하며, 과거·미래가 없기 때문에 경계라는 연[境緣]을 결여해야 할 것이다.

고, 없다면 곧 생기지 않는다는 그 이치는 결정적이니, 만약 과거·미래세의 대상의 체가 실제로 없다고 한다면, 이런 즉 소연 없는 식[無所緣識]이 있어야 할 것이며, 소연이 없기 때문에 식도 역시 없어야 할 것이다.[15]

또 이미 낙사한 업[已謝業]에는 미래의 과보가 있기 때문이다. 말하자면 만약 실제로 과거의 체가 없다고 한다면, 선·악 두 가지 업의 미래의 과보는 없어야 할 것이며, 과보가 생길 때 현재의 원인은 있는 것이 아닐 것이다.[16]

이런 가르침과 이치에 의해 비바사 논사들은 결정코 과거·미래의 2세가 실제로 있다고 세우는 것이다.[17]

만약 스스로 일체 유를 설하는 부파[說一切有宗]라고 말한다면, 결정코 과거·미래의 세가 실제로 있다고 인정해야 할 것인데, 3세는 모두 결정코 실제로 있다고 설하기 때문에 이들은 설일체유종이라고 인정하는 것이다.[18] 말하자면 만약 어떤 사람이 3세는 실제로 있다고 설한다면, 바야흐로 그는 설일체유종이라고 인정되겠지만, 만약 사람이 오직 현재세 및 아직 여과與果하지 않은 과거세의 업만 있다고 설할 뿐, 미래세 및 이미 여과한 과거세

15 (제2구 중) '대상이 있기 때문'을 해석하는 것이다. 이치로써 말하자면 반드시 대상이 있어야 식이 생길 수 있고, 없다면 곧 생기지 않는다는 그 이치는 결정적이다. 만약 과거·미래가 없다면, 이런 즉 소연 없는 식이 있어야 할 것이며, 소연이 없기 때문에 식도 역시 없어야 할 것이다.

16 (제2구 중) '과보가 있기 때문'을 해석하는 것이다. 또 이미 낙사한 과거세의 업에는 미래의 과보가 있기 때문에 2세가 있음을 나타낸다. 말하자면 만약 실제로 과거의 체가 없다고 한다면, 선·악 두 가지 업은 그 체가 없어야 할 것이고, 업이 없기 때문에 미래의 과보도 역시 없어야 할 것이며, 현재의 과보가 생길 때 현재의 원인은 있는 것이 아닐 것이니, 이숙과는 원인과 함께 하는 것이 아니기 때문이다. 또 해석하자면 미래의 과보가 생길 때 현재의 원인은 있는 것이 아닐 것이니, 이숙과는 원인과 더불어 무간인 것이 아니기 때문이다. 또 해석하자면 현재나 미래의 과보가 생길 때 현재의 원인은 있는 것이 아닐 것이니, 이숙과는 원인과 더불어 함께이거나 무간인 것이 아니기 때문이다.

17 결론이다. 앞의 두 가지 가르침 및 뒤의 두 가지 이치에 의해 비바사 논사들은 과거·미래가 있다고 세운다.

18 아래 2구를 해석하는 것이다. 만약 스스로 일체 유를 설하는 종지라고 말한다면 결정코 과거·미래의 세가 실제로 있다고 인정해야 할 것인데, 3세는 모두 결정코 실제로 있다고 설하기 때문에 이들은 설일체유종이라고 인정하는 것이다.

의 업은 없다고 설한다면, 그는 가히 분별설부分別說部로 인정될 것인데, 이 부파에 포함되는 것이 아니다.[19]

⑵ 설의 차별과 종지의 결정

이제 이 부파 중의 차별에는 몇 가지가 있으며, 누구가 건립하는 세가 가장 훌륭하고 의지할 만한가? 게송으로 말하겠다.

㉖ 이들 중에 네 종류가 있어[此中有四種]
부류·양상·단계·관계가 다르다고 하는데[類相位待異]
셋째의 작용에 의거하는 것이[第三約作用]
세의 건립에 가장 훌륭한 것이다[立世最爲善][20]

㈎ 네 가지 학설

논하여 말하겠다. 존자 법구法救는 이렇게 말하였다. "부류[類]가 같지 않기 때문에 삼세에 차이가 있다. 그것은 말하자면, 모든 법은 세世에 작용할 때 부류에 의해 차이가 있는 것이지, 체에 차이가 있는 것이 아니다. 마치 금으로 만들어진 그릇을 깨뜨려 다른 물건을 만들 때 형상에는 차이가 있어도 체에는 차이가 없는 것과 같으며, 또 마치 우유가 변하여 낙酪이 될 때 맛과 세력 등은 버려도 현색을 버리는 것은 아닌 것과 같다. 이와 같이 모든 법이 세에 작용할 때에도 미래로부터 현재에 이르고, 현재로부터 과거로 들어가면, 오직 부류를 버리고 얻을 뿐, 체를 버리고 얻는 것이 아니다."[21]

---

19 부의 차별을 상대하여 구별하는 것이다. 이치를 다해서가 아니고, 반은 그러하고 반은 아니라고 설하므로, 다시 분별을 필요로 하기 때문에 분별설부라고 이름한다. 범어로 비바사박지毘婆闍縛地Vibhajya-Vādin라고 말하는데, '비바'는 분별이라고 이름하고, '박지'는 설이라고 이름한다. 예전에 비바사바제라고 말한 것은 잘못이다. 『이부종륜론』의 음광부飮光部라면, 업의 과보가 이미 성숙되었다면 곧 (과거세가) 없지만, 과보가 아직 성숙되지 않았다면 곧 있다고 하는데, 그들의 계탁은 이들과 같다.

20 이하는 곧 둘째 설을 서술해서 종지를 결정하는 것인데, 위의 2구는 처음 물음에 대한 답이고, 아래 2구는 둘째 물음에 대한 답이다.

21 모두 4설이 있는데, 이는 곧 첫 논사이다. 능히 정법을 구호하거나, 정법이 그를 구호하거나, 정법이 사람들을 구호하기 때문에 법구法救Dharmatrāta라고

존자 묘음妙音은 이렇게 말하였다. "양상[相]이 같지 않기 때문에 삼세에 차이가 있다. 그것은 말하자면, 모든 법은 세에 작용할 때 과거법은 바로 과거의 양상과 화합하지만, 현재·미래의 양상을 여의었다고 이름하지 않고, 미래법은 바로 미래의 양상과 화합하지만, 과거·현재의 양상을 여의었다고 이름하지 않으며, 현재법은 바로 현재의 양상과 화합하지만, 과거·미래의 양상을 여의었다고 이름하지 않는다. 마치 사람이 바로 한 명의 부인[妻室]에 대해 염오를 행할 때 나머지 첩에 대해 염오를 여의었다고 이름하지 않는 것과 같다."22

존자 세우世友는 이렇게 말하였다. "단계[位]가 같지 않기 때문에 삼세에 차이가 있다. 그것은 말하자면, 모든 법은 세에 작용할 때 단계 단계에 이르면 다르고 다르게 된다고 말하니, 단계에 의해 차별이 있는 것이지, 체에 차이가 있는 것이 아니다. 마치 하나의 산가지[籌]를 움직여서 일一의 자리

....

이름하였다. 간혹 '대덕大德'이라고 말하는 사람이 곧 이 사람이다. 법구가 말하였다. 세 가지 부류가 같지 않음에 의해 삼세에 차이가 있다. 그것은 말하자면, 모든 법은 3세에 작용할 때 세 가지 부류에 의해 차이가 있는 것이지, 체에 차이가 있는 것이 아니다. 마치 금으로 만들어진 그릇을 깨뜨려 다른 물건을 만들 때 모나거나 둥근 등으로 형상에는 비록 다시 차이가 있어도 체에는 차이가 없는 것과 같다. 또 마치 우유가 변하여 낙이 될 때 우유의 단 맛 및 우유의 차가운 세력을 버리고 낙의 신 맛 및 낙의 뜨거운 세력을 얻더라도, 현색을 버리는 것은 아닌 것과 같다. 이와 같이 모든 법이 세에 작용할 때에도 미래로부터 현재에 이르고, 현재로부터 과거로 들어가면, 오직 부류를 버리고 부류를 얻을 뿐, 체를 버리고 체를 얻는 것이 아니다.

22 이는 곧 둘째 논사이다. 음성이 묘하기 때문에 묘음妙音Ghoṣa이라고 이름한 것이다. 범어로 구사欋沙라고 말하는데, 예전에 구사瞿沙라고 말한 것은 잘못이다. 그는 이렇게 말하였다. 불상응행 중에 별도로 한 부류인 세의 양상[世相]이라는 것이 있어 같지 않기 때문에 삼세에 차이가 있다. 모든 유위법은 각각 세 가지가 있어서 그 어떤 세에 있는가에 따라 하나는 나타나고 둘은 숨으니, 하나가 바로 나타나는 것[正顯]을 바로 화합한다[正合]고 이름하고, 나머지 둘은 비록 숨더라도 체가 없는 것이 아니기 때문에 또한 그 양상을 여의지 않았다고 이름한다. 또 해석하자면 양상에 작용이 있을 때 화합한다고 이름하고, 양상에 작용이 없더라도 그 법에 따라 그 체가 없는 것은 아니기 때문에 여의었다고는 이름하지 않는다고 말한다. 마치 사람이 바로 한 명의 부인에 대해 염오를 행할 때 하나에 대한 탐염은 작용이 있고, 나머지 첩에 대해서는 탐염은 있어도 작용이 없다고 해서, 탐염을 여의었다고는 이름하지 않으니, 항상 따라 작용하기 때문인 것과 같다.

에 두면 일이라고 이름하고, 백百의 자리에 두면 백이라고 이름하며, 천千의 자리에 두면 천이라고 이름하는 것과 같다."[23]

존자 각천覺天은 이렇게 말하였다. "관계[待]에 차별이 있기 때문에 삼세에 차이가 있다. 그것은 말하자면, 모든 법은 세에 작용할 때 앞뒤의 상호관계[前後相待]에 따라 명칭을 세우는 것에 차이가 있는 것이다. 마치 한 여인을 어머니라고 이름하면서 딸이라고 이름하는 것과 같다."[24]

㈏ 종지의 결정

일체법이 실재한다는 이 네 가지 학설 중 제1설은 법에 전변轉變이 있다고 주장하기 때문에 수론數論 외도의 무리 중에 두어야 할 것이다.[25] 제2설

23 이는 곧 셋째 논사의 설이다. '세'는 천신의 이름인데, 천신이 뒤쫓는 친구[天逐友]가 되기 때문에 세우世友Vasumitra라고 이름한 것이다. 부모가 아들이 나쁜 귀신에게 가해를 당할 것을 염려해서 '천신이 뒤쫓는 친구'라고 말하면, 그들이 감히 손상하지 못할 것이기 때문에 그래서 이름으로 삼은 것이다. 범어로 벌소밀달라筏蘇密呾囉라고 이름하는데, '벌소'는 '세'라고 이름하고, '밀다라'는 '우'라고 이름한다. 예전에 화수밀이라고 말한 것은 잘못이다. 그는 이렇게 말하였다. 단계가 같지 않음에 의해 삼세에 차이가 있다. 그것은 말하자면, 모든 법은 세에 작용할 때 3세의 단계 단계에 이르면 3세에 다르고 다르게 된다고 말하니, 세 가지 단계에 의해 차별이 있는 것이지, 세 가지 체에 차이가 있는 것이 아니다. 마치 하나의 산가지를 움직여서 일의 자리[位處]에 두면 일이라고 이름하고, 백의 자리에 두면 백이라고 이름하며, 천의 자리에 두면 천이라고 이름하는 것과 같다. 비록 거치는 자리[歷位]에 차별이 있더라도 산가지의 체에는 차이가 없다.

24 능히 천신을 깨우치기 때문에 각천覺天Buddhadeva이라고 이름한 것이다. 범어로 발다제바勃陀提婆라고 말하는데, '발다'는 '각'이라고 이름하고, '제바'는 '천'이라고 이름한다. 예전에 불타제바라고 말한 것은 잘못이다. 그는 이렇게 말하였다. 관대하는 것[觀待](=보면서 기댄다는 뜻)에 차별이 있기 때문에 삼세에 차이가 있다. 그것은 말하자면, 모든 법은 세에 작용할 때 앞·뒤에서 관대하므로 명칭을 세우는 것에 차이가 있는 것이다. 뒤에서 관대하기 때문에 과거라고 이름하고, 앞에서 관대하기 때문에 미래라고 이름하며, 양쪽에서 관대하기 때문에 현재라고 이름한다. 마치 한 여인을 딸에서 관대하면 어머니라고 이름하고, 어머니에서 관대하면 딸이라고 이름하는 것과 같다. 체에는 차별이 없지만, 관대함에 의해 차이가 있어서 어머니나 딸이라는 명칭을 얻는 것이다.

25 이하는 뒤의 2구를 해석하는 것이다. 장차 세우를 인정하려고 먼저 나머지 3논사를 논파하는데, 이는 곧 첫째 논사를 논파하는 것이다. 이 네 가지 일체법이 실재한다는 학설 중 제1설은 법에 전변이 있다고 주장하기 때문에 수론외도의 무리 중에 두어야 할 것이니, 그들의 계탁과 같기 때문이다. 또 『대비

의 주장은 세가 서로 잡란할 것이니, 삼세에 모두 삼세의 양상이 있기 때문이다. 사람에게 부인에 대한 탐염이 현행할 때 나머지 대상에 대한 탐염은 오직 성취되어 있을 뿐, 현재 탐염의 일어남이 없는데, 어떤 뜻에서 같다고 하겠는가?[26] 제4설의 주장으로는 앞뒤의 상호관계상 1세의 법 중에도 3세가 있어야 할 것이다. 말하자면 과거세의 앞뒤 찰나도 과거·미래라고 이름하고, 중간은 현재라고 해야 할 것이며, 미래와 현재도 견주어서 역시 그러해야 할 것이다.[27]

따라서 이 4설 중 제3설이 가장 훌륭하다. 작용에 의거해 단계에 차별이 있는 것이니, 단계가 같지 않기 때문에 세에 차이가 있다고 세우는 것이다. 그것을 말하자면, 모든 법은 작용이 아직 있지 않을 때 미래라고 이름하고, 작용하고 있을 때 현재라고 이름하며, 작용이 이미 소멸했을 때 과거라고 이름하지만, 체에 차이가 있는 것은 아니다.[28]

이것은 이미 모두 알았지만, 그는 다시 설해야 할 것이니, 만약 과거·미래세의 법체가 실제로 있다면 현재라고 이름해야 할 것인데, 어찌 과거·미

바사론』 제77권(=대27-396중)에서도 말하였다. "부류가 다르다고 말하는 자는, 법의 자성을 떠나서 무엇을 말하여 부류라고 하는가? 따라서 역시 이치가 아니다. 모든 유위법은 미래세로부터 현재에 이를 때에는 앞의 부류가 소멸해야 하고, 현재세로부터 과거에 이를 때에는 뒤의 부류가 생겨야 할 것이므로, 과거에는 생기는 것이 있고, 미래에는 소멸하는 것이 있을 것이다. 어찌 바른 이치에 맞겠는가?"

26 둘째 논사를 논파하는 것이다. 그 논사가 세우는 것은 세가 서로 잡란할 것이니, 3세에 모두 3세의 양상이 있기 때문이다. 다시 비유에 대해 논파해 말한다. 사람에게 부인에 대한 탐염이 현행할 때 나머지 첩에 대한 탐염은 오직 성취되어 있을 뿐, 현재 탐염의 일어남이 없는데, 어떤 뜻에서 같다고 하겠는가? 3세의 법에는 동시에 모두 3세의 양상이 있기 때문에 비유가 법과 같지 않다.

27 넷째 논사를 논파하는 것이다. 제4설의 주장으로는 앞뒤의 상호관계상 1세의 법 중에도 3세가 있어야 할 것이다. 말하자면 과거세의 앞 찰나는 과거라고 이름해야 하고, 뒷 찰나는 미래라고 이름해야 하며, 중간 찰나는 현재라고 이름해야 할 것이며, 미래의 3세도 견주어서 역시 그러해야 할 것이고, 현재세의 법은 비록 1찰나이기는 하지만, 뒤에서 관대하면 과거라고 이름해야 하고, 앞에서 관대하면 미래라고 이름해야 하며, 함께 관대하면 현재라고 이름해야 할 것이다.

28 이는 곧 셋째 세우를 평가해 취하는 것이니, 글대로 알 수 있을 것이다.

래라고 말하겠는가?[29] 어찌 앞에서 작용에 의거해 세운 것이라고 말하지 않았던가?[30] 만약 그렇다면 현재 안근 등의 근에는 피동분彼同分에 포함되는 것도 있는데, 어떤 작용이 있는가?[31] 그것도 어찌 취과取果·여과與果할 수 없겠는가?[32] 이러하다면 곧 과거의 동류인同類因 등도 이미 여과할 수 있으니, 작용이 있어야 할 것이며, 절반의 작용이 있다면 세가 서로 뒤섞여야 할 것이다.[33]

(3) 삼세실유설의 논파

이미 간략하게 헤아리고 따졌으니, 다음에는 자세하게 논파하겠다. 게송으로 말하겠다.

㉗ 무엇이 작용을 장애하며, 작용은 어떤 것인가[何礙用云何]
다름이 없다면 세는 곧 무너질 것이고[無異世便壞]
(체가 항상) 있다면 무엇이 아직 생기지 않았으며, 소멸했는가[有誰未生滅]
이 법의 성품은 매우 심오하도다[此法性甚深][34]

29 경량부의 힐난이다.
30 설일체유부의 답이다. 앞에서 설한 것과 같다고 가리키는 것이다.
31 경량부에서 다시 힐난하는 것이다. 만약 그렇다면 현재 안근 등의 근에는 형색 등을 보지 않는, 피동분彼同分에 포함되는 것이 있는데, 어떤 작용이 있기에 현재라고 이름하는가?
32 설일체유부의 답이다. 피동분의 눈에는 비록 형색을 보고 식을 일으키는 작용은 없지만, 그것도 취과하는 작용 및 여과하는 작용을 일으킬 수 있는데, 어찌 현재라고 이름하지 못하겠는가?
33 경량부에서 다시 힐난하는 것이다. 과거의 동류인 등도 이미 여과할 수 있으니, 작용이 있어야 할 것이고, 이미 작용이 있다면 역시 현재라고 이름해야 할 것이다. 절반의 작용(=취과·여과 중 여과의 작용)이 있다면 세의 모습이 뒤섞여 어지러운 허물이 응당 있을 것이다.
34 이하는 곧 둘째 바로 논파하는 것이다. 윗 구의 '용用'자는 양 쪽에 통하니, 말하자면 무엇이 작용을 장애하며[何礙用], 작용은 어떤 것인가[用云何] 라는 것이다. 만약 작용과 체에 차이가 없다면 세의 뜻이 곧 무너질 것이다. 만약 과거·미래법의 체가 실제로 있다면, 무엇이 아직 생기지 않았기에 미래라고 이름하고, 무엇이 다시 이미 소멸했기에 과거라고 이름하는가? 비바사 논사들은, 이 법의 성품은 매우 깊다고 말한다.

논하여 말하겠다. 만약 법 자체가 항상 있다면 모든 때에 능히 작용을 일으켜야 할 것인데, 어떤 장애하는 힘이 이 법의 체가 일으키는 작용으로 하여금 때로는 있게 하고 때로는 없게 하는지 말해야 할 것이다. 만약 온갖 연이 화합하지 않았다고 말한다면, 이런 변론은 이치가 아니니, 항상 있다고 인정하기 때문이다.[35] 또 이 작용이 어떤 것이기에 과거·미래·현재가 된다고 말할 수 있으며, 어찌 작용 중에 다시 다른 작용이 있다고 세울 수 있는가? 만약 이 작용은 과거·미래·현재가 아니지만, 다시 작용은 있는 것이라고 말한다면, 곧 무위이기 때문에 항상 없는 것이 아니어야 할 것이며, 따라서 작용이 이미 소멸한 법 및 이것이 아직 있지 않은 법을 과거·미래라고 이름한다고 말해서는 안 될 것이다.[36]

만약 작용이 법체와 다른 것이라고 인정한다면 이런 허물이 있을 수 있겠지만, 다름이 없기 때문에 이런 허물이 있다고 말해서는 안 될 것이다.[37]

35 '무엇이 작용을 장애하며'를 해석하는 것이다. 경량부에서 힐난해 말한다. 만약 일체 유위의 모든 법은 3세 중에 자체가 항상 있다면 모든 때에 능히 작용을 일으켜야 할 것인데, 무엇이 이 법을 장애해서 작용이 있다가 다시 없게 하는지 말해야 할 것이다. 그대들이 만약 온갖 연이 화합하지 않았다고 말한다면, 이런 변론은 이치가 아니니, 그대들은 인연도 역시 항상 있다고 인정하기 때문이다.

36 '작용은 어떤 것인가'를 해석하는 것이다. 또 이 작용이 어떤 것이기에 과거·미래·현재가 된다고 말할 수 있는가? 이 힐난의 뜻은, 「그대들은, 법의 체가 작용에 의하기 때문에 3세로 차별된다고 말하여, 작용이 아직 일어나지 않은 것을 미래라고 이름하고, 작용이 이미 일어난 것을 현재라고 이름하며, 작용이 이미 소멸한 것을 과거라고 이름한다고 말한다. 체가 작용으로 말미암아 3세로 차별된다고 말한다면, 작용은 다시 무엇으로 말미암아 과거·미래·현재의 3세로 차별된다고 말하는가?」라는 것이다. 어찌 작용 중에 다시 다른 작용이 있다고 세울 수 있어서, 이 작용이 과거·미래·현재가 된다고 말하겠는가? 만약 이 작용 위에 다시 다른 작용이 있다고 한다면, 작용에 다시 작용이 있어서, 곧 끝이 없음에 이를 것이다. 만약 이 작용에 다시 작용이 없다고 한다면, 과거·미래·현재의 3세에 포함되는 것이 아닐 것인데, 다시 작용은 있는 것이라고 말한다면 곧 무위이기 때문에 항상 없는 것이 아니어야 할 것이다. 따라서 작용이 이미 소멸한 법을 과거라고 이름하고, 또 이것이 아직 있지 않은 법을 미래라고 이름한다고 말해서는 안 될 것이다.

37 설일체유부의 변론인데, (제2구 중) '다름이 없다면'을 해석하는 것이다. 만약 작용이 법체와 다른 것이라고 인정한다면, 작용은 끝이 없다는 허물이 있을 수 있으며, 작용이 항상하다는 허물이 있을 수 있겠지만, 우리는 작용과 체가

만약 그렇다면 건립한 세의 뜻은 곧 무너질 것이다. 말하자면 만약 작용이 곧 법체라면, 체가 이미 항상 있으므로 작용도 역시 그러해야 할 것인데, 어떻게 과거나 미래라고 이름할 때가 있을 수 있겠는가? 따라서 그들이 건립한 세의 뜻은 성립되지 않을 것이다.[38]

어떻게 성립되지 않는다고 하겠는가? 유위법이 아직 생기지 않은 것을 미래라고 이름하고, 이미 생겨서 아직 소멸하지 않은 것을 현재라고 이름하며, 이미 소멸한 것을 과거라고 이름하는 것이다.[39] 그들은 다시 말해야 할 것이다. 만약 현재의 법체가 실제로 있는 것처럼 과거·미래도 역시 그러하다면, 무엇이 아직 생기지 않은 것이며, 무엇이 다시 이미 소멸한 것인가? 말하자면 유위법의 체가 실제로 항상 있다면, 어떻게 아직 생기지 않은 것과 이미 소멸한 것을 이룰 수 있는가? 이전에는 무엇이 결여되어 그것이 아직 있지 않기 때문에 아직 생기지 않은 것이라고 이름하며, 뒤에는 다시 무엇이 결여되어 그것이 이미 없기 때문에 이미 소멸한 것이라고 이름하는가? 따라서 법은 본래 없던 것이 지금 있으며[本無今有], 있었다가 없음으로 돌아간다[有已還無]는 것을 인정하지 않는다면, 곧 삼세의 뜻은 성립되지 않으며, 일체 종류[一切種]도 모두 성립하지 않아야 할 것이다.[40]

다름이 없다고 말하니, 체에 따른다고 말하기 때문이다. 체는 끝이 없음이 없기 때문에 작용도 역시 끝이 없음이 없으며, 체가 항상한 것이 아니기 때문에 작용도 역시 항상한 것이 아니니, 그대들 경량부 논사는 따라서 이런 허물이 있다고 말해서는 안 될 것이다.

38 경량부의 논파인데, (제2구 중) '세는 곧 무너질 것'을 해석하는 것이다. 만약 작용이 곧 체라면, 체가 이미 3세에 항상 있으므로 작용도 역시 체와 같아야 할 것이고, 3세에 만약 항상 작용이 있다면 모두 현재라고 이름해야 할 것인데, 어떻게 과거나 미래라고 이름할 때가 있을 수 있겠는가? 따라서 그들이 건립한 세의 뜻은 성립되지 않을 것이다.

39 설일체유부의 변론이다.

40 경량부의 논파인데, 제3구를 해석하는 것이다. 그들은 다시 말해야 할 것이다. 만약 현재의 법체가 실제로 있는 것처럼 과거·미래도 역시 그러하다면, 무엇이 아직 생기지 않아서 미래라고 이름하며, 무엇이 다시 이미 소멸해서 과거라고 이름하는가? 말하자면 유위법의 체가 실제로 3세에 항상 있다면, 어떻게 아직 생기지 않았음을 이루어 미래라고 이름하며, 이미 소멸하였음을 이루어 과거라고 이름할 수 있는가? 이전에 미래에 있을 때에는 어떤 결여된 것이 있어 그것이 아직 있지 않기 때문에 아직 생기지 않은 것이라고 이름하며,

그리고 그들이 말한 바, 항상 유위의 모든 상과 화합하기 때문에 형성된 것은 항상한 것이 아니라는 이것은 다만 헛된 말만 있을 뿐이니, 생멸한다는 이치가 없기 때문이다. 체가 항상 있다고 인정하면서 성품은 항상한 것이 아니라고 말하는데, 이와 같은 뜻의 말은 일찍이 있은 적이 없던 것이다. 이런 뜻에 의해 어떤 게송에서 말하였다. "법의 체가 항상 있다고 인정하면서[許法體恒有] 성품은 항상한 것이 아니라고 말하지만[而說性非常] 성품과 체는 다시 차별이 없으니[性體復無別] 이는 진정 자재천의 작품인가[此眞自在作]"41

【제1교증 논파】 또 그들의, "세존께서 설하셨기 때문에 과거·미래 2세의 체가 실제로 있다"라는 말에 대해서는, 우리도 역시 과거·미래세가 있다고 말한다. 말하자면 과거세는 일찍이 있었던 것[증유曾有]이므로 있다고 이름하며, 미래세는 장차 있을 것[당유當有]이니, 결과와 원인이 있기 때문이다. 이와 같은 뜻에 의해 과거·미래가 있다고 말하지만, 과거·미래가 현재와 같은 실재[如現實有]라고 말하는 것은 아니다.42

뒤에 과거에 있을 때에는 다시 어떤 법이 결여되어 그것은 이미 없기 때문에 이미 소멸한 것이라고 이름하는가? 따라서 법의 체는 본래 없던 것이 지금 있으며, 있었다가 없음으로 돌아간다는 것을 인정하지 않는다면, 곧 삼세의 뜻은 모두 성립되지 않을 것이며, 만약 3세의 뜻이 성립되지 않는다면 일체 종류의 모든 유위법도 모두 성립하지 않아야 할 것이다.

41 이하는 자세히 논파하는 것이다. 경량부에서 앞의 비바사 논사들이 세운 뜻을 옮겨와서 따지며 논파하는 것이다. 그리고 그들이 앞의 글에서 말한 바, 항상 유위의 모든 상과 화합하기 때문에 형성된 것은 항상한 것이 아니라는 이것은 다만 헛된 말만 있을 뿐이니, 3세의 체가 실제로 있다는 것이므로 생멸한다는 이치가 없기 때문이다. 그대들은 체가 항상 3세에 실제로 있다고 인정하면서 성품은 항상한 것이 아니라고 말하는데, 이와 같은 뜻의 말은 일찍이 있은 적이 없던 것이다. 이런 뜻에 의해 어떤 게송에서 말하였다. 3세의 법은 그 체가 항상 있다고 인정하면서, 성품과 체는 안眼과 목目이 명칭만 다르듯 다시 차별이 없으니, 이는 진정 저 자재천의 작품인가? 외도가 계탁하는 자재천은 만들 필요가 있으면 곧 만드니, 논주가 그것을 조롱하여, 만들 필요가 있으면 곧 만드는 것이 저 자재천과 같기 때문에 '이는 진정 자재천의 작품인가'라고 말한 것이다

42 경량부에서 앞의 처음 경을 옮겨와서 회통해 해석하는 것이다. 우리도 역시 과거·미래세가 있다고 말한다. 말하자면 과거세는 일찍이 있었던 것[曾有]이므로 있다고 이름하며, 미래세는 장차 있을 것[當有]이니, 결과와 원인이 있기 때문에 있다고 말한다. 과거는 현재의 결과가 있으므로 일찍이 있었던 원인

누가 그것이 현재세처럼 있는 것이라고 말했는가?[43] 현재세와 같은 것이 아니라면, 그 있음은 어떤 것인가?[44] 그것에는 과거·미래 2세의 자성自性이 있는 것이다.[45] 이에 대해서는 다시 힐난해야 할 것이다. 만약 다 같이 있는 것이라면, 어떻게 과거·미래의 성품[性]이라고 말할 수 있겠는가? 그러므로 그것이 있다고 설한 것은, 단지 일찍이 있었던 원인의 성품과 장차 있을 결과의 성품에 의거한 것일 뿐, 체가 실제로 있는 것은 아니다. 세존께서 인과를 비방하는 소견을 막기 위해 증유[曾]·당유[當]의 뜻에 의거해 과거·미래가 있다고 설하신 것이니, 있다는 말은 있는 법과 없는 법을 공통으로 나타내기 때문이다. 예컨대 세간에서, 먼저 없었던 등불이 있다[有燈先無]거나 뒤에 없어진 등불이 있다[有燈後無]고 말하는 것과 같고, 또 마치 누군가가, 이미 꺼진 등불이 있는데, 내가 지금 끈 것은 아니라고 말하는 것과 같다. 과거·미래가 있다고 말한다면, 그 뜻도 역시 그러해야 할 것이다. 만약 그렇지 않다면 과거·미래의 성품은 성립되지 않을 것이다.[46]

[曾有因]이라고 말하고, 미래는 현재의 원인이 있으므로 장차 있을 결과[當有果]라고 말한다. 또 해석하자면 미래는 장차 있을 결과이고, 과거는 일찍이 있었던 원인이니, 증유曾有와 당유當有에 의해 과거·미래가 있다고 말하지만, 과거·미래가 현재와 같은 실재라고 하여, 저 항상하다는 종지[常宗]와 같이 말하는 것은 아니다.

43 설일체유부의 변론이다.

44 경량부에서 따지는 것이다.

45 설일체유부의 답이다. 말하자면 과거에는 과거의 자성이 있고, 미래에는 미래의 자성이 있는 것이다.

46 경량부에서 다시 힐난하는 것이다. 만약 과거·미래세의 체가 다 같이 있는 것이라면, 어떻게 과거·미래의 성품은 2세가 차별된다고 말할 수 있겠는가? 그러므로 그것이 있다고 설한 것은, 일찍이 있었던 원인에 의거하고, 장차 있을 결과에 의거한 것일 뿐, 체가 실제로 있다는 것은 아니다. 세존께서는 인과를 비방하는 소견을 막기 위해 증유·당유의 뜻에 의거해 과거·미래가 있다고 설하신 것이니, 있다는 말은 있는 법과 없는 법을 공통으로 나타내기 때문이다. 있음이 있는 법을 나타내는 것은 모습이 두드러져서 알 수 있으므로 사례를 가리켜 말하지 않고, 있음이 없는 법을 나타내는 것은 모습이 은밀해서 알기 어렵기 때문에 사례를 가리켜 말하였다. 예컨대 세간에서, 먼저 시기에 없었던 등불이 있다고 말하는 것은 아직 생기지 않은 등불을 말하고, 뒤의 시기에 없어진 등불이 있다고 말하는 것은 이미 꺼진 등불을 말하는 것과 같다. 또 마치 누군가가, 이미 꺼진 등불이 있는데, 내가 지금 끈 것은 아니라고 말하는

만약 그렇다면 세존께서는 어떤 이유에서 저 장계杖髻외도에 의지해, 업은 지나가서[過去] 다하고 소멸하며 변괴해도, 여전히 있는 것이라고 설하셨겠는가? 어찌 그가 업의 일찍이 있었던 성품[曾有性]을 인정하지 않았기에 지금 세존께서 거듭 있다고 설하신 것이라고 하겠는가?[47] 그것에 의해 인기된 현재의 상속신 중의 여과與果의 공능에 의거해 은밀히 있다고 설하신 것이다. 만약 그렇지 않고 그 과거의 업이 현재 실제로 있는 성품이라면, 과거가 어찌 성립되겠는가? 이치상 반드시 그러해야 할 것이니, 박가범께서도 승의공勝義空계경 중에서, "안근은 생길 때 좇아서 온 곳이 없고, 안근은 소멸할 때 만들고 일으키는 것이 없다. 본래 없던 것이 지금 있으며, 있었다가 없음으로 돌아간다"라고 설하셨다. 과거·미래의 안근이 만약 실제로 있다면, 경에서 '본래 없던 것[本無]' 등이라는 말을 하지 않았어야 할 것이다. 만약 이 말씀은 현세에 의거해 설하신 것이라고 말한다면, 이런 변론은 이치가 아니니, 현세의 성품과 그 안근은 체에 차별이 없기 때문이다. 만약 현세에 본래 없던 것이 지금 있으며, 있었다가 없음으로 돌아간다는 것을 인정한다면, 이는 곧 안근은 과거·미래에 체가 없다는 뜻이 이미 성립된 것이다.[48]

것과 같다. 이것들은 비록 있다고 말하지만, 모두 없는 법을 나타내는 것이다. 과거·미래가 있다고 말한다면, 그 뜻도 역시 그러해야 할 것이니, 없는 법을 나타내는 것이다. 만약 그렇지 않다면 체가 모두 실제로 있으니, 과거·미래의 성품은 성립되지 않을 것이다.

47 설일체유부의 힐난이다. 만약 그렇다면 어떤 이유에서 세존께서 이 장계杖髻외도를 위해, 업은 지나가서 다하고 소멸하며 변괴하였다고 해도 여전히 있는 것이라고 설하셨겠는가?(=출전 미상) 이미 있는 것이라는 말을 하셨으니, 과거는 실제로 있는 것이 분명하다. 어찌 그 외도가 과거업의 일찍이 있었던 성품을 인정하지 않았기에 세존께서 거듭 있다고 설하신 것이겠는가? 즉 외도가 일찍이 있었던 성품을 믿으면서도 실제로 있다는 것을 믿지 않았기 때문에 붓다께서 있다고 설하신 것이다. 손에 지팡이[杖]를 들고 다니고, 머리 위에 상투[髻]를 틀었기 때문에 장계杖髻라고 이름한 것이다. 다하는 것, 소멸하는 것, 변괴하는 것은 (모두가) 과거의 다른 명칭이다.

48 경량부 논사가 경에서 업이 있다고 설한 것을 해석하는 것이다. 그 업에 의해 인기된 현재의 상속신 중에 여과하는 공능의 종자가 있기 때문에 의거해 은밀히 과거의 능히 훈습한 업을 말하여 있다고 하신 것이다. 훈습된 업의 원인이 능히 미래의 결과를 부여하는 것을 여과의 공능이라고 이름한다. 만약 그렇지

【제2교증 논파】 또 그들이, “반드시 두 가지 연을 갖추어야 식이 비로소 생기기 때문에 과거·미래 2세의 체는 실제로 있다”라고 말한 것에 대해서는 함께 생각해야 할 것이다. 의근과 법경이 연이 되어 의식을 낳을 때, 법경은 의근처럼 능히 낳는 조건[能生緣]이 되는가, 법경은 단지 소연의 경계[所緣境]가 될 수 있는 것일 뿐인가? 만약 법경이 의근처럼 능히 낳는 조건이 된다면, 어떻게 미래의 백천 겁 후에 장차 있을 그런 법이나 장차 없을

....

않고 그 과거의 업이 지금 현재 실제로 있다면, 현재여야 할 것인데, 과거가 어찌 성립되겠는가? 이치가 반드시 그러해야 할 것이다. 경(=잡 [12]13:335 제일의공경第一義空經) 중에서, “안근은 생길 때 좇아서 온 곳이 없고,-미래가 없다는 것을 나타낸다- 안근은 소멸할 때 만들고 일으키는 것이 없다.-과거가 없다는 것을 나타낸다- 본래 없던 것이 지금 있으며,-이미 본래 없던 것이라고 말했으니, 미래는 없는 것이 분명하다- 있었다가 없음으로 돌아간다-이미 없음으로 돌아간다고 말했으니, 과거는 없는 것이 분명하다-”라고 설하셨다. 과거·미래의 안근이 만약 실제로 있다면, 경에서 ‘본래 없던 것’ 등이라는 말씀을 하시지 않았어야 할 것이다. 변론을 옮겨와서 논파해 말한다. 만약 경에서 ‘안근은 본래 없던 것이 지금 있으며, 있었다가 없음으로 돌아간다’라고 말씀하신 것은, 현세에 의해 설하신 것(=과거·미래가 없다는 것이 아니라 현세에 작용하지 않을 뿐)이라고 말한다면, 이런 변론은 이치가 아니다. 만약 이 현세의 성품과 그 안근의 체가 차별되고 같지 않다면, 현세에 의해 ‘본래 없던 것이 지금 있으며, 있었다가 없음으로 돌아간다’라고 설하신 것이라고 말할 수 있겠지만, 이 현세의 성품과 그 안근은 체에 차별이 없기 때문에, 어떻게 현세에 의해 ‘본래 없던 것이 지금 있으며, 있었다가 없음으로 돌아간다’라고 설하신 것이라고 말할 수 있겠는가? 유위를 떠나서는 별도의 3세가 없기 때문이다. 그대들이 만약 현세에 본래 없던 것이 지금 있으며 있었다가 없음으로 돌아간다는 것을 인정한다면, 이는 곧 안근은 과거·미래에 체가 없다는 뜻이 이미 성립된 것이다. 세와 안근은 체에 차별이 없기 때문에 세를 말하면 역시 안근도 말해야 하기 때문이다. 또 해석하자면 만약 경에서 ‘안근은 본래 없던 것이 지금 있으며, 있었다가 없음으로 돌아간다’라고 말씀하신 것은 현재세의 안근에 의해 설하신 것이라고 말한다면, 이런 변론은 이치가 아니다. 만약 현재의 안근의 체성이 그 과거·미래 2세의 안근의 체와 차별되고 같지 않다면, 현재세의 안근의 체에 의해 ‘본래 없던 것이 지금 있으며, 있었다가 없음으로 돌아간다’라고 설하신 것이라고 말할 수 있겠지만, 이 현재세의 안근의 체성은 그 과거·미래 2세의 안근의 체와 차별이 없기 때문에, 어떻게 현재세의 안근의 체에 의해 ‘본래 없던 것이 지금 있으며, 있었다가 없음으로 돌아간다’라고 설하신 것이라고 말할 수 있겠는가? 그대들이 만약 현세의 안근은 본래 없던 것이 지금 있으며, 있었다가 없음으로 돌아간다는 것을 인정한다면, 이는 곧 안근은 과거·미래에 체가 없다는 뜻이 이미 성립된 것이다.

법도 역시 능히 낳는 조건이 되어 지금의 의식을 낳는가? 또 열반의 성품은 일체 생기는 것과 어긋나는데도 능히 낳는 것[能生]이라고 세운다면, 바른 이치와 맞지 않는다. 만약 법경은 단지 소연의 경계가 될 수 있을 뿐이라고 한다면, 우리도 과거·미래는 역시 소연이라고 말한다.[49]

만약 없는 것[無]이라면 어떻게 소연의 경계를 이루는가?[50] 우리는 그것도, 소연을 이루는 것처럼[如成所緣] 있다고 말한다.[51] 어떻게 소연을 이루는가?[52] 말하자면 일찍이 있었던 것[曾有]과 장차 있을 것[當有]이니, 과거의 형색·느낌 등을 기억할 때 현재처럼 분명하게 그것을 관찰하여 있다고 하는 것이 아니라, 다만 그것이 일찍이 있었던 모습[曾有之相]을 뒤좇아 기억할 뿐이며, 역으로 미래에 장차 있을 것을 관찰하는 것도 역시 그러하다. 말하자면 일찍이 현재 받아들였던 형색의 모습처럼, 이와 같이 과거를 뒤좇아 기억하여 있다고 하며, 또한 미래에 현재 받아들이는 형색의 모습처럼, 이와 같이 역으로 미래를 관찰하여 있다고 하는 것이다. 만약 현재처럼 있다면 현세를 이루어야 할 것이다. 만약 체가 현재 없다면, 곧 없는 대상을 반연하는 식[緣無境識]이 있다고 인정해야 하고, 그 이치는 저절로 이루어진다.[53]

49 제2교증에 대한 논파를 서술하는 것이다. 함께 생각해야 할 것이다. 의근과 법경이 연이 되어 의식을 낳을 때, 법경은 의근처럼 능히 낳는 조건[能生緣]이 되는가, 법경은 단지 소연의 경계[所緣境]가 될 수 있는 것일 뿐인가? 만약 법경이 의근처럼 능히 낳는 조건이 된다면 어떻게, 미래의 백천 겁 후에 장차 있을 그런 법도 생겨서 앞에 나타나야 하며, 혹은 연이 결여되어 생기지 않을, 장차 없을 법도 역시 능히 낳는 조건이 되어 지금의 의식을 낳는가? 대저 낳는 조건이란 모습이 분명한데, 그런 것의 모습은 은밀하고 어둡거늘 어떻게 낳을 수 있는가? 또 열반의 성품은 일체 생기는 것과 어긋나는데도 능히 제6 의식을 낳는 것이라고 세운다면 바른 이치와 맞지 않는다. 만약 법경은 단지 소연의 경계가 되어 의식을 낳을 수 있을 뿐이라고 한다면, 우리도 과거·미래는 역시 소연이라고 말한다. 경량부는 없는 것[無]을 반연해서도 마음을 낳을 수 있다고 인정한다.

50 설일체유부의 힐난이다.

51 경량부의 답이다. 우리는 그것도, 소연을 이루는 것처럼 있으므로, 서로 유사하게 헤아려 상대해 반연한다[相似擬對而緣]고 말한다.

52 설일체유부에서 따지는 것이다. 과거·미래에 체가 없다면, 어떻게 소연을 이루는가?

만약 과거·미래는 극미가 산란散亂하여 있으므로 현재가 아니라고 말한다면, 이치가 역시 그렇지 않으니, 그 모습을 취할 때에는 산란한 것이 아니기 때문이다. 또 만약 그런 색법이 있는 것은 현재와 같지만, 오직 극미가 산란하여 있는 것만 다르다고 한다면, 곧 극미의 색법은 그 체가 상주해야 할 것이며, 또 색법은 오직 극미의 취집·산란일 뿐이어야 하므로, 궁극적으로 생성·소멸이라고 이름할 만한 것은 조금도 없을 것이니, 이는 곧 사명외도의 이론을 존중·숭배하고, 선서께서 설하신 계경을 버리고 등지는 것이다. 계경에서, "안근은 생길 때 좇아서 온 곳이 없으며 ····"라고 설하신 것과 같다. 또 느낌 등은 극미가 취집하여 이루어진 것이 아닌데, 어떻게 과거·미래를 산란한 것이라고 말할 수 있겠는가? 그렇지만 느낌 등에 대해 뒤좇아 기억하고, 역으로 관찰하는 것도, 역시 아직 소멸하지 않았을 때와 이미 생긴 때의 모습과 같은 것이다. 만약 현재처럼 체가 있다면 항상한 것이어야 하겠지만, 만약 체가 현재 없다면 도리어 없는 대상을 반연하는 식도 있다고 인정해야 할 것이고, 그 이치도 역시 저절로 이루어질 것이다.[54]

53 경량부의 답이다. 과거는 일찍이 있었던 것이고, 미래는 장차 있을 것이다. 과거의 색·수 등을 기억할 때 현재처럼 분명하게 그것을 관찰하여 그것이 있다고 하는 것이 아니라, 다만 그것이 일찍이 현재 있었던 모습[曾現有之相]을 뒤좇아 기억할 뿐이며, 역으로 미래에 장차 있을 것을 관찰하는 것도 역시 그러하다. '말하자면' 이하는 거듭 해석하는 것이니, 알 수 있을 것이다. 증유·당유임에 의거해 헤아려 상대해 반연하기 때문에 '소연을 이루는 것처럼'이라는 이런 말을 한 것이다. 증유·당유이기 때문에 거북의 털과는 같지 않다. 실제의 체가 없기 때문에 현재와도 같지 않으니, 과거·미래의 두 가지 대상이 만약 현재처럼 있다면 현세를 이루어야 할 것인데, 어찌 과거·미래라고 말하겠는가? 만약 체가 현재 없다면 곧 없는 대상을 반연하는 식[緣無境識]이 있다고 인정해야 하고, 그 이치는 저절로 이루어지는 것이 우리 경량부와 같을 것이다.

54 경량부에서 가정적인 변론을 옮겨와서 논파하는 것이다. 그대들 설일체유부에서 만약 과거·미래의 극미가 산란한 것을 있는 것이라고 이름하고, 취집聚集한 것이 아니기 때문에 현재가 아니라고 말한다면, 이치가 역시 그렇지 않으니, 그 과거·미래의 극미의 모습을 취할 때에는 산란한 것이 아니기 때문(=취집한 극미만 인식할 수 있다는 취지)에 과거·미래가 아니어야 할 것이다. 또 만약 변론해 말하기를, 그 과거·미래의 색에 체가 있는 것은 현재와 같지만, 오직 극미가 산란하여 있는 것만 다르다고 한다면, 곧 극미의 색은 3세에 바뀌지 않으니, 그 체가 상주해야 할 것이다. 또 색은 오직 극미가 취집된 것만 현재라고 이름하고, 극미가 산란한 것은 과거·미래라고 이름해야 하

만약 체가 전혀 없는 것도 소연이라고 한다면 제13처가 소연이어야 할 것이다.[55] 제13처가 없다고 깨닫는 모든 분들의, 이런 능연能緣의 식은 무엇을 소연으로 하는가? 만약 곧 그 명칭을 반연하여 경계로 한다고 말한다면, 이는 곧 그 명칭을 부정하여 없다고 해야 할 것이다.[56]

또 만약 이전에 있었던 것 아닌 소리를 반연한다고 한다면, 이 능연의 식은 무엇을 소연으로 하는가? 만약 곧 그 소리를 반연하여 경계로 한다고 말한다면, 소리의 없음[聲無]을 구하는 자는 다시 소리를 일으켜야 할 것이다. 만약 소리가 없는 것은 미래의 단계에 머무는 것이라고 말한다면, 미래는

....

므로 궁극적으로 생성·소멸이라고 이름할 만한 것은 조금도 없을 것이다. 만약 극미가 항상하다고 집착한다면, 이는 곧 사명외도의 이론을 존중·숭배하니, 곧 승론의 논사일 것이고, 선서께서 설하신 계경을 버리고 등지는 것이다. 인용된 경(=앞에서 인용된 제일의공경)은 알 수 있을 것이다. 또 색은 극미취가 산란한 것을 과거·미래라고 이름할 수 있다고 해도, 느낌·지각 등은 극미가 취집하여 이루어진 것이 아닌데, 어떻게 과거·미래를 산란한 것이라고 말할 수 있겠는가? 그렇지만 느낌 등에 대해 과거를 뒤쫓아 기억하는 것은 역시 현재 아직 소멸하지 않았을 때의 모습과 같고, 역으로 미래를 관찰하는 것도 역시 현재 이미 생긴 때의 모습과 같은 것이다. 과거·미래의 2세가 만약 현재처럼 있다면 체가 항상한 것이어야 할 것이지만, 만약 체가 현재 없다면 도리어 없는 대상을 반연하는 식도 있다고 인정해야 할 것이고, 이치도 역시 저절로 이루어지는 것이 우리 경량부와 같을 것이다.

55 설일체유부의 힐난이다. 그대들 경량부에서 만약 체가 전혀 없는 것도 소연이라고 한다면 제13처가 소연이어야 할 것이다.

56 경량부에서 반대로 설일체유부에게 따지는 것이다. 제13처가 없다고 깨닫는 모든 분들의, 이런 능연能緣의 식은 무엇을 소연으로 하는가? 만약 곧 제13처라는 명칭을 반연하여 경계로 한다고 말한다면, 그 때 이미 제13처가 없다는 이해를 지었을 것인데, 그런데 명칭이 (제13)처로 대체된다면, 이는 곧 그 명칭을 부정하여 없다고 해야 할 것이고, 만약 명칭은 없다고 부정한다면 곧 사견과 같으므로, 정견이 아니다. 말하자면 그 뜻이 헤아리기를, 만약 제13처가 없다고 부정한다면 이는 정견이고, 만약 제13처를 건립한다면 이는 사견인데, 부정하는 바로 그 때 그 능연의 식에게 이미 반연할 수 없는 제13처가 없으니, 곧 제13처라는 명칭을 반연하여 경계로 할 것이고, 이미 명칭은 없다고 부정했으니, 이는 사견이어야 하고 정견이 아니라는 것이다. 명칭은 있기 때문인데, 그런데도 부정하여 없다고 하였다. 그렇지만 그대들이 계탁하는 마음은, 제13처는 없다고 부정하는 것이 정견이므로, 그래서 '이는 곧 그 명칭을 부정하여 없다고 해야 할 것'이라고 말한 것이니, 그것은 사견이지, 정견이 아니라는 것이다.(=따라서 없는 것도 소연이 될 수 있음을 인정해야 한다는 취지)

실제로 있다면서 어떻게 없다고 말하겠는가? 만약 과거·미래는 현세에 없는 것이라고 말한다면, 이것도 역시 이치가 아니니, 그 체는 하나이기 때문이다. 만약 조금이라도 체에 차별이 있다면, 본래 없었던 것이 지금 있다는 그 이치는 저절로 이루어질 것이다. 그러므로 식은 있는 대상과 있는 것 아닌 대상을 통틀어 반연하는 것이다.[57]

그런데 보살께서, "세간에 없는 것을 나는 알고 나는 본다고 한다면 이런 도리는 없다"라고 설하신 것은 뜻으로, '다른 사람들은 증상만을 품어, 있는 것 아닌 것에 대해서도 모습을 나타내어 있다고 말하지만, 나는 오직 있는 것만 바르게 관찰하여 있다고 한다'라고 말씀하신 것이다. 만약 이와 다르다고 한다면, 곧 일체 인식[覺]은 모두 소연을 갖는데, 어째서 경계에 대해

57 경량부에서 다시 사례에 의거해 따지는 것이다. 소리가 아직 일어나지 않았을 때를 '이전에 있었던 것 아닌 소리'라고 이름한 것이니, 현재에서 바라보면 '이전'이 된다. 또 만약 이전에 있었던 것 아닌 소리를 반연한다고 한다면, 이 능연의 식은 무엇을 소연으로 하는가? 이미 있었던 것 아닌 것[非有]을 반연한다고 했으니, 없는 것을 반연해서도 마음을 낳는다는 것을 분명히 알 수 있다. 만약 이전에 있었던 것 아닌 소리를 반연한다고 말한다면, 곧 그 소리를 반연하여 경계로 하는 것이니, 소리의 없음을 구하는 자는 다시 소리를 일으켜야 할 것이다. 소리의 있지 않음을 반연하는데, 오히려 소리를 경계로 한다는 것이므로, 소리의 없음을 구하는 자는 이치상 소리를 일으켜야 할 것이다. 만약 소리가 먼저 없었던 때는 미래의 단계에 머무는 것이라고 말한다면, 그대들의 종지에서 주장하는 미래는 실제로 있다는 것인데, 어떻게 없다고 말하겠는가? 그대들이 만약 과거·미래세의 소리는 현재세에 없는 것이기 때문에 없다고 이름한 것이라고 말한다면, 이것도 역시 이치가 아니다. 만약 현재세의 소리가 과거·미래세의 소리와 그 체가 차별되고 같지 않다면 현재세에 없는 것이라고 말할 수 있겠지만, 이 현재세의 것은 과거·미래세의 소리와 그 체가 하나이기 때문에 어찌 현재세에 없는 것이라고 말할 수 있겠는가? 또 해석하자면 그대들이 만약 과거·미래세의 소리는 현재세에 없는 소리이기 때문에 없다고 말한 것이라고 말한다면, 이것도 역시 이치가 아니다. 만약 3세의 소리가 그 체가 각각 다르다면 현재세에 없는 소리라고 말할 수 있겠지만, 이 현재세의 소리는 과거·미래세의 소리와, 비록 다시 3세를 거치는 것은 같지 않다고 해도 그 체는 하나이기 때문에 어찌 현재세에 없는 소리라고 말할 수 있겠는가? 만약 과거·미래의 소리와 그 현재의 소리가 조금이라도 체에 차별이 있다면, 본래 없었던 것이 지금 있다는 그 이치는 저절로 이루어지는 것이 우리 경량부와 같을 것이다. 논파를 마치고 맺어서 말한다. 그러므로 식은 있는 대상과 있는 것 아닌 대상을 통틀어 반연하는 것이다.

머뭇거림[猶豫]이 있을 수 있으며, 혹은 차별이 있을 수 있겠는가? 이치상 반드시 그러해야 하니, 박가범께서 다른 곳에서도 이렇게 말씀하셨다. "잘 왔도다, 필추들이여! 그대들이 만약 능히 나의 제자가 되어 아첨[諂] 없고 속임[誑] 없으며 믿음[信] 있고 정진[勤] 있다면, 내가 아침에 그대들을 가르쳐서 저녁에 수승함을 얻게 하고, 내가 저녁에 그대들을 가르쳐서 아침에 수승함을 얻게 할 것이니, 곧 있는 것은 있는 것이고, 있는 것 아닌 것은 있는 것 아닌 것이며, 위가 있는 것은 위가 있는 것이고, 위가 없는 것은 위가 없는 것이라고 아는 것이다."58

【제1이증 논파】 이상에 의해 그들이 말한 바, 식에는 대상이 있기 때문에 과거·미래는 있다는 것도 이유가 되지 못한다.59

【제2이증 논파】 또 그들이 말한 바, 업에는 과보가 있기 때문에 과거·미래가 있다는 것도 이치가 역시 그렇지 않다. 경량부 논사는, "곧 과거의 업

58 경량부에서 경(=출전 미상)에 대해 회통하고 증거로 인용하는 것이다. 그런데 보살께서, "세간에 없는 법을 나는 알고 본다고 말한다면 이런 도리는 없다"라고 설하신 것은 뜻으로, '다른 사람들은 증상만을 품어, 있는 것 아닌, 아직 증득하지 못한 것에 대해서도 모습을 나타내어 있다고 말하지만, 나는 오직 있는 것만 바르게 관찰하여 있다고 할 뿐, 있는 것 아닌 것에 대해 모습을 나타내어 있다고 말하지 않는다'라는 것을 말씀하신 것이지, 없는 것을 반연하여 마음을 낳지 않는다는 것을 나타내신 것이 아니다. 만약 나의 말과 달리, 있는 대상과 있는 것 아닌 대상을 공통으로 반연한다는 것을 인정하지 않는다면, 곧 일체 인식은 모두 소연이라는 진실한 법체를 갖는데, 어떤 이유에서 경계에 대해 있는가, 없는가 라는 머뭇거림이 있을 수 있으며, 혹은 있음과 없음의 차별이라는 차별이 있을 수 있겠는가? 이미 머뭇거림이 있으며, 이미 차별이 있으니, 없는 것을 반연해서도 마음을 낳을 수 있다는 것을 분명히 알 수 있다. '일체 인식'이란 심·심소를 말하는 것이니, 능히 대상을 인식하기 때문이다. 이치상 반드시 그러해야 한다면서 다시 경(=잡 [26]26:703 여래력경如來力經)을 인용해 증명한다. 경 중에서 이미 있는 것 아닌 것을 안다[知非有]는 말을 했으니, 없는 것을 반연해서도 마음을 낳는다는 것을 분명히 알 수 있다. '있는 것'은 있는 법을 말하고, '있는 것 아닌 것'은 없는 법을 말하며, '위가 있는 것'은 다시 위가 있는 것을 말하니, 이 법은 열등하다는 것으로서, 곧 유위 및 허공과 비택멸이고, '위가 없는 것'은 더 이상 위가 없는 법을 말하니, 이 법이 가장 뛰어나다는 것으로, 곧 열반이다.

59 비례해서 제3의 증거를 논파하는 것이다. 이 위에서 증명된 가르침의 이치에 의해 그들의 종지에서 말한 바, 식에는 대상이 있기 때문에 과거·미래는 있다는 것도 이유가 되지 못한다.

이 능히 미래의 결과를 낳는다"라는 이런 말을 하는 것이 아니다. 그렇지만 업이 선행함에 의해 인기된 것의 상속·전변·차별이 미래의 결과를 생기게 하는데, 그것에 대해서는 파아품 중에서 자세히 나타내 보이겠다.[60]

만약 실제로 과거·미래가 있다고 집착한다면 곧 모든 때에 과보의 체가 항상 있을 것인데, 업은 그 과보에 대해 무슨 공능이 있겠는가? 만약 능히 낳는 것[能生]이라고 말한다면, 곧 생긴 결과는 본래 없었던 것이 지금 있는 것이라는 그 이치가 저절로 이루어질 것이다. 그러나 만약 일체법이 모든 때에 있다면 무엇이 무엇에 대해 능히 낳는 공능이 있겠는가?[61] 또 우중雨衆외도들이 가까이 하는 삿된 이론을 응당 드러내어 이룰 것이니, 그들은 이렇게 말하였다. "유有는 반드시 항상 있는 것이고, 무無는 반드시 항상 없는 것이다. 무는 반드시 생기지 않고, 유는 반드시 소멸하지 않는다."[62] 만

60 이는 제4의 증거를 논파하는 것인데, 옮겨와서 그렇지 않다고 비판한다. 경량부 논사는, "곧 과거의 업이 능히 미래의 결과를 낳는다"라는 이런 말을 하는 것이 아니다. 그렇지만 과거의 업이 선행해 능히 훈습함으로써 현재의 몸 중에 인기된 업종자가 상속하면서 전변한 차별이 미래의 결과를 생기게 한다고 한다. '상속' 등의 세 가지(=상속·전변·차별)에 대해서는 파아품(=뒤의 제9품) 중에서 자세히 나타내 보이겠다. 또 『순정리론』 제51권(=대29-629중)에서도 말하였다. "그렇지만 업이 선행함에 의해 인기된 것이 상속하면서 전변한 차별이 능히 미래의 결과를 낳는다고 한다. 업의 '상속'이란 말하자면 업이 선행한 후후의 찰나에 마음이 상속하여 일어나는 것이고, 곧 이 상속이 후후의 찰나에 다르고 다르게 생기는 것을 '전변'이라고 이름하며, 최후의 시기에 뛰어난 공능이 있어 무간에 과보를 낳는 것이 다른 전변과 다르기 때문에 '차별'이라고 이름한다."

61 다시 계탁하는 것을 옮겨와서 논파하는 것이다. 만약 실제로 과거·미래가 있다고 집착한다면 곧 과보가 항상 있을 것인데, 업은 그 과보에 대해 무슨 공능이 있겠는가? 만약 업이 능히 과보를 낳는다고 말한다면, 과보의 체가 새로 생기는 것이니, 곧 생기는 과보는 본래 없었던 것이 지금 있는 것이라는 그 이치가 저절로 이루어질 것이다. 그러나 만약 일체법이 3세 중 모든 때에 있다면 어떤 원인이 어떤 과보에 대해 능히 낳는 공능이 있겠는가?

62 외도와 같게 되는 허물을 나타내는 것이다. 비올 때 낳았기 때문에 '우雨'라는 이름을 주었는데, 이 '우'의 무리[雨徒衆]이기 때무에 우중雨衆이라고 이름했으니, 곧 수론의 논사이다. 그대들이 세우는 바 '유·무는 결정적이다'라고 주장한다면 또 우중외도들이 가까이 하는 삿된 이론을 응당 드러내어 이룰 것이다. 그들은, "25제諦 중 유有는 반드시 항상 있는 것이고, 25제에 포함되는 것 아닌 무無는 반드시 항상 없는 것이다. 무는 반드시 생기지 않으니, 체가 없기

약 능히 결과로 하여금 현재를 이루게 하는 것이라고 말한다면, 어떻게 결과로 하여금 현재를 이루게 하는가? 만약 견인하여 다른 곳에 이르게 한다고 말한다면, 견인된 결과[所引果]는 그 체가 항상해야 할 것이다. 또 무색의 법은 장차 어떻게 견인하겠는가? 또 이것이 인기된 것[所引]이라면 체가 본래 없었던 것이어야 할 것이다. 만약 단지 체에 차별이 있게 할 뿐이라고 말한다면, 본래 없었던 것이 지금 있는 것이라는 그 이치가 저절로 이루어질 것이다.63 그러므로 이 설일체유부에서 만약 실제로 과거와 미래는 있다고 말한다면, 성스러운 가르침에 대해 잘 설한 것[善說]이 아니다. 만약 일체가 있다는 것에 대해 잘 설하고자 한다면, 계경에서 설한 바대로 설해야 할 것이다.64

【논주의 해석】 경에서 어떻게 설했는가?65 예컨대 계경에서, "바라문이여, 알아야 하오. 일체유一切有란 오직 12처일 뿐이며, 혹은 오직 3세는 그것이 있는 바대로[如其所有] 있다는 말을 할 뿐이라고."66

....

때문이고, 유는 반드시 소멸하지 않으니, 체가 있기 때문이다"라고 말하였다.

63 다시 가정적인 변론을 옮겨와서 논파하는 것이다. 만약 과거의 업이 능히 미래의 결과로 하여금 현재를 이루게 하는 것이라고 말한다면, 결과의 체는 본래 있을 것인데, 어떻게 결과로 하여금 현재를 이루게 하는가? 만약 과거의 업이 그 미래의 결과를 견인하여 다른 곳으로부터 다른 곳으로 이끌어 이르게 한다고 말한다면, 곧 견인된 결과가 여기에서 저기에 이르는 것이니, 그 체가 항상해야 할 것이다. 색법은 형체와 조각[形段]이 있으므로 이 곳으로부터 다른 곳으로 이끌어 이르게 할 수 있겠지만, 또 무색의 법은 이미 형체와 조각이 없는데, 장차 어떻게 견인하겠는가? 또 인기된 결과(=이끌려 일으켜진 결과)라면 응당 체가 본래 없었다가 지금 처음 얻어진 것이어야 할 것이다. 만약 과거의 업은 단지 체에 차별이 있게 해서 이전과 같지 않을 뿐이라고 말한다면, 본래 없었던 것이 지금 있는 것이라는 그 이치가 저절로 이루어질 것이다.

64 논주가 비판을 맺고 경량부를 칭찬하여 서술하는 것이다.

65 설일체유부의 물음이다.

66 경량부의 답이다. 예컨대 계경(=잡 [12]13:320 일체유경一切有經)에서, "바라문이여, 알아야 하오. 일체유一切有란 오직 12처일 뿐이며, 혹은 오직 3세는 그것이 있는 바대로[如其所有] 있다는 말을 할 뿐이라고." 경량부의 뜻이 말하는 것은, 혹은 가유나 혹은 실유로, 혹은 증유나 혹은 당유로, 그것이 있는 바대로 있다고 말할 뿐, 모두가 현재처럼 실재[實有]인 것이 아니라는 것이다. 과거는 증유이고, 미래는 당유이며, 현재는 실유이지만, 현재의 12처 중 8처(=색·성·촉·법처를 제외한 나머지)는 실유이고, 4처의 일부는 실유이며, 일

만약 과거·미래가 없다면 어떻게 능히 계박하는 것[能繫]과 계박되는 것[所繫] 및 계박에서 떠남[離繫]이 있다고 말할 수 있는가?[67] 그것이 낳은[彼所生] 수면과 그것의 원인될[彼所因] 수면이 있기 때문에 과거·미래의 능히 계박하는[能繫] 번뇌가 있다고 말하고, 그것을 반연하는 번뇌의 수면이 있기 때문에 과거·미래의 계박되는 사[所繫事]이 있다고 말하며, 만약 수면이 끊어진다면 계박에서 떠났다[離繫]는 명칭을 얻는 것이다.[68]

그러나 비바사 논사들은 이렇게 말하였다. "현재와 같이 과거와 미래도 실제로 있다. 있다는 것에 대해 능히 통하게 해석하지 못했더라도, 자신을 사랑하는 자라면 모두, '법의 성품은 매우 깊어서, 심구 사유의 경계가 아니다'라고 이렇게 알아야 할 것이다. 어찌 능히 해석하지 못했다고 해서 곧 없다고 부정하겠는가? 다른 문[異門]이 있기 때문에 이것이 생기면 이것이 소멸하니, 말하자면 색 등이 생기면 곧 색 등이 소멸하지만, 다른 문이 있기 때문에 다른 것이 생기면 다른 것이 소멸하니, 말하자면 미래세가 생기면 현재세가 소멸하는 것이다. 다른 문이 있기 때문에 곧 세世를 생生이라

부는 실무實無이다. 예컨대 색처 중 현색은 실유이지만, 형상은 실무이며, 성처 중 무기인 찰나의 소리는 실유이지만, 상속하는 어업 중 선·악 등의 소리는 실무이며, 촉처 중 4대는 실유이지만, 나머지 촉처는 실무이며, 법처 중 선정의 경계인 색·수·상·사는 실유이지만, 나머지 심소법은 사思 위에 임시로 건립된 실무이고, 아울러 불상응행법과 3무위법도 역시 실무인 것과 같다.

67 설일체유부의 힐난이다. 과거·미래가 실제로 있다면 계박하는 것과 계박되는 것 및 계박에서 떠남이 있다고 말할 수 있겠지만, 만약 과거·미래가 없다면 어떻게 능히 계박하는 것과 계박되는 것 및 계박에서 떠남이 있다고 말할 수 있겠는가?

68 경량부의 답인데, 『순정리론』(=제52권. 대29-634중)에서 해석해 말하였다. "이 해석의 뜻이 말하는 것은, 과거의 번뇌가 낳은 수면이 현재 있기 때문에 과거의 능히 계박하는 번뇌가 있었다고 말하고, 미래의 번뇌의 원인될 수면이 현재 있기 때문에 미래의 능히 계박하는 번뇌가 있을 것이라고 말하며, 과거·미래의 사를 반연하는 번뇌의 수면이 현재 있기 때문에 과거·미래의 계박되는 사가 있다고 말한다." 만약 현재의 수면의 종자가 끊어진다면 그 때 그 과거·미래의 사는 계박에서 떠났다는 명칭을 얻는다. 만약 현재의 결과인 수면을 끊는다면 곧 과거의 원인인 번뇌를 끊는 것이고, 만약 현재의 원인인 수면을 끊는다면 곧 미래의 결과인 수면을 끊는 것이니, 과거·미래의 능히 계박하는 것, 계박되는 것 및 계박에서 떠남을 말하는 것은, 모두 증유와 당유에 의거한 것이라고 알아야 할 것이다.

고 이름하니, 바로 생길 때 세에 포함되기 때문이지만, 다른 문이 있기 때문에 세에 생이 있다고 말하니, 미래세에는 많은 찰나가 있기 때문이다.”69

제2항 단斷에 의거한 계박

방론을 마쳤으니, 이제 생각해서 가려야 할 것이다. 모든 사事가 이미 끊어졌다면[已斷], 그것은 계박에서 떠난 것[離繫]인가? 가령 사에 대해 계박에서 떠났다면 그것은 이미 끊어진 것인가?70 만약 사에 대해 계박에서 떠났다면 그것은 반드시 이미 끊어진 것이지만, 사가 이미 끊어졌어도 계박에서 떠난 것 아닌 것이 있다.71 끊어졌어도 계박에서 떠난 것 아닌, 그 사

69 제4구의 ‘이 법의 성품은 매우 심오하도다’를 해석하는 것이다. 비바사 논사들은 이렇게 말한다. “과거와 미래도 현재처럼 실제로 있다.” 논주가 널리 경량부의 힐난을 펴고, 우리가 있는 것, 그것에 대해 능히 통하게 해석하지 못했더라도, 그 힐난에 대해 회통하는 것에 관해서는 자신을 사랑하는 자라면 모두, ‘법의 성품은 매우 깊어서, 살펴 구하고 생각해 헤아릴 경계가 아니다’라고 이렇게 알아야 할 것이다. 어찌 우리 부파가 능히 통하게 해석하지 못했다고 해서, 그대들 경량부 논사가 곧 없다고 부정하는가? ‘다른 문이 있기 때문’ 이하는 또 다시 별도로 법의 성품이 매우 깊음을 나타냄으로써 비판하고 부정해서는 안 된다는 것이다. 그런데 모든 법의 이치는 갖가지여서 같지 않다. 다른 문이 있기 때문에 이 법이 생기면 곧 이 법이 소멸하니, 말하자면 색 등의 5온이 각각 별도로 스스로 생기면 곧 색 등의 5온이 각각 별도로 스스로 소멸하지만, 다른 문이 있기 때문에 다른 법이 생기면 다른 법이 소멸하니, 말하자면 미래세의 다른 색 등이 생기면 현재세의 다른 느낌 등이 소멸하는 것이다. 다른 문이 있기 때문에 미래세 중에서 곧 세世를 생生이라고 이름하니, 바로 생길 때 미래세에 포함되기 때문이지만, 다른 문이 있기 때문에 세에 생이 있다고 말하니, 미래세에는 많은 찰나가 있기 때문이다. 그 중에서 오직 1찰나의 생김이 있었을 뿐이니, 나머지 아직 생기지 않은 세의 법에는 (장차) 생상의 시기가 있을 것이기 때문이다. # 요컨대 다른 문이 있기 때문에, 이것이 생기면 이것이 소멸한다고 말할 수도 있고, 다른 것이 생기면 다른 것이 생긴다고 말할 수도 있으며, 세를 생이라고 이름할 수도 있고, 세에 생이 있다고 말할 수도 있는 만큼 법의 성품은 심오하다는 취지.

70 이하는 둘째 단斷에 의거해 계박에서 떠남[離繫]에 대해 밝히는 것인데, 이는 곧 물음이다.

71 답이다. 만약 사가 계박에서 떠났다면 그것은 반드시 이미 끊어진 것이지만, 사가 이미 끊어졌어도 계박에서 떠난 것 아닌 경우가 있다. ‘이단已斷’은 이미 그것을 끊었다는 것에 의거한 것이고, ‘이계離繫’는 계박에서 떠났다는 것에

는 어떤 것인가?[72] 게송으로 말하겠다.

㉘ 견고소단이 이미 끊어졌더라도[於見苦已斷]
나머지 변행수면이[餘遍行隨眠]
아울러 (수혹의) 전품이 이미 끊어졌더라도[及前品已斷]
나머지 품이 이를 반연하는 것은 여전히 계박한다[餘緣此猶繫][73]

논하여 말하겠다. 우선 견도위見道位에서 고지苦智는 이미 생겼지만, 집지集智는 아직 생기지 않은 경우, 견고소단의 모든 사는 이미 끊어졌더라도, 견집소단의 변행수면이 만약 아직 영원히 끊어지지 않았다면, 능히 이를 반연하는 것은 이를 여전히 계박한다. 아울러 수도위修道位에서 그 어떤 도가 생겨서 9품의 사 중 전품前品이 이미 끊어졌더라도, 나머지 아직 끊어지지 않은 품류에 있는 수면이 능히 이를 반연하는 것은 이를 여전히 계박한다. 끊어졌더라도 계박에서 떠난 것이 아니면 이와 같다고 알아야 할 것이다.[74]

의거한 것이다.

72 물음이다. 계박에서 떠났다면 반드시 끊어졌다는 이 사는 알 수 있지만, 끊어졌더라도 계박에서 떠난 것이 아닌 그 사는 어떤 것인가?

73 게송에 의한 답이다. 위의 2구는 견도위에 의거해 밝히는 것이고, 제3구는 수도위에 의해 분별하는 것이며, 아래 1구는 앞의 2위에 통하는 것이다.

74 우선 견도위에서 고지는 이미 생겼지만, 집지는 아직 생기지 않았을 때 견고소단의 수면 등의 사는 체가 성취되지 않기 때문에 이미 끊어졌다고 이름하지만, 견집소단-다른 부 소단을 가려내는 것이다-의 변행수면-비변행의 수면을 가려내는 것이다-이 만약 아직 영원히 끊어지지 않았다면-이미 끊어진 것을 가려내는 것이다. 이전의 범부 단계에서 세속도로써 아래 8지를 끊었다면 집지가 아직 생기지 않았다고 해도 그 지는 이미 끊어졌다는 이름할 경우가 있으므로 이런 등을 가려내기 위해 '아직 끊어지지 않았다면'이라는 말을 한 것이다- 능히 이를 반연하는 것은-다른 부를 반연하는 것 및 다른 계를 반연하는 것을 가려내는 것이다- 그 견고소단을 여전히 계박한다. 아울러 수도위에서 9품 중의 어떤 대치도가 생겨서 9품의 사 중 그 상응하는 바에 따른 전품前品이 이미 끊어졌더라도-혹은 1품 내지 8품을 끊기도 한다-, 나머지 아직 끊어지지 않은 품류-혹의 뒤의 8품 내지 1품이 아직 끊어지지 않았을 것이다-에 있는 수면으로서 능히 전품을 반연하는 것은 그 전품을 여전히 계박한다. '이를 반연한다'는 말은 나머지 품류 및 색 등의 선 등을 반연하는 것을 가려내기 때문이다. 총결하여 '끊어졌더라도 계박에서 떠난 것이 아니면

제7절 수면의 수증

제1항 수면의 수증隨增

1. 법과 식의 소연

어떤 사에 몇 가지 수면이 있어 수증하는가?[75] 만약 사에 따라 개별적으로 답한다면 곧 많은 말과 논의를 허비할 것이다. 그러므로 간략한 해설을 지어야 할 것이니, 이에 의해 적은 노력을 들여도 크나큰 물음의 강물을 건널 수 있을 것이다. 말하자면 법은 비록 많아도 줄이면 열여섯 가지가 되니, 곧 3계의 5부 및 무루법이다. 능히 그것을 반연하는 식의 명칭과 수도 역시 그러하지만, 어떤 법이 어떤 식의 경계인지 요지해야만, 어떤 사에서 어떤 수면이 수증하는지 생각하기 쉬우므로, 여기에서는 우선 어떤 법이 어떤 식의 경계인지 알아야 할 것이다. 게송으로 말하겠다.

㉙ 견고·견집·수소단의 법이[見苦集修斷]
욕계에 계속되는 것이라면[若欲界所繫]
자계의 3식, 색계의 1식과[自界三色一]
무루식에 의해 현행된다[無漏識所行]

㉚ 색계의 법은 자계·하계의 각각 3식[色自下各三]
상계의 1식과 청정식의 경계이며[上一淨識境]
무색계의 법은 3계를 통해[無色通三界]
각각 3식과 청정식의 소연이다[各三淨識行]

㉛ 견멸·견도소단의 법은[見滅道所斷]

이와 같다고 알아야 할 것'이라고 말하였다.

75 이하는 큰 글의 일곱째 수면의 수증에 대해 밝히는 것이다. 그 가운데 나아가면 첫째 수면의 수증에 대해 바로 밝히고, 둘째 마음의 유수면有隨眠에 대해 밝힌다. 이는 바로 수면의 수증에 대해 밝히는 것인데, 이는 곧 물음이다.

모두 자식을 더한 것에 의해 현행되며[皆增自識行]
무루의 법은 3계 중의[無漏三界中]
뒤의 3식과 청정식의 경계이다[後三淨識境]76

논하여 말하겠다. 욕계에 계속되는 견고·견집·수소단의 법은 각각 5식의 소연이니, 말하자면 자계自界의 3식은 곧 앞에서 설한 것과 같고, 아울러 색계의 1식은 곧 수소단의 식이며, 무루의 식이 다섯 번째인데, 모두 소연으로 인정되기 때문이다.77

만약 색계에 계속되는, 곧 앞에서 설한 3부의 모든 법이라면 각각 8식의

76 답이다. 법에는 열여섯 가지가 있으므로 능히 반연하는 식[能緣]도 역시 그러한데, 이를 자세히 안다면 능연·소연이 수증하는 것도 알 수 있을 것이다.
77 첫 게송을 해석하는 것이다. 욕계에 계속되는 견고·견집·수소단의 법은 16식 중 각각 5식의 소연이니, 말하자면 자계의 3식(=견고·견집·수소단의 식)은 곧 앞에서 설한 것과 같고, 아울러 색계의 1식은 곧 수소단이며, 무루의 식이 다섯 번째인데, 모두 소연으로 인정되기 때문이다. 이 다섯 가지 중에는 반연하지 않는 것도 있기 때문에 '소연으로 인정된다'라고 말한 것이다. 우선 욕계의 견고소단과 같은 경우, 욕계의 견고소단의 식에 의해 반연된다고 인정된다. 그렇지만 그 견고소단의 식에는, 다른 부 및 다른 계를 반연하는 것이 있으니, 곧 (이 견고소단의 법을) 능히 반연하지 않는 것이다. 그렇지만 능히 반연하는 것이 있기 때문에 '소연으로 인정되다'고 말한 것이다. 견고소단 중에 나아가면 또한 일체가 모두 능히 두루 반연하는 것도 아니니, 이 탐욕은 이 법을 반연하고 저 법을 반연하지 않는 등과 같다. 이하 모두 이에 준한다. 만약 개별적으로 분별한다면, 욕계의 견고·견집·수소단의 법이 각각 5식의 소연인 것에 대해 『대비바사론』 제87권(=대27-449상)에서 말하였다. "욕계의 견고소단의 법은 5식의 소연이다. 첫째 욕계의 견고소단의 일체 수면과 상응하는 식, 둘째 욕계의 견집소단의 변행수면과 상응하는 식, 셋째 욕계의 수소단의 선 및 무부무기의 식, 넷째 색계의 수소단의 선 및 무부무기의 식, 다섯째 법지품의 무루의 식이다." 해석하자면 '욕계의 수소단의 선 및 무부무기의 식'에서, 선은 생득선과 가행선을 말하고, 무기는 이숙생·위의로·공교처를 말한다. 통과심은 아니니, 오직 색법만을 반연하기 때문이다. '색계의 수소단의 선 및 무부무기의 식'에서, 선은 생득선과 가행선을 말하고, 무기는 이숙생·위의로를 말한다.(=공교처의 식은 욕계의 법만을 반연) 통과심은 아니니, 비록 천안과 천이의 식은 능히 하계도 반연하지만, 단지 수소단의 색·성을 반연하여 경계로 할 뿐, 견고소단을 반연하는 것은 아니다. '법지품'이라는 말은 법인法忍 및 함께하는 마음[俱心] 등을 통틀어 포함하는 것이다. 욕계의 견집소단 및 수소단이 각각 5식의 소연인 것은 준해서 해석할 것이라고 알아야 한다.

소연이다. 말하자면 자계와 하계의 3식은 모두 앞에서 설한 것과 같고, 아울러 상계의 1식은 곧 수소단의 식이며, 무루의 식이 여덟 번째인데, 모두 소연으로 인정되기 때문이다.[78]

만약 무색계에 계속되는, 곧 앞에서 설한 3부의 모든 법이라면 각각 10식의 소연이다. 말하자면 3계의 (각각) 3식은 모두 앞에서 설한 것과 같고, 무루의 식이 열 번째인데, 모두 소연으로 인정되기 때문이다.[79]

견멸·견도소단의 모든 법은 하나하나가 자식自識의 소연임을 더한다고 알아야 할 것이다.[80] 이는 다시 어떤 것인가?[81] 말하자면 욕계에 계속되는 견멸소단의 법은 6식의 소연이 되니, 5식은 곧 앞에서와 같고, 견멸소단의 식을 더하며, 견도소단의 법은 6식의 소연이 되니, 5식은 역시 앞에서와 같고, 견도소단의 식을 더하며, 색계·무색계에 계속되는 견멸·견도소단의 법은 상응함에 따라 9식과 11식의 소연이 된다는 것이다.[82]

---

78 제5·제6구를 해석하는 것인데, 『대비바사론』 제87권(=대27-449중)에서 말하였다. "색계의 견고소단의 법은 8식의 소연이다. 첫째 욕계의 견고소단의, 타계연他界緣의 변행수면(=9상연혹 중 욕계의 견고소단에 속하는 사견·견취·계금취·의심·무명의 다섯 가지)과 상응하는 식, 둘째 욕계의 견집소단의, 타계연의 변행수면(=9상연혹 중 욕계의 견집소단에 속하는 사견·견취·의심·무명의 네 가지)과 상응하는 식, 셋째 욕계의 수소단의 선의 식, 넷째 색계의 견고소단의 일체 수면과 상응하는 식, 다섯째 색계의 견집소단의 변행수면과 상응하는 식, 여섯째 색계의 수소단의 선 및 무부무기의 식, 일곱째 무색계의 수소단의 선의 식, 여덟째 유지품의 무루의 식이다." 해석하자면 욕계의 수소단의 선의 식은 생득과 가행을 말하고, 색계의 수소단의 선의 식은, 생득과 가행을 말하며, 색계의 수소단의 무부무기의 식은 이숙생·위의로의 식을 말하고, 무색계의 수소단의 선의 식은 가행선의 식을 말한다. 색계의 견집소단 및 수소단이 각각 8식의 소연인 것은 준해서 해석할 것이라고 알아야 한다.

79 무색계에 계속되는 견고·견집·수소단의 법이 각각 10식의 소연인 것은 색계에 계속되는 법에 준해서 상응하는 대로 알아야 할 것이다.

80 제9·제10구를 해석하는 것이다.

81 물음이다.

82 답이다. 3계의 견멸·견도소단의 법은 각각 자부自部의 유루연의 식을 더한다고 알아야 한다. 욕계의 견멸·견도소단의 경우 5식에 (자부의 유루연의 식을) 더하면 6식이 되고, 색계의 견멸·견도소단의 경우 8식에 더하면 9식이 되며, 무색계의 견멸·견도소단의 경우 10식에 더하면 11식이 되니, 생각하면 알 수 있을 것이다.

만약 무루법이라면 10식의 소연이 된다. 말하자면 3계 중 각각 뒤의 3부, 즉 견멸·견도·수소단의 식에, 무루의 식이 열 번째이니, 모두 소연으로 인정되기 때문이다.83

앞의 뜻을 포함하기 위해 다시 게송으로 말하겠다.

1 견고·견집·수소단의 법으로서[見苦集脩斷]
욕계·색계·무색계에 계속되는 것은[欲色無色繫]
알아야 할지니, 순서대로[應知如次第]
5식·8식·10식의 소연이라고[五八十識緣]

2 견멸·견도소단의 법은[見滅道所斷]
각각 자식의 소연임을 더하며[各增自識緣]
무루법은 알아야 할지니[無漏法應知]
능히 10식의 경계가 된다고[能爲十識境]84

83 뒤의 2구를 해석하는 것이다. 무루법은 3무위 및 도제를 말하는 것인데, 16식 중 10식의 소연이 된다. 말하자면 3계 중 각각 뒤의 3부, 즉 견멸·견도·수소단의 식에, 무루의 식이 열 번째이니, 모두 소연으로 인정되기 때문이다. 만약 개별적으로 분별한다면, 3계의 견멸소단의 무루연의 식은 오직 택멸만을 반연하므로 곧 세 가지(=욕·색·무색계의 택멸을 반연하는 식)가 된다. 3계의 견도소단의 무루연의 식은 오직 도제만을 반연하므로 곧 세 가지가 되니, 앞에 보태면 여섯 가지가 된다. 3계의 수소단의 선의 식은 3무위 및 도제를 통틀어 반연하므로 다시 세 가지가 되니, 앞에 보태면 아홉 가지가 된다. 무루의 식은 만약 법지품이라면 욕계의 멸·도제를 반연하고, 만약 유지품이라면 상계의 멸·도제를 반연하므로 다시 한 가지가 되니, 앞에 보태면 열 가지가 된다. 수소단의 무부무기는 무루를 반연하지 않는다고 알아야 한다. 그래서 『대비바사론』 제10권(=대27-49상)에서 말하였다. "수소단의 마음이 무루심과 전전하여 서로 반연하는 것은 오직 선심뿐이라고 알아야 한다." 그 논서에서 이미 무부무기심은 무루심과 전전하여 서로 반연한다고 말하지 않았으니, 무부무기심은 도제를 반연하지 않는다는 것을 분명히 알 수 있다.

84 게송을 설하여 거듭 포함하면서 총결하는 것인데, 알 수 있을 것이다. # 이 2수의 게송은 논주가 지은 것이기는 하지만, 게송 다음에 논설이 이어지는 다른 게송과는 다른 것으로서, 기본 게송에 있던 것이 아니라, 기본 게송에 대해 논술하는 기회에 부가한 것으로 보여 별도의 번호를 붙였다.

2. 수면이 수증하는 사

이와 같이 열여섯 가지 법이 열여섯 가지 식의 소연의 경계가 되는 것에 대해 요지했으니, 이제 어떤 사에서 어떤 수면이 수증하는지 생각해야 할 것이지만,[85] 만약 개별적으로 조목을 적는다면 글이 번거롭게 넓을 것이 염려되기에 나는 여기에서 한 모퉁이만 간략히 보이겠다.[86]

우선 누군가가, "계박되는 사[所繫事] 중 낙근樂根에서는 몇 가지 수면의 수증이 있는가?"라고 묻는다면, 낙근에는 모두 일곱 가지가 있다고 보아야 할 것이니, 말하자면 욕계의 한 가지, 즉 수소단과 색계의 5부에, 무루가 일곱째인데,[87] 일체 무루는 모든 수면에 의해 수증되는 것이 아님은 앞에서 논설한 것과 같으므로, 이들 중에서는 앞의 여섯 가지로서, 그 상응하는 바에 따라 욕계의 수소단 및 모든 변행수면과 색계의 일체 수면이 수증한다.

만약 누군가가, "낙근을 반연하는 식에서는 다시 몇 가지 수면의 수증이 있는가?"라고 묻는다면, 이런 식에는 모두 열두 가지가 있다고 보아야 할 것이니, 말하자면 욕계의 견멸소단을 제외한 네 가지, 색계의 5부, 무색계의 2부, 즉 견도제소단 및 수소단에, 무루가 열두 번째로서, 모두 낙근을 반연할 수 있는데, 여기에서는 상응하는 바에 따라 욕계의 4부, 색계의 유위연有爲緣, 무색계의 2부와 아울러 모든 변행수면이 수증한다.[88]

만약 다시 누군가가, "낙근을 반연하는 식을 반연해서는 다시 몇 가지 수

85 물음이다.

86 이하 간략한 답인데, 이는 낙근에서 수면이 수증하는 것에 대해 밝히는 것이다. # 사에서 수면이 수증하는 것에 대해서는 『대비바사론』 제22권에 자세한 설명이 있다.

87 # 답변 중 여기까지는 질문한 낙근의 종류를 열거하는 것이고, 이 아래는 이 중 수면이 수증하는 것에 대해 밝히는 것이다. 이 뒤의 질문에 대한 답변도 같은 방식으로 되어 있다. 그리고 욕계의 경우 수소단 한 가지인 것은 욕계의 낙근은 전5식과 상응하는 것이기 때문이다.

88 이는 낙근을 반연하는 식에서 수면이 수증하는 것에 대해 밝히는 것이다. '색계의 유위연'이란 색계 중에서는 유위를 반연하는 수면이 수증한다는 것이다. 견멸소단의 무위연의 수면과는 다르다고 구별하려고 색계의 유위연의 수면이 수증한다고 말한 것이니, 무위를 반연하는 수면은 그 낙근을 반연하는 식이 아니기 때문이다. '무색계의 2부'는 견도소단 및 수소단이다. 나머지는 생각하면 알 수 있을 것이다.

면의 수증이 있는가?”라고 묻는다면, 이런 식에는 모두 열네 가지가 있다고 보아야 할 것이니, 말하자면 앞의 열두 가지에 다시 두 가지, 즉 무색계의 견고·견집소단을 더한, 이와 같은 열네 가지 식이 능히 낙근을 반연하는 식을 반연하는 것인데, 여기에서는 상응하는 바에 따라 욕계·색계의 수증하는 수면은 위와 같고, 무색계의 4부의 수면이 수증한다.[89]

이 한 모퉁이에 준해서 나머지도 생각해 가려야 할 것이다.[90]

제2항 마음의 유수면有隨眠

만약 마음이 그것에 의해 유수면有隨眠이라고 이름한다면, 그것은 이 마음에서 결정코 수증하는가?[91] 이는 결정적이지 않다. 혹은 수증하는 경우가 있으니, 말하자면 마음과 상응하고, 아울러 마음을 반연하면서 아직 끊어지지 않은 경우인데, 상응함이 끊어졌다면 곧 수증하지 않는다. 이런 뜻의 문에 의해 말해야 할 것을 게송으로 말하겠다.

㉜ 유수면의 마음은 둘이니[有隨眠心二]
말하자면 유염심과 무염심인데[謂有染無染]
유염심은 두 가지에 통하지만[有染心通二]
무염심은 수증하는 경우에 국한된다[無染局隨增][92]

89 이는 낙근을 반연하는 식을 반연해서 수면이 수증하는 것에 대해 밝히는 것인데, 생각하면 역시 알 수 있을 것이다.
90 이는 곧 생각하기를 권하는 것이니, 이 낙근에 준해서 그 나머지 모든 법에 대해서도 모두 생각해서 가려야 한다는 것이다. 이 중에서 수증에는 두 가지가 있으니, 혹은 상응에서(=상응수면=상응박)이고, 혹은 소연에서(=소연수면=소연박)인데, 그 상응하는 바에 따라 모두 수증이라고 이름한다고 알아야 할 것이다.
91 이하에서 곧 둘째 마음의 유수면에 대해 밝히는데, 묻는 것이다. 만약 마음이 그 번뇌(가 있음)에 의해 유수면有隨眠이라고 이름한다면, 그 수면은 이 마음에서 결정코 수증하는가?
92 답이다. 이는 결정적이지 않다. 혹은 수증하는 경우도 있다. 말하자면 그 수면이 마음과 상응하면서 아직 영원히 끊어지지 않았다면 이는 상응수증(=상응박)이고, 아울러 어떤 수면이 마음을 반연하면서 아직 끊어지지 않았다면 이

논하여 말하겠다. 유수면의 마음에는 모두 두 가지가 있으니, 유염심과 무염심은 차별되기 때문이다. 그 중 유염심에서는 혹은 수증하는 경우가 있으니, 말하자면 상응수면과 소연수면이 아직 끊어지지 않았을 때이다. 상응수면이 이미 끊어져 곧 수증하지 않을 때에도 여전히 유수면이라고 말하는 것은 항상 상응하는 것이기 때문이다. 만약 무염심에서라면 오직 수증할 경우에 국한(하여 유수면이라고 이름)한다. 이것을 반연하는 수면은 반드시 영원히 끊어지지 않으므로, 이것은 오직 수증하는 경우에 의거해서만 유수면이라고 이름하기 때문이다.93

는 소연수증(=소연박)인데, 이를 유수면이면서 또한 수증한다고 이름한다. 만약 상응함이 이미 끊어졌다면 곧 수증하지 않지만, 여전히 유수면이라고 이름하니, 항상 상응하는 것이기 때문이다. 이것은 동반되는 성품[伴性]에 의거해 유수면이라고 이름하는 것이니, 이 동반되는 성품은 끊을 수 없기 때문이다. 만약 소연이 이미 끊어진 것에 의거한다면 유수면이라고 이름하지 않고, 또한 수증한다고도 이름하지 않는다. 상응함이 이미 끊어진 것은 유수면이라고 이름하므로 여기에서 따로 열거했지만, 소연박이 이미 끊어진 것은 유수면이라고 이름하지 않기 때문에 따로 해석하지 않았다. 이런 뜻의 문에 의해 게송을 지어 말해야 할 것이다.

93 유수면의 마음에는 모두 두 가지가 있다. 첫째는 5부소단의 모든 유염심(=불선·유부무기는 견소단의 전부와 수소단의 일부이다)이고, 둘째는 수소단의 모든 무염심(=선·무부무기는 오직 수소단이다)이다. 그 중 유염심에는 두 가지 수증이 있다. 혹 어떤 수증은 말하자면 상응에서 수증이 아직 끊어지지 않은 것이니, 이는 상응수증이다. 혹 어떤 수증은 말하자면 그 마음을 반연하는 수면이 아직 끊어지지 않은 것이니, 이는 소연수증이다. 만약 상응에서 수면이 이미 끊어졌다면 곧 수증하지 않지만, 여전히 유수면이라고 말하는 것은 항상 상응하는, 동반되는 성품[伴性]이 있기 때문이다. 만약 무염심이라면 오직 수증하는 경우에 국한해서만 유수면이라고 이름하니, 이 마음을 반연하는 수면은 반드시 영원히 끊어지지 않기 때문이다. 이 마음은 연박의 수증에 의거해서만 유수면이라고 이름하므로, 만약 연박을 끊었다면 유수면이라고 이름하지 않는다. 이로써 유수면의 마음에는 모두 두 가지가 있으니, 첫째는 수증하기 때문에 유수면이라고 이름하는 것, 둘째는 동반되는 성품 때문에 유수면이라고 이름하는 것이다.(=따라서 게송 제3구 중 '두 가지'는 수증하는 경우와 수증하지 않는 경우의 두 가지를 가리킨다) 이 무염심은 연박을 끊었다면 이미 수증이 없고, 다시 동반되는 성품도 없기 때문에 유수면의 마음이라고 이름하지 않는다. 상응은 친근親近한 것이므로 비록 다시 끊었다고 해도 유수면이라고 이름하지만, 소연은 소원疎遠한 것이므로 끊었다면 유수면의 마음이라고 이름하지 않는 것이다.

제8절 10수면이 생기는 순서

이상 논설한 열 가지 수면이 차례로 생길 때 무엇이 앞에 생기고 무엇이 뒤에 생기는가? 게송으로 말하겠다.

33 무명, 의심, 사견, 유신견[無明疑邪身]
변집견, 계금취, 견취[邊見戒見取]
탐욕, 거만, 성냄의 순서대로[貪慢瞋如次]
전자의 견인에 의해 후자가 생긴다[由前引後生]94

1. 일어나는 순서

논하여 말하겠다. 우선 모든 번뇌가 차례로 생길 때에는, 먼저 무명으로 말미암아 진리[諦]를 알지 못하여 고제 내지 도제를 관찰하려고 하지 않는다. 알지 못하기 때문에 다음에 의심을 견인해 낳으니, 말하자면 들어도 괴로움인 것인지, 괴로움이 아닌 것인지, …· 두 가지 길에서 곧 머뭇거림[猶豫]을 품는다. 이런 머뭇거림에 따라 사견을 견인해 낳으니, 말하자면 삿되게 듣고 생각함으로써 삿된 결정을 낳아 고제 내지 도제가 없다고 부정하는 것이다. 진리가 없다고 부정함으로 말미암아 유신견을 견인해 낳으니, 말하자면 5취온 중에 괴로움의 이치가 없다고 부정하여 곧 이것이 나[我]라고 결정적으로 집착하기 때문이다.

이 유신견에 따라 변집견을 견인해 낳으니, 말하자면 나에 의해 단멸·상주의 극단[邊]을 주장하기 때문이다. 이 변집견에 따라 계금취를 견인해 낳으니, 말하자면 그 나[我]에서 그 중의 한 극단에 집착하고, 곧 이것을 계탁하여 능히 청정케 하는 것이라고 집착하기 때문이다. 계금취에 따라 견취를 견인해 낳으니, 말하자면 능히 청정케 하는 것이라고 계탁한 뒤 반드시

94 이하는 여덟째 순차 일어남에 대해 밝히는 것이다. 그 안에 나아가면 첫째 순차 일어남에 대해 바로 밝히고, 둘째 일어남의 인연에 대해 따로 밝히는데, 이는 곧 순차 일어남에 대해 바로 밝히는 것이다.

뛰어난 것이라고 집착하기 때문이다.

이 견취에 따라 다음으로 탐욕을 견인해 낳으니, 말하자면 스스로 본 것에 대해 생각으로 깊이 애착하기 때문이다. 이 탐욕에 따라 뒤에 다음으로 거만을 견인해 낳으니, 말하자면 스스로 본 것에 대해 깊이 애착하고 나면 믿고 거만함을 낳아 남을 능멸하기 때문이다. 이 거만에 따라 뒤에 다음으로 성냄을 견인해 낳으니, 말하자면 스스로 본 것에 대해 깊이 애착하여 믿고 나면 남이 일으킨, 자기와 어긋나는 소견에 대해 마음으로 능히 참지 못하고, 반드시 미워하며 싫어하기 때문이다.[95]

어떤 다른 논사는 말하였다. "자신의 견해를 취하고 버리는 단계에서 미워하며 싫어함을 일으키기 때문이니, 견제소단見諦所斷의 탐욕 등이 생길 때에는 자신의 상속의 소견을 반연하여 경계로 삼기 때문이다."[96]

이와 같은 것은 우선 순차 일어나는 경우에 의한 것인데, 순서를 뛰어넘

95 우선 모든 번뇌가 순차 생길 때에는 먼저 불공무명에 의해 진리를 알지 못하여 4성제를 관찰하지 않는다. 알지 못하기 때문에 다음으로 의심을 이끌어 낳아서 두 가지 길에서 머뭇거린다. 이 머뭇거림에 따라 다음으로 사견을 인기해서 4성제가 없다고 부정한다. 진리가 없다고 부정함에 의해 다음으로 유신견을 인기하니, 말하자면 5취온 중 고·무상·공·무아의 이치가 없다고 부정해서 곧 이것이 나라고 결정적으로 집착하기 때문이다. 이 유신견에 따라 변집견을 이끌어 낳으니, 말하자면 앞의 나에 의해 단멸·상주의 극단을 주장한다. 이 변집견에 따라 계금취를 이끌어 낳으니, 말하자면 그 나에서 단멸·상주 중의 한 극단을 집착해서 곧 이 집착이 능히 그 청정한 열반을 얻는 것이 된다고 계탁한다. 계금취에 따라 견취를 이끌어 낳으니, 말하자면 계금이 능히 청정을 얻게 하는 것이라고 계탁하고 나면 반드시 뛰어난 것이라고 집착해서 견취를 일으키기 때문이다. 이 견취에 따라 다음으로 탐욕을 이끌어 낳으니, 말하자면 자신의 소견에 대해 생각으로 깊이 애착하기 때문이다. 이 탐욕에 따라 뒤에 다음으로 거만을 이끌어 낳으니, 말하자면 자신의 소견에 대해 깊이 애착하고 나면 소견을 믿고 거만함을 낳아 다른 사람을 능멸하기 때문이다. 거만 다음에 성냄을 인기하니, 말하자면 자신의 소견에 대해 깊이 애착하여 믿고 나면 남이 일으킨 소견이 자기 소견과 어긋날 때 마음으로 능히 참지 못하고 반드시 미워하며 싫어하기 때문이다.

96 어떤 다른 논사는 말하였다. "자신의 견해 여러 가지 중 하나를 취하고 나머지를 버릴 때 미워하며 싫어함을 일으키기 때문이니, 견제소단의 탐욕 등이 생길 때 자신의 소견을 반연하여 경계로 삼기 때문이다."(=성냄은 남의 소견을 반연해서가 아니라, 자신의 소견을 반연해서 생기는 것이라는 취지)

어 일어나는 경우를 말한다면 앞뒤에 일정함이 없다.[97]

2. 일어나는 인연

모든 번뇌가 일어나는 것은 몇 가지 인연에 의하는가? 게송으로 말하겠다.

[34] 아직 수면을 끊지 못했고[由未斷隨眠]
아울러 상응함에 따른 경계가 현전하며[及隨應境現]
비리작의가 일어남에 의해[非理作意起]
수면이 인연을 갖추었다고 말한다[說惑具因緣]

논하여 말하겠다. 세 가지 인연에 의해 모든 번뇌는 일어난다. 우선 장차 욕탐의 전纏을 일으키려고 할 때와 같은 경우, 욕탐수면을 아직 끊지 못했고 아직 변지遍知하지 못했기 때문이며, 욕탐에 수순하는 경계가 현전하기 때문이며, 그것을 반연하는 비리작의가 일어나기 때문이다. 이런 힘에 의한 때문에 곧 욕탐을 일으키니, 이 세 가지 인연은 그 순서대로 곧 원인·경계·가행의 세 가지 힘이다.

나머지 번뇌가 일어나는 것도 이에 견주어서 알아야 할 것이다. 말하자면 이는 우선 인연을 갖춘 경우에 의거해 설한 것이지만, 혹은 오직 경계의 힘에만 의탁해서 생기는 경우도 있으니, 예컨대 퇴법退法 근기의 아라한 등과 같다.[98]

97 이와 같은 것은 우선 한 부류의, 순차 서로 견인하여 일으키는 것에 의해 말한 것인데, 순서를 뛰어넘어 일으키는 것은 앞뒤에 일정함이 없다. 하나하나의 뒤에 모두 그 10수면을 일으키는 것이 인정되기 때문이다.

98 이는 곧 둘째 일어나는 인연을 따로 밝히는 것이다. 모든 번뇌가 일어나는 것은 세 가지 인연에 의한다. '인'은 6인을 말하고, '연'은 4연을 말하는 것이니, 그 상응하는 바에 따라 인이거나 연이다. 우선 장차 욕탐의 전纏을 일으키려고 할 때와 같은 경우, 첫째 욕탐수면을 아직 무간도에 의해 끊지 못했고 아직 해탈도에 의해 변지遍知하지 못했기 때문이며, 둘째 욕탐에 수순하는 경계가 현전하기 때문이며, 셋째 그것을 반연하는 비리작의가 일어나기 때문이니, 곧 수면을 일으키는, 앞의 삿된 모습과 함께 작용하는 비리작의가 능히 견인한다[能引]는 뜻이다. 이런 세 가지 힘에 의해 곧 욕탐을 일으키니, 이 세 가지 인연은 그 순서대로, 처음 것은 원인의 힘이고, 중간 것은 경계의 힘이며, 뒤의 것은 가행의 힘이다. 이미 가행이라고 말했으니, 앞에서 일으킨다는 것을 분

제3장 여러 가지 번뇌

제1절 누漏 등의 4문門

1. 누漏 등의 체

곧 위에서 논설한 수면과 아울러 전纏을, 경에서는 누漏, 폭류瀑流, 멍에[액軛], 취착[取]이라고 설하였다. '누'는 말하자면 3루이니, 첫째 욕루欲漏, 둘째 유루有漏, 셋째 무명루無明漏이다. '폭류'라고 말한 것은 말하자면 4폭류이니, 첫째 욕망의 폭류[欲瀑流], 둘째 존재의 폭류[有瀑流], 셋째 소견의 폭류[見瀑流], 넷째 무명의 폭류[無明瀑流]이다. '멍에'는 말하자면 4액軛이니, 폭류로 말한 것과 같다. '취착'은 말하자면 4취이니, 첫째 욕취, 둘째 견취, 셋째 계금취, 넷째 아어취이다. 이와 같은 누 등은 그 체가 어떠한가?[99] 게송으로 말하겠다.

명히 알 수 있다. 탐욕이 이미 그러한 것처럼 나머지 번뇌가 일어나는 것도 이에 견주어 알아야 할 것이다. 말하자면 이는 우선 인연을 갖춘 경우에 의거해 설한 것이지만, 혹 오직 경계의 힘에만 의탁해서 생기는 경우도 있으니, 예컨대 퇴법退法 근성의 아라한(=뒤의 제25권 중 제5절 '아라한의 6종성' 참조) 등은 원인의 힘과 가행의 힘에 의해 낳는 것이 아닌 것과 같다.

99 이하는 큰 글의 셋째 여러 번뇌를 섞어서 밝히는 것이다. 그 안에 나아가면 첫째 누 등의 4문을 밝히고, 둘째 결 등의 6문을 밝히며, 셋째 5개蓋의 차별을 밝힌다. 누 등의 4문을 밝히는 것에 나아가면 첫째 체를 나타내고, 둘째 명칭을 해석하는데, 이는 곧 체를 나타내는 것이다. 곧 위에서 논설한 10수면과 아울러 아래의 10전纏을, 경(=잡 [18]18:490 염부차경 및 장 8:9 중집경)에서는 누, 폭류, 액, 취의 4문의 번뇌로 설했는데, 이와 같은 누 등은 그 체가 어떠한가? 네 가지의 전체적 명칭은 아래에서 따로 해석하는 것과 같다. 개별적 명칭을 해석하자면 3루 중 처음 두 가지는 의주석이고, 뒤의 한 가지는 지업석이며, 4폭류 중 앞의 두 가지는 의주석이고, 뒤의 두 가지는 지업석이며, 4액은 4폭류와 같다고 알아야 하고, 4취 중 앞의 한 가지와 뒤의 두 가지는 의주석이고, 둘째 것은 지업석이다. '아어취'라고 말한 것은, 내적인 유정의 법[內有情法]은 나라는 말[我言]로써 말할 수 있기 때문에 앞의 글에서 '아어我語'라고 말한 것은 내적인 몸[內身]을 말하는 것이니, 그것에 의해 나라고 말하기 때문이다. 상계의 탐욕 등은 대부분 내적인 몸[內身]을 반연하고, 아어我語를 반연하기 때문에 아어취라고 이름한 것이다.

35 욕계의 번뇌와 아울러 전에서[欲煩惱幷纏]
무명을 제외한 것을 욕루라고 이름하며[除癡名欲漏]
유루는 위의 2계의[有漏上二界]
오직 번뇌로서 무명을 제외한 것이다[唯煩惱除癡]

36 같이 무기이며, 안의 문이며[同無記內門]
정지이기 때문에 하나로 합쳤고[定地故合一]
무명은 모든 존재의 근본이기[無明諸有本]
때문에 따로 하나의 누로 하였다[故別爲一漏]

37 폭류와 멍에도 역시 그러하지만[瀑流軛亦然]
소견을 따로 세운 것은 날카롭기 때문인데[別立見利故]
소견은 머물게 함에 수순하지 않기 때문에[見不順住故]
누에서는 독립시켜 세울 것이 아니었다[非於漏獨立]

38 욕망·존재의 멍에에 무명을 아우르고[欲有軛幷癡]
소견을 두 가지로 나누어 취착이라고 이름했는데[見分二名取]
무명을 따로 세우지 않은 것은[無明不別立]
능히 취하는 것이 아니기 때문이다[以非能取故][100]

(1) 누漏

논하여 말하겠다. 욕계의 번뇌와 아울러 전纏에서 무명을 제외한 마흔한 가지 법을 전체적으로 욕루欲漏라고 이름한다. 말하자면 욕계에 계속되는 근본번뇌 서른한 가지와 아울러 10전이다. 색계·무색계의 번뇌 중 무명을 제외한 쉰두 가지 법을 전체적으로 유루有漏라고 이름한다. 말하자면 위의 2계의 근본번뇌 각각 스물여섯 가지이다.[101]

....

100 이는 곧 게송에 의한 답이다.
101 이하 처음 2계송을 해석하면서 3루에 대해 밝힌다. 이는 곧 개별적으로 첫

거기에도 혼침·도거의 두 가지 전纏이 어찌 있지 않는가? 『품류족론』에서도 역시, "어떤 것이 유루인가? 무명을 제외한 나머지 색계·무색계에 계속되는 결結, 박縛, 수면, 수번뇌, 전纏을 말하는 것이다"라고 이렇게 말했는데, 지금 여기에서는 무엇 때문에 말하지 않는가?[102] 가습미라국의 비바사 논사들은 말하였다. "그 계에 전纏은 적고, 자재하지 못하기 때문이다."[103]

어떤 이유에서 2계의 수면은 합쳐서 하나의 유루로 말하는가?[104] 같이 무기의 성품이며, 안의 문에서 일어나며, 정지定地에 의지해서 생기니, 세 가지 뜻이 같기 때문에 합쳐서 하나로 한 것이다. 앞에서 설한 바 유탐有貪이라고 이름하는 것과 같은 이유가, 곧 여기에서 유루라고 이름하는 뜻이다.[105]

게송을 해석하면서, 욕루와 유루에 대해 밝히는 것인데, 알 수 있을 것이다.

102 물음이다. 상계에도 혼침·도거의 두 가지 전이 어찌 있지 않는가? 또 『품류족론』(=제6권. 대26-717중)에서도 유루의 체를 나타내어 말하기를, "무명을 제외한 나머지 색계·무색계에 계속되는, 각각 5결이 있으니, 말하자면 갈애·거만·의심·소견·취착이며, 각각 1박이 있으니, 말하자면 탐욕이며, 각각 8수면이 있으니, 말하자면 10수면 중 성냄·무명을 제외한 나머지 여덟 가지이며, 각각 8수번뇌가 있으니, 말하자면 대번뇌지법 중 무명을 제외한 나머지 다섯 가지를 취하고, 소번뇌지법 중 아첨·속임·교만을 취해서 앞에 보내어 여덟 가지로 한 것이며, 각각 2전이 있으니, 말하자면 혼심·도거이다."(=현존 『품류족론』에는 본문처럼 표현되어 있고, 세부적 내용의 설명은 없다) 거기에서도 역시 전을 말했는데, 지금 여기에서는 무엇 때문에 말하지 않는가?

103 답이다. 첫째 그 계에서 전은 적어서 오직 두 가지만 있기 때문이며, 둘째 자재하지 못해서 자력으로 일어나는 것이 아니기 때문에 그래서 말하지 않았고, 『품류족론』에서는 그 계에 체가 있는 것에 의거한 까닭에 갖추어 말한 것이다.

104 이하에서 제5·제6구를 해석하는데, 이는 곧 물음이다.

105 답이다. 첫째 같이 무기의 성품이며, 둘째 같이 안의 문에서 일어난다. 『순정리론』(=제53권. 대29-640하)에서 논파해 말하였다. "그 계의 번뇌도 역시 밖의 문에서 색·성·촉 등의 경계를 반연하여 일어나는 것도 있기 때문에 다시 두 번째 합친 이유를 따로 말해야 할 것이다. 말하자면 거기에서의 수면은 대치가 동일하다 라고. 가령 이런 뜻에 의하더라도 게송의 글을 허물 것은 없으니, 말하자면 이렇게 말해야 할 것이다. '어떤 이유에서 2계의 번뇌를 합쳐서 하나의 유루라고 말했는가? 같은 무기이며, 대치이며, 정지이기 때문에 하나로 합친 것이다'라고." 구사론사가 변론해 말한다. 「비록 그 상계의 번뇌는 밖의 문에서 일어나는데도 안의 문에서 일어난다고 말한 것은, 많은 부분에 따라 말한 것이니, 모든 법에 명칭을 세우는 것은 갖가지가 같지 않다. 만약 그렇지 않다면 예컨대 색계라고 말한다고 해서 어찌 느낌 등이 없겠는가?」 셋째

이에 준하면 3계의 열다섯 가지 무명을 무명루로 세운 뜻도 준해서 이미 건립되었다.106 어떤 이유에서 이것에만 따로 누라는 명칭을 세웠는가?107 무명은 능히 모든 존재의 근본[諸有本]이 되기 때문이다.108

(2) 폭류瀑流와 멍에[액軛]

폭류 및 멍에의 체는 누와 같지만, 그 중에서는 소견도 역시 별도로 세웠다. 말하자면 앞의 욕루는 곧 욕망의 폭류 및 욕망의 멍에이며, 이와 같이 유루는 곧 존재의 폭류 및 존재의 멍에인데, 모든 소견을 떼어내어 소견의 폭류 및 소견의 멍에로 한 것은, 말하자면 매우 날카롭기 때문[猛利故]이다. 머물게 하는 것[令住]을 누라고 이름하는 것은 뒤에서 논설하는 것과 같은데, 소견은 그것에 수순하지 않으며, 성품이 매우 날카롭기 때문이다. 이 때문에 누에서는 독립시켜 명칭을 세우지 않고, 다만 다른 것과 합쳐서 누로 세울 수 있었을 뿐이다.

이와 같이 29법을 욕망의 폭류라고 이름하니, 말하자면 탐욕·성냄·거만에 각각 다섯 가지가 있고, 의심 네 가지와 전纏 열 가지이며, 28법을 존재의 폭류라고 이름하니, 말하자면 탐욕과 거만 각각 열 가지와 의심 여덟 가지이며, 36법을 소견의 폭류라고 이름하니, 말하자면 3계 중의 각각 12소견이며, 15법을 무명의 폭류라고 이름하니, 말하자면 3계의 무명에 각각 다섯 가지가 있는 것은 이미 나타내었다.

네 가지 멍에[4액軛]는 네 가지 폭류와 같다고 알아야 할 것이다.109

같이 정지에 의지해 생기는 것이다. 세 가지 뜻이 같기 때문에 하나로 합친 것이다. 앞에서 설한 바, 유탐이라고 이름하는 것과 같은 이유이다. 이유는 까닭이라는 뜻이니, 곧 여기에서 유루라고 이름한 뜻이다. '유有'는 말하자면 유신有身이니, 탐욕이 대부분 유를 반연하기 때문에 유탐이라고 이름하고, 누가 대부분 유를 반연하기 때문에 유루라고 이름한 것이다.

106 이하 제7·제8구를 해석하면서 무명루를 분별하는 것인데, 알 수 있을 것이다.

107 물음이다.

108 답이다. 무명은 능히 일체 삼유의 생사의 근본이 되기 때문이니, 12지 중에서도 무명을 처음으로 하였다.

109 세 번째 게송을 해석하면서 4폭류와 4멍에[4액軛]에 대해 밝히는 것인데, 글대로 알 수 있을 것이다. # '머물게 하는 것[令住]을 누라고 이름한다는 것'에 대해 『현종론』 제27권(=대29-904하)에서, "말하자면 이생 및 모든 성자들로 하여금 같이 생사에 머물게 하기 때문에 누라고 이름하는데, 모든 소견

(3) 취착[取]

4취取는 그 체가 4멍에와 같다고 알아야 하지만, 욕취와 아어취에 각각 무명을 아우르고, 소견을 나누어 두 가지로 한 점이 앞의 멍에와 다르다. 즉 앞의 욕망의 멍에에 욕계의 무명을 아우른 34법을 전체적으로 욕취라고 이름하니, 말하자면 탐욕·성냄·거만·무명 각각 다섯 가지와 의심에 네 가지가 있는 것과 아울러 10전이며, 즉 앞의 존재의 멍에에 위의 2계의 무명을 아우른 38법을 전체적으로 아어취라고 이름하니, 말하자면 탐욕·거만·무명 각각 열 가지와 의심에 여덟 가지가 있다. 소견의 멍에 중 계금취를 제외한 나머지 30법을 전체적으로 견취라고 이름하며, 그 제외된 6법을 계금취라고 이름한다.[110]

어떤 이유에서 계금취를 별도로 세웠는가?[111] 이것은 유독 성도聖道의 원수가 되기 때문이며, 재가와 출가의 무리를 쌍雙으로 속이기 때문이다. 말하자면 재가의 무리들은 이것에 의해 속고 홀려서 스스로 굶주리는 등이 하늘에 태어나는 도[天道]가 된다고 계탁하기 때문이며, 출가의 무리들은 이것에 의해 속고 홀려서 사랑할 만한 경계를 버리는 것이 청정의 도[淸淨道]가 된다고 계탁하기 때문이다.[112]

어떤 이유에서 무명은 따로 취착으로 세우지 않는가?[113] 능히 모든 존재를 취하기 때문에 취착이라는 명칭을 세우는데, 모든 무명은 능히 취하는 것이 아니기 때문이다. 말하자면 알지 못하는 모습[不了相]을 말하여 무명이라고 이름하는데, 그것은 능히 취하는 것이 아니니, 매우 날카로운 것이 아니

은 성자들로 하여금 머물게 하는 공능이 없어서 누의 뜻이 완전하지 않기 때문에 따로 (누로) 세우지 않은 것이다"라고 설명하였다. 욕망의 폭류가 29법인 것은, 욕루 41법 중 욕계의 소견 12법(=견고소단 5견, 견집·견멸소단 각 2견, 견도소단 3견)을 소견의 폭류로 떼어 내었기 때문이다.

110 네 번째 게송을 해석하는 것인데, 알 수 있을 것이다.

111 물음이다.

112 답이다. 재가는 생사를 즐기고 집착하기 때문에 하늘에 태어나기를 원하고, 출가는 열반을 기뻐하고 좋아하기 때문에 청정을 구하여 사랑할 만한 경계를 버릴 것을 계탁한다. 말하자면 별해탈계 등의 사랑할 만한 모든 경계를 능히 버리는 이것(=예컨대 극단의 고행)이 도가 된다고 계탁하는 것이다.

113 물음이다.

기 때문이다. 단지 다른 것과 합쳐서만 취착으로 세울 수 있는 것이다.[114]

그런데 계경에서 이렇게 설하였다. "욕망의 멍에는 어떤 것인가? 말하자면 모든 욕망에 대한 욕탐欲貪·욕욕欲欲·욕친欲親·욕애欲愛·욕락欲樂·욕민欲悶·욕탐欲耽·욕기欲耆·욕희欲喜·욕장欲藏·욕수欲隨·욕착欲著이 마음을 얽어매어 누르는 것이니, 이를 욕망의 멍에라고 이름한다. 존재의 멍에와 소견의 멍에도 역시 그러하다고 알아야 한다."[115] 또 다른 경에서도 설하였다. "욕탐欲貪을 취착[取]이라고 이름한다." 이에 의해 욕망 등의 네 가지에 대해 일으키는 욕탐을 욕취 등의 취착이라고 이름한다는 것을 알 수 있다.[116]

---

114 답인데, 역시 알 수 있을 것이다.

115 경량부에서 경(=『집이문족론』 제8권에서 인용하는 것인데, 출전은 미상)을 인용해 멍에 해석하는 것을 서술하는 것이다. 말하자면 모든 5욕의 경계 중 욕망에서 탐욕을 일으키고, 욕망에서 욕망을 일으키며, 욕망에서 친연親戀을 일으키고, 욕망에서 탐애를 일으키며, 욕망에서 탐락을 일으키고, 욕망에서 취민醉悶(=취해 번민함)을 일으키며, 욕망에서 탐착耽著을 일으키고, 욕망에서 탐기貪嗜를 일으키며, 욕망에서 희락喜樂을 일으키고, 욕망에서 집장執藏(=붙잡아 저장함)을 일으키며, 욕망에서 수집隨執(=따라 집착함)을 일으키고, 욕망에서 탐착貪著을 일으키는 것이다. 탐욕 등의 열두 가지는 모두 탐욕의 다른 명칭이며, '욕망'은 5욕의 경계이니, 욕망을 반연하여 일으키는 탐욕이 마음을 얽어매어 누르는 것이다. 이는 전체적으로 탐욕을 해석한 것인데, 이를 욕망의 멍에라고 이름하니, 욕망의 멍에는 탐욕을 체로 하는 것이라고 알아야 한다. 존재의 멍에와 소견의 멍에도 역시 그러해서 탐욕을 체로 한다고 알아야 한다. '존재'는 말하자면 세 가지 존재의 몸이니, 존재를 반연하여 일으키는 탐욕이기 때문에 존재의 멍에라고 이름한 것이다. '소견'은 말하자면 62견이니, 소견을 반연하여 일으키는 탐욕이기 때문에 소견의 멍에라고 이름한 것이다. 욕망·존재·소견은 모두 대상의 명칭이니, 이 세 가지 대상을 반연하여 일으키는 탐욕이기 때문에 욕망의 멍에, 존재의 멍에, 소견의 멍에라고 이름한 것이다. 까닭에 세 가지는 모두 탐욕을 체로 한다. 무명의 멍에를 말하지 않은 것은 무명이 곧 멍에여서 무명의 멍에라고 이름하니, 지업석인데, 무명을 체로 하는 것이다.

116 또 경량부에서 경(=출전 미상)을 인용해서 4취도 탐욕을 체로 한다고 해석하는 것을 서술하는 것이다. 또 다른 경에서도, "욕탐欲貪을 취착[取]이라고 이름한다"라고 설하였다. 이에 의해 욕망 등의 네 가지에 대해 일으키는 욕탐을 욕취 등의 취착이라고 이름한다는 것을 알 수 있다. (여기에서 '욕탐'이란) 곧 욕망[欲]을 탐욕[貪]이라고 이름한 것으로서, 욕계의 탐욕이기 때문에 욕탐이라고 이름한 것이 아니다. 이에 의해 욕망 등의 네 가지 대상에 대해 일으키는 욕탐을 욕취 등의 취착이라고 이름한다고 알아야 한다. 5욕의 경계를 반연하여 일으키는 탐욕을 욕취라고 이름하고, 소견을 반연하여 일으키는 탐욕을 견

2. 명칭의 해석

이와 같이 수면과 아울러 전纏을 경에서 누·폭류·멍에·취착이라고 설한 것에 대해 분별했는데, 이 수면 등의 명칭에는 어떤 뜻이 있는가?[117] 게송으로 말하겠다.

39 미세함, 둘에 따라 증장함[微細二隨增]
따라 쫓음과 따라 속박함[隨逐與隨縛]
머물게 하고 유전케 함, 표류케 함, 화합케 함, 집취함[住流漂合執]
이런 것이 수면 등의 뜻이다[是隨眠等義][118]

(1) 수면隨眠의 뜻

논하여 말하겠다. 근본번뇌가 현전할 때에는 행상을 알기 어렵기 때문에 미세하다고 이름한다.[119] 둘에 따라 증장한다는 것[二隨增]은, 능히 소연 및 상응하는 법에서 혼미·막힘[惛滯]을 증장하기 때문이다.[120] 따라 쫓는다[隨逐]고 말한 것은, 말하자면 능히 득得을 일으켜 항상 유정을 따르므로 항상 과환過患이 된다는 것이다.[121] 가행을 지어 그것을 생기게 하지 않더라도,

취라고 이름하며, 계금을 반연하여 일으키는 탐욕을 계금취라고 이름하고, 3계의 아어를 반연하여 일으키는 탐욕을 아어취라고 이름한 것이다.

117 이하는 둘째 명칭의 해석이다. '이와 같이 열 가지 수면과 아울러 그 10전을 경에서 누·폭류·멍에·취착이라고 설한 것에 대해 분별했다'고 한 이것은 곧 앞을 맺는 것인데, 이 수면·누·폭류·멍에·취착이라는 명칭에는 어떤 뜻이 있는가? 전에 대해서는 뒤에 따로 밝히기 때문에 여기에서 묻지 않았다.

118 답이다.

119 이는 '면眠'의 뜻을 해석하는 것이다. 근본 10번뇌가 현전할 때에는 행상을 알기 어렵기 때문에 미세하다고 이름한다. 마치 잠자는[睡眠] 행상은 미세하기 때문에 잠잔다[眠]고 이름하는 것과 같다.

120 이는 '수隨'의 뜻을 해석하는 것이다. 둘에 따라 증장한다는 것은, 첫째 능히 소연의 법에 따라 혼미와 막힘을 증장하기 때문이며, 둘째 능히 상응하는 법에 따라 혼미와 막힘을 증장하기 때문이다. '혼미와 막힘[혼체惛滯]'이 말하자면 '면眠'이다.

121 이것도 역시 '수隨'를 해석하는 것이다. 말하자면 이 번뇌가 능히 모든 득得을 일으켜 항상 유정을 따르므로 항상 과환過患이 된다.

혹은 노력을 베풀어 그것이 일어나는 것을 막으려고 해도 자주 현행하기 때문에 따라 속박한다[隨縛]고 이름한다.[122] 이런 뜻에 의해서 수면이라고 이름한 것이다.[123]

(2) 누·폭류·멍에·취착의 뜻

유정을 생사에 체류시켜 오래도록 머물게 하며, 혹은 유정천으로부터 무간지옥에 이르기까지 생사 중에 유전하게 하는데, 그들의 상속은 6창문六瘡門에서 허물을 누설하는 것이 끝이 없기 때문에 누라고 이름한다.[124] 선품을 극도로 표류시키기 때문에 폭류라고 이름한다.[125] 유정을 (갖가지 괴로움과) 화합시키기 때문에 멍에[軛]라고 이름한다.[126] 능히 의지처가 되어 집취하기 때문에 취착[取]이라고 이름한다.[127]

만약 잘 해석하려면 이렇게 말해야 할 것이다. 모든 경계 안으로 상속을 흘러가게 하면서 허물을 누설하는 것이 끊어지지 않기 때문에 누라고 이름한 것이니, 저 계경에서 설한 것과 같다. "존자들이여, 알아야 합니다. 비유하자면 배를 당겨서 흐름을 거슬러 올라가는 것은 큰 노력을 베풀더라도

122 이것도 역시 '수隨'를 해석하는 것이다. 가행을 지어 그 번뇌를 생기게 하지 않더라도 자주 현행하며, 혹은 노력을 베풀어 그 번뇌가 일어나는 것을 막으려고 해도 자주 현행하여 유정을 따라 속박하기 때문에 따라 속박한다고 이름한다.

123 총결하는 것이다. 또 『순정리론』(=제53권. 대29-642상)에서 말하였다. "어째서 수면은 오직 탐욕 등의 열 가지만이고, 나머지 분노 등은 아닌가? 오직 이 열 가지의 습기만은 견고하지만, 분노 등은 아니기 때문이다. 말하자면 오직 이 열 가지의 습기는 견고해서 일어나면 곧 종식시키기 어려운 것이다."

124 두 가지 뜻으로 누를 해석하는 것이다. 혹은 머물게 하므로 누라고 이름하고, 혹은 유전케 하므로 누라고 이름하니, 글대로 알 수 있을 것이다. # '6창문'은 6근을 가리키는 것으로 보인다.

125 알 수 있을 것이다.

126 화합하게 하므로 멍에라고 이름한다. 유정을 화합시켜 생사의 괴로움을 받게 하는 것이 마치 수레의 멍에와 같기 때문에 멍에라고 이름한 것이다.

127 붙잡는 것[執]을 취착[取]이라고 이름한다. 네 가지 취착의 번뇌는 능히 유정이 의지하는 처소가 되어 모든 법을 붙잡아 취하기[執取] 때문에 취착이라고 이름한다. 또 해석하자면 네 가지 취착의 번뇌는 능히 모든 유루법의 의지처가 되어 모든 유루법을 붙잡아 취한다. 또 해석하자면 네 가지 취착의 번뇌는 능히 업의 의지처가 되어 미래의 과보를 붙잡아 취한다.

가는 것이 오히려 어렵지만, 만약 이 배를 놓아서 흐름에 따라 간다면 노력을 버리더라도 가는 것이 어렵지 않은 것처럼, 선심과 염심을 일으키는 것도 역시 그러하다고 알아야 합니다." 이 경의 뜻에 준하면 경계 중에서 번뇌가 끊어지지 않는 것을 말하여 누라고 이름한 것이다. 만약 세력이 증상하면 폭류라고 이름한다. 말하자면 모든 유정이 거기에 떨어진다면, 오직 따를 수 있을 뿐, 어기거나 거역할 수 없으니, 솟구치든 떠오르든 떠내려가든 부딪치든 어기거나 거역하기 어렵기 때문이다. 현행할 때 극도로 증상한 것 아닌 것을 말하여 멍에라고 이름하니, 단지 유정들로 하여금 갖가지 부류의 괴로움과 화합케 하기 때문에, 혹은 자주 현행하기 때문에 멍에라고 이름한 것이다. 욕망 등을 붙잡기 때문에 취착이라고 이름한 것이다.[128]

128 경량부의 해석을 서술하는 것이다. # 본문 중 '계경'은 잡 [18]18:493 승선역류경乘船逆流經이다.

아비달마구사론
제21권

제5 분별수면품(의 3)

제2절 결박[結] 등의 6문

제1항 결박 등의 여러 번뇌

1. 총설

이와 같이 수면과 아울러 전을, 세존께서 누와 폭류 등으로 설하신 것에 대해 분별했는데, 그런 것들뿐인가, 다시 다른 것도 있는가? 게송으로 말하겠다.

40a 결박 등의 차별에 의해[由結等差別]
다시 다섯 가지가 있다고 설하셨다[復說有五種]

논하여 말하겠다. 즉 모든 번뇌는 결박[結], 속박[縛], 수면隨眠, 수번뇌隨煩惱, 전纏으로 뜻이 차별되기 때문에 다시 다섯 가지를 설하셨다.[1]

1 이하는 둘째 결박 등의 6문에 대해 밝히는 것이다. 그 안에 나아가면 첫째 바로 결박 등에 대해 밝히고, 둘째 여러 문으로 분별한다. 바로 결박 등에 대해 밝히는 것에 나아가면 첫째 결박 등의 5문에 대해 밝히고, 둘째 번뇌의 6구垢에 대해 밝힌다. 결박 등의 5문을 밝히는 가운데 나아가면 첫째 글을 표방하고, 둘째 개별적으로 해석하는데, 이는 곧 글을 표방한 것이다. 곧 모든 번뇌는 첫째 결박, 둘째 속박, 셋째 수면, 넷째 수번뇌, 다섯째 전으로, 뜻이 차별되기 때문에 다시 다섯 가지를 설하셨다. (문) 누 등의 4문에서는 모두 아울러 전을 설했는데, 결박 등의 6문에서는 어째서 다만 번뇌만을 말하는가? (해) 누 등의 4문은 모두 전을 다 포함하기 때문에 아울러 전도 설했지만, 결박 등의 6문은, 처음 하나는 2전을 포함하고, 둘째·셋째·여섯째는 포함하지 않으며, 넷째·다섯째는 비록 다시 다 포함하기는 해도 두루 모든 문에서 모두 다 포함하는 것은 아니기 때문에 전을 아울러 말하지 않는다. # 여기에서 설명된 이 제2절의 구성을, 이 책의 편성과 대비해 보이면 다음 도표와 같다.

2. 결박[結]

(1) 9결結

우선 결박[結]은 어떤 것인가? 게송으로 말하겠다.

40c 결박은 아홉인데, 번뇌의 수와 취가 같아서[結九物取等]
견·취의 2결박으로 세웠고[立見取二結]

41 두 가지는 오직 불선이며[由二唯不善]
아울러 자재하게 일어나기 때문에[及自在起故]
전 중 시기·아낌만을[纏中唯嫉慳]
2결박으로 건립하였다[建立爲二結]

42 혹은 둘은 자주 현행하기 때문이며[或二數行故]
비천·빈곤의 원인이 되기 때문이며[爲賤貧因故]
두루 수번뇌를 드러내기 때문이며[遍顯隨惑故]
두 부류를 뇌란하기 때문이다[惱亂二部故][2]

논하여 말하겠다. 결박[結]에는 아홉 가지가 있으니, 첫째 애결愛結, 둘째 에결恚結, 셋째 만결慢結, 넷째 무명결無明結, 다섯째 견결見結, 여섯째 취결

<table>
<tr><td rowspan="7">바로
결박 등을
밝힘</td><td rowspan="6">결박 등의
5문</td><td colspan="2">글의 표방</td><td rowspan="7">제1항
결박 등의
여러 번뇌</td><td>1. 총설</td></tr>
<tr><td rowspan="5">개별적
해석</td><td>모든 결박</td><td>2. 결박[結]</td></tr>
<tr><td>3속박</td><td>3. 속박[縛]</td></tr>
<tr><td>수면</td><td>4. 수면</td></tr>
<tr><td>수번뇌</td><td>5. 수번뇌</td></tr>
<tr><td>전</td><td>6. 전</td></tr>
<tr><td colspan="3">번뇌의 6구</td><td>7. 번뇌구</td></tr>
<tr><td colspan="4">여러 문 분별</td><td colspan="2">제2항 여러 문 분별</td></tr>
</table>

2 이하 개별적으로 해석하는 것인데, 그 가운데 나아가면 첫째 모든 결박을 밝히고, 둘째 3속박을 밝히며, 셋째 수면을 밝히고, 넷째 수번뇌를 밝히며, 다섯째 모든 전을 밝힌다. 모든 결박을 밝히는 것에 나아가면 첫째 9결을 밝히고, 둘째 5하분결을 밝히며, 셋째 5상분결을 밝힌다. 이는 곧 첫째 9결을 밝히는 것이다.

取結, 일곱째 의결疑結, 여덟째 질결嫉結, 아홉째 간결慳結이다. 이들 중 애결은 3계의 탐욕을 말하는 것이며, 나머지는 상응하는 바에 따라 그 모습을 분별하겠다.[3]

견결見結은 3소견[三見]을 말하며, 취결取結은 2취[二取]를 말한다. 이와 같은 이치에 의한 때문에 누군가가 말하였다. "소견과 상응하는 법으로서, 애결에는 계박되지만, 견결에는 계박되는 것이 아니면서, 소견수면의 수증이 있지 않는 것 아닌 것[非不有見隨眠隨增]이 혹시 있는가? 있다고 말한다. 어떤 것인가? 집지集智는 이미 생겼어도 멸지滅智는 아직 생기지 않았을 때의 견멸·견도소단의 2취와 상응하는 법이다." 그것은 애결에는 소연에 의해 계박되지만, 견결에는 계박되는 것이 아니니, 변행의 견결은 이미 영원히 끊어졌기 때문이며, 비변행의 견결은 소연·상응의 두 가지가 모두 없기 때문인데, 그렇지만 그것에 소견수면의 수증이 있는 것은, 2취의 소견수면이 거기에서 수증하기 때문이다.[4]

---

3 (제1구의) '결박은 아홉'을 해석하는 것이다. '결結'은 결박結縛을 말한다. 이들 중 애결은 3계의 탐욕을 말하며, 나머지 8결은 상응함에 따라 그 모습을 분별해야 한다. 그래서 『대비바사론』 제50권(=대27-258상)에서 말하였다. "(문) 이 9결은 무엇을 자성으로 하는가? (답) 100사事를 자성으로 한다. 말하자면 애결·만결·무명결은 각각 3계의 5부로서 45사이고, 에결은 욕계의 5부로서 5사이며, 견결에는 18사가 있으니, 말하자면 유신견·변집견은 각각 3계의 견고소단으로 6사가 되고, 사견은 3계에 각각 4부(=견4제소단)가 있어서 12사가 되며, 취결에는 18사가 있으니, 말하자면 견취는 3계에 각각 4부로 12사가 되고, 계금취는 3계의 각각 견고·견도소단으로 6사가 되며, 의결은 3계의 각각 4부로서 12사가 되고, 질결·간결은 각각 욕계의 수소단으로 2사가 된다. 이에 의해 9결은 100사를 자성으로 하는 것이다." # 9결은 6수면 중 소견을 견결·취결의 둘로 나눈 일곱 가지에, 시기·아낌의 2전을 더한 것이다.

4 견결·취결을 따로 해석하는 것이다. 견결은 유신견·변집견·사견의 3소견을 성품으로 하고, 취결은 견취·계금취의 2취를 성품으로 한다. 이와 같은 이치에 의한 때문에 『발지론』(=제3권. 대26-934상의 뜻을 취한 것이다)에 이런 말이 있다. "(문) 5견과 상응하는 법으로서[五見相應法] 9결 중 애결에는 계박되지만[爲九結中愛結繫] 견결에는 계박되는 것이 아니면서[非見結繫] 5소견수면의 수증이 있지 않는 것 아닌 것[非不有五見隨眠隨增]이 혹시 있는가? (답) 있다고 말한다. (문) 어떤 것인가? (답) 집지集智는 생겼어도 멸지滅智는 아직 생기지 않았을 때의 견멸·견도소단의 견취·계금취와 상응하는 법이다." 그것은 자부自部의 애결에는 소연에 의해 계박되지만, 견결에는 계박되는 것이 아니니, 왜냐하

어떤 이유에서 3소견을 따로 견결로 세우고, 2취를 따로 취결로 세웠는가?[5] 3소견과 2취는 번뇌의 수[物]와 취取가 같기 때문이다. 말하자면 그 3소견에는 18법이 있는데, 2취도 역시 그러하기 때문에 번뇌의 수가 같다고 이름하고, 3소견은 같이 소취所取이고, 2취는 같이 능취能取이기 때문에 취取가 같다고 이름한 것이다. 그런데 소취와 능취는 차별이 있기 때문에 두 가지 결박으로 세운 것이다.[6]

어째서 전纏 중 시기[嫉]·아낌[慳] 두 가지만 결박으로 건립하고, 나머지 전은 아닌가?[7] 두 가지는 오직 불선이며, 자재하게 일어나기 때문이다. 말하자면 이 2전에만 양쪽 뜻이 완전히 갖추어졌고, 나머지는 모두 그렇지 않기 때문에 두 가지만을 세운 것이다.[8]

면 고제·집제 하의 유신견·변집견·사견의 변행의 견결은 이미 영원히 끊어졌기 때문이며, 멸제·도제 하의 비변행의 견결은 곧 사견인데, 오직 무루만을 반연하므로, 2취와 상응하는 법에서 바라보면 소연·상응의 두 가지가 모두 없기 때문이다. 그것을 반연하는 것이 아니기 때문에 소연에 의한 계박이 없고, 그것과 상응하는 것이 아니기 때문에 상응에 의한 계박이 없는 것이다. 그렇지만 그 2취와 상응하는 법에 소견수면의 수증이 있는 것은, 2취는 곧 소견수면이기 때문이니, 2취의 소견수면은 그 상응하는 법에서 그 상응하는 바에 따라 상응수증하기도 하고, 소연수증하기도 한다.

5 물음이다.

6 답인데, 게송 (제1구) 중 '번뇌의 수와 취가 같아서' 및 제2구를 해석하는 것이다. 3소견과 2취는 첫째 번뇌의 수가 같기 때문이고, 둘째 취가 같기 때문이다. '번뇌의 수가 같다'고 말한 것은, 말하자면 그 3소견에는 18법이 있으니, 유신견·변집견은 오직 견고소단이며, 사견은 4제에 통하므로, 모두 6법이 있고, 3계에 각각 6법이기 때문에 18법을 이루는데, 2취도 역시 그러해서 18법이 있으니, 계금취는 오직 견고·견도소단이며, 견취는 4제에 통하므로, 모두 6법이 있고, 3계에 각각 6법이기 때문에 18법을 이룬다. '취가 같다'고 말한 것은, 5견 중 3소견은 같이 소취이니, 2취에 의해 취해지는 것이고, 2취의 소견은 같이 능취이니, 3소견을 능히 취하는 것이니, 그래서 취가 같다고 이름한 것이다. 그런데 소취와 능취는 차별이 있는 것이기 때문에 두 가지 결박으로 세운 것이다. 그래서 『순정리론』(=제54권. 대29-643상)에서 말하였다. "말하자면 형성된 모든 것에 대해 나[我], 단·상을 계탁하거나 혹은 없다고 부정한 뒤에 2취를 일으켜서 소견이 제일이라고 집착하거나 청정케 하는 것이라고 집착하는 것이다." 능취·소취라고 말한 것은, 우선 하나의 모습에 의거해 많은 부분에 따라 말한 것일 뿐, 이치의 실제로 말한다면 모두 능·소에 통할 것이다.

7 이하 뒤의 8구를 해석하는 것인데, 이는 곧 물음이다.

8 8전가八纏家의 답이다. 그래서 『순정리론』 제54권(=대29-643중)에서 말하였

만약 전纏이 여덟 가지뿐이라면 이런 해석이 가능하겠지만, 10전이 있다고 인정할 경우 이런 해석은 이치가 아니니, 분노[忿]·덮음[覆] 두 가지도 역시 양쪽 뜻을 갖추기 때문이다.[9] 이 때문에 만약 10전이 모두 있다고 인정한다면, 시기·아낌은 허물이 특히 더 무겁기 때문이라고 말해야 할 것이다. 말하자면 이 두 가지는 자주 현행하기 때문이며, 또 두 가지는 능히 비천·빈곤의 원인이 되기 때문이며, 근심[戚]·기쁨[歡]의 수번뇌를 두루 드러내기 때문이며, 출가와 재가의 부류를 뇌란하기 때문이거나 혹은 천신과 아소락阿素洛을 뇌란하기 때문이거나 혹은 인간·천신의 수승한 2취趣를 뇌란하기 때문이거나 혹은 타부他部 및 자부自部를 뇌란하기 때문이다.[10]

⑵ 5하분결

다. "만약 8전을 세운다면 '두 가지는 오직 불선이며, 자재하게 일어나기 때문이다'라고 이렇게 해석해야 할 것이다. 말하자면 오직 이 2전만은 양쪽 뜻이 완전히 갖추어졌지만, 나머지 6전은 양쪽 뜻을 갖춘 것이 하나도 없다. 무참·무괴는 오직 불선이기는 하지만, 자재하게 일어나는 것이 아니며, 후회는 자재하게 일어나지만, 오직 불선만인 것은 아니며, 나머지는 양쪽이 모두 없다." 해석하자면 나머지 수면·혼침·도거는 양쪽 뜻이 모두 없다는 것이다.

9 논주의 논파이다. 만약 전이 여덟 가지뿐이라면 이런 해석이 가능하겠지만-이는 곧 가정적으로 인정하는 것이다-, 10전이 있다고 인정할 경우 이런 해석은 이치가 아니니, 분노·덮음 두 가지도 역시 양쪽 뜻을 갖추기 때문이다.

10 이는 10전가十纏家의 답이다. 시기·아낌은 허물이 무겁다. 말하자면 이 두 가지는 자주 현행하기 때문이며, 또 시기는 비천의 원인이 되고, 아낌은 빈곤의 원인이 된다. 또 근심·기쁨의 수번뇌를 두루 드러내기 때문이다. 수번뇌 중에는 모두 두 부류가 있으니, 첫째는 근심이고, 둘째는 기쁨인데, 시기는 능히 근심을 드러내고, 아낌은 기쁨을 드러낸다. 또 출가·재가의 부류를 뇌란한다. 그래서 『순정리론』 제54권(=대29-643중)에서 말하였다. "또 이 두 가지는 능히 2부류를 뇌란하기 때문이다. 말하자면 재가의 무리는 재산과 지위 중에서 시기 및 아낌에 의해 지극히 뇌란하게 되고, 출가의 무리라면 가르침과 수행 중에서 시기 및 아낌에 의해 지극히 뇌란하게 된다." 혹은 천신과 아소락을 뇌란하기 때문이다. 천신은 좋은 맛을 좋아하고, 아소락은 여색을 좋아한다. 그래서 천신은 맛을 시기하고 여색을 아끼며, 아소락은 여색을 시기하고 맛을 아끼니, 이로 인해 전쟁한다. 혹은 인간·천신의 두 가지 수승한 취를 뇌란하기 때문이다. 혹은 시기는 다른 부류를 뇌란하고, 아낌은 자기 부류를 뇌란하니, 그래서 『순정리론』 제54권(=대29-643중)에서 말하였다. "혹은 이 두 가지는 능히 자타의 무리를 뇌란한다. 말하자면 시기 때문에 남의 친구를 뇌란하고, 안에 아낌을 품어서 자기 벗을 뇌란한다." 이런 일곱 가지에 의해 허물이 특히 더 무겁기 때문에 10전에서 따로 2결박을 세운 것이다.

붓다께서는 다른 곳에서 차별되는 문[差別門]에 의해 곧 '결박'이라는 말로써 다섯 가지가 있다고 설하셨으니, 게송으로 말하겠다.

43 또 5순하분결은[又五順下分]
둘에 의해 욕계를 초월하지 못하고[由二不超欲]
셋에 의해 다시 하계로 돌아오니[由三復還下]
문과 근본을 포함하기 때문에 셋이다[攝門根故三]

44 혹은 출발해 나아가려고 하지 않고[或不欲發趣]
도에 미혹하며, 아울러 도를 의심하는 것이[迷道及疑道]
해탈로 나아감을 능히 장애하니[能障趣解脫]
그래서 셋을 끊는다고만 설하셨다[故唯說斷三][11]

논하여 말하겠다. 어떤 것이 다섯 가지인가?[12] 유신견·계금취·의심·욕탐·성냄을 말하는 것이다.[13]

어떤 이유에서 이 다섯 가지를 순하분順下分이라고 이름했는가?[14] 이 다섯 가지는 하분의 계[下分界]를 수순하고 증익하기 때문이다. 말하자면 욕계만이 하분이라는 명칭을 얻는데, 이 다섯 가지는 그것을 능히 수순하고 증익한다. 뒤의 두 가지로 말미암아 능히 욕계를 초월하지 못하고, 설령 초월할 수 있었다고 해도 앞의 세 가지로 말미암아 다시 내려오니, 마치 감옥을 지키는 옥졸, 순라꾼과 같기 때문이다.[15] 어떤 다른 논사는 말하였다.

11 이는 곧 둘째 5하분결을 밝히는 것이다. # 5하분결을 설한 경은 중 56:205 오하분결경 등이다.
12 물음이다.
13 답인데, 모두 31사를 체로 한다. 말하자면 유신견은 3계의 견고소단이므로 3사이고, 계금취는 3계의 각각 견고·견도소단이므로 6사가 되며, 의심은 3계의 각각 견4제소단이므로 12사가 되고, 욕탐과 성냄은 각각 욕계의 5부소단이므로 10사가 된다.
14 이하에서 제2·제3구를 해석하는데, 이는 곧 물음이다.
15 답이다. 이 다섯 가지는 하분의 욕계를 수순하고 증익한다. 욕계는 3계의 가장 아래로서 3계의 일부분이기 때문에 하분이라고 이름한다. 뒤의 탐욕·성냄

“하분이라고 말한 것은, 말하자면 하계의 유정, 즉 모든 이생과 아울러 하계 즉 욕계이다. 앞의 세 가지는 하계의 유정을 초월하는 것을 능히 장애하며, 뒤의 두 가지는 능히 하계를 초월하지 못하게 하기 때문에 다섯 가지가 모두 순하분이라는 명칭을 얻는다.”[16]

예류과를 얻은 모든 분에게는 여섯 가지 번뇌가 끊어지는데, 어째서 3결을 끊는다고만 설하셨는가?[17] 이치의 실제로는 여섯 가지 번뇌를 끊는다고 말해야 할 것이지만, 문門과 근본[根]에 포함되기 때문에 세 가지를 끊는다고만 설하신 것이다. 말하자면 견소단 중에는 부류에 세 가지가 있으니, 오직 1부만인 것, 2부에 통하는 것, 4부에 통하는 것이다. 따라서 세 가지를 끊는다고 말하면 그 3문을 포함한다는 것이다. 또 견소단 중 세 가지는 세 가지에 따라 일어나니, 말하자면 변집견은 유신견에 따라 일어나고, 견취는 계금취에 따라 일어나며, 사견은 의심에 따라 일어나므로, 세 가지를 끊는다고 말하면 그 세 가지 근본을 포함한다는 것이다. 따라서 세 가지를 끊는다고 말하면 여섯 가지를 끊는다고 이미 말한 것이다.[18]

으로 말미암아 능히 욕계를 초월하지 못하니, 마치 감옥을 지키는 옥졸과 같고, 설령 초월할 수 있어서 유정천에 태어났다고 해도 앞의 유신견·변집견·의심 세 가지로 말미암아 다시 물러나 내려오게 해서 욕계의 감옥에 두니, 마치 순라꾼과 같기 때문이다.

16 다른 학설을 서술하는 것이다. 앞의 세 가지는 하계의 유정을 초월하는 것을 능히 장애해서 성법을 이루지 못하게 하기 때문이고, 뒤의 두 가지는 능히 하계를 초월하지 못하게 해서 상계에 태어나지 못하게 하기 때문이다. 그래서 다섯 가지는 모두 순하분이라는 명칭을 얻는다.

17 제4구를 해석하려고 묻는 것이다. 예류과를 얻은 모든 분에게는 5견 및 의심이라는 여섯 가지 번뇌가 끊어지는데, 어째서 경(=예컨대 잡 [29]29:797 사문법사문과경沙門法沙門果經 등)에서는 단지 유신견·계금취·의심의 3결을 끊는다고만 설하셨는가?

18 답이다. 예류과를 얻은 모든 분은 이치의 실제로는 여섯 가지 번뇌를 끊는다고 말해야 하지만, 첫째 문을 포함하기 때문이며, 둘째 근본을 포함하기 때문에 세 가지를 끊는다고만 설하셨다. ‘문을 포함한다’고 말한 것은, 말하자면 견소단 중에는 부류에 세 가지가 있으니, 유신견·변집견은 오직 견고의 1부에만 있고, 계금취는 견고·견도의 2부에 통하며, 견취·사견·의심은 견고·견집·견멸·견도의 4부에 통하므로, 세 가지를 끊었다고 말하면 그 3문을 포함하므로 모두 다 두루 다한다는 것이다. 만약 유신견을 끊었다면 그 1부의 문을 포함하고, 만약 계금취를 끊었다면 그 2부에 통하는 문을 포함하며, 만약 의심

어떤 분은 이렇게 해석하였다. "무릇 다른 지방으로 나아가는 것에는 세 가지 장애가 있다. 첫째 출발하려고 하지 않는 것, 둘째 바른 길에 미혹하여 삿된 길에 의지하는 것, 셋째 바른 길을 의심하는 것이다. 해탈로 나아가는 것에도 역시 이와 서로 유사한 세 가지 장애가 있다. 말하자면 유신견으로 말미암아 해탈을 두려워하여 출발해 나아가려고 하지 않는 것, 계금취로 말미암아 삿된 도를 의지해 붙잡고, 바른 길을 미혹해 잃는 것, 의심으로 말미암아 도에 대해 깊이 머뭇거림을 품는 것이다. 붓다께서, 예류는 이와 같은 해탈로 나아가는 장애를 영원히 끊었다는 것을 나타내시고자 세 가지를 끊었다고 설하신 것이다."19

⑶ 5상분결

붓다께서 다른 경에서, 순하분결처럼 순상분결에도 역시 다섯 가지가 있다고 설하셨으니, 게송으로 말하겠다.

㊺ 순상분결도 역시 다섯이니[順上分亦五]
색·무색에 대한 두 가지 탐욕과[色無色二貪]
도거·거만·무명이[掉擧慢無明]
상계를 초월하지 못하게 하기 때문이다[令不超上故]

을 끊었다면 그 4부에 통하는 문을 포함한다는 것이다. '근본을 포함한다'고 말한 것은, 말하자면 견소단 중 세 가지는 세 가지에 따라 일어나므로, 만약 세 가지 근본을 끊었다면 나머지 세 가지 지말도 역시 끊어지기 때문에, 세 가지를 끊는다고 말하면 여섯 가지를 끊는다고 이미 말한 것이다.

19 두 번째 게송을 해석하면서 다른 학설을 서술하는 것이다. 무릇 다른 지방으로 나아가는 것에는 세 가지 장애가 있다. 첫째 이 지방의 이익을 보고 다른 지방에 손해가 있다고 해서 출발하려고 하지 않는 것, 둘째 출발해 나아간다고 해도 바른 길을 미혹해 잃고 삿된 길에 의지하는 것, 셋째 삿된 길에 의지함으로 말미암아 바른 길을 의심하는 것이다. 해탈로 나아가려는 자에게도 역시 이와 서로 유사한 세 가지 장애가 있다. 첫째 유신견으로 말미암아 해탈하여 회신멸지灰身滅智(=몸이 재처럼 부서지고 지혜가 사라지게 한다는 뜻)하는 것을 두려워해서 출발해 나아가려고 하지 않는 것, 둘째 출발해 나아간다고 해도 계금취로 말미암아 삿된 도를 의지해 붙잡고 바른 길을 미혹해 잃는 것, 셋째 삿된 길에 의지함으로 말미암아 바른 길을 의심해서 깊이 머뭇거림을 품는 것이다. 붓다께서, 예류는 이와 같은 해탈로 나아가는 장애를 영원히 끊었다는 것을 나타내시고자 세 가지를 끊었다고 설하신 것이다.

논하여 말하겠다. 이와 같은 다섯 가지가, 만약 아직 끊어지지 않았을 때라면 유정으로 하여금 상계를 초월할 수 없게 해서, 상계를 수순하고 증익하기 때문에 순상분결이라고 이름한 것이다.[20]

3. 속박[縛]

결박[結]에 대해 분별했는데, 속박[縛]은 어떤 것인가? 게송으로 말하겠다.

46a 속박 세 가지는 3수에 의한 것이다[縛三由三受]

논하여 말하겠다. 속박[縛]에는 세 가지가 있다. 첫째는 탐박貪縛이니, 일체 탐욕을 말하며, 둘째는 진박瞋縛이니, 일체 성냄을 말하며, 셋째는 치박癡縛이니, 일체 무명을 말한다.[21]

어째서 이 세 가지만을 속박이라고 설하셨는가?[22] 세 가지 느낌에 따라 속박에 세 가지가 있다고 설하신 것이다. 말하자면 낙수樂受에서는 탐욕의 속박이 따라 증장하니, 소연과 상응에서 모두 따라 증장하기 때문이다. 고수苦受에서는 성냄이, 사수捨受에서는 무명이 역시 그러하다고 알아야 할 것이다. 비록 사수에서도 탐욕·성냄이 역시 있다고 해도 무명과 같은 것이 아니기 때문이다. 자상속自相續의 낙수 등 3수가 속박의 소연이 되는 것에 의거해 이런 결정적인 말씀을 하신 것이다.[23]

---

20 이는 곧 셋째 5상분결을 밝히는 것이다. 첫째 색탐, 둘째 무색탐, 셋째 도거, 넷째 거만, 다섯째 무명이 만약 아직 끊어지지 않았을 때라면 유정으로 하여금 상계를 초월할 수 없게 하기 때문에 순상분결이라고 이름하였다. 이 다섯 가지는 모두 성자의 몸 중의, 상계의 수소단의 8사를 체로 하는 것이니, 색탐·무색탐·도거·거만·무명은 색계와 무색계에 각각 넷이 있기 때문이다. (문) 무엇 때문에 탐욕은 두 가지를 별도로 세우고, 나머지 셋은 합쳐서 세웠는가? (해) 갈애(=탐욕)는 모든 번뇌의 발로서 허물이 많으므로 별도로 세운 것이다. (문) 수번뇌 중 어째서 도거만을 결박이라고 말하는가? (해) 선정을 장애하는 것이 강하기 때문이다. 그래서 『순정리론』(=제54권. 대29-644중)에서 말하였다. "도거는 삼마지를 뇌란하기 때문에 순상분의 결박으로 건립한 것이다." # 본문의 '다른 경'은 장 8:9 중집경 등이다.

21 이는 둘째 3박을 밝히는 것이다. 능히 계박하기 때문[能繫縛故]에 '속박[縛]'이라는 명칭을 세운 것이다. 속박의 체는 같지 않은데, 그것에 세 가지가 있다.

22 물음이다. 모든 번뇌 중 어째서 이 세 가지만을 속박이라고 말하는가?

4. 수면隨眠

속박[縛]에 대해 분별했는데, 수면隨眠은 어떤 것인가? 게송으로 말하겠다.

46b 수면은 앞에서 이미 논설하였다[隨眠前已說]

논하여 말하겠다. 수면에는 여섯 가지, 혹은 일곱 가지, 혹은 열 가지, 혹은 아흔여덟 가지가 있으니, 앞에서 이미 논설한 것과 같다.[24]

5. 수번뇌隨煩惱

수면에 대해 논설했는데, 수번뇌隨煩惱는 어떤 것인가? 게송으로 말하겠다.

23 답이다. 세 가지 느낌의 세력이 이끄는 바에 따르므로 속박에 세 가지가 있다고 설하신 것이다. 자신의 낙수에서는 탐욕이 대부분 따라 증장하니, 소연·상응에서 모두 따라 증장하기 때문이며, 자신의 고수에서는 성냄이 대부분 증장하니, 소연·상응에서 모두 따라 증장하기 때문이며, 자신의 사수에서는 무명이 대부분 따라 증장하니, 소연·상응에서 모두 따라 증장하기 때문이다. 그래서 '고수에서는 성냄이, 사수에서는 무명이 역시 그러하다고 알아야 할 것'이라고 말한 것이다. 비록 자신의 사수에서도 탐욕·성냄이 역시 있어 소연과 상응 두 가지에서 모두 따라 증장한다고 해도 무명과 같은 것이 아니기 때문이다. 이 글 중에서 역시 비추어 나타내었어야 할 것이니, 비록 자신의 낙수에서도 무명이 있어 소연과 상응 두 가지에서 모두 따라 증장한다고 해도, 탐욕과 같은 것이 아니기 때문이라고 말하고, 비록 자신의 고수에서도 무명이 있어 소연과 상응 두 가지에서 모두 따라 증장한다고 해도 성냄과 같은 것이 아니기 때문이라고 말하며, 또한 나타내었어야 할 것이니, 비록 자신의 고수에서도 탐욕이 있어 소연과 상응에서 따라 증장한다고 해도 성냄과 같은 것이 아니기 때문이라고 말하고, 비록 자신의 낙수에서도 성냄이 있어 소연에서 따라 증장한다고 해도 탐욕과 같은 것이 아니기 때문이라고 말했어야 할 것이다. 자신의 상속신 중의 낙수 등 3수가 많은 부분에 따라 속박의 소연이 되는 것에 의거해 이런 결정적 말씀을 하신 것이다. 탐욕은 낙수를 반연하여 증장하고, 성냄은 고수를 반연하여 증장하며, 무명은 사수를 반연하여 증장하는 것이다. 만약 남의 상속신 중의 낙수 등 3수가 속박의 소연이 되는 것에 의거한다면, 이것은 곧 일정하지 않다. 3수는 모두 소연의 경계가 되어 세 가지 속박을 낳을 수 있기 때문이니, 예컨대 원수의 낙수를 반연해서 성냄도 따라 증장하고, 원수의 고수를 반연해서 탐욕도 따라 증장하며, 원수·친구 아닌 자의 고수·낙수를 반연해서 무명도 따라 증장하는 것이 그 상응하는 바에 따르는 것과 같다.

24 이는 곧 셋째 수면을 밝히는데, 앞에서 설한 것과 같다고 가리켰다. # 앞에서 자세히 설했지만, 논서의 체제상 다시 언급한 것이다.

46c 수번뇌는 이의 나머지[隨煩惱此餘]
　염오 심소의 행온이다[染心所行蘊]

논하여 말하겠다. 이 모든 번뇌들도 역시 수번뇌라고 이름하니, 모두 마음에 따라 뇌란하는 것이 되기 때문이다. 다시 이의 나머지, 모든 번뇌들과는 다른 염오한 심소로서 행온에 포함되는 것이 있는데, 번뇌에 따라 일어나기 때문에 역시 수번뇌隨煩惱라고 이름한다. 번뇌라고 이름하지 않으니, 근본번뇌가 아니기 때문이다. 그 모습을 널리 열거한다면 (『법온족론』의) 잡사품雜事品 중에서와 같은데, 뒤에서 전과 번뇌구煩惱垢에 포함되는 것에서 간략히 논설하겠다.[25]

6. 전纏

우선 먼저 전纏의 모습은 어떠한지 분별해야 할 것인데, 게송으로 말하겠다.

47 전은 여덟이니, 무참·무괴[纏八無慚愧]
　시기·아낌과 아울러 후회·수면[嫉慳幷悔眠]
　그리고 도거·혼침인데[及掉擧惛沈]
　혹은 분노·덮음을 더한 열 가지이다[或十加忿覆]

48 무참·아낌·도거는[無慚慳掉擧]

25 이는 곧 넷째 수번뇌를 밝히는 것이다. 간략히 게송을 해석하자면, '온'은 무위를 가려내는 것이고, '행'은 색온 등의 4온을 가려내는 것이며, '심소'는 행온 중 불상응행을 가려내는 것이고, '염오'는 심소 중 선·무기를 가려내는 것이며, '이의 나머지'는 염오 중 근본번뇌를 가려내는 것이니, 말하자면 이 근본번뇌의 나머지를 수번뇌라고 한다고 명칭으로 표방한 것이다. 장차 수번뇌를 해석하려면 먼저 근본번뇌를 이해해야 할 것인데, 이 모든 근본번뇌들도 수번뇌라고도 이름하니, 모두 마음에 따라 뇌란하는 것이 되기 때문이다. 다시 이 근본번뇌의 나머지로서, 모든 근본번뇌들과는 다른 염오한 심소로서 행온에 포함되는 것이 있는데, 번뇌에 따라 일어나기 때문에 역시 수번뇌라고 이름한다. 번뇌라고 이름하지 않으니, 근본번뇌가 아니기 때문이다. 그 수번뇌의 모습을 널리 열거한다면 『법온족론』 제9권의 잡사품雜事品 중(=대26-494하 이하)에서 말한 것과 같은데, 다시 다음에 10전에 포함되는 것과 6번뇌구에 포함되는 것에서 간략히 논설하겠다.

모두 탐욕에서 생기는 것이고[皆從貪所生]
무괴·수면·혼침은[無愧眠惛沈]
무명에서 일어나는 것이며[從無明所起]

㊾a 시기·분노는 성냄에서 일어나고[嫉忿從瞋起]
후회는 의심에서 일어나는데, 덮음에 대해서는 다툰다[悔從疑覆諍][26]

논하여 말하겠다. 근본번뇌를 역시 전이라고도 이름하니, 경에서 욕탐의 전[欲貪纏]이 연이 된다고 설했기 때문이다. 그런데 『품류족론』에서는 8전纏이 있다고 말하고, 비바사종毘婆沙宗에서는 10전이 있다고 말하니, 말하자면 앞의 8전에 다시 분노·덮음을 더한 것이다.[27]

무참과 무괴는 앞에서 이미 해석한 것과 같다. 시기[嫉]는, 말하자면 남의 여러 흥하고 성한 일[興盛事]에 대해 마음으로 하여금 기뻐하지 못하게 하는 것이다. 아낌[慳]은, 말하자면 재물·법의 아름다운 보시[巧施]와 상반되게 마음으로 하여금 인색하게 집착케 하는 것이다. 후회[悔]는 곧 악작惡作이니, 앞에서 이미 분별한 것과 같다. 수면[眠]은, 말하자면 마음으로 하여금 흐리멍덩[昧略]하게 함을 성품으로 하는 것으로서, 몸을 집지執持할 공력功力이 없는 것이다. 후회·수면의 2전은 오직 염오인 것만을 취한다. 도거와 혼침도 역시 앞에서 해석한 것과 같다. 성냄과 해침[害]을 제외하고, 유정·비유정에 대해 마음으로 하여금 분憤함을 일으키게 하는 것을 말하여 분노[忿]라고 이름한다. 자신의 죄를 숨기고 감추려는 것을 말하여 덮음[覆]이라고 이름한다.[28]

26 이하는 곧 다섯째 전에 대해 밝히는 것인데, 처음 1게송은 전에 대해 밝히고, 뒤의 1게송반은 근본번뇌의 등류과임을 밝히는 것이다.
27 첫 게송을 해석하는 것이다. 장차 모든 전을 해석하려면 먼저 근본번뇌를 이해해야 할 것인데, 근본번뇌도 역시 전이라고 이름하니, 경(=잡 [35]35:977 시바경尸婆經)에서 욕탐의 전이 연이 된다고 설했기 때문이다. 그런데 『품류족론』(=제1권. 대26-692하)에서는 전에 여덟 가지가 있다고 말하고, 분노·덮음을 말하지 않았는데, 비바사종에서는 전에 열 가지가 있다고 말한다. 유정을 얽어매어[纏縛] 생사의 감옥에 두기 때문에 전이라고 이름한다.

이상 설한 열 가지 전 중 무참·아낌·도거는 탐욕의 등류等流이고, 무괴·수면·혼침은 무명의 등류이며, 시기·분노는 성냄의 등류이고, 후회는 의심의 등류이다. 어떤 분은, "덮음은 탐욕의 등류이다"라고 말하였고, 어떤 분은, "무명의 등류이다"라고 말했는데, 어떤 분은, "양자의 등류이니, 그 순서대로 앎이 있는 경우와 앎이 없는 경우이다"라고 말하였다.[29]

---

28 여기에서 수면睡眠은 오직 염오인 것만을 취한다. 만약 널리 수면을 밝힌다면 모두 네 가지가 있으니, 말하자면 선·불선·유부·무부이다. '선'은 오직 생득선일 뿐, 가행에는 통하지 않는다. 그래서 『순정리론』(=제54권. 대29-646상)에서 말하였다. "그런데 가행의 문·사의 선심에서는 수면이 현행하지 않으니, 성품이 상반되기 때문이다. 이것은 가행의 수소성의 마음에서도 역시 현행하지 않으니, 그것을 능히 대치하기 때문이다. 오직 한 부류의 생득선의 마음에서만 수면이 현행할 수 있으니, 성품이 미약하기 때문이다." 불선과 유부무기는 모두 현행함이 인정되지만, 무부무기의 경우 설이 달라서 같지 않다. 그래서 『순정리론』(=제54권. 대29-646상)에서 말하였다. "무부무기는 오직 이숙생일 뿐이니, 공교처 등을 일으키면 수면은 곧 무너지기 때문이다. 어떤 다른 논사는 말하였다. 수면의 단계 중에서도 위의로·공교처의 마음이 일어날 수도 있다. 그렇지만 처음 단계에 그것이 곧 현행할 수 있는 것은 아니고, 그 뒤의 꿈 속에서 비로소 현행할 수 있기 때문이다." 간략히 수면에 대해 해석했는데, 나머지 9전은 글과 같다.

(문) 나머지 수번뇌는 어째서 전이 아닌가? (해) 그 상응하는 바에 따라 허물이 무거운 것은 따로 세우지만, 허물이 가벼운 것은 세우지 않는다. 대번뇌지법 중 혼침은 지혜를 장애하는 것이 뛰어나고, 도거는 선정을 장애하는 것이 뛰어나기 때문에 따로 전으로 세우지만, 불신·해태·방일 세 가지는 선정·지혜를 장애함이 뛰어난 것이 아니기 때문에 전으로 세우지 않는다. 무명은 근본번뇌이기 때문에 전으로 세우지 않고, 무참·무괴는 오직 불선으로서 허물이 무겁기 때문에 전으로 세운다. 소번뇌지법 중 시기·아낌·분노·덮음은 허물이 무거워서 전으로 세우지만, 나머지 여섯 가지는 허물이 가볍기 때문에 별도의 구垢로 세운다. 나머지 지의 법 외에, 수면은 지혜를 장애하는 것이 뛰어나고, 악작은 선정을 장애하는 것이 뛰어나기 때문에 따로 전으로 세우며, 심구·사찰은 장애하는 것이 아니기 때문이다. 심구를 보리분법(=바른 말[正語])으로 세운 것은 이것이 곧 지혜에 수순해서이며, 심구·사찰을 정려지분으로 세운 것은 이것이 곧 선정에 수순해서이니, 그래서 전으로 세우지 않은 것이다. 탐욕·성냄·거만·의심은 모두 근본번뇌이므로 역시 전으로 세우지 않는다.

29 뒤의 1게송반을 해석하는 것이다. '등류'라고 말한 것은 이것이 그 근본번뇌의 가까운 등류과라는 것이다. 만약 앎이 있는 사람의 덮음이라면 탐욕의 등류이니, 명리에 탐착해서 덮어 감추기 때문이며, 만약 앎이 없는 사람의 덮음이라면 무명의 등류이니, 어리석음으로 이해하지 못해서 덮어 감추기 때문이다. 그 순서와 같다. 나머지 글은 알 수 있을 것이다.

7. 번뇌구煩惱垢

나머지 번뇌구煩惱垢는 그 모습이 어떠한가? 게송으로 말하겠다.

49c 번뇌구는 여섯이니, 괴롭힘과[煩惱垢六惱]
해침·원한·아첨·속임·교만이다[害恨諂誑憍]

50 속임·교만은 탐욕에서 생기고[誑憍從貪生]
해침·원한은 성냄에서 일어나며[害恨從瞋起]
괴롭힘은 견취에서 일어나고[惱從見取起]
아첨은 모든 소견에서 생긴다[諂從諸見生][30]

논하여 말하겠다. 괴롭힘[惱]은 말하자면 여러 죄 있는 일을 굳게 집착하는 것[堅執諸有罪事]이니, 이에 의해 이치대로의 충고·회개[諫悔]를 취하지 않는다. 해침[害]은 말하자면 남을 능히 핍박하는 것[於他能爲逼迫]이니, 이에 의해 능히 때리고 욕하는 등의 일을 행한다. 원한[恨]은 말하자면 분노의 소연인 것[忿所緣事]에 대해 자주자주 생각하여 원한을 맺고 버리지 않는 것[結怨不捨]이다. 아첨[諂]은 말하자면 마음의 굽힘[心曲]이니, 이에 의해 능히 여실하게 스스로 드러내지 않고, 혹은 거짓말로 비판하고 부정하며, 혹은 방편을 베풀어 이해를 불분명하게 한다. 속임[誑]은 말하자면 남을 미혹하게 하는 것[惑他]이다. 교만[憍]은 앞에서 이미 해석하였다. 이와 같은 여섯 가지는 번뇌로부터 생기는데, 더러운 모습이 두드러지므로[穢汚相麤] 번뇌구라고 이름한 것이다.[31]

---

30 이는 곧 큰 글의 둘째 6번뇌구에 대해 밝히는 것인데, 처음 2구는 바로 6구를 밝히는 것이고, 뒤의 4구는 근본번뇌의 가까운 등류과임을 밝히는 것이다.

31 처음 2구를 해석하는 것이다. 아첨은 말하자면 능히 마음의 굽힘을 성품으로 하니, 이에 의해 능히 여실하게 스스로 드러내지 않고, 그 사람에게 아첨하기 위해 혹은 거짓말로 그 사람의 원수 집안을 비판하고 부정해서 그를 환희하게 하며, 다른 사람에게 아첨하기 위해 혹은 방편을 베풀어 갖가지로 모습을 나타내어 이해를 불분명하게 하기 때문에 아첨이라고 이름한다. 나머지 글은 알 수 있을 것이다. # '해침'은 해치려 함, 즉 해치려고 한다는 것을 줄인 말이다.

이 여섯 가지 번뇌구 중 속임·교만은 탐욕의 등류이고, 해침·원한은 성냄의 등류이며, 괴롭힘은 견취의 등류이고, 아첨은 모든 소견의 등류이다. 예컨대 '무엇이 굽힘[曲]인가?'라는 말에, '모든 악견을 말한다'라고 한 것과 같으니, 따라서 아첨은 결정코 모든 소견의 등류이다. 이 구垢와 전纏은 번뇌로부터 생기니, 이 때문에 모두 수번뇌라는 명칭을 세운 것이다.[32]

제2항 수번뇌의 여러 문 분별

1. 3단 분별

이 구垢 및 전纏은 무엇의 소단인가? 게송으로 말하겠다.

51 전 중 무참·무괴·수면과[纏無慚愧眠]
혼침·도거는 견소단·수소단이며[惛掉見修斷]
나머지 및 번뇌구는[餘及煩惱垢]
자재하게 일어나기 때문에 오직 수소단이다[自在故唯修]

논하여 말하겠다. 우선 10전 중 무참 등의 5전은 견소단·수소단에 통하니, 이것들은 공통으로 2부의 번뇌와 상응하여 일어나기 때문이다. 견차제소단見此諦所斷과 상응하는 것에 따라 곧 견차제소단이라고 이름한다. 나머지 시기·아낌·후회·분노·덮음과 아울러 번뇌구는 자재하게 일어나기 때문

32 뒤의 4구를 해석하는 것이다. '등류'라고 말한 것은 그 근본번뇌의 가까운 등류과라는 것이다. 아첨은 모든 5견의 등류이니, 마치 누군가가 '어떤 법이 굽힘인가?'라고 묻자, '모든 악견을 말한다'라는 이런 답을 한 것과 같다. 악견을 굽힘이라고 이름하는 것은 아첨과 서로 비슷하기 때문이니, 아첨은 결정코 모든 소견의 등류이다. 그래서 『입아비달마론』 제1권(=대28-984상)에서 말하였다. "속임·교만 두 가지는 탐욕의 등류이니, 탐욕의 종류이기 때문이다. 해침·원한 두 가지는 성냄의 등류이니, 성냄의 종류이기 때문이다. 괴롭힘의 구는 곧 견취의 등류이니, 자기 소견이 뛰어나다고 집착하는 자가 자·타를 뇌란하기 때문[惱亂自他故]이다. 아첨의 구는 곧 모든 소견의 등류이니, 모든 소견이 증성한 자는 대부분 첨곡諂曲하기 때문이다. 마치 '첨곡은 말하자면 모든 악견이다'라고 말하는 것과 같다."

에 오직 수소단이다. 오직 수소단의, 타력他力의 무명과만 함께 상응하기 때문에 자재하게 일어난다[自在起]고 이름한 것이다.[33]

2. 3성 분별

이 수번뇌 중 무엇은 어떤 성품에 통하는가? 게송으로 말하겠다.

52a 욕계의 셋은 두 가지 성품이고, 나머지는 불선이며[欲三二餘惡]
상계의 것은 모두 무기이다[上界皆無記]

논하여 말하겠다. 욕계에 계속되는 수면·혼침·도거의 셋은 모두 불선·무기의 두 가지 성품에 통하며, 그 나머지 일체 모두는 오직 불선이다. 위의 2계 중에 상응함에 따라 있는 일체는 오직 무기의 성품에만 포함된다.[34]

3. 3계 분별

이 수번뇌 중 무엇은 어떤 계界에 계속되는가? 게송으로 말하겠다.

---

33 이하는 큰 글의 둘째 여러 문 분별이다. 그 가운데 나아가면 첫째 3단으로 분별하고, 둘째 3성으로 분별하며, 셋째 3계로 분별하고, 넷째 6식으로 분별하며, 다섯째 5수와의 상응인데, 이는 곧 3단으로 분별하는 것이다. 우선 10전 중 무참·무괴·수면·혼침·도거 다섯 가지는 견소단·수소단에 통한다. 이것들은 공통으로 견소단·수소단 2부의 번뇌와 상응하여 일어나기 때문이다. 그래서 2단에 통한다는 것이다. 견소단 중에서는 견차제소단見此諦所斷과 상응하는 것에 따라 곧 견차제소단이라고 이름한다. 견소단은 4부에 통하는 까닭에 따로 해석했지만, 수소단은 하나뿐이기 때문에 따로 밝히지 않았다. 나머지 시기·아낌·후회·분노·덮음과 아울러 6구는 자재하게 일어나기 때문에 오직 수소단이다. 오직 수소단의, 타력他力의 무명(=다른 번뇌의 힘에 의해 인기되는 상응무명)과만 함께 상응하기 때문에 자재하게 일어난다[自在起]고 이름하고, 그래서 오직 수소단이다. 그래서 『순정리론』(=제54권. 대29-647상)에서 말하였다. "자재하게 일어나는 전·구와 상응하는 것에 있는 무명은 오직 수소단이기 때문이다."

34 이는 곧 3성으로 분별하는 것이다. 욕계에 계속되는 수면·혼침·도거의 셋은, 만약 탐욕 등과 상응하는 것이라면 불선이고, 유신견·변집견과 상응하는 것이라면 무기이다. 그 나머지 일체 7전과 6구는 모두 오직 불선이다. 위의 2계 중에 상응함에 따라 있는 혼침·도거 및 아첨·속임·교만 일체는 오직 무기의 성품에만 포함된다.

52c 아첨·속임은 욕계와 초정려이고[諂誑欲初定]
셋은 3계, 나머지는 욕계이다[三三界餘欲]

논하여 말하겠다. 아첨·속임은 오직 욕계와 초정려에만 있다. 범세梵世에 아첨·속임이 있다는 것은 어찌 아는가? 대범왕은 자기가 생각하는 것을 숨기고, 모습을 나타내어 마승馬勝 필추를 속이고 홀렸기 때문이다. 이 두 가지는 앞에서 이미 분별했지만, 뜻이 상응하기 때문에 지금 다시 거듭 분별한 것이다.

혼침·도거·교만의 셋은 공통으로 3계에 있고, 그 나머지 일체 모두는 오직 욕계에만 있다. 말하자면 열여섯 중 다섯은 앞에서 분별한 것과 같고, 그 나머지 열하나는 오직 욕계계이다.35

4. 6식 상응 분별

수면 및 수번뇌에 대해서는 이미 분별했는데, 그 중 오직 의지意地에만 있는 것은 몇 가지가 있고, 6식의 지에 공통으로 의지해 일어나는 것은 몇 가지가 있는가? 게송으로 말하겠다.

53 견소단, 거만·수면과[見所斷慢眠]
자재하게 일어나는 수번뇌는[自在隨煩惱]
모두 오직 의지에서만 일어나고[皆唯意地起]
나머지는 공통으로 6식에 의지한다[餘通依六識]

논하여 말하겠다. 간략히 말한다면 모든 견소단 및 수소단 중 일체 거만·수면, 수번뇌 중 자재하게 일어나는 것, 이와 같은 일체는 모두 의식에 의지한다고 알아야 할 것이니, 5식의 무리에 의지해서는 일어날 수 없기 때문이다. 그 나머지 일체는 공통으로 6식에 의지한다. 말하자면 수소단 중 탐

35 이는 곧 셋째 3계 분별이다. 자기가 생각하는 것을 숨긴 것을 아첨이라고 이름하고, 모습을 나타내어 속이고 홀린 것을 속임이라고 이름한다.(=그 내용은 앞의 제4권 중 게송 32에 관한 논설 참조) 나머지 글은 알 수 있을 것이다.

욕·성냄·무명 및 그것과 상응하는 모든 수번뇌, 즉 무참·무괴·혼침·도거 및 나머지 대번뇌지법에 포함되는 수번뇌는 6식의 무리에 의지해서 모두 일어날 수 있기 때문이다.[36]

5. 5수근 상응 분별

(1) 근본번뇌와 5수근의 상응

앞에서 분별한 것과 같은 낙근 등의 5수근과 지금 여기에서 밝힌 번뇌·수번뇌는, 어떤 번뇌 등이 어떤 근과 상응하는가? 여기에서 모든 번뇌에 대해 먼저 분별해야 할 것인데, 게송으로 말하겠다.

54 욕계의 모든 번뇌 중[欲界諸煩惱]
탐욕은 희근·낙근과 상응하고[貪喜樂相應]
성냄은 우근·고근과, 무명은 (앞의 4근과) 두루[瞋憂苦癡遍]
사견은 우근 및 희근과[邪見憂及喜]

55 의심은 우근과, 나머지 다섯은 희근과[疑憂餘五喜]
일체는 사근과 상응하며[一切捨相應]
상지의 번뇌는 모두 상응함에 따라[上地皆隨應]
두루 자식의 모든 수근과 상응한다[遍自識諸受][37]

36 이는 곧 넷째 6식과의 상응이다. 간략히 말한다면, 일체 3계의 견제소단 및 수소단 중 일체 거만·수면, 수번뇌 중 자재하게 일어나는 것, 즉 시기·아낌·분노·덮음·후회의 전 및 6번뇌구, 이와 같은 일체는 모두 의식에 의지하는 것이라고 알아야 할 것이니, 5식의 무리에 의지해서는 일어날 수 없기 때문이다. 그 나머지 일체는 공통으로 6식에 의지한다. 말하자면 수소단 중의 탐욕·성냄·무명 및 그것과 상응하는 모든 수번뇌, 즉 무참·무괴·혼침·도거의 4전 및 나머지 대번뇌지법에 포함되는 수번뇌, 즉 방일·해태·불신은 6식의 무리에 의지해서 모두 일어날 수 있기 때문이다.

37 이하는 다섯째 5수근과의 상응이다. 그 안에 나아가면 첫째 근본번뇌와의 상응을 밝히고, 둘째 수번뇌와의 상응을 밝히는데, 이는 곧 첫째 근본번뇌와의 상응을 밝히는 것이다. 물음을 일으킨 것에 나아가면 첫째 전체적으로 묻고, 둘째 개별적으로 묻고, 게송으로 답했는데, 알 수 있을 것이다.

논하여 말하겠다. 욕계에 계속되는 모든 번뇌 중 탐욕은 희근·낙근과 상응하니, 기쁨의 행[歡行]에서 일어나고, 6식에 두루하기 때문이다. 성냄은 우근·고근과 상응하니, 근심의 행[戚行]에서 일어나고, 6식에 두루하기 때문이다. 무명은 두루 앞의 4근과 상응하니, 기쁨·근심의 행에서 일어나고, 6식에 두루하기 때문이다.[38]

사견은 우근·희근과 상응하는 것에 통하니, 기쁨·근심의 행에서 일어나고, 오직 의지意地이기 때문이다.[39] 어째서 사견은 기쁨·근심의 행에서 일어나는가?[40] 순서대로 이전에 죄업과 복업을 지었기 때문이다.[41]

의심은 우근과 상응하니, 근심의 행에서 일어나고, 오직 의지이기 때문이다. 머뭇거림을 품는 자는 결정적인 앎을 구하느라 마음이 근심하기 때문이다. 나머지 4견과 거만은 희근과 상응하니, 기쁨의 행에서 일어나고, 오직 의지이기 때문이다.[42]

---

38 욕계의 번뇌 중 탐욕은 희근·낙근과 상응하니, 기쁨의 행에서 일어나기 때문이다. 우근·고근과 상응하는 것이 아니니, 근심의 행이 아니기 때문이다. 6식에 두루하기 때문에 희근·낙근과 상응하니, 만약 5식에 있는 것이라면 낙근과 상응하고, 만약 의식에 있는 것이라면 희근과 상응한다. 성냄은 우근·고근과 상응하니, 근심의 행에서 일어나기 때문이다. 희근·낙근과 상응하는 것이 아니니, 기쁨의 행이 아니기 때문이다. 6식에 두루하기 때문에 우근·고근과 상응하니, 만약 5식에 있는 것이라면 고근과 상응하고, 만약 의식에 있는 것이라면 우근과 상응한다. 무명은 두루 앞의 희·낙·우·고의 4수근과 상응하니, 기쁨의 행에서 일어나기 때문에 희근·낙근과 상응하고, 근심의 행에서 일어나기 때문에 우근·고근과 상응한다. 6식에 두루하기 때문에 4수근과 상응하니, 만약 5식에 있는 것이라면 고근·낙근과 상응하고, 만약 의식에 있는 것이라면 희근·우근과 상응한다.

39 사견은 우근·희근과 상응하는 것에 통하니, 기쁨의 행에서 일어나기 때문에 희근과 상응하고, 근심의 행에서 일어나기 때문에 우근과 상응한다. 오직 의지이기 때문에 우근·희근과 상응하니, 5식이 아니기 때무에 고근·낙근과 상응하는 것이 아니다.

40 물음이다.

41 답이다. 이전에 죄업을 짓고 뒤에 사견을 일으킬 때에는 곧 기쁨의 행에서 일어나니, 비록 죄업을 지었어도 괴로움의 과보가 없다고 하기 때문이다. 이전에 복업을 짓고 뒤에 사견을 일으킬 때에는 곧 근심의 행에서 일어나니, 애써 수고를 베풀었어도 복의 과보가 없다고 하기 때문이다.

42 의심은 우근과 상응하니, 근심의 행에서 일어나기 때문이다. 희근과 상응하는 것이 아니니, 기쁨의 행이 아니기 때문이다. 오직 의지이기 때문에 우근과 상

개별적 모습[別相]에 의거해 수근과의 상응을 논설했는데, 공통의 모습[通相]에 나아가 수근과의 상응을 논설한다면, 일체 번뇌는 모두 사수捨受와 상응한다. 모든 수면은 그 상속이 끊어지는 단계에서는 세력이 쇠퇴하고 다하여 반드시 사수에 머물기 때문이다.43

욕계의 번뇌가 이미 그러하다면 상지上地의 번뇌는 어떠한가?44 모두 상응하는 바에 따라 자지自地의 자식自識과 함께 일어나는 모든 느낌과 두루 상응한다. 말하자면 만약 지 중에 4식이 갖추어져 있다면, 그 각각의 식이 일으킨 번뇌는 각각 자식의 모든 느낌과 두루 상응하며, 만약 여러 지 중에 의식만 있다면, 곧 그 의식이 일으킨 번뇌는 의식의 모든 느낌과 두루 상응한다. 상계의 모든 지 중에서의 식識과 느낌[受]의 많고 적음은 앞에서 이미 분별한 것과 같기 때문에 별도로 논설하지 않겠다.45

응하니, 5식이 아니기 때문에 고근과 상응하는 것이 아니다. 결정적인 앎을 구하여 마음이 근심하기 때문에 기쁨의 행에서 일어나는 것이 아니다. 나머지 4견과 거만은 희근과 상응하니, 기쁨의 행에서 일어나기 때문이다. 우근과 상응하는 것이 아니니, 근심의 행이 아니기 때문이다. 오직 의지이기 때문에 희근과 상응하니, 5식이 아니기 때문에 낙근과 상응하는 것이 아니다.

43 개별적 모습에 의거해 모든 번뇌가 수근과 상응함에 대해 논설했는데, 공통의 모습에 나아가 수근과의 상응을 논설한다면, 일체 번뇌는 모두 사수와 상응한다. 모든 수면은 그 상속이 끊어지는 단계에서는 세력이 쇠퇴하고 다하여 반드시 사수에 머무니, 사수는 처중으로서 기쁨·근심에 거스르지 않기 때문에 두루 상응하는 것이다. # 또 『현종론』(=제27권. 대29-908중)에서 말하였다. "전체적으로 말하자면 모두 사수와 상응한다. 사수는 무명에 의해 수증한다고 설하기 때문이니, 무명과 모든 번뇌는 두루 상응하기 때문이다."

44 이하는 뒤의 2구를 해석하는 것인데, 이는 곧 물음이다.

45 답이다. 욕계에는 우근·고근이 있는 까닭에 모든 번뇌가 근심의 행에서 일어나는 것이 있지만, 상계에는 우근·고근이 없으며, 또 선정에 의해 적셔지는 까닭에 모든 번뇌는 근심의 행에서 일어나는 것이 없고, 그 어떤 지地이든 식에 있는 번뇌는 각각 자신의 식[自識]의 모든 느낌과 두루 상응한다. 만약 초정려 중이라면 4식(=안·이·신·의식)이 갖추어져 있으므로, 그 하나하나의 식이 일으킨 번뇌는 각각 자식의 모든 느낌과 두루 상응하니, 만약 3식이 있는 것이라면 낙근·사근과 상응하고, 만약 의지에 있는 것이라면 희근·사근과 상응한다. 제2정려 이상이라면 의식만 있으므로, 제2정려의 의식이 일으킨 번뇌는 의식의 희근·사근과 두루 상응하고, 제3정려의 의식이 일으킨 번뇌는 의식의 낙근·사근과 두루 상응하며, 제4정려 이상의 의식이 일으킨 번뇌는 의식의 사근과 두루 상응한다. 상계의 모든 지 중에서의 식과 느낌의 많고 적음은

⑵ 수번뇌와 5수근의 상응

번뇌의 모든 느낌과의 상응에 대해 분별했으니, 이제 다음으로 다시 수번뇌에 대해 분별해야 할 것인데, 게송으로 말하겠다.

56 모든 수번뇌 중[諸隨煩惱中]
　시기·후회·분노 및 괴롭힘과[嫉悔忿及惱]
　해침·원한은 우근과 구기하고[害恨憂俱起]
　아낌은 희근과 상응한다[慳喜受相應]

57 아첨·속임 및 수면·덮음은[諂誑及眠覆]
　우근·희근과 구기함에 통하며[通憂喜俱起]
　교만은 희근·낙근과, 모두는 사근과[憍喜樂皆捨]
　나머지 넷은 두루 상응한다[餘四遍相應][46]

논하여 말하겠다. 수번뇌 중 시기[嫉] 등의 여섯 가지는 일체가 모두 우근과 상응하니, 근심의 행에서 일어나고, 오직 의지이기 때문이다.[47] 아낌[慳]은 희수와 상응하니, 기쁨의 행에서 일어나고, 오직 의지이기 때문이다. 기쁨의 행에서 일어나는 것은, 아낌의 모습이 탐욕과 지극히 서로 유사하기 때문이다.[48]

앞(=식의 많고 적음은 제2권 중 게송 30과 그 논설, 느낌의 많고 적음은 제3권 중 게송 13과 그 논설)에서 이미 분별한 것과 같기 때문에 별도로 설명하지 않는다.

46 이하는 곧 둘째 수번뇌의 상응에 대해 밝히는 것이다.

47 처음 3구를 해석하는 것이다. 수번뇌 중 시기·후회·분노·괴롭힘·해침·원한의 여섯 가지는 일체가 모두 우근과 상응한다. 근심의 행에서 일어나기 때문이니, 희근과 상응하는 것이 아닌 것은 기쁨의 행이 아니기 때문이다. 오직 의지이기 때문에 우근과 상응하니, 5식이 아니기 때문에 고근과 상응하는 것이 아니다.

48 제4구를 해석하는 것이다. 아낌은 희근과 상응하니, 기쁨의 행에서 일어나기 때문이다. 우근과 상응하는 것이 아닌 것은 근심의 행이 아니기 때문이다. 오직 의지이기 때문에 희근과 상응하니, 5식이 아니기 때문에 낙근과 상응하는 것이 아니다.

아첨[諂]·속임[誑]·수면[眠]·덮음[覆]은 우근·희근과 상응하니, 기쁨·근심의 행에서 일어나고, 오직 의지이기 때문이다. 기쁨·근심의 행이란, 말하자면 혹 어떤 때에는 환희하는 마음으로 아첨 등을 행하지만, 혹 때로는 근심하는 마음으로 행하는 것이 있다는 것이다.[49] 교만[憍]은 희근·낙근과 상응하니, 기쁨의 행이며, 오직 의지이기 때문인데, 제3정려에 있는 것은 낙근과 상응하고, 그 아래의 모든 지에 있는 것은 희근과 상응한다.[50]

이 위에서 설한 모든 수번뇌는 일체 모두가 사수와 상응하니, 그 상속이 끊어질 때에는 모두 사수에 머물기 때문에 공통으로 작용함[通行]이 있으며, 오직 사수만의 지[唯捨地]에도 있기 때문에 사수는 일체와 상응한다고 해도 무방하니, 비유하자면 무명이 두루 상응하는 것과 같기 때문이다.[51]

나머지 무참·무괴·혼침·도거 네 가지는 모두 5수와 두루 상응하니, 앞의 두 가지는 대불선지법에 포함되기 때문이며, 뒤의 두 가지는 대번뇌지법에 포함되기 때문이다.[52]

49 제5·제6구를 해석하는 것이다. 아첨·속임·수면·덮음은 우근·희근과 상응하니, 기쁨·근심의 행에서 일어나기 때문이다. 기쁨의 행에서 일어나는 것이라면 희근과 상응하고, 근심의 행에서 일어나는 것이라면 우근과 상응한다. 오직 의지이기 때문에 우근·희근과 상응하니, 5식이 아니기 때문에 고근·낙근과 상응하는 것이 아니다.

50 제7구 중 앞의 3글자를 해석하는 것이다. 교만은 희근·낙근과 상응하니, 기쁨의 행에서 일어나기 때문이다. 우근과 상응하지 않는 것은 근심의 행이 아니기 때문이다. 오직 의지이기 때문에 희근·낙근과 상응한다. 낙근은 말하자면 제3정려이니, 5식이 아니기 때문에 그 낙수(=5식의 낙수)와 상응하는 것이 아니다.

51 제7구 중 아래 2글자(='모두는 사수와[皆捨]')를 해석하는 것이다. 이 위에서 설한 열두 가지 중 교만은 공통으로 작용하면서, 제4정려 이상에 있는 것은 오직 사수만의 지[唯捨地]이기 때문이다. 혼침·도거도 이치상 역시 오직 사수만의 지에 있는 것에도 통하지만, 그 다음 뒤에서 따로 밝히기 때문에 지금을 말하지 않았다. 나머지 글은 알 수 있을 것이다.

52 뒤의 1구를 해석하는 것이다. (문) 6식과의 상응 중(=앞의 4. '6식 상응 분별')에서는 곧 나머지 대번뇌지법에 대해서 밝혔는데, 어째서 여기에서는 곧 밝히지 않는가? (해) 앞의 글에서 이미 6식과 상응한다는 것을 이미 논설했으니, 그 모든 수근과 상응한다는 것도 이미 드러났기 때문에 지금 논설하지 않은 것이다.

제3절 5개五蓋

앞에서 설한 번뇌와 수번뇌에 대해 붓다께서 다른 문에 의해 덮개[蓋]라고 설하신 일이 있으니, 이제 다음으로 분별해야 할 것이다. 덮개의 모습은 어떠한가? 게송으로 말하겠다.

58 덮개 다섯은 욕계에 있는 것만인데[蓋五唯在欲]
먹이·대치·작용이 같기 때문에[食治用同故]
비록 둘이더라도 하나의 덮개로 세웠으며[雖二立一蓋]
무루온을 장애하기 때문에 오직 다섯뿐이다[障蘊故唯五][53]

1. 덮개의 수와 계界 분별

논하여 말하겠다. 붓다께서 경 중에서, "덮개[蓋]에 다섯 가지가 있으니, 첫째 욕탐의 덮개[欲貪蓋], 둘째 성냄의 덮개[瞋恚蓋], 셋째 혼침·수면의 덮개[惛眠蓋], 넷째 도거·후회의 덮개[掉悔蓋], 다섯째 의심의 덮개[疑蓋]이다"라고 설하셨다.[54]

여기에서 설한 혼침·도거 및 의심은 욕탐·성냄·수면·후회처럼 오직 욕계에만 있는가, 3계에 통하는가?[55] 이 세 가지도 역시 오직 욕계에 있는 것만이라고 알아야 할 것이니, 계경에서 이와 같은 다섯 가지는 순전히 원만한 불선의 무더기[純是圓滿不善聚]라고 설했기 때문이다. 색계·무색계에는 불선

53 이하는 곧 셋째 5개를 밝히는 것이다. (제1구 중) '덮개 다섯은'은 명칭을 표방하고 수를 든 것이며, '욕계에만 있는데'는 계를 분별한 것이고, 다음 2구는 덮개를 합친 것에 대해 밝힌 것이며, 뒤의 1구는 폐하고 건립한 것이다. # 설하신 경은 잡 [26]26:704~707경, 중 24:98 염처경, 장 8:9 중집경 등이다.
54 '덮개 다섯은'을 해석하는 것이다. 『입아비달마론』(=하권. 대28-985상)에서 말하였다. "욕계의 5부의 탐욕을 첫 덮개라고 이름하고, 5부의 성냄을 둘째 덮개라고 이름하며, 욕계의 혼침 및 불선의 수면을 셋째 덮개라고 이름하고, 욕계의 도거 및 불선의 악작을 넷째 덮개라고 이름하며, 욕계의 4부의 의심을 다섯째 덮개라고 이름한다."
55 이하에서 '욕계에 있는 것만'을 해석하는데, 이는 곧 물음이다.(=의심은 3계계이고, 앞의 게송 52d와 그 논설에 의하면 혼침·도거도 역시 3계계이다)

이 없는데, 이 다섯 가지는 순전히 불선이라고 했기 때문에 오직 욕계에 있는 것만이고, 색계·무색계에 있는 것은 아니다.[56]

2. 덮개를 합친 이유

어째서 혼침·수면과 도거·후회의 2개는 각각 두 가지 체가 있는데, 합쳐서 하나로 세웠는가?[57] 먹이·대치·작용이 같기 때문에 합쳐서 하나로 세운 것이다. 먹이는 말하자면 먹는 대상[所食]인데, 자량資糧이라고도 이름한다. 대치는 말하자면 대치주체[能治]인데, 먹이 아닌 것[非食]이라고도 이름한다. 작용은 말하자면 일의 작용[事用]인데, 공능功能이라고도 이름한다. 이 경 중에서, "혼침·수면은 비록 둘이지만, 먹이와 먹이 아닌 것이 같다"라고 이렇게 설하였다.[58]

어떤 것을 혼침·수면의 덮개의 먹이라고 이름하는가?[59] 말하자면 다섯 가지 법이니, 첫째 몽롱한 것, 둘째 즐겁지 않은 것, 셋째 기지개 켜는 것, 넷째 음식의 평등하지 못한 성품[食不平性], 다섯째 마음의 어둡고 열등한 성품[心昧劣性]이다.[60] 어떤 것을 이 덮개의 먹이 아닌 것이라고 이름하는가?[61] 광명의 지각[光明想]을 말한다.[62] 이와 같은 두 가지는 일의 작용도

56 답이다. 경(=잡 [27]27:725 불선취경不善聚經)에서 불선이라고 말했기 때문에 욕계에 있는 것만이다.

57 이하에서 제2·제3구를 해석하는데, 이는 곧 묻는 것이다.

58 답인데, 알 수 있을 것이다.

59 물음이다.

60 답이다. '먹이'는 말하자면 능히 이익하는 것[能益]이니, 이 다섯 가지는 능히 혼침·수면을 이익하기 때문에 그것의 먹이이다. 또 해석하자면 이 다섯 가지는 모두 작은 번뇌 중에 포함되는 것이다. '몽롱한 것[夢-夕+登]瞢'이란 잠의 징조[先兆]이다. '즐겁지 않은 것[不樂]'이란 마음이 기뻐하지 않는 것이다. '기지개 켜는 것[頻申]'이란, 일에 힘쓴 것에 의한 피곤에서 생기는 바 능히 기지개를 일으킨 것이니, 원인을 결과에 따라 호칭한 것이다. '음식에 평등하지 못한 것'이란 마시거나 먹은 것이 평소의 정도[恒度]를 지나쳤거나 혹은 향·미·촉 중에 치우치게 증성한 것이 있어서 능히 먹은 자의 몸과 마음으로 하여금 가라앉고 어둡게 하는 것이니, 이는 음식의 불평등으로부터 생긴 결과를 원인에 따라 이름한 것이다. '마음의 어둡고 열등한 성품'이란 말하자면 그 힘이 심왕으로 하여금 경계를 분명치 못하게 취하게 하는 것을 '어둡다'고 하고, 능히 취하는 힘이 미약한 것을 '열등하다'고 한 것이니, 작용에 따라 이름한 것이다.

역시 같으니, 말하자면 모두 능히 마음의 성품으로 하여금 가라앉고 어둡게 하는 것[能令心性沈昧]이다.[63]

도거·후회는 비록 둘이지만, 먹이와 먹이 아닌 것이 같다.[64] 어떤 것을 도거·후회의 덮개의 먹이라고 이름하는가?[65] 말하자면 네 가지 법이니, 첫째 친지·이웃에 대한 생각[親里尋], 둘째 국토에 대한 생각[國土尋], 셋째 죽지 않는 것에 대한 생각[不死尋], 넷째 과거에 겪었던 갖가지 웃고 농담하며 즐겁게 오락하고 받들어 섬긴 등의 일을 따라 기억하는 것이다.[66] 어떤 것을 이 덮개의 먹이 아닌 것이라고 이름하는가?[67] 사마타奢摩他를 말한다.[68] 이와 같은 두 가지는 일의 작용도 역시 같으니, 말하자면 모두 능히 마음으로 하여금 고요하지 못하게 하는 것[能令心不寂靜]이다.[69]

이에 의해 먹이·대치·작용이 같기 때문에 혼침·수면, 도거·후회는 둘을 합쳐 하나로 말한 것이다.[70]

61 물음이다.

62 답이다. 광명의 지각을 일으키는 마음은 곧 깨우침을 일으키므로 혼침·수면이 생기지 않으니, 그것을 이익하는 것이 아니기 때문에 먹이 아닌 것이라고 이름한 것이다.

63 이는 혼침·수면의 작용이 같음을 해석하는 것이다.

64 도거·후회 두 가지는 먹이가 같고, 먹이 아닌 것이 같음을 밝히는 것이다.

65 물음이다.

66 답이다. 혹 때로는 여러 친지·이웃의 일을 생각하고, 혹 때로는 여러 국토의 일을 생각하며, 혹 때로는 내가 죽지 않으면 장차 이런 일을 하겠다고 생각하고, 혹 때로는 기억에 따라 지난 과거에 겪었던 등의 일을 생각하는 것이다. 친지·마을 등을 반연하면 산란하기 때문에 도거를 늘리고, 마음에 맞지 않는 일이 있으면 근심과 후회를 낳는 것이다.

67 물음이다.

68 답이다. '사마타'는 여기 말로 선정이니, 이 선정에 의하면 그 때문에 도거 및 후회가 생길 수 없다. (문) 어째서 앞에서 혼침·수면의 먹이 아닌 것은 '광명의 지각'이라고 말하고, '비발사나'라고 말하지 않았는데, 도거·후회의 먹이 아닌 것은 사마타라고 말하고, 어두컴컴함[黑闇]이라고 말하지 않는가? (해) 먹이 아닌 것은 여러 가지가 있으므로 각각 그 중의 하나를 든 것이다. 혹은 영략호현한 것이다.

69 일의 작용이 같음을 해석하는 것이다.

70 총결하는 것이다. 또 『순정리론』(=제55권. 대29-648하)에서도 말하였다. "어째서 욕탐·성냄·의심의 덮개는 각각 하나의 체에 대해 따로 덮개라는 명칭을 세우면서 그 혼침·수면, 도거·후회의 두 가지 덮개는 각각 두 가지 체를

3. 덮개의 폐립

모든 번뇌 등에는 모두 덮개의 뜻이 있는데, 어째서 여래께서 이 다섯 가지만을 설하셨는가?[71] 오직 이것들만 5온에 대해 능히 뛰어난 장애가 되기 때문이다. 말하자면 탐욕·성냄의 덮개는 능히 계온戒蘊을 장애하고, 혼침·수면은 능히 혜온慧蘊을 장애하며, 도거·후회는 능히 정온定蘊을 장애하니, 선정과 지혜가 없기 때문에 4성제를 의심하고, 의심 때문에 능히 나아가 해탈온과 해탈지견온을 모두 일어날 수 없게 한다. 그래서 이 다섯 가지만을 덮개로 건립한 것이다.[72]

만약 경의 뜻을 이렇게 해석한다면 도거·후회는 이치상 혼침·수면의 앞에 설해야 할 것이니, 반드시 선정에 의지해야 비로소 지혜가 생길 수 있으

합쳐서 덮개라는 명칭을 세웠는가? 욕탐·성냄·의심은 먹이와 대치가 각각 별개이니, 이 때문에 하나하나에 따로 덮개라는 명칭을 세웠지만, 혼침과 수면 및 도거와 후회는 먹이, 능치, 일의 작용이 모두 같기 때문에 체가 비록 다르더라도 같이 합쳐서 하나로 세운 것이다. 욕탐의 덮개의 먹이는 말하자면 사랑할 만한 모습[可愛相]이고, 이 덮개의 대치는 말하자면 부정상不淨相이다. 성냄의 덮개의 먹이는 말하자면 미워할 만한 모습[可憎相]이고, 이 덮개의 대치는 자애의 선근[慈善根]이다. 의심의 덮개의 먹이는 말하자면 3세이니, 계경(=잡[27]27:715 식경食經)에서, '과거세에서 이와 같은 의심이 생겼다. ‥‥'라고 설한 것과 같고, 이 덮개의 대치는 말하자면 능히 여실하게 연성緣性과 연기緣起에 대한 관찰을 갖는 것이다."

71 아래 1구를 해석하는 것인데, 이는 곧 물음이다. '등'은 수번뇌를 같이 취한 것이다.

72 답이다. 번뇌 등에도 비록 덮개의 뜻이 있기는 하지만, 오직 이것들만 5온에 대해 능히 뛰어난 장애가 되기 때문이다. 말하자면 탐욕·성냄의 덮개는 계를 파괴하는 번뇌이므로 능히 계온을 장애하고, 혼침·수면은 성품이 어두운 것이기 때문에 능히 혜온을 장애하며, 도거·후회는 마음을 산란하게 하기 때문에 능히 정온을 장애하니, 선정과 지혜가 없기 때문에 4성제를 의심하고, 의심이 아직 끊어지지 않아 계박되기 때문에 능히 나아가 해탈온과 해탈지견온을 모두 능히 일어날 수 없게 한다. 그래서 이 다섯 가지만을 덮개로 건립한 것이다. (문) 만약 장애가 뛰어난 것을 덮개로 세운 것이라면, 무명은 어째서 덮개로 세우지 않았는가? (해) 동등하게 짐을 진 것이라면 덮개들 중에 세우겠지만, 무명은 그 중 짐진 것이 치우치게 무거우므로 이 때문에 세우지 않았다. 만약 무명을 하나의 덮개로 세운다면 일체 번뇌가 짐진 장애를 모두 합쳐서 무명과 비교하더라도 여전히 미칠 수 없기 때문에 모든 덮개의 무리 중에 세우지 않은 것이다.

므로, 선정의 장애도 역시 지혜의 장애보다 앞서야 하기 때문이다. 이와 같은 이치에 의해 어떤 다른 논사가 말하였다. "이 5개 중 혼침·수면과 도거·후회는 순서대로 정온과 혜온을 능히 장애한다. 이 때문에 계경에서, '등지等持를 닦는 자는 혼침·수면을 두려워하고, 택법擇法을 닦는 자는 도거·후회를 두려워한다'라는 이런 말을 한 것이다."[73]

어떤 다른 분은 다섯 가지만을 세운 이유에 대해 달리 말하였다.[74] 그의 설은 어떠한가?[75] 말하자면 다니는 단계[行位]에 있을 때 먼저 색 등의 갖가지 경계 중 사랑할 만하며 미워할 만한 두 가지 모습을 취했기 때문에 그 후 머무는 단계[住位]에 있을 때 먼저 원인이 되었던 것에 대해 곧 욕탐과 성냄의 두 가지 덮개를 일으키니, 이 두 가지는 장차 입정하려는 마음[將入定心]을 능히 장애하고, 이에 의해 그 후 바로 입정한 단계에서 지止와 관觀을 바르게 닦을 수 없으며, 이에 의해 곧 혼침·수면과 도거·후회를 일으키고, 그 순서대로 사마타와 비발사나를 장애하여 일어날 수 없게 하며, 이에 의해 그 후 출정出定한 단계에서 법을 생각해 택할 때 의심이 다시 장애한다. 그래서 덮개의 건립에 이 다섯 가지만이 있는 것이다.[76]

73 논주가 앞에서 말한 설일체유부의 해석을 논파하는 것이다. 만약 경의 뜻을 이렇게 해석한다면 도거·후회는 이치상 혼침·수면의 앞에 설이 있어야 할 것이니, 반드시 선정에 의지해야 비로소 지혜가 생길 수 있기 때문이다. 이는 장애대상[所障]은 선정이 먼저이고, 지혜가 뒤임을 나타내는 것이다. 선정의 장애도 역시 지혜의 장애보다 앞서야 하기 때문이다. 이는 장애주체[能障]의 전후 순서를 나타내는 것이다. 이와 같은 이치에 의해 경량부 논사가 말하였다. "이 5개 중 혼침·수면은 선정을 장애하니, 이 혼침·수면이 성품상 아래로 가라앉게 하기 때문에 선정이 생길 수 없고, 도거·후회는 지혜를 장애하니, 이 도거·후회가 자주 산란하게 움직이게 하기 때문에 지혜가 생길 수 없다. 이에 의해 계경에서 말하기를, '등지를 닦는 자는 혼침·수면을 두려워한다'고 했기 때문에 선정을 장애한다는 것을 알 수 있고, '택법을 닦는 자는 도거·후회를 두려워한다'라고 했기 때문에 지혜를 장애한다는 것을 알 수 있다.

74 경량부의 해석을 서술하는 것이다.

75 물음이다.

76 경량부의 답이다. 말하자면 다니는 단계에 있을 때-즉 걸식 등을 할 때이다- 먼저 색 등의 갖가지 경계 중 사랑할 만하며 미워할 만한 두 가지 모습을 취했기 때문에 그 후 머무는 단계에 있을 때-즉 고요한 방 등에 머물 때이다- 이전의 사랑할 만하며 미워할 만한 두 가지 모습이 원인이 되어, 사랑할 만한

제1절 단혹斷惑의 네 가지 원인

타계他界의 변행의 모든 번뇌 및 견멸·견도소단인 유루연의 모든 번뇌는 그것이 끊어지는 단계에서는 그 소연을 알지 못하고, 그 소연을 알 때에는 그것이 끊어지지 않는 것에 대해 이제 생각해서 가려야 할 것인데, 이와 같은 모든 번뇌가 끊어지는 것은 어떤 원인에 의하는가?77 반드시 소연을 변

경계에 대해서는 곧 욕탐을 일으키고, 미워할 만한 경계에 대해서는 곧 성냄을 일으키니, 이 두 가지가 장차 입정하려는 마음-즉 선정 전의 마음이다-을 능히 장애하고, 이에 의해 그 후 바로 입정한 단계-즉 선정에 있는 마음이다-에서도 지止와 관觀을 바르게 닦을 수 없기 때문에, 이에 의해 곧 혼침·수면을 일으켜 선정을 장애하고, 도거·후회를 일으켜 지혜를 장애하여 일어날 수 없게 한다. 설령 선정에 들었다고 해도 이에 의해 그 후 출정한 단계-즉 산심의 단계이다-에서도 법을 생각해 택할 때 의심이 다시 장애한다.

77 이하는 당품의 큰 글의 둘째 번뇌의 소멸[惑滅]에 대해 밝히는 것이다. 그 가운데 나아가면 첫째 번뇌를 끊는 네 가지 원인을 밝히고, 둘째 네 가지 대치를 밝히며, 셋째 번뇌를 끊는 처소를 밝히고, 넷째 원성遠性 네 가지를 밝히며, 다섯째 번뇌 끊음과 멸의 획득을 밝히고, 여섯째 아홉 가지 변지를 밝힌다. 이하에서 첫째 단혹의 네 가지 원인을 밝히려고 묻는다. 이제 생각해서 가려야 할 것이다. 욕계 고·집의 타계他界의 변행의 모든 번뇌(=소위 9상연혹) 및 3계의 견멸·견도소단인 유루연의 모든 번뇌(=견멸·견도소단의 무루연의 6수면을 제외한, 탐욕·성냄·거만·견취·계금취 및 그 상응무명)는 그것이 끊어지는 단계에서는 그 소연을 알지 못한다. 말하자면 욕계의 고·집 2제를 반연하는 법지인法智忍이 생겨서 2제의 번뇌를 끊음으로써 그 타계의 변행이 끊어지는 단계에서는 그 타계의 변행의 소연을 알지 못하니, 그것은 오직 욕계의 고·집제만을 반연하기 때문이며, 말하자면 멸·도제를 반연하는 법지인이 생겨서 2제의 번뇌를 끊음으로써 그 멸·도제의 유루연의 번뇌가 끊어지는 단계에서는 그 유루연의 번뇌의 소연을 알지 못하니, 그것은 오직 무루의 경계만을 반연하기 때문이다. 그 소연을 알 때에는 그것이 끊어지지 않는다. 말하자면 상계의 고·집 2제를 반연하는 유지인類智忍이 생겨서 그 타계의 변행의 소연을 알 때에는 그 타계의 변행은 끊어지지 않으며(=이미 끊어졌으므로), 말하자면 고·집을 반연하는 법지인이 생겨서 그 멸·도의 유루연의 번뇌의 소연을 알 때에는 그 멸·도의 유루연의 번뇌는 끊어지지 않는다. 이와 같은 모든 번뇌가 끊어지는 것은 어떤 원인에 의하는가? 또 해석하자면 그 소연을 알 때 그것이 끊어지지 않는 것은, 예컨대 고유지인苦類智忍이 그 타계의 변행의 소연을 알 때에는 그 타계의 변행은 끊어지지 않으니, 욕계의 고제의 변행은 이미 끊어

지遍知하기 때문에 끊어지는 것은 아니다.[78] 만약 그렇다면 번뇌를 끊는 것은 전체적으로 몇 가지 원인에 의하는가?[79] 네 가지 원인에 의한다.[80] 어떤 것이 네 가지인가?[81] 게송으로 말하겠다.

59 소연을 변지하기 때문에[遍知所緣故]
그것의 능연을 끊기 때문에[斷彼能緣故]
그것의 소연을 끊기 때문에[斷彼所緣故]
대치도가 일어나기 때문에 끊어진다[對治起故斷][82]

논하여 말하겠다. 우선 견소단의 번뇌가 끊어지는 것은 앞의 세 가지 원인에 의한다. 첫째 소연을 변지하기 때문에 끊어지니, 말하자면 견고·견집소단의 자계연自界緣의 번뇌 및 견멸·견도소단의 무루연의 번뇌이다.[83] 둘

졌으므로 끊어지지 않는다고 이름하고, 욕계의 집제의 변행은 아직 끊어지지 않으므로 끊어지지 않는다고 이름하며, 예컨대 집유지인이 그 타계의 변행의 소연을 알 때에는 그 욕계의 타계의 변행은 이미 끊어졌으므로 끊어지지 않는다고 이름한다. 예컨대 고·집을 반연하는 법지인이 생겨서 그 지의 멸·도의 유루연의 번뇌의 소연을 알 때에는 그 멸·도의 유루연의 번뇌는 끊어지지 않으니, 아직 끊어지지 않으므로 끊어지지 않는다고 이름한다. 유루연의 번뇌의 소연인 경계는 고·집에 포함되기 때문이다. 또 해석하자면 고유지인이 그 욕계의 견집소단의 타계의 변행의 소연을 알 때에는 따로 그 집제 하의 타계의 변행은 끊어지지 않는다. 이 해석의 뜻이 말하는 것은 아직 끊어지지 않으므로 끊어지지 않는다고 이름한다는 것으로서, 나머지 해석은 앞과 같다.

78 답이다.
79 물음이다.
80 답이다.
81 물음이다.
82 위의 3구는 견도에 대해 밝히는 것, 아래 1구는 수도에 대해 밝히는 것이다.
83 우선 견소단의 번뇌를 끊는 것은 앞의 세 가지 원인에 의한다. 첫째 소연을 변지(=번뇌를 끊는 무루의 지혜를 가리킴은 뒤의 게송 63에 관한 논설 참조)하기 때문에 끊어지니, 말하자면 견고·견집소단의 자계연自界緣의 번뇌 및 견멸·견도소단의 무루연의 번뇌이다. 미혹[迷]과 깨달음[悟]은 상반되므로 끊는 이치도 그러해야 할 것이다. 또한 위의 2계 중의 타계연·타지연의 모든 변행의 번뇌도 역시 소연을 변지하기 때문에 끊어진다고 말해야 할 것이니, 고·집제를 반연하는 유지인이 생겨서 그 2계의 경계를 함께 능히 단박에 관찰하기 때문이다. 그런데도 이 글에서 견고·견집소단의의 자계연의 번뇌라고 말한

째 그것의 능연能緣을 끊기 때문에 끊어지니, 말하자면 견고·견집소단의 타계연의 번뇌이다. 자계연의 번뇌는 능히 그것도 반연하므로, 능연이 만약 끊어진다면 그것도 따라서 끊어지기 때문이다.[84] 셋째 그것의 소연을 끊기 때문에 끊어지니, 말하자면 견멸·견도소단의 유루연의 번뇌이다. 무루연의 번뇌는 능히 그것의 경계가 되므로, 소연이 만약 끊어진다면 그것도 따라서 끊어지기 때문이다.[85]

만약 수소단의 번뇌의 끊어짐이라면 뒤의 한 가지 원인에 의한다. 말하자면 단지 넷째인 대치對治가 일어남에 의해서만 끊어지니, 만약 이 품류의 대치도가 생긴다면 곧 이 품류의 모든 번뇌가 단박에 끊어지는 것이다.[86] 어떤 품류의 모든 번뇌는 무엇으로 대치되는가?[87] 말하자면 상상품으로 있는 모든 번뇌는 하하품의 도가 능히 대치하며, 나아가 하하품으로 있는 모든 번뇌는 상상품의 도가 능히 대치하니, 이와 같은 뜻의 문에 대해서는 뒤에 자세히 분별하겠다.[88]

것은, 우선 하나의 모습에 의거해 3계 공통으로 말한 것이다.

84 둘째 그것의 능연을 끊기 때문에 끊어진다. 말하자면 견고·견집소단의 타계연의 번뇌의 경우 이것의 소연을 자계연의 번뇌가 능히 반연하므로, 그 타계연의 번뇌에서 그 능연(=자계연의 번뇌)이 만약 끊어진다면 그것을 소연으로 하는 번뇌도 따라서 끊어지기 때문이다. 비록 반연하는 것은 각각 다르지만, 능히 원인이 되기 때문이다. 자계연은 그것(=타계연)에서 바라보면 힘이 있으므로, 타계연의 번뇌는 이 힘에 의지하기 때문에 상계를 반연할 수 있는 것이다. 마치 연약한 병자가 기둥에 의지해 올려다볼 때 기둥이 만약 부러질 때라면 그도 따라서 넘어지는 것과 같기 때문이다.

85 셋째 그것의 소연을 끊기 때문에 끊어진다. 말하자면 견멸·견도소단의 유루연의 번뇌(=멸·도제 하의 탐욕·성냄·거만 등)이다. 무루연의 번뇌(=멸·도제 하의 사견·의심·무명)는 능히 그 유루연의 번뇌의 경계가 되므로, 소연인 무루연의 번뇌가 만약 끊어진다면 그 때 능연인 유루연의 번뇌도 따라서 끊어지기 때문이다. 마치 연약한 병자가 지팡이가 아니면 다니지 못하는데, 지팡이가 만약 부러질 때라면 그도 따라서 넘어지는 것과 같기 때문이다.

86 수소단의 번뇌를 끊는 것을 밝히는 것이다.

87 물음이다.

88 답이다. 소치와 능치에 각각 9품이 있어 역순으로 상대되는데, 뒤(=제23권 중 게송 ㉟ab와 그 논설)에서 자세히 분별할 것이다. 또 『순정리론』(=제55권. 대29-650하)에서 말하였다. "일체 견소단의 번뇌가 끊어질 때에도 어찌 대치도의 일어남에 의하지 않겠는가? 만약 이 부의 대치도가 일어난다면 곧

제2절 네 가지 대치

앞에서 말한 대치對治에는 모두 몇 가지가 있는가? 게송으로 말하겠다.

60a 대치에는 네 가지가 있으니[對治有四種]
　단·지·원분·염환을 말한다[謂斷持遠厭][89]

논하여 말하겠다. 모든 대치문對治門에는 모두 네 가지가 있다. 첫째는 단대치斷對治이니, 말하자면 무간도無間道이다. 둘째는 지대치持對治이니, 말하자면 이 뒤의 도이다. 그것이 능히 이 끊어짐[斷]의 득得을 임지[持]하기 때문이다. 셋째는 원분대치遠分對治이니, 말하자면 해탈도의 뒤에 있는 도이다. 그 도가 능히 이 끊어진 번뇌의 득을 더욱 멀어지게 하기 때문이다. 어떤 다른 논사가 말하였다. "해탈도도 그러하니, 해탈도도 그것처럼 능히 이 끊어진 번뇌의 득을 더욱 멀어지게 하기 때문이다." 넷째는 염환대치厭患對治이니, 말하자면 혹 어떤 도에서 이 계界의 허물을 보고 깊이 염환을 낳는 것이다.[90]

이 부 중의 모든 번뇌가 끊어지기 때문이다. 이치상 실제로 그러하다고 해야 하지만, 여기에서는 3계의 수소단의 번뇌는 모두 9품의 도에 의하지 않고서는 끊어지는 것이 없다는 것을 나타내기 위한 것이니, 대치가 결정적이기 때문에 이 말을 한 것이다. 견소단 중에는 유정처의 번뇌만 대치가 결정적임은 앞에서 분별한 것과 같다. 혹은 견소단의 모든 번뇌가 끊어질 때의 방편은 결정코 셋이기 때문에 개별[別]에 나아가 말했지만, 수소단의 번뇌를 능히 끊는 방편은 결정적이지 않기 때문에 전체[總]에 나아가 말한 것이다."

89 이하는 곧 둘째 네 가지 대치를 밝히는 것이다.

90 첫째 단대치는 무간도를 말하는 것이니, 이 도가 바로 그 번뇌를 능히 끊기 때문이다. 둘째 지대치는 이 무간도 뒤의 해탈도를 말하는 것이니, 그 해탈도가 이 끊어짐의 득을 능히 임지하기 때문이다. 셋째 원분대치는 해탈도의 뒤에 있는 승진도를 말하는 것이니, 그 승진도가 이 무간도에 의해 끊어진 번뇌의 득을 능히 더욱 멀어지게 하기 때문에 원분대치라고 이름한다. 어떤 다른 논사는 원분대치는 또한 해탈도이기도 하다고 말했으니, 해탈도도 그 승진도처럼 이 무간도에 의해 끊어진 번뇌의 득을 더욱 멀어지게 하기 때문이다. 넷째 염환대치는 말하자면 혹 어떤 도가 이 계의 허물을 보고 깊이 염환을 낳는 것이다. 많은 부분에 따라 말한다면 이것은 가행도이다.

그런데 이 대치에 대해 잘 설하고자 한다면 이치상 실제로 이와 같은 순서가 되어야 할 것이다. 첫째 염환대치이니, 말하자면 고·집제를 반연하여 가행도를 일으키는 것이다. 둘째 단대치이니, 일체를 반연하여 무간도를 일으키는 것이다. 셋째 지대치이니, 말하자면 일체를 반연하여 해탈도를 일으키는 것이다. 넷째 원분대치이니, 말하자면 일체를 반연하여 승진도勝進道를 일으키는 것이다.[91]

제3절 번뇌를 끊는 처소

모든 번뇌의 영원한 끊어짐[永斷]은 결정적으로 무엇에 따르는가?[92] 게송

91 논주의 해석이다. 그런데 이 대치에 대해 잘 설하고자 한다면 이치상 실제로 이와 같은 순서가 되어야 할 것이다. 첫째 염환대치이니, 말하자면 고·집제를 반연하여 가행도를 일으키는 것이다. 둘째 단대치이니, 일체 4제를 반연하여 무간도를 일으키는 것이다. 셋째 지대치이니, 말하자면 일체 4제를 반연하여 해탈도를 일으키는 것이다. 넷째 원분대치이니, 말하자면 일체 4제를 반연하여 승진도를 일으키는 것이다. 앞의 순서와 다시 같지는 않지만, 네 가지 해석은 서로 유사하다. 이상 밝힌 염환 등의 4대치가 각각 하나의 도에 있는 것은, 해당 품류를 끊는 것에 의거하면서 드러난 것에 의해 논한 것인데, 만약 다시 갖추어 말한다면 염환 등의 4대치는 네 가지 도에 공통되기도 하고 국한되기도 한다. 첫째 염환대치는 4도에 통한다. 논서에서 가행도라고 말한 것은 많은 부분에 따라 말한 것이다. 그래서 『순정리론』(=제55권. 대29-650하)에서 염환대치를 해석하면서, "많은 부분이 가행도라고 알아야 한다"라고 말하고, 또 "많은 부분이라는 말을 한 것은, 무간도·해탈도·승진도 중 고·집제를 반연하는 것은 또한 염환대치이기도 하다는 것을 나타내기 위한 것이라고 알아야 한다"라고 말하였다. 둘째 단대치는 오직 무간도일 뿐, 나머지 3도에는 통하지 않는다. 셋째 지대치는 만약 드러난 모습의 해당 품류에 의거해 논한다면 오직 해탈도이지만, 만약 전후에 끊어지는 여러 품류에 의거해 은밀한 것과 드러난 것을 합쳐 논한다면 곧 4도에 통하니, 모두 그 끊어짐의 득을 임지하기 때문이다. 넷째 원분대치는 드러난 모습의 해당 품류에 의거해 논한다면 오직 승진도이지만, 만약 전후에 끊어지는 여러 품류에 의거해 은밀한 것과 드러난 것을 합쳐 논한다면 역시 4도에 통하니, 모두 그 끊어진 번뇌의 득을 능히 다시 멀어지게 하기 때문이다. 만약 『대비바사론』 제17권(=대27-84중)에 의한다면 다시 사대치捨對治를 말하니, 그 상응하는 바에 따라 어떤 도에 있든 그 법을 능히 버리는 것을 사대치라고 이름하였다.

92 이하에서 셋째 번뇌를 끊는 처소[斷惑處]를 밝히려고 묻는 것이다.

으로 말하겠다.

60c 알아야 할지니, 소연에 따라서[應知從所緣]
모든 번뇌를 끊어지게 할 수 있다고[可令諸惑斷]

논하여 말하겠다. 모든 번뇌의 득이 영원히 끊어졌을 때라도 그것으로 하여금 상응법에서 떠나게 할 수는 없고, 단지 그것을 소연에서 멀리 떠나게 할 수 있을 뿐이라고 알아야 하니, 소연에서 다시 생기지 않게 하기 때문이다.93

미래의 번뇌를 끊는 이치는 우선 그럴 수 있으니, 경계에서 다시 생기지 않게 한다고 인정되기 때문이다. 그러나 과거의 모든 번뇌는 어떻게 끊어졌다고 말하겠는가? 만약 게송에서 '소연에 따라서'라는 말을 한 것이 뜻으로, 소연을 변지했기 때문에 끊어졌다는 것을 나타내는 것이라고 말한다면, 이것 또한 이치가 아니니, 결정적이지 않기 때문이다. 이 때문에 번뇌 등의 끊어짐은 결정적으로 무엇에 따르는 것인지 설해야 할 것이다.94 자상속 중

93 답이다. 모든 번뇌의 득이 궁극적으로 영원히 끊어졌을 때라도 그것으로 하여금 상응법에서 떠나게 할 수는 없다고 알아야 한다. 말하자면 상응에서 비록 수증을 끊었더라도 동반되는 성품[伴性]을 끊은 것은 아니므로 여전히 유수면有隨眠이라고 이름하니, 친근親近하기 때문에 영원히 끊어졌다고 이름하지 않는다. 단지 그것을 소연에서 멀리 떠나게 할 수 있을 뿐이라고 알아야 하니, 소연에서 다시 생기지 않게 하기 때문이다. 말하자면 소연에서 그 수증을 끊었다면 유수증면有隨增眠(=유수면)이라고 이름하지 않으니, 소원疎遠하기 때문에 영원히 끊어졌다고 이름한다. 여기에서 '영원히 끊어졌다'는 말은 유수면에 의거한 것이다.

94 힐난이다. 미래의 번뇌를 끊는 이치는 우선 그럴 수 있으니, 경계에서 다시 생기지 않게 한다고 인정되기 때문에 그것을 말하여 끊었다고 한다. 그러나 과거의 모든 번뇌는 이미 생긴 법이어서 그것을 다시 생기지 않게 할 수 없기 때문에 어떻게 끊어졌다고 말하겠는가? 만약 게송에서 '소연에 따라서'라는 말을 한 것이 뜻으로, 소연을 변지했기 때문에 끊어졌다는 것을 나타내는 것으로서, 소연에서 다시 일어나지 않기 때문에 끊어졌다고 이름한 것이 아니고, 단지 모든 번뇌의 소연을 알 때 곧 끊어졌다고 이름하는 것이라고 말한다면, 이것 또한 이치가 아니니, 결정적이지 않기 때문이다. 고·집의 타계의 변행 번뇌를 끊는 것 및 멸·도의 유루연의 번뇌를 끊는 것은 소연을 변지했기

의 번뇌 등의 끊어짐은 득의 끊어짐에 의한 때문이고, 타상속 중의 모든 번뇌 등 및 일체 색법과 불염오법의 끊어짐은 능히 그것을 반연하는 자상속 중에 있는 모든 번뇌의 궁극적 끊어짐[究竟斷]에 의한 때문이다.[95]

제4절 원성遠性 네 가지

앞에서 말한 원분대치의 '원'의 성품[원성遠性]에는 몇 가지가 있는가?[96] 게송으로 말하겠다.

61 원성에는 네 가지가 있으니[遠性有四種]
말하자면 모습·대치·처소·시분인데[謂相治處時]
예컨대 대종, 계[如大種尸羅]
다른 곳, 2세 등과 같다[異方二世等]

논하여 말하겠다. 전하는 학설로는 원성에는 모두 네 가지가 있다. 첫째는 모습[相] 원성이니, 예컨대 4대종은 비록 다시 함께 하나의 취聚 중에 생겨서 있더라도 모습이 다르기 때문에 역시 멀다고 이름하는 것과 같다. 둘째는 대치[治] 원성이니, 예컨대 계를 지키는 것과 범하는 것은 비록 다시 함께 하나의 몸 중에서 작용하고 있더라도 서로 대치되는 것이기 때문

때문에 끊어지는 것이 아니다.(=전자는 그것의 능연을 끊기 때문에, 후자는 그것의 소연을 끊기 때문에 끊어진다는 것은 앞의 게송 59bc와 그 논설에서 밝혔다) 힐난을 마치고 물어 말한다. 이 때문에 번뇌 등의 끊어짐은 결정적으로 무엇에 따르는 것인지 설해야 할 것이라고.

95 논주가 다시 한 가지 해석을 하는 것이다. 무릇 유루법이 끊어지는 것은 첫째는 자성단自性斷이고, 둘째는 연박단緣縛斷이다. 만약 자신의 상속신 중의 번뇌 등의 끊어짐이라면 득의 끊어짐에 의하기 때문에 자체가 성립되지 않는 것을 말하여 끊어졌다고 이름하니, 이는 자성단에 의거한 것이다. 만약 남의 상속신에 대한 모든 번뇌 등 및 일체 색법과 불염오법의 끊어짐이라면 능히 그것을 반연하는, 자신의 몸 중에 있는 모든 번뇌가 제9품에 이르러 궁극적으로 끊어졌음에 의하기 때문에 끊어졌다고 이름하니, 이는 연박단에 의거한 것이다.

96 이하에서 원성 네 가지를 밝히려고 묻는 것이다. 앞에서 말한 것과 같은 원분대치에서 널리 원성(='원'의 성품)을 논한다면 모두 몇 가지가 있는가?

에 역시 멀다고 이름하는 것과 같다. 셋째는 처소[處] 원성이니, 예컨대 동·서의 바다는 비록 다시 함께 하나의 세계 중에 있더라도 방처方處가 떨어져 있기 때문에 역시 멀다고 이름하는 것과 같다. 넷째는 시분[時] 원성이니, 예컨대 과거세와 미래세는 비록 다시 함께 하나의 법 위에 의지해 선다고 하더라도 때의 분위가 떨어져 있기 때문[時分隔故]에 역시 멀다고 이름하는 것과 같다.[97]

무엇에서 바라보고 멀다고 말하는가?[98] 현재세에서 바라본 것이다.[99] 무간에 이미 소멸한 법 및 바로 생기는 때의 법은 현재와 서로 이웃하는데, 어떻게 멀다고 이름하겠는가?[100] 세의 성품[世性]이 다르기 때문에 멀다는 명칭을 얻으니, 오랜 과거나 미래여야 비로소 멀다는 명칭을 얻는 것이 아니다.[101]

만약 그렇다면 현재도 역시 멀다는 명칭을 얻어야 할 것이니, 과거·미래세에서 바라보면 성품이 역시 다르기 때문이다. 만약 과거·미래의 법에는 작용이 없으며, 작용을 떠났기 때문에 멀다고 이름한 것이라고 말한다면, 모든 무위법도 작용이 없다고 말하는데, 어떻게 가깝다고 이름하겠는가? 만약 현재세에 두루 무위를 얻기 때문에 가깝다고 이름한다고 말한다면, 과거·미래의 2세도 비례해서 역시 그러해야 할 것이며, 허공무위는 어떻게 가깝다고 이름하겠는가? 만약 과거와 미래는 다시 상호 서로 바라볼 때 현재와 떨어져 있기 때문에 멀다고 이름하지만, 현재를 2세에서 바라보면 모두

97 이상은 답이다. 현재와 떨어져 있기 때문에 과거·미래를 멀다고 이름한다. 나머지 글은 알 수 있을 것이다.

98 논주의 물음이다.

99 설일체유부의 답이다. 과거·미래의 2세는 현재와 떨어졌기 때문에 멀다고 이름한다. 뜻에 준하면 현재는 가깝다고 이름한다고 알아야 한다. 그래서 『품류족론』 제6권(=대26-716상)에서 말하였다. "먼 법은 어떤 것인가? 과거·미래의 법이다. 가까운 법은 어떤 것인가? 현재 및 무위의 법을 말한다."

100 논주의 힐난이다. 과거세 중 무간에 이미 소멸한 법과 미래세 중 바로 생상일 때의 법은 현재와 서로 인접한 것인데, 어떻게 멀다고 이름하겠는가?

101 설일체유부의 답이다. 과거·미래와 현재는 세의 성품이 다르기 때문에 멀다는 이름을 얻으니, 오랜 과거나 미래에 생기는 것이어야 비로소 멀다는 이름을 얻는 것이 아니다.

지극히 서로 이웃하고, 무위는 간격이 없기 때문에 모두 가까운 것이라고 말한다면, 곧 과거·미래는 현재세와 이웃하면서, 서로 바라볼 때 간격이 있기 때문에 두 가지 명칭을 갖추어야 하고, 한결같이 멀다고 이름해서는 안 될 것이다.[102] 만약 바른 이치에 의한다면 과거·미래는 법의 자상을 떠났기 때문에 멀다고 이름하는 것이라고 말해야 할 것이니, 미래는 법의 자상을 아직 얻지 못했기 때문이며, 과거는 법의 자상을 이미 버렸기 때문이다.[103]

(게송에서) '등'이라는 말은 사례를 아직 다 열거하지 않았음을 밝히기 위한 것이다.[104]

102 논주가 다시 힐난하는 것이다. 현재도 과거·미래에서 바라보면 세의 성품이 역시 다르므로 역시 멀다고 이름해야 할 것이다. 만약 과거·미래의 법에는 작용이 없으며, 작용을 떠났기 때문에 멀다고 이름한 것이라고 말한다면, 모든 무위법에도 이미 작용이 없는데, 어떻게 가깝다고 이름하겠는가? 만약 현재세에 능히 그 득을 일으켜 유루법 위의 택멸무위를 두루 얻으며, 유위법 위의 비택멸무위를 두루 얻기 때문에 무위를 가깝다고 이름한 것이라고 말한다면, 과거·미래의 2세도 비례해서 역시 그러해야 할 것이니, 역시 현세에 득을 일으켜 그 과거·미래세의 법을 얻기 때문(=법후득·법전득을 가리키는 취지)에 과거·미래세도 역시 가깝다고 이름해야 할 것이다. (3무위 중) 2멸(=택멸·비택멸)은 현재 얻으므로 가깝다고 이름할 수 있다고 해도, 허공무위는 이미 득이 없는데, 어떻게 가깝다고 이름하겠는가? 설일체유부에서는 3무위법을 모두 가까운 법이라고 이름하는데, 2멸은 득이 있지만, 허공은 득이 없기 때문에 이런 힐난을 하는 것이다. 그래서 『순정리론』(=제55권. 대29-651하)에서 말하였다. "우선은 허공은 그 체가 일체 처소에 두루해서 모습에 장애가 없기 때문에 가깝다고 이름한다. 비택멸은 그 체가 공용에 의하지 않고, 일체 체를 일체 처소와 시간에 모두 얻을 수 있기 때문에 가깝다고 이름한다. 택멸무위는 정진하여 바르게 수행하는 모든 자는 모든 번뇌를 끊을 때 일체 체를 차별 없이 속히 증득하기 때문에 가깝다고 이름한다." 만약 과거와 미래는 다시 상호 서로 바라볼 때 현재와 떨어져 있기 때문에 멀다고 이름하지만, 현재를 과거·미래의 2세에서 바라보면 모두 지극히 서로 이웃하여 중간에 간격이 없고, 3무위법도 역시 간격이 없기 때문에 모두 가까운 것이라고 말한다면, 곧 과거·미래는 현재세와 이웃하기 때문에 가깝다고도 이름할 수 있으며, 서로 바라볼 때 간격이 있기 때문에 멀다고도 이름할 수 있으니, 따라서 두 가지 명칭을 갖추어야 하고, 한결같이 멀다고 이름해서는 안 될 것이다.

103 논주가 경량부의 먼 모습에 대한 해석을 서술하는 것이다. 과거·미래는 체가 없으므로 멀다고 이름한 것이니, 현재는 체가 있으므로 가깝다고 이름한다는 것은 준해서 알 수 있다.

104 게송의 '등'자에 대해 해석하는 것이다. 예컨대 모습 원성 중에서 대종을 열거했지만, 소조색 등은 여전히 아직 설하지 않았기 때문이며, 대치 원성 중

제5절 번뇌의 재단再斷과 이계의 중득重得

앞에서 번뇌의 끊어짐은 대치도의 생기에 의한다고 말했는데, 도가 승진勝進할 때에는 끊어진 모든 번뇌는 재차 끊어진다[再斷]고 하는가? 획득된 이계離繫는 거듭 획득됨[重得]이 있는가? 게송으로 말하겠다.

62 모든 번뇌는 재차 끊어짐이 없지만[諸惑無再斷]
이계는 거듭 획득됨이 있으니[離繫有重得]
대치가 생길 때, 과보를 얻을 때[謂治生得果]
근기를 연마할 때의 여섯 시기 중을 말한다[練根六時中]105

논하여 말하겠다. 모든 번뇌는, 만약 그것을 능히 끊는 도[能斷道]를 얻으면 곧 그 도로 말미암아 이 번뇌는 단박에 끊어지고, 그 후에 재차 번뇌를 끊는 뜻은 반드시 없다.106

획득된 이계離繫는 비록 도에 따라 점차 승진勝進하는 이치는 없지만, 도가 승진할 때 그 뛰어난 것의 획득[彼勝得]을 거듭 일으키는 뜻이 있다고 인정된다.107

지계·범계를 열거했지만, 선·불선 등은 여전히 아직 설하지 않았기 때문이며, 처소 원성 중 동해·서해를 열거했지만, 남해·북해 등은 여전히 아직 설하지 않았기 때문이며, 시분 원성 한 가지는 비록 모두 열거했지만, 많은 부분에 따라 말했기 때문에 '등'이라는 말을 한 것이다.

105 이하는 곧 다섯째 번뇌 끊음과 멸의 획득에 대해 밝히는 것이다. 윗 구는 첫 물음에 대한 답이고, 아래 3구는 뒤의 물음에 대한 답이다.

106 첫 구를 해석하는 것이다. 모든 번뇌는, 만약 그것을 능히 끊는 무간도를 얻으면 곧 그 도로 말미암아 이 번뇌는 단박에 끊어지고, 만약 다시 퇴전하지 않는다면 반드시 그 후에는 재차 번뇌를 끊는 뜻이 없다. 오직 퇴전이 있었을 때에만 비로소 다시 끊을 수 있다. 만약 『성실론』·『유가론』·『잡집론』(=모두 대승의 논서)에 의한다면 번뇌의 재차 끊음을 인정한다.

107 제2구를 해석하는 것이다. 획득된 이계는 선이며 항상한 것이기 때문에 비록 도에 따라 점차 승진하는 이치는 없지만, 도가 승진할 때 그 뛰어난 것의 획득을 거듭 일으키는 뜻이 있다고 인정된다. 그래서 『순정리론』 제56권(=대29-652상)에서 말하였다. "이계의 획득은 도에 포함되는 것이기 때문에

거듭 획득한다고 말한 것은 모두 몇 시기에 있는가?[108] 모두 여섯 시기에 있다.[109] 어떤 것이 그 여섯인가?[110] 말하자면 대치도가 일어날 때, 과보를 얻을 때, 근기를 연마할 때이다.[111] 대치도가 일어날 때란 해탈도를 말하고,[112] 과보를 얻을 때란 예류·일래·불환·아라한의 과보를 얻을 때를 말하며,[113] 근기를 연마할 때란 근기를 전환할 때를 말한다.[114] 이 여섯 시기 중에 모든 번뇌에서의 이계는 도의 승진에 따라 거듭 뛰어난 획득을 일으킨다.[115]

그런데 모든 이계는 상응함에 따라 여섯 시기에 뛰어난 획득을 일으킴을 갖추는 경우가 있으며, 나아가 두 시기에 갖출 뿐인 경우까지 역시 있다고 알아야 할 것이다. 말하자면 욕계계欲界繫의 견4제소단 및 색계·무색계의 견3제소단에 있는 이계는 여섯 시기의 획득을 갖추지만, 색계·무색계의 견도제소단에 있는 이계는 다섯 시기의 획득뿐이니, 대치가 생길 때 곧 과보

도를 버리거나 획득할 때 그것도 역시 버려지거나 획득된다. 따라서 모든 이계에는 거듭 획득되는 이치가 있는 것이다."

108 이하 아래 2구를 해석하는데, 이는 곧 묻는 것이다.

109 답이다.

110 따지는 것이다.

111 답인데, 이는 곧 글을 여는 것[開章]이다.

112 이는 제1장을 해석하는 것이다. 또 『순정리론』 제56권(=대29-652상)에서도 말하였다. "대치가 생겼다는 말을 하는 것은 통틀어 두 가지 뜻을 가리킨다. 만약 여기에 머물 때 이계를 능히 증득하는 것[能證離繫]에 의거하면 무간도를 가리키고, 만약 여기에 머물 때 바르게 이계를 증득하는 것[正證離繫]에 의거하면 해탈도를 가리킨다." 이 논서는 바르게 증득하는 것[正證]에 의거했기 때문에 해탈도라고 말한 것이다. 이는 많은 부분에 따른 것이니, 만약 적은 부분에도 통한다면 승진도도 역시 대치가 생겼다고 말한다.

113 제2장을 해석하는 것이다.

114 제3장을 해석하는 것이다. 『순정리론』 제56권(=대29-652상)에서 말하였다. "과보를 얻는다는 말을 하였다면 이미 차별이 없어서 4과를 포함하는 것처럼 근기의 연마도 포함되어야 할 것이다. 근기를 전환할 때에는 반드시 과보를 얻기 때문인데, 어찌 이 근기의 연마라는 말을 수고롭게 길게 하는가? 근기의 연마는 번뇌를 끊고 과보를 얻는 것과는 다르다는 것을 나타내기 위한 때문이라면, 과보를 얻는 것 외에 근기의 연마를 말한다고 해도 허물이 없다." # '근기를 전환할 때'란 둔근종성이 근기를 연마해 이근종성으로 전환하는 것을 가리킴은 뒤의 제25권 중 게송 ⑥3~⑥5와 그 논설 참조.

115 맺는 것이다.

를 얻기 때문에 이것을 두 시기로 나누어서는 안 될 것이다. 욕계의 수소단의 5품에 있는 이계도 역시 다섯 시기에 획득되니, 예류과(얻을 때)를 제외한다. 제6품에 있는 이계는 네 시기의 획득뿐이니, 말하자면 앞의 다섯에서 또 한 시기를 제외한다. 과보를 얻을 때와 대치가 생길 때에 차이가 없기 때문이다. 제7·제8품에서도 역시 네 시기에 획득되니, 과보를 얻는 네 시기 중 앞의 두 시기를 제외하기 때문이다. 제9품에 있는 이계는 세 시기의 획득뿐이니, 말하자면 앞의 네 시기에서 또 한 시기를 제외한다. 역시 대치가 생길 때 곧 과보를 얻기 때문이다. 색계·무색계의 수소단 중 오직 유정처의 제9품에 있는 이계만을 제외한 그 나머지 이계도 역시 세 시기에 획득되니, 과보를 얻는 네 시기 중 앞의 세 시기를 제외하기 때문이다. 유정처의 제9품에 있는 이계는 오직 두 시기에만 획득되니, 말하자면 앞의 세 시기 중 또 한 시기를 제외한다. 역시 대치가 생길 때 곧 과보를 얻기 때문이다.[116]

이와 같은 것은 우선 있을 수 있는 이치에 나아가 말한 것이다. 이근자利根者라면 앞의 모든 단계 중 각각 모두 근기의 연마에 의한 획득을 제외해야 하기 때문이고, 초월하여 성도에 들어가는 모든 자는 상응함에 따라 예류과 등의 제외할 것이 있기 때문이다.[117]

116 이는 곧 단계의 차별에 의거해 해석하는 것이다. 견도의 8제(=욕계의 4제와 색·무색계의 4제)가 곧 8품이 되고, 수도의 9지는 지마다 9품이 있으므로 9×9=81품이니, 견도·수도를 합하면 89품이 있는데, 이의 이계에 의거해 거듭 획득하는 것을 밝히는 것이다. 대치가 생길 때 곧 과보를 얻기 때문에 (두 시기로 나누어서는 안 되고) 과보를 얻을 때를 취한다. 과보를 얻는 힘 때문에 따로 뛰어난 획득을 일으켜서 앞의 무위를 획득하는 것은 대치가 생김에 의한 것이 아니므로 대치가 생길 때를 취하지 않는다. 나머지 글은 알 수 있을 것이다. # 색계·무색계의 견도제소단에 대한 대치가 생길 때에는 예류과를 얻고, 욕계의 수소단의 제6품에 대한 대치가 생길 때에는 일래과를 얻으며, 제9품에 대한 대치가 생길 때에는 불환과를 얻고, 색계·무색계의 수소단 중 유정처의 제9품에 대한 대치가 생길 때에는 아라한과를 얻는다.

117 위의 글을 전체적으로 해석하는 것이다. 이와 같은 것은 우선 둔근자에게 순차 있을 수 있는 이치에 따라 말하기 때문에 여섯 시기를 갖춘 것, 내지 두 가지를 갖춘 것이다. 이근자라면 앞의 모든 단계 중 각각 모두 근기의 연마에 의한 획득을 제외해야 하기 때문이다. 말하자면 앞의 여섯 시기는 다섯만을 말해야 하고, 나아가 두 시기를 갖춘 것은 하나만을 말해야 할 것이다. 초월하여 성도에 들어가는 모든 자(=소위 초월증)는 상응함에 따라 예류과 등의 제

제6절 아홉 가지 변지遍知

1. 9변지의 명칭

곧 모든 이계는 그 각각의 단계에서 변지遍知라는 명칭을 얻는데, 변지에는 둘이 있으니, 첫째는 지변지智遍知이고, 둘째는 단변지斷遍知이다. 지변지란 무루의 지혜[無漏智]를 말하고, 단변지란 곧 모든 끊어짐[諸斷]을 말하니, 이는 결과 위에 원인의 명칭을 세웠기 때문이다.118

일체 끊어짐에 하나의 변지를 세우는가?119 그렇지 않다.120 어떠한가?121 게송으로 말하겠다.

63 단변지에는 아홉이 있으니[斷遍知有九]
욕계의 처음 2부의 끊어짐이 하나이고[欲初二斷一]
다음 2부의 각각 하나를 합하면 셋이며[二各一合三]
상계의 셋도 역시 그러하다[上界三亦爾]

외할 것이 있기 때문이다. 일래과를 같이 취한 것이다. 만약 먼저 욕계의 6·7·8품을 끊고 견도에 든 자의 경우 둔근이라면 예류를 제외한 다섯 시기만 있고, 이근이라면 예류를 제외하고 또 근기의 연마를 제외하므로 네 시기만 있으며, 만약 먼저 이욕하고 견도에 든 자라면 또 일래도 제외하므로, 둔근은 네 시기이고, 이근은 세 시기이다.

118 이하는 여섯째 아홉 가지 변지를 밝히는 것이다. 그 안에 나아가면 첫째 9변지의 명칭을 열거하고, 둘째 여섯 가지 상대되는 결과의 차이를 밝히며, 셋째 변지를 건립한 조건을 밝히고, 넷째 변지의 성취를 밝히며, 다섯째 변지가 모이는 곳을 밝히고, 여섯째 변지의 획득과 버림을 밝히니, 이하는 첫째 9변지의 명칭을 열거하는 것이다. 장차 명칭을 열거하려고 먼저 체를 나타내고, 명칭을 해석한다. 즉 모든 이계는 그 견도·수도·무학도의 단계 중에서도 변지라는 명칭을 얻지만, 널리 말한다면 변지에는 둘이 있으니, 첫째는 지변지, 둘째는 단변지이다. 지변지란 말하자면 무루의 지혜를 체로 하는 것이니, 4제의 경계를 널리 두루 알기 때문[周遍而知故]에 변지라고 이름한다. 둘째 단변지란 말하자면 모든 끊어짐의 택멸을 체로 하는 것이다. 변지는 지혜로서, 곧 끊어짐의 원인이고, 끊어짐은 지혜의 결과로서, 체가 변지가 아닌데도 변지라고 말한 것은, 결과 위에 임시로 원인의 명칭을 세운 것이다.
119 물음이다.
120 답이다.
121 따지는 것이다.

64a 나머지 5순하분결[餘五順下分]

색애, 일체 결박의 끊어짐이 셋이다[色一切斷三][122]

논하여 말하겠다. 모든 끊어짐에 모두 아홉 가지 변지를 세운다. 말하자면 3계에 계속되는 견제소단 번뇌 등의 끊어짐에 6변지를 세우고, 그 나머지 3계의 수도소단 번뇌 등의 끊어짐에 3변지를 세우는 것이다.[123]

우선 3계에 계속되는 견제소단의 번뇌 등의 끊어짐에 6변지를 세운다는 것은 어떤 것인가? 말하자면 욕계에 계속되는 처음 2부의 끊어짐에 1변지를 세우는데, 처음 2부라는 말은 곧 견고·견집소단을 나타내는 것이다. 다음 2부의 끊어짐에는 각각 1변지를 세우는데, 다음 2부라는 말은 견멸·견도소단을 나타내는 것이다. 이와 같이 욕계의 견제소단의 번뇌 등의 끊어짐에 3변지를 세운다. 욕계의 3변지처럼 상계도 역시 그러하다. 말하자면 색·무색의 2계에 계속되는 것도 역시 처음 2부의 끊어짐에 1변지, 다음 2부에도 각각 1변지로서, 합치면 3변지이니, 견고·견집소단법과 견멸·견도소단법의 끊어짐에 합쳐서 3변지를 세운다는 뜻이다. 이와 같은 것을 3계의 견제소단의 법이 끊어짐에 대한 여섯 가지 변지라고 이름한다.[124]

나머지 3계에 계속되는 수도소단의 번뇌 등의 끊어짐에 3변지를 세운다는 것은 어떤 것인가? 말하자면 욕계에 계속되는 수도소단의 번뇌 등의 끊어짐에 1변지를 세우는데, 곧 5순하분결이 다하는 변지[五順下分結盡遍知]라고 알아야 할 것이니, 앞과 아울러 세웠기 때문이다. 색계에 계속되는 수도

122 게송에 의한 답이다.
123 이는 첫 구를 해석하는 것이다.
124 다음 3구를 해석하면서 견도의 6변지를 밝히는 것이다. # 견도의 6변지는 견도 6인忍의 결과에 대해 건립하는데, 욕계의 견고·견집소단이 끊어지는 집법인, 견멸소단이 끊어지는 멸법인, 견도소단이 끊어지는 도법인의 3인과 상2계의 견고·견집소단이 끊어지는 집류인, 견멸소단이 끊어지는 멸류인, 견도소단이 끊어지는 도류인의 3인의 결과에 대해 건립된다. 참고로 견도 16단계는 고법인·고법지·고류인·고류지, 집법인·집법지·집류인·집류지, 멸법인·멸법지·멸류인·멸류지, 도법인·도법지·도류인·도류지의 순서임은 뒤의 제23권 중 게송 27·28과 그 논설에서 보는 바와 같으므로, 앞의 6인은 순서대로 견도의 제5·9·13심과 제7·11·15심이 된다.

소단의 번뇌 등의 끊어짐에도 1변지를 세우는데, 이는 곧 색애가 다하는 변지[色愛盡遍知]라고 알아야 하며, 무색계에 계속되는 수도소단의 번뇌 등의 끊어짐에도 1변지를 세우는데, 곧 일체 결박이 영원히 다하는 변지[一切結永盡遍知]이니, 이것도 역시 앞과 아울러 합쳐서 하나로 세웠기 때문이다. 이와 같은 것을 3계의 수도소단의 법이 끊어짐에 대한 세 가지 변지라고 이름한다.125

어떤 인연에서 색계와 무색계의 수도소단의 번뇌 등의 끊어짐에는 별도로 변지를 세우면서, 견도소단에서는 아닌가?126 수도소단은 대치가 같지 않기 때문이다.127

2. 도의 결과로서의 변지

이와 같이 건립된 아홉 가지 변지에 대해 그 중 몇 가지가 어떤 도의 결과인지 분별해야 할 것이다. 게송으로 말하겠다.

64c 그 중 인의 결과는 여섯이고[於中忍果六]
나머지 셋은 지의 결과이다[餘三是智果]

65 미지정의 결과는 모두이고[未至果一切]
근본정의 결과는 다섯 혹은 여덟이며[根本五或八]
무색계 근분정의 결과는 하나이고[無色邊果一]

125 뒤의 2구를 해석하면서 수도의 3변지를 밝히는 것이다. 말하자면 욕계의 수도소단에 1변지를 세우는데, 곧 5순하분결이 다하는 변지라고 알아야 한다. 유신견·계금취·의심은 비록 견소단이지만, 이 중에서는 단지 욕계의 수도의 9품의 무위를 취할 뿐만 아니라, 앞의 3계의 견도의 무위도 아울러 합쳐 세웠기 때문에 5순하분결이 다하는 변지로 세운 것이다. 색계의 수도소단에 1변지를 세우는 것은 알 수 있을 것이다. 무색계의 수도소단에 1변지를 세우는 것은 곧 일체 결박이 영원히 다하는 변지이다. 비록 무색계의 결박을 다 끊는 것에 1변지를 세웠지만, 이것도 역시 앞의 3계의 견도소단 및 욕·색계의 수도소단과 아울러 합쳐서 하나로 세웠기 때문이다. 총결하는 것은 알 수 있을 것이다.(=이렇게 9변지를 세운 이유는 뒤의 '3. 변지 건립의 조건'에서 설명)

126 물음이다.

127 답이다. 수소단의 색계와 무색계는 대치가 같지 않으니, 이 때문에 별도로 세웠지만, 견소단은 대치가 같으니, 이 때문에 합쳐서 세웠다.

3근본정의 결과도 역시 그러하다[三根本亦爾]

66 세속도의 결과는 둘, 성도의 결과는 아홉이고[俗果二聖九]
법지의 결과는 셋, 유지의 결과는 둘이며[法智三類二]
법지품의 결과는 여섯이고[法智品果六]
유지품의 결과는 다섯이다[類智品果五][128]

(1) 인忍·지智의 결과

논하여 말하겠다. 이 9변지 중 우선 먼저 인도忍道·지도智道의 결과가 되는 차별에 대해 분별해야 할 것이다. 인의 결과에는 여섯 가지가 있으니, 말하자면 3계에 계속되는 견소단법이 끊어지는 여섯 가지 변지이다. 지의 결과에는 세 가지가 있으니, 말하자면 순하분결, 색애, 일체 결박이 다하는 변지이다. 이 세 가지 변지는 수도의 결과이기 때문이다.[129]

어떻게 인의 결과를 변지라고 말하는가?[130] 모든 인은 모두 지의 권속이기 때문이니, 마치 왕의 권속에 대해 임시로 왕이라는 명칭을 세우는 것과 같다. 혹은 인과 지는 하나의 결과를 같이 하기 때문[同一果故]이다.[131]

128 이하에서 곧 둘째로 여섯 가지 상대되는 결과를 밝히는데, 처음 2구는 인·지의 결과를 밝히는 것이고, 다음 2구는 미지정·근본정의 결과를 밝히는 것이며, 다음 2구는 무색지의 근분정·근본정의 결과를 밝히는 것이고, 다음 1구는 세속도·성도의 결과를 밝히는 것이며, 다음 1구는 법지·유지의 결과를 밝히는 것이고, 뒤의 2구는 법지품·유지품의 결과를 밝히는 것이다.

129 이는 인·지의 결과의 차별을 밝히는 것이다. 인의 결과에는 여섯 가지가 있으니, 말하자면 3계에 계속되는 견소단법이 끊어지는 여섯 가지 변지이다. 지의 결과에는 세 가지가 있으니, 말하자면 5순하분결이 다하는 변지, 색애가 다하는 변지, 일체 결박이 다하는 변지이다.

130 물음이다. 인은 지가 아닌데, 어떻게 인의 결과를 변지遍知라고 말하는가? 변인遍忍이라고 이름해야 할 것이다.

131 답이다. 모든 인은 모두 지의 권속이기 때문에 모든 인이 한 일[所作]은 지혜가 했다[智作]고도 이름하니, 따라서 인이 결과를 얻으면 지도 그 명칭을 얻는다. 마치 왕의 권속이 좌우에서 하는 일에 대해 임시로 왕이라는 명칭을 세워서 왕이 했다[王作]이라고 이름하는 것과 같다. 혹은 인과 지는 하나의 이계과를 같이 한다. 인은 능히 증득하고, 지는 바르게 증득하니, 비록 인의 결과라고 해도 역시 변지라고 이름하는 것이다.

(2) 미지정려·근본정려의 결과

이제 다음으로 정려지의 권속·근본의 결과가 되는 차별에 대해 분별해야 할 것이다. 미지정려의 결과는 9변지를 갖추고 있으니, 말하자면 이것이 의지처가 되어 3계의 견소단·수소단의 번뇌 등을 끊을 수 있기 때문이다.

근본정려의 결과는 5변지, 혹은 8변지이다.[132] 5변지라고 말한 것은 비바사 논사들의 설인데, 근본지에서는 오직 색계·무색계에 포함되는 번뇌 등만을 영원히 끊을 수 있기 때문이니, 욕계에 계속되는 번뇌 등의 끊어짐은, 그들은 오직 미지정려의 결과라고 인정하기 때문이다.[133] 8변지라고 말한 것은 존자 묘음妙音의 설인데, 근본지도 역시 욕계의 모든 번뇌 등에 대해 단대치가 되니, 먼저 욕계의 염오를 떠난 모든 자가 근본지에 의해 견제見諦에 들 때 욕계에 계속되는 견소단법이 끊어짐에는 별도의 도가 무루의 득을 인기한다고 인정하기 때문이다. 이에 의해 역시 이것들도 역시 그 견도의 결과이지만, 순하분결이 다하는 변지는 제외한다. 그것은 오직 미지정려의 결과이기 때문이니, 그것의 단대치를 닦을 수 없기 때문이다.[134]

중간정려는 근본정려에 대해 말한 것과 같다.[135]

132 제3·제4구를 해석하는 것이다. 미지정의 결과가 아홉인 것은 글대로 알 수 있을 것이다. 근본정려에 대해서는 비록 다시 다섯이라는 설과 여덟이라는 설이 같지 않지만, 다섯이라는 설이 바른 뜻인데, 이는 곧 글을 여는 것이다.

133 이는 곧 옮겨와서 해석하는 것이다. 근본지의 도는 욕계에서 바라보면 단지 원분·염환대치만 있을 뿐, 단대치가 아니기 때문에 욕계의 4변지(=욕계의 3변지와 순하분결이 다하는 변지)는 그 근본정의 결과가 아니다. 욕계의 4변지는 오직 미지정의 결과일 뿐이다. 4근본지는 상2계의 번뇌 등을 끊을 수 있기 때문에 상계의 5변지는 능히 근본정의 결과가 된다.

134 묘음 존자의 뜻은, 근본지도 욕계에서 바라볼 때 단대치가 있다고 말한다. 먼저 욕계의 염오를 떠난 모든 자가 근본지에 의해 견제見諦에 들 때 욕계에 계속되는 견소단법이 끊어짐에는 별도의 도가 무루의 득을 인기한다고 인정하기 때문에 욕계의 견소단에 대한 3변지도 이에 의해 역시 그 근본지에서의 견도의 결과이기 때문이다. 순하분결이 다하는 변지는 제외하니, 그것은 오직 미지정의 결과이기 때문이다. 근본지에 의지해 견도를 일으킬 때에는 그 미지정 중에서의 욕계의 수혹修惑의 단대치를 닦는 것이 인정될 수 없기 때문이니, 그래서 순하분결이 다하는 변지는 근본정의 결과가 아니다. # 앞에서 5변지설이 바른 것이라고 했을 뿐, 이 8변지설에 대한 비판의 글은 없다.

135 이는 유추해석하는 것이다.

⑶ 무색지의 근분정·근본정의 결과

이제 다음으로 무색지의 권속·근본의 결과가 되는 차별에 대해 분별해야 할 것이다. 무색의 근분지[邊地]의 결과는 오직 한 가지만 있으니, 말하자면 공무변처의 근분지의 도에 의지해 색애가 다하는 변지의 결과를 얻기 때문이다. 앞의 3근본정의 결과도 역시 오직 한 가지뿐이니, 말하자면 무색의 앞의 3근본정에 의지해 일체 결박이 영원히 다하는 변지의 결과를 얻기 때문이다.136

⑷ 세속도·성도의 결과

이제 다음으로 세속도 및 모든 성도의 결과가 되는 차별에 대해 분별해야 할 것이다. 세속도의 결과는 2변지이니, 말하자면 세속도의 힘은 오직 순하분결이 다하는 변지 및 색애가 다하는 변지의 결과만을 획득할 수 있기 때문이다. 성도의 결과는 9변지이니, 말하자면 성도의 힘은 3계의 법을 두루 영원히 끊을 수 있기 때문이다.137

⑸ 법지·유지의 결과

이제 다음으로 법지法智·유지類智의 결과가 되는 차별에 대해 분별해야 할 것이다. 법지의 결과는 3변지이니, 말하자면 법지의 힘은 3계의 수소단의 번뇌를 끊을 수 있기 때문에 뒤의 세 가지 결과를 얻는다. 유지의 결과는 2변지이니, 말하자면 유지의 힘은 단지 색계·무색계의 수소단의 번뇌만을 끊을 수 있기 때문에 뒤의 두 가지 결과를 얻는다.138

⑹ 법지품·유지품의 결과

이제 다음으로 법지·유지와 같은 품류의 모든 도의 결과가 되는 차별에

136 제5·제6구를 해석하는 것인데, 알 수 있을 것이다.

137 제7구를 해석하는 것인데, 알 수 있을 것이다. # 유루의 세속도로는 견혹을 끊을 수 없으며, 유정지의 번뇌를 끊을 수 없기 때문에, 견혹의 끊어짐인 6변지와 일체 결박이 영원히 다하는 변지를 얻을 수 없다.

138 제8구를 해석하는 것인데, 이것도 역시 알 수 있을 것이다. # 수도에 포함되는 법지는 3계의 수혹을 끊기 때문에(=뒤의 제26권 중 게송 ⑨와 그 논설 참조) 그 결과에 5하분결이 다하는 변지, 색애가 다하는 변지, 일체 결박이 다하는 변지의 세 가지가 있으며, 수도에 포함되는 유지는 색계·무색계의 수혹을 끊기 때문에 그 결과에 뒤의 2변지가 있다.

대해 분별해야 할 것이다. 법지품의 결과는 6변지이니, 말하자면 곧 앞의 법지·법인에 의해 획득되는 여섯 가지 결과이다. 유지품의 결과는 5변지이니, 말하자면 곧 앞의 유지·유인에 의해 획득되는 다섯 가지 결과이다. '품'이라는 말은 지智 및 인忍을 통틀어 포함하기 때문이다.139

3. 변지 건립의 조건

어째서 하나하나의 끊어짐에 별도로 변지를 건립하지 않고, 오직 앞의 아홉 단계에 나아가서만 건립했는가? 게송으로 말하겠다.

67 무루단의 득을 얻음과[得無漏斷得]
아울러 제일유를 결여시킴[及缺第一有]
쌍인을 소멸시킴, 계를 초월함[滅雙因越界]
때문에 9변지를 건립하였다[故立九遍知]140

논하여 말하겠다. 유루법의 끊어짐에는 비록 체와 단계가 많지만, 네 가지 조건[四緣] 때문에 9변지를 건립한 것이다.141

우선 세 가지 조건에 의해 6인忍의 결과에 건립했으니, 말하자면 무루의

139 뒤의 2구를 해석하는 것이다. 법지·법인과 같은 품류의 모든 도로는 모두 여섯 가지 결과(=법지에 의한 뒤의 3변지와 법인에 의해 욕계 견혹을 끊는 3변지)를 얻고, 유지·유인과 같은 품류의 모든 도로는 모두 다섯 가지 결과(=유지에 의한 뒤의 2변지와, 유인에 의해 상계의 견혹을 끊는 3변지)를 얻는다. '품'은 말하자면 품류인데, 이 말은 지 및 인을 통틀어 포함하기 때문이다. 법지품이라는 말은 법지를 포함할 뿐만 아니라, 법인도 포함하니, 법지·법인품이라는 말이 나타내는 바는 모두가 법지와 같은 품류이기 때문이다. 유지품이라는 말은 유지를 포함할 뿐만 아니라, 유인도 포함하니, 유지·유인품이라는 말이 나타내는 바는 모두가 유지와 같은 품류이기 때문이다.

140 이하는 곧 셋째 변지 건립의 조건이다. 어째서 견소단·수소단 89품이 하나하나 끊어지는 것마다 별도로 변지를 건립하지 않고, 오직 앞의 아홉 단계에 나아가서만 건립했는가 묻는다. 위의 3구는 네 가지 조건을 열거하는 것이고, 아랫 구는 총결하는 것이다.

141 이는 곧 전체적으로 표방하는 것이다. 유루법 위의 모든 택멸에 의한 끊어짐에는 비록 체가 많으며-말하자면 유루법에 그만한 분량이 있음에 따라 택멸도 역시 그러하다-, 비록 단계가 많지만-견소단·수소단의 89단계를 말하는 것이다-, 네 가지 조건 때문에 9변지를 건립한 것이다.

이계득離繫得을 얻었기 때문이며, 유정지를 결여시켰기 때문[缺有頂故]이며, 쌍인을 소멸시켰기 때문[滅雙因故]이다.[142] 모든 끊어짐은 반드시 이와 같은

....

142 세 가지 조건에 의해 견도의 6인忍의 결과(='6인'은 견도 제5의 집법인, 제9의 멸법인, 제13의 도법인, 제7의 집류인, 제11의 멸류인, 제15의 도류인임은 앞에서 보았는데, '결과'라는 말은 사실상 그 다음 순간인 집법지·멸법지·도법지·집류지·멸류지·도류지의 찰나에 변지가 획득된다는 취지)에 건립하였다. (문) 무엇 때문에 견도 단계에서는 계를 초월함을 말하지 않는가? (해) 비록 견혹을 끊었다고 해도 여전히 수혹에 의해 계박되기 때문에 아직 계를 초월할 수 없기 때문이다. 만약 견도 단계에서 계를 초월함이라는 조건을 세운다면 곧 성립되지 않기 때문이다.
　그래서 세 가지 조건만으로 6인의 결과에 대해 건립한 것이다. 첫째는 말하자면 무루의 이계득을 얻었기 때문이다. 둘째는 유정지(의 번뇌)를 결여시킨 것인데, '결여시킨다'는 것은 유정지의 5부의 번뇌를 결여시키거나 감소시켜서, 그 중의 어느 1부의 번뇌라도 성취하지 않는다면 이를 결여시켰다고 이름한다. 이런 이치 때문에 고류인이 현전할 때에 이르러, 비록 번뇌의 득을 생상에 이르지 못하게 했을 경우 끊었다고 이름할 수 있다고 해도, 결여시켰다고 이름하지 않는다. 현재 여전히 번뇌의 득과 함께 하기 때문이니, 그 때에도 여전히 고제 하의 번뇌(=고제를 반연하는 견집소단의 변행수면)를 성취하기 때문에 결여시켰다고 이름하지 않는 것이다. 이 때문에 성취하지 않는 것을 결여시켰다고 이름하는 것이지, 끊은 것을 결여시켰다고 이름하는 것이 아니라고 알아야 한다. 셋째는 쌍인(=한 쌍의 원인)을 소멸시켰기 때문이다. 소멸시켰다는 것은 성취하지 않는 것을 나타낸다. 혹은 소멸시킨 것을 떠났다고 이름하는데, 역시 성취하지 않는 것을 나타낸다. 혹은 소멸시켰다고 말한 것은, 현재 번뇌의 득이 이어지지 않는 것을 소멸시켰다고 이름하였음을 나타내는데, 또한 성취하지 않는 것도 나타낸다. 따라서 이 글에서 집법인이 현전할 때에 이르렀다고 말한 것은, 현재의 번뇌의 득을 쇠퇴시켜서 능히 득을 견인해 생상에 이를 수 없게 했으므로 끊었다고 이름할 수는 있지만, 번뇌의 득과 함께 하기 때문에 쌍인을 소멸시켰다고 이름하지 못하고, 그 뒤의 법지에 이르러야 비로소 쌍인을 소멸시켰다고 이름한다는 것이다. 이에 의해 성취하지 않는 것을 소멸시켰다고 이름하는 것이라고 알아야 한다. '쌍인雙因'이라고 말한 것은, 첫째는 자부의 동류인이고, 둘째는 타부의 변행인이다. 또 해석하자면 견도는 자부·타부에 의거해 두 가지 원인이라고 하고, 수도는 자품·타품에 의거해 두 가지 원인이라고 한 것이다. 그래서 『대비바사론』 제62권(=대27-321중)에서 뜻으로 쌍인을 해석하면서, "만약 견도라면 4제의 자부를 한 가지 원인으로 하고, 타부의 변행을 다시 한 가지 원인으로 하며, 만약 수도라면 9지의 지지地地 중 자품을 한 가지 원인으로 하고, 타품을 다시 한 가지 원인으로 한 것이다"라고 하였다. 또 해석하자면 견도는 자부·타부에 의거해 두 가지 원인이라고 하고, 수도는 자품을 한 가지 원인으로 하고, 타품·타부를 한 가지 원인이라고 한 것이다.

세 가지 조건을 갖추어야 변지라는 명칭을 건립하고, 결여되면 곧 그렇지 않다. 예컨대 이생의 단계에서는 쌍인을 소멸시켰음이 있더라도, 무루단의 득이 없으며, 유정지를 아직 결여시키지 못했기 때문에, 비록 또한 끊어짐을 얻었어도 변지라고 이름하지 않는다. 만약 성자의 단계 중이라면 견제見諦에 들고부터 고류인苦類忍이 현행하기에 이른 때까지는, 비록 이미 무루단의 득을 얻음이 있었어도, 아직 유정지를 결여시키지 않았고, 아직 쌍인을 소멸시키지 않았기 때문(에 변지라고 이름하지 않는 것)이며, 고류지苦類智에 이른 집법인集法忍의 단계에는, 비록 또한 유정지를 결여시켰어도, 여전히 아직 쌍인을 소멸시키지 않았으니, 견집소단의 모든 변행인을 아직 소멸시키지 않았기 때문(에 변지라고 이름하지 않는 것)이지만, 그 후의 법지·유지의 단계에 이르면 획득된 모든 끊어짐에는 세 가지 조건이 갖추어지기 때문에 그 하나하나의 단계에 변지를 건립한다.[143]

모두 네 가지 조건에 의해 세 가지 지智의 결과에 대해 건립했으니, 말하자면 앞의 세 가지에 '계를 초월함[越界] 때문'을 더한 것이다. '계를 초월했다'고 말한 것은, 말하자면 이 계界 중의 번뇌 등의 법을 모두 완전히 떠났기 때문이다.[144]

143 모든 끊어짐은 반드시 이와 같은 세 가지 조건을 갖추어야 변지라는 명칭을 건립하고, 결여되면 곧 그렇지 않다. 예컨대 이생의 단계에서는 욕계의 염오를 떠남으로써 쌍인을 소멸시켰음이 있더라도, 무루단의 득이 없으며, 유정지를 아직 결여시키지 못했기 때문에, 비록 또한 끊어짐을 얻었어도 변지라고 이름하지 않는다. 만약 성자의 단계 중이라면, 견제見諦에 들고부터 고류인(=견도 제3심)이 현행하기에 이른 때까지는, 비록 이미 무루단의 득을 얻음이 있었어도-곧 그 바로 앞의 고법지의 시기에 무루단의 득을 얻는다- 아직 유정지를 결여시키지 않았고, 아직 쌍인을 소멸시키지 않았(으므로 변지라고 이름하지 않)으며, 고류지에 이른 집법인의 단계(=견도 제5심)에는, 비록 또한 유정지를 결여시켰어도 여전히 아직 쌍인을 소멸시키지 않았으니, 앞에서 이미 견고소단의 자부의 동류인을 소멸시켰지만, 아직 견집소단의 타부의 변행인을 소멸시키지 않았으며, 만약 견집소단에서 바라본다면 그 때 비록 견고소단의 타부의 변행인을 소멸시켰지만, 아직 자부의 동류인을 소멸시키지 않았다. 따라서 그 뒤의 욕계의 3법지의 단계에 이르고, 그 뒤의 상계의 3유지의 단계에 이르면, 획득된 모든 끊어짐에는 세 가지 조건이 갖추어지기 때문에 그 하나하나의 단계에 변지를 건립한다.

144 모두 네 가지 조건에 의해 수도 단계 중 세 가지 지智의 결과에 대해 건립했

어떤 분은 구계에서 떠나는 것[離俱繫]도 하나의 조건으로 세우기 때문에 변지를 건립하는 조건에 모두 다섯 가지가 있다고 하였다. '구계에서 떠난다'는 것은, 말하자면 이것이 비록 끊어졌어도 아직 변지로 건립하지 않고, 반드시 이 경계를 반연하는 그 나머지 번뇌에서 떠나야 비로소 건립할 수 있다는 것이다.[145] 이 구계에서 떠나는 것은 쌍인을 소멸시키는 조건 및 계를 초월하는 조건과 그 작용상 차별이 없기 때문에, 비록 뜻에는 차이가 있어도 별도로 말하지 않는다. 비록 계를 초월하는 모든 단계에서는 모두 쌍인을 소멸시키지만, 쌍인을 소멸시킬 때 모두 계를 초월하는 것은 아니기 때문에, 쌍인을 소멸시키는 것 외에 별도로 계를 초월하는 조건을 세운 것이니, (색·무색계의 아래) 3지地의 쌍인을 소멸시켰더라도 아직 변지로 세우지 않기 때문이다.[146]

으니, 말하자면 앞의 세 가지에 '계를 초월함 때문'을 더한 것이다. # 욕계 9품의 번뇌를 전부 떠날 때 욕계를 초월하고(=5하분결이 다하는 변지), 색계 제4정려지의 9품의 번뇌를 전부 떠날 때 색계를 초월하며(=색애가 다하는 변지), 무색계 유정지의 9품의 번뇌를 전부 떠날 때 3계를 초월(=일체 결박이 다하는 변지)한다.

145 잡심론사(=『잡아비담심론』 제4권. 대28-907상) 등의 다른 학설을 서술하는 것이다. 구계俱繫(=계박과 함께 한다는 뜻)에서 떠난다는 것은, 첫째는 자부의 계박이고, 둘째 타부의 계박이니, 그래서 구계라고 이름한 것이다. 이 두 가지 계박에서 떠나는 것을 구계에서 떠난다고 이름한다. 말하자면 자부가 비록 끊어졌다고 해도 아직 변지로 건립하지 않고, 반드시 타부의, 이 자부의 경계를 반연하는 번뇌에서 떠나야 비로소 건립할 수 있다는 것이다. 또 해석하자면 견도는 자부·타부에 의거해 두 가지 계박이라고 하고, 수도는 자품·타품에 의거해 두 가지 계박이라고 한 것이다. 또 해석하자면 견도는 자부·타부에 의거해 두 가지 계박이라고 하고, 수도는 자품에 의거해 한 가지 계박이라고 하고, 타품·타부에 의거해 한 가지 계박이라고 한 것이니, 그래서 두 가지 계박이라고 말하였다.

146 논주의 논파이다. 이 구계에서 떠나는 것은 쌍인을 소멸시키는 조건 및 계를 초월하는 조건과 그 작용상 차별이 없기 때문이다. 이치의 실제로 말한다면, 작용에도 역시 차별이 있는데, 차별이 없다고 말한 것은, 작용은 체에 따르기 때문에 차별이 없다고 말한 것이다. 계박의 체는 좁아서 오직 수면일 뿐이지만, 원인의 체는 넓고 계의 체도 넓어서 나머지 법에도 통하니, 원인이라고 말하고 계라고 말하면, 계박도 또한 포함하기 때문이다. 비록 다시 능히 일으키는 것을 원인이라고 이름하고, 능히 유지하는 것을 계라고 이름하며, 능히 속박하는 것을 계박이라고 이름하니, 세 가지의 뜻에는 차이가 있어도 계박은

4. 변지의 성취

누가 몇 가지 변지를 성취하는가? 게송으로 말하겠다.

68 견제위에 머무는 성자는 없거나[住見諦位無]
혹은 하나 내지 다섯을 성취하고[或成一至五]
수도위에서는 여섯·하나·둘을 성취하며[修成六一二]
무학위에서는 하나만 성취한다[無學唯成一][147]

논하여 말하겠다. 이생은 결정코 변지를 성취할 이치가 없다. 만약 견제見諦 단계에 머무는 성자들이라면, 처음부터 집법인의 시기까지는 모든 변지를 역시 아직 성취하지 못하고, 집법지에 이른 집류인의 시기에 오직 1변지만을 성취하며, 집류지에 이른 멸법인의 시기에 곧 2변지를 성취하고, 멸법지에 이른 멸류인의 시기에 곧 3변지를 성취하며, 멸류지에 이른 도법인의 시기에 곧 4변지를 성취하고, 도법지에 이른 도류인의 시기에 곧 5변지를 성취한다.[148]

별도의 체가 없으므로 별도로 말하지 않는다.
숨은 힐난으로, 「이 쌍인을 소멸시키는 조건도 계를 초월하는 조건과 그 작용상 차별이 있으니, 비록 뜻에는 차이가 있어도 별도로 세우지 않아야 할 것이다」라고 말하므로, 이 숨은 힐난에 대해 회통하려고 이런 말을 한 것이다. 비록 계를 초월하는 모든 단계에서는 모두 쌍인을 소멸시키지만, 쌍인을 소멸시킬 때 모두 계를 초월하는 것은 아니기 때문에 쌍인을 소멸시키는 것 외에 별도로 계를 초월하는 조건을 세운 것이다. 예컨대 4정려 및 4무색정의, 아래 3지地의 쌍인을 소멸시켰을 때와 같은 경우에는 아직 계를 초월하지 않으므로 아직 변지로 세우지 않기 때문이다. 또 해석하자면 숨은 힐난으로, 「계를 초월하는 단계에서 만약 쌍인을 소멸시키지 않는다면 쌍인 외에 별도로 계를 초월하는 조건을 세울 수 있겠지만, 계를 초월하는 단계에서는 모두 쌍인을 소멸시키는데, 어찌 쌍인 외에 별도로 계를 초월하는 조건을 세울 필요가 있겠는가?」라고 말하므로, 이 숨은 힐난에 대해 회통하려고 말한다. 비록 계를 초월하는 모든 단계에서는 모두 쌍인을 소멸시키지만, 쌍인을 소멸시킬 때 계를 초월하는 것이 아닌 경우가 있기 때문에 쌍인을 소멸시키는 조건 외에 별도로 계를 초월하는 조건을 세운 것이다. 위의 2계 중 아래 3지의 쌍인을 소멸시키더라도 아직 변지로 세우지 않기 때문이다.
147 이하는 곧 넷째 변지의 성취에 대해 밝히는 것이다.

수도 단계에 머무는 성자의 경우, 도류지를 처음으로 해서 나아가 아직 욕계의 염오를 완전히 떠나지 못한 분에 이르기까지 및 이욕했다가 물러난 분은 모두 6변지를 성취한다. 완전한 이욕에 이르렀지만, 색애가 아직 다하지 않은 분, 혹은 이전에 이욕한 분으로서 도류지로부터 아직 색애가 다하는 승과도勝果道를 일으키기 전인 분이라면 오직 1변지만을 성취하니, 5순하분결이 다하는 변지를 말한다. 색애가 다했음 및 무학 단계로부터 색전色纏을 일으켜 물러난 분도 역시 앞과 같은 1변지이다. 색애를 가졌던 분은 색애가 영원히 다했을 때로부터, 먼저 색애에서 떠났던 분은 색애가 다하는 도를 일으켰을 때부터, 아직 무색애에서 완전히 떠나기에 이르기 전까지는 5순하분결이 다하는 변지와 색애가 다하는 변지 두 가지를 성취한다. 무학으로부터 물러나 무색전無色纏을 일으킨 분도 2변지를 성취하니, 그 명칭은 앞에서 말한 것과 같다.149

무학의 단계에 머무는 분은 오직 1변지만을 성취하니, 일체 결박이 영원히 다하는 변지를 말한다.150

---

148 위의 2구를 해석하면서 견도 단계에 의거해 성취를 말하는 것인데, 대체로 알 수 있을 것이다.

149 제3구를 해석하면서 수도에 의거해 성취를 말하는 것이다. 수도 단계에 머무는 성자의 경우, 도류지를 처음으로 해서 아직 욕계의 염오를 떠나지 못한 분에 이르기까지 및 이욕했다가 물러난 분, 이 두 종류 사람은 모두 6변지(=앞의 6변지)를 성취한다. 차제증의 사람으로서 완전히 욕계를 떠나기에 이르렀지만, 색계에 대한 갈애가 아직 다하지 않은 분, 혹은 초월증의 사람으로서 이전에 욕계의 염오를 떠났지만, 도류지로부터 아직 색애가 다하는 승과도勝果道를 일으키기 전인 분, 이 두 종류 사람은 오직 1변지만을 성취하니, 5순하분결이 다하는 변지를 말한다. 색애가 다했음으로부터 색전을 일으켜 물러난 분 및 무학 단계에서 색전을 일으켜 물러난 분, 이 두 종류 사람도 역시 1변지를 성취하니, 순하분결이 다하는 변지를 말한다. 차제증의 사람으로서 색애를 가졌던 분이 색애가 영원히 다했음으로부터, 아울러 초월증의 사람으로서 먼저 색애에서 떠났던 분이 색애가 다하는 도를 일으켰을 때부터, 아직 무색애에서 완전히 떠나기 전까지, 이 두 종류 사람은 5순하분결이 다하는 변지 및 색애가 다하는 변지 두 가지를 성취한다. 무학으로부터 물러나 무색전을 일으킨 분도 2변지를 성취하니, 그 명칭은 앞에서 말한 것과 같은 5하분결이 다하는 변지 및 색애가 다하는 변지이다.

150 제4구를 해석하면서 무학도에 의거해 성취를 말하는 것이다.

5. 변지가 모이는 곳

어떤 이유에서 불환과와 아라한과의 경우 모든 번뇌의 끊어짐을 모두 모아 1변지로 세웠는가? 게송으로 말하겠다.

69a 계를 초월하고 과보를 얻기 때문에[越界得果故]
2처에서는 변지를 모은 것이다[二處集遍知]

논하여 말하겠다. 두 가지 조건을 갖추었기 때문에 일체 끊어짐을 모두 모아 1변지로 건립한 것이니, 첫째는 계를 초월한 것, 둘째는 과보를 얻은 것이다. 오직 그 두 단계만은 두 가지 조건을 구족하기 때문에 그 변지를 모두 모아서 하나로 한 것이다.[151]

6. 변지의 획득과 버림

몇 가지 변지를 누가 버리고, 누가 획득하는가? 게송으로 말하겠다.

69c 하나·둘·다섯·여섯을 버리고[捨一二五六]
획득도 그러하지만, 다섯을 제외한다[得亦然除五][152]

논하여 말하겠다. 하나를 버린다고 말한 것은, 말하자면 무학 및 색애의 다함[色愛盡]과 완전한 이욕[全離欲]으로부터 물러날 때이다.[153] 둘을 버린다고 말한 것은, 말하자면 모든 불환이 색애의 다함으로부터 욕전欲纏을 일으켜 물러날 때 및 그가 아라한과를 획득할 때이다.[154] 다섯을 버린다고 말

151 이는 곧 다섯째 변지가 모이는 곳을 밝힌 것인데, 글대로 알 수 있을 것이다. # 불환과를 얻을 때에는 욕계를 초월하고, 아라한과를 얻을 때에는 무색계(를 포함한 3계)를 초월하지만, 색계를 초월하는 경우는 별도의 과보의 획득이 없다.

152 이하는 곧 여섯째 변지의 획득과 버림을 밝히는 것이다.

153 하나를 버린다고 말한 이것에는 세 부류가 있다. 첫째는 말하자면 무학으로부터 물러나는 경우 그 어느 계의 번뇌를 일으키든 일체 결박이 다하는 변지를 버린다. 둘째 색애의 다함으로부터 물러나 색계의 염오를 일으키는 경우 색애가 다하는 변지를 버린다. 셋째 완전한 이욕으로부터 물러나 욕계의 염오를 일으킬 때에는 5하분결이 다하는 변지를 버린다.

한 것은, 말하자면 이전에 이욕한 분이 뒤에 견제見諦 도류지에 들 때에는 5순하분결이 다하는 변지를 얻으면서 앞의 5변지를 버리기 때문이다.[155] 여섯을 버린다고 말한 것은, 말하자면 아직 이욕치 못했음[未離欲]에 있던 성자가 이욕離欲을 얻을 때이다.[156]

획득도 그러하다는 것은, 말하자면 한 가지 획득, 두 가지 획득, 여섯 가지 획득이 있고, 다섯 가지 획득만을 제외한다는 것이다. 한 가지를 획득한다고 말한 것은, 말하자면 아직 획득하지 못했던 변지를 획득할 때 및 무학으로부터 색전色纏을 일으켜 물러날 때이다. 두 가지를 획득한다고 말한 것은, 말하자면 무학으로부터 무색계의 여러 전纏을 일으켜 물러날 때이다. 여섯 가지를 획득한다고 말한 것은, 말하자면 불환과로부터 물러날 때이다.[157]

154 둘을 버린다고 말한 이것에는 두 부류가 있다. 첫째는 말하자면 모든 불환이 색애의 다함으로부터 욕전을 일으켜 물러날 때에는 색애가 다하는 변지와 5하분결이 다하는 변지를 버린다. 둘째는 말하자면 모든 불환이 색애의 다함으로부터 아라한과를 획득할 때에는 역시 색애가 다하는 변지와 5하분결이 다하는 변지를 버린다.

155 다섯을 버린다고 말한 것은 초월증의 사람이다. 말하자면 이전에 이욕한 분이 뒤에 견제見諦 도류지에 들 때에는 (제6의 변지를 얻지 않고 바로) 5순하분결이 다하는 변지를 얻으면서 앞의 견제위에서의 5변지를 버리기 때문이다.

156 여섯을 버린다고 말한 것은, 말하자면 (차제증의 사람이 견도를 성취해 6변지를 얻었으나) 아직 이욕치 못했음에 있던 성자가 이욕을 얻을 때 불환과를 이루(어 5하분결이 다하는 변지를 얻으)면서 앞의 6변지를 버리기 때문이다.

157 '획득도 그러하다'는 것은 버림과 같다고 비례시키는 것이다. 말하자면 한 가지 획득, 두 가지 획득, 여섯 가지 획득이 있고, 다섯 가지 획득만을 제외한다는 것이다. 이치상 세 가지 획득과 네 가지 획득도 역시 제외해야 하지만, 버림을 상대해 말하기 때문이니, 버림 중에 이미 세 가지와 네 가지가 없었던 까닭에 획득 중에서도 역시 말하지 않은 것이다. 성취는 처음과 뒤에 통하므로, 성취 중에는 하나·둘·셋·넷·다섯·여섯을 성취할 수 있지만, 획득은 처음에만 의거하므로, 단지 하나·둘·여섯만이 있는 것이다.

한 가지를 획득한다고 말한 것은, 말하자면 아직 획득하지 못했던 변지를 획득할 때이니, 9변지를 하나하나 점차 얻을 때 모두 한 가지를 획득한다고 이름한다. 아울러 무학으로부터 색전을 일으켜 물러날 때에는 5순하분결이 다하는 변지 한 가지를 획득한다. 두 가지를 획득한다고 말한 것은, 말하자면 무학으로부터 무색계의 여러 전을 일으켜 물러날 때에는 색애가 다하는 변지 및 5하분결이 다하는 변지를 획득한다. 여섯 가지를 획득한다고 말한 것은, 말하자면 (차제증의 성자가) 불환과로부터 물러나 욕전을 일으킬 때에는 견제소단의 6변지를 획득한다.

수면을 분별하는 기회에 그 끊어짐에 대해 분별하는 것을 마쳤다.[158]

158 총결하는 것이다.

보광의 구사론기에 의한

아비달마구사론 中

역자 김윤수

초판 1쇄　2024년 11월 10일

펴낸이 김윤수

펴낸곳 한산암

등　록 2009년 3월 30일 제563-251002009000004호

주　소 경기 용인시 기흥구 동백2로108, 108동 102호

전　화 0505 2288555

이메일 yuskim51@naver.com

총　판 운주사 (02 3672 7181~4)

ISBN 979-11-85183-09-1 94220

979-11-85183-07-7 94220(세트)

값 전3권 1세트 100,000원

잘못 만든 책은 바꿔 드립니다.